NOUVELLE-ANGLETERRE

À ne pas manquer	★★★
Vaut le détour	★★
Intéressant	★

D0067974

Océan Atla

100km
60mi

50
30

0
0

Cape Cod

Cape Cod Nat. Seashore

Nantucket

Provincetown
Truro
Wellfleet
Eastham
Brewster
Chatham
Sandwich
Hyannis
Siasconset

Portland

Cape Elizabeth
Cape Porpoise
Kennebunkport
Kennebunk
Wells
Ogunquit
York Harbor
New Castle Island
Rye
Dover
Portsmouth
Newburyport
Rockport
Gloucester
Marblehead
Salem
Charlestown
Cambridge
Hingham
Quincy
Brockton
Plymouth
Barnstable
Falmouth
Vineyard Haven
Oak Bluffs
Edgartown
Menemsha
Martha's Vineyard
Falls River
New Bedford
Newport
Narrangansett

NEW HAMPSHIRE

Tamworth
Center Sandwich
Lake Winnipesaukee
Wolfeboro
Lyme
Hanover
Lebanon
Holderness
Laconia
Tilton
Concord
Warner
Manchester
Exeter
Lawrence
Lowell
Nashua
Lexington
Concord
Boston
Hillsborough
Peterborough
Rhododendron State Park
Jaffrey
Harrisville
Keene
Fitzwilliam
Worcester
Providence
Pawtucket
RHODE ISLAND
Jamestown
Ft. Adams State Park
Mystic
Stonington
New London
Old Saybrook
Block Island
Long Island

VERMONT

Brandon
Rutland
Quechee
Quechee Gorge St.
Cornish
Claremont
Charlestown
Woodstock
Plymouth
Jamaica State Park
Grafton
Newfane
Brattleboro
Walpole
Manchester
Lake St. Catherine State Park
Arlington
Bennington
Williamstown
Mt. Greylock State Res.
Hancock Shaker
Lenox
Pittsfield
Deerfield
Amherst
Northampton
Springfield
Mohawk Trail St.
Great Barrington
Stockbridge
Canaan
Litchfield
Torrington
Bristol
Waterbury
Danbury
West Haven
New Haven
Bridgeport
Stamford
Coastal Fairfield
Norwalk
Hartford
Wethersfield
E. Haddam
Middletown
Chester
Essex/Ivoryton
Old Saybrook

MASSACHUSETTS

CONNECTICUT

Green Mountain National Forest

Albany

New York

NEW

1. Au sommet de Beacon Hill, on découvre la superbe Massachusetts State House, avec son dôme aveugle recouvert d'or 24 carats. (page 82)
   © Chee-Onn Leong | Dreamstime.com

2. Les vieilles maisons de briques rouges de Beacon Hill, pressées les unes contre les autres le long de rues étroites et pentues. (page 78)
   © Chee-Onn Leong | Dreamstime.com

3. Cour ombragée traversée de sentiers, la Harvard Yard peut être considérée comme l'ultime sanctuaire du savoir en Amérique. (page 109)
   © Chee-Onn Leong | Dreamstime.com

4. Entrepris en 1825, le long bâtiment néoclassique du Quincy Market, œuvre d'Alexander Parris, est encadré par deux entrepôts à ossature de pierre. (page 78)
   © Greater Boston CVB

5. Le quartier de Back Bay vu de la Charles River lors des festivités de la fête nationale des Américains. (page 85)
   © Shutterstock.com/Chee-Onn Leong

Nouvelle-Angleterre

5e édition

The Road Not Taken

Two roads diverged in a yellow wood,
And sorry I could not travel both
And be one traveler, long I stood
And looked down one as far as I could
To where it bent in the undergrowth;
Then took the other, as just as fair,
And having perhaps the better claim,
Because it was grassy and wanted wear;
Though as for that the passing there
Had worn them really about the same,
And both that morning equally lay
In leaves no step had trodden black.
Oh, I kept the first for another day!
Yet knowing how way leads on to way,
I doubted if I should ever come back.
I shall be telling this with a sigh
Somewhere ages and ages hence:
Two roads diverged in a wood, and I-
I took the one less traveled by,
And that has made all the difference.

Robert Lee Frost (1874-1963)
poète américain

Le chemin que je n'ai pas suivi

Deux chemins se séparaient dans un bois ambré,
Et, désolé de ne pouvoir les suivre l'un et l'autre
Tel un voyageur résolu, j'ai longuement pesé mon choix.
J'en ai d'abord scruté un aussi loin que je le pouvais,
Jusqu'au point où il bifurquait dans les broussailles,
Pour finalement emprunter l'autre, tout aussi beau
Et peut-être même plus engageant
Du fait qu'il était herbeux et vaguement négligé,
Bien qu'à dire vrai le va-et-vient des promeneurs
Les avait tous deux battus de façon plus ou moins égale
Et que, ce matin-là, l'un et l'autre se voyaient jonchés
De feuilles qu'aucun pas n'avait encore noircies.
J'ai ainsi gardé le premier pour un jour futur,
Tout en sachant qu'un chemin mène toujours à un autre
Et en me demandant si j'allais jamais repasser par là.
C'est donc avec une certaine nostalgie que je dirai
Un jour ou l'autre, avec le recul des ans:
Deux chemins se séparaient dans un bois,
Et j'ai suivi le moins fréquenté,
Ce qui a naturellement fait toute la différence.

ULYSSE

Le plaisir de mieux voyager

Mise à jour
Denis Faubert, Alexis de Gheldère, Aude Guiraud,
Marie-Josée Guy, Pierre Ledoux, Susy Ricciardelli

Éditeur
Olivier Gougeon

Directeur de production
André Duchesne

Correcteurs
Pierre Daveluy
Marie-Josée Guy

Infographistes
Pascal Biet
Marie-France Denis
Pierre Ledoux

Cartographes
Bradley Fenton
Philippe Thomas

Photographies
Page couverture
© Michele Stapleton
Planches couleur
© Dreamstime.com / George Burba, Douglas
Hockman, Chee-Onn Leong, Sarah Mchattie, Laura
Stone, Amelia Takacs, Denis Tangney
© Greater Boston CVB
© iStockphoto.com / Dean Bergmann, Jyeshern
Cheng, Graham Prentice, Denis Tangney, Jan Tyler,
Kenneth C. Zirkel
© Shutterstock.com / Chee-Onn Leong

Recherche, rédaction et mise à jour des éditions précédentes

Boston: François Rémillard et Jessica Hyman; Massachusetts: Alexandra Gilbert et Mark Heard; Maine: Joël
Pomerleau, Peter Harris et Marcel Verreault; New Hampshire: Louise Gauvreau; Vermont: Jacqueline Grekin;
Connecticut: Anne Joyce; Rhode Island: Alexandra Gilbert et Mark Heard; Portrait: Marie-Josée Béliveau avec
la collaboration de François Rémillard, Alexandra Gilbert et Élyse Leconte

Remerciements

Les Guides de voyage Ulysse tiennent à remercier chaleureusement Bill DeSousa et Glenn M. Faria, de Michael
Patrick Destinations & Communications Ltd.; Michele Cota et Victoria Cimino, de NH Division of Travel and
Tourism Development; ainsi que Charlene Williams, de Nancy Marshall Communications, pour leur précieuse aide.

Un grand merci aussi à Judy MacIsaac et Christiane Lortie Skinner, de Vermont Department of Tourism &
Marketing; à Anne Marie McLaughlin, de Newport, Rhode Island Convention & Visitors Bureau; à Kristen
Adamo, de Providence Warwick Convention & Visitors Bureau; à Joan Haines, de Tourism Massachusetts/
Coastal International; à Tim Shilling, de Tourism Massachusetts; à Maura Graham, de Cambridge Office for
Tourism; à Carol Thistle, de Destination Salem; à Mark Carey, de Discover Quincy; à Michelle Royce, de
Mystic Coast & Country; ainsi qu'à Virginie Michel et Alyne Précourt.

Les Guides de voyage Ulysse reconnaissent l'aide financière du gouvernement du Canada par l'entremise du
Programme d'aide au développement de l'industrie de l'édition (PADIÉ) pour leurs activités d'édition.

Les Guides de voyage Ulysse tiennent également à remercier le gouvernement du Québec – Programme de
crédit d'impôt pour l'édition de livres – Gestion SODEC.

Catalogage avant publication de Bibliothèque et Archives nationales du Québec et Bibliothèque et Archives Canada

Vedette principale au titre :
   Nouvelle Angleterre
   (Guide de voyage Ulysse)
   Traduction de: New England.
   Comprend un index.
   ISBN 978-2-89464-643-4
   1. Nouvelle-Angleterre - Guides. I. Collection.
F2.3.N4814 917.404'44 C00-300474-0

Toute photocopie, même partielle, ainsi que toute reproduction, par quelque procédé que ce soit, sont formellement interdites
sous peine de poursuite judiciaire.

© Guides de voyage Ulysse inc.
Tous droits réservés
Bibliothèque et Archives nationales du Québec
Dépôt légal – Troisième trimestre 2007
ISBN 978-2-89464-643-4
Imprimé au Canada

Sommaire

Liste des cartes

Légende des cartes

★ Attraits
▲ Hébergement
● Restaurants

▨ Mer, lac, rivière
▨ Forêt ou parc
☐ Place

✪ Capitale d'État
✪ Capitale provinciale ou régionale
— · — · — Frontière internationale
········· Frontière provinciale ou régionale
⌒⌒⌒ Chemin de fer
▨▨▨ Tunnel

✈ Aéroport international
✝ Cimetière
✝ Église
🚆 Gare ferroviaire
🚌 Gare routière
H Hôpital
ℹ Information touristique
▲ Montagne

🏛 Musée
♦ Parc national ou d'État
🔆 Phare
◐ Plage
▪ Point d'intérêt
⊖ Station de métro (Boston)
🚗 Traversier (ferry)
🚐 Traversier (navette)

(75) Autoroute   (301) Route principale   (674) Route

Symboles utilisés dans ce guide

@ Accès à Internet dans la chambre
♿ Accès aux personnes à mobilité réduite
≡ Air conditionné
🐾 Animaux domestiques admis
◎ Baignoire à remous
🏋 Centre de conditionnement physique
● Cuisinette
½p Demi-pension (nuitée, dîner et petit-déjeuner)
🔥 Foyer
Ⓤ Label Ulysse pour les qualités particulières d'un établissement
♯ Moustiquaire
pdj Petit déjeuner inclus dans le prix de la chambre
≈ Piscine
❄ Réfrigérateur
🍴 Restaurant
bc Salle de bain commune
bc/bp Salle de bain commune ou privée
))) Sauna
Ⓨ Spa
▤ Télécopieur
☎ Téléphone
tlj Tous les jours
🗲 Ventilateur

Classification des attraits touristiques

★★★ À ne pas manquer
★★ Vaut le détour
★ Intéressant

Classification de l'hébergement

L'échelle utilisée donne des indications de prix pour une chambre standard pour deux personnes, avant taxe, en vigueur durant la haute saison.

$ moins de 75$
$$ de 75$ à 125$
$$$ de 126$ à 175$
$$$$ de 176$ à 225$
$$$$$ plus de 225$

Classification des restaurants

L'échelle utilisée dans ce guide donne des indications de prix pour un repas complet pour une personne, avant les boissons, les taxes et le pourboire.

$ moins de 15$
$$ de 15$ à 25$
$$$ de 26$ à 35$
$$$$ de 36$ à 45$
$$$$$ plus de 45$

Tous les prix mentionnés dans ce guide sont en dollars américains.

Les sections aux bordures grises répertorient toutes nos suggestions d'adresses. Repérez ces pictogrammes pour mieux vous orienter:

▲ Hébergement
● Restaurants
♪ Sorties
🛍 Achats

Légende des cartes - Symboles utilisés dans ce guide

Situation géographique dans le monde

Longitude 0° (méridien origine)

AMÉRIQUE DU NORD

EUROPE

ASIE

OCÉAN PACIFIQUE

OCÉAN

OCÉAN ATLANTIQUE

AFRIQUE

Latitude 0° (équateur)

PACIFIQUE

AMÉRIQUE DU SUD

OCÉAN INDIEN

OCÉANIE

NOUVEAU-BRUNSWICK

CANADA

Québec

Fredericton

Halifax

NOUVELLE-ÉCOSSE

MAINE

QUÉBEC

Montréal

Augusta

Ottawa

Portland

Burlington • VERMONT

NEW HAMPSHIRE

Montpelier

Concord

ONTARIO

NEW YORK

ÉTATS-UNIS

Boston

Toronto

MASSACHUSETTS

OCÉAN ATLANTIQUE

Lac Ontario

Providence

Hartford

RHODE ISLAND

New York

PENNSYLVANIE

NEW JERSEY

CONNECTICUT

Connecticut
Surnom: Constitution State
Superficie: 13 000 km^2
Population: 3 406 000 habitants
Capitale: Hartford
Point le plus haut: mont Frissel (725 m)

Maine
Surnom: Pine Tree State
Superficie: 86 000 km^2
Population: 1 275 000 habitants
Capitale: Augusta
Point le plus haut: mont Katahdin (1 606 m)

Massachusetts
Surnom: Bay State
Superficie: 21 400 km^2
Population: 6 350 000 habitants
Capitale: Boston
Point le plus haut: mont Greylock (1 064 m)

New Hampshire
Surnom: Granite State
Superficie: 24 000 km^2
Population: 1 236 000 habitants
Capitale: Concord
Point le plus haut: mont Washington (1 917 m)

Rhode Island
Surnom: Ocean State
Superficie: 3 140 km^2
Population: 1 050 000 habitants
Capitale: Providence
Point le plus haut: Jerimoth Hill (247 m)

Vermont
Surnom: Green Mountain State
Superficie: 25 000 km^2
Population: 623 000 habitants
Capitale: Montpelier
Point le plus haut: mont Mansfield (1 340 m)

©ULYSSE

Portrait

L e littoral, souvent déchiqueté, se dévoile comme une dentelle tantôt de roc formant caps et péninsules, tantôt de dunes d'où surgissent diverses espèces de plantes ammophiles, plantées par la main de l'homme dans ce sol friable afin de le stabiliser et d'en assurer la préservation.

L'arrière-pays, d'abord un plateau descendant doucement vers la plaine côtière, puis un terrain plus vallonné, bien vert et peuplé de fermes et de villages sereins, devient richement boisé et dominé par la chaîne appalachienne aux paysages sauvages. Tout cela soumis aux humeurs des quatre saisons, fortement différenciées, contribuant à rythmer le quotidien des habitants.

Sur une carte géographique, la Nouvelle-Angleterre, berceau des États-Unis, découpe sa silhouette à l'extrémité nord-est du pays. Elle semble se dresser face à la mer, semblable aux phares disséminés le long de sa côte, à la façon d'une gardienne séculaire des premiers événements qui forgèrent la nation américaine. Aujourd'hui, cette terre que les premiers puritains à la fouler surnommèrent la «nouvelle Sion», qui fit rêver nombre d'Européens et connut son lot de moments de gloire et de passion, semble bien sage et ordonnée, loin de la cohue et des extrêmes qui secouent souvent le reste du pays.

La Nouvelle-Angleterre cache sur son territoire de nombreuses richesses pour ceux qui s'y aventurent. Vous rêvez d'une ascension jusqu'à la célèbre cuvette du Tuckerman Ravine de la vallée du mont Washington, aussi un lieu de prédilection des planchistes et skieurs intrépides? Plus tranquille, vous souhaitez vivre l'ambiance bucolique des petits villages endormis des régions onduleuses en sillonnant quelques kilomètres juché sur votre vélo? Vous désirez plutôt effectuer un pèlerinage historique jusqu'à la source des événements qui forgèrent la Constitution des États-Unis, en visitant les nombreux lieux historiques ou musées qui jalonneront votre parcours sur le territoire? Ou bien encore vous voulez vous imprégner de la vie culturelle trépidante qui caractérise autant les villes de la région, en particulier Boston, avec sa panoplie de musées qui ne laissent personne indifférent? Ou, finalement, vous comptez prendre du repos et sentir les embruns du large sur les côtes et profiter du soleil et de la mer? Peu importe les raisons qui vous attirent en Nouvelle-Angleterre, cette contrée saura vous séduire.

Géographie

D'une superficie de 172 000 km², la Nouvelle-Angleterre est une région des États-Unis d'Amérique délimitée à l'est par l'océan Atlantique, au nord par le Canada, à l'ouest par le lac Champlain et l'État de New York, puis, finalement, au sud par le détroit de Long Island. Elle regroupe les six États formés par les anciennes colonies établies au XVIIᵉ siècle: le Vermont, le New Hampshire, le Maine, le Massachusetts, le Connecticut et le Rhode Island. Cette région couvre à peu près 1/50ᵉ de la superficie totale du pays. Traversée par la chaîne de montagnes des Appalaches, recouvertes de forêts denses, elle est aussi parsemée d'un grand nombre de lacs dont la superficie totale est d'environ 24 000 km².

Au nord-est de la Nouvelle-Angleterre, le Maine, le plus boisé des six États, se présente recouvert de forêts et de lacs très pittoresques. Il se prolonge vers la mer en une côte fortement découpée, où abondent de profondes baies et de nombreuses îles. Au nord-ouest, l'État du Vermont doit son nom à ses collines verdoyantes. Il fut tardivement colonisé et demeure, encore aujourd'hui, le moins urbanisé et le moins peuplé de la Nouvelle-Angleterre. Entre les deux premiers, l'État du New Hampshire se présente sous forme triangulaire, sa pointe supérieure séparant le Vermont du Maine. Il bénéficie d'un territoire où contrastent un plateau légèrement vallonné à l'est et le relief escarpé de la chaîne des Appalaches à l'ouest. Au centre de la Nouvelle-Angleterre, le Massachusetts s'enorgueillit de présenter un ensemble de traits représentatifs de la région; il cumule à l'ouest les montagnes appalachiennes, au centre une zone de vallées et de plateaux inclinés doucement vers le sud, et se termine à l'est par une plaine côtière qui s'échoit sur la côte abrupte et escarpée. Situé au sud-ouest de la Nouvelle-Angleterre, le Connecticut est délicatement bordé au sud par le détroit de Long Island, tandis qu'il se présente majoritairement couvert de forêts. Pour terminer, le Rhode Island présente de douces collines et une côte profondément entaillée par la baie de Narragansett, où se lovent de vieilles demeures imprégnées du riche passé de la région.

■ Le Massachusetts

Proclamé 6e État de l'Union le 6 février 1788, le Massachusetts a une superficie d'environ 21 400 km². Ses frontières sont, au nord, le Vermont et le New Hampshire; à l'est, l'océan Atlantique; au sud, le Rhode Island et le Connecticut; et enfin, à l'ouest, l'État de New York. Le Massachusetts présente un relief d'une côte plutôt dentelée autour de Cape Cod, d'immenses terres arables et de hauts pâturages en son centre; à l'ouest, il est parsemé de petites collines et est recouvert d'un sol rocheux, sablonneux et infertile. Les Appalaches, appelées Berkshires dans cet État, recouvrent une petite parcelle de son étendue à l'ouest.

Le *Bay State*, dont la capitale est Boston, est divisé en 14 comtés: Barnstable, Berkshire, Bristol, Dukes, Essex, Franklin, Hampden, Hampshire, Middlesex, Nantucket, Norfolk, Plymouth, Suffolk et Worcester. Boston, reconnue comme la capitale du Massachusetts en 1630 et aujourd'hui la métropole de la Nouvelle-Angleterre, est située par 42,336° Nord et 71,017° Ouest, dans le comté de Suffolk.

■ Le Maine

Le Maine fut proclamé 23e État de l'Union en 1820. Sa capitale, Augusta, est située par 44,33° Nord et 69,729° Ouest. La superficie du Maine est d'environ 86 000 km². Cet État avoisine, au nord et à l'ouest, le Canada; au sud, le New Hampshire; et, à l'est, l'océan Atlantique. La chaîne des Appalaches s'étend sur toute sa longueur. À l'est, l'État présente un relief plutôt accidenté, mais possède de magnifiques et longues plages au sud, tandis qu'au nord il est formé principalement de promontoires rocheux et de péninsules. L'intérieur, couvert principalement de forêts denses, abrite une vingtaine de parcs protégés dont la plupart sont à flanc de montagnes et sillonnés par de nombreux sentiers.

Le *Pine Tree State* se divise en 16 comtés: Androscoggin, Aroostook, Cumberland, Franklin, Hancock, Kennebec, Knox, Lincoln, Oxford, Penobscot, Piscataquis, Sagadahoc, Somerset, Waldo, Washington et York. Augusta, désigné comme capitale du Maine en 1827, est située dans le comté de Kennebec. Elle ne fut répertoriée comme ville qu'en 1849.

■ Le New Hampshire

Le New Hampshire, dont la capitale, Concord, est située par 43,231° Nord et 71,56° Ouest, reçut le statut de 9e État de l'Union en juin 1788. La superficie du New Hampshire est d'environ 24 000 km². Ses frontières sont, au nord, le Canada; à l'est, le Maine; au sud, le Massachusetts; et, à l'ouest, le Vermont. Une petite bande de terre incluant les villes de Portsmouth, d'Amesbury et de Hampton, soit à peu près 210 km, donne sur l'océan Atlantique au sud-est de l'État. Comme son voisin, le Maine, le New Hampshire est traversé par les Appalaches sur toute sa longueur, principalement à l'ouest. Topographiquement, le *Granite State* présente un relief de basses terres parsemées d'innombrables collines et de montagnes se dressant sur un plateau central.

Le New Hampshire se divise en 10 comtés: Belknap, Carroll, Cheshire, Coos, Grafton, Hillsborough, Merrimack, Rockingham, Strafford et Sullivan. Concord se trouve dans le comté de Merrimack. Fondée en 1725, elle obtint le statut de capitale du New Hampshire en 1808.

Portrait - Géographie

■ Le Vermont

Le Vermont reçut quant à lui le statut de 14e État de l'Union le 4 mars 1791. La superficie du Vermont est d'environ 25 000 km². Le Vermont avoisine, au nord, le Canada; à l'est, le New Hampshire; au sud, le Massachusetts; et, à l'ouest, le lac Champlain, qui le sépare de l'État de New York. La quasi-totalité du Vermont est traversée par les Appalaches, quoique le lac Champlain coupe la chaîne de montagnes en deux à l'ouest.

Le *Green Mountain State* présente un relief profondément marqué par sa «colonne vertébrale» que sont les Green Mountains, qui le traversent et qui ont entre 30 km et 60 km de large. Le Vermont est divisé en 14 comtés: Addison, Bennington, Caledonia, Chittenden, Essex, Franklin, Grand Isle, Lamoille, Orange, Orleans, Rutland, Washington, Windham et Windsor. Sa capitale, Montpelier, est située par 44,266° Nord et 72,571° Ouest, dans le comté de Washington. Elle reçut le statut de capitale en 1805.

■ Le Connecticut

Devenu le 5e État de l'Union en janvier 1788, le Connecticut, dont la capitale, Hartford, est située par 41,765° Nord et 72,683° Ouest, a une superficie d'environ 13 000 km². Faisant frontière commune avec, au nord, le Massachusetts, à l'est, le Rhode Island, au sud, l'océan Atlantique et, à l'ouest, l'État de New York, il présente un relief de hautes terres à l'ouest, les Berkshires au nord-ouest, dans les Appalaches, des plaines étroites en son centre et des hautes terres vallonnées à l'est.

Le *Constitution State* est divisé en huit comtés: Fairfield, Hartford, Litchfield, Middlesex, New Haven, New London, Tolland et Windham. Proclamée capitale du Connecticut vers 1639, Hartford se trouve évidemment dans le comté du même nom.

■ Le Rhode Island

Tout petit État d'à peine 3 140 km², le Rhode Island fut proclamé 13e État de l'Union le 29 mai 1790. Il avoisine, au nord et à l'est, le Massachusetts; au sud, l'océan Atlantique; et, à l'ouest, le Connecticut. Sa capitale, Providence, est située par 41,821° Nord et 71,419° Ouest.

L'*Ocean State* présente un relief de basses terres autour de la baie de Narragansett et des hautes terres vallonnées à l'ouest. Il est divisé en cinq comtés: Bristol, Kent, Newport, Providence et Washington. Providence, dans le comté du même nom, fut désignée comme capitale du Rhode Island au XVIIIe siècle.

■ Les Appalaches

Les Appalaches (Appalachian Mountains), cette superbe chaîne de montagnes nord-américaine, s'étendent sur plus de 3 200 km, de la province canadienne de Terre-Neuve jusqu'en Alabama, aux États-Unis. Elles forment une barrière naturelle entre la Côte Est et les vastes terres du continent intérieur, jouant ainsi un rôle capital dans le développement du continent.

Le mont Katahdin du Maine, les White Mountains du New Hampshire et les Green Mountains du Vermont, lesquelles deviennent les Berkshires au Massachusetts, au Connecticut et dans l'est de l'État de New York, font partie de la région appelée «Appalaches du Nord».

Le mont Washington, au New Hampshire, avec 1 917 m d'élévation, occupe le 18e rang des sommets les plus hauts du monde. Dans le Maine, le sommet le plus haut est le Baxter Peak, à Katahdin, qui atteint 1 606 m et occupe la 22e place. Le mont Mansfield du Vermont se trouve au 26ᵉ rang avec 1 339 m d'altitude. Au Massachusetts, le mont Greylock occupe le 31ᵉ rang mondial avec 1 064 m de hauteur. Le mont Frissel, au Connecticut, se place bon 36ᵉ avec une hauteur de 726 m. Les Appalaches ne touchent pas au Rhode Island; le point le plus élevé de cet État se trouve à 248 m, au sommet de la Jerimoth Hill.

Les Appalaches figurent parmi les plus vieilles sur terre et sont principalement formées de cristaux de roches et de sédiments paléozoïques. L'entièreté de ces montagnes est un enchevêtrement complexe de sources, ruisseaux, chutes et rivières.

Faune

■ Faune terrestre

Entre tous les représentants de la faune de la Nouvelle-Angleterre, c'est sans conteste l'écureuil gris que vous risquez le plus d'avoir la chance d'observer. Aussi charmant que ce dernier, le tamia rayé («suisse») est un petit mammifère au pelage roux possédant une jolie raie qui se déroule sur son dos à partir du museau jusqu'au bout de sa queue. Il vous arrivera sans doute de les croiser sur votre chemin, de même que l'écureuil roux, dans les parcs provinciaux, les parcs publics et jusque que dans les jardins des propriétés privées.

Les forêts septentrionales, plus sauvages que celles du sud, abritent les plus gros mammifères de la région. Parmi ceux-ci, l'ours noir et l'élan d'Amérique ou orignal. Ce dernier impressionne par sa stature et la grandeur de ses bois disposés en éventail. Le cerf de Virginie (*white-tailed deer*) est de la même famille que l'élan d'Amérique, mais son corps est plus élancé et gracieux tandis que ses bois se présentent plus minces. Il arbore de longues oreilles bien dressées et une queue blanche et touffue. Cet animal, particulièrement prisé des chasseurs, est aujourd'hui protégé en vertu d'une loi qui en restreint la chasse. Par conséquent, il vous sera peut-être possible de l'apercevoir dans les régions boisés et aux abords de certaines routes plus tranquilles. Les forêts septentrionales abritent aussi le couguar (*wild cat*) et le lynx du Canada. Le coyote se retrouve plutôt sur les côtes du Massachusetts.

Le daim peut être observé dans certaines îles de la région (Nantucket et Martha's Vineyard). Ce ruminant provient toutefois d'Asie mineure et fut implanté en Nouvelle-Angleterre afin de diversifier la faune indigène. Toutefois, sa prolifération massive due à l'absence de prédateurs obligea les autorités, il y a quelques années, à en réduire le nombre en autorisant une augmentation des quotas de chasse.

Le lièvre, la marmotte, la mouffette rayée, le rat musqué de même que différentes espèces de souris et d'autres rongeurs hantent les régions boisées et les sous-bois. Le raton laveur, ce drôle de petit mammifère masqué, tient son nom de l'habitude qu'il a de pétrir sur place la nourriture aquatique avant de la manger. En ce qui le concerne, le porc-épic est un petit rongeur couvert de longs piquants (érectiles s'il se sent menacé). Pour leur part, le renard roux et l'opossum constituaient des proies très recherchées par les trappeurs au temps des comptoirs de traite de fourrures, en raison de la valeur qu'avaient leurs pelages.

Le castor et la loutre, de petits mammifères, préfèrent les régions boisées où abondent les lacs et les cours d'eau. Le castor est un rongeur végétarien possédant une large tête, une queue plate et des pattes postérieures palmées qui font de lui un excellent nageur. Regroupé en colonie, il utilise ses très longues dents afin d'abattre les arbres permettant la construction de digues dans le but de construire son habitat, provoquant de véritables inondations, en plus de perturber les écosystèmes. La loutre, plus tranquille, possède aussi des pattes palmées lui permettant d'habiter le milieu aquatique où elle se nourrit de poissons et de petits animaux.

Les batraciens sont représentés par différentes espèces de grenouilles qui vont des toutes petites (à peine 3 cm), au ouaouaron, qui peut atteindre jusqu'à 20 cm, en passant par la grenouille verte. Les sous-bois abritent aussi la salamandre mouchetée qui cohabite avec certains serpents, le serpent jarretière et le *black racer*, en plus de deux espèces venimeuses, toutefois très rares heureusement, le serpent à sonnette et le trigonocéphale ou mocassin.

■ Avifaune

La côte de la Nouvelle-Angleterre est un endroit privilégié pour l'observation des oiseaux, particulièrement au printemps et en automne, puisqu'elle est située directement dans le couloir de migration atlantique de nombreuses espèces. Certaines d'entre elles y effectuent des haltes régulières, profitant des larges étendues de marais d'eau de mer que la nature a façonnées en certains endroits, comme par exemple à Barnstable Harbor, à Cape Cod. Des plates-formes de nidification ont aussi été installées à Martha's Vineyard pour accueillir les palmipèdes qui effectuent leur migration, tels le cormoran, les oies blanches et les bernaches du Canada. Seulement sur le territoire du Cape Cod National Seashore, on recense le passage de 350 espèces d'oiseaux différentes, alors qu'environ 400 au total survolent le littoral. Mais en fait, malgré cette concentration sur la côte, incluant oiseaux chanteurs ou de rivage, aquatiques ou migratoires, l'avifaune est partout en Nouvelle-Angleterre, et l'arrière-pays cache, lui aussi, d'intéressantes espèces pour ceux se passionnant pour l'ornithophilie.

Le goéland et la sterne sont les espèces les plus communes observables partout sur le littoral, où ils se régalent de méduses, de crustacés et des nombreux trésors offerts par la mer. La région abrite aussi de nombreuses espèces de canards d'eau douce et d'eau salée, ainsi que le huard, qui se retrouve plutôt dans les lacs des régions boisées du nord.

De nombreuses espèces d'oiseaux présentes en Nouvelle-Angleterre sont protégées ou menacées. C'est le cas du pygargue à tête blanche, du faucon pèlerin, de la sterne rose (hirondelle de mer), du pluvier siffleur et du hibou brachyote. Le macareux moine, observable sur les îlots rocailleux du Maine, seul endroit aux États-Unis où il est encore possible de le voir, profite aussi de mesures de protection. Ce petit oiseau noir au gros bec court, triangulaire et orange, ne manquera pas de vous charmer.

■ Faune marine

Le littoral de la Nouvelle-Angleterre se trouve dans le couloir de migration de nombreuses espèces marines. En outre, son relief sous-marin, la richesse des éléments nutritifs qu'il contient, le relief des îles et des rives, rocailleuses ou sablonneuses, favorisent la concentration d'une faune marine très variée qu'il est possible d'observer en effectuant des excursions en mer.

Cette faune marine est présente tout le long du littoral, mais se retrouve principalement au Stellwagen Bank Marine Sanctuary, au nord de Provincetown, à l'embouchure de la baie de Massachusetts. Le Stellwagen Bank est un écosystème qui consiste en un dépôt de sable et de gravier sous-marin favorisant l'émergence d'éléments nutritifs. Ce système complexe attire une faune marine diversifiée, venue s'y nourrir, parmi laquelle figurent notamment diverses espèces de cétacés appartenant aux deux sous-ordres: ceux porteurs de fanons et ceux porteurs de dents.

Les cétacés à fanons (*baleen whales*) se nourrissent du plancton qu'ils filtrent à l'aide de leurs longs fanons disposés en forme de peigne à partir de leur mâchoire supérieure. Parmi les représentants de ce sous-ordre présents en Nouvelle-Angleterre, celui qu'on rencontre le plus fréquemment est la baleine à bosse, qui mesure en général entre 12 m et 15 m, et se distingue principalement par ses nageoires blanches. La baleine franche (*right whale*), plus lente que les autres, remontait à la surface lorsqu'on la tuait, ce qui faisait dire aux pêcheurs qui la chassaient qu'elle était la «bonne» (*right*) baleine à chasser, d'où son nom anglais. Elle a fait l'objet d'une pêche abusive et constitue maintenant l'espèce dont l'avenir laisse le plus à craindre avec une population réduite aujourd'hui à environ 350 individus recensés dans les eaux de l'Atlantique Nord. Pour sa part, le rorqual commun (*fin whale* ou *finback whale*) est reconnaissable à sa mâchoire qui se présente blanche d'un côté et foncé de l'autre. À sa maturité, il peut atteindre entre 15 m et 23 m, comparativement au petit rorqual (*minke whale*), qui ne peut atteindre que 6 m.

Les cétacés à dents (*toothed whales*) se nourrissent plutôt de poissons. Dans ce sous-ordre, on retrouve le dauphin à flancs blancs de l'Atlantique (*Atlantic white-sided dolphin*), qui se déplace en groupe pouvant aller jusqu'à 500 individus, et le cachalot. Le cachalot (*sperm whale*) était fort prisé des baleiniers de la Nouvelle-Angleterre aux XVIIIe et XIXe siècles en raison de la valeur marchande que constituaient l'ambre gris et le spermaceti, qui lui a donné son nom anglais. L'ambre gris est une substance odoriférante provenant des concrétions de son intestin. Il servait autrefois à l'élaboration de parfum de valeur. Pour sa part, le spermaceti (blanc de baleine) est une substance contenue sous forme liquide dans une des poches de sa tête, qu'on utilisait pour la confection de bougie odorante.

La côte Atlantique est aussi l'habitat de phoques gris et de phoques communs (*harbor seals*). Ceux-ci, lorsqu'ils ne pataugent pas en mer, se reposent sur les rivages rocailleux ou les bancs de sable des îles et de la côte afin d'y profiter de la chaleur du soleil. Il est possible de les apercevoir à Cape Cod se prélassant sur les étendues sablonneuses de Chatham.

Cape Cod (le «cap des morues») tient son nom de l'abondance de morues qu'y ont trouvée les premiers colons. En effet, les eaux du littoral y étaient très poissonneuses. En plus de la morue, il y avait en abondance de l'aiglefin, du bar rayé, du thon et du carrelet. Les bancs de poissons soumis à la surexploitation, à laquelle s'est ajoutée la pollution, ont fait diminuer considérablement ces richesses, et, depuis les années 1970, la pêche fait l'objet d'une stricte réglementation fédérale. Bien que protégée aujourd'hui, la morue n'est plus qu'un vague souvenir que le nom du cap rappelle amèrement.

Les fonds marins recèlent différents crustacés, dont le fameux homard du Maine ainsi que les crevettes, de même que de nombreux mollusques, tels les pétoncles, les huîtres, les moules et les palourdes, qui font le bonheur des oiseaux et de la faune marine comme celui des hommes qui assurent encore leur subsistance en pêchant ses délectables trésors.

■ Faune aquatique

À l'intérieur des terres, la faune des lacs et des rivières n'est pas en reste puisqu'y figure une grande variété de poissons d'eau douce. On y retrouve des perches, mais aussi des truites et des saumons qui remontent courageusement le cours des rivières au moment du frai. Les étangs et les marais de la Nouvelle-Angleterre abritent aussi diverses espèces de tortues, tandis qu'à la venue de l'été quatre espèces de tortues de mer, dont la tortue verte, migrent vers Cape Cod.

Flore

Le couvert forestier de la Nouvelle-Angleterre, très vert au printemps, se pare de teintes flamboyantes, rouges, orangées, ocre et jaunes, lorsque vient l'automne. Ce phénomène se produit très tôt dans la saison dans les régions septentrionales et s'étend graduellement aux régions situées plus au sud. On doit cette métamorphose au climat, caractérisé par de belles journées ensoleillées contrastant avec les nuits froides de l'automne et par la longueur des jours qui raccourcissent rapidement. Ce climat a la particularité de faire réagir les tanins, substance contenue dans les feuilles de nombreuses essences. En se libérant, les tanins mettent fin à la production de chlorophylle, et les pigments verts cèdent la place à une palette impressionnante de cramoisies et d'ors provenant des pigments jusqu'ici cachés de l'arbre. Le climat doux des journées de l'été indien et les couleurs qu'il contribue à dévoiler parmi la flore invitent à la contemplation, et cette saison fort particulière attire de nombreux visiteurs, surtout dans les États situés au nord.

La forêt recouvre plus de 70% du territoire de la Nouvelle-Angleterre. C'est donc dire à quel point le phénomène de sa transformation lors des feuillages d'automne est impressionnant. Mais sa beauté réside aussi dans la diversité des essences qui la composent, feuillues et résineuses. Les principaux feuillus sont l'érable à sucre et l'érable rouge, le bouleau, le hêtre et le noyer d'Amérique. Pour leur part, les résineux sont représentés par l'épicéa, le sapin baumier et le sapin du Canada, tandis que le couvert forestier du sud est dominé par le pin de Weymouth.

L'exploitation forestière est encore une industrie fort importante dans le nord de la Nouvelle-Angleterre, où se sont développées d'importantes industries papetières profitant des richesses de la région. Pour sa part, restée plus traditionnelle, la récolte de l'eau d'érable, qui donne un savoureux sirop, se pratique principalement dans les États du Vermont et du New Hampshire. C'est au printemps, lorsque la sève commence à s'élever dans l'érable, que l'eau est prélevée à l'aide d'une incision pratiquée près de la base du tronc. Le riche liquide obtenu dans ces régions approvisionne aujourd'hui la totalité des États-Unis et fait partie des traditions culinaires américaines.

Certaines régions de la Nouvelle-Angleterre profitent de systèmes climatiques ou, dans certains cas, de sols à la constitution particulière, influençant la formation d'écosystèmes originaux. C'est le cas de la végétation que l'on retrouve dans les sommets des White Mountains. Elle comprend des espèces inconnues ailleurs au nord-est des États-Unis et peut être comparée à la flore de la toundra arctique. La cime des montagnes apparaît complètement chauve comparée aux étages subalternes semés de conifères puis de feuillus. Cette région d'altitude où l'on a enregistré des vents excessivement violents (le 12 avril 1934 soufflèrent des vents d'une vitesse de 372 km/h, un record mondial battu il y a seulement quelques années) ne permet en certains endroits que la prolifération de petites plantes et de sapins nains. Pour sa part, l'origine glaciaire des sols de la Nouvelle-Angleterre a favorisé la formation, en de nombreux endroits bordant le littoral, d'importantes zones marécageuses. La forte acidité du sol et l'humidité de ces zones ont encouragé la croissance de plantes palustres: roseaux, joncs, sphaignes, théiers du Labrador, orchidées et bruyères. De leur côté, les zones marécageuses de basse altitude, plus sablonneuse, s'avèrent favorables à la culture des canneberges, et les côtes de la Nouvelle-Angleterre recèlent d'importantes cultures de ces petits fruits rouges.

À la fonte des neiges, lorsque le printemps est déjà bien avancé, les fleurs des champs et les fleurs sauvages viennent enjoliver le paysage dans lequel elles parsèment leurs couleurs. Elles ne cessent de s'interchanger jusqu'à la fin de l'été, afin de ne jamais laisser les yeux se lasser du paysage. Les champs, les prairies, les sous-bois des forêts, jusqu'aux abords des routes, se parent des teintes multicolores qu'apportent les marguerites, les lauriers, les rhododendrons, les tournesols, les boutons-d'or, les muguets et les carottes sauvages. L'été n'est pas en reste, puisqu'il voit s'installer le violet des asters et des lupins, lequel se joint à l'orange éclatant des lis martagons, au jaune de la verge d'or ainsi qu'au nuancé sabot de Vénus. Parmi ce festival de couleurs et d'odeurs, l'arum, au pétale recourbé et d'un jaune-vert un peu étrange, peut vous paraître insignifiant. N'hésitez pas à le regarder de près, puisque sa forme, de laquelle il tient son nom commun *Jack-in-the-Pulpit*, semblant évoquer le fantôme d'un prédicateur en chaire, ne tardera pas à vous faire sourire et à vous impressionner.

Histoire

■ Les premiers habitants

L'homme ne serait pas apparu spontanément en Amérique. On admet généralement qu'il y serait parvenu lors de la dernière glaciation, alors que de grandes zones de l'océan Arctique et de la mer de Béring s'asséchèrent, il y a entre 14 000 et 25 000 ans, provoquant l'exondation du territoire de Béringie réunissant la presqu'île des Tchoukches, en Sibérie orientale, à l'Alaska. On suppose que les premières migrations (des nomades de l'Asie septentrionale suivant alors les troupeaux de bétail nécessaires à leur subsistance) ont atteint le continent en effectuant la traversée du détroit à cette période. L'état des connaissances actuelles n'exclut pas que des colonies asiatiques, par vagues successives, aient atteint le continent par voie maritime, mais ces colonies, croit-on, auraient entrepris cette traversée subséquemment dans l'histoire du continent. Plus tard, ces premiers Américains, arrivés dans le nord du continent, auraient profité du réchauffement climatique et de la fonte de la couverture glaciaire Laurentide, qui s'étendait sur la quasi-totalité du Canada jusqu'aux Grands Lacs, pour entreprendre leur migration vers le sud en empruntant le corridor interglaciers qui s'était formé et qui traversait alors tout le Canada, reliant le sud du Yukon au Montana.

Ces premiers habitants du continent subvenaient à leurs besoins en chassant, vivaient en petits groupes nomades et auraient côtoyé les mammifères géants de la fin du pléistocène, déjà alors au bord de l'extinction. Peu de régions échapperont à leurs campements sur l'ensemble du continent, ni les déserts les plus hostiles, non plus que les régions connaissant des hivers rigoureux.

La première culture humaine recensée jusqu'à présent en Amérique du Nord, dénommée «culture Clovis», serait apparue il y a de 11 000 à 12 000 ans. Sa présence, par toutes les régions du nord du continent qui étaient alors exemptes de glaces, est attestée par des vestiges sous forme de pointes à cannelures caractéristiques, soit les pointes de flèches avec lesquelles les hommes chassaient mammouths, bisons et autres animaux selon les régions. Bien que les vestiges connus de cette culture se trouvent concentrés dans l'ouest des États-Unis, des artefacts attestent sa présence sur le territoire de l'actuelle Nouvelle-Angleterre. Des fouilles archéologiques menées sur d'anciens campements de chasse ont dévoilées de telles pointes de projectiles associées à la culture Clovis: le site de Vail, dans l'État du Maine, ainsi que le site de Bull Brook, au Massachusetts. L'ensemble des vestiges laissés par cette culture dans le nord du continent laisse suggérer que la culture Clovis serait étroitement apparentée aux cultures du paléolithique supérieur du Vieux Continent.

Des siècles plus tard, lorsque les Européens jetèrent l'ancre sur les côtes de la Nouvelle-Angleterre, ils furent reçus par différentes tribus appartenant à la vaste famille linguistique des Algonquins. Ce qui deviendra plus tard le Maine abritait des peuplades abénaquises, tandis que les Narragansets et les Nipmucks s'étaient installés sur le territoire de l'actuel État du Rhode Island. Le Massachusetts regroupait, quant à lui, de nombreuses tribus: les Massachusets, les Nausets, les Wampanoags, les Pocumtucs, les Nipmucs et les Pennacooks. Aussi, les Mohicans, immortalisés par les romans de James Fenimore Cooper (*Leatherstocking Tales*, 1823-1841), étaient concentrés au Connecticut, où ils comptent encore quelques descendants. L'ensemble de ces tribus, dont la population demeurait assez restreinte sur ce vaste territoire, vivait en sociétés structurées. Il semble que les échanges culturels, technologiques et matériels aient étés assez nombreux entre les différentes tribus. Leurs activités de subsistance s'orientaient principalement vers la chasse, la pêche et la cueillette, mais aussi vers la culture du maïs, de la courge et de la pomme de terre, aliments jusqu'alors inconnus dans le Vieux Continent.

Portrait · **Histoire**

■ La «découverte» et l'exploration d'un Nouveau Monde

Si l'histoire a attribué le mérite de la «découverte» de l'Amérique à Christophe Colomb en 1492, les légendes nordiques racontent que bien avant Colomb, ce sont les Vikings qui aurait été les premiers Européens à fouler le sol du Nouveau Monde. Leiv Eriksson, fils d'Érik le Rouge, aurait exploré les côtes de l'Amérique du Nord à l'époque où ce peuple scandinave, guerrier de la mer, sillonnait les océans à la recherche de territoires et de richesses à conquérir. Eriksson aurait atteint les côtes du nord de l'Amérique en l'an mil et les aurait longées vers le sud, explorant les futurs États du Maine et du Massachusetts. À son retour dans son pays, il aurait fait de ces contrées des descriptions fantastiques où il relatait sa rencontre avec un peuple pacifiste installé sur une terre fertile, qu'il baptisa «Vinland La Douce», où, racontait-il, vignes et maïs poussent à l'état sauvage. Puis, dès le XVe siècle, les eaux poissonneuses du littoral de la Nouvelle-Angleterre étaient bien connues des pêcheurs espagnols et français qui s'y aventuraient.

Toutefois, il faut attendre les années 1497-1498 avant que le navigateur italien Jean Cabot, au service de la Couronne d'Angleterre, ne prenne la route de l'Amérique du Nord. Son aventure vient s'inscrire cinq ans après que Christophe Colomb eut atteint les Antilles plus au sud, tandis que près de 500 ans se sont écoulés depuis les explorations vikings. Désireux de découvrir une route maritime qui le mènerait vers les richesses de la Chine, Cabot aboutit plutôt à Terre-Neuve et au Labrador, au Canada. Toujours dans le dessein de découvrir la route vers l'Orient, il entreprend de longer le littoral vers le sud où il explore les côtes du Maine et du Massachusetts. Au nom de la Couronne britannique, il réclame toutes les terres qui vont de l'actuelle Floride jusqu'à l'est des montagnes Rocheuses.

Les découvertes de Cabot marquent le début d'une suite de voyages de reconnaissance, et de nombreux voiliers viendront profiler leur silhouette aux abords de ces nouvelles terres avant que ne débute réellement la colonisation européenne. Ainsi, en l'an 1524, le navigateur italien Giovanni da Verrazano viendra arpenter les environs de Terre-Neuve et de l'estuaire du fleuve Hudson, de même que les côtes du Maine, dont il réclame la souveraineté au nom de la France. En l'an 1602, c'est au tour de l'explorateur anglais Bartholomew Gosnold de longer les côtes de la Nouvelle-Angleterre. Il baptise Cape Cod (le «cap des morues»), Martha's Vineyard (en l'honneur de sa fille et des vignes sauvages qui poussent sur l'île), ainsi qu'Elizabeth Islands (du nom de la reine).

■ La colonisation européenne

Ce sont les Français Pierre de Gua, sieur de Monts, et Samuel de Champlain qui amorcent la colonisation européenne en Nouvelle-Angleterre en 1604. Toutefois, l'installation de leur colonie, sur une île de la rivière Sainte-Croix au Maine, ne sera que de courte durée, le temps d'entreprendre un nouveau périple vers le nord où ils iront fonder l'Acadie.

Peu de temps après, en 1614, le marin hollandais Adrian Block mène une expédition de reconnaissance le long des côtes de la Nouvelle-Angleterre où il s'attarde principalement dans la baie de Narragansett. Une version raconte qu'il aurait donné le nom de Roodt Eyland («île Rouge») à une île de cette baie. Certains croient que c'est de cette dénomination que dériverait le nom que prendra l'État quelque 100 ans plus tard: le Rhode Island. D'autres attribuent plutôt cette dénomination à Verrazano, qui, frappé par la luminosité exceptionnelle de l'endroit, l'aurait comparée à l'île de Rhodes, en Grèce. Quoi qu'il en soit, c'est à Block qu'il en revient d'avoir donné son nom à Block Island.

C'est le capitaine John Smith (1579-1631) qui donnera le réel coup d'envoi de la colonisation européenne en Nouvelle-Angleterre. Délégué par la Couronne britannique pour évaluer le potentiel du nouveau territoire, Smith arpente le littoral la même année que Block. C'est lui qui exécute la cartographie de la côte du Massachusetts et, surtout, c'est lui qui donnera son nom à la Nouvelle-Angleterre lorsqu'il rédige le récit de son voyage: *A description of New England*. L'explorateur est fasciné par la beauté de ces terres sauvages, et il transmet son ravissement à travers ses observations. En Angleterre, son engouement fait une forte impression sur ceux que l'histoire a retenus sous le nom de Pères pèlerins, qui voient dans la Nouvelle-Angleterre une nouvelle terre d'accueil remplie de promesses, avec l'opportunité de vivre selon leurs principes. En rupture avec la rigidité de l'Église d'Angleterre, les Pères pèlerins recherchent une forme plus épurée du protestantisme. Ils seront 102 à quitter l'Angleterre, d'abord pour la Hollande, ensuite pour le Nouveau Monde en 1620.

Les Pères pèlerins voguent sur le navire *Mayflower* pendant deux longs mois avant de jeter l'ancre sur le site de l'actuelle Provincetown (Cape Cod), au Massachusetts. À cet endroit, les 41 hommes qui prennent part à l'expédition rédigent et signent le *Mayflower Compact*, qui jette les bases démocratiques de la nouvelle colonie en prônant la victoire décisionnelle de la majorité, au-dessus de toute autre instance. Les Américains réfèrent souvent à ce document originel qui représente pour eux «l'ancêtre» de la Constitution. Les nouveaux arrivants explorent d'abord le territoire de Cape Cod avant de poursuivre vers une terre moins hostile et, surtout, moins soumise aux caprices de la nature. Leur migration les mène sur les lieux de l'actuelle Plymouth, où ils choisissent de s'installer le 20 décembre 1620, donnant naissance à la première colonie européenne en Nouvelle-Angleterre, la Plimoth Plantation.

Le premier hiver faillit bien marquer la fin abrupte de l'aventure de la petite colonie. Les Pères pèlerins n'étaient, en effet, pas adaptés aux conditions climatiques régnant sur le nouveau territoire. Ils ne réussiront à traverser leur premier hiver qu'avec l'aide précieuse que leur apportèrent les communautés amérindiennes voisines, qui leur évitera une sévère famine. À l'arrivée du printemps, les Autochtones maintiendront leur soutien à la jeune colonie en l'initiant, notamment, à l'ensemencement des terres.

En Angleterre, la promesse de liberté religieuse qui avait attiré les premiers colons au Nouveau Monde continue de se répandre, ayant pour effet d'entraîner une foule de nouveaux immigrants britanniques prêts à se lancer à leur tour dans l'aventure. De nouvelles implantations font leur apparition sur le nouveau territoire, telles les colonies côtières de Gloucester et de Salem, qui virent toutes deux le jour en 1623. La jeune Plimouth Colony connaît aussi une importante croissance, et en 1629 elle regroupe déjà 3 000 habitants installés sur l'ensemble de son territoire qui s'étend de Plymouth jusqu'à Cape Cod. Toutefois, ces arrivées massives de nouveaux colons mettent en présence une multitude d'opinions qui ne tardent à ébranler le rêve de tolérance et entraînent les premières tensions au sein de la jeune colonie. Par mesure de protection, les nombreux puritains anglais installés dans la colonie de Plimouth élaborent une chartre établissant un régime théocratique de tendance persécutrice. La même année, le gouvernement britannique, qui se trouve encouragé par le succès de l'implantation de nouvelles colonies au Nouveau Monde, émet une charte royale à la Massachusetts Bay Company, afin que celle-ci assure la promotion d'un projet territorial et commercial d'envergure: celui d'élargir le royaume. Cette charte représente le fondement du gouvernement de la Massachusetts Bay Company, qui sera placé sous la responsabilité du gouverneur John Winthrop.

Cette mesure marque l'arrivée de 1 000 immigrants puritains de la Massachusetts Bay Company à Salem en 1630. Quelques-uns d'entre eux suivent John Winthrop et fondent la ville de Boston plus au sud. Cette même année verra aussi naître New Towne, qui deviendra plus tard Cambridge, sur la rive nord de la Charles River, face à Boston. Cette colonie se verra attribuer le titre de ville en 1636 alors qu'elle accueille le Harvard College, qui s'élèvera avec les années au rang des institutions d'enseignement supérieur les plus prestigieuses du pays.

À cette époque, les principes premiers de l'établissement de la colonie, qui reposait sur la liberté religieuse, semblent cependant choses du passé et font place à l'intolérance, alors que les Églises puritaines dominent rapidement presque toutes les sphères. Les dissidents sont durement réprimés, parfois bannis de la colonie. Des quakers sont même pendus à Boston. Se heurtant à cet ordre moral, le prédicateur Roger Williams (1603-1684) fonde la Providence Plantation en 1636 et l'État de Rhode Island, où il assume la fonction de gouverneur. Ce célèbre protestant, qui a quitté la région de Salem, où ils s'opposaient

Portrait - Histoire

Les puritains

Au début du XVIe siècle, l'Église catholique de Rome règne en maître sur l'Europe occidentale. Tirant profit de son hégémonie, elle abuse de son pouvoir pour s'enrichir et pour dicter à tous ses quatre volontés. Des réformateurs allemand (Martin Luther) et français (Jean Calvin), outrés par cette dérogation à la mission première de l'Église, veulent la dépouiller de son côté princier et souhaitent que l'on mette dorénavant l'accent sur les écritures plutôt que sur le faste cérémonial. En 1534, le roi d'Angleterre Henri VIII s'adresse au pape afin d'obtenir le divorce. Le refus de ce dernier incitera le monarque à fonder sa propre religion (l'anglicanisme), dont il sera le chef. Cette action ouvre alors la porte à une panoplie de religions et de sectes réformées qui s'implanteront bientôt en Angleterre et en Écosse. Les frictions entre catholiques et protestants des religions réformées (l'anglicanisme et le presbytérianisme) se solderont par des purges qui entraîneront les adeptes des sectes extrémistes de Grande-Bretagne vers les terres lointaines de l'Amérique du Nord.

La secte des puritains se développe dans ce contexte, entre 1517 et 1548. Frustrée par la lenteur des réformes, elle désire accélérer le processus de purification de l'Église, d'où son nom, mais elle insiste aussi pour purifier l'âme humaine, qu'elle considère corrompue et sous l'emprise constante de Satan. Elle commettra au nom de Dieu les pires atrocités, brûlant sur des bûchers des «sorciers» et «sorcières» qui sont en réalité de pauvres garçons et filles probablement trop enjoués aux goûts de l'élite puritaine, obsédée par le Diable. Ainsi, la recherche de tolérance du départ bascule dans l'horreur.

En 1620, un petit groupe de puritains débarque sur les côtes du Massachusetts et fonde Plymouth. Six ans plus tard, d'autres puritains fondent Salem, dont le nom rime encore avec «sorcières». Enfin, en 1630, John Winthrop et ses colons puritains fondent Boston. Ils ont légué à la capitale du Massachusetts une morale stricte qui contribue toujours à sa réputation de ville puritaine. Cependant, depuis le XIXe siècle, les puritains ont pris une tout autre tournure, sans doute pour exorciser les abus du passé. Le nom de leur secte étant devenu une marque de ragoût en conserve (Puritan), ils ont fait le bonheur des écrivains qui ont multiplié les histoires de bonnes et mauvaises sorcières.

aux puritains, est auteur de nombreux ouvrages dans lesquels il dénonce la persécution dont sont coupables les puritains de son époque. En outre, bien qu'adversaire de la doctrine des quakers, il leur offrit refuge et protection lorsqu'ils furent victimes de cette persécution.

Établie dans la péninsule de Shawmut, la ville de Boston, à l'instar de Providence, de Portsmouth et de Gloucester, était prédisposée, par son emplacement, aux activités et au commerce maritime. Elle devient un port important, dont l'ampleur ne sera dépassée que par Philadelphie et New York dans la seconde moitié du XVIIIe siècle. Dix ans seulement après son établissement en sol américain, la Massachusetts Bay Company regroupe 20 000 habitants, dont de nombreux pêcheurs, commerçants et constructeurs de bateaux, tandis que son économie est essentiellement tournée vers la mer.

Les excès des puritains se tournent aussi vers les Amérindiens, qui les avaient pourtant aidés, quelques dizaines d'années auparavant, à apprivoiser ces terres nouvelles. Les campagnes de conversion se multiplient. Parfois agressives, elles sont destinées à assimiler les communautés autochtones aux coutumes britanniques. De surcroît, les Amérindiens voient la souveraineté de leurs territoires menacée par l'expansion territoriale des colonies. Menées par le chef Metacom, connu par les Britanniques sous le nom de King Philip, deux de ces communautés, les Narragansets et les Nipmucks (Rhode Island), font alliance en 1675 avant d'effectuer des raids contre les colons, ce qui mena à la King's Philip's War (1675-1676). La bataille la plus célèbre de cette guerre demeure celle de Great Swamp le 19 décembre 1675, au Mount Hope, où les colons menèrent une attaque-surprise sur les Narragansets. Ce conflit fit perdre la vie à des milliers d'Amérindiens et épuisa considérablement les tribus autochtones, qui virent plusieurs de leurs villages décimés. La population coloniale fut également très touchée par ce conflit.

En établissant la charte royale de la Massachusetts Bay Company, la Grande-Bretagne avait confié à celle-ci le mandat d'administrer les colonies à la faveur de la Couronne. Toutefois, depuis sa fondation et son établissement en Nouvelle-Angleterre, la Massachusetts Bay Company était parvenue à se gouverner en ignorant les prérogatives de la métropole. Cette indépendance n'était pas sans déplaire à Londres, qui se vit dans l'obligation de confisquer la charte royale de la Massachusetts Bay Company en 1684. Afin de remplacer cette instance et de raffermir sur la colonie un pouvoir qu'elle sentait lui échapper, la Couronne britannique ne tarda pas à dépêcher Sir Edmund Andros à Boston en 1686, avec le titre de gouverneur royal de la Province of Massachusetts. Trois ans plus tard, au moment où un vent de rébellion commence à souffler sur la colonie désireuse de gagner sa liberté, Sir Edmund Andros sera arrêté par les colons puis emprisonné à Boston.

■ Le chemin vers la Révolution

De nombreux incidents historiques ont contribué à préparer le terrain de ce qui allait devenir la Révolution américaine. L'un des événements les plus significatifs fut sans nul doute le traité de Paris, ratifié en 1763, signifiant la fin de la guerre de Sept Ans (1756-1763), qui opposait l'Angleterre à la France. La France se retire des 13 colonies et cède à la Grande-Bretagne ses territoires alors acquis à l'est du Mississippi ainsi que le Canada (en plus de plusieurs Antilles, du Sénégal et des possessions de l'Inde). La signature du traité d'Utrecht, intervenu en 1713, avait déjà chassé les Hollandais du Nouveau Monde. Le nord du Nouveau Monde devient dès lors un territoire exclusivement britannique. Bien que la Couronne Britannique ait assumé sa soif de souveraineté sur les territoires acquis, cette guerre lui fut très coûteuse, désireuse qu'elle était de renflouer ses coffres par le biais de ses colonies.

Toutefois, en chassant les Hollandais et les Français du Nouveau Monde, la Grande-Bretagne avait ainsi contribué à éliminer les dangers que ceux-ci pouvaient représenter pour les colons. Ces derniers mirent peu de temps à se rendre compte que la protection militaire de la métropole devenait dès lors désuète. Cela aura rapidement un effet pervers pour la mainmise de la Grande-Bretagne sur ses territoires.

Dans le but de renflouer ses coffres, la Couronne britannique met en place plusieurs mesures rigoureuses qui ne tardent pas à engendrer un climat d'insatisfaction générale au sein des colonies, lesquelles s'opposent vigoureusement à la *taxation without representation* et revendiquent leur droit d'élire des représentants à l'Assemblée nationale afin de prendre part aux décisions les concernant. En 1765, sans l'accord du corps législatif des colonies, la Grande-Bretagne adopte le Stamp Act, qui représente un impôt direct prélevé sur les colonies américaines. Cette source de revenus est bien établie en Angleterre, mais elle fait s'élever de nombreuses contestations dans les colonies. Cet acte de loi sur le droit du timbre, qui se traduit par une taxation des documents écrits, depuis les papiers légaux jusqu'aux journaux, fut accueilli par le refus généralisé d'utiliser les timbres.

Un an plus tard, le parlement de la Grande-Bretagne fait marche arrière et retire le Stamp Act, qu'il ne tarde pas à remplacer dès 1767 en adoptant le Townshend Act, un droit de douane prélevé sur les produits en importation, plus concrètement, sur le papier, le verre et le thé.

Ce climat de mécontentement général est ponctué de nombreuses échauffourées entre colons et forces britanniques. La tension culmine en 1770 avec le massacre de Boston, lorsque les troupes britanniques ouvrent le feu sur des civils qui protestaient contre les

Portrait - Histoire

mesures répressives, causant la mort de nombreuses personnes. À la suite de cet affrontement et des pressions de ses colonies, la Grande-Bretagne retire en 1770 le Townshend Act sur le papier et le verre, mais le conserve de manière symbolique sur le thé.

En 1773, le Parlement britannique adopte le Tea Act, qui attribue le monopole du commerce du thé dans les colonies à l'East India Company. Les nombreux marchands coloniaux se retrouvent vivement défavorisés, et, frustrés par ces mesures, ils se regroupent pour former l'alliance des «Fils de la Liberté» (Sons of Liberty).

C'est dans la nuit du 16 décembre 1773 que Boston est le théâtre de ce que l'histoire a qualifié de *Boston Tea Party*. Ce geste posé par les Fils de la Liberté dans le port de Boston vise à faire des pressions sur le gouvernement afin d'abroger l'impôt sur le thé. Une soixantaine d'hommes, tous déguisés en Amérindiens, prennent d'assaut les trois navires de l'East India Company, ancrés au Boston Harbor, et jettent par-dessus bord la totalité des caisses de thé qu'ils contiennent.

En représailles à cet acte de vandalisme, le Parlement britannique adopte en 1774 les cinq Intolerable Acts. Quatre de ces actes visent directement à réprimer le Massachusetts, où s'est déroulé le *Boston Tea Party*. Aussitôt, Boston est assiégée par les «Tuniques rouges», nom qu'on attribue aux soldats britanniques. Le port de la ville est fermé et toutes ses activités commerciales sont suspendues, tandis que les responsables du *Boston Tea Party* sont jugés en Angleterre. C'est cette même année que le juriste Thomas Jefferson rédige son *Aperçu sommaire des droits de l'Amérique britannique* (*A Summary View of the Rights of British America*, 1774), qui apparaît comme précurseur de la Déclaration d'indépendance, dont il sera aussi l'auteur et qui sera adoptée deux ans plus tard.

Les colonies s'organisent afin de planifier leur riposte. Cette année-là, sous l'impulsion de Benjamin Franklin, elles tiennent dans la ville de Philadelphie leur premier congrès continental.

■ L'indépendance

La Révolution américaine (1775-1783) est l'aboutissement de 12 années de répression de la part du gouvernement britannique. L'année 1775 marque officiellement le début de la guerre de l'Indépendance lorsque retentit, le 19 avril, «le coup de feu entendu à travers le monde», symbole du début de la Révolution américaine.

L'armée britannique sur le territoire américain est alors constituée de 42 000 hommes, bien entraînés et équipés. Elle compte aussi sur l'appui de quelque 30 000 mercenaires allemands qui, au besoin, viendront renforcer les rangs. En pâle comparaison, l'armée coloniale, dénommée «armée continentale», regroupe alors environ 20 000 hommes, pour la plupart des agriculteurs n'ayant que peu de notions des tactiques militaires et surtout peu entraînés et mal équipés.

Les premières escarmouches se déroulent dans la colonie de Plymouth ainsi que dans les petites villes de Concord et de Lexington, près de Boston, lorsque les forces britanniques y sont envoyées dans le but de détruire les caches d'armes des colons. Le 18 avril 1775, Paul Revere, au courant de l'intervention que préparent les Tuniques rouges, effectue sa légendaire chevauchée, restée gravée dans l'imaginaire collectif des Américains. Parti de Boston, il parvient à rejoindre les colonies de Concord et de Lexington afin de les avertir de l'arrivée des troupes adverses. Le lendemain matin, 77 colons se tapissent à Lexington Green, prêts à accueillir les Tuniques rouges. La bataille, devenue célèbre sous le nom de la «fusillade de Lexington», prend des airs de guérillas. Les rebelles parviennent à protéger de nombreux repaires d'armes. Cet affront envenime les hostilités. Le conflit ne tarde pas à s'étendre aux autres États, et très bientôt la région de Boston prend la tête du mouvement d'indépendance.

Paul Revere

C'est grâce à Henry Wadsworth Longfellow que la chevauchée nocturne de Paul Revere est considérée comme un événement important de l'histoire de la Révolution américaine. Le grand poète Henry Wadsworth Longfellow, qui a écrit l'ode «Evangeline: A Tale of Acadie», lui dédia un poème intitulé «Paul Revere's Ride» (1863).

La vie pourtant simple de cet homme que l'histoire a élevé au rang de héros digne des plus grandes épopées était consacrée à l'orfèvrerie, un art précieux qu'il tenait de son père. Mais les temps étaient parfois difficiles, et Revere savait diversifier ses activités dans d'autres domaines. Il faisait des prothèses dentaires et vendait du dentifrice. Contre une rétribution minime, il gravait sur cuivre tous les sujets demandés: cartes de visite, bandes dessinées, armoiries d'hommes politiques. Même si, de nos jours, ses argenteries sont très prisées, ce ne sont pas ses travaux manuels que l'histoire a retenus.

Parallèlement à son gagne-pain, ses activités politiques étaient bien connues longtemps avant que quiconque ne pense à la révolution. Il était membre du North Caucus, un cercle politique, des francs-maçons et des Sons of Liberty. Plus important encore, il faisait partie du Committee of Correspondance, club sélect de notables, ceux qui se réunissaient dans la Long Room de l'imprimeur de la rue Queen. Ces marchands et avocats, tous diplômés d'université, connaissaient l'emprise de Revere sur la population, non pas pour ses discours ou pour ses tracts politiques, mais plutôt pour ses gravures populistes qui faisaient de lui le plus célèbre propagandiste du jour tant en Nouvelle-Angleterre qu'en Europe. On lui reconnaît ses talents d'organisateur de spectacles, comme celui qu'il diffusa du haut des fenêtres de sa maison, pour l'anniversaire du Boston Massacre.

En plus d'organiser les masses, Revere était un *express rider* (messager rapide) en qui l'on avait confiance. En 1773, il faisait partie des six cavaliers qui livrèrent un message à tous les ports des colonies pour leur interdire l'entrée aux navires transportant le thé, symbole du colonialisme anglais. Quelques semaines plus tard, après sa participation au *Boston Tea Party*, il chevaucha la nuit durant pour annoncer la nouvelle à New York et à Philadelphie. En tout et partout, Revere accumula plusieurs milliers de kilomètres pour la cause patriotique, mais sa plus glorieuse chevauchée fut celle de la nuit du 18 au 19 avril 1775 à Lexington, qui, somme toute, n'est distante que de quelque 30 km.

Parti vers 22h30 le soir du 18 avril 1775, Paul Revere chevaucha de village en village jusqu'à Lexington pour avertir les colons et les patriotes Samuel Adams et John Hancock de l'arrivée imminente des Britanniques, chargés de la destruction de leurs réserves de munitions. Cette chevauchée héroïque permit à Adams et Hancock de se mettre à l'abri des Britanniques qui ont la charge de les arrêter.

En effet, la ville de Boston, sous le contrôle britannique, se trouve rapidement assiégée par les colons. Le siège, qui se maintiendra d'avril 1775 à mars 1776, met en face 15 000 hommes de l'armée continentale en provenance du Massachusetts, du Connecticut, du New Hampshire et du Rhode Island, encerclant 6 500 Britanniques.

Afin de faire face aux Tuniques rouges, les forces continentales, disparates jusqu'alors, n'ont pas d'autre choix que de se regrouper. Les forces des Green Mountain Boys d'Ethan Allen s'allient à Benedict Arnold à la tête de ses troupes. L'alliance de ces deux factions

Portrait - Histoire

s'empare du fort Ticonderoga, situé sur le lac Champlain. Le 10 mai 1775, contre toute attente, elles parviennent à stopper une invasion britannique venue du Canada.

Toutefois, la bataille la plus significative, soit la bataille de Bunker Hill, se déroule le 17 juin 1775. L'enjeu de la bataille de Bunker Hill réside non pas dans sa victoire que l'armée britannique remporte, mais par l'effet qu'elle a eu sur les deux camps. L'armée continentale s'était saisie d'un des points les plus faibles des environs de Boston, située sur la péninsule de Charlestown: la Bunker Hill, qu'elle avait fortifiée à l'insu des Britanniques. Avançant vers la colline, les Tuniques rouges se voient reçus par une canonnade qui fait des dégâts majeurs dans leurs troupes. À la suite de deux assauts des forces britanniques, les forces continentales manquent de munitions et se résolvent à battre en retraite. Bien que techniquement victorieuse, la Couronne britannique y a perdu pas moins de 1 000 hommes, comparés aux 450 morts du côté colonial. Cet affrontement permit aux forces continentales, qui n'étaient composées que de simples volontaires, de démontrer, à leurs adversaires beaucoup mieux entraînés qu'elles, l'acharnement qui les animait. Le 3 juillet de cette année, le Congrès continental nomme George Washington commandant chef de l'armée, ce qui a pour effet d'unifier les troupes des 13 colonies insurgées. Washington ne tarde pas à fortifier l'autre point faible des environs de Boston, Dorchester Heights. À Boston, les forces britanniques et les loyalistes (principalement des marchands fidèles à la Couronne) sont pris au piège et n'ont pas d'autre choix que d'évacuer la ville par bateau le 17 mars 1776. Bien que la guerre perdure encore dans certains États voisins, la Nouvelle-Angleterre est enfin libre.

Le 4 juillet 1776 marque l'Independence Day. Le Congrès continental, réunissant des représentants des 13 colonies à Philadelphie, se prononce en faveur de la proposition de Thomas Jefferson: la Déclaration d'indépendance des États-Unis d'Amérique. Les colonies se déclarent donc indépendantes de la Couronne britannique après avoir refusé l'offre de paix proposée par un de ses représentants. Toutefois, dans les États où le conflit se poursuit, le déséquilibre entre les insurgés et les forces britanniques commence à se faire lourdement sentir. Contre toute attente, les Français, qui aidaient secrètement les Américains depuis le début du conflit, déclarèrent officiellement la guerre à la Grande-Bretagne en juin 1778. L'Espagne lui emboîte le pas. La France envoie rapidement un corps expéditionnaire, commandé par Rochambeau, chargé de soutenir les forces américaines révolutionnaires. L'intervention européenne permet à l'armée coloniale de reprendre le contrôle sur le conflit.

Les forces continentales remportent à nouveau d'imposantes victoires alors qu'elles entraînent la capitulation du général Burgoyne à Saratoga (État de New York) en 1777 et chassent les Britanniques hors de l'État du Rhode Island en 1779. L'offensive finale aboutit à la capitulation du général Cornwallis à Yorktown (Virginie) le 19 octobre 1781. Le traité de Versailles, ratifié en avril 1783, met fin à la Révolution américaine, et la Grande-Bretagne reconnaît l'indépendance des 13 colonies. Le territoire de la nation s'étend alors jusqu'au Mississippi.

La Constitution du nouveau pays est adopté le 17 septembre 1787. Grâce à la contribution de George Washington et de Benjamin Franklin, elle a le mérite de concilier avec souplesse le souci d'indépendance de chacun des États membres (qui est la tendance du Parti républicain) et la nécessité du renforcement du pouvoir central (tendance du Parti fédéraliste) en créant au-dessus des États un gouvernement fédéral souverain pour la politique extérieure, la défense et le commerce extérieur. Rapidement l'Union prend de l'expansion avec la ratification de nouveaux États, notamment le Connecticut (5e à ratifier), le Massachusetts (6e) et le New Hampshire (9e) qui ratifient à leur tour la Constitution. Le Rhode Island (13e) et le Vermont (14e) ne tarderont pas à s'ajouter à l'Union, respectivement en 1790 et en 1791.

Benjamin Franklin

Certains parlent de Benjamin Franklin comme de «l'Américain le plus célèbre du XVIIIᵉ siècle, avec George Washington». Imprimeur, éditeur, scientifique, diplomate et auteur, il a marqué son siècle et le jeune pays qu'il contribua à faire naître, les États-Unis d'Amérique.

C'est surtout son rôle politique qui le fit entrer dans l'histoire. Il se fit porte-parole des 13 colonies lors des pour-parlers avec la Couronne britannique sur leur statut et leurs revendications pour un gouvernement autonome. Il négocia plus tard le traité dans lequel la Grande-Bretagne reconnaissait le nouveau pays. Pendant la Révolution américaine, il s'assura de l'aide militaire de la France, et il était aux côtés de Thomas Jefferson pour contribuer à la rédaction de la Déclaration d'indépendance.

Ses inventions ont également grandement contribué au confort des maisonnées, principalement son poêle et ses lunettes à double foyer. Ses recherches et, surtout, les descriptions détaillées de ses expériences sur l'électricité ont légué plusieurs termes encore utilisés de nos jours dans ce domaine.

Auteur prolifique, son œuvre comporte rapports et pamphlets, textes politiques et propagandistes. Son ouvrage le plus célèbre, publié sous le pseudonyme de Richard Saunders, est constitué des almanachs du *Poor Richard*, une publication annuelle entre 1732 et 1757.

Au moment même où éclate sur l'autre continent la retentissante Révolution française, en 1789, George Washington devient le premier président des États-Unis.

■ L'après-Révolution

En accédant au rang de pays souverain, les États-Unis ont aussi mis une barrière aux transactions commerciales qu'ils entretenaient avec la Grande-Bretagne et se voient contraints à rechercher de nouveaux partenaires commerciaux. C'est ainsi que se développera le commerce avec l'Orient – surtout avec la Chine – à la fin de la guerre de l'Indépendance. Les villes portuaires de la Nouvelle-Angleterre sont les premières à profiter de ce nouveau marché, et rapidement le nouvel essor économique fait la fortune des capitaines et des marchands.

Les deux partis politiques, fédéraliste avec George Washington, puis républicain avec Thomas Jefferson, président de 1801 à 1809, pratiquèrent, lors de leurs mandats dans la première moitié du XIXᵉ siècle, la même politique d'expansion territoriale et de développement économique, par la colonisation progressive des territoires situés plus à l'ouest. La frontière recule, tandis que ces nouvelles terres accèdent aux rangs d'États, et les Amérindiens, s'ils ne sont pas exterminés, sont refoulés dans des réserves. À cette époque, l'État du Massachusetts, notamment Boston avec la Harvard University, constitue le centre intellectuel du pays.

Les États-Unis surprennent le monde en déclarant la guerre à la Grande-Bretagne en 1812. En effet, occupée dans sa lutte à finir avec la France et les campagnes militaires expansionnistes de Napoléon, la Grande-Bretagne n'avait pas pris au sérieux les menaces de conflit que sa violation des droits maritimes américains faisait naître. Ce conflit marque l'arrêt du commerce vers les États-Unis et oblige le pays à développer de nouvelles industries nécessaires à s'ajouter à l'industrie maritime qui ne suffit plus à répondre aux besoins de la nation. Lentement, la production des denrées essentielles se développe. Lorsque le traité de Gand de 1814 met fin au conflit, l'isolationnisme qu'ont subi les États-Unis aura eu comme effet positif de mettre en place les structures nécessaires à un développement de nouvelles industries dans lesquelles s'inscrit la Révolution industrielle.

L'arrivée du chemin de fer en 1830 vient favoriser ces nouvelles industries. Les usines textiles s'établissent le long des cours d'eau à l'extérieur des grandes agglomérations. C'est au cours de cette période que l'on verra surgir la ville de Lowell au nord-est du Massachusetts. D'un concept tout nouveau, cette ville constitue la première ville industrielle planifiée jusque dans ses moindres détails.

Les industries se trouvant à l'abri du protectionnisme se développent rapidement, et les villes sont organisées autour des nouvelles industries, principalement celles de la filature et du tissage. De leur côté, les États situés au sud de la Nouvelle-Angleterre voient leur économie s'articuler autour de la production des matières premières agricoles (tabac et coton principalement) dont l'industrie encourage l'esclavage des minorités noires. Au nom de la démocratie américaine, les États du nord réclament la suppression de cette pratique.

Après un référendum, en 1819, le Maine devient à son tour indépendant et manifeste son désir d'entrer dans l'Union. Toutefois, les pressions sudistes visant à maintenir un équilibre entre les États abolitionnistes et les États esclavagistes contribuent à retarder son adhésion. C'est en 1820 que le Maine devient le 23e État de l'Union américaine de façon parallèle à l'admission du Missouri, assurant l'égalité des forces dans la nation.

En 1842, un nouveau traité intervient entre la Grande-Bretagne et les États-Unis. Le traité de Webster-Ashburton, ratifié à la suite de divers démêlés avec la Grande-Bretagne, fait éviter de justesse un sérieux conflit, fixant les frontières du Maine avec le Nouveau-Brunswick.

Cette époque voit également le visage de la Nouvelle-Angleterre se mettre à changer avec l'arrivée d'immigrants, constitués majoritairement d'Irlandais, mais aussi de Canadiens français et de Juifs, contribuant à modifier considérablement le paysage religieux et politique de la région. Les nouvelles minorités sont d'abord dédaignées par la population locale qui voit dans ces nouveaux arrivants une main-d'œuvre bon marché.

Dans les années 1840, la famine qui sévit en Irlande pousse des milliers d'Irlandais à trouver de nouvelles perspectives à l'étranger. L'avènement d'une ère industrielle prospère aux États-Unis leur apparaît pleine de promesses. Ils se tailleront rapidement une place importante dans la vie active de la région. En 1884, un Irlandais sera élu maire de Boston; pour la première fois dans l'histoire de cette ville, un catholique prendra le pouvoir.

La pression des États antiesclavagistes s'intensifie. Au cours des années 1851 et 1852, le journal abolitionniste *The National Era* fait paraître sous forme de feuilletons le désormais fameux roman la *Case de l'oncle Tom* (*Uncle Tom's Cabin*) de Harriet Beecher-Stowe. En 1859, un homme politique réputé du Connecticut, John Brown, s'empare d'un arsenal afin de lutter contre l'esclavage. Il est arrêté presque aussitôt et, condamné à mort, il sera pendu malgré les pressions de la population et des milieux intellectuels de la Nouvelle-Angleterre. Ce héros martyr de la liberté inspirera la chanson *John Brown's Body*, fredonnée tout au long du conflit opposant les États du sud et ceux du nord. La guerre de Sécession est entamée en 1861. Cette guerre déchirera les États-Unis durant quatre longues années.

■ Le XXe siècle

Grâce à des méthodes de mécanisation et de concentration, et encouragée par l'audace des hommes d'affaires, par l'abondance des matières premières et par le réseau de communications, la production industrielle américaine se hisse dès la fin du XIXe siècle au même niveau que celle des pays européens. Cette expansion s'accompagne toutefois de crises économiques violentes qui culmineront en 1873, en 1884 et en 1907, haussant drastiquement le taux de chômage et obligeant l'élaboration d'un programme social que les syndicats réclament à haute voix.

Toute cette agitation n'empêchera cependant pas les États-Unis d'intervenir dans la Première Guerre mondiale: en 1917, ils déclarent la guerre à l'Allemagne. Le pays en sortira gagnant, et les difficultés de l'après-guerre seront rapidement surmontées. Il faudra peu de temps, en effet, pour que s'installe à la grandeur du pays une remarquable prospérité qui justifie pendant quelques années la confiance que le gouvernement et les milieux d'affaires mettent dans le libéralisme. Cette confiance leur réserve de bien mauvaises surprises. La production industrielle profite d'un accroissement faramineux, tandis que le crédit se développe de manière anarchique pour ne pas ralentir les ventes. La spéculation est telle qu'il suffit d'une panique boursière un «jeudi noir» (le krach de Wall Street le 24 octobre 1929) pour que s'effondre pour plusieurs années l'économie d'un pays qui semblait voué à la prospérité. Cet événement annonce le début de la Grande Dépression.

Si le XIXe siècle fut synonyme d'effervescence dans tous les domaines, la première moitié du XXe siècle se présente plutôt sombre. La Nouvelle-Angleterre ne symbolise plus le centre des États-Unis, et l'importance qu'avait Boston sur les plans économiques et culturels est supplantée par d'autres grandes capitales. Plusieurs usines textiles qui avaient fait les beaux jours de la région déménagent vers le sud, laissant derrière elles un important ralentissement de l'économie. Ce sera l'intervention de Franklin Delano Roosevelt, le 32e président des États-Unis, qui parviendra, à partir de 1932, à redresser l'économie en adoptant des mesures dirigistes.

Roosevelt réussit son tour de force juste avant que n'éclate en Europe la Seconde Guerre mondiale. En 1941, les États-Unis déclarent la guerre à l'Allemagne et entrent à leur tour dans le conflit qui secoue le Vieux Continent. Contre toute attente, l'issue de cette guerre fera du pays «la nation la plus puissante de l'histoire».

Après la Seconde Guerre mondiale, en Nouvelle-Angleterre, les sphères du pouvoir ne sont plus dominées par la majorité anglo-saxonne: les WASP (*White Anglo-Saxon Protestants*) côtoient désormais les catholiques d'origine irlandaise ou canadienne-française, en plus des Juifs et des Afro-Américains. Ce mélange ethnique a des répercussions sur la population telles que problème d'adaptation et intolérance. La main-d'œuvre bon marché et peu éduquée évolue désormais aux côtés des «brahmanes», ces grandes familles qui se considèrent comme l'élite de l'élite, égales de la noblesse européenne et qui se sont enrichies par le commerce florissant du XIXe siècle.

Les institutions de l'«Athènes de l'Amérique», Boston, et de la région jouent un rôle important dans le sauvetage du marasme économique et identitaire. En effet, les institutions d'enseignement entraînent la région à suivre avec succès l'ère du développement technologique et scientifique qui s'instaure. Les grandes entreprises viennent implanter à nouveau leurs sièges sociaux en Nouvelle-Angleterre.

L'accession de John F. Kennedy à la présidence en 1961 vient instaurer un nouveau souffle à la nation. L'élection du plus jeune président de l'histoire des États-Unis, d'abord sénateur de l'État du Massachusetts, s'est vue favorisée par les souches irlandaises des États de la Nouvelle-Angleterre. Dès lors, le reste du pays (ainsi que le monde entier) ne tarde pas à redécouvrir cette région qui compte plus de 375 ans d'histoire. Celle-ci connaît donc un essor touristique sans précédent, contribuant à un nouvel épanouissement économique et culturel qui n'a cessé de croître jusqu'à maintenant.

Aujourd'hui, les villes de la Nouvelle-Angleterre s'urbanisent, et les noyaux urbains s'étendent aux zones rurales. Boston, qui avait longtemps été protégée des hautes constructions massives et parfois anarchiques que connurent de nombreuses autres villes importantes du pays, a connu un essor important ces dernières décennies. Avec l'arrivée des nouvelles technologies, les réseaux urbains se sont récemment étendus aux campagnes dont le paysage se trouve transformé.

Portrait - Histoire

Les nombreux chercheurs de la Nouvelle-Angleterre

Si l'on doit à Benjamin Franklin l'invention du calorifère et du paratonnerre, nombre de ses concitoyens se démarqueront par leurs inventions et leurs recherches dans des domaines très variées des sciences. La liste qui suit ne semble pas exhaustive, mais elle permet de se représenter l'importance qu'a eue la recherche en Nouvelle-Angleterre.

Le physicien **Benjamin Thompson Rumford** (1753-1814) réalisa de nombreux travaux visant à perfectionner la théorie du calorimètre et, surtout, à établir la correspondance entre chaleur et travail mécanique. Ces découvertes aideront à l'expansion de l'ère industrielle, à peine née à son époque.

Né au Massachusetts, le physicien **Samuel Finley Breese Morse** (1791-1872) est le concepteur du télégraphe électrique dont la première ligne (qui reliait Washington et Baltimore) sera mise en fonction le 24 mai 1844. Son système de télégraphie fut notamment utilisé pour aider à la détermination des longitudes. C'est aussi à lui que nous devons le code alphabétique conventionnel qui porte aujourd'hui son nom.

Pour sa part, **Josiah Willard Gibbs** (1839-1903) n'est rien de moins que le scientifique à la base de la physique théorique moderne.

Effectuant sa carrière universitaire à Yale, le linguiste américain **Leonard Bloomfield** (1887-1949) est l'auteur de *Language*, devenu un classique dans les ouvrages de la linguistique. Bloomfield, qui désirait faire de la linguistique une science positive en effectuant une étude objective de la psychologie du comportement, est le précurseur d'une des plus grandes tendances de la linguistique américaine.

Prix Nobel de physique en 1946, **Percy Williams Bridgman** (1882-1961) mena de nombreuses recherches qui aboutirent à l'élaboration de procédés de production de variétés de cristaux plus durs que le diamant qu'on utilise aujourd'hui dans les secteurs de la haute technologie ainsi que dans les industries de précision.

Edward Lee Thorndike (1874-1949) s'est fait reconnaître par ses recherches en psychologie menées sur l'apprentissage par essais-erreurs et la formation des habitudes chez l'animal. Il est l'auteur du traité *The Psychology of Learning* (1914).

Finalement, le Prix Nobel de médecine de 1934, **George Hoyt Whipple**, a découvert une thérapeutique des anémies graves, importante pour le traitement des pathologies diabétiques.

Politique

Les États-Unis constituent aujourd'hui une république fédérale composé de 50 États et d'un district fédéral. Chacun des États membres possède deux paliers gouvernementaux, dotés d'une structure similaire sur les plan législatif, exécutif et administratif.

Le premier palier, celui de l'État, lui confère le pouvoir sur toutes les questions qu'il peut rencontrer dans la gestion de sa politique interne. Le pouvoir exécutif repose entre les mains du gouverneur de l'État, élu au suffrage universel pour une période de deux ans. Ce gouverneur est à la tête de l'administration de son État, ce qui lui permet de recommander de nouvelles lois. Il est aussi le porte-parole de sa population auprès du palier fédéral.

Le palier du niveau fédéral, de son côté, conserve le pouvoir principalement sur les questions touchant la politique extérieure, la défense et le commerce extérieur. Le pouvoir exécutif est confié au président qui se voit élu pour un mandat de quatre ans, par un collège électoral (grands électeurs) représentant proportionnellement chacun des États selon un nombre fixe de sénateurs et de représentants qui sont élus à l'Assemblée législative.

S'ajoute à ces deux paliers gouvernementaux le Congrès national. Cette institution bicamérale, composée du Sénat et de la Chambre des représentants, détient le pouvoir législatif du pays, et elle siège dans la capitale, Washington. Le Sénat détient le pouvoir au niveau législatif où chacun des États est représenté par deux sénateurs. Le nombre de députés élus à la Chambre des représentants est fixé en proportion de la population de chacun des États.

La région de la Nouvelle-Angleterre regroupe six États considérés comme les colonies fondatrices du pays. Au niveau interne, chacun de ces États est subdivisé en comtés ou districts représentés par des députés élus au suffrage universel. Les dernières élections nationales ont favorisé le candidat républicain George W. Bush à la présidence du pays, dont le second et dernier mandat se termine en 2009. Les gouverneurs de chacun des États sont: Deval Patrick au Massachusetts, Donald Carcieri au Rhode Island, Jim Douglas au Vermont, John Baldacci au Maine, John Lynch au New Hampshire et M. Jodi Rell au Connecticut.

Économie

La métropole, Londres, le premier partenaire commercial de la jeune colonie, influença longtemps les choix économiques du Nouveau Monde. En raison des liens qui les unissaient, mais aussi de ses profondes racines, l'économie de la Nouvelle-Angleterre a connu une évolution parallèle à celle de la Grande-Bretagne.

D'abord fondées sur l'agriculture ainsi que sur la traite des fourrures, les colonies se sont rapidement tournées vers l'exploitation des richesses de la mer. Le couloir de migration des grands mammifères marins, en plus de la présence de bancs de sable peu profonds, favorisait une riche faune marine fort précieuse à l'époque. La pêche à la morue et la pêche hauturière demeuraient le principal moteur du secteur halieutique. En pleine effervescence, les villes côtières de Boston, Gloucester, New Bedford et Nantucket s'activèrent à développer de nombreux secteurs connexes tels la construction navale, le débitage, la congélation et l'emballage. En raison de son emplacement stratégique, la ville de Boston se hisse rapidement au rang de centre commercial de la nouvelle colonie, rôle qu'elle tiendra tout au long du XVIIᵉ siècle et pendant la majeure partie du XVIIIᵉ. À partir de ce moment, le va-et-vient des navires entre cette ville, les autres villes portuaires de la nouvelle colonie et la métropole, mais aussi entre le reste de l'Europe, l'Afrique et les Antilles, ne cessera de croître, jusqu'au moment de la Déclaration d'indépendance.

La Déclaration d'indépendance met fin aux relations entre l'Angleterre et ses anciennes colonies. Les marchands qui constatent la disparition de leur manne n'ont pas d'autre choix que de se tourner vers de nouveaux partenaires commerciaux. Et ce sera l'Asie, elle-même à la recherche de nombreuses richesses pour satisfaire sa population. Les villes portuaires de la Nouvelle-Angleterre voient alors transiter nombre de produits hétéroclites et exotiques. Porcelaines précieuses, soieries colorées, épices inconnues jusqu'alors et art oriental font leur apparition sur les étals des ports et envahissent les demeures des particuliers.

Florissant, ce commerce n'avait pas manqué d'engendrer une disponibilité de capitaux importants que les nouveaux riches du secteur maritime, souhaitant diversifier leurs secteurs d'activité, vont investir dans l'économie locale. Ils trouvent alors une main-d'œuvre appréciable et bon marché dans l'immigration massive, principalement d'origine irlandaise et canadienne-française.

Au début du XIXᵉ siècle, le gouvernement adopte deux mesures dont les effets favoriseront l'industrie locale, alors naissante. En 1812, au moment où les États-Unis entreprennent la guerre avec l'Angleterre, le président Thomas Jefferson décrète l'Embargo Act, afin de contrer l'interférence de la France et de l'Angleterre dans l'activité maritime du jeune pays. Puis, l'année 1816 voit l'émission d'une taxe sur les produits importés, destinée à protéger les entreprises locales naissantes, principalement situées au Massachusetts. Les États-Unis entreprennent donc de fabriquer eux-mêmes leurs produits essentiels qui étaient jusqu'alors importés. Pour la première fois, le regard des habitants de la Nouvelle-Angleterre se tourne vers une autre source commerciale que celle de la mer.

Le territoire de la Nouvelle-Angleterre ne recèle toutefois pas de matières premières nécessaires pour fournir l'énergie des machines du secteur industriel. Afin de répondre aux besoins énergétiques de ce nouveau secteur, les entreprises envisagent donc l'exploitation de l'énergie produite par les nombreuses rivières et cours d'eau. C'est ainsi qu'apparaissent les *mill towns*, ces villes manufacturières, lovées aux abords des cours d'eau. Ces nouvelles concentrations industrielles et manufacturières auront pour effet d'étendre les zones développées, jusqu'alors canalisées essentiellement dans les grands centres urbains aux abords des côtes. Dès les débuts de l'ère industrielle, chacune des régions de la Nouvelle-Angleterre se spécialise dans des domaines industriels très précis: industrie textile, travail du cuir, production de machines-outils, industries de précision comme l'horlogerie et les armes à feu. À l'aube du XIXᵉ siècle, la Nouvelle-Angleterre se positionne comme un des plus grands centres industriels du monde.

L'agriculture occupa, elle aussi, un rôle important dans l'économie de la Nouvelle-Angleterre lorsqu'elle connut son âge d'or entre les années 1830 et 1880, alors qu'environ près de 60% du territoire était cultivé. Elle périclita cependant après les années 1880 avec la conquête des plaines plus fertiles de l'Ouest, entraînant les fermiers à y tenter leur chance.

La seconde moitié du XIXᵉ siècle voit l'expansion du secteur manufacturier dont le développement a un effet positif sur le lucratif secteur des banques et des placements (*banking and investment*) et les entreprises de gestion (*management firms*). Ces secteurs financiers ne cesseront pas de s'étendre et joueront plus tard une place de premier plan dans le domaine de la gestion des fonds mutuels du pays.

Malgré la diversification de l'économie, la Nouvelle-Angleterre n'est plus au XXᵉ siècle le centre économique et culturel des États-Unis, et l'importance qu'avait Boston est supplantée par d'autres grandes capitales, notamment New York et Philadelphie. Plusieurs usines textiles, qui avaient fait les beaux jours de la région, déménagent vers le sud où elles peuvent profiter d'une main-d'œuvre meilleur marché. Ces industries s'évitent du même fait les coûts liés au transport des produits bruts qui étaient alors majoritairement du coton. Jumelé aux répercussions des deux guerres mondiales, cet exode des capitaux vers le sud ne manque pas d'entraîner un essoufflement de l'économie locale faisant place à un important déclin financier.

Ce marasme économique trouve un peu de répit dans l'économie découlant des deux grandes guerres. Aidés de fonds gouvernementaux, les entrepreneurs locaux se tournent alors vers le savoir et l'expertise des nombreuses institutions d'enseignement établies dans la région. La Nouvelle-Angleterre connaît alors un renouveau économique par le biais du développement d'industries de haute technologie. Bien que les industries traditionnelles (transformation alimentaire, confection de vêtements, fabrication de machineries, argenterie, horlogerie et armurerie) occupent encore une place importante, le secteur plus récent de l'industrie électronique, des télécommunications et des hautes technologies, actuellement en pleine effervescence, ne semble pas vouloir s'essouffler et constitue aujourd'hui l'une des sphères les plus importantes à la base de l'économie de la région, à laquelle s'ajoutent la mécanique de précision ainsi que la construction d'avions et d'hélicoptères.

Les domaines reliés au monde des affaires, que ce soit les banques, la gestion des placements et le secteur des assurances, représentent aussi actuellement une part très important de l'économie de la Nouvelle-Angleterre. Le secteur des assurances a pris son essor au début du XIXᵉ siècle, lorsque les investisseurs de l'économie maritime s'inquiétaient de voir sombrer les navires et de perdre ainsi à la fois leurs vaisseaux et les précieuses marchandises qu'ils contenaient. Faisant preuve d'ingéniosité, les investisseurs se proposèrent alors de garantir les risques liés au transport maritime des marchandises. Au moment du déclin du commerce maritime, cette industrie ne manquera pas de se diversifier et de se tourner vers de nouveaux secteurs d'activité, laissant les villes de Hartford, au Connecticut, et de Boston, au Massachusetts, prendre la tête du Nord-Est américain dans le domaine des assurances.

Regroupant quatre des plus prestigieuses universités de l'Ivy League, Harvard, Yale, Darmouth et Brown, et dénombrant quelque 260 établissements d'enseignement supérieur, dont des institutions privées très cotées et des instituts techniques et scientifiques de haut niveau, le domaine de l'enseignement représente maintenant la source de revenus la plus importante de la Nouvelle-Angleterre, en plus de contribuer à sa renommée intellectuelle à travers le monde. Ce domaine est générateur de revenus pour un grand nombre de petites entreprises qui dépendent du rôle économique assuré par ces établissements administrés comme des entreprises.

Le tourisme et la santé sont les autres domaines importants de l'économie. Le XX⁰ siècle a été marqué par l'essor de l'industrie touristique qui a commencé son expansion fulgurante dès les années 1920. Seulement dans l'État du Maine, qui dispose d'un joli littoral agrémenté de belles plages, environ 6% du produit brut de l'État est consacré à l'industrie touristique. Sur l'ensemble du territoire de la Nouvelle-Angleterre, le littoral et les montagnes contribuent à attirer les touristes à chacune des saisons.

Le secteur agricole ne s'est jamais complètement remis de l'exode des fermiers vers l'ouest du pays, puisque aujourd'hui seulement 6% des terres sont consacrés à l'agriculture. La production de pommes de terre, l'industrie laitière, l'aviculture et les cultures fruitières (poires, pommes, pêches) sont de loin les secteurs les plus actifs et occupent à peu près tous les États de la Nouvelle-Angleterre, les fermiers fournissant les grandes agglomérations du sud de la Nouvelle-Angleterre.

En outre, dans la majorité des six États, on dénombre quelques monocultures. Le Vermont s'est spécialisé dans l'élevage des dindes (dont le nom dérive de la «poule d'Inde»), plat traditionnel du Thanksgiving Day, tandis que le Massachusetts, qui profite des marais sablonneux des environs de Cape Cod, fournit les canneberges accompagnant ce mets. Pour sa part, le Connecticut a développé une importante culture de tabac sous abris dans ses vallées fertiles, tandis que le Maine est un important producteur d'airelles. Une production à plus petite échelle vient diversifier le tableau, ajoutant de nombreux légumes, des citrouilles, des courges et du maïs aux étals qui colorent les marchés à la fin de l'été. Finalement, la production du fameux sirop d'érable, ce délice traditionnel qui met en effervescence le New Hampshire, le Vermont et le Maine au moment de son élaboration au début du printemps, participe au charme de la région.

Bien que la forêt recouvre 70% du territoire, l'industrie forestière est aujourd'hui l'objet d'une politique fédérale de protection, à l'exception des exploitations des importantes sociétés papetières du nord du Maine et du New Hampshire. C'est le Maine, dont la forêt de feuillus et de résineux occupe les quatre cinquièmes de la superficie, qui possède la plus grande capacité d'exploitation forestière.

Pour sa part, la pêche, sur laquelle reposent les fondements de la colonie, a subi une forte récession au cours des 30 dernières années. Ce déclin est dû principalement à une importante lacune dans la gestion des bancs de poissons que l'on croyait jadis inépuisables. Résultat: un important épuisement des richesses. La morue et les cétacés qui ont fait les beaux jours des pêcheurs ont aujourd'hui presque disparu et font l'objet de mesures de protection très strictes. La pêche demeure toutefois active dans les États du Maine, du Connecticut et du Rhode Island, avec leurs crustacés, mollusques et autres poissons. Seulement dans l'État du Maine, le homard génère près de la moitié des revenus totaux de la pêche, malgré qu'il ne représente qu'environ 10% des prises totales de l'État.

Portrait – Économie

Population

Lors de l'arrivée des premiers colons en Nouvelle-Angleterre, la région est peuplée de tribus de la famille linguistique des Algonquins, installées généralement dans des campements limitrophes à la côte. Il est difficile aujourd'hui d'estimer leur nombre aux premiers moments de la colonisation. On peut dire toutefois que ce nombre périclita dès les premières incursions européennes, principalement avec les maladies engendrées par contact entre les deux populations, et qu'il diminua de façon drastique au moment où les colons entreprirent de convertir les Autochtones. Les avancées des colons sur les territoires amérindiens, ainsi que la guerre du roi Philip (King Philip's War), où la communauté des Narragansets du Rhode Island fut pratiquement rayée de la carte, contribuèrent à donner un coup fatal aux Autochtones. Aujourd'hui, on retrouve des descendants des Passamaquoddys et des Penobscots dans le Maine et des Wampanoags à Cape Cod et à Martha's Vineyard. Au Maine, les représentants des Premières Nations sont près de 5 000.

L'homogénéité marque les premières années de la colonie. Les descendants des colons puritains dominent tous les secteurs d'activité de la Nouvelle-Angleterre jusqu'au milieu du XVIIIᵉ siècle. Puis ce sont les *Yankees*, surnom donné aux descendants des premiers arrivants anglo-saxons, qui occupent les sphères les plus importantes de l'économie. Toutefois, les descendants des Irlandais commencent tranquillement à investir ces territoires jusqu'alors réservés à l'élite puritaine.

Dans les années 1840, la famine, causée par la maladie de la pomme de terre, frappe durement l'Irlande. Atteignant son point culminant en 1847, elle force des milliers d'Irlandais à quitter leur pays pour trouver de meilleures conditions de vie ailleurs. Cet exode maintint un bon rythme jusqu'à la fin du XIXᵉ siècle. Les promesses de travail qu'engendre le développement du secteur industriel en Amérique les attirent particulièrement. Ils seront des milliers à se faire engager dans les manufactures de la Nouvelle-Angleterre.

La période suivant la guerre de Sécession fut marquée par une grande révolution qui frappa particulièrement l'industrie du papier. De nombreux Canadiens français sont alors attirés massivement par les promesses de travail et de meilleures conditions salariales dans les industries de la côte est des États-Unis. On estime à environ 750 000 le nombre de Canadiens français ayant quitté leur pays afin de travailler dans les usines américaines entre les années 1860 et 1930. Au Maine, cette minorité est très active et représente environ 20% de la population. Dans les États du Maine, du New Hampshire et du Vermont, de nombreux noms aux sonorités et aux racines francophones laissent deviner les origines des descendants qui les portent.

Le début du XXᵉ siècle est marqué par des vagues d'immigration massives qui amèneront successivement des Italiens, des Juifs ainsi que des Portugais, principalement des pêcheurs en provenance des Açores, qui s'installent dans les villes portuaires, des Russes, des Suédois et des Européens de l'Est, qui choisissent plutôt les villes industrielles.

S'ajoute un faible pourcentage de population noire, que l'on retrouve principalement dans les grandes agglomérations du sud de la Nouvelle-Angleterre ainsi qu'à Boston. Les Noirs ne représentent que 1% de la population du Maine, mais constituent 25% de la population de l'agglomération de Boston. L'immigration des Afro-Américains, en provenance des États du sud, a débuté avant la guerre de Sécession et n'a cessé de se poursuivre depuis.

La population hispanophone, surtout concentrée à Boston, en provenance des pays d'Amérique latine, est arrivée en différentes vagues qui s'amplifièrent avec les années 1960. Cette population fuit souvent les conditions de vie difficiles et les tensions politiques que connaissent leurs pays.

Aujourd'hui, la population totale des six États de la Nouvelle-Angleterre regroupe plus de 14 200 000 d'habitants, principalement dans la moitié sud où sont concentrés les grands centres urbains. La ville de Boston à elle seule compte plus de 600 000 habitants. Chacune des communautés qui composent le visage de la Nouvelle-Angleterre semble s'être intégrée à la vie américaine. Dans les centres urbains, chaque communauté a recréé sa tradition propre, son territoire où il apparaît possible à chacun de parler sa langue et de vivre selon ses valeurs et où chacun a la possibilité de pratiquer sa religion, en se dotant par exemple d'institutions transposées dans ce nouveau contexte nord-américain. Ce phénomène tend actuellement à s'étendre aux régions rurales qui voient leurs paysages se remodeler à la faveur de ce nouvel apport.

Religion

En Nouvelle-Angleterre, l'institution de l'Église, malgré qu'elle soit dès les premiers temps séparée de l'État, demeurera toujours très présente dans la vie des citoyens. À leur arrivée sur cette nouvelle terre, les premiers immigrants ne trouvent aucune structure d'accueil à laquelle se rattacher. C'est rapidement la religion qui prendra le rôle institutionnel de cadre d'organisation dans la nouvelle communauté. Chaque nouvel arrivant se rattache à une église apparaissant à sa mesure.

Ce sont les hiérarchies protestantes, présentes dès les origines du peuplement, qui joueront les premières ce rôle d'accueil à la communauté. Les groupes protestants (luthériens, calvinistes, presbytériens, baptistes, méthodistes, évangélistes, congrégationalistes, pentecôtistes, anglicans ou épiscopaliens, quakers...) ne tarderont pas à se multiplier et verront de nombreux schismes enjoliver cette mosaïque.

C'est ainsi qu'on voit naître, en marge de la filiation protestante, de nombreux cultes dont les adventistes du septième jour, les mennonites, les témoins de Jéhovah et l'Église du Christ scientiste, fondée à Boston par Mary B. Eddy en 1879. Ainsi que l'Église des mormons, fondée en 1830 par Joseph Smith dans l'État de New York et au Vermont, qui ne tardera pas à être réprimée et migrera plutôt vers l'ouest des États-Unis où Brigham Young ira fonder Salt Lake City.

Au cours du XVIIIᵉ arriveront les juifs ashkénazes (les juifs réformés ou juifs des Lumières), notamment d'Allemagne et de Pologne, qui choisissent l'Amérique du Nord pour sa tolérance religieuse et ses opportunités économiques. Leurs premiers établissements sont principalement concentrés le long du littoral. Aujourd'hui, seule une petite minorité de juifs américains est juive orthodoxe (9%); les autres sont soit «réformés» (34%), soit conservateurs (25%).

La seconde moitié du XVIIIᵉ siècle et le XIXᵉ siècle sont marqués par les arrivées massives d'Irlandais et de Canadiens français aux profondes racines catholiques. Ceux-ci ne mettront pas de temps à s'organiser et à recréer sur leur terre d'accueil les institutions nécessaires à leur culte, transformant le paysage religieux, alors essentiellement protestant.

Principalement en raison des constants flux migratoires internes des populations qui caractérisent le pays, il est difficile de fixer un emplacement géographique précis pour chacun des groupes religieux présents en Nouvelle-Angleterre. En outre, l'arrivée récente des technologies de communication qu'utilisent les prédicateurs ainsi que certaines sectes contribue à éliminer la barrière que constituait autrefois la distance. Malgré tout, l'histoire du peuplement permet de se fier quelque peu aux concentrations originelles.

En Nouvelle-Angleterre, les catholiques se concentrent principalement au Massachusetts, là où se fixèrent les communautés originaires d'Irlande et les Canadiens français, et ils représentent la majorité de la population dans les six États de la Nouvelle-Angleterre. Les congrégationalistes ont des points d'ancrage importants au Vermont, au New Hampshire ainsi que dans le nord-est du Maine. La majorité de la population du Maine se divise entre protestants, baptistes, congrégationalistes, méthodistes et épiscopaliens, alors que la religion catholique romaine dessert près de 30% de la population.

Le judaïsme, pour sa part, est très présent au Massachusetts, au Connecticut et au Rhode Island. De nos jours, le judaïsme américain est marqué par le libéralisme et l'émergence, dans le courant des années 1980, d'un courant orthodoxe rigoureux (hassidim). Le poids de l'ensemble de la communauté juive, qui représente plus de 7 millions d'individus aux États-Unis, tient moins à son importance numérique qu'à son dynamisme ainsi qu'aux positions qu'occupent ses fidèles dans les sphères du pouvoir.

Le nombre des musulmans, essentiellement issus de l'immigration syro-libanaise du XIXᵉ siècle, s'est vu grandement renforcé par les nombreuses conversions qui ont eu lieu au sein des communautés noires au cours des trois dernières décennies. Ces conversions se sont vues favorisées par une politique intégrationniste de la part de la religion musulmane à l'égard de ces communautés, ce qui n'était que rarement le cas au sein des autres religions.

L'hindouisme et le bouddhisme, ajoutés à une multitude de sectes et de religions, viennent compléter le tableau religieux. Ces dernières confessions proviennent à la fois de schismes des grandes tendances ainsi que de l'immigration massive que connaît le pays. On rencontre aussi quelques confessions aux caractères, disons, moins habituels, comme peut l'être le vaudou haïtien par exemple.

Malgré l'importance que revêt l'Église dès les premiers moments de la colonisation, et les ramifications qu'elle a entretenues et maintenues avec l'État, on estime aujourd'hui que seulement 57% des Américains sont pratiquants, tandis que 40% assisteraient fréquemment à un office religieux, quelle que soit l'Église à laquelle ils se rattachent. Toutefois, les différentes Églises catholiques et les hiérarchies protestantes n'hésitent pas à prendre fréquemment position sur les grands sujets qui touchent la société: économie, questions sociales, désarmement, contrôle des armes nucléaires, problèmes sociaux, etc.

L'un des phénomènes les plus importants de l'histoire religieuse récente des États-Unis est sans doute l'émergence de nouveaux évangélistes à la fin des années 1970. Ce phénomène a vu s'étendre la popularité grandissante de prédicateurs se présentant en public ou à la télévision dans de véritables spectacles religieux, suscitant un engouement public générateur d'importants revenus. Ces prédicateurs, rattachés à différentes Églises, prétendent parfois effectuer des miracles en direct au petit écran et n'hésitent pas à mêler à leurs prêches les thèmes politiques de l'actualité (par exemple concernant l'avortement, les interventions militaires de leur pays, l'âge légal de la majorité). L'importance qu'ils ont acquise auprès du public a fait des prédicateurs de réels groupes de pression auprès des autorités des États et de la nation.

Pendant les deux mandats du président Ronald Reagan, on a assisté à un regain du puritanisme aux États-Unis, que le mandat de George Bush, soutenu par les forces conservatrices du pays, a maintenu. De 1992 à 2001, le mandat du démocrate Bill Clinton a effectué une rupture de cette tendance. Toutefois, l'élection de George W. Bush semble indiquer que la rupture n'était que passagère.

Arts et culture

■ Littérature

La littérature américaine est tout simplement née en Nouvelle-Angleterre. Pendant une certaine période, elle s'est développée principalement autour de Boston, qui jouait admirablement son rôle de capitale intellectuelle et culturelle du Nouveau Monde. Jusqu'à ce que New York, Philadelphie et les autres se taillent leur propre place, Boston demeura la référence en matière de littérature. Selon les contextes et les époques, elle n'a cessé de représenter le reflet des préoccupations de ses habitants.

Bien entendu, les premiers écrits du Nouveau Monde sont les nombreux récits des explorateurs longeant la côte est des États-Unis au XVIIe siècle. John Smith rend compte des atouts du nouveau territoire dans *A description of New England*. William Wood fait de même pour la ville de Boston lorsqu'il publie *New England Prospect*. Dès l'établissement des colonies, les premiers écrits sont essentiellement des essais politiques et religieux apparaissant sous forme de pamphlets, de chroniques et de sermons. Réalisés par des puritains cultivés, ils s'attachent à évoquer l'histoire de la Nouvelle-Angleterre naissante tout en transcendant les opinions de leurs auteurs concernant le destin qu'ils envisagent pour elle. Ces essais jettent ainsi les fondements politiques et idéologiques qui forgeront plus tard le pays.

Ce premier siècle de production littéraire est aussi fortement marqué par l'usage du style purement britannique, malgré le désir pressant des auteurs de se démarquer de leurs confrères de la métropole. Parmi ceux-ci, William Bradford, gouverneur de la Plimouth Plantation, réalisera des pamplets religieux, et le *Journal* de John Winthrop, premier gouverneur de la Massachusetts Bay Company et fondateur de Boston, relate l'espoir entretenu par l'auteur de faire de la nouvelle colonie une théocratie. De son côté, Roger Williams est l'auteur de virulents écrits où il prône la séparation de l'État et de l'Église en plus de se faire le revendicateur d'une totale liberté religieuse.

Le thème historique du jeune pays, ses guerres et ses déchirures politiques, idéologiques et religieuses, voilà les sujets qui se font pressants et qui caractériseront la littérature du XVIIIe siècle. Dans cette veine, Cotton Mather sera l'auteur de la monumentale *Histoire ecclésiastique de la Nouvelle-Angleterre*, et, avec son *Almanach du Pauvre Richard (Poor Richard's Almanach*, 1732), Benjamin Franklin (1706-1790) représente une imposante figure littéraire de son époque.

C'est cependant le XIXe siècle qui assiste à la naissance d'un genre littéraire typiquement américain dont le noyau demeure concentré en Nouvelle-Angleterre, mais qui tend à se répandre à l'ensemble du jeune pays. Les genres se diversifient, la poésie et le roman puisent dans l'histoire locale, et les idées nouvelles cherchent des voies diversifiées.

Les poètes sont nombreux à avoir hanté Boston à un moment de leur existence. Considéré aujourd'hui comme le premier auteur poétique américain, William Cullen Bryant (1794-1878), l'auteur de *Thanatopsis* (1821), fut aussi le rédacteur en chef d'un journal qu'il a utilisé afin de dénoncer les injustices. La Nouvelle-Angleterre est aussi la patrie du poète et, surtout, maître du suspense et de l'horreur littéraire Edgar Allan Poe (1809-1849), né à Boston. C'est également dans cette ville qu'il a publié, en 1827, ses premiers poèmes. Cependant, son style marquera davantage les courants littéraires de la France, où il y fera l'objet d'un véritable culte, surtout grâce au talent de Baudelaire, qui fera une remarquable traduction de ses œuvres.

Mais c'est alors le mouvement abolitionniste qui se démarque dans les écrits. Il rejoint alors un grand nombre de gens de lettres, tel William Lloyd Garrison, qui publia pendant plus de 30 ans l'hebdomadaire *The Liberator* (1831-1865). Ce journal, dénonçant l'esclavagisme régnant dans les États du sud, contribua à éveiller la fibre antiesclavagiste de nombreux intellectuels. Son tirage réduit eut un impact déterminant lors de la guerre de Sécession. Il profitera aussi de l'apport du poète John Greenleaf Whittier.

Née au Connecticut, la romancière Harriet Beecher-Stowe (1811-1896) n'a pas encore 40 ans lorsque la loi de 1850, obligeant quiconque à dénoncer les esclaves fugitifs, lui inspire le roman qui restera son œuvre majeure, la *Case de l'Oncle Tom (Uncle Tom's Cabin)*, qui paraît sous forme de feuilletons dans les pages du journal abolitionniste *The National Era*. Ce roman sera traduit en 32 langues et fera plus tard l'objet d'une adaptation théâtrale qui sera présentée jusqu'en 1930. Il a aussi eu une influence considérable sur la guerre de Sécession et suscité des débats enflammés au sein de la société américaine. Abraham Lincoln dira de l'auteure qu'elle fut *«Little lady who made a big war»* (la jeune femme qui provoqua une grande guerre).

Portrait – Arts et culture

Dominant la scène intellectuelle de l'époque, et dictant la conduite à suivre en matière de publication, les «brahmanes», ces intellectuels issus des grandes familles américaines, ne passent pas inaperçus. Parmi ceux-ci, Henry Wadsworth Longfellow (1807-1882), originaire de Portland et ayant séjourné en Europe, contribua à repopulariser et répandre la culture européenne en Amérique. C'est aussi le premier poète américain à vivre de sa plume. Il rédige *Outre Mer* (1835), que lui inspirèrent ses voyages, *Evangeline* (1847), qui évoque les Acadiens, et *Hiawatha* (1855), poème puisant son inspiration dans la tradition amérindienne. L'ensemble de son œuvre est marqué par la morale et la présence de héros américains que lui inspirent le folklore et la culture de son pays et de l'Europe (*The Spanish Student*, 1843); il met au jour l'épopée nationale. Oliver Wendell Holmes (1809-1894), de son côté, lance sa série *Breakfast Tanble* (1858-1891), dirigée contre le puritanisme de l'époque, alors que le poète et critique engagé, militant abolitionniste, James Russell Lowell (1819-1891), publie son *Harvard Commemoration Ode* (1865) et éveille la fibre patriotique de ses concitoyens avec ses satiriques *Biglow Papers* (1848-1868).

Dans la petite ville de Concord, aux environs de Boston, le transcendantalisme, philosophie au caractère individualisme, prend de l'importance. Un des courants qui influencera le plus la littérature de la Nouvelle-Angleterre, il gagne la faveur du public sous la conduite de l'essayiste, ancien ministre unitarien, Ralph Waldo Emerson (1803-1882). Son mémorable *Essai sur la Nature* (*Nature*, 1836) et la suite de ses *Essais* (*Essays 1st Series*, 1841; *Essays 2nd Series*, 1844) condensent les idées qu'il défend. Les écrits d'Emerson, qui cherche à dépasser l'unitarisme qu'il juge trop restreint, sont de nature philosophique et optimiste. Ils traduisent son désir de jeter les bases d'une réforme de la société américaine, plus forte de son originalité propre, où l'effort moral naît de chacun et non pas d'une action concertée. Emerson sera aussi cofondateur, avec Margaret Fuller, d'un magazine littéraire diffusant les idées du courant qu'il initie.

Une des grandes figures littéraires du XIXᵉ siècle en Nouvelle-Angleterre est sans contredit l'essayiste et poète naturaliste Henry David Thoreau (1817-1862). D'origine quaker et puritaine, adepte du transcendantalisme, méditatif et dénonciateur des inégalités, il mène une vie ascétique, trouvant son inspiration dans la nature et le cycle des saisons. *La désobéissance civile* (*Civil Disobedience*, 1849) lui fut inspiré au cours d'un séjour en prison suivant son refus de payer une taxe destinée à financer la guerre qui opposait les États-Unis au Mexique.

Cet ouvrage a entraîné à la désobéissance civile plusieurs personnes, de Gandhi à Martin Luther King, jusqu'aux jeunes contestataires qui l'ont redécouvert dans les années 1960-1970. Son ouvrage, *Walden ou la vie dans les bois* (*Walden or Life in the Woods*, 1854) relate la réclusion solitaire qu'il s'imposa durant deux années. Les écrits de Thoreau demeurent encore aujourd'hui d'une étonnante actualité.

Nathaniel Hawthorne (1804-1864) est aussi forte-ment attiré par le courant transcendantal. Portant cependant le poids de son éducation puritaine, il n'adhère pas complètement à ces idées. Autodidacte et solitaire, il vivra plutôt loin des courants de son temps et se fera l'auteur de nouvelles et de romans d'aventure devenus célèbres: *la Maison aux sept pignons* (*The House of the Seven Gables*, 1851) et *la Lettre écarlate* (*The Scarlett Letter*, 1850). La littérature trouve aussi une certaine fraîcheur, par exemple à travers Louisa May Alcott (1799-1888), célèbre pour son roman *Les quatre filles du Docteur March* (*Little Women*), qui a fait l'objet de trois adaptations cinématographiques.

Née au Massachusetts, la poétesse Emily Dickinson (1830-1886) est auteure de courts poèmes aux accents lyriques, teintés de romantisme, mais aussi du calvinisme qui caractérise son époque. Vivant en recluse, elle ne vit que sept de ses poèmes atteindre une certaine reconnaissance tandis que la totalité de ses écrits, publiée à titre posthume, consacrera son talent.

La fin du XIXᵉ siècle voit naître, pour sa part, un genre littéraire plus régional, où les différences culturelles ou langagières et les variétés de paysages qui façonnent alors la Nouvelle-Angleterre viennent inspirer les auteurs. Sarah Orne Jewett produit son roman *The*

Le transcendantalisme

Le transcendantalisme tient beaucoup plus du mouvement philosophique qui marqua le paysage moral et littéraire de la Nouvelle-Angleterre du XIXᵉ siècle que de l'élan religieux. Ce mouvement valorisait la communication entre Dieu et les hommes par le biais de la nature et du rejet du confort matériel, le tout servi sur un fond mystico-moral qui pourrait s'apparenter tantôt à de l'humanisme, tantôt au romantisme européen.

Ralph Waldo Emerson (1803-1882), en bon individualiste, soutient que l'homme possède tout ce dont il a besoin pour se suffire à lui-même et que son intuition devrait lui permettre de bien orienter sa vie. L'essai que rédigea Ralph Waldo Emerson, *Nature* (1836), contribua à répandre les principes de ce nouveau mouvement, fortement inspiré des philosophies orientales.

Le cercle des intellectuels adhérant au transcendantalisme gravitait autour de la ville de Concord et fréquentait Boston. La réclusion que s'imposa Henry David Thoreau à Walden Pond (Concord) pendant deux ans relève de ce désir, propre aux principes transcendantaux, de rapprocher l'homme de la nature et de mieux comprendre les liens les unissant.

Bronson Alcott (1799-1888), figure dont on a sous-estimé l'influence, moins connu que les Thoreau et Emerson, était un original de son temps, lié de près aux idées du mouvement transcendantaliste. Les idées sociales d'Alcott le conduisirent à la création d'une ferme communautaire, Fruitlands, où il s'installa avec le cofondateur, Charles Lane, et quelques adeptes.

Grand pacifiste qui se battit toute sa vie pour l'égalité entre les hommes, Alcott créa à Fruitlands un pantalon en lin dont tous les membres étaient vêtus pour protester contre l'utilisation du coton, fruit de l'esclavage. Il allait être renvoyé quelques années plus tard d'une école de Boston où il enseigna pour y avoir accepté la présence d'un élève de race noire. Alcott prôna également le végétarisme, non seulement parce qu'il croyait au droit des animaux à la vie, mais parce que la consommation de fruits et de légumes crus allait, selon lui, libérer la femme des cuisines. Il fut le seul adepte du transcendantalisme à signer la pétition de Lucy Stone, militante du Massachusetts pour l'attribution du droit de vote aux femmes.

Country of The Pointed Firs, qui évoque les régions rurales du Maine. Robert Frost (1874-1963) fut aussi inspiré par la Nouvelle-Angleterre, dont il vante les charmes de la population et les paysages à travers une poésie dépouillée. Il étudia quelque temps à Harvard, avant de tout laisser pour Londres dans l'espoir d'être publié par des éditeurs plus ouverts. Si Londres fut témoin de ses premiers succès, la poétesse bostonienne Amy Lowell, lors d'un voyage, découvrit le talent de Frost; le retour de l'exilé sur la côte est des États-Unis en 1915 fut marqué par une vague de succès et la reconnaissance de ses pairs. Il mourut à Boston. Né à Cambridge et poète lui aussi à la même époque, E.E. Cumings (1894-1962) se distingue par son genre particulier et son utilisation fort insolite de la typographie et de la ponctuation.

Le théâtre américain, de son côté, prend son souffle au début du XXᵉ siècle lors du succès international de la pièce *Bound East for Cardiff* de l'auteur dramatique Eugene O'Neill (1888-1953).

Personnage fascinant et énigmatique, Kenneth Lewis Roberts (1885-1957) est né à Kennebunk, au Maine. Sa production romanesque, soit *Arundel* (1930), *Rabble in Arms* (1933), *Northwest Passage* (1937), *Captain Caution* (1934) et *Oliver Wiswell* (1940), s'inspire de l'histoire locale de son Kennebunk natal et du Maine à travers une fiction riche où il s'attache à retracer le passé de ses ancêtres. Cet auteur est un personnage haut en couleur et aussi

Portrait – Arts et culture

l'un des premiers à décrier la pollution visuelle causée par les panneaux publicitaires installés aux abords des autoroutes, et c'est à lui qu'on doit l'interdiction de ces affichages dans le Maine.

Né au Massachusetts, Jack Kerouac (1922-1969), d'origine québécoise, est un personnage emblématique de la jeunesse de l'époque. Dans la fièvre de la *beat generation*, Kerouac a donné ses lettres de noblesse à ce mouvement. À travers ses écrits tels que *Sur la route* (*On the Road*, 1957) et *les Clochards célestes* (*The Dharma Bums*, 1958), il se fait le chantre d'une errance solitaire, dépourvue de responsabilités sociales et d'engagements. Sa personnalité bohème séduit encore les contestataires d'aujourd'hui.

Stephen King, né en 1947 à Portland (Maine), est l'un des auteurs américains qui vend le plus de livres dans son pays. Il s'est fait le maître d'une littérature d'épouvante et puise son inspiration en recueillant l'horreur contenue dans chaque situation, par exemple dans les titres suivants: *Carrie* (1974), *The Shining* (1977), *Dolores Claiborne* (1992). Étant donné leur potentiel cinématographique et leur popularité, nombre de ses écrits, sous forme de nouvelles, de scénarios et de romans, ont été portés au grand écran.

La Nouvelle-Angleterre a aussi inspiré de nombreux romanciers et auteurs étrangers. Les écrits de Nathaniel Hawthorne influencèrent nettement le New-Yorkais Herman Melville (1819-1891), qui dans l'écriture de son chef-d'œuvre épique aux aspects symboliques et philosophiques hautement métaphoriques, *Moby Dick ou la Baleine blanche* (*Moby Dick or the White Whale*, 1851), qui fut immortalisé plus tard par une adaptation soignée de John Huston au cinéma. Né, lui aussi, à New York, en 1915 l'auteur dramatique Arthur Miller s'est inspiré de la chasse aux sorcières pour pondre en 1953 sa pièce *The Crucible* (adaptée par Jean-Paul Sartre sous le titre de *Les Sorcières de Salem*). Cette pièce, qualifiée de courageuse pour l'époque, visait à dénoncer le maccarthysme qu'elle comparait aux persécutions puritaines qui ont eu lieu au XVIIᵉ siècle. La romancière et essayiste humaniste française Marguerite Yourcenar (1903-1987), surtout reconnue pour ses *Mémoires d'Hadrien* (1951), s'installa définitivement en 1950 sur la Mount Desert Island, dans l'État du Maine.

■ Peinture

La Nouvelle-Angleterre a été le berceau de la peinture aux États-Unis. Même si c'est d'abord à Boston que se développe la peinture, la présence d'artistes itinérants favorisa la propagation des différents courants et styles. C'est la bourgeoisie bostonienne qui encouragea le talent des premiers artistes de la colonie, les portraitistes. John Smibert (1688-1751) est ce qu'on pourrait appeler le premier artiste peintre professionnel en sol américain. Écossais d'origine, il s'établit à Boston en 1730 et devient portraitiste. Son influence est marquante pour les premiers peintres coloniaux.

Au XVIIIᵉ siècle, deux peintres fortement influencés par Smibert se distinguent. Robert Feke (1705-1750), qui travailla à Philadelphie et à Boston, de même qu'à sa résidence de Newport, au Rhode Island, réalisa plusieurs portraits des premiers bourgeois de la colonie. John Singleton Copley (1738-1815), natif de Boston, est considéré comme un brillant portraitiste et peintre historique. Adoré par la bourgeoisie de Boston, il quitta cependant la ville définitivement pour s'établir à Londres en 1774.

Né à Newport, Rhode Island, Gilbert Stuart (1755-1828) passa quelques années en Écosse, en Irlande et à Londres avant de s'établir à Boston en 1805. Son talent de portraitiste le conduisit devant les grands de son époque, entre autres George Washington et John Adams. Le portrait du premier est considéré comme l'œuvre la plus marquante de Stuart.

Samuel B. Morse (1791-1872), natif des environs de Boston, est mieux connu pour sa célèbre invention, le télégraphe électrique, que pour sa contribution au monde de la peinture. Après avoir travaillé quelque temps à Boston, il quitta la ville pour Londres et se fit, à son retour, portraitiste itinérant. Il erra notamment en Nouvelle-Angleterre. John Trumbull

(1756-1843), qui étudia au Harvard College, s'entoura de gloire grâce à ses œuvres dépeignant les événements de la Révolution américaine.

Winslow Homer (1836-1910) est un des personnages les plus marquants de la peinture américaine du XIXᵉ siècle. Natif de Boston, il y passa son enfance et son adolescence. Il quitta la ville en 1859 pour faire carrière à New York, mais continua à séjourner fréquemment en Nouvelle-Angleterre. Il établit finalement son studio sur les côtes du Maine, dans le petit village de Prouts Neck, un emplacement qui lui permit d'observer la relation entre les hommes et la mer, de même que de poursuivre son œuvre dans la solitude la plus complète. Ses œuvres, particulièrement celles affiliées aux thèmes maritimes, sont considérées parmi les plus puissantes de la fin du XIXᵉ siècle aux États-Unis.

John Singer Sargent (1856-1925), portraitiste de renommée mondiale, se tourna vers la peinture murale à la fin de sa vie. Il réalisa une murale à la Boston Public Library ainsi qu'au Boston Museum of Fine Arts.

Norman Rockwell (1894-1978), natif de New York, s'installa à Stockbridge, dans l'ouest du Massachusetts, en 1953. À l'âge de 22 ans, il réalisa sa première illustration qui parut en couverture du *Saturday Evening Post*. Pendant les 47 années suivantes, il illustra plus de 300 couvertures du célèbre magazine. Ses peintures, réalisées dans un style vivant et coloré, représentent des personnages de la vie quotidienne, traités avec humour.

Architecture et aménagement du territoire

La Nouvelle-Angleterre évoque souvent dans nos esprits une image très forte, faite essentiellement d'églises villageoises en bois, d'un blanc pur, entourées de maisons de briques rouges et d'arbres costauds, ayant préférablement revêtu leur habit d'automne multicolore. Si cette image idyllique correspond à la réalité, elle demeure cependant incomplète, car la Nouvelle-Angleterre présente une richesse et une variété architecturale bien plus grandes, qui traduisent, dans la pierre, la brique, le bois et, plus récemment, le verre et l'acier, le raffinement et la retenue d'une «aristocratie» américaine dédaigneuse des boursouflures trop souvent engendrées par le succès financier dans d'autres régions du pays. Pourtant, malgré cette sobriété ambiante, nulle part ailleurs aux États-Unis ne ressent-on avec autant de force le poids économique considérable et la tranquille assurance de l'élite de la première puissance mondiale.

■ Des débuts modestes

Il ne subsiste que peu de traces de l'architecture amérindienne traditionnelle en Nouvelle-Angleterre. Les chasseurs nomades qui peuplaient la région montagneuse des Appalaches avant l'arrivée des Européens occupaient des campements constitués de wigwams semisphériques faits de branchages, alors que les nations d'agriculteurs de la côte Atlantique, parmi lesquels figurent les Massachusets, les Narragansets et les Wampanoags, avaient aménagé de véritables villages comprenant des «maisons longues» habitées pendant les mois d'été. Celles-ci n'avaient toutefois pas l'envergure des maisons longues iroquoises ou huronnes occupées toute l'année. Elles étaient faites de troncs de cèdre recourbés, le tout recouvert d'écorce. Les reconstitutions du Hobbamock's Site (voir p 181) permettent de mieux comprendre cette architecture.

L'apparition du *Mayflower* sur l'horizon atlantique à l'automne de 1620 allait changer bien des choses. Les Pères pèlerins prenant place à bord de ce navire auront tôt fait de modifier le paysage en fondant la Plimoth Plantation (voir p 181) sur les côtes de ce qui allait devenir la colonie anglaise du Massachusetts. Leurs cabanes, qui s'inspiraient de l'architecture paysanne du Moyen Âge européen, ont été reconstruites au XXᵉ siècle en bordure de la ville de Plymouth, avec un souci didactique évident. Elles possèdent une structure de pieux enfoncés dans le sol, revêtue de clins de bois taillés à la hache et ponctuée de rares ouvertures. Les toitures, percées d'une énorme cheminée centrale en briques ou en pierres, sont recouvertes de chaume ou de bardeaux de bois. Une multitude de palissades et d'enclos viennent délimiter les espaces extérieurs consacrés aux bêtes à cornes, aux chevaux et aux potagers.

Cette architecture rustique, influencée à la fois par un manque de ressources et par le puritanisme des premiers colons, sera la norme jusqu'en 1660 dans l'ensemble des colonies anglaises fondées le long de la Côte Est, entre les possessions hollandaises de la Nouvelle-Amsterdam (New York) et celles de la France en Acadie.

■ Une nouvelle Angleterre

Peu à peu, les fermiers anglo-saxons s'approprient les terres côtières des Autochtones, repoussant ces derniers vers les régions montagneuses des Appalaches. L'augmentation du commerce et de la population va permettre un rapprochement entre l'architecture contemporaine de la mère patrie et celle des colonies anglaises d'Amérique du Nord.

À partir de 1660, on voit s'ériger de grandes maisons élisabéthaines en bois comptant plusieurs pièces. Encore tributaires du Moyen Âge par certains aspects, illustrés par la présence d'encorbellements et de toitures à fortes pentes aux multiples pignons, par l'asymétrie générale du plan et par la petitesse des fenêtres à vantaux plombés (House of the Seven Gables, voir p 171), elles s'en démarquent par quelques ornements et portails nettement imprégnés de la Renaissance (pendentifs de la maison du maître de forge du Saugus Iron Works National Historic Site, voir p 124).

Sur le littoral, l'architecture s'adapte au contexte maritime. Les clins de bois font place aux bardeaux de cèdre, qui offrent une meilleure résistance à l'air marin; les couvertures de chaume s'envolent définitivement, et le plan carré de la cabane moyenâgeuse se prolonge vers l'arrière, entraînant dans son sillage la pente du toit, ce qui donne à l'ensemble l'allure d'une «boîte de sel» (en anglais: *saltbox*). La Jethro Coffin House, sur l'île de Nantucket, en constitue un excellent exemple.

Avec l'arrivée du XVIIIᵉ siècle, les formes médiévales disparaissent pour de bon, du moins en milieu urbain. L'architecture georgienne, dont la popularité correspond aux règnes de trois rois d'Angleterre prénommés George, s'impose. Elle privilégie une symétrie rigoureuse, l'usage de la fenêtre à guillotine et l'emploi d'éléments décoratifs délicats tirés du répertoire classique (pilastres, frontons, etc.). Les pièces se multiplient et se spécialisent, entraînant une augmentation du nombre de cheminées, qui sont par ailleurs repoussées le long des murs extérieurs. Le raffinement de l'architecture georgienne aux États-Unis surprend dans un contexte colonial. Plus le siècle avance, plus les réalisations américaines rivalisent avec celles de la métropole, notamment lorsqu'il s'agit d'églises et d'édifices publics. Certains des plus beaux bâtiments de l'époque sont dus à Peter Harrison (1716-1775), par qui les formes georgiennes acquièrent un nouveau sens (Redwood Library and Athenaeum de Newport au Rhode Island, voir p 563).

En outre, l'aménagement des villes et villages se précise. Les Meeting Houses (temples protestants) se regroupent autour des *village greens*, vastes rectangles de verdure qui rythment la vie communautaire; des entrepôts s'agglutinent le long des quais, et des jardins symétriques entourent les demeures patriciennes, de plus en plus nombreuses.

■ Vers une architecture américaine

La Révolution américaine, qui mènera à l'indépendance des États-Unis, sera l'occasion d'une réflexion sur l'art et sur l'architecture du nouveau pays. À partir de 1780 s'ajoutent, aux formes georgiennes, des éléments palladiens (fenêtres serliennes, fines guirlandes et couronnes de laurier, plan à ailes, pièces circulaires ou ovales) et néoclassiques (colonnades, frontons, coupoles) qui, une fois combinés, donneront naissance à ce que les Amé-

ricains baptiseront fièrement «style Federal».
Bien que l'on admette une certaine volonté
d'autonomie par rapport à l'Angleterre, on
ne peut s'empêcher malgré tout de faire un
rapprochement entre le style Federal et ce
qui se passe au sein de la fière Albion en
cette fin de XVIII siècle, notamment lorsqu'on observe le travail des frères Adam,
qui remettent au goût du jour les formes
développées par Andrea Palladio au cours
de la Renaissance italienne.

Le champion du style Federal en Nouvelle-
Angleterre est sans contredit l'architecte
Charles Bulfinch (1763-1844) de Boston, qui
fera du capitole du Massachusetts le modèle
à suivre pour l'ensemble des législatures du
pays. Par ailleurs, la Nouvelle-Angleterre
vit, au tournant du XIX siècle, son apogée
maritime. Le commerce international se développe, enrichissant les marchands et les
capitaines de navires qui se font construire,
dans les villes portuaires de la côte, de

Widow's walk

La *widow's walk* (promenade de
veuve) est en fait un belvédère ou
une petite terrasse carrée entourée
d'une clôture et construite sur le faîte
de certaines demeures côtières de
style Federal. Sur ces promenades,
les femmes des capitaines alors en
mer pouvaient espérer entrevoir le
bateau de leur bien-aimé à l'horizon,
faisant route vers le port. En raison
des nombreux naufrages de l'époque qui rendaient bien souvent vaine
l'attente de ces femmes, on donna à
ces promenades, d'où la vue de la
mer est magnifique, le triste nom de
«promenade de veuve».

grandes maisons cubiques en briques rouges qui rivalisent d'élégance. Leur décor intérieur s'inspire parfois des contrées lointaines visitées par les exportateurs. Ainsi, les salles
à manger et les salons aux parures chinoises ou japonisantes ne sont pas rares dans des
agglomérations comme Salem ou Newport. Afin d'améliorer la sécurité sur les mers, on
érige plusieurs phares élancés qui font encore aujourd'hui le bonheur des enfants. Enfin,
des entrepôts gigantesques couvrent les quais de Boston, de Portland et de Bedford.

Au début du XIX siècle, le monde occidental se passionne pour l'Antiquité égyptienne,
grecque et romaine. Les États-Unis y voient les symboles combinés de puissance (Empire
romain) et de démocratie (l'Athènes d'Aristote). Ses architectes développeront le style
Greek Revival (style néogrec) qui bénéficiera d'une grande popularité pendant plus de
50 ans. Celui-ci se caractérise par un plan rectangulaire, une façade étroite précédée d'un
portique à colonnes et surmontée d'un fronton triangulaire, à l'image des temples antiques
(Hadwen House de Nantucket, voir p 228). Plusieurs bâtiments publics adoptent ce style à
message, à l'instar du capitole du Vermont (voir p 441), dont on dit que le portique serait
conçu sur le modèle du temple de Thésée à Athènes. Cette même époque voit aussi naître
la colonisation des régions montagneuses de l'arrière-pays. Les colons s'installent d'abord
dans des *log cabins* (cabanes de bois rond) avant d'aménager fermes, érablières et vergers
du New Hampshire et du Vermont.

■ L'ère victorienne

Parallèlement au style néogrec, différents styles historicisants font leur apparition au XIX
siècle, suivant en cela les modes européennes. Cette architecture dite victorienne, parfois
plus enjouée et surchargée que sa contrepartie britannique, française ou italienne, nous a
légué les symboles d'un âge d'or sans précédent.

Le style néogothique, inspiré de l'art gothique du Moyen Âge, est apparu le premier, pour
être le dernier à disparaître. Ainsi on voit s'élever dès 1810 dans la campagne verdoyante
d'humbles églises en bois aux fenêtres en ogive, pour aboutir aux colossales réalisations
en pierres des années 1920, parfaitement illustrées par le campus de la Yale University (voir p 510). Le style néo-Renaissance italienne, qui a succédé au style néogrec vers
1850, a lui aussi produit des réalisations majeures telles que The Breakers (voir p 565)
à Newport. Le style Second Empire, aussi appelé «style Napoléon III», n'est pas en reste

Portrait - **Architecture et aménagement du territoire**

puisque des quartiers entiers ont adopté ses toitures mansardées et ses arcs segmentaires au cours des années 1860 et 1870 (Back Bay de Boston, voir p 85).

La Révolution industrielle américaine débute en Nouvelle-Angleterre au tournant du XIXe siècle. En plus des chantiers maritimes, on érige dans les villes de l'intérieur de vastes filatures de coton et autres usines textiles qui donneront naissance aux *mill towns*. Leurs hauts et épais murs de briques rouges, percés d'innombrables fenêtres (voir Lowell, p 166), sont conçus pour accuser la pression de grosses poutres capables de supporter une machinerie lourde et encombrante. Les spécialistes perçoivent souvent ces manufactures comme un prélude à l'architecture moderne.

■ L'âge de la maturité

Si l'on pouvait encore douter, jusqu'en 1880, de la nature véritablement américaine du vocabulaire architectural employé aux États-Unis, les deux décennies suivantes, empreintes d'invention et de sensibilité, prouvent indéniablement l'émergence d'une architecture typiquement américaine. Émerge d'abord le style Queen Anne américain, bien connu au cinéma pour ses galeries enveloppantes, ses tourelles coiffées de toitures en poivrière et ses parements de bois scié et tourné mécaniquement.

Puis les talentueux architectes McKim, Mead et White donnent naissance au Shingle Style, qui tire son inspiration des humbles habitations de pêcheurs de la Nouvelle-Angleterre. Ainsi les grands cottages réalisés dans ce style revêtent les bardeaux de cèdre délavés et les grosses cheminées centrales des maisons du XVIIe siècle, tout en adoptant un plan aéré et flexible (Low House de Bristol au Rhode Island, démolie). Ces mêmes architectes vont contribuer à remettre au goût du jour l'architecture georgienne et le style Federal sous l'étiquette de Colonial Revivals. On voit alors apparaître un souci d'intégration au contexte et on restaure les premiers bâtiments coloniaux (Old Massachusetts State House, voir p 76).

Dans un autre registre, l'architecte Henry Hobson Richardson (1838-1886) lance son Richardsonian Romanesque Style, réinterprétation libre et personnelle du vocabulaire de l'art roman médiéval (Trinity Church de Boston, voir p 85). Le paysagiste Frederick Law Olmsted (1822-1903), établi en banlieue de Boston, dote les grandes villes nord-américaines de parcs urbains à la mesure de leurs ambitions (Emerald Necklace de Boston, voir p 126). Enfin, l'architecture Beaux-Arts se développe en Europe, de concert avec de nombreux architectes américains présents lors de son élaboration.

La Nouvelle-Angleterre sera le lieu de brillantes réalisations d'architectes américains (Louis Khan, Ieoh Ming Pei) et européens (Le Corbusier, Walter Gropius) au cours du XXe siècle, alors que le modernisme triomphe de l'historicisme. Elle connaîtra en outre de beaux succès en matière d'aménagement urbain, notamment par des projets de réhabilitation qui marqueront l'ensemble du pays et plus encore (le Quincy Market et le Waterfront de Boston, l'Old Port Exchange de Portland). Le plus récent projet d'envergure consiste à enfouir sous terre l'autoroute urbaine qui traverse Boston. Parions que ce chantier titanesque, qui doit s'achever en 2010, aura bientôt des échos dans d'autres villes nord-américaines.

■ Une société préoccupée d'aménagement et d'architecture

Peu de sociétés sont aussi sensibles à leur environnement bâti que la population de la Nouvelle-Angleterre. Ses villes, ses villages et même ses paysages ruraux forment des ensembles harmonieux. Les objectifs premiers de cette société privilégiée sont toujours d'assurer la pérennité de ses symboles et d'offrir une qualité de vie exemplaire à ses citoyens. La sauvegarde du patrimoine et le soin méticuleux apporté au choix des nouveaux projets figurent parmi les meilleurs outils pour atteindre ces buts.

Renseignements généraux

L e présent chapitre a pour but de vous aider à mieux planifier votre séjour en Nouvelle-Angleterre. Il renferme plusieurs indications générales qui pourront vous être utiles lors de vos déplacements. Nous vous souhaitons un excellent voyage dans le nord-est des États-Unis!

Formalités d'entrée

■ Passeports et visas

Pour entrer aux États-Unis par avion, les citoyens canadiens ont besoin d'un passeport depuis le 23 janvier 2007. Cependant, ceux qui y vont par voiture ou par bateau n'en auront pas besoin avant le 1er juin 2009.

Les résidants d'une trentaine de pays dont la France, la Belgique et la Suisse, en voyage de tourisme ou d'affaires, n'ont plus besoin d'être en possession d'un visa pour entrer aux États-Unis à condition de:

- avoir un billet d'avion aller-retour;

- présenter un passeport électronique sauf s'ils possèdent un passeport individuel à lecture optique en cours de validité et émis au plus tard le 25 octobre 2005; à défaut, l'obtention d'un visa sera obligatoire;

- projeter un séjour de 90 jours maximum (le séjour ne peut être prolongé sur place: le visiteur ne peut changer de statut, accepter un emploi ou étudier);

- présenter des preuves de solvabilité (carte de crédit, chèques de voyage);

- remplir le formulaire de demande d'exemption de visa (formulaire I 94W) remis par la compagnie aérienne pendant le vol.

Le visa est toujours nécessaire pour certaines catégories de voyageurs (étudiants ou visa précédemment refusé).

Tout voyageur qui projette un séjour de plus de trois mois aux États-Unis doit faire sa demande de visa (150$US) dans son pays de résidence, au consulat des États-Unis.

Notez que les États-Unis imposent depuis septembre 2004 la prise d'empreintes digitales et de photographies d'identité à tous les ressortissants étrangers, y compris ceux des pays occidentaux n'ayant pas besoin de visa pour entrer aux États-Unis, sauf les Canadiens et les Mexicains.

Précaution: les soins hospitaliers étant extrêmement coûteux aux États-Unis, il est conseillé de se munir d'une bonne assurance-maladie.

■ Douane

Les étrangers peuvent entrer aux États-Unis avec 200 cigarettes (ou 100 cigares) et des achats en franchise de douane (*duty-free*) d'une valeur de 400$US, incluant des cadeaux personnels et un litre d'alcool (vous devez être âgé d'au moins 21 ans pour avoir droit à l'alcool). Vous n'êtes soumis à aucune limite quant au montant des devises que vous pouvez apporter avec vous, mais vous devrez remplir un formulaire si vous voyagez avec 10 000$US ou plus.

Les médicaments d'ordonnance doivent être placés dans des contenants qui indiquent clairement ce qu'ils renferment (il se peut que vous ayez à produire une ordonnance ou une déclaration écrite de votre médecin à l'intention des officiers de douane). La viande et ses sous-produits, les denrées alimentaires, les graines, les plantes, les fruits et les stupéfiants ne peuvent être apportés aux États-Unis.

Si vous décidez de voyager avec votre chien ou votre chat, il vous sera demandé un certificat de santé (document fourni par votre vétérinaire) ainsi qu'un certificat de vaccination contre la rage. Attention: cette vaccination devra avoir été faite au moins 30 jours avant votre départ et ne devra pas dater de plus d'un an. Pour de plus amples renseignements, adressez-vous au:

United States Customs and Border Protection
1300 Pennsylvania Ave. NW
Washington, DC 20229
☎ 202-354-1000
www.customs.gov

Accès et déplacements

■ En avion

La Nouvelle-Angleterre compte plusieurs aéroports internationaux, incluant le **Logan International Airport** de Boston (voir p 68), l'un des 20 plus importants aéroports aux États-Unis.

Pour de l'information détaillée sur les aéroports de chacun des six États de la Nouvelle-Angleterre, référez-vous aux sections «Accès et déplacements» des chapitres correspondants.

Les bagages

Le poids maximal des bagages que vous pouvez emporter varie d'une compagnie aérienne à l'autre. Prenez note que vous ne pouvez pas apporter dans l'avion des objets dangereux tels que couteaux ou canifs. Même les briquets sont interdits. Vous pouvez cependant les mettre dans vos valises qui sont rangées dans la soute à bagages. Les amateurs de plein air noteront que les bouteilles de propane ne peuvent pas voyager en avion et qu'il faut dégonfler les pneus des vélos. Enfin, si vous prévoyez transporter des objets inusités, informez-vous de la politique de la compagnie aérienne.

■ En voiture

Quelques conseils

Permis de conduire: en règle générale, les permis de conduire européens sont reconnus. Les visiteurs canadiens et québécois n'ont pas besoin de permis international, et leur permis de conduire est valide aux États-Unis. Soyez averti que plusieurs États sont reliés par réseau informatique aux services de police du Québec relativement au contrôle des infractions routières. Une contravention émise aux États-Unis est automatiquement reportée au dossier au Québec.

Code de la route: attention, il n'y a pas de priorité à droite. Ce sont les panneaux de signalisation qui indiquent la priorité à chaque intersection. Ces panneaux marqués *Stop* sur fond rouge sont à respecter scru-

Panneaux routiers

Il est à noter que les panneaux routiers en Nouvelle-Angleterre indiquent l'abréviation du nom de chaque État, suivie du numéro de la route. Voici la liste des abréviations des États de la Nouvelle-Angleterre.

VT	Vermont
ME	Maine
CT	Connecticut
MA	Massachusetts
RI	Rhode Island
NH	New Hampshire

puleusement! Vous verrez fréquemment un genre d'arrêt, au bas duquel figure un petit rectangle rouge dans lequel il est inscrit *4-Way*. Cela signifie, bien entendu, que tout le monde doit marquer l'arrêt et qu'aucune voie n'est prioritaire. Il faut que vous marquiez l'arrêt complet, même s'il vous semble n'y avoir aucun danger apparent. Si deux voitures arrivent en même temps à l'un de ces arrêts, la règle de la priorité à droite prédomine. Dans les autres cas, la voiture arrivée la première passe.

Il est à noter qu'il est permis de **tourner à droite au feu rouge**, après, bien entendu, avoir vérifié qu'il n'y a aucun danger.

Lorsqu'un **autobus scolaire** (de couleur jaune) est à l'arrêt (feux clignotants allumés), vous devez vous arrêter quelle que soit votre direction. Le manquement à cette règle est considéré comme une faute grave!

Le port de la **ceinture de sécurité** est obligatoire.

Les **autoroutes** sont gratuites, sauf en ce qui concerne la plupart des Interstate Highways, désignées par la lettre *I*, suivie d'un numéro. Les panneaux indicateurs se reconnaissent à leur forme presque arrondie (le haut du panneau est découpé de telle sorte qu'il fait deux vagues) et à leur couleur bleue. Sur ce fond bleu, le numéro de l'Interstate ainsi que le nom de l'État traversé sont inscrits en blanc. Au haut du panneau figure la mention *Interstate* sur fond rouge.

Renseignements généraux - Accès et déplacements

La **vitesse** est limitée à 55 mph (88 km/h) sur la plupart des grandes routes. Le panneau de signalisation de ces grandes routes se reconnaît à sa forme carrée, bordée de noir. Le numéro de la route est largement inscrit en noir sur fond blanc. Sur les Interstates, la limitation de vitesse monte à 65 mph (104 km/h).

Le panneau triangulaire rouge et blanc où vous pouvez lire la mention **Yield** signifie que vous devez ralentir et céder le passage aux véhicules qui croisent votre chemin.

Les U.S. Highways sont généralement indiquées par les lettres *US*, suivies du numéro, tandis que les State Highways sont indiquées par l'abréviation du nom de l'État (*VT* pour Vermont, *NH* pour New Hampshire, *MA* pour Massachusetts, *ME* pour Maine, *CT* pour Connecticut, *RI* pour Rhode Island) suivie du numéro; dans ce guide, nous ne différencions pas les U.S. Highways des State Highways. Ces panneaux sont rectangulaires avec une bordure noire tout autour, un fond blanc et une inscription de couleur noire.

Un panneau rond jaune avec un *X* noir et deux *R* indique un passge à niveau.

Vols dans les véhicules: lorsque vous stationnez votre véhicule pour un moment, veillez à bien verrouiller toutes les portes, bien sûr, mais aussi à ne rien laisser à la vue à l'intérieur. Une veste ou un manteau par exemple pourrait donner envie à un voleur d'aller vérifier qu'un portefeuille se trouve dans l'une des poches. Les serrures des voitures n'ont aucun secret pour les voleurs professionnels, donc soyez prudent.

Laissez toujours la boîte à gants ouverte; ainsi, on n'imaginera pas que votre appareil photo s'y trouve. Laissez vos bagages à l'hôtel pour faire vos balades même si vous avez déjà quitté votre chambre; on acceptera généralement de les garder pour vous à la réception.

Postes d'essence: les États-Unis étant un pays producteur de pétrole, l'essence est nettement moins chère qu'en Europe, voire qu'au Québec et au Canada, en raison des taxes moins élevées.

La location de voitures

De nombreuses agences de voyages travaillent de concert avec les firmes les plus connues et offrent des promotions avantageuses, souvent accompagnées de primes (par exemple: rabais pour spectacles).

Vérifiez si le contrat comprend le kilométrage illimité ou non et si l'assurance proposée vous couvre complètement (accident, frais d'hospitalisation, passagers, vol de la voiture et vandalisme).

En général, les meilleurs tarifs sont obtenus en réservant à l'avance, aux centrales de réservation internationales des différentes firmes, même pour prendre une voiture dans votre propre ville. Afin de garantir le tarif qui vous est proposé par téléphone, faites-vous envoyer une confirmation par télécopieur.

Il faut avoir un minimum de 21 ans et posséder son permis depuis **au moins un an** pour louer une voiture. De plus, si vous avez entre 21 et 25 ans, certaines firmes (ex.: Avis, Thrifty, Budget) vous imposeront une franchise collision de 500$ et parfois un supplément journalier. À partir de l'âge de 25 ans, ces conditions ne s'appliquent plus.

Une carte de crédit est indispensable pour le dépôt de la garantie si vous ne voulez pas bloquer d'importantes sommes d'argent.

Dans la majorité des cas, les voitures louées sont dotées d'une transmission automatique. Vous pouvez, si vous le préférez, en demander une à commande manuelle. Les sièges de sécurité pour enfants sont en supplément dans la location.

Entreprises de location:

Alamo
☎ 800-327-9633
www.goalamo.com

Avis
☎ 800-831-2847
www.avis.com

Budget
☎ 800-527-0700
www.budgetrentacar.com

Dollar
☎800-800-4000
www.dollarcar.com

Enterprise
☎800-325-8007
www.enterprise.com

Hertz
☎800-654-3131
www.hertz.com

National
☎800-227-7366
www.nationalcar.com

Thrifty
☎800-367-2277
www.thrify.com

■ En autocar

Pour obtenir les horaires et les destinations desservies, appelez la succursale locale de la société **Greyhound** au ☎800-231-2222 ou visitez le site Internet *www.greyhound.com*.

En général, les enfants de cinq ans et moins sont transportés gratuitement. Les personnes de 60 ans et plus ont droit à d'importantes réductions. Les animaux ne sont pas admis.

■ En train

Aux États-Unis, le train n'est pas toujours le moyen de transport le plus économique et n'est pas le plus rapide. Cependant, il peut constituer une expérience de voyage intéressante pour les grandes distances, car il est confortable (essayez d'obtenir un siège d'où vous pourrez réellement jouir de la vue qui s'offre à vous). Pour obtenir les horaires et les destinations desservies, communiquez avec la société **AMTRAK**, la propriétaire actuelle du réseau ferroviaire américain *(*☎*800-872-7245, www. amtrak.com; depuis la France, composez le* ☎*01.53.25.03.56)*.

Renseignements utiles, de A à Z

■ Achats

Rapporter des souvenirs et des cadeaux fait aussi partie du plaisir du voyage. Mais soyez attentif à ce que vous achetez. Assurez-vous d'abord, si vous le pouvez, de la façon dont a été produit l'objet pour éviter d'encourager toute forme d'abus.

Des restrictions visant l'importation de produits de provenance animale ou végétale existent afin d'éviter la propagation d'épidémies. Les fruits, les légumes, les plantes, les animaux, etc., ne peuvent pas traverser les frontières sans autorisation spéciale.

■ Aînés

Les gens âgés de 65 ans et plus peuvent profiter de toutes sortes d'avantages tels que des réductions importantes sur les droits d'accès aux musées et à diverses attractions, et des rabais dans les hôtels et les restaurants. Plusieurs compagnies aériennes offrent un rabais de 10%. Bien souvent, les tarifs réduits ne sont guère publicisés. Il ne faut donc pas se gêner pour s'en informer.

Par ailleurs, soyez particulièrement avisé en ce qui a trait aux questions de santé. En plus des médicaments que vous prenez normalement, glissez votre ordonnance dans vos bagages pour le cas où vous auriez besoin de la renouveler. Songez aussi à transporter votre dossier médical avec vous, de même que le nom, l'adresse et le numéro de téléphone de votre médecin. Assurez-vous enfin que vos assurances vous protègent à l'étranger.

American Association of Retired Persons (AARP)
601 E St. NW
Washington, DC 20049
☎888-687-2277
www.aarp.org
L'American Association of Retired Persons vous fera bénéficier de nombreux avantages, tels que rabais sur les voyages organisés de plusieurs compagnies.

Renseignements généraux - Renseignements utiles, de A à Z

■ Ambassades et consulats des États-Unis à l'étranger

Si l'adresse de votre ambassade n'apparaît pas dans la liste qui suit, veuillez consulter le site *http://usembassy.state.gov*, qui maintient une liste des missions diplomatiques américaines à travers le monde.

Belgique

Ambassade
27 boul. du Régent
B-1000 Bruxelles
☎ (2) 508-2111
🖷 (2) 511-2725
www.usembassy.be

Canada

Ambassade
490 Sussex Dr.
Ottawa (Ontario) K1N 1G8
☎ 613-238-5335
www.usembassycanada.gov

Consulats
1155 rue Saint-Alexandre
Montréal (Québec) H2Z 1Z2
☎ 514-398-9695
🖷 514-398-0973

2 place Terrasse-Dufferin
Québec (Québec) G1R 4T9
☎ 418-692-2095
🖷 418-692-4640

France

Ambassade
2 av. Gabriel
75382 Paris Cedex 8
☎ 01.43.12.22.22
🖷 01.42.66.97383
www.amb-usa.fr

Consulats
12 Place Varian Fry
13086 Marseille
☎ 04.91.54.92.00
🖷 04.91.55.09.47

15 av. d'Alsace
67082 Strasbourg
☎ 03.88.35.31.04
🖷 03.88.24.06.95

10 Place de la Bourse
33025 Bordeaux Cedex
☎ 05.56.48.63.80
🖷 05.56.51.61.97

Suisse

Ambassade
Jubilaeumstrasse 93
CH-3005 Berne
☎ 41-31-357-7344

■ Ambassades et consulats étrangers aux États-Unis

Les consulats peuvent fournir une aide précieuse aux visiteurs qui se trouvent en difficulté (par exemple en cas d'accident ou de décès, fournir le nom de médecins ou d'avocats, etc.). Toutefois, seuls les cas urgents sont traités. Il faut noter que les coûts relatifs à ces services ne sont pas défrayés par les missions consulaires.

Belgique

Ambassade
3330 Garfield St. NW
Washington, DC 20008
☎ 202-333-6900
www.diplobel.us

Consulat
ITT Building
1330 Avenue of the Americas, 26th Floor
New York, NY 10019-5422
☎ 212-586-5110
🖷 212-582-9657
www.diplomatie.be/newyorkfr

Canada

Ambassade
501 Pennsylvania Avenue NW
Washington, DC 20001
☎ 202-682-1740
🖷 202-682-7619

Consulat
3 Copley Place, Suite 400
Boston, MA 02116
☎ 617-262-3760
🖷 617-262-3415
http://geo.international.gc.ca/can-am/boston/

Délégation du Québec à Boston
One Boston Place

201 Washington St., Suite 1920
Boston, MA 02109
☎617-482-1193
🖷617-482-1195
www.mri.gouv.qc.ca/usa/fr/boston/qui_sommes_nous

France

Ambassade
4101 Reservoir Road NW
Washington, DC 20007
☎202-944-6000
🖷202-944-6166
www.info-france-usa.org

Consulat
31 St. James Avenue, Suite 750
Boston, MA 02116
☎617-832-4400
www.consulfrance-boston.org

Suisse

Ambassade
2900 Cathedral Avenue NW
Washington, DC 20008
☎202-745-7900
🖷202-387-2564
www.swissemb.org

Consulat
420 Broadway
Cambridge, MA 02138-4231
☎617-876-3076
🖷617-876-3079

■ Argent et services financiers

Monnaie

L'unité monétaire est le dollar ($US), lui-même divisé en cents (¢). Un dollar = 100 cents.

Il existe des billets de banque de 1, 5, 10, 20, 50 et 100 dollars, de même que des pièces de 1 (*penny*), 5 (*nickel*), 10 (*dime*) et 25 (*quarter*) cents.

Les pièces d'un demi-dollar et le dollar solide sont très rarement utilisés. Sachez qu'aucun achat ou service ne peut être payé en devises étrangères aux États-Unis. Songez donc à vous procurer des chèques de voyage en dollars américains. Vous pouvez également utiliser toute carte de crédit affiliée à une institution américaine, com-me Visa, MasterCard, American Express, la Carte Bleue, Interbank et Barcley Card. **Il est à noter que tous les prix mentionnés dans le présent ouvrage sont en dollars américains.**

Banques et change

Les banques sont généralement ouvertes de 9h à 16h du lundi au vendredi (et même parfois jusqu'à 17h le vendredi). Il existe de nombreuses banques, et la plupart des services courants sont rendus aux touristes. Pour ceux qui ont choisi un long séjour, notez qu'un **non-résidant** ne peut ouvrir un compte bancaire courant. Pour avoir de l'argent liquide, la meilleure solution demeure encore d'être en possession de chèques de voyage. Le retrait de votre compte à l'étranger constitue une solution coûteuse, car les frais de commission sont élevés. Par contre, plusieurs guichets automatiques accepteront votre carte de banque européenne, canadienne ou québécoise, et vous pourrez alors faire un retrait de votre compte directement. Les personnes qui ont obtenu le statut de résident, permanent ou non (immigrants, étudiants), peuvent ouvrir un compte de banque. Il leur suffira, pour ce faire, de montrer leur passeport ainsi qu'une preuve de leur statut de résident.

Taux de change		
1$US	=	1,11$CA
1$US	=	0,74€
1$US	=	1,21FS
1$CA	=	0,90$US
1€	=	1,36$US
1FS	=	0,82$US

N.B. Les taux de change peuvent fluctuer en tout temps.

La plupart des banques changent facilement les devises européennes et canadiennes, mais presque toutes demandent des **frais de change**. En outre, vous pouvez vous adresser à des bureaux ou comptoirs de change qui, en général, n'exigent aucune commission. Ces bureaux ont souvent des heures d'ouverture plus longues. La règle à retenir: **se renseigner et comparer.**

Renseignements généraux – Renseignements utiles, de A à Z

Guichets automatiques

Plusieurs banques offrent le service de guichets automatiques pour le retrait d'argent. La plupart font partie des réseaux Cirrus et Plus, permettant aux visiteurs de retirer directement dans leur compte personnel. Vous pouvez alors vous servir de votre carte comme vous le faites normalement, des dollars américains vous seront remis, accompagnés d'un reçu, et l'on prélèvera le montant équivalent dans votre compte. Cela dit, le réseau peut parfois éprouver des problèmes de communication qui vous empêcheront d'obtenir de l'argent. Si votre transaction est refusée au guichet d'une banque, essayez une autre banque car il se pourrait que vous y soyez plus chanceux.

Cartes de crédit

La carte de crédit est acceptée un peu partout, tant pour les achats de marchandise que pour la note d'hôtel ou l'addition au restaurant. Elle vous permettra (par exemple lors de la location d'une voiture) de constituer une garantie et d'éviter ainsi un dépôt important d'argent. De plus, le taux de change est généralement plus avantageux. Les plus utilisées sont Visa, Master-Card et American Express.

Il est possible de retirer de l'argent directement de la plupart des guichets automatiques si vous possédez un numéro d'identification personnel pour votre carte.

Chèques de voyage

Il peut être plus prudent de garder une partie de votre argent en chèques de voyage. Ceux-ci sont parfois acceptés dans les restaurants, les hôtels ainsi que certaines boutiques. En outre, ils sont facilement échangeables dans les banques et les bureaux de change du pays. Il est conseillé de garder une copie des numéros de vos chèques dans un endroit à part, car, si vous les perdez, la compagnie émettrice pourra vous les remplacer plus facilement et plus rapidement. Cependant, ne comptez pas seulement sur eux et ayez toujours des espèces sur vous.

■ Assurances

Annulation

Cette assurance est normalement suggérée par l'agent de voyages au moment de l'achat du billet d'avion ou du forfait. Elle permet le remboursement du billet ou forfait, dans le cas où le voyage devrait être annulé en raison d'une maladie grave ou d'un décès. Les gens n'ayant pas de problèmes de santé n'ont pas vraiment besoin de recourir à une telle protection. Elle demeure par conséquent d'une utilité relative.

Maladie

Sans doute la plus utile pour les voyageurs, l'assurance-maladie s'achète avant de partir en voyage. La couverture de cette police d'assurance doit être aussi complète que possible, car, à l'étranger, le coût des soins peut s'élever rapidement. Au moment de l'achat de la police, il faudrait veiller à ce qu'elle couvre bien les frais médicaux de tout ordre, comme l'hospitalisation, les services infirmiers et les honoraires des médecins (jusqu'à concurrence d'un montant assez élevé, car ils sont chers). Une clause de rapatriement, pour le cas où les soins requis ne pourraient être administrés sur place, est précieuse. En outre, il peut arriver que vous ayez à débourser le coût des soins en quittant la clinique. Il faut donc vérifier ce que prévoit la police en tel cas. Durant votre séjour, vous devriez toujours garder sur vous la preuve que vous avez contracté une assurance-maladie, ce qui vous évitera bien des ennuis si par malheur vous en avez besoin.

Vol

La plupart des assurances-habitation au Québec protègent une partie des biens contre le vol, même si celui-ci a lieu à l'étranger. Pour faire une réclamation, il faut avoir un rapport de police. Comme tout dépend des montants couverts par votre police d'assurance-habitation, il n'est pas toujours utile de prendre une assurance supplémentaire. Les visiteurs européens, pour leur part, doivent vérifier si leur police protège leurs biens à l'étranger, car ce n'est pas automatiquement le cas.

■ Attraits touristiques

Ce guide vous entraîne à travers les six États de la Nouvelle-Angleterre. Y sont abordés les principaux attraits touristiques, suivis d'une description historique et culturelle. Les attraits sont cotés selon un système d'étoiles pour vous permettre de faire un choix si le temps vous y oblige.

★   Intéressant
★★   Vaut le détour
★★★ À ne pas manquer

Le nom de chaque attrait est suivi d'une parenthèse qui vous donne ses coordonnées. Le prix qu'on y retrouve est le prix d'entrée pour un adulte. Informez-vous, car plusieurs endroits offrent des rabais pour enfants, étudiants, aînés et familles. Plusieurs de ces attraits sont accessibles seulement pendant la saison touristique, tel qu'indiqué dans cette même parenthèse. Cependant, même hors saison, certains de ces endroits vous accueillent sur demande, surtout si vous êtes en groupe.

■ Bars et discothèques

Quelques établissements demandent un droit d'entrée, surtout s'il y a un spectacle. Pour les boissons, on donne un pourboire d'environ 15%.

Aux États-Unis, l'âge minimal pour fréquenter un débit de boissons ou pour acheter de l'alcool est de 21 ans. Même si vous avez l'âge légal, emportez toujours vos papiers d'identité car on peut vous les demander en tout temps.

■ Bières, vins et spiritueux

Les liquor stores sont le meilleur endroit où trouver un grand choix de boissons alcoolisées, mais le vin et la bière sont aussi vendus dans les épiceries. L'âge légal pour acheter et consommer des boissons alcooliques est de 21 ans.

■ Climat

Une des caractéristiques de la région de la Nouvelle-Angleterre est qu'on y retrouve quatre saisons bien distinctes. La température peut atteindre 30°C (86°F) en été et chuter à –25°C (–13°F) en hiver. Si jamais vous avez la chance de voyager à travers la région pendant ces deux saisons, vous y découvrirez deux pays différents.

Les vacanciers de toute sorte envahissent la Nouvelle-Angleterre au cœur de l'été, soit du début du mois de juillet jusqu'à la fête du Travail, qui a lieu le premier lundi de septembre. Vous voudrez peut-être visiter la région au printemps ou à la fin de l'automne, lorsque les prix affichés (revus à la baisse) sont ceux de la basse saison. Cependant notez que le début de l'automne (de septembre à la mi-octobre) est une période très affairée en Nouvelle-Angleterre. Désignée comme la «saison des feuillages d'automne», cette période attire les visiteurs grâce au kaléidoscope végétal à couper le souffle qu'offre la région (il y en a même qui ont réservé leur chambre depuis un an). Entre Noël et le jour de l'An, beaucoup de vacanciers viennent se divertir en Nouvelle-Angleterre. Donc, si vous souhaitez réserver facilement une chambre dans les hôtels (de plus, elle sera moins chère qu'en été) et que vous veuillez vous reposer, prenez vos vacances en basse saison, soit en avril et en mai, ou encore de la fin du mois d'octobre à la mi-décembre. Toutefois attendez-vous à ce qu'il y ait moins d'activités au programme dans quelques localités en basse saison.

■ Décalage horaire

La Nouvelle-Angleterre vit selon l'heure normale de l'Est, soit six heures plus tard que l'Europe (cinq heures plus tard que le Greenwich Mean Time) et trois heures plus tôt que la Côte Ouest. Notez qu'il y a plusieurs fuseaux horaires aux États-Unis.

Depuis 2007, le gouvernement américain prolonge la période de l'heure avancée au printemps (le passage à l'heure avancée s'effectue maintenant la deuxième semaine de mars) et en automne (le passage à l'heure avancée est prolongé d'une semaine en novembre).

■ Drogues

Les drogues sont absolument interdites (même les drogues dites «douces»). Aussi bien les consommateurs que les distributeurs risquent de gros ennuis s'ils sont trouvés en possession de drogues.

■ Électricité

Partout aux États-Unis et en Amérique du Nord, la tension électrique est de 110 volts et de 60 cycles (Europe: 50 cycles); aussi, pour utiliser des appareils électriques européens, devrez-vous vous munir d'un transformateur de courant adéquat.

Les fiches d'électricité sont plates, et vous pourrez trouver des adaptateurs sur place ou, avant de partir, vous en procurer dans une boutique d'accessoires de voyage ou une librairie de voyage.

■ Hébergement

La Nouvelle-Angleterre présente un nombre varié d'établissements d'hébergement comme des hôtels, auberges et gîtes touristiques. Cela dit l'éventail des possibilités offertes vous assure un séjour à votre mesure, que vous souhaitiez vous faire dorloter dans un opulent hôtel historique, retrouver le confort et l'intimité de votre foyer dans un gîte touristique familial, ou simplement vous la couler douce dans un cadre confortable et isolé.

Les prix indiqués sont ceux qui avaient cours au moment de mettre sous presse; ils s'appliquent à une chambre standard pour deux personnes en haute saison. Ils sont, bien sûr, sujets à changement en tout temps. De plus, souvenez-vous de bien vous informer des forfaits proposés et des rabais offerts aux corporations, membres de diverses associations, etc.

Prix et symboles

Les tarifs mentionnés dans ce guide s'appliquent, sauf indication contraire, à une chambre pour deux personnes en haute saison.

$	moins de 75$
$$	de 75$ à 125$
$$$	de 126$ à 175$
$$$$	de 176$ à 225$
$$$$$	plus de 225$

Les divers services offerts par chacun des établissements hôteliers sont indiqués à l'aide de petits symboles qui sont expliqués dans la liste des symboles se trouvant dans les premières pages de ce guide. Rap-

pelons que cette liste n'est pas exhaustive quant aux services offerts par chacun des établissements hôteliers, mais qu'elle représente les services les plus demandés par leur clientèle. Il est à noter que la présence d'un symbole ne signifie pas que toutes les chambres du même établissement hôtelier offrent ce service; vous aurez à payer quelquefois des frais supplémentaires pour avoir, par exemple, une baignoire à remous dans votre chambre. De même, si le symbole n'est pas attribué à l'établissement hôtelier, cela signifie que celui-ci ne peut pas vous offrir ce service. Il est à noter que, sauf indication contraire, tous les établissements hôteliers inscrits dans ce guide offrent des chambres avec salle de bain privée. Le tableau des symboles se trouve dans les premières et dernières pages de ce guide.

Le label Ulysse

Le label Ulysse est attribué à nos établissements favoris (hôtels et restaurants). Bien que chacun des établissements inscrits dans ce guide s'y retrouve en raison de ses qualités ou particularités, en plus de son rapport qualité/prix, de temps en temps un établissement se distingue parmi d'autres. Ainsi il mérite qu'on lui attribue le label Ulysse. Celui-ci peut se retrouver dans n'importe lesquelles des catégories d'établissements: supérieure, moyenne-élevée, petit budget. Quoi qu'il en soit, dans chacun de ces établissements, vous en aurez pour votre argent. Repérez-les en premier!

■ Heures d'ouverture

Les commerces ouvrent généralement leurs portes entre 10h et 18h. Les centres commerciaux ne ferment pas avant 21h. Les supermarchés, par contre, sont ouverts encore plus tard, et il y en a même qui restent ouverts 24 heures sur 24, sept jours sur sept.

■ Jours fériés

Voici la liste des jours fériés aux États-Unis. Il est à noter que la plupart des commerces, services gouvernementaux et banques sont fermés durant ces jours.

New Year's Day (jour de l'An)
1er janvier

Martin Luther King, Jr.'s Birthday
troisième lundi de janvier

President's Day (anniversaire de Washington)
troisième lundi de février

Memorial Day
dernier lundi de mai

Independence Day (fête nationale des Américains)
4 juillet

Labor Day (fête du Travail)
premier lundi de septembre

Columbus Day (jour de Colomb)
deuxième lundi d'octobre

Veterans Day (jour des Vétérans et de l'Armistice)
11 novembre

Thanksgiving Day (action de Grâce)
quatrième jeudi de novembre

Christmas Day (Noël)
25 décembre

■ Lois

Il n'est pas nécessaire d'apprendre par cœur le code des lois du pays que vous allez visiter. Cependant, sachez que, sur le territoire d'un État, vous êtes assujetti à ses lois même si vous n'êtes pas citoyen de cet État. Ainsi, ne tenez jamais pour acquis que quelque chose qui est permis par la loi chez vous l'est automatiquement ailleurs. De plus, n'oubliez jamais de tenir compte des différences culturelles. Certains gestes ou attitudes qui vous semblent insignifiants pourraient, dans d'autres pays, vous attirer des ennuis. Rester sensible aux coutumes de vos hôtes est sans doute le meilleur atout pour éviter les problèmes.

■ Personnes à mobilité réduite

La Nouvelle-Angleterre s'efforce de rendre de plus en plus accessibles la plupart de ses attraits touristiques aux personnes à mobilité réduite.

■ Poste

Les bureaux de poste sont ouverts de 8h à 17h30 (parfois jusqu'à 18h) du lundi au vendredi et de 8h à midi le samedi.

■ Pourboire

En général, le pourboire s'applique à tous les services rendus à table, c'est-à-dire dans les restaurants ou autres établissements où l'on vous sert à table (la restauration rapide n'entre donc pas dans cette catégorie).

Sujet de conversation délicat, les pourboires font souvent l'objet d'éternels débats auprès des personnes concernées. Un bon service exige un bon pourboire. Les serveurs, les femmes de chambre et les guides, entre autres, ont un salaire de base dérisoire et comptent généralement sur la générosité de vos pourboires.

Selon la qualité du service rendu, il faut compter environ 15% de pourboire sur le montant avant les taxes. Il n'est pas, comme en Europe, inclus dans l'addition, et le client doit le calculer lui-même et le remettre à la serveuse ou au serveur.

Serveurs: 15% du montant avant les taxes.

Chasseurs: 1$ par valise.

Croupiers: si vous êtes gagnant et que les suggestions du croupier vous ont été utiles, placez un pourcentage de votre mise en sa faveur lors de votre prochaine gageure.

Femmes de chambre: 2$ par jour.

Maîtres d'hôtel: de 10$ à 20$ selon la table qu'on vous trouvera.

Valets: de 1$ à 2$.

■ Renseignements touristiques

Les adresses, les numéros de téléphone et de télécopieur, et les adresses de sites Internet des offices de tourisme locaux et des chambres de commerce locales sont tous inscrits dans les sections «Renseignements utiles» de chacun des chapitres.

■ Restaurants

La section «Restaurants» de chacun des chapitres vous facilitera la recherche d'un restaurant, selon le type d'établissement et la cuisine que vous désirez vous offrir.

Vous trouverez plusieurs types de cuisines en Nouvelle-Angleterre. Comme vous vous y attendiez, il existe un grand nombre de restaurants de fruits de mer et d'établissements typiques servant de la cuisine américaine traditionnelle, mais le choix ne s'arrête pas là: vous verrez aussi plusieurs restaurants à saveur multiculturelle.

Les prix mentionnés dans ce guide s'appliquent à un dîner pour une personne excluant le service, les taxes et les boissons.

$	moins de 15$
$$	de 15$ à 25$
$$$	de 26$ à 35$
$$$$	de 36$ à 45$
$$$$$	plus de 45$

Le label Ulysse

Le pictogramme du label Ulysse est attribué à nos établissements favoris (hôtels et restaurants). Pour plus de détails, voir p 50.

■ Santé

Pour les personnes en provenance d'Europe, du Québec et du Canada, aucun vaccin n'est nécessaire. D'autre part, il est vivement recommandé, en raison du prix élevé des soins, de contracter une bonne assurance maladie-accident. Il existe différentes formules, et nous vous conseillons de les comparer. Emportez vos médicaments, surtout ceux qui exigent une ordonnance.

Le soleil et la chaleur

Aussi attirants que puissent être les chauds rayons du soleil, nous savons maintenant qu'ils peuvent aussi être très nocifs. Pour profiter au maximum de leurs bienfaits sans souffrir, veillez à toujours utiliser une crème solaire, à opter pour un indice de protection qui vous protège bien (minimum 15 pour les adultes et 25 pour les enfants) et à l'appliquer de 20 à 30 min avant de vous exposer.

Un parasol, un chapeau et des lunettes de soleil de qualité sont autant d'accessoires qui vous aideront à contrer les effets néfastes du soleil tout en profitant de la plage. Cependant, souvenez-vous que le sable et l'eau peuvent réfléchir les rayons et causer des coups de soleil même si vous êtes à l'ombre!

Portez des vêtements amples et clairs en évitant qu'ils soient faits de fibres synthétiques, les tissus idéaux étant le coton et le lin. Quelques douches par jour aideront à éviter les coups de chaleur. Ne faites pas d'effort inutile pendant les heures les plus chaudes de la journée. Et surtout, buvez beaucoup d'eau!

Trousse de premiers soins

Une petite trousse de premiers soins peut s'avérer utile et devrait être préparée avant votre départ. N'oubliez pas vos médicaments et les ordonnances pour les renouveler. Au cas où vous en auriez besoin, emportez aussi l'ordonnance de vos lentilles ou lunettes. Votre trousse devrait inclure:

- des sparadraps;
- un désinfectant;
- un analgésique;
- des antihistaminiques;
- un produit pharmaceutique contre le mal des transports et un remède pour l'estomac.

N'oubliez pas votre nettoyant à verres de contact et une deuxième paire de lunettes.

Le décalage horaire et le mal des transports

L'inconfort dû à un décalage horaire important est inévitable. Quelques trucs peuvent aider à le diminuer, mais rappelez-vous que le meilleur moyen de passer à travers est de donner à son corps le temps de s'adapter. Vous pouvez même commencer à vous ajuster à votre nouvel horaire petit à petit avant votre départ et à bord de l'avion. Mangez bien et buvez beaucoup d'eau. Nous vous conseillons fortement de vous forcer dès votre arrivée à vivre à l'heure du pays. Restez éveillé si c'est le matin et allez dormir si c'est le soir. Votre organisme s'habituera ainsi plus rapidement.

Pour minimiser le mal des transports, évitez autant que possible les secousses et gardez les yeux sur l'horizon (par exemple, asseyez-vous au milieu d'un bateau ou à l'avant d'une voiture ou d'un autobus). Mangez peu, et des repas légers, aussi bien avant le départ que pendant le voyage. Différents accessoires et médicaments peuvent vous aider à réduire les symptômes comme la nausée. Un bon conseil: essayez de relaxer et de penser à autre chose.

■ Sécurité

En général, en appliquant les règles de sécurité normales, vous ne devriez pas être plus incommodé en pays étranger que chez vous. Cependant, évitez toute ostentation et soyez plus vigilant dans les lieux qui ne vous sont pas familiers. Gardez toujours des petites coupures dans vos poches, et, au moment d'effectuer un achat, évitez de montrer trop d'argent.

La plupart des bons hôtels possèdent des coffrets de sûreté, dans lesquels vous pourrez laisser vos objets de valeur.

Le numéro de téléphone en cas d'urgence est le ☎911 (sans frais de toutes les cabines de téléphone).

■ Tabagisme

Aux États-Unis, la cigarette est un problème de société à résoudre. Aussi les lois anti-tabac sont-elles sévères. Si vous êtes fumeur, assurez-vous de toujours vous retrouver dans une zone désignée pour fumeurs avant d'allumer une cigarette. Malgré tout, les cigarettes se vendent dans les débits de boissons, les épiceries et les kiosques à journaux.

■ Taxes

Les taxes de vente varient d'un État à l'autre. Au New Hampshire, il n'y a pas de taxe de vente. Au Maine, au Massachusetts et au Vermont, elle est de 5%; au Connecticut, de 6%; et au Rhode Island, de 7%.

■ Télécommunications

Le système téléphonique est extrêmement performant aux États-Unis. On trouve aisé-

ment des cabines téléphoniques fonctionnant à l'aide de pièces de monnaie (0,35$) ou de cartes à puce.

L'indicatif régional du New Hampshire est le **603**; celui du Rhode Island, le **401**; celui du Vermont, le **802**; celui du Maine, le **407**. Le Connecticut compte deux indicatifs régionaux, à savoir le **860** et le **203**. Le Massachusetts compte plusieurs indicatifs régionaux, entre autres le **617** pour Boston.

Les numéros de téléphone commençant par un chiffre dans les huit cents (**800**, **877**, **888**, etc.) vous permettent de communiquer avec votre correspondant sans encourir de frais si vous appelez de l'Amérique du Nord. Faites le **1** devant ces numéros.

Pour appeler ailleurs en **Amérique du Nord** depuis la Nouvelle-Angleterre, faites le **1**, puis l'indicatif régional et le numéro à sept chiffres de votre correspondant.

Pour appeler en **Belgique**, faites le 011-32 puis l'indicatif régional (Anvers 3, Bruxelles 2, Gand 91, Liège 41) et le numéro de votre correspondant.

Pour appeler en **France**, faites le 011-33 puis le numéro à 10 chiffres de votre correspondant en omettant le premier zéro.

Pour appeler en **Suisse**, faites le 011-41 puis l'indicatif régional (Berne 31, Genève 22, Lausanne 21, Zurich 1) et le numéro de votre correspondant.

Il peut être plus économique d'utiliser les numéros d'accès direct pour faire des appels interurbains ou outre-mer que de contacter un téléphoniste de son pays:

Interurbain Bell (☎800-555-1111) est un service automatique offert par Bell Canada qui permet aux voyageurs canadiens d'appeler au Canada depuis les États-Unis en se servant du réseau de télécommunications canadien. C'est simple, en plus d'être une façon d'épargner un peu d'argent.

Par ailleurs, les hôtels sont la plupart du temps équipés de télécopieurs et d'un accès au réseau Internet. Il vous coûtera plus cher de téléphoner de votre hôtel que depuis une cabine téléphonique.

Renseignements généraux - Renseignements utiles, de A à Z

■ Vie gay

La communauté gay demeure très dynamique en Nouvelle-Angleterre. Elle se concentre particulièrement à **Boston** depuis les années 1970, dans le quartier branché de **South End**, qui renferme entre autres les meilleures tables de la ville. La vie gay bostonienne est enrichie, chaque année, d'une semaine d'activités (*Pride Week*) comprenant le traditionnel défilé, un festival, de la musique et de la danse. Pour de plus amples renseignements, consultez le site Web de la **Boston Pride** *(www.bostonpride.org)*. De plus, le **Gay, Lesbian, Bisexual and Transgender Helpline** (☎*617-267-9001 ou 888-340-4528*) demeure une source d'information très utile. L'hebdomadaire ***Bay Windows*** *(www.baywindows.com)* saura, quant à lui, mettre au parfum les amateurs d'événements culturels. Provincetown, une ville animée et très populaire de Cape Cod, accueille aussi de nombreux couples de même sexe qui fréquentent les restos et les bars à la mode. Notez que le Massachusetts est le seul État américain qui autorise à ce jour le mariage entre conjoints de même sexe. Le Vermont, enfin, autorise de nos jours les unions civiles entre homosexuels.

■ Voyager en famille

Il est peut être aisé de voyager avec des enfants, aussi petits soient-ils. Bien sûr, quelques précautions et une bonne préparation rendront le séjour plus agréable.

En avion

Une bonne poussette, avec dossier inclinable, permet d'emmener le bébé partout, qui pourra faire un somme. À l'aéroport, il sera plus facile de le transporter, surtout qu'il est possible de conserver la poussette jusqu'aux portes de l'avion.

Les personnes avec un enfant ont l'avantage de pouvoir monter dans l'avion les premiers, évitant ainsi les longues files d'attente. En outre, si vous avez un bébé de moins de deux ans, au moment de la réservation du billet d'avion, pensez à demander les sièges à l'avant de l'appareil, qui disposent de plus d'espace et qui sont mieux adaptés aux longs vols, surtout avec un bébé sur les genoux. Certains avions disposent même de petits lits de bébé, et certaines compagnies peuvent vous fournir une poussette à votre descente d'avion.

Quant aux bébés, avant de partir, vous devez leur préparer la nourriture nécessaire pour la durée du vol et prévoir un repas de plus, au cas où l'avion aurait du retard. Prévoyez également des couches et des serviettes humides. Quelques jouets pourront également être d'une grande utilité!

Au moment du décollage et de l'atterrissage, la pression peut être incommodante; si c'était le cas, certains affirment que la tétée d'un biberon pourra aider les bébés. Pour les plus vieux, la gomme à mâcher aura le même effet de soulagement.

Les établissements hôteliers

Nombre d'établissements hôteliers sont équipés pour recevoir adéquatement les enfants. Généralement, pour garder un tout-petit dans sa chambre, il n'y a pas de frais supplémentaires. Plusieurs hôtels et gîtes disposent de lits de bébé; demandez le vôtre au moment de faire la réservation. Il se peut que vous ayez à payer un supplément pour les enfants, lequel est rarement élevé.

La baignade

L'attrait des vagues est très fort pour les enfants qui peuvent s'y amuser pendant des heures. Il faut toutefois faire preuve de beaucoup de prudence et exercer une surveillance constante: un accident est bien vite arrivé. Le mieux qu'on puisse faire, c'est qu'un adulte accompagne les enfants dans l'eau, surtout les plus jeunes, et qu'il se tienne plus loin dans la mer de manière à ce que les enfants s'ébattent entre lui et la plage. Il pourra ainsi intervenir rapidement en cas de pépin.

Pour les tout-petits, il existe des couches prévues pour aller dans l'eau; elles s'avèrent bien pratiques si l'on désire baigner bébé dans une piscine.

Plein air

L a Nouvelle-Angleterre offre amplement d'occasions aux visiteurs d'explorer ses paysages variés par le biais d'une multitude d'activités récréatives. Elle recèle des côtes baignées par les eaux de l'océan Atlantique, des sommets majestueux qui s'élèvent à plus de 1 200 m, d'innombrables lacs, rivières et forêts, et plus encore. Riche de vastes étendues de terres protégées, cette région abrite de nombreux parcs et forêts où vous aurez tout le loisir de communier avec la nature ou de pratiquer votre sport favori.

Dans les pages qui suivent, nous vous présentons certaines activités de plein air que vous pourriez vouloir pratiquer au cours de votre séjour en Nouvelle-Angleterre. Mais avant tout, permettez-nous de vous décrire brièvement quelques-unes des régions naturelles où vous pourrez en profiter.

Et n'oubliez pas que la section «Attraits touristiques» de chacun des chapitres que ce guide consacre aux différentes régions de la Nouvelle-Angleterre renferme des renseignements sur certains parcs choisis; dans la section «Activités de plein air» de ces mêmes chapitres, vous trouverez par ailleurs des données plus précises sur chacune des activités offertes; finalement, les sections «Hébergement» fournissent généralement de l'information sur les possibilités de camping dans les parcs et les autres régions naturelles couvertes par les sections «Attraits touristiques» ou «Activités de plein air» des différents chapitres.

Parcs

■ Parcs d'État

Chacun des États de la Nouvelle-Angleterre possède un réseau de parcs bien développé comprenant aussi bien des zones de fréquentation diurne (notamment des plages et des aires de pique-nique) que des secteurs pourvus de terrains de camping. Dans le premier cas, il faut le plus souvent payer un prix minime pour profiter des installations, alors que, dans le second, il faut prévoir quelque 15$ à 25$ par nuitée. Les commodités et services varient d'un terrain de camping à l'autre; la plupart disposent d'installations de base (toilettes à chasse d'eau et douches), tandis que certains louent des embarcations et que d'autres encore, parmi les plus importants, offrent des programmes d'interprétation de la nature conçus pour les enfants. Notez par ailleurs que les parcs d'État se font de plus en plus accessibles aux personnes à mobilité réduite, y compris en ce qui a trait au camping. Téléphonez au préalable pour obtenir plus de précisions à cet égard.

Les saisons d'exploitation des parcs d'État varient d'un État à l'autre. Au Connecticut, par exemple, la plupart des parcs sont ouverts de la fin d'avril à la fin de septembre; les parcs du Vermont ne sont toutefois ouverts que de la mi-mai au début de septembre, quoique certains prolongent leur saison jusqu'à la mi-octobre et que d'autres offrent des possibilités de sports d'hiver. Informez-vous donc de la situation propre aux parcs qui vous intéressent.

La plupart des terrains de camping acceptent les réservations, d'ailleurs généralement recommandées les fins de semaine du cœur de l'été (juillet et août).

Si vous projetez de voyager en compagnie de votre chien, sachez que la plupart des États vous permettront de le promener (à condition que vous le teniez en laisse) dans leurs parcs et terrains de camping (à l'exception du Connecticut et du Rhode Island), mais pas sur leurs plages. Afin d'éviter toute mauvaise surprise, prenez la peine de téléphoner au parc qui vous intéresse avant de vous y rendre. Et rappelez-vous que vous pourriez devoir fournir la preuve que votre chien a été vacciné contre la rage.

Massachusetts

L'État du Massachusetts exploite non moins d'une centaine de parcs et forêts d'État, dont 28 pourvus de terrains de camping.

Department of Environmental Management
251 Causeway St., Suite 900
Boston, MA 02114
☎877-422-6762
www.mass.gov/dcr/forparks.htm

Maine

Le Maine possède plus de 30 parcs d'État, dont environ une douzaine ont des terrains de camping.

Bureau of Parks and Lands
286 State House Station
18 Elkins Lane (AMHI Campus)
Augusta, ME 04333-0022
☎207-287-3821 ou 207-624-9950 (réservations)
📠207-287-8111
www.maine.gov/doc/parks

Vermont

Le Vermont renferme plus de 50 parcs d'État, depuis les aires paisibles, et à l'écart de tout, qui offrent des terrains de camping, jusqu'aux plages de fréquentation diurne, qui attirent des foules nombreuses.

Vermont State Parks
103 South Main St.
Waterbury, VT 05671-0601
☎802-241-3655
📠802-244-1418
www.vtstateparks.com

New Hampshire

Le New Hampshire exploite plus de 40 parcs d'État, mais aussi des sites historiques, des sentiers récréatifs et de nombreuses autres aires protégées. Ses parcs les plus connus sont assurément ceux de Hampton Beach et de Franconia Notch.

NH Division of Parks & Recreation
P.O. Box 1856, 172 Pembroke Rd.
Concord, NH 03302-1856
☎603-271-3556
📠603-271-2629

Réservations de camping:
☎603-271-3628
📠603-271-2747
www.nhparks.state.nh.us

Connecticut

Les quelque 50 parcs d'État du Connecticut couvrent la gamme des sites historiques aux plages bordant le détroit de Long Island.

Department of Environmental Protection
State Parks Division
79 Elm St.
Hartford, CT 06106-5127
☎860-424-3000

Réservations de camping:
☎877-668-2267
www.ct.gov/dep/site

Rhode Island

Le minuscule Rhode Island possède environ une douzaine de parcs d'État en plus d'une demi-douzaine de plages gérées par l'État. Quelques endroits renferment des terrains de camping.

State of Rhode Island DEM
Division of Parks & Recreation
2321 Hartford Ave.
Johnston, RI 02919-1719
☎401-222-2632
📠401-934-6010
www.riparks.com

■ Parcs nationaux

La Nouvelle-Angleterre n'est vraiment pas riche en parcs nationaux. Bien que le Service des parcs nationaux y gère un certain nombre de propriétés, il s'agit surtout de sites et parcs historiques (dont la plupart se trouvent au Massachusetts). Le seul parc national digne de ce nom, avec emplacements de camping, sentiers de randonnée et moult occasions d'activités récréatives au grand air, est l'**Acadia National Park** (voir p 334), sur la côte du Maine. Ce parc touristique, qui couvre 16 200 ha répartis entre Mount Desert Island, plusieurs îles de moindre envergure et le continent lui-même, attire plus de 2,5 millions de visiteurs par année. Il abrite trois terrains de camping, dont un qui n'est accessible qu'en bateau.

Un des plus récents parcs nationaux des États-Unis, le **Marsh-Billings-Rockefeller National Historic Park** (voir p 444), a été inauguré au Vermont en juin 1998. Il est le seul du pays à mettre l'accent sur la conservation et l'intendance de l'environnement.

Plein air - Parcs

■ Forêts nationales

La Nouvelle-Angleterre possède deux immenses forêts nationales, sur un total de 150 au pays. Elles sont gérées par la **Division Est de l'USDA Forest Service** *(www.fs.fed. us/r9/)*. Outre le fait qu'elles contribuent à la sauvegarde des réserves forestières de la nation, ces forêts sont d'importantes aires de loisirs extérieurs.

White Mountain National Forest
719 N. Main St.
Laconia, NH 03246
☎ 603-528-8721 ou 603-528-8722 (téléscripteur)
▤ 603-528-8783
www.fs.fed.us/r9/white/
La White Mountain National Forest est une des forêts les plus fréquentées du pays, plus de six millions de visiteurs s'y rendant chaque année. Elle s'étend sur près de 324 000 ha, surtout situés dans le nord du New Hampshire, mais aussi dans le sud-ouest du Maine. Cette forêt offre plus de 1 900 km de sentiers de randonnée, 23 terrains de camping et de nombreuses activités récréatives.

Green Mountain National Forest
231 N. Main St.
Rutland, VT 05701
☎ 802-747-6700
▤ 802-747-6766
www.fs.fed.us/r9/gmfl/
Le Vermont est sans doute surtout connu pour sa **Green Mountain National Forest**, une région boisée essentiellement montagneuse d'environ 141 645 ha divisée en deux secteurs (nord et sud) et n'offrant que peu de services. Vous y trouverez néanmoins un assortiment pour le moins étonnant de possibilités récréatives à caractère sauvage, notamment en ce qui a trait à la randonnée pédestre, au camping, au vélo et au ski de fond. Le Long Trail et l'Appalachian Trail la traversent, et vous y attendent six réserves naturelles, six terrains de camping développés ainsi que d'innombrables possibilités de camping rustique.

Plages

Tous les États de la Nouvelle-Angleterre (sauf le Vermont) ont une côte plus ou moins étendue sur l'océan Atlantique. Ce fait, jumelé à l'existence de nombreux lacs, rivières et autres cours d'eau vous assure d'une abondance de plages pour à peu près tous les goûts! Si vous êtes en quête de plages sablonneuses, le Maine vous offre Ogunquit, Old Orchard et Kennebunkport, pour ne mentionner que les plus populaires. Le New Hampshire vous invite à découvrir Hampton Beach, où règne une atmosphère carnavalesque. Le Rhode Island ne serait pas ce qu'il est sans Block Island, dont les 12 plages se prêtent on ne peut mieux à la baignade. Et n'oublions surtout pas Cape Cod, «l'autre cap» (Cape Ann), ni le reste de la côte du Massachusetts.

Activités estivales

Lorsque vient l'été, aussi bien les résidants que les visiteurs de la Nouvelle-Angleterre sont impatients de prendre d'assaut les plages côtières et les sentiers de randonnée en montagne. Nous vous présentons ci-dessous certaines des activités de plein air les plus appréciées de la région en période estivale.

Il va sans dire que votre choix de vêtements variera au gré des saisons, mais sachez tout de même que les soirées et les nuits peuvent être passablement fraîches à toute époque de l'année dans le nord de la Nouvelle-Angleterre. Dans certaines régions – peu importe le temps qu'il fait –, il convient par ailleurs de porter une chemise à manches longues pour ne pas servir de festin aux moustiques et aux mouches noires. Et, si vous projetez de vous aventurer dans les bois en juin, n'oubliez surtout pas de vous munir d'un bon insectifuge et d'en faire usage!

■ Canot

La Nouvelle-Angleterre est constellée d'une multitude de lacs et de rivières. Nombre de ses parcs et réserves servent de points de départ à des excursions en canot d'un ou plusieurs jours. Sur les plus longs parcours en forêt, des emplacements de camping sont mis à la disposition des canoteurs, et vous trouverez des cartes des voies canotables de même que des sentiers avoisinants, ainsi que des services de location de canots, aux centres d'accueil des visiteurs des différents parcs.

■ Croisières et navigation de plaisance

Newport, au Rhode Island, est le royaume incontesté de la voile, du yachting et des croisières en Nouvelle-Angleterre. Mais vous n'en trouverez pas moins dans toute la région mille et une occasions de naviguer, que ce soit sur l'océan, les lacs ou les rivières. De nombreuses entreprises spécialisées sont proposées dans les chapitres qui suivent.

■ Golf

Si vous n'en avez que pour le golf, vous ne serez pas déçu. Même s'il est vrai que beaucoup de clubs de la Nouvelle-Angleterre sont privés (ce qui signifie qu'ils ne sont accessibles qu'à leurs membres), il ne manque vraiment pas de clubs publics ou semi-privés d'excellente qualité et de haut niveau. Chacun des chapitres de ce guide énumère les meilleurs terrains de golf des régions couvertes dans le cadre des différents circuits.

■ Kayak

Le kayak n'est pas un nouveau sport, si ce n'est qu'il connaît une popularité croissante. De plus en plus de gens découvrent ce merveilleux moyen de sillonner les eaux à bord d'une embarcation sûre et confortable, à un rythme qui permet d'apprécier pleinement la nature environnante. Pour tout dire, le fait de se trouver dans un kayak donne l'impression d'être assis directement sur l'eau et de faire partie de la nature, une expérience à la fois déconcertante et fascinante! Il existe trois types de kayaks aux courbures variables: le kayak de lac, le kayak de rivière et le kayak de mer. Ce dernier peut accueillir une ou deux personnes, selon le modèle, et s'avère le plus apprécié dans la mesure où il est le plus facile à manœuvrer. De nombreuses entreprises louent des kayaks et organisent des expéditions guidées sur les voies d'eau de la Nouvelle-Angleterre, tout particulièrement sur les côtes du Maine.

■ Observation de la faune

La Nouvelle-Angleterre offre d'innombrables occasions d'observer la faune. Vous pourrez vous livrer à l'observation des oiseaux sur Block Island, au Rhode Island, où vous attendent entre autres 40 espèces rares ou protégées qui ont élu domicile en ces lieux, mais aussi des milliers d'autres qui s'arrêtent ici en période migratoire. Vous pourrez faire une croisière d'observation des baleines au large des côtes du Massachusetts, où l'espèce la plus souvent observée est le rorqual à bosse. Ou, pour une expérience unique au New Hampshire, pourquoi ne pas prendre part à une excursion d'observation des orignaux à bord d'un canot ou d'un minibus sécuritaire? Cela dit, sans même prendre part à une excursion organisée, vous risquez fort d'apercevoir des représentants de la faune au hasard de vos déplacements. Si vous gardez les yeux grands ouverts en parcourant les routes secondaires de la Nouvelle-Angleterre, vous avez en effet de bonnes chances d'apercevoir un rapace voltigeant dans le ciel ou un cerf s'éloignant à vive allure de la route; et pourquoi pas même un orignal? Des panneaux routiers indiquent leurs lieux de passage (*Moose Crossing*). Enfin, il est bien entendu que plus vous vous éloignerez des zones peuplées, plus vous aurez de chances de faire des rencontres gratifiantes.

Les ornithologues amateurs peuvent toujours s'adresser à une section locale ou d'État de la Société Audubon, souvent à même de fournir des renseignements utiles et d'organiser des sorties. Pour de plus amples renseignements, adressez-vous au siège social de la société:

National Audubon Society
700 Broadway
New York, NY 10003
☎ 212-979-3000
▤ 212-979-3188
www.audubon.org

■ Pêche

Avec ses innombrables lacs, rivières et cours d'eau, sans parler du littoral atlantique, la Nouvelle-Angleterre est particulièrement bénie au chapitre de la pêche. Dans chacun de ses États, vous trouverez des entreprises spécialisées dans les excursions de pêche, qu'il s'agisse de pêche hauturière sur l'océan Atlantique, ou encore sur le lac Champlain, la «côte ouest» de la Nouvelle-Angleterre.

Si vous préférez l'autonomie absolue, rappelez-vous que quiconque désire pêcher en Nouvelle-Angleterre doit être muni d'un permis. Vous en trouverez généralement chez les agents autorisés de chacun des États, qu'il s'agisse de magasins d'articles de sport, de détaillants d'attirails de pêche, de magasins généraux ou de bureaux municipaux, mais vous pouvez également vous en procurer un directement auprès des services départementaux concernés, dont certains les proposent en ligne à partir de leur site Internet. Ces permis sont tantôt valables pour un an, tantôt pour des périodes plus courtes. Plusieurs départements de chasse et pêche d'État publient à l'intention des pêcheurs des guides qui peuvent s'avérer fort utiles si vous êtes en quête du lieu rêvé pour pratiquer votre activité favorite. Suit une liste des départements des pêches des différents États:

MassWildlife
1 Rabbit Hill Rd.
Westboro, MA 01581
☎ 508-389-6300
🖷 508-389-7890
www.mass.gov/dfwele/dfw

Maine Department of Inland Fisheries and Wildlife
284 State St., 41 State House Station
Augusta, ME 04333-0041
☎ 207-287-8000
www.maine.gov/ifw/fishing

New Hampshire Fish and Game Department Public Affairs Division
11 Hazen Dr.
Concord, NH 03301
☎ 603-271-3211
www.wildlife.state.nh.us/

Vermont Fish and Wildlife Department
103 S. Main St.
Waterbury, VT 05671-0501
☎ 802-241-3700
🖷 802-241-3295
www.vtfishandwildlife.com

Connecticut Fisheries Division Department of Environmental Protection
79 Elm St.
Hartford, CT 06106-5127
☎ 860-424-3474
🖷 860-424-4070
www.ct.gov/dep/site

Rhode Island Department of Environmental Management Division of Fish and Wildlife
4808 Tower Hill Rd.
Wakefield, RI 02879
☎ 401-789-3094
🖷 401-783-4460
www.state.ri.us/dem/

■ Plongée sous-marine

La Nouvelle-Angleterre présente un tout autre visage sous les eaux de l'Atlantique, du lac Champlain et des nombreux lacs de moindre envergure qui émaillent la région. Des épaves de bateau, des saillies côtières et des récifs au large des côtes assurent les plongeurs d'excellentes possibilités de plongée sous-marine. Des entreprises spécialisées s'offrent d'ailleurs à vous faire découvrir certains des sites de plongée les plus prisés, entre autres Newport au Rhode Island de même que Burlington et le lac Willoughby au Vermont.

■ Randonnée pédestre

Devenue accessible à peu près partout, la randonnée pédestre a depuis peu gagné la faveur des résidants et des visiteurs de la Nouvelle-Angleterre. Les parcs d'État, les forêts nationales et les parcs nationaux renferment ainsi des sentiers de longueur et de difficulté variables. La Nouvelle-Angleterre recèle par ailleurs plusieurs longs sentiers qui, plongeant au cœur des régions sauvages, peuvent s'étirer sur de grandes distances.

Au moment d'emprunter ces sentiers, les randonneurs doivent bien entendu se préparer en conséquence et veiller à respecter les balises qui délimitent les tracés. Des cartes des sentiers de même que des abris et des emplacements de camping sauvage sont mis à leur disposition.

Qui plus est, nombre de parcs et réserves de la région offrent une multitude de sentiers de randonnée bien entretenus qui débordent de richesses naturelles de toute sorte. Certains parcs fournissent même des brochures consacrées à des sentiers précis afin de vous guider dans votre exploration.

La plupart des parcs décrits dans la section «Parcs» de chaque chapitre regorgent de

L'Appalachian Trail

La coopération supplante l'antagonisme, la confiance supplante le soupçon, et l'émulation supplante la compétition. Un sentier appalachien, avec ses campements, ses communautés et ses sphères d'influence de haut niveau, devrait, sous bonne gestion, permettre la réalisation de ces idéaux.

- Benton McKay

En 1921, Benton McKay, natif du Massachusetts, projetait déjà la création d'un grand sentier de randonnée pédestre, mais le produit final dépasse sans doute de loin ses aspirations les plus folles. Aujourd'hui, l'**Appalachian Trail** *(www.appalachiantrail. org)* s'étire en effet sur 3 381 km, du mont Springer (Géorgie) au mont Katahdin (Maine).

Ce sentier a été conçu pour créer un couloir de verdure ininterrompu le long de la chaîne des Appalaches. En 1968, le sentier imaginé par McKay fut officiellement déclaré «National Scenic Trail», et en 1969 le ministère de l'Environnement du Massachusetts adopta une loi visant à en protéger les terres.

Au Massachusetts, 145 km de ce sentier longent les crêtes et les vallées des Berkshires. Cette région est réputée pour ses cours d'eau, notamment la rivière Housatonic et la rivière Hoosic, et plusieurs sommets et corniches offrent ici des panoramas à couper le souffle.

Ce tracé a beaucoup à offrir, tant aux randonneurs de fond endurcis qu'aux excursionnistes d'un jour, et on peut l'atteindre à partir de nombreux parcs et réserves d'État. Le sentier est ponctué, par endroits, de chalets, de cabanes, de refuges, de plates-formes pour tentes et d'emplacements de camping à l'intention des usagers qui comptent le parcourir pendant plus d'un jour. Si vous songez à sillonner le sentier d'un bout à l'autre, prévoyez deux ou trois mois de congé!

possibilités. La plupart des sentiers gravissent de majestueuses montagnes et livrent des panoramas somptueux. Cela dit, les moins ambitieux peuvent toujours trouver des sentiers moins exigeants, parfois autour d'un lac ou d'un marais. Rendez-vous au centre d'accueil des visiteurs de chaque parc, dont le personnel se fera un plaisir de vous fournir tous les détails relatifs aux différents sentiers, qu'il s'agisse de leur longueur, de leur degré de difficulté ou de leurs caractéristiques particulières, tout en prenant la peine de vous orienter vers les sentiers qui semblent le mieux correspondre à vos aptitudes et intérêts.

Enfin, n'oubliez pas que les nombreuses plages de la Nouvelle-Angleterre se prêtent elles-mêmes aux promenades insouciantes tout en vous permettant de profiter des vivifiantes brises marines. De fait, il s'agit là des lieux de marche favoris de nombreux habitants de la région.

En quête d'une solide randonnée dans les bois? L'**Appalachian Trail** (voir p 340, 404), le plus illustre sentier de randonnée de la Nouvelle-Angleterre, voire des États-Unis, traverse une bonne partie du Maine en direction nord au départ de son extrémité sud, en Géorgie, avant d'aboutir au mont Katahdin, dans le Baxter State Park du Maine. Pour de plus amples renseignements, communiquez avec:

Appalachian Mountain Club
5 Joy St.
Boston, MA 02108
☎ 617-523-0636
🖷 617-523-0722
www.outdoors.org

Aucun amateur de randonnée digne de ce nom ne peut songer au Vermont sans l'associer au **Long Trail** (voir p 460), qui s'étire sur 430 km à travers les plus hauts sommets des Green Mountains depuis la frontière d'État du Massachusetts jusqu'à la frontière canadienne. Les 85 sentiers qui s'en détachent le rendent en outre accessibles aux randonneurs d'un jour.

■ Vélo

Les visiteurs peuvent faire du vélo à peu près partout en Nouvelle-Angleterre. Les routes secondaires, généralement peu fréquentées, et les pistes qui sillonnent les parcs se prêtent particulièrement bien à cette activité. Le vélo est une façon on ne peut plus agréable d'explorer ces régions pittoresques, d'autant qu'il permet le plus souvent de sortir des sentiers battus.

Si vous voyagez avec votre bicyclette, sachez que vous pouvez la mettre à bord de n'importe quel autocar; assurez-vous seulement de la protéger adéquatement en la transportant dans une boîte conçue à cette fin. Une autre option consiste à en louer une sur place. Chacun des chapitres de ce guide fournit des renseignements sur les endroits qui se prêtent le mieux à la pratique du vélo, de même que les coordonnées des centres de location, dont les meilleurs offrent par ailleurs de l'information pertinente sur les voies cyclables et proposent même des cartes et brochures. Retenez enfin qu'il est sage de prévoir une bonne assurance au moment de louer une bicyclette. Certains centres de location incluent l'assurance contre le vol dans le coût de la location, mais prenez toujours la peine de vous en informer au préalable.

Bien qu'une grande partie de la Nouvelle-Angleterre soit accidentée, vous pourrez éviter toutes les vilaines collines de l'intérieur des terres en longeant les côtes du Maine, dont les anses et villages pittoresques vous promettent de merveilleuses excursions. Il en va d'ailleurs de même pour les îles Champlain du Vermont, pour ne citer que cet autre exemple. Vous découvrirez d'autres possibilités au fil des chapitres de ce guide.

On convertit de plus en plus d'anciennes voies de chemin de fer en sentiers polyvalents fort prisés des cyclistes.

Activités hivernales

En hiver, la majeure partie de la Nouvelle-Angleterre se couvre d'un blanc manteau de neige, ce qui crée des conditions rêvées pour la pratique d'une foule d'activités de plein air. La plupart des parcs qui disposent de sentiers de randonnée estivale les convertissent en pistes de ski de fond l'hiver venu. Habillez-vous chaudement, sous peine de subir la morsure du froid, et profitez pleinement des nombreuses possibilités d'activités au grand air qu'offre l'hiver, en dépit des basses températures.

■ Motoneige

Vous trouverez, un peu partout en Nouvelle-Angleterre, des clubs de motoneige locaux à même de vous fournir de précieux renseignements. Les chambres de commerce régionales vous aideront au besoin à les repérer. Des cartes et des brochures sur les réseaux de sentiers peuvent aussi être obtenues auprès de certains départements de parcs d'État.

Dans certains États, des clubs se sont regroupés en associations d'État et œuvrent de concert pour entretenir les réseaux de sentiers inter-États – parfois même internationaux là où ils franchissent la frontière canadienne. À titre d'exemples, mentionnons la **Vermont Association of Snow Travelers** *(26 Vast Lane, Barre, VT 05641, ☎802-229-0005, www.vtvast.org)*, la **New Hampshire Snowmobiling Association** *(614 Laconia Rd., Unit 4, Tilton, NH 03276, ☎603-273-0220, www.nhsa.com)* et la **Maine Snowmobiling Association** *(P.O. Box 80, Augusta, ME 04332, ☎207-622-6983, www. mesnow.com)*.

■ Ski alpin et planche à neige

On dénombre beaucoup de centres de ski alpin et de planche à neige en Nouvelle-Angleterre. Certaines pentes sont équipées de systèmes d'éclairage et vous permettent ainsi de skier le soir. Les hôtels situés à proximité des stations de ski proposent souvent des forfaits comprenant l'hébergement, les repas et les billets de remonte-pentes. Informez-vous-en au moment de réserver une chambre.

Les billets de remonte-pentes sont très coûteux, si ce n'est que par souci de répondre aux besoins de tous les genres de skieurs et de planchistes, la plupart des centres proposent des laissez-passer d'une journée entière, d'une demi-journée et de soir seulement. Quelques stations de ski vendent des billets à l'heure.

■ Ski de fond et raquette

Le ski, aussi bien alpin que de fond, jouit d'une immense popularité en Nouvelle-Angleterre, ce qui s'explique facilement par la longueur des hivers.

La plus haute montagne de ski de la Nouvelle-Angleterre est **Sugarloaf/USA** (voir p 341), dans le Maine. Le plus important complexe du New Hampshire est le Bretton Woods Mountain Resort, tandis que le Vermont s'enorgueillit de Killington et de nombreux autres centres. Au Massachusetts, les centres de ski des Berkshires constituent sans doute votre meilleur choix.

Les sentiers de randonnée de nombreux parcs d'État se transforment en pistes de ski de fond en période hivernale. Les allées de certains terrains de golf se prêtent également fort bien à la glisse et aux randonnées en raquettes. Et vous trouverez partout de petits centres consacrés à ces populaires activités de plein air. On peut généralement louer sur place tout le nécessaire, et certains centres de ski autorisent même les chiens sur leurs pistes. Téléphoner au préalable pour de plus amples renseignements.

MASSACHUSETTS

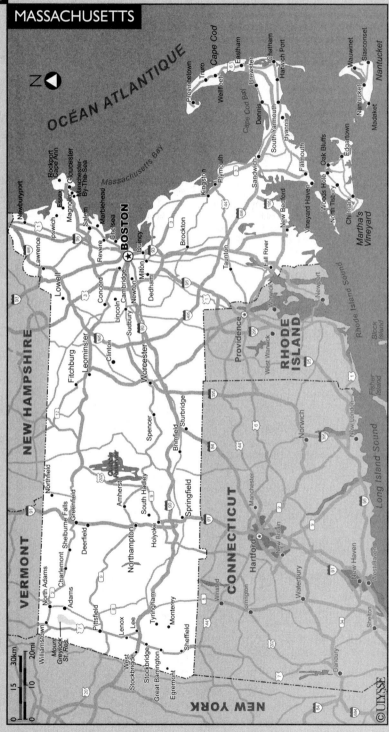

OCÉAN ATLANTIQUE

Cape Cod

Nantucket

Massachusetts Bay

Cape Cod Bay

Martha's Vineyard

Rhode Island Sound

Block Island

RHODE ISLAND

Long Island Sound

Fishers Island

NEW HAMPSHIRE

VERMONT

CONNECTICUT

NEW YORK

BOSTON

Newburyport
Rockport
Cape Ann
Gloucester
Magnolia
Manchester-By-The-Sea
Essex
Ipswich
Marblehead
Salem
Chelsea
Revere
Lawrence
Lowell
Concord
Cambridge
Newton
Milton
Dedham
Quincy
Lincoln
Sudbury
Fitchburg
Leominster
Clinton
Worcester
Spencer
Sturbridge
Brimfield
Northfield
Amherst
South Hadley
Greenfield
Charlemont
Shelburne Falls
Deerfield
Northampton
Holyoke
Springfield
North Adams
Adams
Pittsfield
Lenox
Lee
Tyringham
Monterey
Sheffield
Williamstown
West Stockbridge
Stockbridge
Great Barrington
Egremont
Mount Greylock St. Res.

Brockton
Taunton
Fall River
New Bedford
Kingston
Plymouth
Sandwich
Falmouth
Woods Hole
Oak Bluffs
Vineyard Haven
North Tisbury
Chilmark
Edgartown
Madaket

Provincetown
Truro
Wellfleet
Eastham
Brewster
Chatham
Harwich Port
Dennis
South Yarmouth
Hyannis

Nantucket
Wauwinet
Siasconset

Providence
West Warwick
Warwick
Newport

Norwich
New London
Manchester
New Britain
Hartford
Waterbury
New Haven
West Haven
Shelton
Winsted
Torrington
Farmington
Danbury

©ULYSSE

30km
20mi
0 15
0 10

Le Massachuse

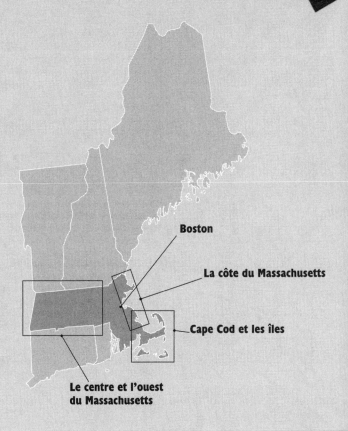

Boston

La côte du Massachusetts

Cape Cod et les îles

**Le centre et l'ouest
du Massachusetts**

Massachusetts Bay

N

Beverly
Marblehead
Salem
Peabody
Nahant
Lynn
Saugus
Winthrop
Revere
Chelsea
Logan International Airport
Boston Harbor
Lynnfield
Wakefield
Melrose
Malden
Everett
BOSTON
Dorchester
Quincy
Reading
Stoneham
Medford
Cambridge
Milton
Woburn
Winchester
Somerville
Brookline
Billerica
Wilmington
Burlington
Arlington
Belmont
Watertown
Newton
Dedham
Nutting Lake
Bedford
Lexington
Waltham
Needham
River Pines
Carlisle
Lincoln
Weston
Dover
North Acton
Concord
Minute Man Nat. Hist. Park
Acton
West Concord
Weston
Natick
West Acton
Pine Lake
Sudbury
Framingham

0   3   6km
0   2   4mi

© ULYSSE

Boston

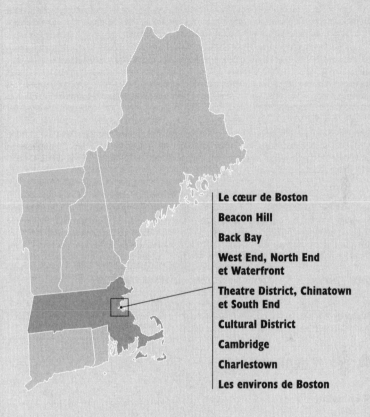

Le cœur de Boston

Beacon Hill

Back Bay

West End, North End et Waterfront

Theatre District, Chinatown et South End

Cultural District

Cambridge

Charlestown

Les environs de Boston

Cumulant les titres de capitale de l'État du Massachusetts, de métropole économique de la Nouvelle-Angleterre et de centre intellectuel des États-Unis, Boston affiche fièrement sa personnalité unique, issue d'un croisement entre la Londres georgienne, sobre et réservée, et l'Amérique de Kennedy, avant-gardiste et prospère.

De la première, elle a hérité son look européen, son plan radioconcentrique et ses nombreux quartiers à échelle humaine. Quant à la seconde, elle lui a inspiré l'audace de son architecture et, surtout, la tranquille assurance de ses citadins.

Bien avant New York et Los Angeles, Boston, fondée dès 1630 par un petit groupe de puritains, a été le principal port d'entrée des États-Unis. Cette ville côtière, bordant directement l'océan Atlantique, a graduellement délaissé les activités à caractère maritime, aujourd'hui presque accessoires, pour se tourner vers la recherche et la haute technologie, qui font maintenant ses choux gras.

À travers ses rues étroites et sinueuses, bordées de maisons patriciennes des XVIIIe et XIXe siècles, le visiteur découvre que les États-Unis ont un passé riche et complexe qui procède d'une réflexion nettement plus profonde que celle offerte par le dernier succès d'Hollywood.

Les circuits qui suivent permettent d'explorer Boston sous toutes ses coutures sans se perdre dans le dédale de rues et de ruelles qui font le charme de la ville. Le circuit **Le cœur de Boston** ★★★ est avant tout destiné à ceux qui découvrent Boston pour la première fois et qui veulent se familiariser avec l'histoire des États-Unis. Le circuit **Beacon Hill** ★★★ est une pure merveille pour les amateurs d'art qui recherchent la perfection. Les rues élégantes et rectilignes du circuit **Back Bay** ★★★ offrent, quant à elles, un répit aux personnes dont le sens de l'orientation aura déjà été mis à rude épreuve. Les circuits **West End, North End et Waterfront** ★★ et **Theatre District, Chinatown et South End** ★ permettent de découvrir les personnalités plus maritime, multiethnique et populaire de *Beantown*. Les nombreux musées et universités de Boston sont à l'honneur dans les circuits **Cultural District** ★★ et **Cambridge** ★★. Enfin, les circuits **Charlestown** ★ et **Les environs de Boston** ★★ sauront sûrement satisfaire les personnes qui croient déjà connaître Boston.

Accès et déplacements

■ En avion

Figurant parmi les 20 plus importants aéroports des États-Unis, le **Logan International Airport** (☎800-23-LOGAN, *www.massport.com/logan*) est situé tout près du centre-ville, à East Boston. L'aéroport offre un service de navette gratuit qui relie les cinq terminaux. De Boston, le Logan International Airport est accessible par autocar, métro, train de banlieue, de même que par bateau.

Accès à l'aéroport en voiture

Pour vous rendre au Logan International Airport en voiture à partir de la rive nord de Boston, prenez la I-95 jusqu'à la route 1 South, puis la sortie vers la route 60. Suivez ensuite la route 1A South jusqu'à l'aéro-port. Du nord du Massachusetts, prenez la I-93 en direction sud jusqu'au centre-ville de Boston, où vous verrez des indicateurs affichant «Callahan Tunnel/Logan Airport». Après le tunnel Callahan (des frais de péage de 3$ sont exigés pour l'emprunter), gardez la voie de droite, puisque la deuxième sortie vous conduira à l'aéroport.

À partir du sud du Massachusetts et de Cape Cod, suivez la route 3 jusqu'à la I-93 en direction nord jusqu'au centre-ville de Boston. Prenez ensuite la sortie 24 (Callahan Tunnel/Logan Airport).

En provenance du sud ou de l'ouest de Boston, vous pouvez emprunter le Ted Williams Tunnel. Suivez la I-93 jusqu'à la sortie 21, et prenez la droite à la fin de la rampe vers Northern Avenue. Poursuivez jusqu'au quatrième feu, puis tournez à droite dans D Street; la deuxième rue à gauche mène au tunnel. Le tunnel, nommé en l'honneur d'un joueur des Boston Red Sox, est accessible aux véhicules non commerciaux entre 22h et 5h en semaine, de même que toute la journée les fins de semaine. Des frais de péage de 3$ sont exigés pour l'emprunter.

Stationnement à l'aéroport

Vous trouverez plusieurs aires de **stationnement** *(première heure 5$, une journée 22$;* ☎*617-561-1673)* où garer votre voiture à court ou long terme au Logan International Airport. Les aires desservant des terminaux spécifiques, assurez-vous de bien vérifier que vous choisissez le stationnement qui vous convient.

Location de voitures à l'aéroport

Quelques entreprises de location de voitures possèdent des comptoirs de service au Terminal A (niveau des arrivées), dont:

Avis
☎ 617-561-3500 ou 800-230-4898
☎ 800-272-5871 (au Canada)
www.avis.com

Budget
☎ 800-527-0700
www.budget.com

Enterprise
☎ 617-561-4488 ou 800-261-7331
www.enterprise.com

Thrifty
☎ 800-847-4389
www.thrifty.com

Navettes

Le service de navette rapide **MBTA Harbor Express** *(5$; dim-ven 6h à 20h;* ☎*617-222-6999, www.harborexpress.com)* relie le quartier financier du centre-ville de Boston au Logan International Airport, en passant par la South Station. La navette quitte la South Station aux 15 min, au quai 25. Le service est aussi offert pour plusieurs autres destinations.

Le **Logan Express** *(11$ aller simple, 20$ aller-retour, stationnement 11$/jour; au départ de l'aéroport Logan lun-ven 6h30 à 24h aux demi-heures, sam 7h à 23h aux heures, dim 7h à 13h aux heures et 13h à 24h aux demi-heures;* ☎*800-23-LOGAN)* propose un service

d'autocar entre l'aéroport et Braintree au sud *(près de la jonction I-93 et I-95, sur Forbes Rd.)*, Framingham à l'ouest *(entre les routes 9 et 30, sur le terrain du Shopper's World Mall)* et Woburn au nord *(route 128, sortie 36 en face du Marriott Courtyard Hotel)*. Ces endroits disposent d'aires de stationnement. Service vers Peabody en semaine et le dimanche de 6h15 à 24h15 aux heures et le samedi de 6h15 à 23h15.

Navettes maritimes

L'autocar 66, dont l'arrêt est clairement indiqué, relie tous les terminaux du Logan International Airport jusqu'au Logan Dock, et ce, sans frais, à une fréquence de 10 min. Plusieurs petites compagnies de navigation peuvent ensuite vous conduire en divers secteurs de Boston. Pour vous rendre à l'aéroport, deux routes d'autocar s'offrent à vous au Logan Dock: l'une dessert les terminaux A et B, tandis que l'autre assure le service vers les terminaux C, D et E.

Le **City Water Taxi** *(10$; lun-sam 7h à 22h, dim 7h à 20h;* ☎*617-422-0392, www.citywatertaxi. com)* propose le seul service de transport maritime sur appel de Boston. Au départ du Logan Dock, il peut vous déposer à une dizaine d'arrêts: East Boston, Charlestown Navy Yard, North Station/TD Banknorth Center, North End/Burroughs Wharf, Long Wharf, Rowes Wharf, Museum Wharf/ Congress Street, Anthony's Pier 4, Seaport World Trade Center/Northern Avenue.

Pour ceux qui désirent se rendre au sud de Boston, le service de navette maritime est proposé par **Harbor Express** *(Logan à Quincy ou Hull 12$, Logan à Long Wharf 10$, Quincy à Boston 5$, horaires variables;* ☎*617-222-6999, www.harborexpress.com)*, qui relie en seulement 25 min Quincy au Logan Dock et en moins de 10 min le Logan Dock au Long Wharf. Le **Harbor Express Terminal** *(Quincy Shipyard, en retrait de la route 3A)* offre gratuitement le stationnement pour la journée. Il vous en coûtera cependant 6$ pour la nuit ou 36$ pour la semaine.

Transports en commun

Avec la **Massachusetts Bay Transit Authority (MBTA)** *(*☎*617-222-5000 ou 800-392-6100, www.mbta.com)*, vous pouvez rejoindre le Logan International Airport par le *T (métro, 1$)*, via la Blue Line (ligne bleue). Sortez

Boston – Accès et déplacements

à l'Airport Station. En autobus *(0,75$)*, les routes 448, 459 et CT3 se rendent au Logan International Airport.

Taxi

Au Logan International Airport, des taxis sont disponibles 24 heures sur 24 pour vous conduire n'importe où en Nouvelle-Angleterre. Si votre destination se trouve dans un rayon de moins de 12 milles (env. 20 km), on vous chargera un tarif fixe, basé sur le nombre de passagers. Il est à noter que vous devez payer une taxe d'aéroport de 2,25$, de même que 4,50$ de frais de péage pour traverser les tunnels. Pour vous rendre de Boston à l'aéroport, vous devrez communiquer avec une compagnie de taxis locale. Le prix de la course entre le centre-ville de Boston et le Logan International Airport s'élève à environ 25$.

■ En voiture

Accès à la ville

Si vous décidez d'utiliser votre voiture pour pénétrer dans la ville, empruntez, de Providence, la I-93 N, qui devient la US 1 N. En provenance du nord de Boston, vous devez emprunter la I-93 S. De l'ouest du Massachusetts, la I-90 se rend à Boston. Par contre, si vous désirez contourner la ville, empruntez la I-495, ou encore la I-95, qui passe cependant plus près de la ville. Depuis la rive nord (Charlestown, Chelsea), le Tobin Memorial Bridge donne accès à Boston; vous devrez alors acquitter des frais de péage de 3$.

Circulation

Il est vivement recommandé de laisser votre voiture en dehors de Boston. Conduire à Boston est un véritable casse-tête pour le non-initié. Les rues sont étroites, les sens uniques sont fréquents, les ronds-points désorientent, et les automobilistes bostoniens ont la réputation de conduire sans trop se soucier de la signalisation. De plus, la congestion aux heures de pointe est spectaculaire. **SmarTraveler** *(☎617-374-1234, www.smartraveler.com)* donne de l'information à jour sur la circulation et les artères congestionnées de Boston. Encore une fois, il est préférable d'utiliser des aires

de stationnement périphériques afin d'éviter beaucoup de perte de temps, de confusion et de frustration.

Des frais de péage de 3$ sont exigés pour emprunter les **tunnels** Callahan, Sumner et Ted Williams.

Stationnement

Une bonne raison de laisser votre voiture en dehors de Boston est la rareté et les coûts exorbitants des places de stationnement. Soyez extrêmement vigilant lorsque vous stationnez dans la rue; plusieurs espaces sont réservés aux résidents et requièrent une vignette, tandis que les rares parcomètres sont régulièrement vérifiés. Si vous choisissez de garer votre voiture dans un espace privé de stationnement payant, sachez que vous ne vous en sortirez pas en bas de 24$ par jour, et ce tarif augmente en soirée.

Location de voitures

En plus des comptoirs de location de voitures à l'aéroport (voir p 69), de nombreuses entreprises possèdent un comptoir au centre-ville de Boston, dont:

Alamo
270 Atlantic Ave.
☎617-557-7179
www.goalamo.com

Avis
Back Bay Train Park Garage
100 Clarendon St.
☎617-534-1404
www.avis.com

■ En autocar

Plusieurs compagnies d'autocars desservent les différentes régions du Massachusetts. La plupart d'entre elles proposent des liaisons au départ du Logan International Airport, avec un arrêt à la South Station de Boston, qui abrite la gare routière. Le **Logan Direct Service** *(☎508-771-6191, www.p-b.com)* relie l'aéroport à Hyannis, Barnstable, Sagamore, Plymouth et Rockland, en faisant un détour par le centre-ville de Boston. **Bonanza Bus Line** *(☎888-751-8800, www.bonanzabus. com)*, qui fait maintenant partie de la compagnie d'autocars Peter Pan Bus Lines, propose des liaisons vers le sud du Massachusetts, dont Falmouth et Woods Hole à Cape Cod, de même que vers le Rhode Island. **Plymouth & Brockton Bus Lines** *(☎508-746-0378, www.p-b.com)* vous conduira jusqu'à Provincetown (Cape Cod) tout en longeant la côte au sud de Boston. **Peter Pan Bus Lines** *(☎800-343-9999, www.peterpan-bus.com)* relie la métropole à quelques points au nord de la ville et longe la côte est vers le sud et New York, Philadelphie et Washington. **Greyhound** *(☎800-229-9424, www.greyhound. com)* quitte Boston pour n'importe quelle destination aux États-Unis.

Pour le nord de la Nouvelle-Angleterre, **Concord Trailways** *(☎800-639-3317, www. concordtrailways.com)* dessert le Maine et le New Hampshire, de même que **C & J Trailways** *(☎800-258-7111, www.cjtrailways. com)*. **Vermont Transit Bus Lines** *(☎800-642-3133, www.vermonttransit.com)* assure le service vers le Maine, le New Hampshire, le Vermont et Montréal.

■ En train

Les trains quittent la **Boston South Station** *(angle Summer St. et Atlantic Ave., ☎617-222-5000)* vers les points situés dans l'ouest du Massachusetts et au sud de Boston. Un train à grande vitesse, l'*Acela Express*, permet d'effectuer le trajet entre Boston et New York en environ trois heures.

■ En transport en commun

La **Massachusetts Bay Transit Authority (MBTA)** *(☎617-222-3200 ou 800-392-6100, www. mbta.com)* exploite un vaste et efficace réseau de transports en commun. Nous vous conseillons fortement de vous procurer un «Boston Visitor Pass» *(7,50$; 18$; 35$; ☎617-222-6117)*, qui permet un, trois ou sept jours de voyage illimité en métro, en autobus, en traversier et dans certains trains de banlieue.

Le **métro** de Boston doit sa particularité à son surnom: *T*. Il en coûte 1,25$ pour utiliser une de ses quatre lignes qui sillonnent Boston et ses environs, jusqu'à Braintree au sud. Un réseau d'**autobus** dessert Boston et ses environs; il en coûte entre 1,55$ et 3,45$ pour utiliser ce service.

Le MBTA exploite également une flotte de traversiers qui sillonnent régulièrement la baie de Boston: Long Wharf – Charlestown Navy Yard *(1,50$)*; Pemberton Point (Hull) – Quincy – Long Wharf *(6$)*; Lovejoy Wharf (North Station) – Charlestown Navy Yard *(1,50$)*; Lovejoy Wharf – Seaport World Trade Center/US Federal Courthouse *(1,50$)*; Rowes Wharf – Hingham *(6$)*.

Les trains de la **MBTA Commuter Rail** *(☎617-222-3200 ou 800-392-6100, www.mbta.com)* assurent la liaison entre Boston et plusieurs villes avoisinantes. Pour les destinations au nord de Boston comme Lowell, Concord, Salem, Cape Ann (Gloucester et Rockport), le départ des trains de banlieue s'effectue à la North Station *(T Orange Line, 135 Causeway St., angle Canal St.)*. Pour les autres destinations bordées par Worcester à l'ouest et par Providence au sud, les départs ont lieu à la South Station *(T Red Line, angle Summer St. et Atlantic Ave.)*.

■ À vélo

Ceux qui désirent expérimenter Boston à vélo seront ravis de savoir qu'une mine de renseignements se trouve sur le site Internet *www.massbike.org*, une organisation visant à promouvoir l'utilisation du vélo au Massachusetts. Ce site fournit de l'excellente information sur les pistes cyclables de Boston, de même que des conseils de sécurité et des adresses de comptoirs de location de vélos. Il est possible d'embarquer son vélo sur le *T*, sur les lignes bleue, orange et rouge seulement, entre 10h et 14h et après 19h30 en semaine, et ce, dans le dernier wagon du train seulement.

■ À pied

Vous avez décidé de ne pas conduire votre voiture jusqu'à Boston? Rassurez-vous, Boston est une ville qui se découvre à pied. Le Freedom Trail permet d'observer une multitude de sites historiques, tandis que les anciennes rues étroites de la métropole conviennent beaucoup mieux aux piétons qu'aux automobilistes. Où que vous soyez au centre-ville, vous n'êtes jamais bien loin d'un autre point d'intérêt.

Boston - Accès et déplacements

Renseignements utiles

■ Renseignements touristiques

Greater Boston Convention & Visitors Bureau
2 Copley Place, Suite 105
Boston, MA 02116-6501
☎ 888-SEE-BOSTON
▤ 617-424-7664
www.bostonusa.com

Boston Common Visitor Information Center
147 Tremont St.
Boston, MA 02116
☎ 617-536-4100

Cambridge Office for Tourism
4 Brattle St.
Cambridge, MA 02138
☎ 617-441-2884 ou 800-862-5678
▤ 617-441-7736
www.cambridge-usa.org

Harvard Events and Information Center
Holyoke Center
1350 Massachusetts Ave.
Cambridge, MA 02138
☎ 617-495-1573
www.harvard.edu

Attraits touristiques

Le cœur de Boston
★ ★ ★

On a souvent comparé la forme initiale de Boston à celle d'une poire inversée. Ce quartier en serait donc le cœur avec ses pépins. Malheureusement, un terrible incendie, survenu en 1872, nous a privés à jamais de nombre de ces précieux pépins, qui étaient autant de pièces importantes de l'histoire des États-Unis. Les quelques bâtiments coloniaux qui subsistent sont maintenant vénérés par les Américains, telles de saintes reliques. Ces petites structures de pierres ou de briques font figure de nains parmi les grandes tours du quartier des affaires qui ont poussé depuis la fin du XIXe siècle sur les terrains dégagés par la conflagration. Le piéton se sent écrasé par ces gratte-ciel, juxtaposés sur une trame urbaine d'une autre époque, composée de rues étroites et sinueuses tracées au XVIIe siècle.

Il existe plusieurs façons de parcourir le cœur de Boston. L'une d'elles consiste à suivre le **Freedom Trail**, qui mènera éventuellement le visiteur jusque dans le North End, pour se terminer dans Charlestown. Ce «chemin de la Liberté» retrace les différentes étapes de l'indépendance américaine à travers les 16 bâtiments et sites de son parcours, reliés entre eux par une ligne rouge peinte sur le sol. On se procure le plan du Freedom Trail au **Boston Common Visitor Information Center** *(tlj 9h à 17h; 147 Tremont St., station Park Street du T, ☎ 617-536-4100)*, ou au **Boston National Historical Park Visitor Center** *(tlj 9h à 17h; 15 State St., ☎ 617-242-5642, www.nps.gov/bost)*.

Bien évidemment, il est aussi possible de flâner au hasard des rues sans suivre d'itinéraire précis. Toutefois, il ne faut pas avoir peur de se perdre, car même les Bostoniens les plus expérimentés s'égarent dans ce véritable labyrinthe qu'est le quartier des affaires! Le circuit que nous vous proposons présente un certain équilibre entre le Boston colonial et le Boston contemporain, entre la ville de Benjamin Franklin et celle de John F. Kennedy.

Le circuit du cœur de Boston débute à la City Hall Plaza, au centre du complexe du Government Center (station Government Center du T).

En 1950, Boston se mourait. Alors que les États-Unis connaissaient une croissance démographique sans précédent, la métropole de la Nouvelle-Angleterre voyait sa population décroître à chaque recensement. Son centre était en piteux état, et ses monuments crasseux étaient couverts d'enseignes écorchées. La Boston Redevelopment Authority fut créée en 1957 afin de remédier à cette situation peu reluisante. Le premier geste significatif de cet organisme paragouvernemental fut de raser le secteur de Scollay Square pour y aménager le **Government Center ★** *(de part et d'autre de Cambridge St., entre Stanford St. et Court St., station Government Center du T)*, réparti autour de la **City Hall Plaza**, vaste place pavée de briques rouges dessinée en 1964 par l'architecte Ieoh Ming Pei, à qui l'on doit par ailleurs Place Ville Marie à Montréal et la pyramide du Louvre à Paris.

Ce complexe gouvernemental comprend notamment le **John F. Kennedy Federal Building** *(City Hall Plaza)*, qui abrite des bureaux régionaux du gouvernement de Washington, le **One Center Plaza** *(côté ouest de Cambridge St.)*, dont la courbure suit celle de Cambridge Street, et le **Boston City Hall** ★★ *(au fond de la City Hall Plaza)*, siège de l'administration municipale. L'hôtel de ville de Boston, énorme masse de béton inauguré en 1968, demeure un des principaux monuments du mouvement brutaliste dans l'architecture moderne. Les multiples volumes de sa façade en encorbellement évoquent les différentes fonctions du bâtiment. Ainsi, le bureau du maire se distingue au-dessus de l'entrée, et la longue salle du conseil apparaît immédiatement à sa gauche. Il ne faut pas hésiter à pénétrer dans cette enceinte de la démocratie urbaine, véritable *palazzo* du XXᵉ siècle doté de quelques espaces publics dignes d'intérêt.

Revenez sur vos pas afin de reprendre Cambridge Street en direction de Court Street.

Au-dessus de la porte d'entrée du Sears Crescent, petit bâtiment à ossature de granit érigé dès 1845, est accrochée la célèbre **Steaming Teakettle** *(angle Court St. et Cambridge St.)*. Cette théière géante, de laquelle s'échappe une réconfortante vapeur, serait la plus ancienne enseigne publicitaire des États-Unis. La théière, d'une contenance de 861 l, a été fabriquée par des chaudronniers locaux afin d'identifier l'Oriental Tea Company. Elle a été récupérée d'un chantier de démolition, puis installée à son emplacement actuel en 1969, après l'aménagement du Government Center.

Traversez Court Street afin de rejoindre Tremont Street.

Chemin faisant, on passe devant le **King's Chapel Burying Ground** *(côté sud de Tremont St., voisin de la King's Chapel)*, qui constitue le plus vieux cimetière de Boston. Il existait bien avant la construction de la chapelle voisine. Y sont inhumées des personnalités telles que John Winthrop, premier gouverneur de la colonie du Massachusetts, et Mary Chilton, l'une des passagères du vénérable *Mayflower.*

La Nouvelle-Angleterre a été fondée par les membres de sectes religieuses persécutées par l'Église anglicane. Aussi ne faut-il pas s'étonner qu'une ordonnance musclée du roi d'Angleterre George II ait été nécessaire afin que Boston voie s'ériger son premier temple anglican d'envergure. Conçue pour symboliser le pouvoir royal

Le Freedom Trail

Le **Freedom Trail** commence au **Boston Common Visitor Information Center**, où vous pouvez obtenir gratuitement un guide descriptif avec carte, louer un audioguide *(15$)* ou payer un guide en costume d'époque. Vous pouvez aussi participer au tour gratuit de 90 min offert par un *ranger* (officier) du Service des parcs nationaux américains. Ce tour débute au **Boston National Historical Park Visitor Center** *(lun-ven 14h; sam-dim 10h, 11h et 14h; 15 State St.,* ☎*617-242-5642).*

Pour parcourir le Freedom Trail dans son ordre linéaire, suivez le tracé en briques rouges incrustées dans les trottoirs.

tout autant que celui de l'Église officielle, la **King's Chapel** ★★ *(entrée libre; mar-dim 10h à 16h; angle Tremont St. et School St.,* ☎*617-227-2155, www.kings-chapel.org)* a été entreprise en 1746. Cette œuvre originale, revêtue de granit gris, tranche par la richesse de son ornementation sur les bâtiments religieux construits à la même époque dans les colonies américaines. La flèche de son clocher n'a cependant jamais été achevée, ce qui donne au temple une apparence trapue. L'intérieur, plus équilibré, arbore de belles colonnes corinthiennes jumelées, ainsi qu'un orgue qui aurait été personnellement sélectionné par le célèbre compositeur Georg Friedrich Haendel. Après la

Révolution américaine, l'église a été remise à la communauté unitarienne qui l'occupe toujours.

Tournez à gauche dans School Street, dont le nom évoque la première école publique des États-Unis – la Boston Latin School, fondée en 1635 par Philemon Pormont –, autrefois située à l'intersection avec Province Street. Une plaque installée à proximité du 37 School Street en marque l'emplacement exact.

À l'angle sud-est de Tremont Street et de School Street se dresse la **Parker House** *(60 School St., ☎617-227-8600)*, établissement hôtelier de prestige fondé en 1855. Il serait de ce fait le plus ancien palace des États-Unis. Au XIXᵉ siècle s'y réunissait, sous le nom de *Saturday Club*, le gratin de l'élite littéraire de Boston. En faisaient partie des écrivains et poètes tels que Ralph Waldo Emerson, Nathaniel Hawthorne et Henry Wadsworth Longfellow. La fameuse Boston Cream Pie (tarte à la crème) a été créée dans ses cuisines. Hô Chi Minh y a d'ailleurs travaillé comme pâtissier, tandis que Malcolm X était garçon de table. Ajoutons que John F. Kennedy a annoncé dans cet hôtel sa candidature au Congrès américain. Le bâtiment actuel fut érigé en 1926 et arbore désormais la bannière de la chaîne d'hôtels Omni.

Du côté opposé de School Street se trouve l'**Old City Hall** ★ *(45 School St., www.oldcityhall. com)*. Cet édifice, construit sur l'ancien site de la première école publique de Boston, a abrité l'hôtel de ville de Boston jusqu'à ce qu'il emménage dans le **Government Center** (voir p 72) en 1968. Ce beau bâtiment de style Second Empire fut érigé en 1865. Sur ses pelouses se dressent les statues en pied de Josiah Quincy, ancien maire de Boston (1823-1829), et de Benjamin Franklin, l'un des plus illustres fils que nous ait donné cette ville. La statue de Franklin est une œuvre de Richard Greenough (1855). Sur les quatre bas-reliefs en bronze qui entourent le monument, on peut voir Franklin l'ambassadeur, qui signe le traité de paix avec la Grande-Bretagne, Franklin l'imprimeur, à l'œuvre dans son atelier, Franklin l'homme politique, qui signe la Déclaration d'indépendance des États-Unis, et enfin Franklin le scientifique, tenant un cerf-volant qui vient d'être frappé par un éclair.

On traverse ensuite **Province Street**. Essayons d'imaginer un instant que cette rue étroite

Boston Cream Pie

Cette «tarte» est en réalité un gâteau composé d'une génoise (tranchée en deux dans le sens de la longueur) abondamment fourrée de crème pâtissière, le tout recouvert d'une mince couche de glaçage au chocolat. La recette aurait été imaginée par le chef cuisinier de la Parker House (aujourd'hui l'Omni Parker House) de Boston, un jour qu'il était à court de pâte à tarte. La recette classique fait appel à un gâteau éponge préparé avec du lait chaud plutôt qu'à une génoise, bien que le glaçage soit préparé avec du sirop de maïs plutôt qu'avec du sucre à glacer.

et sombre était autrefois une allée champêtre bordée de jardins ensoleillés conduisant à la Province House, résidence du gouverneur du Massachusetts… La **Boston Five Cents Savings Bank** *(30 School St.)* contribue grandement à ce contraste chronologique. Il faut cependant regarder de plus près la colonnade moderne de l'ajout, imputable aux architectes Kallman et McKinnell (1972), à qui l'on doit également le nouvel hôtel de ville de Boston, soit le **Boston City Hall** (voir p 73).

L'**Old Corner Bookstore** *(lun-sam 9h à 18h, dim 11h à 18h; 1 School St., angle Washington St., ☎617-367-4000)*, aussi connu sous le nom de The Globe Corner Bookstore, loge dans un des plus vieux bâtiments de Boston. Celui-ci fut construit en 1712 pour l'apothicaire Thomas Crease. On reconnaîtra les formes georgiennes de l'architecture coloniale américaine à travers les murs de briques rosées et les délicates fenêtres à guillotine de sa façade. En 1828, on y installe une maison d'édition et une librairie. Plusieurs chefs-d'œuvre de la littérature américaine y seront publiés pour la première fois, dont *La Lettre écarlate* de Nathaniel Hawthorne (1850) et *La Case de l'oncle Tom* de Harriet Beecher-Stowe (1852). La librairie appartient de nos jours à l'important quotidien *The Boston Globe*, qui y vend des livres sur Boston et la Nouvelle-Angleterre.

Face à la librairie, **Spring Lane** et **Water Street** marquent l'emplacement où Boston a vu le jour en 1630. La découverte d'une source d'eau potable à cet endroit allait en effet permettre à John Winthrop et à ses colons de quitter Charlestown pour s'installer sur ces terres plus hospitalières.

Empruntez Washington Street vers le sud afin de rejoindre Milk Street.

L'**Old South Meeting House** ★★ *(5$; avr à oct tlj 9h30 à 17h, nov à mars tlj 10h à 16h; 310 Washington St., angle Milk St.,* ☎*617-482-6439, www.oldsouthmeetinghouse.org)*, située à l'extrémité est de School Street, est un haut lieu de pèlerinage pour les Américains férus d'histoire. Cet ancien temple protestant, devenu musée, a été construit en 1729 pour la secte des puritains, dont les membres avaient fondé Boston 100 ans plus tôt. Inutile de dire que l'austérité, voire la sévérité, sont ici à l'honneur. Cette communauté influente a fait de l'Old South Meeting House un centre de décision et de rassemblement important pour la population de la ville coloniale. L'aménagement en auditorium de l'espace intérieur, caractérisé par la disposition des bancs tournés vers la tribune du prédicateur, facilitait les débats. À la veille de la Révolution américaine, les orateurs prestigieux s'y sont multipliés.

Le 16 décembre 1773, Samuel Adams y harangue 5 000 colons qui protestent contre la taxe sur le thé imposée aux colonies américaines par le roi d'Angleterre. Après cette assemblée houleuse, plusieurs manifestants déguisés en Amérindiens se ruent vers le port où ils jettent à l'eau les cargaisons de thé importé, donnant lieu au célèbre *Boston Tea Party*. Cet événement haut en couleur marque le début de la guerre de l'Indépendance américaine. Après avoir été transformée en manège militaire lors de l'occupation de Boston par les troupes britanniques, puis en bureau de poste à la suite de l'incendie du quartier en 1872, l'Old South Meeting House abrite maintenant un intéressant centre d'interprétation portant sur le rôle prépondérant joué par les Bostoniens lors de la Révolution américaine.

Empruntez Milk Street vers l'est.

Le **Boston Post Building** *(17 Milk St.)* s'élève à l'emplacement de la maison natale de Benjamin Franklin, dont les derniers vestiges ont disparu lors de l'incendie de 1872. Un buste et une inscription *(Birthplace of Franklin)*, apposés sur sa façade High Victorian en pierres et en fonte, rendent hommage au célèbre personnage. Le bâtiment, élevé en 1874, abritait à l'origine les locaux du journal *The Boston Post*.

Plus loin vers l'est, la masse Art déco du **John McCormack Post Office and Courthouse** *(angle Milk St. et Congress St.)* semble s'abattre sur les piétons. Ce «Léviathan», édifié en 1930, bénéficie grandement de la proximité du **Post Office Square** ★ *(délimité par Congress St., Franklin St., Milk St. et Pearl St.).* Réaménagé, cet espace public de forme triangulaire est doté de multiples treillis et pergolas qui invitent au repos. Ses dégagements mettent en valeur les sièges sociaux de banques et de compagnies d'assurances qui l'entourent.

Longez Post Office Square, puis poursuivez vers l'est dans Milk Street jusqu'à India Street.

Sur la droite, on aperçoit le **Flour and Grain Exchange Building** ★ *(177 Milk St.)*, aux extrémités arrondies. Cette bourse des grains en forme de château médiéval a été érigée en 1889. On étudiera avec attention les sculptures complexes de sa façade. Un peu plus loin se dresse l'étonnante tour de la douane, qui a longtemps servi de point de repère aux navires entrant dans le port de Boston.

Tournez à gauche dans India Street et poursuivez jusqu'à State Street.

La **Custom House** ★ *(angle State St. et India St.)* a été construite en deux étapes: la colonnade néogrecque de sa base correspond au bâtiment initial de 1837, tandis que la tour dotée d'une grande horloge digne des films de Harold Lloyd fut ajoutée en 1915.

Tournez à gauche dans State Street, d'où vous bénéficierez d'une belle perspective sur l'Old State House, qui apparaît toute menue parmi les gratte-ciel des alentours.

Le **Cunard Building** *(126 State St.)* abritait à l'origine le siège social de la puissante compagnie maritime Cunard, dont les nombreux paquebots sillonnaient inlassablement les océans du globe. Les sculptures de l'entrée, représentant des ancres, des dauphins et des coquillages, témoignent de ce glorieux passé maritime.

À l'angle de State Street et de Devonshire Street se trouve le **Boston National Historical Park Visitor Center** *(15 State St.,* ☎*617-242-5642, www.nps.gov/bost)*. Ce bureau d'information touristique, propriété du Service des parcs nationaux des États-Unis, met à la disposition des visiteurs des plans et des dépliants portant sur les différents parcs nationaux du pays, en plus d'offrir des visites guidées sur le Freedom Trail (durée: 90 min).

À proximité de l'Old State House se trouve le site du **Boston Massacre** *(angle sud-ouest de State St. et de Congress St.)*, souligné par un cercle fait de pavés répartis sur la chaussée. Celui-ci rappelle un événement malheureux survenu le 5 mars 1770. Ce jour-là, un garde royal frappe malencontreusement un enfant à la tête. Aussitôt, des colons outrés se mettent à lancer des pierres aux soldats britanniques qui montent la garde autour du siège du gouvernement colonial. Pris de panique, les soldats répliquent en tirant sur la foule, faisant cinq morts et plusieurs blessés. Certains historiens interprètent cet événement comme ayant été le déclencheur de la Révolution américaine.

L'**Old State House** ★★ *(5$; tlj 9h à 17h; 206 Washington St.,* ☎*617-720-3292, www.boston-history.org)*, bijou fragile et coloré parmi les grandes tours grises du centre-ville, fut le siège du gouvernement du Massachusetts de 1713, année de sa construction, jusqu'en 1798, moment où l'Assemblée de l'État fut transférée dans l'actuelle State House. L'étroite structure de briques rouges est surmontée des symboles de la couronne d'Angleterre, soit le lion et la

licorne. Le 18 juillet 1776, la Déclaration d'indépendance fut lue aux citoyens du haut de l'élégant balcon blanc qui perce sa façade sud. Malgré son importance historique, le bâtiment fut négligé jusqu'à ce qu'il soit question de le déménager à Chicago pour l'Exposition universelle de 1893. Piqués dans leur orgueil, les Bostoniens entreprirent de le restaurer. De nos jours, l'Old State House abrite la **Boston Historical Society and Museum**, où l'on peut voir différents objets du passé de Boston, dont le manteau de John Hancock, héros de la Révolution américaine.

Derrière l'Old State House se profile l'**Ames Building** ★ *(1 Court St.; actuellement en rénovation)*, qui fut un temps le gratte-ciel le plus haut de la Côte Est. La tour de 14 étages, érigée en 1889, fut dessinée dans le style néoroman de Richardson, reconnaissable à ses grands arcs cintrés. Elle a été construite selon les méthodes les plus traditionnelles. Aussi ses murs porteurs, qui soutiennent les différents planchers, atteignent-ils une épaisseur de 3 m à la base.

Empruntez Congress Street en direction nord afin de rejoindre l'esplanade du Faneuil Hall.

Autre important témoin du passé colonial de Boston, le **Faneuil Hall** ★★ *(entrée libre; tlj 9h à 17h; 1 Faneuil Hall Square,* ☎*617-523-1300)* est une halle doublée d'une salle de réunion à l'étage. Le bâtiment de briques rouges, élevé en 1742, a été offert aux citoyens de Boston par un marchand d'origine huguenote, Peter Faneuil. À noter que son petit dôme est coiffé d'une amusante girouette en forme de sauterelle. Le Faneuil Hall a été agrandi en 1806 sans que son architecture en soit dénaturée. Sa salle de réunion est considérée comme l'un des «berceaux de la liberté», puisque de nom-

★ **ATTRAITS TOURISTIQUES**

LE CŒUR DE BOSTON

© ULYSSE

Financial District

Government Center

1 Government Center

2 John F. Kennedy Federal Building

3 One Center Plaza

4 Boston City Hall

Boston Common

PARK STREET

GOVERNMENT CENTER

STATE / AQUARIUM

AQUARIUM

Christopher Columbus Park

Faneuil Hall Market Pl.

Post Office Square

Rose Fitzgerald Kennedy Greenway

Atlantic Ave.

Purchase St.

N. Market St.

S. Market St.

Chatham St.

Clinton St.

North St.

State St.

Central St.

India St.

Milk St.

Water St.

Broad St.

Congress St.

State St.

Kilby St.

Exchange Pl.

Hawes St.

Federal St.

Devonshire St.

Arch St.

Franklin St.

Hawley St.

Washington St.

Province St.

School St.

Court St.

Tremont St.

Bosworth St.

Bromfield St.

Hamilton Pl.

Winter St.

Park St.

Beacon St.

Somerset St.

Bowdoin St.

Mt. Vernon St.

Derne St.

Temple St.

Ridgeway Ln.

Hancock St.

Myrtle St.

Joy St.

Cambridge St.

Spring Ln.

Federal St.

Milk St.

Oliver St.

Pearl St.

High St.

Wendell St.

Batterymarch St.

Franklin St.

Custom House St.

India St.

E. India Rd.

Central St.

Congress St.

Milk St.

Broad St.

93

3

1

breux orateurs s'y sont succédé, prônant l'émancipation des colonies britanniques d'Amérique au XVIIIe siècle, puis l'abolition de l'esclavage au siècle suivant. Au-dessus de la salle de réunion se trouve le **Museum of the Ancient and Honourable Artillery Company** *(lun-ven 9h à 15h30;* ☎*617-227-1638, www. abacsite.org)*, consacré à un régiment de miliciens créé dès 1638.

Contournez le Faneuil Hall afin d'accéder au Quincy Market.

Au début du XIXe siècle, la place du marché du Faneuil Hall se révèle nettement insuffisante pour accueillir le nombre croissant de fermiers venus vendre leurs produits. Le maire Josiah Quincy décide alors de faire construire un marché neuf qui portera éventuellement le nom de **Quincy Market ★ ★ ★** *(entrée libre; lun-sam 10h à 21h, dim 12h à 18h; Faneuil Hall Marketplace).* Entrepris en 1825, le long bâtiment néoclassique du marché, œuvre d'Alexander Parris, est encadré par deux entrepôts à ossature de pierre. Ces structures protorationalistes, qui préfigurent l'architecture moderne grâce à leurs lignes simples et à leurs grandes fenêtres, seraient les plus anciennes d'Amérique.

La réorganisation du centre de Boston, amorcée en 1957, prévoyait non seulement la démolition de nombreux bâtiments jugés insalubres, mais également la rénovation de plusieurs autres. Il faudra cependant attendre 1976 avant que la Rouse Company n'amorce le recyclage des bâtiments du Quincy Market, délaissés depuis des décennies. Ce projet de revitalisation urbaine est considéré comme l'une des plus grandes réussites du genre aux États-Unis, et il a servi d'exemple pour le réaménagement d'anciens marchés publics partout en Amérique. Il ne faut toutefois pas s'attendre à retrouver au Quincy Market des étals de fruits et de légumes puisque les fermiers d'autrefois ont fait place aux restaurants et aux boutiques d'aujourd'hui. Ainsi, alors qu'il est agréable de flâner aux alentours avant d'y pénétrer, on est un peu déçu, à l'intérieur, de découvrir ces comptoirs de restauration rapide que l'on retrouve partout. Le Quincy Market et le Faneuil Hall figurent parmi les lieux les plus animés de Boston, le jour comme le soir.

Afin de retourner au point de départ, revenez vers l'Old State House, puis longez Court Street en direction ouest, jusqu'à la station Government Center du T.

Beacon Hill
★ ★ ★

Beacon Hill est un de ces lieux magiques qui vous font remonter dans le temps. Ses vieilles maisons de briques rouges, pressées les unes contre les autres le long de rues étroites et pentues, forment un secteur compact d'une harmonie presque trop parfaite. La quiétude de ce chic quartier résidentiel n'est troublée que par les jeunes Bostoniens de bonne famille qui font leur jogging matinal. Lorsqu'on le parcourt, il faut s'attarder aux moindres détails architecturaux, comme les portes d'entrée, les grilles de fer et les réverbères à gaz, qui sont autant de témoignage de la retenue et de la pérennité de ses résidants.

Beacon Hill doit son nom à une lanterne installée à son sommet au XVIIe siècle. Celle-ci servait à prévenir les Bostoniens en cas d'attaque imminente. En 1795, on décide d'y transférer le siège du gouvernement du Massachusetts. Aussitôt, le versant sud de Beacon Hill se pare de belles demeures de styles Federal et Greek Revival, propriétés des plus vieilles familles de la Nouvelle-Angleterre, tandis que son versant nord voit s'ériger les humbles logis des domestiques. On donne aux rues du nouveau quartier des noms d'arbres, ajoutant de la sorte au caractère champêtre des lieux, et l'on aménage des espaces publics d'une rare qualité. Exceptionnellement, ce havre de paix et de sérénité de «l'aristocratie» américaine, situé en plein centre de Boston, n'a jamais été perturbé, permettant ainsi de conserver quasiment intacte son apparence des premiers jours.

Le circuit débute au bas de la colline de Beacon Hill, à l'angle de Bedford Street et de Tremont Street (station Park Street du T).

Tremont Street fut baptisée ainsi pour rappeler l'ancienne Trimountains, premier nom donné à Boston par les puritains en raison de la présence de trois collines sur la presqu'île de Shawmut, où fut fondée la ville (Beacon Hill, Mount Vernon et Pemberton

Hill). Seule Beacon Hill n'a pas été complètement aplanie.

Sur ses flancs s'étire le **Boston Common** ★ *(entre Tremont St. et Beacon St.)*, qui fait partie du réseau de parcs de verdure qui entoure le centre de Boston. Ce réseau a été baptisé **Emerald Necklace** (collier d'émeraudes) (voir p 126), par le fameux paysagiste américain Frederick Law Olmsted, qui fut responsable de l'aménagement des espaces verts de la capitale du Massachusetts à la fin du XIXᵉ siècle. Le Boston Common fait la joie des Bostoniens comme celle des touristes grâce à ses nombreuses aires ombragées et à son Frog Pond (étang des grenouilles), qui se transforme en patinoire l'hiver venu. L'espace vert est dominé par l'allégorie du «Génie de l'Amérique» qui surmonte le monument en hommage à l'armée et à la marine américaines, baptisé simplement **Army and Navy Monument**. Ce grand parc sert de pivot autour duquel gravitent les différents quartiers du centre de la ville. Il a été aménagé par l'architecte Charles Bulfinch à l'emplacement de l'ancien pâturage commun des fermiers de Boston, créé en 1634 sur les terres de l'ermite William Blackstone. On s'en servait également comme terrain d'exercice militaire et comme lieu d'exécution des sorcières… Lors de la Révolution américaine, les troupes britanniques y furent cantonnées. Enfin, on y vit brouter des ruminants jusqu'en 1830, année où les lieux prennent définitivement une tournure plus urbaine.

L'entrée principale du Boston Common est soulignée par la **Brewer Fountain** *(près de l'intersection de Winter St. et de Tremont St.)*, fontaine rapportée de Paris en 1868 par un riche citoyen de Boston, Gardner Brewer. À l'angle de West Street se trouve le **Boston Common Visitor Information Center**, qui marque le point de départ du **Freedom Trail** (voir p 73). Ce bureau d'information touristique offre quantité de dépliants sur Boston.

Après la Révolution américaine, l'Église anglicane des États-Unis devient l'«Église épiscopale», afin de se démarquer de l'Église d'Angleterre. La **St. Paul's Cathedral** ★ *(entrée libre; lun-ven 10h à 17h, dim 8h à 16h; 138 Tremont St., angle Temple Place, ☎617-482-5800)*, siège de l'évêché épiscopal de Boston, fut érigée en 1820 selon les plans de l'architecte du Quincy Market, Alexander Parris. Elle arbore une façade néoclassique plutôt spartiate qui n'est pas sans rappeler les temples de l'Antiquité. On remarquera plus particulièrement le contraste entre sa colonnade de grès et sa façade de granit. L'intérieur, d'une grande sobriété, fut redessiné par Ralph Adams Cram entre 1919 et 1927.

Empruntez Tremont Street en direction de Park Street.

La **Park Street Station** du T *(angle Tremont St. et Park St.)*, inaugurée dès 1897, est la plus ancienne station du plus vieux métro d'Amérique du Nord. Elle fut décriée par les critiques de l'époque qui la comparaient aux catacombes. Elle présente néanmoins un intérêt historique indéniable.

La **Park Street Church** ★ *(entrée libre; juil et août mar-sam 9h30 à 15h; 1 Park St., ☎617-523-3383, www.parkstreet.org)* possède un carillon dont les airs agrémentent les promenades dans le Boston Common tout proche. Cette église évangélique fut construite en 1809 dans la plus pure tradition georgienne. William Lloyd Garrisson y a prononcé son premier discours antiesclavagiste le 4 juillet 1829, provoquant une émeute dans les rues avoisinantes.

Même s'il ne s'agit pas du plus ancien cimetière de Boston, le **Granary Burying Ground** ★ *(tlj 9h à 17h; Tremont St., au nord de la Park Street Church, ☎617-635-7389)* est très certainement le plus important lieu de sépulture de la vieille ville, puisque plusieurs héros de la Révolution américaine y reposent, dont Samuel Adams, John Hancock, Paul Revere et les victimes du Boston Massacre. Il a été aménagé en 1660, à l'emplacement d'un entrepôt à grains, d'où son nom. La belle grille néo-égyptienne qui le ceinture fut ajoutée vers 1830.

Empruntez Park Street afin de gravir Beacon Hill.

L'**Amory-Ticknor Mansion** ★ *(angle Park St. et Beacon St.)* est l'une des plus curieuses maisons de Boston. Au cube dessiné par Charles Bulfinch en 1804 fut ajouté en 1885 un décor Queen Anne britannique débridé qui donne un air médiéval à cette résidence où a notamment habité le fondateur de la bibliothèque de Boston, George Ticknor (1791-1871).

La récompense qui attend le visiteur au sommet de Beacon Hill est de taille. On y

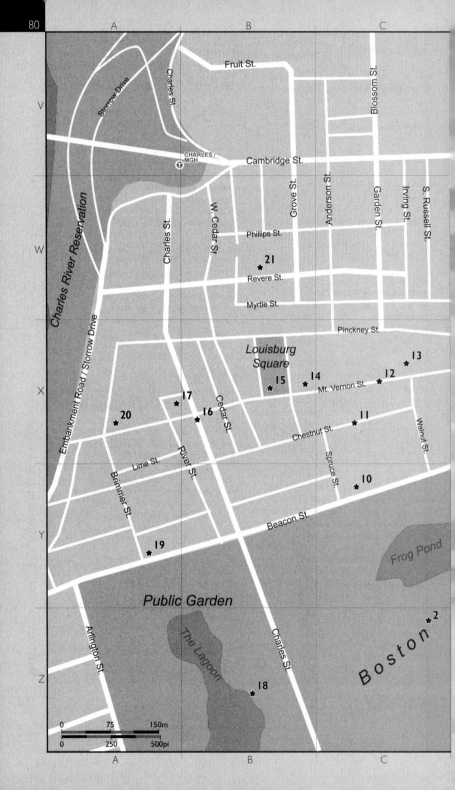

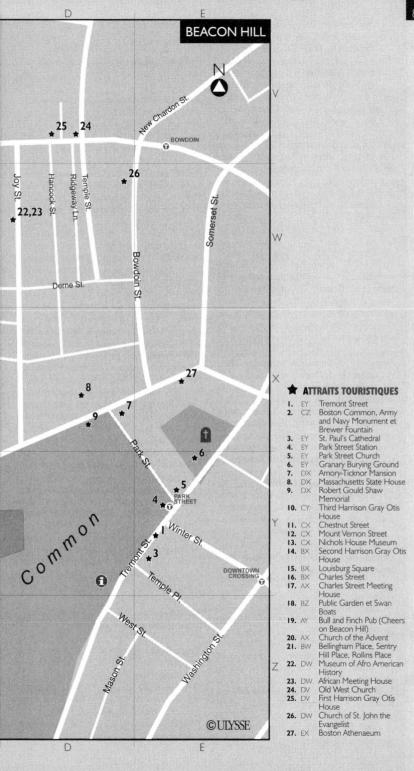

BEACON HILL

N

©ULYSSE

découvre en effet la superbe **Massachusetts State House** ★★★ *(entrée libre; lun-ven 10h à 16h; 24 Beacon St.,* ☎*617-727-3676),* avec son dôme aveugle, entièrement recouvert d'or 24 carats. L'édifice de style Federal, entrepris en 1795, abrite le siège du gouvernement de l'État du Massachusetts. Considéré à juste titre comme le chef-d'œuvre de l'architecte Charles Bulfinch (1763-1844), il a servi de modèle pour la construction des différents capitoles à travers les États-Unis. Des visites guidées gratuites, d'une durée de 45 min (en anglais seulement), permettent de découvrir le Hall of Flags (salle des drapeaux), où sont regroupés les drapeaux des régiments du Massachusetts ayant combattu pendant la guerre de Sécession, la Senate Chamber (le Sénat de l'État), située sous la coupole, ainsi que la House of Representatives (Chambre des représentants de l'État), où prend place la *Sacred Cod,* une sculpture de bois représentant une morue! Celle-ci fut donnée au gouvernement par John Rowe en 1784. Elle évoquait à l'origine l'importance de l'industrie de la pêche dans l'histoire du Massachusetts, avant de devenir le symbole officiel de l'État.

Depuis 1914, deux ailes en marbre blanc encadrent le bâtiment original de Bulfinch, devant lequel on peut voir plusieurs statues, dont celles représentant Daniel Webster, homme politique influent, Anne Hutchison et Mary Dyer, deux victimes des persécutions religieuses des puritains. Le long de Beacon Street, on peut également contempler le **Robert Gould Shaw Memorial** *(en bordure du Boston Common),* de l'artiste new-yorkais Augustus Saint-Gaudens (1897). Ce bas-relief rend hommage au colonel Shaw et à son régiment, composé des premiers soldats afro-américains à avoir combattu lors de la guerre de Sécession.

Longez le Boston Common en direction de Spruce Street.

Harrison Gray Otis (1765-1848) était un éternel insatisfait. La preuve? En moins de 10 ans, il fera construire trois maisons différentes sur Beacon Hill. Chaque fois, son architecte préféré, Charles Bulfinch, tentera de se surpasser en construisant plus grand et plus beau. C'est pourquoi on peut aujourd'hui voir dans les environs, la First, la Second et la **Third Harrison Gray Otis House** *(on ne visite pas; 45 Beacon St.).* Cette dernière, entreprise en 1805, fait face au Boston Common. Elle est la plus vaste des

trois demeures de H.G. Otis avec ses 37 pièces, 15 cheminées et quatre cages d'escaliers. La maison appartient de nos jours à l'American Meteorological Society, qui y a installé ses bureaux.

Tournez à droite dans Spruce Street, puis encore à droite dans Chestnut Street.

On pénètre maintenant au cœur du quartier exclusif de Beacon Hill, où habitent toujours plusieurs des grandes familles américaines. Le rouge de la brique, le blanc des boiseries, le noir du fer forgé et de la fonte s'y marient avec une telle perfection qu'on se croirait parfois dans un studio de cinéma. Certains ont même comparé Beacon Hill aux quartiers georgiens de Londres, tels qu'ils apparaissaient à la fin du XVIIIe siècle. Les trottoirs de briques, les rues pavées de galets, les lampadaires à gaz, les jardins luxuriants dissimulés derrière des murets, tout contribue au charme de ce quartier unique en Amérique du Nord.

Charles Bulfinch et Harrison Gray Otis sont à l'origine du développement de Beacon Hill. Ayant su tirer profit de l'implantation du nouveau capitole sur la colline, ils fondèrent la société immobilière Mount Vernon, qui allait bientôt couvrir le secteur de ces belles maisons patriciennes. La popularité du projet a obligé les promoteurs à densifier leur projet initial, qui devait plutôt comprendre des villas, isolées au milieu de grands jardins.

Chestnut Street ★★ présente une cohésion exceptionnelle. Parmi ses maisons les plus remarquables, mentionnons celles situées aux nos 13, 15 et 17, dessinées par Bulfinch entre 1806 et 1808 pour les trois filles de Hepzibah Swan, ainsi que l'unique demeure disposée perpendiculairement à la rue (no 29A), dont on dit que les vitres seraient devenues mystérieusement violettes sous l'effet du soleil.

Tournez à gauche dans Walnut Street, puis encore à gauche dans Mount Vernon Street.

Mount Vernon Street ★★, plus large que la précédente, possède une architecture davantage diversifiée. On y trouve le petit **Nichols House Museum** *(7$; mai à oct mar-sam 12h à 16h, nov à avr jeu-sam 12h à 16h; 55 Mount Vernon St.,* ☎*617-227-6993, www. nicholshousemuseum.org),* installé dans une autre demeure de Bulfinch (1804). La visite de ce musée privé permet de mieux comprendre l'histoire et le mode de vie des familles de Beacon Hill. Un peu plus loin, on peut voir la **Second Harrison Gray Otis House** ★ *(85 Mount Vernon St.)*, construite en 1802 au milieu d'un grand jardin. Otis fut maire de Boston pendant quelques années au cours desquelles il a fait remplacer les réverbères à l'huile de baleine de la ville par des lampadaires à gaz, comme ceux qui bordent Mount Vernon Street.

Situé à mi-chemin entre Walnut Street et Charles Street, **Louisburg Square** ★★ est l'une des grandes réussites urbaines de Beacon Hill. Ce square ombragé n'est accessible qu'aux résidants des alentours, qui possèdent tous une clé permettant d'ouvrir la grille de fonte qui le ceinture. Il est quand même possible d'apercevoir les statues d'Aristide le Juste, installée à son extrémité sud, et de Christophe Colomb, située à son extrémité nord. Le square est entouré d'élégantes maisons en rangée de style Federal et Greek Revival érigées entre 1826 et 1837.

Tournez à gauche dans Charles Street.

Charles Street est la principale artère commerciale de Beacon Hill. On y trouve plusieurs boutiques d'antiquaires et quelques bons restaurants. À l'angle de Mount Vernon Street s'élève la **Charles Street Meeting House**, construite en 1807. Ce temple protestant fut un des hauts lieux de la lutte contre l'esclavage au XIXᵉ siècle. À cette époque, les Noirs étaient assis dans une section séparée lors de la messe. En 1835, un Blanc, Timothy Gilbert, invita quelques amis afro-américains à le rejoindre sur son banc, ce qui fit scandale mais ouvrit aussi les yeux de plusieurs Bostoniens.

Tournez à droite dans Beacon Street.

Le flanc sud-est de Beacon Street est bordé par le joli **Public Garden** ★★ *(entre Arlington St. et Charles St.)*, aménagé en 1837 à l'emplacement d'un marécage. Le premier jardin botanique public d'Amérique du Nord est agrémenté d'un lac artificiel, creusé en 1859. Celui-ci est enjambé par un pont suspendu sous lequel glissent d'étranges radeaux en forme de cygnes appelés **Swan Boats** *(2,50$; mi-avr à fin juin tlj 10h à 16h; fin juin à début sept tlj 10h à 17h; sept lun-ven 12h à 16h, sam-dim 10h à 16h; ☎617-522-1966, www.swanboats.com)*. Ces embarcations d'un

autre âge, qui peuvent accueillir jusqu'à 20 passagers, sont mues par des pédaliers actionnés par de solides gaillards aux jambes musclées. Leur concepteur, Robert Paget, se serait inspiré d'une scène de l'opéra *Lohengrin* de Wagner. Plusieurs statues ornent le Public Garden, dont celles de George Washington, disposée dans l'axe de **Commonwealth Avenue** (voir p 88), du pasteur et écrivain Edward Everett Hale, qui fait face au Boston Common, et celle... d'une cane suivie de ses huit petits! Cette dernière œuvre, fort populaire auprès des enfants, évoque le conte *Make Way for Ducklings* de l'écrivain Robert McCloskey, publié en 1952.

Le propriétaire de l'ancien **Bull and Finch Pub** *(84 Beacon St.)*, nom que l'on pourrait traduire par «pub du taureau et du pinson», a fait un intéressant jeu de mots à partir du patronyme de l'architecte chéri de Beacon Hill, Charles Bulfinch. La façade du pub, qui porte maintenant le nom de **Cheers on Beacon Hill**, a servi de décor à la très populaire série télévisée *Cheers*, ce qui attire sur les lieux de nombreux touristes chaque année. Le décor intérieur du pub, exécuté en Angleterre, a été dessiné par le Montréalais Paul Hughes en 1969.

Tournez à droite dans Brimmer Street.

Cette portion de Beacon Hill a été gagnée sur la Charles River au début du XIXᵉ siècle, grâce à la terre de remblai provenant d'une protubérance située au haut de la colline. On avait choisi de l'aplanir parce qu'elle cachait la nouvelle State House. La **Church of the Advent** ★ *(angle Brimmer St. et Mount Vernon St.)*, de style néogothique, donne à cette section du quartier un air de village d'Angleterre. Une Lady Chapel fut ajoutée à l'église de 1875 par les talentueux architectes Cram et Goodhue.

Tournez à droite dans Pinckney Street, puis à gauche dans Cedar Street, et enfin à droite dans Revere Street.

Après avoir traversé la ligne médiane de Pinckney Street, qui marque la frontière entre la face sud de Beacon Hill, élégante et prospère, et sa face nord, traditionnellement réservée aux domestiques et aux artisans, on notera une grande différence dans l'architecture des habitations. Ici, les maisons sont plus sobres, mais tout aussi charmantes. Elles ont été restaurées depuis 1970 et logent maintenant des artistes et des jeunes professionnels. Au passage, on s'attardera sur les impasses de **Bellingham Place**, **Sentry Hill Place** et **Rollins Place**, où habitaient autrefois les serviteurs des grandes maisons du versant sud.

Tournez à droite dans Anderson Street, puis à gauche dans Pinckney Street, et encore à gauche dans Joy Street.

Les premiers esclaves afro-américains sont amenés à Boston dès 1638, soit huit ans seulement après la fondation de la ville. Au début du XVIIIᵉ siècle, Boston compte pas moins de 400 esclaves. Toutefois, la Révolution américaine allait contribuer à changer les choses, tant et si bien qu'en 1790 il n'y avait plus un seul esclave dans tout l'État du Massachusetts. La communauté afro-américaine allait bientôt se doter des institutions religieuses et scolaires bénéfiques à son émancipation. Elle allait en outre entreprendre une longue bataille pour faire cesser l'esclavage dans l'ensemble du pays.

Le **Museum of Afro American History** ★ *(entrée libre; juil et août tlj 10h à 16h, sept à juin lun-sam 10h à 16h; 46 Joy St., ☎617-725-0022, www.afroammuseum.org)* est un centre d'interprétation portant sur l'histoire de la communauté afro-américaine en Nouvelle-Angleterre pendant la période coloniale. Le centre est aussi le point de départ du **Black Heritage Trail**. Ce «sentier du patrimoine afro-américain», long de 2,5 km, passe par 14 sites historiques importants. Le National Park Service offre gratuitement un tour guidé du Black Heritage Trail. Le tour, d'une durée d'une heure et demie, commence au Robert Gould Shaw Memorial, situé dans le Boston Common et Beacon Street, en face de la Massachusetts State House. Le dernier arrêt se fait à l'Abiel Smith School. Pour de plus amples renseignements, appelez au ☎617-725-0022 *(www.nps.gov/boaf)*.

Au XIXᵉ siècle, plusieurs des domestiques de Beacon Hill étaient des Noirs. Aussi ne faut-il pas se surprendre de retrouver dans ce quartier quelques-uns des éléments les plus significatifs du patrimoine afro-américain, dont l'**African Meeting House** ★ *(entrée libre; lun-sam 10h à 16h; 8 Smith Court, ☎617-742-5415)*, première église noire des États-Unis. Le modeste édifice, inauguré en 1806, fait partie du Museum of Afro American History et constitue un arrêt important sur le Black Heritage Trail de Boston. Au moment de mettre sous presse, l'African Meeting House était fermée pour cause de rénovation majeure.

Traversez Cambridge Street à l'intersection avec Temple Street.

Deux bâtiments de briques rouges, situés au pied de Beacon Hill, apparaissent isolés parmi les immeubles modernes du XXᵉ siècle. Ce sont l'**Old West Church** ★ *(angle Cambridge St. et Temple St.)*, une église congrégationaliste de forme cubique érigée en 1806, et la **First Harrison Gray Otis House** ★★ *(8$; mer-dim 11h à 16h30, visite guidée toutes les heures; 141 Cambridge St., ☎617-227-3956)*, première résidence de Harrison Gray Otis. La visite guidée (en anglais seulement) de cette intéressante maison-musée de style Federal permet d'admirer un intérieur américain de 1796. Elle donne une bonne idée de la vie menée par l'élite de la jeune république dans les années qui suivent la Révolution américaine. L'édifice abrite en outre le siège de la vénérable Society for the Preservation of New England Antiquities, fondée en 1910, qui a pour mission de protéger le patrimoine de la Nouvelle-Angleterre.

Retraversez Cambridge Street pour monter à l'assaut de Beacon Hill une dernière fois, en empruntant Bowdoin Street, située à l'est de Temple Street.

En route, on passe devant la **Church of St. John the Evangelist** *(Bowdoin St., près de Derne St.)*, qui constitue l'un des premiers exemples d'architecture néogothique en Nouvelle-Angleterre (1831). On remarquera les vitraux modernes du nouveau vestibule, œuvre du maître-verrier Gyorgy Kepes. Un peu plus loin, on aperçoit l'arrière de la **Massachusetts State House** (voir p 82).

Tournez à gauche dans Beacon Street.

Le **Boston Athenaeum** ★★ *(entrée libre; lun 8h30 à 20h, mar-ven 9h à 17h; 10 Beacon St., ☎617-227-0270, www.bostonathenaeum.org)* n'a rien à envier aux plus célèbres bibliothèques privées d'Europe. L'institution, fondée en 1807 par l'élite éclairée de Boston, regroupe une collection de 500 000 volumes portant sur l'histoire de la Nouvelle-Angleterre ainsi que sur la littérature de langue anglaise en Grande-Bretagne et aux États-Unis. On peut également y voir un nombre important d'œuvres d'art, dont des toiles du peintre américain John Singer Sargent et un buste de Benjamin Franklin par Houdon (vers 1778).

Afin de retourner au point de départ, revenez vers la Massachusetts State House, puis traversez le Boston Common pour atteindre Tremont Street.

Back Bay
★ ★ ★

Plus du tiers de la superficie de Boston est constituée de remblais gagnés sur la mer et sur les cours d'eau avoisinants au XIXe siècle. Le plus important de ces remblais a été effectué entre 1856 et 1876, à l'emplacement des eaux glauques du Receiving Basin de la Charles River (180 ha). Sur ces terres nouvelles est né l'élégant quartier de Back Bay (baie arrière). Aussitôt les travaux de remplissage amorcés, le secteur a commencé à se couvrir de beaux alignements de maisons victoriennes érigées sur un lit de pieux s'enfonçant dans la vase, à la manière des palais vénitiens. Ses rues larges et rectilignes contrastaient avec les venelles tortueuses de la ville ancienne, au grand plaisir des Bostoniens, alors assoiffés de géométrie. L'ensemble, inspiré des Grands Boulevards parisiens du Second Empire, est considéré comme l'une des plus éclatantes réussites de l'urbanisme nord-américain.

De nos jours, Back Bay est un quartier à la mode où se marient rues résidentielles paisibles et artères bordées de boutiques haut de gamme et de restaurants chics dont plusieurs se sont d'ailleurs installés à l'intérieur d'anciennes demeures bourgeoises. Le présent circuit inclut en outre Copley Square et son pourtour, où se trouvent réunis quelques-uns des principaux monuments de Boston.

Le circuit débute à Copley Square (station Copley Square du T).

Copley Square ★ ★ *(entre Boylston St., Clarendon St., Dartmouth St. et St. James Ave.)* est une vraie place publique où se côtoient les Bostoniens de toutes origines. Elle a été aménagée en 1869 derrière une série de digues qui servaient à intensifier et à réduire le courant des marées de l'Atlantique, au besoin, afin d'approvisionner en énergie hydraulique l'industrie du bassin de la Charles River. Très tôt, le square

s'impose comme un carrefour culturel et religieux, avec la construction en 1871 du premier musée des beaux-arts de Boston, aujourd'hui détruit. L'espace a été entièrement redessiné en 1968 en prévision des célébrations du centenaire de sa création.

Le bâtiment qui s'impose d'emblée, à l'arrivée sur le square, n'est pourtant pas le plus grand. Il s'agit de la **Trinity Church ★ ★ ★** *(5$; 206 Clarendon St., ☎617-536-0944, www. trinitychurchboston.org),* considérée comme l'une des meilleures réalisations de l'architecture américaine du XIXe siècle. En effet, la construction de cette église, entre 1872 et 1877, constituait un premier pas dans le processus d'émancipation des Américains par rapport à l'Europe, en matière d'art et d'architecture. Bien sûr, l'art roman français est omniprésent, à travers les multiples arcs cintrés et la statuaire médiévale, mais son traitement diffère de celui des réalisations européennes de la même époque. La Trinity Church a rendu son architecte célèbre de par le monde. Ainsi, Henry Hobson Richardson a pu faire école malgré une carrière trop courte, interrompue par son décès prématuré à l'âge de 47 ans.

Le visiteur pénètre d'abord sous le portail de l'église, ajouté en 1897 par les dignes successeurs de Richardson. Les statues du portail, sculptées dans le grès, prennent une belle teinte rosée sous le soleil, en fin d'après-midi. Une fois à l'intérieur, en forme de croix grecque, on est entouré d'œuvres d'artistes américains majeurs, contemporains de Richardson. Les fresques des murs sont du peintre new-yorkais John LaFarge (1835-1910), les sculptures sont de John Evans, et le décor du chœur a été refait en 1938 par les architectes Maginnis et Walsh, à qui l'on doit par ailleurs la très belle Church of the Ascension of Our Lord à Montréal. Le presbytère voisin présente également un grand intérêt, ayant servi de modèle pour la construction de maisons partout en Amérique du Nord. Devant ce dernier bâtiment, on peut apercevoir, parmi les tilleuls, une statue représentant le pasteur Phillips Brooks, responsable du déménagement de la paroisse, de la vieille ville vers le Back Bay (Augustus Saint-Gaudens, sculpteur, 1907).

La **John Hancock Tower ★** *(200 Clarendon St.)* tente par tous les moyens de s'effacer devant les monuments de Copley Square, afin de ne pas les concurrencer, que ce soit par son revêtement en verre réfléchissant bleuté ou par ses angles aigus qui amincissent la tour du côté du square. Réalisée en 1975 selon les plans de I.M. Pei, elle compte 60 étages, ce qui en fait le gratte-ciel le plus haut de la Nouvelle-Angleterre. Celui-ci abrite le siège social de la compagnie d'assurances John Hancock. Quant à ce dernier, il n'a jamais vendu d'assurances, mais a plutôt assuré ses concitoyens de son appui indéfectible lors de la Révolution américaine, puisqu'il est le premier signataire de la Déclaration d'indépendance des États-Unis!

Le **Fairmont Copley Plaza** *(138 St. James Ave., *☎*617-267-5300)* a été surnommé «La Grande Dame de Boston» en raison des hôtes de prestige qu'il a hébergés depuis sa construction en 1912. Parmi ceux-ci figurent la plupart des présidents américains élus au XXe siècle. L'hôtel a aussi servi de décor au film *La Firme*, qui met en vedette Tom Cruise.

Le vaste centre commercial de **Copley Place** *(angle Huntington Ave. et Dartmouth St.)* a été érigé au-dessus de l'autoroute souterraine qui traverse Boston. Il est dissimulé à la vue des passants de Copley Square par un des deux hôtels gigantesques qui en font partie. La succursale bostonienne de la chaîne de grands magasins Neiman-Marcus occupe une bonne partie du complexe.

Boston est réputée depuis fort longtemps pour sa vie intellectuelle intense et sa grande culture. Aussi ne faut-il pas se surprendre que la première bibliothèque publique d'envergure aux États-Unis y ait vu le jour en 1848. Quarante ans plus tard, la **Boston Public Library** ★★★ *(entrée libre; lun-jeu 9h à 21h, ven-sam 9h à 17h; 700 Boylston St., *☎*617-536-5400, www.bpl.org)* amorçait la construction de son édifice actuel, dont la façade sur Copley Square n'est pas sans rappeler celle de la bibliothèque Sainte-Geneviève

à Paris. Cette façade, dotée de multiples fenêtres cintrées à l'étage, peut être mieux appréciée tôt le matin, lorsque mise en valeur par la lumière naturelle du soleil. Le bâtiment est considéré comme une des œuvres majeures des architectes new-yorkais McKim, Mead et White, à l'instar de leur hall bancaire réalisé pour le siège social de la Banque de Montréal. Il inaugure en outre la mode Beaux-Arts en Amérique du Nord, mode qui allait dominer le monde de l'art au cours des 50 années suivantes. L'ajout de Philip Johnson (1973), le long de Boylston Street, a joué un rôle également significatif dans l'épanouissement d'une architecture postmoderne, respectueuse du patrimoine, au cours des dernières décennies du XXe siècle.

La bibliothèque de Boston renferme plus de 7 millions de volumes distribués sur quatre niveaux. On y trouve une importante collection d'incunables, de livres rares (premières éditions d'œuvres de Shakespeare) et de partitions manuscrites de la main de Mozart et de Prokofiev, dont l'original de *Pierre et le Loup*. Des projections de documentaires et des expositions d'art y sont régulièrement organisées. Des visites guidées, d'une durée d'une heure, sont offertes par des guides bénévoles (sur rendez-vous seulement).

Après avoir occupé l'**Old South Meeting House** (voir p 75) pendant près de deux siècles, la plus influente communauté puritaine de Boston a déménagé ses pénates dans la **New Old South Church** ★ *(angle Dartmouth St. et Boylston St.)*. Ayant vécu dans l'austérité et les privations durant tout ce temps, la communauté aurait ainsi voulu rattraper le temps perdu en faisant ériger un temple qui est tout le contraire du précédent (1874). On pourrait même en parler comme d'une orgie gothico-vénitienne, éclectique et polychrome!

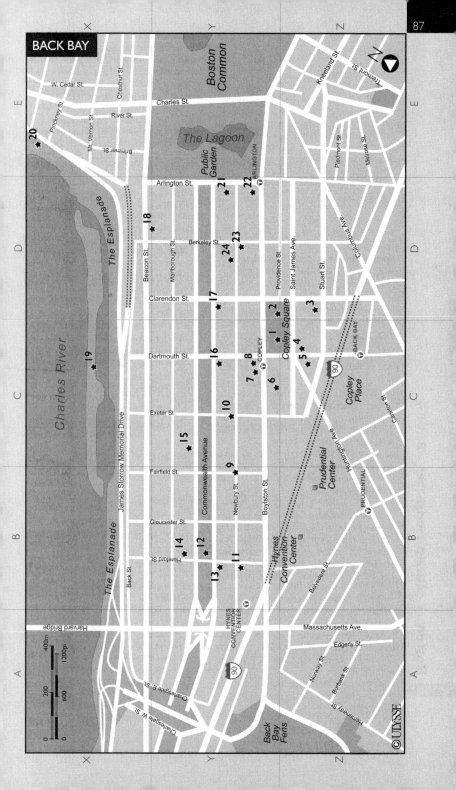

BACK BAY

Boston Common

The Lagoon

Public Garden

The Esplanade

Charles River

James Storrow Memorial Drive

Harvard Bridge

The Esplanade

W. Cedar St.

Chestnut St.

Charles St.

River St.

Pinckney St.

Mt. Vernon St.

Brimmer St.

Arlington St.

ARLINGTON

Beacon St.

Marlborough St.

Berkeley St.

Commonwealth Avenue

Clarendon St.

Providence St.

Saint James Ave.

Stuart St.

Columbus Ave.

Dartmouth St.

Copley Square

COPLEY

Exeter St.

Copley Place

BACK BAY

Fairfield St.

Newbury St.

Boylston St.

Prudential Center

Huntington Ave.

PRUDENTIAL

Gloucester St.

Hereford St.

Back St.

Hynes Convention Center

Belvedere St.

HYNES CONVENTION CENTER

Massachusetts Ave.

Edgerly St.

Norway St.

Burbank St.

Hemenway St.

Back Bay Fens

Charlesgate E. St.

Charlesgate W. St.

Kneeland St.

Tremont St.

Piedmont St.

Melrose St.

Clearway St.

20

18

21

22

23

24

17

16

8

7

6

5

4

3

2

1

10

15

9

14

12

11

13

19

90

90

400m

1200pi

200

600

0

0

©ULYSSE

Empruntez Dartmouth Street en direction de Newbury Street.

On pénètre maintenant dans les entrailles du quartier de Back Bay. L'ancien **Boston Art Club** *(260 Dartmouth St.)* nous accueille à l'angle de Newbury Street. Ce subtil bâtiment de style Queen Anne est l'œuvre de William Ralph Emerson, cousin du célèbre écrivain Ralph Waldo Emerson. On notera plus particulièrement les amusants motifs floraux en terre cuite de la façade. L'immeuble, qui date de 1881, abrite maintenant un lycée international privé, le Snowden International High School.

Tournez à gauche dans Newbury Street.

Newbury Street ★★ *(entre Massachusetts Ave. et Arlington St.)* est l'artère commerciale la plus élégante de Boston. Réputée pour ses boutiques haut de gamme, installées à l'intérieur d'anciennes maisons en rangée, elle compte aussi quelques bons restaurants dotés de terrasses. Les amateurs d'antiquités de grande valeur, de bijoux raffinés et de prêt-à-porter aux lignes classiques seront au paradis.

La librairie Booksellers a emménagé dans l'ancien **Exeter Street Theatre** *(angle Exeter St. et Newbury St.)*, un théâtre d'avant-garde qui a logé dans l'édifice de 1914 à 1984. À l'origine, l'étrange bâtiment de style néoroman de Richardson, érigé en 1884, abritait un temple spiritualiste renfermant une bibliothèque, des salles de lecture et un auditorium.

Le **Boston Architectural Center** *(entrée libre; 320 Newbury St., angle Hereford St.)* offre deux facettes, comme les masques de théâtre qui présentent un visage triste et un visage souriant. Le premier, terne façade de béton de 1966, fait face à Hereford Street, alors que le second, orienté vers l'ouest, est orné d'une belle peinture murale de Richard Haas, que l'on pourrait comparer à une radiographie fictive de l'intérieur de l'édifice. Celui-ci abrite une école d'architecture, fondée au XIXe siècle sur le modèle de l'École des beaux-arts de Paris. On y fonctionne en atelier, on y présente des expositions et on y organise des rencontres de professionnels de l'architecture et du design.

Tournez à droite dans Hereford Street pour atteindre Commonwealth Avenue.

Commonwealth Avenue ★★★ est l'une des plus belles avenues d'Amérique du Nord. Épine dorsale de Back Bay ayant en son centre un parc linéaire abondamment planté, elle est bordée de maisons qui rivalisent de luxe et d'élégance. Ses promoteurs bostoniens se sont inspirés des Grands Boulevards parisiens tracés sous le Second Empire. Son nom évoque le Commonwealth du Massachusetts, autre façon de désigner l'État dont Boston est la capitale.

Parmi les bâtiments les plus significatifs de Commonweath Avenue, on remarquera la **Burrage House** ★ *(314 Commonwealth Ave.)*, érigée en 1899 dans le style de la Renaissance française. De nos jours, cette demeure bourgeoise loge une clinique médicale, la Boston Evening Clinic.

De l'autre côté de l'avenue, l'**Andrew House** *(32 Hereford St.)* possède un balcon de fer provenant du palais des Tuileries à Paris (au-dessus de l'entrée) et qui a été récupéré parmi les ruines du palais de Napoléon III, incendié lors de la Commune. La maison, dessinée en 1884, allait provoquer une sorte de révolution dans le monde de l'art, grâce à son classicisme raffiné qui contrastait avec l'éclectisme tonitruant de l'époque.

Tournez à droite dans Commonwealth Avenue.

Boston a longtemps vécu une relation d'amour-haine avec l'Angleterre. Ennemis du pouvoir royal anglais depuis les premières persécutions religieuses du XVIIe siècle, ses résidants ont pourtant tenté d'émuler l'architecture et le mode de vie de l'aristocratie londonienne à plusieurs reprises. Ainsi, à la fin du XIXe siècle, on retrouvait à Boston presque autant de clubs privés que dans la métropole britannique. Certains d'entre eux ont survécu jusqu'à nos jours, comme l'**Algonquin Club** ★ *(217 Commonwealth Ave.)*. Pire encore, on a nommé plusieurs des rues de Back Bay en l'honneur des grandes familles aristocratiques qui gravitent autour de la famille royale d'Angleterre! Le tout dans l'ordre alphabétique en plus! Ainsi, on trouve, de l'est vers l'ouest, les rues Arlington, Berkeley, Clarendon, Dartmouth, Exeter, Fairfield, Gloucester et Hereford, alors que les ducs de Marlborough et de Newbury viennent encadrer Commonwealth Avenue au nord et au sud.

Ponts remarquables de la Charles River

Le **pont Longfellow**, aux piliers sculptés, porte le surnom de «Salt and Pepper Bridge» (le pont sel et poivre). Recherchez par ailleurs les *Smoot increments* du **pont Harvard**. Ces marques hachurées sont le résultat d'une frasque étudiante de 1958 par laquelle on avait entrepris de mesurer le pont en prenant pour unité de mesure le corps allongé d'un certain Oliver Smoot (promotion de

1962). Le pont mesure 364,4 *smoots*, et ses marques particulières sont repeintes à intervalles de quelques années par des étudiants du MIT. Cette tradition a survécu à la démolition et à la reconstruction du pont vers la fin des années 1980, et l'on a même appris que la police de Boston se servait des *Smoot increments* pour indiquer l'emplacement exact des accidents sur le pont.

En plus de ses multiples résidences et clubs privés, on retrouvait dans le Back Bay plusieurs «hôtels», qui étaient davantage des immeubles à logements pour célibataires de bonne famille que de véritables hôtels de tourisme. L'**Hotel Vendome** *(160 Commonwealth Ave.)* est l'un de ces établissements conçus pour évoquer le Paris du Second Empire (1871). Il a depuis été transformé en copropriétés.

La **statue de William Lloyd Garrison** (1805-1879) orne l'allée centrale de Commonwealth Avenue devant l'Hotel Vendome. Garrison, éditeur et journaliste, fut un des plus féroces adversaires de l'esclavage aux États-Unis. Ses discours enflammés allaient faire basculer l'opinion publique dans les États de la Nouvelle-Angleterre, en faveur d'une interdiction totale et nationale de l'esclavage sous toutes ses formes.

La **First Baptist Church** ★ *(angle Commonwealth Ave. et Clarendon St.)* est une œuvre de jeunesse de Henry Hobson Richardson. Elle possède un clocher fort dépouillé pour l'époque (1870), dont les bas-reliefs, représentant les saints sacrements, ont été réalisés par le célèbre sculpteur français Frédéric Auguste Bartholdi, à qui l'on doit notamment *La Liberté éclairant le monde* de New York et *Le Lion* de Belfort.

Tournez à gauche dans Clarendon Street, puis à droite dans Beacon Street.

Après avoir vu toutes ces façades de maisons, on est curieux de savoir ce qui se cache derrière. Le **Gibson House Museum** ★ *(7$; visites guidées mer-dim à 13h, 14h et 15h; 137 Beacon St.,* ☎*617-267-6338, www. thegibsonhouse.org)* nous donne justement l'occasion de pénétrer dans une de ces de-

meures patriciennes et d'admirer son décor victorien. La maison a été construite en 1859 pour l'écrivain, poète et horticulteur Charles Hammond Gibson Jr. Elle est un des plus anciens bâtiments de style Second Empire (aussi appelé «style Napoléon III») en Amérique. Le musée est géré par une institution d'une autre époque, le New England Chapter of the Victorian Society.

Tournez à gauche, du côté opposé à Arlington Street, afin d'accéder au tunnel piétonnier qui permet de passer sous Embankment Road pour atteindre le beau parc qui borde la Charles River. Il est recommandé d'éviter d'emprunter ce tunnel la nuit tombée, à moins qu'un concert ne soit présenté dans le parc.

Grand espace vert et bleu, la **Charles River Reservation** ★★★ *(voir p 125)* borde la Charles River. De ce parc riverain, on bénéficie de belles vues sur le Back Bay et les gratte-ciel du quartier des affaires, ainsi que sur l'autre rive, le long de laquelle se déploie le campus du Massachusetts Institute of Technology (MIT). On peut également apercevoir le Longfellow Bridge sur la droite et le Harvard Bridge sur la gauche. Plus près de nous se profilent la vaste marina de Boston de même que la **Hatch Memorial Shell** *(sur l'Esplanade, voir p 151)*, où sont présentés de fréquents concerts en plein air durant la belle saison. La star incontestée de ces soirées à la belle étoile est le **Boston Pops Orchestra** *(www.bostonpops. org)*. Cet orchestre a vu le jour en 1885 afin d'offrir des concerts de musique légère pendant l'été et permettre, par la même occasion, de trouver du travail pour les musiciens de l'orchestre symphonique, mis au chômage en mai de chaque année. Depuis, le Pops connaît un grand succès et propose aussi des concerts pendant les fêtes de fin d'année.

Boston – Attraits touristiques – Back Bay

Retraversez le tunnel piétonnier et revenez sur vos pas afin d'emprunter Arlington Street.

Les chambres du **Ritz-Carlton Hotel** *(15 Arlington St.)* donnent sur le **Public Garden** (voir p 126). L'établissement a ouvert ses portes en 1931 et a été considérablement agrandi à la fin du XXᵉ siècle. Pour en explorer l'intérieur Art déco, les messieurs devront porter veston et cravate, alors que les dames devront être vêtues d'une robe ou d'un tailleur.

L'**Arlington Street Church** *(angle Arlington St. et Boylston St.)* est considérée comme un anachronisme par les spécialistes, car elle ne correspond à aucune des modes de la période au cours de laquelle elle a été construite (1861). On a souvent dit que son clocher rappelle les églises londoniennes de James Gibbs.

Tournez à droite dans Boylston Street, puis encore à droite dans Berkeley Street.

La boutique Louis loge dans l'ancien **Museum of Natural History** *(angle Berkeley St. et Newbury St.)*. Le premier musée d'histoire naturelle de la ville est un beau bâtiment de briques et de pierres qui s'acquitte à merveille de sa nouvelle vocation commerciale. De l'autre côté de Newbury Street se trouve la **Church of the Covenant**, œuvre de l'influent architecte Richard Upjohn (1865). Avant d'emménager dans ses locaux de Cambridge, le campus du Massachusetts Institute of Technology était situé dans les environs.

Tournez à gauche dans Newbury Street. Le circuit se termine sur cette élégante artère commerciale.

Pour retourner au point de départ, poursuivez vers l'ouest par Newbury Street, puis tournez à gauche dans Dartmouth Street, où se trouve la station Copley Square du T.

West End, North End et Waterfront

On oublie trop souvent que Boston est située au bord de la mer. Seuls les passagers qui débarquent des paquebots ou qui atterrissent à l'aéroport international, aménagé sur des remblais entourés d'eau, s'en rendent bien compte. Lorsque l'on visite le centre de la ville, il faut en général accéder aux observatoires des gratte-ciel afin d'apercevoir l'océan Atlantique entre les tours modernes. Heureusement qu'il existe des quartiers où l'on peut vraiment s'imprégner de l'âme maritime de Boston: le West End, le North End et le Waterfront, vus de haut, ont l'air d'une formidable muraille surmontée de créneaux et de merlons, qui sont autant de jetées et de quais s'avançant dans le havre naturel de la Massachusetts Bay.

Avant d'être supplanté définitivement par le port de New York vers 1850, le port de Boston était le plus important de toute l'Amérique du Nord. Les navires déversaient sur les quais du Waterfront des marchandises provenant des quatre coins du monde: porcelaines de Chine, soie indienne, papier japonais, chapeaux parisiens, etc. Plusieurs d'entre eux transportaient également des immigrants, d'abord irlandais, puis juifs, enfin italiens, qui se sont succédé le long des venelles du North End. Seuls les Ita-

Boston - **Attraits touristiques** - **Back Bay**

★ ATTRAITS TOURISTIQUES

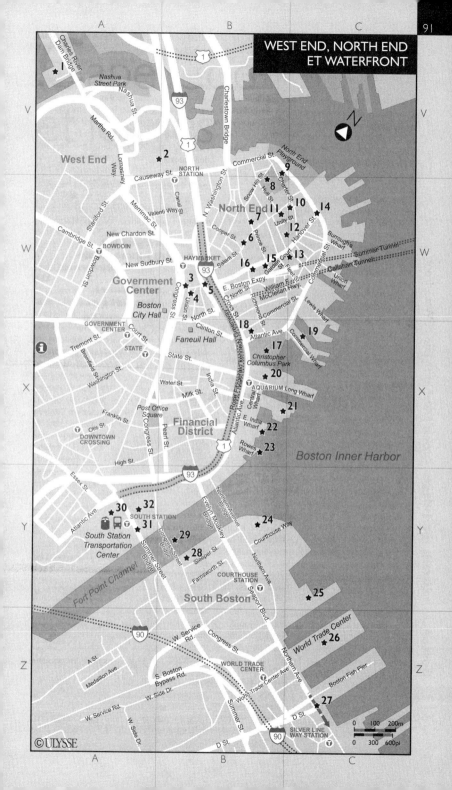

WEST END, NORTH END
ET WATERFRONT

Charles River
Dam Bridge

1

Nashua
Street Park

Nashua St.

93

1

Charlestown Bridge

North End
Playground

West End

Martha Rd.

Lomasney Way

Causeway St.

2

NORTH
STATION

Canal St.

Commercial St.

9

Snow Hill St.

Hull St.

Charter St.

8

Merrimac St.

Valenti Way

North End

11

10

14

Staniford St.

N. Washington St.

Cooper St.

7

Unity St.

12

Harbor St.

Stanford St.

Cambridge St.

New Chardon St.

BOWDOIN

New Sudbury St.

6

Prince St.

Burrough's
Wharf

Bowdoin St.

HAYMARKET

Salem St.

15

Garden Court

13

Commercial St.

Summer Tunnel

W

Government
Center

3

93

E. Boston Expwy

16

Fleet St.

Callahan Tunnel

W

Congress St.

Union St.

4

5

N. Street

William F.
McClellan Hwy.

Union
Wharf

Boston
City Hall

Court St.

Clinton St.

Richmond St.

Commercial St.

Lewis Wharf

GOVERNMENT
CENTER

Faneuil Hall

18

Atlantic Ave.

19

Tremont St.

STATE

State St.

Commercial Wharf

Bromfield St.

Washington St.

Water St.

Milk St.

India St.

Christopher
Columbus Park

17

Central
Wharf

X

Financial
District

20

AQUARIUM

Long Wharf

X

Otis St.

Franklin St.

Post Office
Square

Congress St.

Pearl St.

21

E. India
Wharf

DOWNTOWN
CROSSING

22

High St.

1

Rowes
Wharf

23

Boston Inner Harbor

Essex St.

93

30

32

Atlantic Ave.

SOUTH STATION

South Station
Transportation
Center

31

24

Courthouse Way

Y

Northern Avenue
Bridge

Evelyn Moakley Bridge

Congress Street Bridge

Summer Bridge

29

Sleeper St.

28

Farnsworth St.

COURTHOUSE
STATION

Northern Ave.

Seaport Blvd.

Y

Fort Point Channel

South Boston

25

A St.

90

W. Service Rd.

S. Boston
Bypass Rd.

Medallion Ave.

W. Side Dr.

Congress St.

Summer St.

WORLD TRADE
CENTER

World Trade Center

26

World Trade Center Ave.

Northern Ave.

Boston Fish Pier

Z

27

D St.

D St.

Summer St.

90

SILVER LINE
WAY STATION

0   100   200m
0   300   600pi

©ULYSSE

liens occupent encore ce quartier populaire que l'on a baptisé Little Italy.

Après avoir connu un long déclin, le Waterfront a fait l'objet d'un réaménagement complet depuis 1968, qui a donné le coup d'envoi à des projets similaires partout en Amérique. Ses vastes entrepôts ont été recyclés en habitations, et ses espaces, autrefois encombrés, ont été dégagés afin d'ouvrir des perspectives sur l'océan et sur les îles avoisinantes.

Ce circuit comporte plusieurs attraits qui plairont aux enfants. À noter qu'il s'agit d'un trajet plus ou moins linéaire et que, par conséquent, son point d'arrivée est passablement éloigné de son point de départ. En outre, la visite des musées n'est pas comptabilisée dans la durée du circuit.

Le circuit débute dans le quartier de West End, à la sortie de la station Science Park du T.

Parmi les musées préférés des enfants bostoniens, le **Museum of Science and Charles Hayden Planetarium** ★★ *(18$ exposition et planétarium; juil à début sept sam-jeu 9h à 19h, ven 9h à 21h; sept à juin sam-jeu 9h à 17h, ven 9h à 21h; 1 Science Park Rd., Charles River Dam, station Science Park du T,* ☎*617-723-2500, www. mos.org)* figure en bonne place grâce à ses expositions interactives et à leur renouvellement constant, toujours à la fine pointe de la technologie. Par exemple, le Virtual Fish Tank permet aux jeunes et aux moins jeunes de créer leur propre poisson virtuel, de le doter de caractéristiques bien à lui, pour ensuite le faire nager dans le réservoir imaginaire du musée. Ça c'est toute une histoire de pêche! La Cahners Computer Place, quant à elle, invite les enfants à apprivoiser les ordinateurs les plus modernes et à visiter le Computer Museum, qui a emménagé au Museum of Science il y a quelques années. Enfin, le Theatre of Electricity fait usage d'une génératrice Van de Graff de 2,5 millions de volts afin de démontrer les prouesses de l'électricité. Parmi les expositions plus conventionnelles de l'institution fondée en 1830, mentionnons celles sur l'astronomie, l'anatomie, les dinosaures et l'exploration spatiale. Le musée, situé dans le Science Park (lui-même aménagé sur un barrage qui régularise le niveau d'eau de la Charles River), comprend en outre un énorme cinéma Imax (Mugar Omni Theatre) et un planétarium

(Charles Hayden Planetarium), surmonté d'un observatoire (Gilliland Observatory).

Empruntez Science Park Road pour traverser le Charles River Dam et rejoindre Causeway Street, où vous tounerez à gauche pour atteindre le TD Banknorth Garden. Vous pouvez également reprendre le métro à la station Science Park et descendre à la North Station du *T*, qui avoisine l'amphithéâtre sportif.

Le **TD Banknorth Garden** *(visites guidées juil et août tlj 11h et 14h; Causeway St.,* ☎*617-624-1500, www.tdbanknorthgarden.com)* abrite la patinoire où évoluent l'équipe locale de la Ligue nationale de hockey, les Boston Bruins, ainsi que l'équipe de basketball, membre de la NBA, les Boston Celtics. Ce vaste amphithéâtre pouvant accueillir jusqu'à 19 580 spectateurs a été inauguré en 1995. Il a succédé au défunt Boston Garden, qui avait soulevé les foules pendant plus de 60 ans. Nettement mieux réussi que d'autres édifices du même genre, le TD Banknorth Garden s'est inscrit dans une campagne de reconstruction des stades d'hiver menée au cours de la dernière décennie du XXe siècle à travers l'Amérique du Nord par les promoteurs d'équipes dans le but d'attirer davantage de spectateurs. Un recoin du bâtiment est réservé au **Sports Museum** *(6$; tlj 11h à 16h;* ☎*617-624-1235),* où l'on peut se remémorer les exploits de grands sportifs qui ont évolué à Boston, tels les hockeyeurs Bobby Orr et Phil Esposito, ou encore le légendaire joueur de basketball, Larry Bird.

Le circuit se poursuit dans le quartier de North End, à la sortie de la station State du T. Longez Congress Street en direction nord (vous passerez alors devant le **Faneuil Hall***, voir p 76), avant de tourner à droite dans North Street, puis immédiatement à gauche dans Union Street.*

Vous trouverez le **New England Holocaust Memorial** entre Union Street et Congress Street. Il a été érigé en mémoire des six millions de Juifs, Slaves, romanichels, intellectuels, prêtres, homosexuels et handicapés qui ont péri dans l'holocauste nazi entre 1940 et 1945. L'œuvre comprend six hautes tours (illuminées le soir) évoquant les cheminées des six principaux camps de la mort. Les tours en verre reposent sur un sentier de granit noir et invitent le promeneur à réfléchir sur le thème de la lutte pour la liberté et du respect des droits de l'homme.

Ye Olde Union Oyster House ★ *(41 Union St., ☎617-227-2750)*, nom étrange que l'on pourrait traduire par la «vieille maison des huîtres Union», est bien plus qu'un simple restaurant de fruits de mer (voir p 143), car l'établissement, connu de tous les Bostoniens, a été fondé dès 1826, ce qui en fait le plus ancien restaurant en ville. À cela, il faut ajouter que le bâtiment qui l'abrite est l'un des plus vieux édifices commerciaux de Boston (avant 1750) et qu'on a vu passer quelques personnages célèbres entre ses murs. Ainsi, un jeune homme, prénommé Louis-Philippe, a élu domicile à l'étage en 1796. Il donnait des cours de français aux jeunes filles de bonne famille pour payer son loyer. Justement, il se fit connaître par la suite comme «le roi des Français», puisqu'il a régné sur la France de 1830 à 1848... Un siècle plus tard, le clan Kennedy a fait de ce restaurant son lieu de prédilection dans le North End. L'ancien président américain John F. Kennedy avait sa table préférée (la n° 18, en haut), aujourd'hui soulignée par une plaque en laiton.

Empruntez Marshall Street afin de rejoindre Hanover Street.

Au nord d'Hanover Street se trouve le terrain du **Haymarket** (marché aux foins), où se tient un grand marché public les vendredis et samedis depuis plus de 200 ans. On y vend de tout: des fruits, des légumes, du poisson, de la viande, des babioles, sauf peut-être du foin. Ce marché très coloré attire vendeurs et clients de toutes origines.

Tournez à droite dans Hanover Street. Franchissez l'ancienne autoroute devenue le Rose Kennedy Greenway avant de bifurquer à gauche dans Cross Street et à droite dans Salem Street. Vous remarquerez que le Freedom Trail continue par Hanover Street.

Salem Street ★ *(entre Cross St. et Charter St.)*, qui pointe en direction de la ville du même nom, était autrefois au cœur du quartier juif de Boston, comme en témoigne la Jerusalem Place que l'on croise au passage. De nos jours, cette rue étroite sent bon la cuisine italienne, dont les parfums s'évadent par les portes des multiples épiceries et restaurants du voisinage.

Tournez à gauche dans Prince Street.

Les environs du **165 Prince Street** ont été le théâtre d'un vol de banque audacieux commis le 17 janvier 1950. Les 12 voleurs, qui avaient mis deux ans pour planifier leur méfait, subtilisèrent 2,7 millions de dollars dans un camion de la compagnie Brinks, une somme astronomique à cette époque. La police a dû enquêter pendant six ans avant de réussir à mettre au collet des voleurs. L'événement a tellement marqué les Américains qu'on en a fait deux films, *The Brinks Job* et *The Great Robbery*!

Gravissez Snowhill Street, où se trouvait autrefois l'enclave afro-américaine de New Guinea (Nouvelle-Guinée).

En traversant Hull Street, on bénéficie d'une belle perspective sur l'**Old North Church** (voir ci-dessous). Au n° 44 de cette rue se trouve la maison la plus étroite de Boston (sa façade fait à peine 3 m de large).

On longe ensuite, sur la droite, le **Copp's Hill Burying Ground** *(entrée libre; juin à sept tlj 9h à 17h, oct à mai tlj 9h à 16h; angle Snowhill St. et Charter St.)*, un vieux cimetière où ont été inhumés nombre de marchands et d'artisans de Boston depuis le XVIIᵉ siècle. En 1775, les Britanniques y avaient installé une batterie de canons qu'ils utilisèrent abondamment contre les insurgés américains cantonnés sur Bunker Hill.

Revenez vers Snowhill Street et tournez à droite dans Charter Street.

Juchée sur Copp's Hill, la **Copp's Hill Terrace** ★ *(entre Charter St. et Commercial St.)* offre un point de vue privilégié sur le port et la ville voisine de Charlestown, dominée par le **Bunker Hill Monument** (voir p 116), en forme d'obélisque. La terrasse, dont les épais murs de pierres taillées surplombent Commercial Street, n'est pas sans rappeler un ouvrage fortifié. Le 15 janvier 1919, 21 personnes furent tuées non loin de là lorsqu'un immense réservoir de mélasse céda soudainement, se déversant tel un raz-de-marée, en détruisant au passage maisons et commerces.

Tournez à droite dans Salem Street.

Dans la soirée du 18 avril 1775, le sacristain Robert Newman dispose deux lanternes

Boston – Attraits touristiques – West End, North End et Waterfront

Les «fèves au lard» à la bostonienne
(Boston baked beans)

Les «fèves au lard» à la bostonienne se composent de haricots secs qu'on fait lentement cuire au four avec du lard salé, de la mélasse et des oignons. Il s'agit d'un plat nourrissant que les Bostoniens affectionnent tout particulièrement depuis les premiers temps de la colonie; de fait, ils aiment tellement les haricots qu'on surnomme volontiers Boston «Beantown» (la ville des haricots).

Il existe plusieurs variantes de la recette des fèves au lard, mais aucune n'omet l'ingrédient jugé indispensable qu'est la mélasse. Tout a commencé à l'époque où la ville était un important producteur de rhum, ce qui l'amenait à traiter des quantités considérables de mélasse.

Pour tout dire, Boston jouait alors un rôle de premier plan au sein de ce qu'il est convenu d'appeler le fameux «triangle commercial», en ce que le rhum était fait avec de la mélasse tirée de la canne à sucre récoltée par des esclaves dans les Antilles, puis envoyée en Afrique pour servir à l'achat de nouveaux esclaves à ramener aux Antilles afin de produire plus de canne à sucre à envoyer, cette fois, à Boston...

Fort heureusement, les fèves au lard à la mélasse sont beaucoup plus appétissantes que l'histoire entourant l'exploitation de la douce et onctueuse substance.

dans le clocher de l'**Old North Church** ★★★ *(entrée libre; tlj 9h à 17h; messes dim à 9h et 11h; 193 Salem St.,* ☎*617-523-6676)* afin de prévenir les Bostoniens de l'arrivée imminente des soldats britanniques par voie de mer. S'ils étaient arrivés par voie de terre, Newman n'aurait alors accroché qu'une seule lanterne. Ce simple geste, accompli de concert avec la célèbre chevauchée de Paul Revere, est considéré comme le point de départ de la guerre de l'Indépendance américaine. C'est pourquoi cette délicate église georgienne occupe une place aussi importante dans les livres d'histoire et dans le cœur des Américains. En outre, il s'agit de l'édifice religieux le plus ancien de Boston (1723). Son haut clocher, renversé par des ouragans en plusieurs occasions, compte huit cloches fondues en Angleterre au XVIIIe siècle. L'intérieur de l'édifice a été miraculeusement conservé. On peut y admirer les bancs d'origine ainsi qu'une paire de chérubins dérobés sur un vaisseau français par des corsaires locaux. Il en va de même pour la statue de la Vierge (vision étonnante dans un temple protestant) qui proviendrait d'un navire portugais du XVIIe siècle.

L'ancienne **Chapel of St. Francis of Assisi** *(entrée libre; tlj 9h à 17h; angle Salem St. et Hull St.),* érigée en 1918 pour les partisans du mouvement réformiste italien Waldensian, a été transformée en musée et en boutique de souvenirs. On peut y admirer des copies

des fameuses lanternes de Robert Newman qui servent encore lors des cérémonies à caractère historique. Un joli jardin urbain, délimité par des murs de briques, est accessible à l'arrière du musée.

Contournez l'Old North Church pour accéder au Paul Revere Mall.

Le **Paul Revere Mall** ★★ *(entre Unity St. et Hanover St.)* est une charmante promenade pavée de briques où il fait bon se reposer un moment. Surnommée *The Prado* par les Bostoniens, en raison de son côté latin, elle a été aménagée en 1933 afin de mettre en valeur cette portion de la ville historique. Son mobilier urbain en pierre et sa disposition dans l'axe de deux églises lui confèrent un cachet européen des plus agréables. Au milieu de la place trône la statue équestre du héros américain **Paul Revere**, œuvre de Cyrus Dallin (1885).

Seule église bostonienne de l'architecte Charles Bulfinch encore debout, la **St. Stephen's Church** ★★ *(entrée libre; tlj 7h à 17h; 401 Hanover St.,* ☎*617-523-1230)* a été érigée en 1802 pour un groupe d'unitariens. Elle est devenue catholique en 1862, afin de desservir l'importante communauté irlandaise qui vivait dans le North End au milieu du XIXe siècle. Rose Kennedy, la «matriarche» courageuse et énergique du clan Kennedy, y a été baptisée en 1890. Ses funérailles y ont également été célébrées 105 ans plus tard!

Tournez à droite dans Hanover Street.

Grâce à la communauté italienne, qui en a fait le centre de la Petite Italie, **Hanover Street ★** est devenue une artère exubérante au milieu d'une ville plutôt réservée. Les fêtes des principaux saints italiens y sont célébrées dans une atmosphère de carnaval. La rue est alors fermée à la circulation automobile et se pare d'arches lumineuses sous lesquelles déambule la foule venue de partout. On trouve le long d'Hanover Street de nombreux cafés, pâtisseries et restaurants italiens qui font le bonheur des Bostoniens et des touristes.

Tournez à gauche dans Fleet Street, puis à droite dans Garden Court afin d'atteindre North Square.

L'orfèvre Paul Revere s'apprêtait à se mettre au lit lorsqu'il aperçut la lueur des lanternes que Robert Newman avait fixées au clocher de l'**Old North Church** (voir p 94) dans la soirée du 18 avril 1775, afin de prévenir les Bostoniens de l'arrivée imminente des troupes britanniques. Aussitôt, Revere sortit de chez lui, enfourcha son cheval et partit au galop pour avertir les miliciens révolutionnaires dispersés dans la campagne environnante. Cette chevauchée légendaire, qui inspira à l'auteur Henry Wadsworth Longfellow un poème épique, fit entrer Paul Revere dans le panthéon américain. Sa maison, où il vivait entouré de son épouse Rachel et de ses 16 enfants, a été transformée en musée. Quoique abusivement restaurée en 1908, la **Paul Revere House ★ ★** *(3$; mi-avr à oct tlj 9h30 à 17h15, nov à mi-avr tlj 9h30 à 16h15; 19 North Square, ☎617-523-2338, www.paulreverehouse.org)* peut être considérée comme le plus ancien bâtiment de la ville et le seul exemple d'architecture du XVIIᵉ siècle qui subsiste à Boston. Cette humble habitation de bois, construite vers 1680, porte encore les traces du Moyen Âge: rares ouvertures asymétriques, étage en encorbellement, etc. Dans ses quelques pièces sombres sont exposés des meubles d'époque ayant appartenu à la famille Revere, d'origine huguenote, ainsi que divers objets en argent produits par Paul Revere dans son atelier.

La **Pierce-Hichborn House ★** *(2,50$; visites guidées seulement tlj 12h30 et 14h30, départs de la Paul Revere House; 19 North Square, ☎617-523-2338)*, voisine de la maison de Paul Revere, illustre bien l'évolution de l'architecture bostonienne au tournant du XVIIIᵉ siècle, alors qu'on passe directement d'une typologie médiévale à une typologie classique d'inspiration georgienne. Ici la brique a remplacé le bois, la symétrie a succédé au chaos, et un certain prestige a fait taire l'humilité des premiers colons. La maison, érigée en 1711 pour le vitrier Moses Pierce, a plus tard été habitée par Nathaniel Hichborn, un cousin de Paul Revere.

Tournez à droite dans North Street, puis à gauche dans Richmond Street. Traversez Commercial Street et Atlantic Avenue aux feux de circulation. Pénétrez dans le Christopher Columbus Park. On passe alors du quartier de North End au secteur du Waterfront.

Le **Christopher Columbus Park ★ ★** *(en bordure d'Atlantic Avenue)*, nommé en l'honneur du navigateur Christophe Colomb, fait partie de ces aménagements riverains qui ont permis aux Bostoniens de se réapproprier une partie de leur front de mer. Aux entrepôts et aux convoyeurs du port ont succédé, en 1976, une série de pergolas recouvertes de vignes, longues de 100 m chacune. Depuis la promenade du bord de l'eau, on peut apercevoir le port, l'aéroport international et les gratte-ciel du centre-ville, parmi lesquels figure la tour de la douane (**Custom House**, voir p 75), dotée d'une immense horloge et coiffée d'un toit pyramidal. Un coin du parc est réservé à la roseraie du Rose Fitzgerald Kennedy Garden, aménagé en 1987 en hommage à Rose Kennedy.

En face du parc s'étirent de longs entrepôts en granit gris de Quincy qui évoquent l'âge d'or du port de Boston. Les **Mercantile Wharf Warehouses** *(en bordure d'Atlantic Avenue, entre Cross St. et Richmond St.)* de 1857 ont été recyclés en complexe multifonctionnel comprenant des appartements, des bureaux et des commerces. On peut également apercevoir sur **Commercial Wharf** une autre série d'entrepôts subtilement reconvertis en appartements luxueux. Ces bâtiments utilitaires, qui ne manquent cependant pas d'élégance, ont été construits en 1833 selon les plans d'Isaiah Rogers.

Suivez la promenade qui longe l'eau pour accéder au Long Wharf (long quai), à l'extrémité duquel se trouve une vaste place publique continuellement balayée par le vent du large.

Devant nous se dresse la masse rougeâtre du **Boston Marriott Long Wharf Hotel** *(296 State St.,* ☎*617-227-0800),* érigé directement sur le plus long quai du Waterfront. Lorsque l'on se rend jusqu'au bout de la jetée, on bénéficie d'une rare percée visuelle sur l'océan Atlantique. Plusieurs des excursions dans le port de Boston partent de ce quai.

Après une courte marche vers le sud, vous accéderez au Central Wharf.

Le **New England Aquarium** ★ ★ *(15,50$; juil et août lun-jeu 9h à 18h, ven-dim 9h à 19h; sept à juin lun-ven 9h à 17h, sam-dim 9h à 18h; Central Wharf,* ☎*617-973-5200, www.neaq.org)* est l'endroit tout indiqué pour amener les enfants lorsqu'ils sont victimes d'une surdose d'architecture et d'histoire; ils pourront alors s'émerveiller librement devant les manchots, les tortues géantes et les poissons phosphorescents. L'aquarium, agrandi et rénové à la fin du siècle dernier, possède un énorme réservoir cylindrique d'eau salée, haut de trois étages, dans lequel nagent allègrement requins et murènes. On y trouve également un amphithéâtre de 900 places où sont présentés des spectacles mettant en vedette des otaries. Ceux-ci sont cependant davantage instructifs que spectaculaires. Le New England Aquarium organise aussi des croisières didactiques dans le port de Boston et des excursions d'observation des baleines.

Longez les quais pour accéder à l'India Wharf, plus au sud.

Les amants du patrimoine pleurent encore en contemplant de vieilles photos des entrepôts de l'**India Wharf** *(au sud du New England Aquarium)*, démolis au début du XXe siècle. Ces splendides bâtiments préindustriels en briques rouges, hauts de six étages et longs de 400 m, avaient été érigés entre 1803 et 1807 selon les plans de l'infatigable Charles Bulfinch. Ils ont cédé le pas aux tours en béton des Harbor Tower Appartments (Ieoh Ming Pei, architecte, 1971). Il est difficile d'imaginer, au milieu de ces espaces dénudés et spartiates, l'agitation frénétique qui régnait autrefois le long des quais où accostaient voiliers et vapeurs venus du monde entier.

Poursuivez vers le sud en direction du Rowes Wharf.

Le **Rowes Wharf** ★ a été complètement transformé pour accueillir un complexe multifonctionnel comprenant des appartements, des bureaux et un hôtel de grand standing, le Boston Harbor Hotel. Une arche monumentale, au travers de laquelle on aperçoit les gratte-ciel du centre-ville, donne à cet ensemble un caractère grandiose, rarement atteint dans cette ville où tout est sobre et réservé. Le terminus des navettes aéroportuaires maritimes (The Airport Water Shuttle), qui desservent l'aéroport international Logan, visible de l'autre côté du havre, est situé au sud du Rowes Wharf. La durée du trajet jusqu'à l'aéroport est de 7 min seulement.

Revenez vers Atlantic Avenue afin de pouvoir emprunter le Northern Avenue Bridge (pont piétonnier), qui franchit le Fort Point Channel en direction du Sea Port District de South Boston. Sur la pointe à votre gauche, vous verrez la Federal Courthouse, où loge le Boston Harbor Islands National Park Area Discovery Center.

Le **Boston Harbor Islands National Park Area Discovery Center** *(Federal Courthouse, Fan Pier)* est un centre d'information et d'éducation interactif pour enfants de tout âge. On y produit des tours virtuels qui révèlent le Boston Light (le phare de Boston) et les îles Little Brewster, Grape et George. Le Discovery Center abrite aussi un restaurant et le Boston Harbor Islands Store, qui vend tous les souvenirs que vous pouvez imaginer.

Continuez par la Northern Avenue jusqu'au Pier 4.

Toujours à l'avant-garde de l'art moderne depuis sa fondation en 1936, l'**Institute of Contemporary Art** ★ ★ *(12$; mar-mer et sam-dim 10h à 17h, jeu-ven 10h à 21h; 100 Northern Ave., Pier 4,* ☎*617-478-3100, www.icaboston. org)* occupe son emplacement actuel depuis la fin de 2006. Le nouvel édifice, qui consacre le Waterfront comme l'aire revitalisée par excellence de Boston, a été réalisé par Diller, Scofidio & Renfro, un studio interdisciplinaire qui intègre l'architecture, les arts plastiques et les arts scéniques, récipiendaire de nombreux prix. La Poss Family Mediatheque est unique en son genre; la salle suspendue en porte-à-faux se prolonge au-dessus du quai. Ce cantilever offre une vue dramatique et sans horizon de 180° du port de Boston vers le nord. Le ICA a étendu ses activités aux arts de la scène et, pour la première fois depuis sa fondation, expose une collection de l'art du XXIᵉ siècle. Faut-il rappeler le rôle séminal qu'a joué au siècle dernier l'Institute of Contemporary Art à l'introduction sur la scène internationale d'artistes comme Andy Warhol, Cindy Sherman ou Robert Rauschenberg? Étant donné sa renommée de préconisateur des créations modernes, n'est-il pas approprié que la nouvelle structure soit le premier musée américain construit au XXIᵉ siècle?

Seaport Boulevard mène au **Seaport World Trade Center Boston** *(200 Seaport Blvd.,* ☎*617-385-5000 ou 800-367-9822, www.wtcb.com),* aménagé dans l'ancienne gare maritime de style Beaux-Arts. Le complexe regroupe sous un même toit le centre de commerce mondial de Boston, le palais des congrès et le principal hall d'exposition de la ville. À l'extrémité est de Northern Avenue se trouve l'actuelle gare maritime appelée **Black Falcon Cruise Ship Terminal** *(angle Northern Ave. et Design Center Place),* où s'amarrent les paquebots en croisière le long des côtes de la Nouvelle-Angleterre.

Tournez à droite dans Sleeper Street, et encore à droite dans Congress Street.

La récompense qui attend les enfants sages à la fin d'un circuit comme celui-ci se présente sous la forme d'une visite du **Boston Children's Museum** *(adultes 9$, enfants de 2 à 15 ans 7$; sam-jeu 10h à 17h, ven 10h à 21h; 300 Congress St.,* ☎*617-426-8855, www. bostonchildrensmuseum.org),* destiné à instruire et à distraire les bambins âgés de 1 à 10 ans. Premier musée à développer l'interactivité entre expositions et visiteurs au début des années 1970, le Children's Museum compte 15 lieux interactifs très différents les uns des autres, dont le Playspace, aire de jeux consacrée à l'apprentissage moteur des plus jeunes, la Japanese House, copie d'une habitation japonaise traditionnelle où l'on nous initie à l'art de vivre nippon, et le Wigwam, où l'on apprend comment se débrouillaient les Amérindiens de la Côte Est.

Enjambez de nouveau le Fort Point Channel en empruntant le Congress Street Bridge.

Si les expositions du Children's Museum n'ont pas complètement épuisé les enfants... et leurs parents, il reste le **Boston Tea Party Ship and Museum** *(fermé jusqu'au printemps 2008; près du Congress Street Bridge,* ☎*617-338-1773, www.bostonteapartyship.com),* qui consiste en une bonne réplique d'un bateau anglais du XVIIIᵉ siècle et en un petit musée attenant où sont présentés des objets rattachés au *Boston Tea Party.* Histoire de s'amuser un peu, les visiteurs peuvent jeter à l'eau leur propre ballot de thé au terme de la visite des lieux.

Empruntez Dorchester Avenue, puis tournez à droite dans Summer Street. Le circuit se termine à la station South Station du T.

La **South Station** ★ *(angle Summer St. et Atlantic Ave.)* est installée dans un bâtiment courbe de style Beaux-Arts érigé en 1899. Cette grande gare ferroviaire, construite pour la Boston and Albany Railroad Company, était l'une des plus fréquentées en Amérique du Nord au début du XXᵉ siècle.

Au XVIIᵉ siècle, **Summer Street** était un simple sentier en terre battue qui reliait le pâturage du Common à la plage boueuse du havre de Boston. On y trouve de nos jours plusieurs gratte-ciel modernes ainsi que quelques beaux bâtiments victoriens qui logent les succursales bostoniennes des grandes chaînes de magasins américains et européennes. En face de la South Station se dresse la tour massive de la **Federal Reserve Bank**, véritable prouesse d'ingénierie, avec ses airs de grillage de ventilation suspendu entre ciel et terre (1977).

Theatre District, Chinatown et South End
★

Après avoir parcouru les quartiers les plus visités de Boston grâce aux quatre premiers circuits, pourquoi ne pas sortir des sentiers battus? Le présent circuit propose un trajet à travers les secteurs où vit et travaille le Bostonien de tous les jours. Ces quartiers, moins prisés des touristes, plus permissifs en ce qui a trait au zonage, donc moins parfaits, présentent néanmoins un intérêt indéniable pour le visiteur curieux.

On se penchera d'abord sur Downtown Crossing, où les travailleurs du Financial

District voisin font leurs achats à l'heure du lunch, pour ensuite explorer le Theatre District, qui nous donne une leçon de littérature obligée, lorsque l'on se sait sur les traces d'un Edgar Allan Poe ou d'un Oscar Wilde, avant de se diriger vers le Chinatown, qui, sans avoir l'envergure du quartier chinois de San Francisco, témoigne d'un multiculturalisme surprenant en Nouvelle-Angleterre. On gagnera finalement le Bay Village, sorte de communauté rurale en plein cœur de Boston, puis la South End, ce vaste quartier victorien aménagé sur des remblais où dominent le rouge-orangé de la brique et le vert foncé du feuillage des arbres centenaires.

Le circuit débute au sortir de la station Downtown Crossing du T, angle Winter Street et Washington Street.

Washington Street est considérée comme la plus importante artère commerciale du centre de Boston. Ses intersections avec Summer Street et Winter Street forment un carrefour très achalandé appelé **Downtown Crossing ★★**, où sont regroupés des dizaines de boutiques de même que quelques grands magasins, dont le célèbre **Filene's** *(426 Washington St.,* ☎*617-357-2100)*, fondé en 1890 par William Filene et où l'on trouve de tout à bon prix. Une portion des trois rues a été transformée en mail piétonnier (1979) fréquenté par de nombreux marchands ambulants. Le mail contribue à la réputation de convivialité de Boston à l'égard des piétons, ce qui lui a valu le surnom de *Walkable City* (la ville qui se marche). On évitera cependant de s'y promener seul après la fermeture des magasins.

Les impasses de Boston recèlent plusieurs secrets. Par exemple, au fond d'Hamilton Place, se cache l'**Orpheum Theater ★** *(Hamilton Place, accès par Winter St.,* ☎*617-679-0810)*, première salle de concerts du Boston Symphony Orchestra, érigée dès 1852. Tchaï-

kovski en personne y a joué, en première mondiale, son célèbre concerto n° 1 pour piano en 1875, et Oscar Wilde y a présenté ses premières créations théâtrales en 1892. Signe des temps, cette salle de 2 800 places, autrefois connue sous le nom de Music Hall, est devenue l'un des principaux temples nord-américains de la musique rock. Parmi les innombrables groupes qui s'y sont produits, mentionnons simplement le *band* Aerosmith, qui a vu le jour dans la banlieue de Boston.

Au sud de West Street, on reconnaîtra facilement les «vestiges» de la **Combat Zone** *(délimitée par Washington St., Tremont St., West St. et Stuart St.)*, enclave aux mœurs douteuses implantée, rappelons-le, au milieu d'une ville puritaine à souhait. Cet ancien quartier chaud de Boston a perdu beaucoup de son intensité depuis que les clubs vidéo font, eux aussi, dans les acrobaties en tous genres. Outre les bars d'effeuilleuses et les salons de massage, on trouvait autrefois dans la Combat Zone des cabarets où étaient présentés des concerts rocks bien arrosés, qui se terminaient fréquemment par des affrontements avec la police, d'où ce nom étrange et belliqueux donné au secteur.

Le **Savoy Theatre ★** *(droit d'entrée; 539 Washington St.)*, dont le splendide intérieur néobaroque a été dessiné en 1928 par le champion des décorateurs de salles de cinéma nord-américaines, Thomas Lamb, marque l'entrée du **Theatre District ★**, où sont regroupés une douzaine de cinémas et de théâtres majeurs qui ont fait les beaux jours de la vie culturelle en Nouvelle-Angleterre. Interdit jusqu'en 1805, le théâtre demeure suspect à Boston jusqu'en... 1975, année où les censeurs cessent finalement de hanter les salles à la recherche de détails croustillants leur permettant d'interdire telle ou telle pièce. On ira même jusqu'à affubler le premier théâtre bostonien du

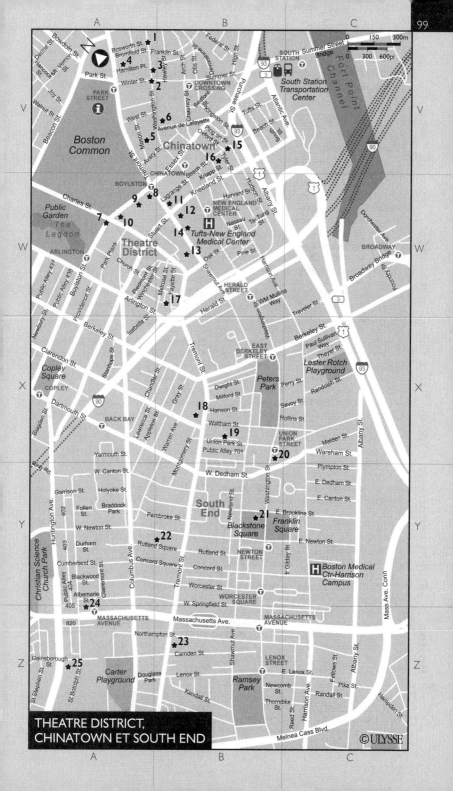

THEATRE DISTRICT,
CHINATOWN ET SOUTH END

©ULYSSE

nom de «musée», pour ne pas choquer la bonne société!

Tournez à droite dans Essex Street, qui prend le nom de Boylston Street au-delà de Tremont Street.

Le segment de Boylston Street qui fait face à l'espace vert du Common est surnommé **Piano Row** en raison des nombreux facteurs d'orgues et de pianos qui y avaient pignon sur rue au début du XXe siècle. Parmi ceux-ci, mentionnons la **Wurlitzer Company** *(100 Boylston St.)*, qui fabriquait les puissantes orgues dont étaient dotées les salles de cinéma à l'époque du muet.

Le **Colonial Theatre** ★ ★ *(droit d'entrée; 106 Boylston St.,* ☎*617-426-9366)*, construit en 1900, est sans contredit la plus élégante salle de spectacle de toute la ville. Son foyer de style Louis XV, d'un luxe inouï, est orné à profusion de dorures et de toiles marouflées. Il faut toutefois noter qu'on ne devine rien de tout cela de l'extérieur. Ce théâtre de 1 658 places sert fréquemment de banc d'essai pour les comédies musicales qui prendront éventuellement l'affiche à Broadway. Un peu plus loin se trouve la plaque qui marque le lieu de naissance de l'écrivain **Edgar Allan Poe** (1809-1849) *(angle Boylston St. et Edgar Allan Poe Place)*. Fils d'acteurs miséreux, David et Betty Poe, l'auteur de *La Chute de la Maison Usher* et du *Scarabée d'or* reviendra souvent à Boston au cours de sa vie tumultueuse.

Tournez à gauche dans Charles Street, puis de nouveau à gauche dans Stuart Street.

À l'angle de Tremont Street, on peut voir la belle façade en terre cuite beige du **Cutler Majestic Theatre at Emerson College** ★ *(219 Tremont St.,* ☎*617-824-8000, www.maj.org)*, restauré par l'Emerson College for the Arts à la fin du siècle dernier. Ce théâtre de 976 places, réputé pour son acoustique, accueille en ses murs la Boston Lyric Opera Company. On aperçoit aussi dans les environs le **Wilbur Theatre** *(246 Tremont St,* ☎*617-423-4008.)*, construit en 1914 dans le style Federal Revival, et le **Shubert Theatre** *(265 Tremont St.)*, qui met à l'affiche des pièces plus sérieuses que ses voisins. Contrairement à d'autres villes nord-américaines, qui ont vu disparaître plusieurs chefs-d'œuvre du genre, Boston a misé sur la conservation de ses vieux cinémas et théâtres. Elle en récolte aujourd'hui les fruits, en attirant

un public cultivé et fortuné venu de partout aux États-Unis.

Le **Citi Performing Arts Center** ★ ★ *(270 Tremont St.,* ☎*617-482-9393, www.citicenter.org)* a emménagé dans l'ancien Metropolitan Theatre. Cette vaste salle multifonctionnelle de 3 700 places, précédée d'un foyer haut de cinq étages, dont le style s'inspire du palais Garnier à Paris, et de quatre vestibules revêtus à profusion de marbres et de dorures, illustre à merveille la vigueur de la vie culturelle à Boston dans l'entre-deux-guerres. La Boston Ballet Company y a emporté ses pénates en 1989, après des années d'errance. Sorte de trait d'union entre le Theatre District et le Chinatown voisin, cet ancien palace du septième art a été entièrement restauré.

Traversez Tremont Street afin d'emprunter Stuart Street, qui prend ensuite le nom de Kneeland Street. Tournez à gauche dans Harrison Avenue afin de pénétrer au cœur du Chinatown.

Le **Chinatown** ★ *(délimité par Washington St., Essex St., Kneeland St. et Purchase St.)* a cette allure à la fois mystérieuse et bon enfant qu'ont tous les quartiers chinois du monde entier. Les restaurants et les boutiques de produits exotiques s'agglutinent le long de venelles étroites et sinueuses, fréquentées par les personnes âgées du quartier en semaine et par les familles d'origine chinoise venues des quatre coins de la ville pendant les fins de semaine et les jours fériés.

Les liens qui unissent Boston à la Chine sont cependant plus profonds qu'ailleurs. En 1784, les États-Unis inaugurent le commerce international avec cet immense empire d'Orient. Le China Trade s'amorce avec l'arrivée, dans le port de Canton, de l'*Empress of China,* qui transporte à son bord du cuir et du ginseng destinés aux Chinois. Le navire repart bientôt pour l'Amérique, ses cales bien remplies de porcelaines, de soie et de thé destinés aux Américains. Ce pied de nez fait à l'Angleterre, qui croyait jusque-là contrôler le commerce de ces produits, va enrichir plus d'un importateur bostonien au cours des 50 années suivantes.

Au début du XIXe siècle, la mode des chinoiseries, dans la décoration et dans l'habillement, montre jusqu'à quel point les habitants de la Nouvelle-Angleterre admirent la culture chinoise. En 1847, une première jonque, venue directement de Chine, s'amarre dans le port de Boston, sous le regard émerveillé des badauds. Trois ans plus tard, Ong Ar-Showe ouvre le premier restaurant chinois de la ville.

La ruée vers l'or en Californie et la construction du chemin de fer transcontinental à travers les États-Unis, entreprise en 1865, vont attirer de plus en plus de Cantonais démunis qui triment dur pour un salaire de famine. La Chine n'est plus à la mode, et l'on craint une invasion d'immigrants asiatiques. Les lois fédérales se multiplient à partir de 1882 dans le but de restreindre l'immigration chinoise. Les Chinois, ostracisés, se réfugient dans des ghettos très majoritairement masculins, qui donneront naissance aux différents Chinatowns du continent. Celui de Boston, situé non loin des voies ferrées de la **South Station** (voir p 97), voit le jour vers 1875, alors que les travailleurs chinois devenaient les briseurs de grève dans les usines de tissage. Les rénovations urbaines des années 1950 et 1960 vont toutefois morceler le Chinatown de Boston, jusqu'à le réduire des deux tiers. Heureusement, l'heure est maintenant à la croissance et à la restructuration du quartier.

*Tournez à droite dans Beach Street, à l'extrémité de laquelle vous apercevrez le **Chinatown Gate**, un portail d'accueil de style traditionnel chinois, gardé par des lions. Tournez à droite dans Tyler Street.*

Tyler Street *(entre Beach St. et Kneeland St.)* regroupe plusieurs institutions du Chinatown, dont la Lee Family Association (1927) et l'ancien restaurant The Good Earth, nommé d'après le titre d'un roman de Pearl Buck. Le Tai-Tung Village (1973), plus au sud, figure parmi les premiers efforts de revitalisation dans le secteur.

Continuez par Tyler Street jusqu'au bout, puis tournez à droite dans Oak Street. Empruntez Tremont Street, qui s'inscrit dans le prolongement d'Oak Street à cet endroit. Poursuivez vers la gauche afin de rejoindre Church Street, où vous tournerez à droite.

En tournant dans Church Street, le visiteur pénètre alors au cœur du **Bay Village** *(délimité par Tremont St., Charles St., Marginal Rd. et Stuart St.)*, anciennement appelé South Cove. Cette minuscule enclave résidentielle de 700 habitants, couvrant à peine

six quadrilatères, est un ancien hameau côtier où habitaient les artisans qui ont érigé les grandes demeures de **Beacon Hill** (voir p 78). Les remblais successifs, effectués sur le pourtour du noyau initial de Boston, ont considérablement éloigné la mer du hameau, qui s'est retrouvé au milieu de la ville.

À l'époque de la Prohibition, on a aménagé plusieurs bars illégaux, appelés *speakeasies*, à l'intérieur des coquettes maisons Federal en briques rouges du Bay Village. Par la suite, ces bars sont devenus des boîtes de nuit respectables, jusqu'à ce que la tragédie du Cocoanut Grove, autrefois situé dans Piedmont Street, ne mette un terme à cette époque glorieuse. Au total, 492 personnes ont péri dans l'incendie de ce night-club survenu en 1942. L'impact fut tel que la réglementation en matière d'incendie a été aussitôt revue en profondeur dans l'ensemble de la nation. De nos jours, le Bay Village regroupe une communauté de citadins dynamiques qui, après avoir sauvé son quartier de la démolition, organise maintenant des activités pour l'ensemble des Bostoniens résidant au centre-ville.

Tournez à gauche dans Melrose Street, puis encore à gauche dans Arlington Street. Franchissez le viaduc de l'autoroute (Massachusetts Turnpike, Highway 90), avant d'emprunter Tremont Street à droite pour accéder au quartier de South End.

À l'instar du **Back Bay** (voir p 85), le quartier résidentiel de **South End ★** a été aménagé sur des remblais considérables, dont les travaux ont été effectués dans la seconde moitié du XIXe siècle. Ces remblais ont permis de combler le Receiving Basin et la South Cove, deux baies autrefois situées de part et d'autre de l'isthme du Boston Neck, qui fut pendant longtemps le seul lien terrestre entre la presqu'île de Shawmut et le reste du continent. Cet étroit passage servait d'assise à Washington Street, unique route, à l'époque, permettant d'accéder à la campagne environnante depuis Boston sans avoir à franchir de pont.

Créé entre 1850 et 1870 selon le modèle londonien, caractérisé par des squares et des places repliées sur elles-mêmes, le quartier de South End n'a pas l'admirable cohésion du Back Bay, conçu selon le modèle parisien du Second Empire. Il n'en demeure pas moins un lieu de découvertes charmantes qu'il faut parcourir en promeneur plutôt qu'en visiteur. Le quartier possède une architecture bien à lui, définie par ses longues rangées de maisons, hautes et étroites. Leurs façades de briques rouges, du plus bel effet par une matinée ensoleillée, sont rythmées par d'innombrables avancées arrondies (*bowfronts*) percées de fenêtres.

Victime du succès du Back Bay voisin, le South End a commencé à péricliter peu après son achèvement. Ses grandes maisons patriciennes ont alors été subdivisées en logements ou transformées en pensions. Jusqu'en 1980, il était hasardeux de s'aventurer dans ce secteur dont le déclin n'a cessé qu'avec l'embourgeoisement et le mouvement de retour à la ville. Depuis cette date, les projets de restauration se sont multipliés, redonnant au South End fierté et prospérité.

Le **Boston Center for the Arts** ★★ *(entrée libre; mer-sam 12h à 17h; 539 Tremont St., ☎617-426-5000, www.bcaonline.org)* est la principale institution culturelle du South End. Il regroupe le Community Music Center of Boston, l'Art Connection et le Boston Ballet Costume Shop, qui ont été aménagé dans un ancien cyclorama. Ce dernier bâtiment, de forme cylindrique, a été construit en 1884 pour abriter une immense toile circulaire de 120 m sur 15 m, intitulée *The Battle of Gettysburg*. L'œuvre, qui représente une des grandes batailles de la guerre de Sécession, a été réalisée par le peintre français Paul Philippoteaux, à qui l'on doit également le panorama du cyclorama de Sainte-Anne-de-Beaupré au Québec. Son œuvre américaine a maintenant le statut de monument historique national et est exposée au Gettysburg National Military Park en Pennsylvanie. L'ancienne manufacture d'orgues construite en 1850, le Tremont Estates Building, abrite une galerie d'art (Mills Gallery), deux espaces multifonctionnels avec 50 ateliers d'artistes et le Hamersley's Bistro. Le siège social du Boston Ballet, construit en 1991 par l'architecte Graham Gund, abrite quant à lui, une école de ballet et les bureaux du complexe. Le Boston Center for the Arts organise des expositions d'art contemporain et des performances, commande des œuvres à des artistes, dont plusieurs sont en résidence sur le site du centre, et loue ses salles pour divers événements mondains.

Tournez à gauche dans Union Park Street.

Au fur et à mesure que l'on s'avance dans Union Park Street, le joli **Union Park Square** ★★ se révèle au regard. Les façades hybrides de ses maisons, où se marient allègrement éléments Federal et victoriens, servent de cadre au square de forme ovale, abondamment planté et orné d'une fontaine.

Continuez par Union Street et tournez à droite dans Washington Street.

L'énorme **Cathedral of the Holy Cross** *(1400 Washington St., angle Union St., ☎617-542-5682, www.rcab.org)* a été construite entre 1866 et 1875 par Patrick C. Kelly, architecte de plusieurs églises américaines. La plus grande église catholique de la Nouvelle-Angleterre est le siège de l'archidiocèse de Boston, où réside l'archevêque Seán Patrick O'Malley. La vingtaine de vitraux sont tous de la fin du XIXe siècle. De style néogothique, le bâtiment, revêtu de granit de Quincy et de pierres *pudding* de Roxbury, est de même dimension que l'abbaye de Westminster de Londres.

Continuez par Washington Street vers le sud jusqu'au Blackstone Square.

Blackstone Square et **Franklin Square** *(angle Washington St. et East Brookline St.)*, œuvres de Charles Bulfinch, sont les plus vieux *garden squares* de Boston. À l'origine, les deux ne formaient qu'un grand square ovale dénommé Columbia; il fut scindé, et les deux nouveaux squares furent clôturés en 1847. Les fontaines originales en fer forgé, supportées par quatre dauphins, ont survécu.

Continuez par Washington Street et tournez à droite dans Rutland Street pour rejoindre le Rutland Square, situé entre Tremont Street et Columbus Street.

Rutland Square ★ est un autre de ces espaces très *British* du South End. D'autant plus qu'on aperçoit, au travers des branches de ses grands arbres, le clocher d'une église de style néogothique qui n'est pas sans évoquer les villages anglais.

Tournez à gauche dans Columbus Avenue, où se trouvent quelques magasins, puis de nouveau à gauche dans Concord Square, avant de tourner à droite dans Tremont Street. Traversez Massachusetts Avenue.

À l'angle de Northampton Street se dresse l'ancienne **Chickering Piano Factory** *(791 Tremont St.)*, où l'on fabriquait autrefois des pianos. Il s'agit d'un bon exemple d'architecture des débuts de la Révolution industrielle en Amérique. L'immense bâtiment, qui figurait au second rang national pour sa taille au moment de son inauguration en 1853 (tout juste derrière le capitole de Washington), a été reconverti en ateliers d'artistes et en appartements.

Tournez à droite dans Northampton Street, puis encore à droite dans Columbus Avenue. Tournez à gauche dans Massachusetts Avenue pour accéder à la station Massachusetts Avenue du T.

Derrière la station du métro se trouvent le **Boston Arena**, une patinoire intérieure où sont présentés des concerts rock et des compétitions sportives comme le patinage artistique, et le bâtiment du **New England Conservatory of Music** *(290 Huntington Ave.,* ☎*617-585-1100)*, qui abrite le conservatoire de musique de Boston. Celui-ci fut fondé en 1867 et accueille plus de 800 jeunes musiciens et chanteurs chaque année. Son Jordan Hall de 1 000 places sert de cadre aux quelque 200 concerts gratuits qui y sont présentés durant la période scolaire.

Le circuit se termine à la station Massachusetts Avenue du T.

- -
Cultural District
★ ★

Le site de Boston a été choisi par ses premiers habitants pour son havre naturel bien protégé, mais aussi pour ses marais, qui pullulaient à l'ouest, rendant difficile toute invasion ennemie par l'intérieur des terres. Le développement effréné de la ville à la fin du XIXᵉ siècle allait cependant obliger les autorités municipales à adopter un plan d'urbanisme visant à remblayer ces zones marécageuses, appelées *fens* en vieil anglais. Un réseau vert ponctué d'étangs en serpentins, baptisé justement «The Fens» a alors été créé. Ces étangs sont constitués des restes de la Muddy River (rivière boueuse) qui portait si bien son nom. Tout autour, des équipements culturels, scolaires et sportifs ont été érigés dans l'esprit Beaux-Arts qui régnait à l'époque dans l'ensemble du monde occidental. Ce circuit comprend la visite de trois musées,

laquelle n'est pas comptabilisée dans la durée du trajet.

Le circuit du Cultural District débute au Prudential Center (station Prudential du T).

Le **Prudential Center** ★ *(800 Boylston St.)* est un vaste complexe multifonctionnel, aménagé au-dessus d'autoroutes et de voies ferrées, et qui comprend des bureaux, un centre commercial, deux grands magasins (Lord & Taylor et Saks Fifth Avenue), un hôtel, des copropriétés ainsi que le **Hynes Convention Center** (centre des congrès de Boston). L'ensemble a été érigé à partir de 1959 pour la Prudential Insurance Company. Cette mutuelle d'assurances générales a été fondée en 1875 par John Fairfield Dryden à Newark, au New Jersey. À l'origine, les primes d'assurance étaient de 3 cents par semaine, et la première assurance-vie versée à un client le fut pour un montant de 10$.

L'observatoire du **Skywalk** ★ *(10,50$; tlj 10h à 21h30, billets en vente lun-ven 10h à 20h; 800 Boylston St.,* ☎*617-859-0648)* se trouve au 50ᵉ étage de la tour principale du Prudential Center. Il offre une vue panoramique sur Boston et ses environs. Une petite exposition rend hommage à la capitale du Massachusetts. Il est recommandé de s'y rendre par temps clair, vers la fin de l'après-midi, afin de bénéficier des meilleures vues sur le centre de Boston.

Traversez le Prudential Center afin de ressortir du côté d'Huntington Avenue. Tournez à droite dans cette dernière artère.

Mary Baker Eddy (1821-1910) était une femme à la santé fragile. En raison d'une mauvaise chute, survenue en 1866, elle décide de se consacrer à la lecture de la *Bible*, en particulier aux passages consacrés aux guérisons miraculeuses du Christ. Elle réalise bientôt que son état d'esprit influe sur la rapidité de sa guérison et sur sa santé physique en général. Elle décide donc d'en faire part au monde entier dans un ouvrage intitulé *Science and Health and the Key to the Scriptures*. En 1879, elle fonde à Boston la Church of Christ Scientist (Église scientiste ou Église de la science chrétienne), à ne pas confondre avec l'Église de scientologie. De nos jours, l'église de Mary Baker Eddy compte 2 000 associations dans quelque 60 pays.

Le **Christian Science Center** ★★ *(entrée libre; visites guidées lun-ven 10h à 16h; 175 Huntington Ave.,* ☎*617-450-2000)* abrite le siège mondial de l'Église de la science chrétienne, de même que les bureaux de la maison d'édition Christian Science Publishing Society et ceux du très respecté *Christian Science Monitor.* Ce journal a dépassé le stade de l'instrument de propagande religieuse pour devenir une source d'informations crédible dans plusieurs domaines grâce à des enquêtes sérieuses et approfondies menées par une équipe journalistique présente aux quatre coins du monde.

Le complexe du Christian Science Center comprend notamment la **Mother Church** de 1894, petit bâtiment néoroman en granit du New Hampshire où ont lieu les messes et les réunions, et la **Church Extension**, énorme édifice romano-byzantin de 1906, à l'intérieur duquel peuvent s'asseoir 3 000 personnes. On y trouve un orgue de 13 290 tuyaux fabriqué par la compagnie Aeolian Skinner de Boston. Ce dernier édifice n'est pas sans rappeler la basilique du Sacré-Cœur à Paris ou encore l'oratoire Saint-Joseph à Montréal. Le complexe a été considérablement agrandi en 1972 selon les plans de l'architecte Ieoh Ming Pei, qui a imaginé le rafraîchissant bassin dans lequel se reflètent les bâtiments plus anciens.

Poursuivez vers l'ouest en longeant Huntington Avenue.

Le **Boston Symphony Hall** *(angle Huntington Ave. et Massachusetts Ave.,* ☎*617-266-1492)* est considéré, à juste titre, comme l'un des principaux sanctuaires de la musique classique en Amérique du Nord, grâce certes à ses qualités acoustiques exceptionnelles, mais aussi parce qu'il s'agit de la salle de concerts du réputé Boston Symphony Orchestra (BSO). L'orchestre symphonique de Boston a été fondé en 1881 par le philantrope Henry Lee Higginson. Parmi les chefs les plus célèbres qui l'ont dirigé, mentionnons Charles Munch, Erich Leinsdorf et Seiji Ozawa. La salle, dessinée par les architectes McKim, Mead et White, fut inaugurée en 1900. Elle peut accueillir 2 625 mélomanes. Malgré ses balcons de style Louis XV, ornés de dorures, et son orgue Aeolian Skinner, installé en 1949, l'espace demeure relativement dénudé.

Boston, centre intellectuel des États-Unis, se targue de posséder plus de 50 collèges et universités! La **Northeastern University** *(360 Huntington Ave.,* ☎*617-373-2000, www. northeastern.edu)* est l'une de ces nombreuses institutions qui attirent étudiants et étudiantes de l'ensemble du pays. Elle se distingue des autres universités en combinant cours en classe et formation en milieu de travail. En outre, elle axe ses programmes sur l'interdisciplinarité. Par exemple, on encouragera un étudiant en droit à perfectionner son allemand ou à améliorer son coup de pinceau. L'université privée, qui accueille 22 000 étudiants annuellement, a été fondée sous les auspices du YMCA (Young Mens Christian Association) et a amorcé ses activités en 1896, en offrant des cours du soir aux immigrants. Elle a toujours été à l'avant-garde, ouvrant même une école mixte consacrée aux métiers de l'automobile dès 1903! Le campus universitaire regroupe une douzaine de bâtiments d'intérêt inégal.

La longue façade du **Boston Museum of Fine Arts** ★★★ *(15$; lun-mar et sam-dim 10h à 16h45, mer-ven 10h à 21h45; visite guidée en français mer 11h15; 465 Huntington Ave.,* ☎*617-267-9300, www.mfa.org)* se déploie au milieu d'une vaste pelouse d'herbe rase sise en bordure d'Huntington Avenue. Le musée des beaux-arts de Boston recèle de riches collections amassées à la fois par les marchands bostoniens et par les archéologues de l'université Harvard toute proche. Elles sont disposées dans un édifice Renouveau classique de 1909, œuvre de Guy Lowell, auquel le prolifique architecte Ieoh Ming Pei a ajouté une aile moderne en 1981, où sont regroupés l'auditorium, le restaurant et la boutique.

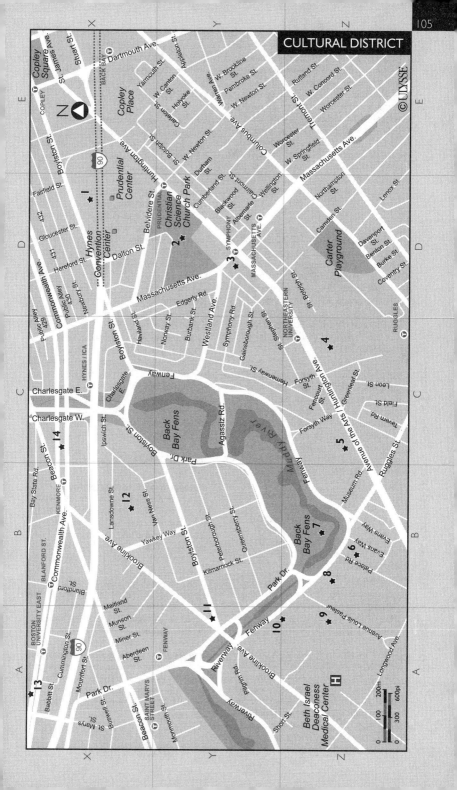

CULTURAL DISTRICT

Copley Square

Copley Place

Prudential Center

Hynes Convention Center

Christian Science Church Park

Prudential Center

Back Bay Fens

Carter Playground

NORTHEASTERN UNIVERSITY

Back Bay Fens

Beth Israel Deaconess Medical Center

Muddy River

Avenue of the Arts / Huntington Ave.

© ULYSSE

Le musée est réputé pour son Asian Art Collection, dont les trésors ont été glanés çà et là par les capitaines de navires et les importateurs de Nouvelle-Angleterre qui sillonnaient l'Orient au XIXᵉ siècle, à la recherche de soie fine et d'épices rares. Parmi les plus belles pièces de ce département d'art asiatique, mentionnons un délicat portail indien en grès rouge datant de 1677 ainsi qu'un miroir japonais de la période Tumuli (Vᵉ siècle), dont l'endos, recouvert de bronze, représente les quatre points cardinaux (le serpent symbolise le nord; l'oiseau rouge, le sud; le dragon vert, l'est; le tigre blanc, l'ouest).

Les Egypt, Nubia and Ancient Near East Collections brossent un tableau complet de l'art en Égypte ancienne, en Nubie et au Proche-Orient. La plupart des pièces exposées ont été découvertes au tournant du XXᵉ siècle par des archéologues de l'université Harvard, à l'instar de l'élégante statue en pierre noire du roi Menkaure et de son épouse (IVᵉ dynastie, 2532-2510 av. J.-C.), mise au jour lors de la campagne de fouilles de 1911.

La part du lion revient toutefois à l'European Art Collection, qui regroupe des toiles importantes réalisées par des peintres européens avant 1900. On peut notamment contempler dans les salles qui y sont consacrées le saint patron des peintres, *Saint Luc dessinant la Vierge et l'Enfant*, de Rogier van der Weyden (vers 1435), le très expressif *Frère Félix* du Greco (1609) ainsi que le portrait du poète *Luis de Gongore y Argote* par Vélasquez (1622), dont on remarquera la force du regard. À cela, il faut ajouter le très beau dessin à la pointe sèche de Rembrandt intitulé *La crucifixion (Les Trois croix*, vers 1653), *Mars et Vénus* de Nicolas Poussin (1628) et le pathétique *Négrier (Slave Ship*) de William Turner (1840).

Les impressionnistes sont également bien servis par le drame de l'*Exécution de l'empereur Maximilien* de Manet (1867), le kimono écarlate de *La Japonaise* de Monet (1876), la bonhomie du *Bal à Bougival* de Renoir (1883) ou la douce mélancolie de *Madame Cézanne assise dans un fauteuil rouge*, toile très colorée réalisée par son mari en 1877. Les postimpressionnistes ne sont pas en reste, puisque le musée possède le *Facteur Joseph Roulin* de Van Gogh (1888) et l'une des toiles les plus importantes de Paul Gauguin, intitulée *D'où venons-nous? Que*

sommes-nous? Où allons-nous?. Cette œuvre tout en longueur, réalisée en 1897, alors que Gauguin vivait à Tahiti, dépeint, à la manière d'un tryptique (de la gauche vers la droite), la naissance, la vie quotidienne et la vieillesse.

L'art américain est particulièrement bien représenté dans une ville comme Boston, qui a longtemps joué le rôle de métropole culturelle des États-Unis. Ainsi, l'American Art Collection comprend plusieurs œuvres significatives empreintes de patriotisme, à l'image des portraits inachevés de Martha et George Washington réalisés en 1796 par Gilbert Stuart. Cette dernière toile a servi de modèle aux dessinateurs des billets de banque américains. On trouve aussi des œuvres plus intimistes, comme le superbe portrait de *Henry Pelham* par John Singleton Copley (1765).

Enfin, The Modern World regroupe des peintures et des sculptures réalisés au cours du XXᵉ siècle. Parmi celles-ci, notons *Carmelina*, nu sévère de Matisse (1903), le *Drugstore* d'Edward Hopper (1927) et un bronze de Picasso intitulé simplement *Tête de femme* (1909). Outre les collections mentionnées, le musée des beaux-arts de Boston comprend des sections consacrées aux Amérindiens, aux civilisations précolombiennes, à la Grèce et à la Rome antiques, de même qu'à l'art de l'Océanie.

Tournez à droite dans The Fenway.

L'Isabella Stewart Gardner Museum ★★★ *(12$; mar-dim 11h à 17h; 280 The Fenway,* ☎617-566-1401, *www.gardnermuseum.org)* renferme de fabuleux trésors, distribués sur le pourtour d'une cour intérieure abondamment fleurie, aux allures de palais vénitien du XVᵉ siècle. En 1860, Isabella Stewart (1840-1924), issue d'une riche famille new-yorkaise, épouse John Lowell Gardner Jr. (1837-1898), qui fait alors partie de l'élite marchande de Boston. Après le décès de son mari, l'excentrique madame Stewart Gardner fait ériger Fenway Court, qui servira à abriter la prestigieuse collection d'œuvres d'art américain et européen accumulée par le couple. Les trois premiers niveaux sont ouverts au public en 1903, alors que le quatrième niveau abrite les appartements privés de la propriétaire des lieux.

Le visiteur pénètre dans ce musée privé par une entrée discrète qui le conduit d'abord dans le Spanish Cloister (cloître espagnol) où est suspendue *El Jolea* de John Singer Sargent. Il accède ensuite à la fameuse Courtyard (cour intérieure), éclairée par un grand puits de lumière. Entre les plates-bandes, des sculptures et des mosaïques romaines provenant de la villa Livia ont été disposées avec soin. La cour intérieure, féerique en soirée lors des concerts de musique de chambre qui y sont fréquemment présentés, donne accès aux salles qui l'entourent. Parmi celles-ci se trouve la Yellow Room, où sont suspendues des toiles de Degas et de Sargent de même que l'importante *Terrasse à Saint-Tropez* de Matisse (1904). Derrière une vitrine ont été placés quelques souvenirs personnels de madame Stewart Gardner, dont des lettres d'amis compositeurs et musiciens tels Massenet, Tchaïkovski et Johann Strauss. La Blue Room est, quant à elle, tendue d'une fine tapisserie de soie bleue qui sert de toile de fond à des tableaux de Corot, Courbet et Delacroix. Une vitrine contient des lettres d'auteurs américains connus, dont Henry James et Walt Whitman. Avant de gravir l'escalier du West Cloister, on remarquera un beau sarcophage de la Rome impériale décoré de satyres ramassant des raisins, scène probablement inspirée de la vie de Dionysos.

Au niveau 2, on s'attardera plus particulièrement sur l'Early Italian Room (salle des primitifs italiens), où sont notamment accrochés le *Hercule* de Piero della Francesca et la *Madone à l'Enfant, accompagnée de saint Paul et saint Jean le Baptiste* du maître de Sienne, Simone Martini (1320). Dans la Raphael Room se trouvent des toiles de Botticelli (*La tragédie de Lucrèce*) et, bien sûr, de Raphaël, dont on retrouve le portrait du comte Tommassa Inghirami. Dans la Tapestry Room, on peut admirer de belles tapisseries exécutées à Bruxelles au milieu du XVIe siècle, de même qu'un superbe manteau de cheminée médiéval français décoré d'animaux exotiques sculptés. Enfin, dans la Dutch Room, se trouve l'un des plus célèbres autoportraits de Rembrandt. Au niveau 3, on verra dans la Titian Room l'*Enlèvement d'Europe* du Titien (1561), disposé au milieu d'un mobilier rococo provenant de la résidence vénitienne de madame Stewart Gardner. À noter que, selon le testament de cette dernière, aucune œuvre d'art exposée dans ce musée ne peut être déplacée, sauf pour être restaurée. Malheureusement,

quelques-uns des chefs-d'œuvre du musée ont été subtilisés lors d'un vol mémorable, survenu en 1990.

En face du musée s'étirent les **Back Bay Fens** ★ *(en bordure de The Fenway)*, aménagés selon les plans du paysagiste américain Frederick Law Olmsted, à qui l'on doit également le Central Park de New York et le parc du Mont-Royal à Montréal. Cet espace vert, tout en longueur, épouse les contours sinueux de la Muddy River, qui se jetait autrefois dans la Charles River. Il forme, avec quelques autres parcs de verdure, ce que les Bostoniens ont poétiquement baptisé l'**Emerald Necklace** (le collier d'émeraudes; voir p 126), et que les autorités municipales appellent plus prosaïquement le Boston Park System. Outre ses nombreux étangs enjambés par quelques ponts, on y trouve une belle roseraie ainsi que les Victory Gardens, ces potagers au charme suranné.

Le **Simmons College** *(angle Avenue Louis Pasteur et The Fenway)*, voisin du musée Gardner, est une petite université privée de 3 400 étudiants qui s'adresse d'abord aux femmes. L'institution a été fondée en 1899 grâce à un legs du millionnaire John Simmons afin d'offrir une éducation sérieuse à la gent féminine, lui permettant ainsi de mener une vraie carrière sur le marché du travail, au lieu de passer sa vie à faire de la broderie dans des salons mal éclairés. L'université privilégie les petits groupes plutôt que les cours offerts dans de grands auditoriums.

Tournez à gauche dans l'Avenue Louis Pasteur, puis à droite dans Longwood Avenue.

Les impressionnants bâtiments Renouveau classique de la **Harvard Medical School** ★ *(angle Brookline Ave. et Longwood Ave.)* se dressent sur votre gauche. Y loge depuis 1906 la plus prestigieuse école de médecine des États-Unis, sinon du monde entier. Étrangement, le saint des saints de la recherche médicale est complètement isolé du campus principal de l'institution, situé à **Cambridge** (voir p 108).

Tournez à droite dans Brookline Avenue.

L'**Emmanuel College** *(angle Brookline Ave. et The Fenway)* est une université catholique pour jeunes femmes. Elle a été fondée en 1919 par la communauté des religieuses de Notre-Dame de Namur.

Le **5W!TS** *(16$; 186 Brookline Ave., angle Boylston St., station Fenway du T,* ☎*617-375- wits, www.5-wits.com)* produit TOMB, un jeu interactif divertissant où le participant parcourt et explore les chambres funéraires du pharaon enseveli dans une pyramide égyptienne. Tous les sens sont mis à l'épreuve, et seuls les plus doués réussiront leur aventure. Muni d'une simple lampe de poche, le participant aidé de son équipe doit trouver le parcours qui mène à la tombe, un jeu d'espionnage et de dépistage d'une durée de 45 min qui s'adresse aux 7 ans et plus. Le nom 5W!TS tient son origine des cinq attributs du Moyen Âge qui définissent la présence d'esprit: le bon sens, l'imagination, le bon jugement, la mémoire et l'estime de soi.

Les amateurs de baseball se réjouiront en passant devant le vénérable **Fenway Park ★** *(12$; visites guidées aux heures lun-sam 9h à 16h, dim 12h à 16h; angle Brookline Ave. et Yawkey Way,* ☎*617-267-1700 ou 617-236-6666).* Ce vieux stade de 33 871 places, inauguré en 1912, fait encore la joie des Bostoniens qui viennent y voir jouer «leurs» Red Sox 80 fois par saison (d'avril à octobre). Chose rarissime de nos jours, les joueurs de baseball évoluent ici sur du vrai gazon!

Tournez à droite dans Commonwealth Avenue.

La **Boston University ★** *(entre le Massachusetts Turnpike et la Charles River)* accueille chaque année plus de 30 000 étudiants provenant de 135 pays, ce qui en fait la quatrième université indépendante en importance aux États-Unis. L'université, fondée en 1839, met l'accent sur la recherche en ingénierie et en médecine. Son campus regroupe 343 bâtiments dans lesquels se trouvent 1 602 laboratoires! La Boston University a été la première institution nord-américaine à rendre accessible aux femmes l'ensemble de ses facultés (1872).

La **statue de Leif Eriksson** *(angle Commonwealth Ave. et Charlesgate Overpass)* marque la frontière entre le secteur des Fens et celui, plus ancien, de **Back Bay** (voir p 85). Elle a été commandée en 1885 à la sculpteure Anne Whitney par l'inventeur de la poudre à pâte, Eben Horsford, qui croyait dur comme fer que les Vikings avaient jadis fondé un village sur les rives de la Charles River.

Afin de retourner au point de départ, poursuivez votre chemin par Commonwealth Avenue, puis tournez à droite dans Massachusetts Avenue.

Cambridge
★ ★

Afin de mettre un peu de piquant dans les cours de géographie des écoliers, l'Histoire a doté le monde de deux villes universitaires nommées «Cambridge». Dans la première, située en Angleterre, fut implantée la célèbre université du même nom, alors que dans la seconde, dont il est question ici, s'est installée l'université Harvard. Créée dès 1636, cette dernière est la plus ancienne et la plus prestigieuse institution de haut savoir des États-Unis. Son campus regroupe plus de 400 bâtiments de toutes les époques et de tous les styles, biens intégrés au tissu urbain. Quelques-uns d'entre eux abritent d'intéressants musées ouverts au public (la visite des musées n'est pas comptabilisée dans la durée du circuit).

La ville de Cambridge, située sur les bords de la Charles River en face de Boston, compte près de 100 000 habitants. Outre l'université Harvard, elle accueille le réputé **Massachusetts Institute of Technology (MIT)** (voir p 114) ainsi qu'une pléiade de centres de recherche en médecine et en haute technologie qui font de cette municipalité à part entière le principal concurrent nord-américain de la fameuse Silicon Valley californienne en matière d'électronique et d'informatique.

Cambridge fut fondée la même année que Boston (1630). Ville rivale durant quelques décennies, elle a acquis fierté et légitimité grâce à son université qui a attiré sur son territoire les plus grands écrivains et scientifiques du monde entier. Même si elle semble bien sérieuse, Cambridge sait s'amuser car étudiants et professeurs ont besoin de se défouler entre les cours et les examens. Ainsi la ville recèle plusieurs lieux propices au farniente qui gravitent pour la plupart autour de Harvard Square, où s'amorce d'ailleurs le présent circuit.

Le circuit débute à la sortie de la station Harvard Square du T.

Harvard ★ ★ ★

Harvard Square ★ est davantage une place urbaine aux contours étriqués qu'un véritable square. Grouillant de vie jusqu'aux petites heures du matin, cet espace public est entouré de librairies, de cafés, de théâtres, de boîtes de nuit et de nombreux restaurants fréquentés indifféremment par les professeurs de l'université Harvard et leurs étudiants. Cette vie estudiantine intense a valu à Cambridge le surnom de «Rive Gauche» de Boston.

Dirigez-vous vers le petit kiosque rond du **Visitor's Center** *(carrefour principal, à l'intersection de Massachusetts Ave., de J.F. Kennedy St. et de Brattle St.,* ☎*617-441-2884 ou 800-862-5678, www.cambridge-usa.org)*, où vous pourrez vous procurer un plan détaillé du quartier historique de Cambridge, avant de pénétrer sur le campus de l'université Harvard par la Johnston Gate, située à l'intersection de Massachusetts Avenue et de Peabody Street, face à la First Parish Church. Il est également possible de participer à une visite guidée du campus de l'université Harvard en s'adressant au **Harvard Events and Information Center** *(entrée libre; lun-sam 9h à 17h, dim 12h à 17h sauf pendant la semaine de relâche et pendant les périodes d'examens; en anglais seulement; 1350 Massachusetts Ave., Holyoke Center,* ☎*617-495-1573).*

Recevoir un diplôme de la **Harvard University** ★ ★ ★ *(autour de la Harvard Yard,* ☎*617-495-1000, www.harvard.edu)* est un gage de succès dans la vie, car cette université reconnue dans le monde entier n'accepte que les meilleurs candidats. Parmi ses diplômés, on compte six présidents américains et une quarantaine de Prix Nobel! Malgré sa réputation planétaire, l'institution n'accueille que 18 000 étudiants annuellement, ce qui est plutôt modeste en comparaison des autres grandes universités nord-américaines. Il en coûte en moyenne 30 000$ par année scolaire pour fréquenter l'université Harvard.

Deux ans après sa fondation par la Great and General Court of the Massachusetts Bay Colony, l'université a reçu en 1638 un legs appréciable, composé d'une bibliothèque et d'une somme d'argent. Il provenait d'un jeune pasteur récemment décédé, nommé John Harvard. Ce don allait permettre à l'institution naissante de prendre son envol, après avoir été rebaptisée en l'honneur du généreux philantrope. C'est également à cette époque que la ville, d'abord nommée New Towne, a adopté le toponyme de Cambridge, rappelant de la sorte que John Harvard était un diplômé de la vénérable université britannique de Cambridge.

Aménagée à la manière des collèges anglais, comprenant de longs bâtiments de briques rouges enserrant des cours gazonnées, Harvard fait partie de la prestigieuse Ivy League, qui regroupe les huit universités les plus anciennes du nord-est des États-Unis. Au sommet des différents pavillons flotte le fanion de Harvard, sur lequel on aperçoit l'écusson officiel de l'institution, dessiné dès 1644, mais redécouvert au XIXe siècle seulement. On y voit trois livres ouverts sur les pages desquels on peut lire le mot latin *VERITAS* (vérité).

Le campus de l'université Harvard s'organise autour de la **Harvard Yard** ★ ★ *(accessible en passant par la grille de l'entrée principale appelée Johnston Gate ou par un des trois autres accès qui bordent Massachusetts Avenue)*, que l'on pourrait considérer comme l'ultime sanctuaire du savoir en Amérique. Après avoir franchi la **Johnston Gate**, reconstruite en 1890 en utilisant les fameuses briques traditionnelles cuites au four à bois, dites *Harvard bricks,* le visiteur débouche sur la cour ombragée traversée de multiples sentiers. Celle-ci est entourée de plusieurs bâtiments et monuments significatifs, dont le **Massachusetts Hall** ★ *(sur la droite)*, érigé en 1720. Il s'agit là du plus ancien bâtiment du campus. Sa sobre architecture georgienne a fait rêver plus d'un étudiant américain. Étonnamment, on y retrouve sous un même toit les bureaux du recteur et les chambres des étudiants de première année! Le **Harvard Hall**, qui abrite des salles de classe, lui fait face. Il fut reconstruit à la suite d'un terrible incendie qui détruisit le tiers du campus en 1764.

Derrière le Harvard Hall se dissimule la jolie **Holden Chapel** ★, achevée en 1744. Elle fut construite grâce à un legs du Britannique Samuel Holden. On remarquera son beau fronton bleuté sur lequel sont greffés divers ornements baroques. Après avoir servi de chapelle protestante pendant 20 ans, le bâtiment fut utilisé pour mille usages, notamment comme caserne de pompiers et comme laboratoire de chimie. De nos jours, il sert de quartier général aux différents chœurs de l'université Harvard dont les chants mélodieux résonnent fréquemment à l'heure du lunch (Collegium Musicum et Radcliffe Choral Society).

Au fond de la cour, on distingue à travers les branches des arbres l'**University Hall**, dessiné par l'architecte Charles Bulfinch en 1815. Ce long bâtiment revêtu de granit abrite les bureaux administratifs de l'institution. À ses pieds se trouve la **statue de John Harvard**, dite «statue des trois mensonges» (*The Statue of Three Lies*). En effet, ce bronze, réalisé en 1884 par le sculpteur Daniel Chester French, comporte des inexactitudes de taille. Il y est indiqué que John Harvard a fondé l'université en 1638, ce qui est doublement faux, puisqu'elle fut fondée deux ans plus tôt par le gouvernement colonial. Enfin, le modèle qui a posé pour la statue n'est pas John Harvard, mais plutôt un simple étudiant de l'université. À la veille des examens, nombreux sont les aspirants diplômés qui viennent frotter le soulier de Harvard, car ce geste est censé leur porter chance.

Passez à l'arrière de l'University Hall afin de rejoindre une seconde cour.

La seconde cour, appelée indifféremment New Yard ou Tercentenary Theatre, sert de théâtre à la cérémonie annuelle de remise des diplômes appelée *The Commencement*. Sur la droite s'élève la **Widener Memorial Library** *(on ne visite pas)*, édifiée en 1915, grâce à un don d'Eleanor Wilkins Widener, en mémoire de son fils Harry, qui a péri dans le naufrage du *Titanic*. Cette vaste bibliothèque Renouveau classique contient plus de trois millions de volumes. Lui fait face la **Memorial Church** ★ de 1932. L'église officielle de Harvard est un cadeau des anciens fait à leur *alma mater* en mémoire des diplômés tués au combat lors de la Première Guerre mondiale. Depuis, se sont ajoutés, sur les murs intérieurs de l'édifice, les noms de ceux qui sont morts lors de la Seconde Guerre mondiale, lors de la guerre de Corée ainsi que lors de la guerre du Vietnam. Au fond de la cour, on aperçoit le **Sever Hall**, qui abrite des salles de classe. Cette œuvre de l'architecte Henry Hobson Richardson, réalisée en 1878, témoigne d'un inhabituel souci d'intégration pour l'époque, qui fut atteinte avec brio, sans toutefois que l'artiste ait eu à renier son style très personnel.

Prenez le sentier derrière la Memorial Church qui mène à la Mayer Gate. À la sortie du Harvard Yard se dresse le **Science Center**, qui adopte la forme d'un gigantesque escalier. L'impressionnante masse du **Memorial Hall** ★ se dresse sur la droite. Le bâtiment aux allures de cathédrale gothique est en fait un centre communautaire pour les étudiants de première année. Il comprend un théâtre (Sanders Theatre), aménagé dans l'abside, et une vaste salle à manger, située dans la nef (Annenberg Hall). Le Memorial Hall se veut un hommage aux soldats diplômés de Harvard morts au cours de la guerre de Sécession. Ses 21 verrières proviennent des célèbres ateliers de Tiffany et de John La Farge.

Empruntez Kirkland Street vers l'est, puis tournez à gauche dans Oxford Street, où commence la portion du campus consacrée aux musées universitaires. Celle-ci regroupe pas moins de neuf

★ ATTRAITS TOURISTIQUES

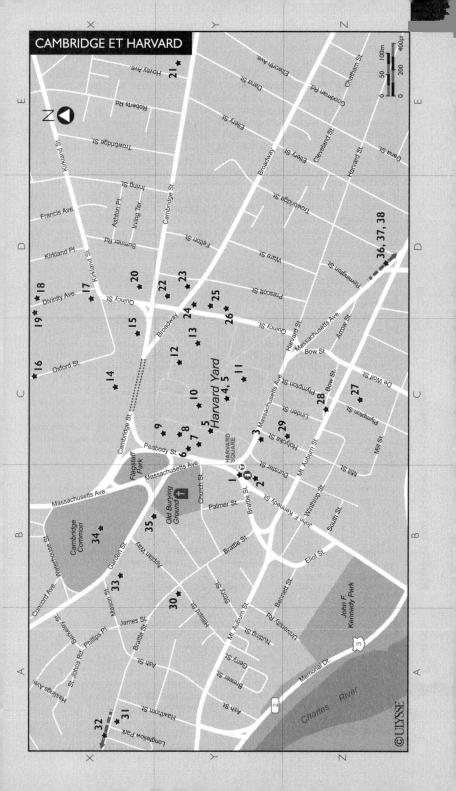

CAMBRIDGE ET HARVARD

musées (www.harvard.edu/museums), *tous très différents les uns des autres.*

Le complexe des **Harvard Museums of Natural History** ★ *(9$; tlj 9h à 17h; 26 Oxford St., ☎617-495-3045, www.hmnh.harvard.edu)* comprend un ensemble de bâtiments regroupant les musées de botanique, de zoologie et de minéralogie de l'université. Le premier abrite notamment une rare collection de fleurs en verre réalisées en Allemagne par Leopold Blashka et son fils Rudolph entre 1886 et 1936. Le second présente de nombreux fossiles ainsi que des squelettes de dinosaures, dont ceux d'un tricératops et d'un kronosaurus. Quant au troisième musée, il est réputé pour ses pierres précieuses et semi-précieuses, de même que pour sa collection de météorites.

Revenez vers Kirkland Street, que vous emprunterez vers l'est, avant de tourner à gauche dans Divinity Avenue.

À l'angle de Kirkland Street et de Divinity Avenue, on peut voir l'**Adolphus Busch Hall** *(27 Kirkland St., ☎617-495-4303)*, dans lequel ont été regroupés des moulages de plâtres effectués au XIXe siècle sur des statues médiévales allemandes et autrichiennes. Le bâtiment renferme également un bel orgue Flentop.

Le **Semitic Museum** *(dons appréciés; lun-ven 10h à 16h, sam-dim 13h à 16h; 6 Divinity Ave., ☎617-495-4631)* est un musée archéologique qui présente des collections d'objets découverts au Proche-Orient par les équipes d'archéologues de Harvard. Il se divise en trois sections: Égypte ancienne, Chypre et Irak.

Plus loin sur Divinity Avenue se trouve l'entrée principale du **Peabody Museum of Archeology and Ethnology** ★★ *(9$; tlj 9h à 17h; 11 Divinity Ave., ☎617-496-1027)*. Ce musée d'anthropologie a été fondé dès 1866 par George Peabody, ce qui en fait l'une des plus vieilles institutions du genre au monde. Il abrite une formidable collection d'objets aztèques et mayas, dont de belles pièces rapportées des campagnes de fouilles de l'université Harvard à Chichén Itzá. Une collection plus ancienne encore a été assemblée par les marchands bostoniens lors de leurs voyages dans les îles du Pacifique Sud au XIXe siècle. Un troisième volet est constitué par une collection portant sur les Amérindiens, laquelle comprend no-

tamment quelques beaux mâts totémiques provenant de la Colombie-Britannique.

Revenez une nouvelle fois vers Kirkland Avenue, que vous traverserez pour emprunter Quincy Street.

On longe alors **Gund Hall**, grand bâtiment brutaliste érigé en 1968, où loge l'école de design de Harvard. Son toit incliné, entièrement vitré, fournit un éclairage diffus aux ateliers qu'il recouvre. On traverse ensuite Cambridge Street, au nord de laquelle s'était établie au XIXe siècle une importante communauté canadienne-française. Quelques institutions de cette époque révolue ont survécu aux changements démographiques, quoique profondément transformées.

La congrégation des sœurs de la Charité, mieux connues sous le nom de Sœurs Grises, a été fondée en 1737 à Montréal par sainte Marguerite d'Youville. Chargées de prendre soin des malades et des indigents, les religieuses de cette communauté sont devenues au fil des ans de véritables professionnelles du domaine de la santé. En 1895, elles ouvraient à Cambridge le **Youville Hospital and Rehabilitation Center** *(1575 Cambridge St., ☎617-876-4344)*. De nos jours, cet hôpital prestigieux de 286 lits, affilié à l'école de médecine de l'université Harvard, est l'un des principaux centres de recherche nord-américains sur la maladie d'Alzheimer.

Les **Harvard University Art Museums** comprennent entre autres l'Arthur M. Sackler Museum, le Fogg Art Museum et le Busch-Reisinger Museum.

L'**Arthur M. Sackler Museum** ★ *(9$ incluant le droit d'accès au Fogg Art Museum et au Busch-Reisinger Museum, gratuit le mer; lun-sam 10h à 17h, dim 13h à 17h; 485 Broadway, ☎617-495-9400)* loge dans l'une des meilleures réalisations du postmodernisme aux États-Unis. Le musée propose un joyeux mélange d'art asiatique (Chine, Japon, Inde, Moyen-Orient) et d'art antique (Grèce, Empire romain, Proche-Orient). Ainsi, on passera allègrement d'une collection de jades chinois à une statue monumentale de l'empereur Trajan (IIe siècle) en parcourant à peine quelques mètres.

Un autre musée qui saura satisfaire les amateurs d'art américain et européen se trouve au sud de Broadway. Il s'agit du très classique **Fogg Art Museum** ★★ *(lun-sam 10h à 17h, dim 13h à 17h; 32 Quincy St.,* ☎*617-495-9400),* fondé en 1895. Derrière sa façade néogeorgienne se trouve une cour intérieure de style Renaissance italienne, autour de laquelle sont distribuées les différentes salles. Parmi les œuvres exposées, on peut admirer plusieurs belles toiles de Rembrandt, David (portrait en pied de Napoléon), Monet, Renoir, Degas (*Les marchands de coton*) et Picasso.

Le **Busch-Reisinger Museum** ★★ *(lun-sam 10h à 17h, dim 13h à 17h; 32 Quincy St., accès par l'entrée du Fogg Art Museum,* ☎*617-495-9400)* regroupe différentes collections provenant du monde germanique. L'amateur d'art éprouvera un plaisir immense en parcourant les salles où sont disposées des œuvres du Moyen Âge, de la Renaissance, de la Sécession autrichienne, de l'expressionnisme allemand et du Bauhaus, parmi lesquelles figurent les archives complètes de l'architecte Walter Gropius, fondateur de ce mouvement moderne honni par Hitler.

Si Gropius a révolutionné l'architecture en Allemagne grâce au Bauhaus, Le Corbusier a fait de même en France. Le premier, chassé de son pays par les nazis, s'installera aux États-Unis, où il réalisera maints ouvrages. Le second exportera son talent avec parcimonie. Ainsi, on peut admirer au sud du Fogg Art Museum l'unique réalisation d'envergure du maître en Amérique du Nord. Ayant reçu la commande du **Carpenter Center of Visual Arts** ★ *(24 Quincy St.,* ☎*617-495-3251)* en 1961, Le Corbusier prit le parti d'ériger un bâtiment fort simple qui allait donner une leçon d'humilité aux Américains. Celui-ci abrite des ateliers et des galeries d'art sporadiquement ouvertes au public. On y accède par une étrange rampe en hémicyle longeant l'édifice en béton coulé, déposé sur des pilotis.

Traversez Harvard Street puis Massachusetts Avenue afin de rejoindre De Wolfe Street. Tournez à droite dans Memorial Drive.

Une promenade le long de Memorial Drive permet de contempler, au sud, un beau panorama de la Charles River et de la Harvard School of Business Administration, située sur l'autre rive, et au nord, les **River Houses** ★★ (Quincy, Leverett, Winthrop, Eliot, Kirkland et Lowell Houses), ces imposantes résidences d'étudiants de style néogeorgien (1910-1932) qui sont beaucoup plus que de simples dortoirs. En effet, l'université Harvard a adopté le modèle britannique des *Houses*, ce qui signifie que chaque résidence est dirigée par un maître (*Master*) sous les ordres duquel se placent des tuteurs (*Tutors*) qui organisent des activités parascolaires et qui supervisent les travaux des étudiants. Les résidences possèdent toutes leur propre salle à manger ainsi qu'une bibliothèque.

Tournez à droite dans Plympton Street, puis à gauche dans Mount Auburn Street.

L'étrange bâtiment triangulaire qui se dresse à l'angle de Mount Auburn Street et de Bow Street abrite les bureaux du **Harvard Lampoon** *(44 Bow St.,* ☎*617-495-7801),* le plus ancien magazine satirique des États-Unis. Fondé en 1876, il est publié cinq fois l'an.

Continuez par Mount Auburn Street et tournez à droite dans Holyoke Street.

Autre institution typique des campus universitaires anglo-saxons, le **Hasty Pudding Social Club** *(12 Holyoke St.,* ☎*617-495-5205)* est un club social étudiant comprenant une troupe de théâtre amateur qui se produit depuis 1844. Chaque année, lors d'une cérémonie haute en couleur, le club rend hommage à un artiste connu de la scène ou du cinéma. Seuls les hommes ont le droit de jouer dans les pièces présentées au théâtre d'Holyoke Street, même s'il faut pour cela que quelques-uns d'entre eux se travestissent. L'édifice historique qui abrite le club social fait l'objet d'importantes rénovations depuis 2005. Il rouvrira ses portes à l'été 2007 sous le nom de New College Theatre, où l'on présentera toujours les pièces de la célèbre troupe de théâtre.

Revenez vers Mount Auburn Street et franchissez John F. Kennedy Street afin d'emprunter Brattle Street. Cette artère est bordée de luxueuses demeures érigées pour les familles anglicanes de Cambridge au XVIIe siècle.

Le **Loeb Drama Center** *(64 Brattle St., angle Hilliard St.,* ☎*617-495-2668)* est le principal complexe de salles consacrées au théâtre sur le campus de l'université Harvard. On y trouve deux salles: le Main Theatre de 556 places et l'Experimental Theatre de 100 places.

Le **Longfellow National Historic Site** ★ *(entrée libre; 105 Brattle St., ☎617-876-4491)* consiste en une élégante maison coloniale entourée d'un charmant jardin abondamment fleuri. La demeure, érigée en 1759 pour un marchand loyaliste, fut réquisitionné par George Washington, qui en fit le quartier général de son armée révolutionnaire pendant neuf mois (1775-1776). Elle fut plus tard offerte en cadeau de mariage au poète Henry Wadsworth Longfellow (1807-1882), qui l'habita pendant 45 ans. On doit à cet auteur, également professeur à l'université Harvard, de nombreux écrits, dont le poème «Evangeline: A Tale of Acadie», qui raconte la tragédie vécue par les Acadiens lors de la Déportation de 1755. La maison recèle plusieurs trésors, dont de beaux meubles victoriens, ainsi que des lettres de Charles Dickens et d'Abraham Lincoln. En face de la maison se trouve le Longfellow Park, qui s'étire jusqu'à la Charles River. Né à Portland (Maine), Longfellow déménagea en 1836 à Cambridge, où il mourra en 1882.

La Brattle Street de Cambridge était surnommée *Tory Row* au XVIIIᵉ siècle, car elle était bordée de nombreuses demeures bourgeoises appartenant à l'élite britannique. La plupart de ces sujets loyaux à la couronne d'Angleterre ont fui vers le Canada, à la suite de la Révolution américaine. Leurs maisons désertées ont été investies par la nouvelle bourgeoisie américaine quelques mois plus tard. C'est le cas de la **Hooper-Lee-Nichols House** ★ *(5$; mar et jeu 14h à 17h; 159 Brattle St., station Harvard Square du T, ☎617-547-4252)*, aujourd'hui ouverte au public. Le bâtiment georgien fut reconstruit en 1733 pour le docteur Richard Hooper, sur une charpente de 1685. Ses pièces sont tapissées de sujets géographiques peints à la main en France (vue du Bosphore, vue de la baie de Naples, etc.).

Revenez sur vos pas afin d'emprunter Mason Street à gauche. Tournez à droite dans Garden Street.

Le long de Mason Street et de Garden Street, on peut voir le campus semi-circulaire du **Radcliffe Institute for Advanced Study** ★ *(10 Garden St., ☎617-495-8601)*. Cet ancien collège réservé à la gent féminine a été fondé en 1879 par un comité présidé par Elizabeth Agassiz, afin de permettre aux femmes d'accéder aux études supérieures. Le Radcliffe College a officiellement fusionné avec l'université Harvard en 1999.

En face se déploie le **Cambridge Common** *(au nord de Garden St.)*, où George Washington a officiellement pris le commandement des forces révolutionnaires américaines lors de la guerre de l'Indépendance américaine.

Un peu plus loin se dresse la coquette **Christ Church** ★, entièrement revêtue de bois. Cette église épiscopale a été dessinée en 1760 par l'architecte Peter Harrison, à qui l'on doit plusieurs des monuments de Newport, au Rhode Island. Le temple avoisine un vieux cimetière où sont enterrées plusieurs personnalités de Cambridge.

Revenez vers Massachusetts Avenue, que vous emprunterez vers le sud pour vous rendre au MIT. Vous pouvez également vous y rendre en métro en descendant à la station Central Square ou à la station Kendall Square du T.

Massachusetts Institute of Technology ★ ★

Le **Massachusetts Institute of Technology** *(77 Massachusetts Ave., station Central Square ou station Kendall Square du T, ☎617-253-1000, www.mit.edu)*, ou **MIT** pour les intimes, est, avec l'université Harvard, l'institution de haut savoir la plus célèbre de la région de Boston, voire des États-Unis. Cette école d'enseignement supérieur privée, doublée de multiples laboratoires de recherche reconnus mondialement, se spécialise, depuis sa création par William Barton Rogers en 1861, dans l'étude des sciences et de la technologie. Elle a joué un rôle de premier plan dans le progrès scientifique de l'humanité au cours du XXᵉ siècle. Ainsi, des découvertes significatives, telles l'invention de la mémoire magnétique des ordinateurs et l'isolation du gène de la dystrophie musculaire, et pas moins d'une quarantaine de Prix Nobel, dont l'Américain Paul A. Samuelson (sciences économiques, 1970) et le Japonais Susumu Tonegawa (médecine, 1987), en ont émané. Le MIT est divisé en six départements (Architecture and Planning, Engineering, Humanities, Management, Science et Arts and Social Sciences), répartis sur un vaste campus implanté à Cambridge, en bordure de la Charles River, depuis 1916. Nombre de ses bâtiments modernes ont été réalisés par des architectes de renom, dont la Baker House d'Alvar

Aalto (1947) et la chapelle d'Eero Saarinen (1956), et sont agrémentés de peintures et de sculptures d'Alexander Calder, Henry Moore, Louise Nevelson et Frank Stella. Depuis l'extrémité sud de la Killian Court du pavillon principal, coiffé d'un dôme de style Renouveau classique, on bénéficie de l'une des plus belles vues sur le centre de Boston.

Le **Massachusetts Institute of Technology Museum** ★ *(5$; mar-ven 10h à 17h, sam-dim 12h à 17h; 265 Massachusetts Ave., station Central Square ou station Kendall Square du T,* ☎*617-253-4444)* est réparti dans plusieurs bâtiments disséminés sur le campus du Massachusetts Institute of Technology (voir ci-dessus). Ce musée universitaire possède la plus importante collection d'hologrammes de la planète (1 500). Sa Compton Gallery évoque l'impact du MIT sur le monde moderne, et sa Hart Nautical Collection permet aux visiteurs de contempler quelque 40 maquettes de navires, dont certaines qui datent des XVIe et XVIIe siècles.

On ne saurait visiter Cambridge sans un arrêt au tout dernier ajout conçu par l'architecte Frank Gehry, plus connu pour son musée Guggenheim à Bilbao, en Espagne. Le complexe du **Ray and Maria Stata Center** ★★★ *(32 Vassar St.)* est un édifice sculptural multicolore à plusieurs façades sorti de l'imagination «bande dessinée» de Gehry. En regardant l'incroyable édifice avec ses tours penchées, ses murs fantaisistes à angles multiples, ses fenêtres déviées, asymétriques et de travers, ses formes *Toon Town*, on croirait que l'édifice est prêt à perdre l'équilibre et à basculer. Il ne faut pas s'étonner qu'un des occupants de cette invention architecturale soit le Computer Science and Artificial Intelligence Laboratory.

Charlestown
★

Avant d'opter pour la presqu'île de Shawmut, où se trouve maintenant le centre de Boston, les premiers colons puritains, dirigés par John Winthrop, s'étaient d'abord installés sur le site de Charlestown, où ils avaient fondé un établissement en 1629. Au siècle suivant, Charlestown fut le théâtre de la bataille de Bunker Hill, l'un des plus célèbres affrontements de la Révolution améri-

caine. Cette bataille est encore décrite aux écoliers américains avec force détails; c'est donc dire toute l'importance historique de l'ancien village de Charlestown, devenu un quartier de la ville depuis sa fusion avec Boston en 1874.

Charlestown a aussi le privilège d'avoir vu naître Samuel Morse (1791-1872), l'inventeur du télégraphe électrique et du fameux code Morse. Le quartier occupe un emplacement de choix, offrant depuis ses quais et sa colline des vues superbes sur les gratte-ciel et le port de Boston. Ses maisons, distribuées le long de rues étroites et pentues, permettent au visiteur d'admirer une architecture résidentielle pavillonaire du XIXe siècle, faite de bois et de briques, dont on trouve beaucoup d'exemples dans la proche banlieue de Boston, mais fort peu dans les quartiers du centre. Les principaux attraits du circuit de Charlestown font aussi partie du circuit historique du Freedom Trail, dont on trouve le plan au **Boston Common Visitor Information Center** (voir p 72).

Le circuit débute à la sortie de la North Station du T. Empruntez Causeway Street jusqu'au sentier pédestre qui passe par les Charles River Locks et traversez le Paul Revere Park, puis longez Constitution Road pour rejoindre le Boston National Historical Park Visitor Center.

Le **Boston National Historical Park** ★★ *(entrée libre; juil et août tlj 9h à 18h, avr à juin, sept et oct tlj 9h à 17h, nov à mars tlj 9h à 16h; Constitution Rd.,* ☎*617-242-5601)* a été aménagé à l'emplacement de l'ancien chantier naval de la Marine américaine, connu sous le nom de Charlestown Navy Yard. Inauguré dès 1800, afin de doter l'armée des États-Unis d'une flotte de guerre digne de ce nom, il a employé jusqu'à 47 000 militaires et civils durant la Seconde Guerre mondiale. Le chantier, devenu désuet, fut fermé définitivement en 1974. Une portion du site a alors été ouverte au public. En plus des installations du chantier, il est maintenant possible de visiter deux navires de guerre, d'assister à un spectacle multimédia et de visiter un musée maritime interactif, particulièrement populaire auprès des enfants.

La visite des lieux s'amorce au Visitor Center, où l'on peut se procurer un plan du site. On y présente un spectacle multimédia portant sur la bataille de Bunker Hill intitulé *The Whites of their Eyes*, en référence

Boston - Attraits touristiques - Charlestown

aux paroles célèbres attribuées au commandant de l'armée révolutionnaire, le général William Prescott, qui, dans le but d'économiser les trop rares munitions des insurgés, avait demandé à ses soldats et miliciens d'attendre de voir l'ennemi dans le blanc des yeux avant de tirer.

Le **USS Constitution** ★★ *(entrée libre; tlj 10h à 15h30; ☎617-242-5670, www.ussconstitution. navy.mil)* est le principal attrait du Boston National Historical Park. Ce grand bateau à voiles, amarré au quai n° 1, est le doyen mondial des navires de guerre encore en service, puisqu'il a été lancé en 1797! Cela signifie que ce vaisseau plus que bicentenaire flotte vraiment et qu'il est doté d'un véritable équipage militaire placé sous le commandement d'un officier supérieur. Son incroyable longévité et sa résistance au combat lui ont valu le surnom de *Old Ironsides* (vieux flancs de fer), cela même si, en réalité, sa coque est faite en bois de chêne provenant des meilleurs arbres du pays. Des visites guidées du navire, commentées par des marines de la US Navy, sont offertes plusieurs fois par jour (en anglais seulement). Le *USS Constitution* fait son exercice annuel lors des célébrations de la fête nationale (le 4 juillet), alors qu'on peut l'admirer, toutes voiles dehors, dans le port de Boston.

On peut aussi visiter le destroyer **USS Cassin Young** ★, construit aux chantiers de la Charlestown Navy Yard en 1943. Il a été touché à deux reprises lors de la bataille d'Okinawa, ce qui causa la mort de 23 membres de son équipage.

Le **USS Constitution Museum** ★ *(entrée libre; mai à mi-oct tlj 9h à 18h, mi-oct à avr tlj 10h à 17h; Charlestown Navy Yard, Bdg 22, ☎617-426-1812, www.ussconstitutionmuseum.org)*, aménagé dans l'ancienne station de pompage de la cale sèche n° 1, construite en 1833, contient quelque 3 000 objets qui racontent la vie quotidienne à bord du *USS Constitution*. Les visiteurs, tous appelés à participer activement, peuvent apprendre à mettre les voiles, à tenir le gouvernail d'un navire fictif ou même à tirer un coup de canon!

Parmi les autres attraits de la Charlestown Navy Yard, mentionnons la **Commandant's House**, érigée en 1805, où logeait le directeur du chantier naval. Ce poste a été occupé par plusieurs personnalités dont le marquis de La Fayette et l'ancien président des États-Unis, James Monroe.

En passant par 5th Street, vous verrez la **Boston Marine Society Gallery** *(Building 32, First Ave., ☎617-242-0522, www. bostonmarinesociety.org)*, le petit musée de la Boston Marine Society, une association de capitaines fondée en 1742 et dévouée à la sécurité et à l'entraide aux familles de marins perdus en mer. Plus au sud se dresse le Massachusetts Korean War Veterans Memorial, dans le Shipyard Park (entre 6th St. et 8th St.). Le débarcadère de la navette maritime entre Charlestown et le Long Wharf du Boston Harbor se trouve près du parc, sur le Pier 4.

Quittez la Charlestown Navy Yard par la sortie de 5th Street. Suivez cette rue, qui prend le nom de Tremont Street une fois rendu de l'autre côté de la voie surélevée de la route 1. Tremont Street mène au Monument Square, au centre duquel trône le gigantesque Bunker Hill Monument.

La Révolution américaine avait déjà donné lieu à plusieurs échauffourées au cours du printemps de 1775, mais la première vraie bataille rangée entre les troupes britanniques et américaines eut lieu le 17 juin 1775 sur les collines de Breed's Hill et de Bunker Hill qui dominent Charlestown. Ce jour-là, les insurgés américains, mal équipés, affrontèrent les troupes britanniques qu'ils réussirent à repousser à deux reprises avant de battre en retraite lors du troisième assaut. Malgré cette défaite, les colons américains prirent soudain conscience de la possibilité d'une victoire éventuelle, ayant réussi à résister à l'assaillant pendant plusieurs heures et ayant infligé des pertes importantes à l'ennemi. En effet, près de la moitié des soldats britanniques présents furent tués ou blessés lors de la bataille.

En 1823, un comité est formé afin de trouver des fonds pour ériger un monument destiné à commémorer cet événement. Trois ans plus tard, on entreprend finalement la construction du **Bunker Hill Monument** ★★ *(entrée libre; tlj 9h à 16h30; Monument Square, ☎617-242-5641)*, cet énorme obélisque de granit gris mesurant 67 m de haut. À ses pieds se trouvent un petit musée ainsi que l'accès à l'escalier de 294 marches qui mène à l'observatoire du sommet, d'où l'on bénéficie d'un panorama très étendu de Boston (depuis le port). À noter qu'il n'y a pas d'ascenseur. On remarquera au pas-

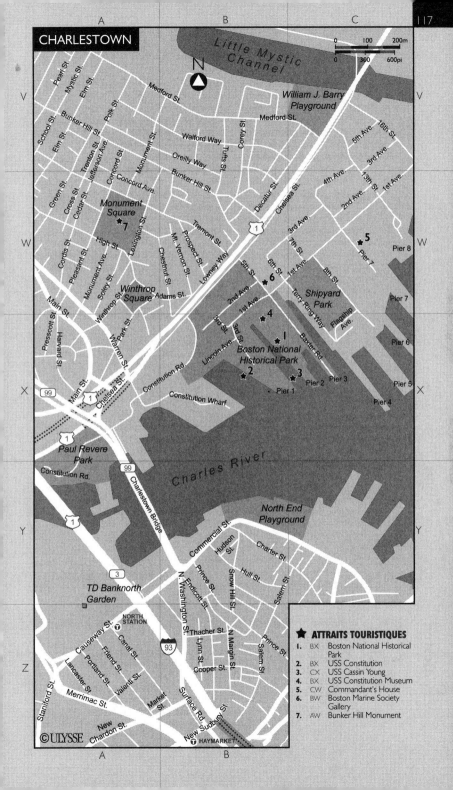

CHARLESTOWN

Little Mystic Channel

William J. Barry Playground

Medford St.
Pearl St.
Mystic St.
Elm St.
School St.
Bunker Hill St.
Polk St.
Elm St.
Walford Way
Tufts St.
Corey St.
Oreilly Way
Bunker Hill St.
Medford St.

5th Ave.
16th St.
3rd Ave.
4th Ave.
13th St.
1st Ave.
2nd Ave.

Green St.
Trenton St.
Concord St.
Jefferson Ave.
Concord Ave.
Monument St.
Decatur St.
Chelsea St.

Monument Square **7**

Cross St.
Cedar St.
Cordis St.
Pleasant St.
Monument Ave.
High St.
Lexington St.
Tremont St.
Mt. Vernon St.
Prospect St.
Lowney Way

3rd Ave.
7th St.
5
Pier 7
Pier 8

Soley St.
Winthrop Square
Adams St.
Chestnut St.
5th St.
6th St.
1st Ave.
8th St.
6
Shipyard Park
Pier 7

Main St.
Winthrop St.
Park St.
2nd Ave.
1st Ave.
4
Terry Ring Way
Flagship Ave.
Pier 6

Prescott St.
Harvard St.
Warren St.
3rd St.
3rd St.
Lincoln Ave.
1
Baxter Rd.
Pier 5

Main St.
Chelsea St.
Constitution Rd.
Boston National Historical Park
2
3
Pier 2
Pier 3
Pier 4

99
1
Constitution Wharf
Pier 1

Paul Revere Park
Constitution Rd.
99
Charles River

North End Playground

1
Charlestown Bridge
Commercial St.
Hudson St.
Charter St.

3
Prince St.
Snow Hill St.
Hull St.
Salem St.

TD Banknorth Garden
N. Washington St.
Endicott St.
Thacher St.
N. Margin St.
Prince St.
Salem St.

NORTH STATION
93
Causeway St.
Canal St.
Friend St.
Lynn St.
Cooper St.

Stanford St.
Lancaster St.
Portland St.
Valenti St.
Market St.
Surface Rd.
New Sudbury St.

© ULYSSE
Merrimac St.
New Chardon St.
HAYMARKET

★ ATTRAITS TOURISTIQUES

1. BX Boston National Historical Park
2. BX USS Constitution
3. CX USS Cassin Young
4. BX USS Constitution Museum
5. CW Commandant's House
6. BW Boston Marine Society Gallery
7. AW Bunker Hill Monument

N

0 100 200m
0 300 600pi

Les Canadiens français à Boston

Au XVIIᵉ siècle, des missionnaires catholiques du Canada se rendent à Boston à quelques reprises. Certains d'entre eux sont bien reçus, alors que les autres sont rapidement chassés de la ville, selon l'humeur des Bostoniens et de leurs dirigeants. En 1820, un petit groupe de religieuses de la communauté des ursulines de Trois-Rivières ouvre un couvent dans Federal Street, au grand plaisir du premier évêque catholique de Boston, Mᵍʳ Jean-Louis de Cheverus, un Français, qui sera par la suite nommé évêque de Bordeaux. Cette présence discrète du Canada français n'est toutefois que le prélude à une immigration beaucoup plus importante.

Vers 1840, les Canadiens français, désillusionnés par la défaite des Patriotes en 1837-1838, étouffent sur leurs terres de la vallée du fleuve Saint-Laurent au Québec. Leurs familles sont nombreuses, mais les fermes ne peuvent être subdivisées à l'infini. Malgré quelques mouvements de colonisation locaux en direction du Saguenay, puis des Laurentides et du Témiscamingue, les possibilités d'emploi demeurent trop rares. Enfin, Montréal s'industrialise rapidement, mais l'élite écossaise préfère souvent engager des ouvriers irlandais nouvellement débarqués plutôt que les Canadiens français, dont elle se méfie.

S'amorce alors une formidable vague d'émigration vers les États de la Nouvelle-Angleterre où filatures de coton, usines de chaussures, scieries et autres industries poussent comme des champignons. Les Canadiens français y trouvent facilement du travail. Ils se regroupent dans des quartiers où ils recréent le modèle traditionnel de la société québécoise de l'époque (la paroisse catholique, le couvent, la Société Saint-Jean-Baptiste, les zouaves pontificaux, etc.), ce qui ne sera pas sans créer de heurts avec le clergé d'origine irlandaise. Dans la région de Boston, la communauté canadienne-française s'agglutine autour des usines des villes de Charlestown, Dedham, Lowell, Newton, North Cambridge, Quincy et Waltham.

Le mouvement migratoire des Canadiens français vers les États-Unis ne s'estompera qu'avec le krach de 1929, alors que les possibilités d'emploi au pays de l'Oncle Sam sont à leur plus bas. On estime à 900 000 le nombre de Canadiens français qui ont quitté le Québec et l'Acadie pour la Nouvelle-Angleterre entre 1840 et 1930. De nos jours, les recensements révèlent que 12 millions d'Américains sont d'origine canadienne-française. Malheureusement, seul un très faible pourcentage d'entre eux s'expriment toujours en français, et dans plusieurs cas ils ont changé leur nom: aussi monsieur Leblanc est-il devenu Mr. White... Le plus célèbre de ceux qu'on appelle désormais les Franco-Américains est sans contredit l'écrivain Jack Kerouac.

sage les belles demeures de style Federal et Greek Revival qui ceinturent Monument Square.

Quittez Monument Square par Monument Street. Tournez à gauche dans Warren Street puis à droite dans Constitution Road. Traversez le Charlestown Bridge afin de retourner au centre de Boston. Vous pouvez aussi retourner à Boston par la navette maritime.

Les environs de Boston
★★

Les quartiers et les villes de banlieue répartis plus ou moins loin autour de Boston sont, pour la plupart, d'anciens villages de l'époque coloniale, où ont été préservés de nombreux trésors des XVIIᵉ et XVIIIᵉ siècles, aujourd'hui accessibles au public. Certains de ces villages sont devenus, au siècle suivant, des stations balnéaires à la mode, implantées en bordure de l'océan Atlantique, puis des banlieues cossues qui portent toujours bien haut le flambeau de la culture et de la réussite nord-américaine.

Leurs rues ombragées, bordées de grandes maisons revêtues de clin de bois, mènent souvent à la plage et aux yacht-clubs.

Ce circuit, qui se parcourt aisément en voiture, forme une ellipse autour du centre de Boston et est divisé en trois: au sud, à l'ouest et au nord de Boston. Les autoroutes 93 et 95 servent de fil conducteur. Le trajet, qui peut faire l'objet d'un voyage en lui-même (que l'on entrecoupera de nuitées dans les charmantes auberges de la région), permet, en plusieurs endroits, de bénéficier de vues panoramiques sur la mer et la campagne environnant Boston.

Prenez note que certaines des villes et localités décrites sont aussi accessibles en transport en commun.

Dorchester

L'ancien village de Dorchester fut annexé à Boston en 1870, pour ensuite devenir l'une des premières véritables banlieues de l'agglomération. Le secteur regroupe de beaux exemples d'architecture résidentielle de styles Queen Anne, Shingle et néogeorgien datant de la fin du XIXe siècle. Ces habitations arborent fièrement leurs tours et leurs vérandas, qui multiplient depuis chaque maison les points de vue sur la mer. Dorchester possède l'un des campus de l'université du Massachusetts, installé sur le cap de Columbia Point.

À l'extrémité est de Columbia Point se trouve la **John Fitzgerald Kennedy Library and Museum** ★ ★ *(8$; tlj 9h à 17h; Columbia Point, station JFK-UMass du T,* ☎*617-514-1600 ou 866-535-1960, www.jfklibrary.org),* consacré à la vie, à la carrière et à l'époque du 35e président des États-Unis, John F. Kennedy (1917-1963). La bibliothèque et le musée sont regroupés dans un imposant bâtiment moderne (I.M. Pei, architecte, 1979), érigé en bordure de l'océan Atlantique. Un immense atrium de verre accueille le visiteur, qui peut voir des extraits de discours et d'entrevues, des documents et des objets liés à l'ancien président et à sa famille. Cette institution, qui fait partie d'un réseau de 11 bibliothèques présidentielles à travers les États-Unis, est aussi le dépositaire des archives du poète Henry Wadsworth Longfellow, né en 1807 à Portland (Maine) et déménagé en 1836 à Cambridge, où il mourra en 1882.

Le **Commonwealth Museum and Massachusetts Archives** *(entrée libre; lun-ven 9h à 17h, 2e et 4e sam du mois 9h à 15h; 220 Morrissey Blvd.,* ☎*617-727-9268, www.sec.state.ma.us/sec/mus/museum)* avoisine la bibliothèque présidentielle. On y présente des expositions de documents historiques manuscrits et des cartes anciennes du Massachusetts, ainsi que des artefacts découverts lors de différentes campagnes de fouilles archéologiques dans la région de Boston.

Le **Dorchester Heights National Historic Site** *(entrée libre; tlj 24h/24; Telegraph Hill Park, www.nps.gov)* évoque la fortification de la Telegraph Hill (colline du télégraphe) par les troupes révolutionnaires en mars 1776. Une tour commémorative en marbre y fut construite en 1898.

L'extrémité est de Pleasure Bay est dominée par le **Fort Independence** ★ *(entrée libre; mai à oct sam-dim 12h à 15h30; Castle Island Park,* ☎*617-727-5290)* de Castle Island. Il s'agit d'un ouvrage bastionné en granit, de forme pentagonale, érigé entre 1834 et 1851. Le fort, d'abord destiné à garder l'entrée du port de Boston, a servi de camp d'entraînement et d'internement lors de la guerre de Sécession. Des reconstitutions d'exercices et de parades militaires y sont fréquemment présentées.

Milton

Les premiers colons qui se sont établis à Milton, en 1636, ont voulu rendre hommage à la ville de Milton dans le Dorset, en Angleterre. Milton (Massachusetts) est la patrie de George Bush père, qui fut le 41e président des États-Unis (1989-1993) et de l'architecte Buckminster Fuller.

Planté au milieu d'un grand parc, le **Captain Forbes House Museum** ★ *(8$; visites guidées obligatoires, en français sur réservation, dim et mer 13h et 16h; 215 Adams St.,* ☎*617-696-1815, www.forbeshousemuseum.org)* loge dans l'ancienne demeure du marchand et philantrope Robert Forbes (1804-1889). La maison cubique, de style Greek Revival, a été construite en 1833. Elle renferme des meubles victoriens et des porcelaines chinoises issues de la China Trade que pratiquait avec succès le capitaine Forbes. On peut en outre y voir divers souvenirs du président américain Abraham Lincoln, qui était un ami de la famille.

Quincy ★★

Ville côtière de 85 000 habitants, Quincy illustre mieux que toute autre la mainmise des grandes familles de la région de Boston sur la vie politique de la nation, puisque deux présidents des États-Unis y ont vu le jour (John Adams et John Quincy Adams), ce qui lui a valu le surnom de «City of Presidents». Quincy a d'abord été un village colonial pittoresque avant de devenir une ville industrielle, connue pour ses carrières de granit et ses chantiers maritimes. De nos jours, cette banlieue aisée, située sur la côte découpée de l'océan Atlantique, est renommée pour ses quartiers résidentiels paisibles, ses maisons historiques, ses plages, ses marinas et ses parcs boisés. À noter qu'il faut prononcer «Quin-zi», sous peine de sarcasmes de la part des résidants de l'endroit!

Les familles Adams et Quincy figurent en bonne place au sein de l'«aristocratie» de la Nouvelle-Angleterre. Elles habitent toutes deux cette région depuis le XVIIᵉ siècle, ont grandement contribué à l'histoire des États-Unis et ont fait ériger, dans leur ville de Quincy, plusieurs bâtiments à la fois dignes et sobres, qu'elles ont occupés de 1720 à 1927. La plupart d'entre eux font aujourd'hui partie du **Adams National Historical Park ★★** *(5$; mi-avr à mi-nov tlj 9h à 17h; 1250 Hancock St., station Quincy Center du T, ☎617-770-1175, www.nps.gov/adam).*

La visite du site débute au **Visitor Center** *(1250 Hancock St., dans la Galleria de Presidential Place, stationnement à l'arrière),* d'où une navette gratuite amène les visiteurs sur les différents sites répartis dans la ville. Parmi les 11 bâtiments historiques du Adams National Historical Park, mentionnons la **John Adams Birthplace** *(133 Franklin St.),* soit la maisonnette où est né le 2ᵉ président des États-Unis, John Adams (1735-1826); la **John Quincy Adams Birthplace** *(141 Franklin St.),* lieu de naissance du 6ᵉ président des États-Unis et fils du précédent, John Quincy Adams (1767-1848); l'**United First Parish Church and Adams Crypt ★** *(4$; tlj 9h à 17h; 1306 Hancock St.),* construite en 1828 selon les plans d'Alexander Parris, où ils sont tous deux inhumés, de même que leurs épouses respectives. On surnomme volontiers ce temple unitarien «The Church of the Presidents». La pièce maîtresse du site est cependant l'**Old House ★★** *(135 Adams St.),* cette grande maison coloniale

datant de 1731 où ont habité quatre générations d'Adams. On y retrouve notamment une bibliothèque présidentielle renfermant quelque 14 000 volumes.

Les amateurs d'architecture ne manqueront pas de faire un petit pèlerinage à la **Crane Library ★** *(entrée libre; lun-jeu 9h à 21h, ven-sam 9h à 17h, dim 13h à 17h; 40 Washington St., ☎617-376-1301, www.thomascranelibrary.org).* Cette minuscule bibliothèque publique, érigée en 1882, est l'une des plus célèbres du pays, grâce à l'équilibre parfait de ses lignes néoromanes, tracées par l'architecte Henry Hobson Richardson. Ses fenêtres sont décorées de beaux vitraux de John LaFarge.

Le **US Naval and Shipbuilding Museum and USS Salem** *(5$; mai à sept tlj 10h à 16h, oct à avr sam-dim 10h à 16h; 739 Washington St., ☎617-479-7900)* a ouvert ses portes en 1994 à l'emplacement du chantier maritime de la Bethlehem Steel, autrefois très actif sur les bords de la Fore River. On peut notamment y visiter de fond en comble une frégate de la marine américaine construite sur place en 1947.

D'autres maisons historiques attendent les visiteurs au centre de Quincy, dont la coquette **Quincy Homestead ★** *(3$; mai à mi-oct mer-dim 10h à 16h30, réservations requises; 34 Butler Rd., ☎617-742-3190),* érigée par étapes entre 1686 et 1706, puis restaurée et ouverte au public dès 1910, sous les auspices de la très respectable National Society of the Colonial Dames of Massachusetts. La belle maison de bois, coiffée d'un toit mansardé surmonté d'une *widow's walk* (promenade de veuve), a vu grandir Dorothy Quincy, qui allait plus tard épouser le patriote **John Hancock**. On l'imagine facilement cueillant du fenouil dans le jardin d'herbes aromatiques ou déambulant au milieu du verger de poiriers, deux aires de verdure qui font aujourd'hui le bonheur des touristes.

Il ne faut pas confondre le Quincy Homestead avec la **Josiah Quincy House** *(3$; visites guidées: juil et août sam-dim 11h à 16h aux heures; angle Beach St. et Muirhead St., ☎617-227-3957),* qui, quoique plus récente (1770), n'en présente pas moins un certain intérêt. La maison fut construite pour l'avocat et homme d'État Josiah Quincy, qui, depuis sa terrasse faîtière, analysait les mouvements des troupes britanniques pendant la Révolution américaine, pour ensuite les rapporter à George Washington.

Dedham

En 1643, la colonie du Massachusett a été subdivisée en quatre *counties*: Essex, Middlesex, Suffolk et Norfolk. La ville de Dedham est, depuis 1793, le siège administratif de ce dernier comté. L'agglomération de 30 000 habitants a vu s'implanter de nombreuses usines textiles au milieu du XIXᵉ siècle, attirant du coup une abondante main d'œuvre canadienne-française en provenance du Québec. En 1921, Dedham a été le théâtre du procès le plus célèbre des annales judiciaires américaines, celui des anarchistes italiens Sacco et Vanzetti, faussement accusés du meurtre d'un trésorier d'usine dans la ville voisine de South Braintree. Ils furent tous deux pendus en 1927, puis... réhabilités 50 ans plus tard.

Les historiens d'art nord-américains comparent la **Fairbanks House** ★ *(droit d'entrée; visites guidées obligatoires, en anglais seulement; mai à oct mar-dim 13h à 16h; 511 East St.,* ☎*781-326-1170)* à «une relique de la vraie Croix» *(A piece of the true Cross)*, puisqu'il s'agit réellement de la maison de bois la plus ancienne des États-Unis. Plusieurs bâtiments prétendent à ce titre fort convoité, mais ont été tellement restaurés qu'on ne sait plus ce qui est d'époque et ce qui ne l'est pas. Ce n'est pas le cas de la Fairbanks House, construite en 1636 par Jonathan Fayerbanke, soit six ans seulement après la fondation de Boston. Cette humble maison de ferme a vu grandir huit générations de la famille Fairbanks, avant d'être transformée en musée privé par ses descendants en 1903. Ses murs, sa charpente, son mobilier et ses objets usuels datent véritablement du XVIIᵉ siècle. On peut ainsi voir comment vivaient les premiers colons de la Nouvelle-Angleterre.

Waltham

Waltham, ville d'inventions et de progrès, est considérée par plusieurs comme le berceau de la révolution industrielle aux États-Unis. En effet, Francis Cabot Lowell y perfectionne, dès 1814, une machine à filer le coton, inventée en Angleterre. On fera alors de ce coton un beau tissu bien lisse qui servira à fabriquer des vêtements pour les masses. Waltham a également accueilli des ateliers d'horlogerie où ont été fabriquées des millions de montres depuis 1854. De nos jours, cette banlieue de Boston, dont la population s'élève à 60 000 résidants, est surtout connue pour ses nombreuses industries de haute technologie.

Le petit **Charles River Museum of Industry** *(5$; jeu-sam 10h à 17h; 154 Moody St.,* ☎*781-893-5410)* relate les débuts de l'industrialisation aux États-Unis à l'aide d'une collection d'outils et de machineries glanée un peu partout à travers le Massachusetts.

Gore Place ★ ★ *(10$, visites guidées obligatoires, en anglais seulement, lun-ven départ à 13h; 52 Gore St., près de Main St.,* ☎*781-894-2798)* est un magnifique domaine comprenant un parc à l'anglaise, une ferme où sont élevés des moutons et une élégante demeure en briques rouges comptant 22 pièces. Celle-ci fut dessinée en 1805 par l'architecte français Guillaume Legrand pour Christopher Gore, septième gouverneur du Massachusetts. Le marquis de La Fayette a été reçu dans les pièces ovales aux délicats meubles de style Federal. À noter que le parc est ouvert au public du lever au coucher du soleil.

Lincoln ★

On s'émerveillera devant les belles demeures de cette banlieue cossue de Boston où tout semble parfait. Ses bâtiments, de styles et d'époques variées, bordent des chemins sinueux qui s'inscrivent dans un paysage vallonné. Lincoln est à l'image des vieilles familles de la région de Boston, qui, d'héritage en héritage, ont pu donner à leurs enfants un niveau et une qualité de vie exceptionnels, enviés du monde entier.

Le **DeCordova Museum and Sculpture Park** *(9$; mar-dim 11h à 17h; 51 Sandy Pond Rd.,* ☎*781-259-8355, www.decordova.org)* est un centre d'exposition, de préservation, de collection et d'interprétation d'art du XXᵉ siècle. La propriété, cédée en 1930 à la ville de Concord par le riche homme d'affaires Julian DeCordova (1851-1945), comprend un musée, une école d'art, un parc, une boutique et un café-restaurant. Le musée expose surtout des œuvres du XXᵉ siècle provenant de la Nouvelle-Angleterre.

L'Allemand Walter Gropius (1883-1969) fut l'un des principaux maîtres à penser du mouvement moderne en architecture. En 1919, il fonde le Bauhaus, connu pour ses réalisations novatrices. L'arrivée au pouvoir d'Hitler l'incite à quitter l'Allemagne pour l'Angleterre, puis pour les États-Unis, où il enseigne à la Harvard's School of Design à partir de 1937. La même année, il entreprend la construction de la **Gropius House** ★ *(10$; visites guidées juin à mi-oct mer-dim, mi-oct à mai sam-dim 11h à 16h aux heures; 68 Baker Bridge Rd.,* ☎*781-259-8098),* qu'il va habiter jusqu'à sa mort. Sa maison est l'un des premiers bâtiments modernes de la Nouvelle-Angleterre. Elle reflète les idéaux de simplicité du Bauhaus, axés sur l'utilisation de matériaux contemporains. Derrière ses murs revêtus de stuc blanc, on peut voir les quelques pièces, dotées d'un mobilier de verre et de métal dessiné en 1938 par l'architecte hongrois Marcel Breuer, à qui l'on doit notamment le siège de l'UNESCO à Paris.

Non loin de la Gropius House se trouve la **Codman Estate** *(10$; visites guidées juin à mi-oct sam-dim 11h à 16h aux heures; The Grange, Codman Rd.,* ☎*781-259-8843),* fort différente de la première. Érigée vers 1740, et agrandie à plusieurs reprises, cette maison de bois sert d'écrin à une collection de meubles américains et européens des XVIIIᵉ et XIXᵉ siècles. Un jardin à l'italienne, dessiné en 1900, en agrémente l'extérieur.

Concord ★ ★

Sous ses airs paisibles et cossus, comme en témoignent les nombreuses villas coloniales qui parsèment ses boisés, Concord, fondée en 1635, cache un passé qui marqua l'histoire politique et littéraire des États-Unis.

Au XIXᵉ siècle, Concord servit de toile de fond à une révolution intellectuelle et fut témoin de l'émergence d'un important courant de pensée, le transcendantalisme. Elle vit déambuler dans ses rues quelques-uns des personnages les plus influents du monde intellectuel et littéraire de l'époque: Ralph Waldo Emerson, Henry David Thoreau, Nathaniel Hawthorne, Margaret Sydney, Bronson Alcott et sa fille Louisa May Alcott. Leurs demeures (certaines avec leur mobilier d'époque) sont accessibles au public, et des visites commentées de qualité sont offertes à l'intérieur de la plupart d'entre elles.

Peu importe que vous soyez un fervent lecteur des penseurs qui habitèrent Concord, la visite de leurs demeures vous replongera dans l'atmosphère du XIXᵉ siècle. Bien entendu, pour les lecteurs assidus, le circuit des auteurs de Concord est un véritable pèlerinage qui permet de se retrouver dans l'environnement qui permit un tel foisonnement littéraire.

Le **Concord Visitor Center** *(avr à oct tlj 9h30 à 16h30; 58 Main St.,* ☎*978-369-9609, www. concordmachamber.org)* propose des tours guidés en saison. Vous y trouverez de l'information sur l'histoire de Concord et des cartes de la région.

Henry David Thoreau a fortement marqué de sa présence l'actuelle **Walden Pond State Reservation** ★ *(stationnement 5$; tlj 7h à 17h; route 126,* ☎*978-369-3254).* Pendant deux ans, soit entre 1845 et 1847, Henry David Thoreau vécut en retrait du monde dans une petite cabane de bois construite à côté du Walden Pond. Thoreau tenta, par cette expérience, de comprendre et de mettre en valeur le lien unissant l'homme et la nature, idée au centre du transcendantalisme. Si le site a de nos jours perdu beaucoup de sa tranquillité, il n'en demeure pas moins charmant, et il est possible d'y pratiquer dans l'étang la pêche, la natation de même que de la randonnée tout autour.

En 1835, Emerson emménagea dans ce qui devint la **Ralph Waldo Emerson House** *(6$; mi-avr à mi-oct jeu-sam 10h à 16h30, dim 12h à 17h; 28 Cambridge Turnpike Rd., angle Lexington Rd.,* ☎*978-369-2236, www.rwe.org)* et y habita jusqu'à sa mort, en 1882. L'intérieur a été depuis conservé, et la visite permet de voir les lieux tels qu'ils étaient habités à l'époque de son célèbre résident.

Juste en face, fondé en 1886, le **Concord Museum** ★ *(8$; jan à mars lun-sam 11h à 16h, dim 13h à 16h; avr à déc lun-sam 9h à 17h, dim 12h à 17h; 200 Lexington Rd., entrée par Cambridge Turnpike Rd.,* ☎*978-369-9609 ou 978-369-9763, www.concordmuseum.org)* abrite différentes expositions d'arts décoratifs, d'artefacts liés à la Révolution américaine, de même que des meubles et effets personnels ayant appartenu à Henry David Thoreau et à Ralph Waldo Emerson.

The Wayside ★ *(5$ visite guidée de 35 min; mai à fin oct mar-dim 10h à 16h30; 455 Lexington Rd.,* ☎*978-318-7863)* accueillit sous son toit plusieurs figures littéraires imminentes du XIXᵉ siècle. Nathaniel Hawthorne acheta la demeure des mains de Bronson Alcott, qui y vécut avec sa famille à partir de 1845 avant d'emménager à l'Orchard House. Hawthorne habita la maison jusqu'à sa mort, en 1864. La maison appartint ensuite à Harriett Lothrop, auteure de livres pour enfants publiés sous le pseudonyme de Margaret Sydney, qui y rédigea *Five Little Peppers* et qui laissa le mobilier actuel.

Les fervents admirateurs de Louisa May Alcott, auteure du roman *Les Quatre Filles du Docteur March* (*Little Women*), ne manqueront pas de se retremper dans l'atmosphère de la **Louisa May Alcott's Orchard House** ★★ *(8$; avr à oct lun-sam 10b à 16b30, dim 13b à 16b30; nov à mars lun-ven 11b à 15b, sam 10b à 16b30, dim 13b à 16b30; fermé les deux premières semaines de janvier; 399 Lexington Rd., ☎978-369-4118, www.louisamayalcott.org)*, qui servit de toile de fond à l'œuvre. La famille de Bronson Alcott, père de Louisa May, philosophe, écrivain et fervent adepte du transcendantalisme, y vécut pendant 20 ans entre 1858 et 1877. Les chambres ont conservé leur mobilier d'origine ainsi que plusieurs objets ayant appartenu à Bronson Alcott, à sa femme et à leurs quatre filles.

C'est entre les murs de l'**Old Manse** ★★ *(8$; mi-avr à fin oct lun-sam 10b à17b, dim 12b à 17b; 269 Monument St., ☎978-369-3909, www. oldmanse.org)* que Ralph Waldo Emerson, éminent poète et essayiste, rédigea son essai *Nature* en 1834, dans lequel il développe ses idées sur le transcendantalisme. Nathaniel Hawthorne et sa femme Sophia habitèrent la maison entre 1842 et 1845, et les panneaux des fenêtres portent encore les traces de leurs graffitis amoureux. Le mobilier des chambres date des XVIIIᵉ et XIXᵉ siècles.

Le **Sleepy Hollow Cemetery** permet aux fervents admirateurs des intellectuels de Concord de leur rendre un dernier hommage. Un petit promontoire dénommé **Author's Ridge** a été aménagé pour Bronso Alcott et sa fille Louisa May, ainsi que pour Ralph Waldo Emerson, Nathaniel Hawthorne et Henry David Thoreau. Le sculpteur Daniel Chester French et l'architecte Walter Gropius reposent également au Sleepy Hollow Cemetery.

Minute Man National Historical Park

Selon votre intérêt pour la guerre de l'Indépendance américaine, la durée de la visite du parc peut varier entre une demi-heure et une journée. Il est vrai cependant que, si l'histoire ne vous retient pas sur les lieux, la beauté du site le fera peut-être, de même que les sentiers de randonnée. Créé en 1959 afin de protéger les lieux associés à la Révolution américaine de même que quelques demeures de l'âge d'or littéraire de Concord, ce parc de 390 ha s'étend entre les villes de Concord et de Lexington. Le parc est ouvert du lever au coucher du soleil.

À Concord, vous trouverez au **North Bridge Visitor Center** *(tlj 9b à 17b; 174 Liberty St., Concord, ☎978-369-6993)* de l'information sur les activités du parc, et vous pourrez vous joindre à des groupes pour des visites historiques offertes gratuitement. Vous verrez non loin une réplique de l'**Old North Bridge**, le pont enjambant la rivière Concord, où les colons réussirent à tenir tête aux troupes britanniques dans la nuit du 19 avril 1775. Le sculpteur Daniel Chester French y réalisa une œuvre représentant un *Minuteman* armé d'un fusil.

Si vous arrivez de Boston, le **Minute Man Visitor Center** *(avr à oct tlj 9b à 17b, nov à mars tlj 9b à 16b; de l'autoroute I-95, prendre la sortie 30B, puis la route 2A, Lexington, ☎781-674-1920, www.nps.gov/mima)* est le point de départ idéal pour la visite du Minute Man National Historical Park. Vous y trouverez de l'information sur l'histoire du parc et les possibilités d'activités de plein air, de même que sur la région. On présente un documentaire de 25 min sur les événements du 19 avril 1775.

Lexington

La voisine de Concord, Lexington, fondée en 1640, fut témoin des premiers coups de feu échanger entre les troupes britanniques bien entraînées et les colons mal pourvus en armes; la bataille du 19 avril 1775, qui débuta à Lexington avant que les troupes britanniques ne marchent vers Concord, signa le début des affrontements qui menèrent à l'indépendance des États-Unis, le 4 juillet 1776. Les événements de cette soirée sont commémorés au Minute Man National

Boston - **Attraits touristiques** - Les environs de Boston

Historic Park, qui s'étend entre Concord et Lexington.

Le **Lexington Visitor Center** *(tlj 9h30 à 16h30; 1875 Massachusetts Ave.,* ☎*781-862-2480, www. lexingtonchamber.org)* propose des tours guidés en saison. Vous y trouverez de l'information sur l'histoire de Lexington, un diorama et des cartes de la région.

Le **Lexington Green**, surnommé le Battle Green Park, est aujourd'hui dominé par la **Minuteman Statue** (1900). C'est à cet endroit que, le 19 avril 1775, environ 75 *Minutemen*, avertis par Paul Revere, attendirent quelque 700 Britanniques envoyés de Boston pour détruire leurs provisions militaires, et que le premier coup de feu de la Révolution américaine retentit. De cet endroit, les Britanniques progressèrent ensuite vers Concord, où des embuscades les repoussèrent vers Boston après qu'ils eurent essuyé des pertes significatives.

Tout près du Lexington Green, trois bâtiments de l'époque coloniale témoignent des événements de la nuit du 19 avril 1775. Ils sont ouverts aux visiteurs. C'est à la **Buckman Tavern** ★ *(1 Bedford St.,* ☎*781-862-1703, www.lexingtonhistory.org)*, qui date de 1710, que se rassemblèrent les *Minutemen* après avoir reçu le message de Paul Revere, tandis que la **Munroe Tavern** *(1332 Massachusetts Ave.,* ☎*781-862-1703, www.lexingtonhistory. org)*, qui date de 1695, accueillit les blessés britanniques après la bataille et leur servit de quartier général. La chevauchée légendaire de Paul Revere au départ de Boston la nuit du 19 avril 1775 le conduisit à la **Hancock-Clarke House** *(36 Hancock St.,* ☎*781-862-1703, www.lexingtonhistory.org)*, construite en 1698 et qui abrita Samuel Adams et John Hancock.

Saugus

Au XVIIᵉ siècle, la région de Saugus réunissait toutes les conditions favorables à l'aménagement d'un complexe de forge. En effet, on retrouvait du gabbro (roche éruptive) sur la presqu'île de Nahant, du minerai de fer dans les marais de Lynn (la matière première), du bois à profusion dans les forêts de Wakefield (la principale source d'énergie calorique lorsque transformé en charbon) et de l'eau à satiété dans la Saugus River (la principale source

d'énergie motrice servant à actionner les outils de forge).

Le **Saugus Iron Works National Historic Site** ★ ★ *(en reconstruction, réouverture prévue en juil 2007; entrée libre; avr à oct 9h à 17h, nov à mars tlj 9h à 16h; 244 Central St.,* ☎*781-233-0050)* occupe l'emplacement de la première forge en Amérique du Nord, aménagée dès 1646. Baptisée *Hammersmith*, la forge fut en exploitation durant une vingtaine d'années. Seule la maison du maître de forge a résisté au temps. Il s'agit d'un précieux exemple d'architecture coloniale, influencée par la mode élisabéthaine (nombreux pignons, encorbellements décorés de pendants, cheminée centrale et massive). Les autres bâtiments du site sont des reconstitutions où des guides et des expositions évoquent la technologie de l'époque, le marché du fer dans les colonies anglaises et le travail au quotidien des ouvriers.

Revere

À la Belle Époque, Revere était une station balnéaire réputée où accouraient les Bostoniens pendant la canicule. Les gens de la capitale s'y rendaient à bord d'un petit train à vapeur, inauguré en 1875. Ils s'y baignaient dans l'océan Atlantique ou s'étendaient sur la plage de sable fin, propriété de l'État. Au fil des ans, un parc d'attractions, un immense quai (Ocean Pier), des salles de danse, des hôtels et des restaurants se sont greffés au site. Malheureusement, Revere a connu un long déclin après 1943, année où le train a été réquisitionné dans le cadre de l'effort de guerre. Peu à peu, les palais de carton-pâte ont disparu pour faire place à des stationnements et à de simples pelouses.

Revere Beach ★ *(en bordure d'Ocean Avenue, station Revere Beach du* T*)* est une belle plage publique de sable fin, située à quelques minutes du centre de Boston. Il est même possible de s'y rendre en transport public. On remarquera, à proximité, le poste de police de style néo-Renaissance doté d'une tour fort originale (1899).

Winthrop

Située au sud de Revere Beach, la petite ville résidentielle de Winthrop est entourée par les eaux salées de l'océan Atlantique sur trois côtés, offrant à ses citoyens

Le paysagiste de Boston

Frederick Law Olmsted, qui a également conçu le Central Park de New York et le parc du Mont-Royal de Montréal, est reconnu comme le père de l'architecture de paysage américaine et le plus grand paysagiste de la nation. Après sa mort en 1903, ses fils et successeurs ont développé ses idéaux à partir de «Fairsted», à Brookline, le premier cabinet professionnel d'architecture de paysage à part entière du monde, et l'on y retrouve aujourd'hui le **Frederick Law Olmsted National Historic Site** *(entrée libre; ven-dim; 99 Warren St., Brookline, ☎617-566-1689, www.nps.gov/frla).* Le parc est en réaménagement jusqu'en 2008.

Les Olmsted ont par ailleurs joué un rôle de premier plan dans la création du National Park Service (Service des parcs nationaux). F. L. Olmsted, Jr. a lui-même écrit les mots qui ont servi de fondement à la législation créant ce service en 1916: *Pour préserver le paysage ainsi que les objets naturels ou historiques et la faune qui s'y trouve, et pour en favoriser la jouissance de façon telle et par des moyens tels qu'ils seront maintenus en l'état pour le plaisir des générations futures.*

des vues spectaculaires sur la mer et sur... l'aéroport international de Boston, qui leur donne par ailleurs bien des maux de tête, causés par les gros porteurs qui passent directement au-dessus de leurs maisons, à très basse altitude.

Deer Island a été rattachée à la terre ferme en 1936. Elle constitue un lieu propice à l'observation des oiseaux marins. La ville de Boston y a aménagé un important centre de traitement des déchets en 1999. Par temps clair, on aperçoit, de l'autre côté du havre, le **Fort Independence** (voir p 119).

Parcs

Charles River Reservation
★ ★ ★

La plupart des activités de plein air à Boston se pratiquent sur la **Charles River** *(www.mass.gov/dcr/parks/metroboston/charlesR.htm)* ou sur ses berges. Cette rivière de 103 km de long coule lentement de la ville de Hopkinton, au barrage où se trouve le Museum of Science. La majorité des activités récréatives riveraines ont cours sur les quelque 6 km qui séparent le barrage du pont de la Boston University (BU).

Le **Charles River Basin** se prête fort bien à la marche, à la course à pied, au vélo, au patin à roues alignées, à l'aviron, à la navigation de plaisance ou à la simple flânerie. La meilleure façon de profiter du bassin depuis la terre ferme consiste à emprunter la **Paul Dudley White Bike Path** ★ ★ ★. Le docteur Paul Dudley White (1886-1973), qui a donné son nom à cette voie cyclable, a été intronisé au U.S. Bicycling Hall of Fame (temple de la renommée du vélo). Diplômé de la Harvard Medical School, il était non seulement un cardiologue de réputation mondiale, mais aussi un fervent adepte du deux-roues. Il faisait quotidiennement du vélo pour avoir pris conscience des bienfaits de cette activité en ce qui a trait au développement cardiovasculaire. Il a par ailleurs lancé les premières campagnes de sécurité à vélo, et ouvert la première piste cyclable moderne sur l'île de Nantucket en 1960.

La piste qui porte son nom déroule son ruban sur toute la longueur de la réserve, et ce, des deux côtés de la rivière, pour un total de 27 km, et se prête on ne peut mieux à la pratique de la marche, de la course à pied, du vélo et du patin à roues alignées. Le tracé en devient passablement encombré les fins de semaine d'été, de sorte qu'il faut rester alerte et prêter l'oreille aux cris répétés des cyclistes et des patineurs qui vous lancent des *«On your left!»* (Sur votre gauche!) pour vous prévenir qu'ils s'apprêtent à vous doubler.

La piste croise le Massachusetts Institute of Technology (MIT), la Boston University (BU) et la Harvard University, et les nombreux ponts qui enjambent la rivière Charles permettent aux marcheurs, aux coureurs et aux cyclistes de composer des itinéraires variés.

Le parc linéaire central, un espace vert sillonné de sentiers entre les ponts Harvard *(Massachusetts Ave.)* et Longfellow, du côté de Boston, porte le nom d'**Esplanade**. Il accueille deux terrains de jeu, des collines paysagées, des étangs, des passerelles et une scène de concert en plein air très populaire, soit le **Hatch Memorial Shell** (voir p 151).

La Charles River Reservation offre en outre presque autant de possibilités d'activités sur l'eau que sur la terre ferme, qu'il s'agisse d'aviron, de canot, de kayak, de petits voiliers, voire de planche à voile, les adeptes de tous ces sports étant ici très nombreux. Les équipes d'aviron d'Harvard et de la BU s'entraînent d'ailleurs dans le bassin, et les courses disputées sur la rivière Charles comptent parmi les plus réputées du monde.

Pour de plus amples renseignements sur la Charles River Reservation, composez le ☎617-698-1802.

- -
Emerald Necklace
★ ★ ★

Vers la fin du XIXᵉ siècle, l'administration de Boston a demandé à l'architecte paysagiste Frederick Law Olmsted de concevoir un parc linéaire qui s'étendrait du Boston Common à West Roxbury. En joignant les espaces verts existants à des parcs de son cru, Olmsted a ainsi créé l'**Emerald Necklace** *(www.emeraldnecklace.org)*, soit une succession de parcs reliés entre eux entre le Boston Common et le Public Garden, le long de Commonwealth Avenue, puis au fil des Back Bay Fens, du Riverway Park, de l'Olmsted Park, du Jamaica Park, de l'Arnold Arboretum et enfin du Franklin Park.

Le «collier d'émeraudes» d'Olmsted débute au **Boston Common** ★ *(www.friendsofthepublicgarden.org)*, délimité par les rues Tremont, Boylston, Charles et Beacon. Ce parc communal a été créé en 1634 pour permettre aux Bostoniens d'y faire paître leur bétail. Par la suite, les puritains y ont

pendu des sorcières, des quakers et divers autres «hérétiques», et, de nos jours, l'endroit est devenu un populaire rendez-vous pour les visiteurs qui désirent se balader et les employés de bureau du secteur qui y prennent volontiers leur déjeuner. En été, le Common s'emplit de joueurs de ballon, de pique-niqueurs et de familles venues profiter de la fraîcheur du Frog Pond, qui, l'hiver venu, se transforme en patinoire pour jeunes et vieux.

En face du Common, de l'autre côté de Charles Street, s'étend le **Public Garden** ★ ★, plus raffiné. Créé en 1837, il constitue le plus vieux jardin botanique public du pays. Les parfums et les couleurs des aménagements floraux élaborés qui se trouvent ici méritent une visite en soi, si ce n'est que le jardin a beaucoup plus à offrir tout au long de l'année. Entre autres, la lagune centrale voit naviguer les fameux Swan Boats (ces bateaux-cygnes à pédales ridicules à souhait mais tout de même très amusants) et est enjambée par le plus petit pont suspendu du monde.

Parmi les monuments notables du Public Garden, il convient de retenir la statue en bronze de 1869 représentant George Washington assis sur un cheval aux détails exquis et les canards plus grands que nature Jack, Kack, Lack, Mack, Nack, Ouack, Pack et Quack inspirés du livre pour enfants des années 1950 *Make Way for Ducklings*, de Robert McCloskey.

Le **Commonwealth Mall** ★ ★ s'étend vers l'ouest du Public Garden à la rivière Muddy, à la hauteur de Charlesgate sur la bande centrale de Commonwealth Avenue, et offre un charmant espace vert planté de grands ormes et large d'une trentaine de mètres. Le mail, qui date de 1865, recèle entre autres des statues d'importants personnages de l'histoire de Boston, dont Alexander Hamilton, John Glover et Patrick Collins, et intègre un mémorial aux neuf sapeurs-pompiers qui ont perdu la vie en combattant l'incendie qui a consumé l'hôtel Vendome en 1972.

Les **Back Bay Fens** ★ commencent à la voie élevée de Charlesgate et s'allongent jusqu'au Sears Building, au début du Longwood Medical District. Le Fenway Park se trouve alors au nord, et le Museum of Fine Arts, au sud. Les Fens renferment un élégant jardin de roses, des monuments aux morts, le Clemente Ball Field et le Victory Garden, un jardin communautaire où les résidants du quartier font pousser fleurs et légumes.

Le **Riverway Park** est le plus étroit des espaces verts de l'Emerald Necklace. Il longe le sentier de la rivière Muddy, qui relie Boston à Brookline. Les cyclistes et les piétons peuvent ici soit franchir la route 9 ou affronter les automobilistes qui empruntent la voie élevée du Riverway.

L'**Olmsted Park** ★ s'étire en direction sud à partir de la route 9 jusqu'à Perkins Street, tout juste avant le Jamaica Pond. Gardez les yeux ouverts pour ne pas manquer les canards, les cygnes et les oies qui s'ébattent dans la rivière Muddy immédiatement au sud de la route 9. Vous trouverez par ailleurs de nombreux sentiers piétonniers et des pistes cyclables aussi bien du côté de Boston que du côté de Brookline. En hiver, apportez votre traîneau pour une descente enlevante jusqu'au Jamaica Pond.

Le **Jamaica Pond** ★ ★ ★, qu'alimente une source, couvre une superficie de plus de 24 ha. Ce kettle glaciaire, qui a été le premier réservoir d'eau potable de Boston, attire aujourd'hui de nombreux amateurs d'aviron, de navigation de plaisance (petites embarcations seulement), de marche, de course à pied, de vélo, de patin à roues alignées (sur les seuls sentiers marqués à cette fin) et de pique-niques. L'étang est en outre ensemencé de truites et de saumons à l'intention des amateurs de pêche, et l'on y propose aussi bien des cours de voile qu'un service de location de bateaux. L'endroit est le plus souvent bondé de familles, et l'on présente fréquemment des concerts en plein air près de l'étang au cours de la saison estivale. Vous trouverez des toilettes, une fontaine, un casse-croûte et un bureau administratif dans le hangar à bateaux centenaire des lieux (☎617-522-6258).

Le joyau suivant du collier d'émeraudes est l'**Arnold Arboretum** ★ ★ ★ (☎617-524-1718;). Administré par l'université Harvard, ce parc-réserve horticole abrite des arbres et des arbustes de partout dans le monde, l'accent étant plus spécialement mis sur les plantes originaires de la Nouvelle-Angleterre et de l'Asie. Les sentiers qui parcourent les quelque 100 ha de l'arboretum (y compris 3,2 km de voies revêtues interdites aux voitures) sont essentiellement en terrain

ouvert, quoique la Hemlock Hill (haute de 52 m) et plusieurs zones limitrophes à l'est et à l'ouest recèlent des sentiers boisés. La Bussey Hill (haute de 60 m) offre une belle vue sur les Blue Hills, et la Peters Hill (haute de 72 m) révèle un magnifique panorama du ciel de Boston.

Le **Franklin Park** ★ ★ se trouve à l'est de l'arboretum entre les rues Seaver et Morton. D'une superficie de 210 ha, il s'agit du plus grand espace vert d'un seul tenant du «collier d'émeraudes». Ce parc englobe le Franklin Park Zoo, un golf de 18 trous, un boisé de 40 ha et des sentiers de randonnée.

Quant au zoo lui-même, outre le Kalahari Kingdom, la Tropical Forest, l'Australian Outback Trail, le Giraffe Savannah, le Serengeti Crossing et la Franklin Farm, il couvre 29 ha et accueille une serre à papillons ouvert de fin mai à septembre.

Christopher Columbus Park
★ ★ ★

Si le collier d'Olmsted constitue l'ornement central des parcs de Boston, le **Christopher Columbus Park** (☎617-635-4505, www.ci.boston.ma.us/parks), situé dans le quartier de North End, en représente la bague assortie. Cet adorable petit parc borde le Long Wharf près du New England Aquarium, et ses treillis couverts de lierre comme ses bancs commodément disposés en font un charmant endroit où se promener, se détendre ou simplement profiter du bord de l'eau.

Fresh Pond Reservation
★ ★

La **Fresh Pond Reservation**, facilement accessible par le Kingsley Park de Cambridge, se compose de 67 ha d'eau et de 61 ha de terre. Un sentier de 4 km propice à la marche et à la course à pied fait le tour de l'étang qu'est le Fresh Pond. Vous pourrez en outre jouer au tennis, au basket-ball ou au football au Glacken Field, et même jouer au golf sur le terrain municipal.

Le Fresh Pond s'impose par ailleurs comme un endroit de tout premier choix pour se livrer à l'**observation des oiseaux**. De la mi-octobre à la mi-décembre y élisent en effet domicile des grèbes à bec bigarré, des fuligules à collier, des fuligules milouinans et des petits fuligules, des petits garrots, des harles couronnés, des foulques d'Amérique, des canards d'Amérique, des érismatures rousses, des fuligules à dos blanc et des canards à sourcils. L'endroit sert même de lieu de nidification au héron vert, et l'on a aperçu des plongeons huards près de l'étang. Un véritable paradis sauvage en territoire urbain!

Mystic River Reservation
★★

La **Mystic River Reservation** (☎617-727-5380, *www.mass.gov/dcr/parks/metroboston/mystic. htm)*, qui se trouve à 15 min au nord de Cambridge sur les berges de la rivière Mystic, abrite trois parcs publics. Le Mary O'Malley Park, le Torbert Macdonald Park et le Draw Seven Park, situés entre l'Amelia Earhart Dam et les Mystic Lakes, proposent de multiples activités comme la baignade, le tennis, le vélo et la navigation de plaisance.

On accède aux lacs Mystic par le train de banlieue (MBTA) (arrêt à la station W. Medford ou Wedgemere), tandis qu'on rejoint la rivière Mystic par la station Wellington (Orange Line) du *T*.

Blue Hills Reservation
★★

Accessible par la route 238, à Milton, la Blue Hills Reservation vous attend à seulement 15 min de route (ou 40 min de vélo) de Boston. Les Blue Hills et la Fowl Meadow Reservation voisine couvrent ensemble de 2 833 ha, ce qui en fait le plus grand espace vert dans un rayon d'environ 55 km de Boston.

La réserve est ponctuée de 22 collines dont la hauteur varie entre 90 m et 194 m, la plus haute étant la Great Blue Hill, qui représente le point le plus élevé de la côte Atlantique au sud du Maine. S'y trouvent aussi plus de 50 sites préhistoriques, 16 structures inscrites au registre national des lieux historiques, trois zones d'études environnementales d'envergure nationale et un monument historique national: le **Blue Hills Observatory and Science Center** *(☎617-696-0389, www.bluehill.org).*

Cette réserve boisée abrite des centaines d'espèces d'arbres, d'arbustes et de fleurs sauvages qui permettent à leur tour à de nombreuses espèces animales rares ou menacées d'extinction de s'y retrouver, notamment le crotale des bois.

Le **Blue Hills Trailside Museum** *(☎617-333-0690, www.massaudubon.org),* situé sur la route 138, à Milton, est exploité par la Massachusetts Audubon Society pour le compte du Metropolitan District Council, et il renferme d'excellentes vitrines d'exposition sur l'histoire naturelle et culturelle de la réserve. On y propose également divers programmes d'activités ouverts au public.

Plages

Même si vous voyez des centaines de personnes en maillot de bain sur l'Esplanade par les belles journées d'été, ne soyez pas dupe car elles ne sont pas là pour se baigner! Bien que la qualité de l'eau de la rivière Charles se soit considérablement améliorée ces dernières années, il vaut franchement mieux rester hors de l'eau.

Pour vous baigner, prenez plutôt la direction du port de Boston, où la **Boston Harbor Association** et le **Department of Conservation and Recreation** *(☎617-727-4573)* gèrent plusieurs plages au nord comme au sud. Elles bénéficient toutes de surveillants de juin au début de septembre, de toilettes et de places de stationnement. Et rappelez-vous que l'eau est au plus chaud en juillet et en août.

Constitution Beach se trouve à Orient Heights, à East Boston, tandis que les plages de **Carson**, **M Street**, **Castle Island**, **City Point** et **Pleasure Bay** donnent toutes sur le port à South Boston.

Activités de plein air

■ Golf

De nombreux terrains de golf émaillent le territoire de la ville, entre autres le **Fresh Pond Golf Course** *(21-31; aucune carte de crédit; 9 trous et 18 trous, normale 70; 691 Huron Ave., Cambridge,* ☎*617-349-6282)*, le **George Wright Golf Course** *(34$; 18 trous, normale 70; 420 West St., Hyde Park,* ☎*617-361-8313)*, le **Leo J. Martin Memorial Golf Course** *(21$; 18 trous, normale 70; 190 Park Rd., Weston,* ☎*781-894-4903)*, le **Putterham Meadows Golf Course** *(32-35; 18 trous, normale 71; 1281 West Roxbury Pkwy., Brookline,* ☎*617-730-2078)* et le **William J. Devine Golf Course** *(20-34; 18 trous, normale 70; Franklin Park;* ☎*617-265-4084)*, conçu par Donald Ross et doté d'un nouveau pavillon dans lequel vous trouverez un casse-croûte, un vestiaire et des douches.

■ Patin à glace

Le **Frog Pond Skating Rink** *(3$;* ☎*617-635-2120)* du Boston Common est ouvert du début de novembre à la mi-mars. Il s'agit d'une patinoire le plus souvent envahie par des patineurs de tout âge, par des enfants, de jeunes couples et même par des employés de bureau profitant de l'heure du déjeuner pour se détendre sur la glace. Un casse-croûte, des casiers, une école de patin et un service de location vous attendent en bordure de l'étang. Notez par ailleurs que la lagune voisine du **Public Garden** est également entretenue et propre à la pratique du patin.

Plusieurs grandes patinoires sont en outre ouvertes de la mi-novembre à la mi-mars, à savoir les **Steriti Memorial Rink** *(Commercial St.,* ☎*617-523-9327)*, le **Simoni Memorial Rink** *(Gore St., Cambridge,* ☎*617-354-9523)*, et l'**Emmons Horrigan O'Neill Memorial Rink** *(Rutherford Ave., Charlestown,* ☎*617-242-9728)*.

Le **Daly Memorial Rink** *(Nonantum Rd., Brighton,* ☎*617-527-1741)* dispose d'un comptoir de rafraîchissements et offre un service de location et d'affûtage de patins de même que des leçons.

■ Patin à roues alignées

Pour la plupart, les patineurs partagent les voies empruntées par les cyclistes sur les berges de la rivière Charles. Sachez toutefois que le dimanche, entre avril et octobre, le **Memorial Drive** de Cambridge à Western Avenue est fermé à la circulation automobile et devient un long tracé prisé des amateurs de patin à roues alignées.

Le **Southwest Corridor**, un parcours de 4 km qui part du quartier de South End et passe par Dartmouth Street pour atteindre Roxbury le long du **Pierre Lallement Bicycle Path**, constitue une autre option intéressante pour les cyclistes comme pour les patineurs.

Vous pourrez louer des patins chez **Back Bay Bikes and Boards** *(336 Newbury St.,* ☎*617-247-2336)*.

■ Vélo

Boston est une ville étonnamment favorable à la pratique du vélo. Bien que la circulation automobile rende cette pratique quelque peu désagréable, et parfois même dangereuse, dans les rues à proprement parler, il existe beaucoup de voies cyclables publiques, et même une piste cyclable spécialement aménagée à l'intention des banlieusards entre Bedford et la ville, sans oublier les kilomètres de pistes invitantes à l'intérieur des parcs de la ville.

Si vous projetez de parcourir le **Paul Dudley White Bike Path**, le meilleur endroit où laisser votre voiture est l'un ou l'autre des deux parcs de stationnement de Soldier's Field Road en face du Harvard Stadium.

Ce sentier bien aménagé couvre toute la longueur de la réserve des deux côtés de la rivière, pour un total de 27 km. Les nombreux ponts qui enjambent la rivière Charles vous permettront de varier vos itinéraires, mais retenez que les lieux sont très fréquentés les fins de semaine d'été.

Le **Minuteman Commuter Bikeway** *(*☎*781-275-1111)* relie Bedford à la gare d'Alewife. Il s'agit d'un tracé long de 16 km et large de 3,7 m qui emprunte l'ancienne voie de chemin de fer longeant le parcours de la célèbre chevauchée nocturne de Paul Revere à l'époque de la guerre de l'Indépendance américaine, et passant par les villes d'Arlington et de Lexington, où s'est déroulée la première bataille de cette guerre. Cette voie cyclable est ponctuée de rampes d'accès, marquée d'une ligne centrale entrecoupée de segments pointillés dans les zones de dépassement, pourvue de petits panneaux d'arrêt et même de panneaux-réclame axés sur les cyclistes. À Alewife, le Minuteman rejoint la piste cyclable des parcs linéaires de Cambridge.

Les amateurs de **vélo de montagne** peuvent se rendre au sud de la ville (à 40 min en vélo), à la **Blue Hills State Reservation**, où les attendent des kilomètres de sentiers hors route *(mi-avr à fin déc)*.

La **Boston Bike Map** (carte des voies cyclables) se trouve dans la plupart des boutiques de vélo et librairies. Il est possible de prendre les transports en commun avec son vélo sur certaines lignes en dehors des heures de pointe. Informez-vous à la MBTA *(☎617-722-5000, www.mbta.com)*.

La source la plus complète de renseignements relatifs au vélo de randonnée dans les environs de Boston se trouve à l'adresse suivante: *www.massbike.org/bikeways*.

Il est possible de louer un vélo au **Community Bike Shop** *(496 Tremont St., South End, ☎617-542-8623)*, au **Cambridge Bicycle** *(259 Massachusetts Ave., Cambridge, ☎617-876-6555)* et chez **Wheelworks** *(480 Tupelo St., Somerville, ☎617-489-3577)*.

Hébergement

Le cœur de Boston

Omni Parker House
$$$$
≡ ♨ @ ☕
60 School St.
☎617-227-8600
www.omnihotels.com

La **Parker House** (voir p 74), nom d'origine du plus vieil hôtel en activité continue aux États-Unis, s'enorgueillit d'un riche passé littéraire et politique. Aujourd'hui tenue par la chaîne d'hôtels Omni, elle propose un hébergement d'une élégance conventionnelle dans un cadre charmant rappelant le Vieux Continent. Toutes les suites (d'une chambre à coucher) portent le nom d'un personnage célèbre de Boston, comme John «Honey Fitz» Fitzgerald et James Michael Curley, et arborent des œuvres d'art servant aussi bien à les dépeindre qu'à illustrer leur contribution à l'histoire de la ville. Situé sur le Freedom Trail, l'hôtel présente en outre des vitrines historiques dans son hall.

Langham Hotel Boston
$$$$$
≡ ♒ ◎ ⑇ ☕ @
250 Franklin St.
☎617-451-1900
www.langhamhotels.com

Le Langham occupe les anciens locaux de la Federal Reserve Bank. Ses boiseries richement ouvragées, ses marbres et ses bronzes polis contribuent à préserver l'élégance de la structure originale tout en composant un décor parmi les plus attrayants de la ville.

Millennium Bostonian Hotel
$$$$$
≡ ♨ @
26 North St.
☎617-523-3600

Le Millennium Bostonian Hotel est tout aussi chic que son nom le laisse entendre, avec ses chambres et ses suites de luxe donnant directement sur la Faneuil Hall Marketplace (où vous pourrez faire des achats jusqu'à épuisement total), aux abords immédiats du quartier des affaires (où vous pourrez éventuellement renflouer votre portefeuille). L'atmosphère en est résolument distinguée, ce qui ne vous empêchera pas pour autant de vous mêler à Monsieur et Madame Tout-le-monde au **Haymarket** (voir p 156) voisin (un marché extérieur de fruits et légumes).

Beacon Hill

John Jeffries House
$$-$$$ *pdj*
≡ ♨ @
14 David G. Mugar Way
☎617-367-1866
www.johnjeffrieshouse.com

Le salon à l'entrée de ce gîte touristique a beaucoup plus d'affinités avec un petit hôtel qu'avec la grande maison du XIXᵉ siècle où il se trouve. Bien que la John Jeffries House soit située à l'extrémité nord de Beacon Hill, elle a l'avantage d'être à proximité de l'artère principale du quartier, Charles Street. Cet établissement présente un des meilleurs rapports qualité/prix de Boston.

Beacon Hill Bed & Breakfast
$$$$ *pdj*
≡ ⌂
27 Brimmer St.
☎617-523-7376

Établie dans le quartier historique le mieux préservé de Boston, cette grande maison en rangée revêtue de briques recèle des foyers en marbre, de hauts plafonds et des moulures bien ciselées. Ses trois chambres d'hôte se révèlent spacieuses, confortables et parées d'antiquités ainsi que de revêtements muraux soigneusement choisis. L'arrière du bâtiment donne sur l'esplanade de la rivière Charles, et la maîtresse de céans, une traiteuse professionnelle à la retraite, prépare de sompteux petits déjeuners.

The Charles Street Inn
$$$$$ *pdj*
≡ ◎ ⌂ ✳ @
94 Charles St.
☎617-314-8900 ou 877-772-8900
www.charlesstreetinn.com

Le Charles Street Inn renferme neuf grandes chambres fort élégantes. Chacune est baptisée du nom d'un artiste réputé associé à Beacon Hill, entre autres Louisa Mae Alcott, John Singer Sargent et Henry James, et garnie d'antiquités d'époque, parmi lesquelles des lits à baldaquin et à colonnes. Les chambres en façade de cette maison en rangée de 1860 donnent sur la trépidante Charles Street, tandis que celles qui se trouvent à l'arrière dominent Mount Vernon Square.

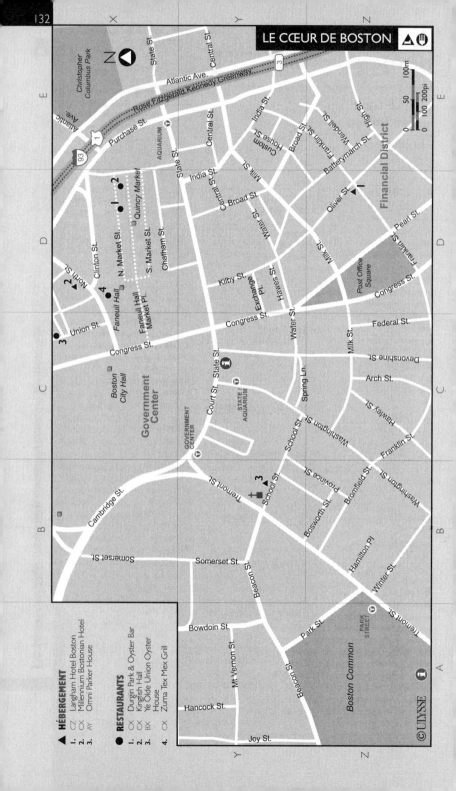

LE CŒUR DE BOSTON

N

Financial District

Post Office Square

Boston City Hall

Government Center

Boston Common

AQUARIUM

GOVERNMENT CENTER

STATE / AQUARIUM

PARK STREET

Quincy Market

Faneuil Hall

Faneuil Hall Market Pl.

Christopher Columbus Park

Rose Fitzgerald Kennedy Greenway

Atlantic Ave.

Purchase St.

State St.

Central St.

India St.

Custom House St.

Broad St.

Franklin St.

Wendell St.

High St.

Batterymarch St.

Oliver St.

Pearl St.

Franklin St.

Congress St.

Federal St.

Devonshire St.

Arch St.

Milk St.

Hawley St.

Franklin St.

Washington St.

Province St.

Bromfield St.

Hamilton Pl.

Winter St.

Tremont St.

Park St.

Beacon St.

Mt. Vernon St.

Hancock St.

Joy St.

Bowdoin St.

Somerset St.

Cambridge St.

Union St.

Congress St.

North St.

Clinton St.

N. Market St.

S. Market St.

Chatham St.

State St.

India St.

Central St.

Milk St.

Water St.

Broad St.

Kilby St.

Stock Exchange Pl.

Hayes St.

Congress St.

Water St.

Court St.

State St.

School St.

Spring Ln.

Washington St.

Bosworth St.

Somerset St.

Central St.

Atlantic Ave.

Milk St.

100m
200pi

© ULYSSE

132

HÉBERGEMENT ▲

1. CZ — Langham Hotel Boston
2. CX — Millennium Bostonian Hotel
3. AY — Omni Parker House

RESTAURANTS ●

1. CX — Durgin Park & Oyster Bar
2. CX — Kingfish Hall
3. BX — Ye Olde Union Oyster House
4. CX — Zuma Tex Mex Grill

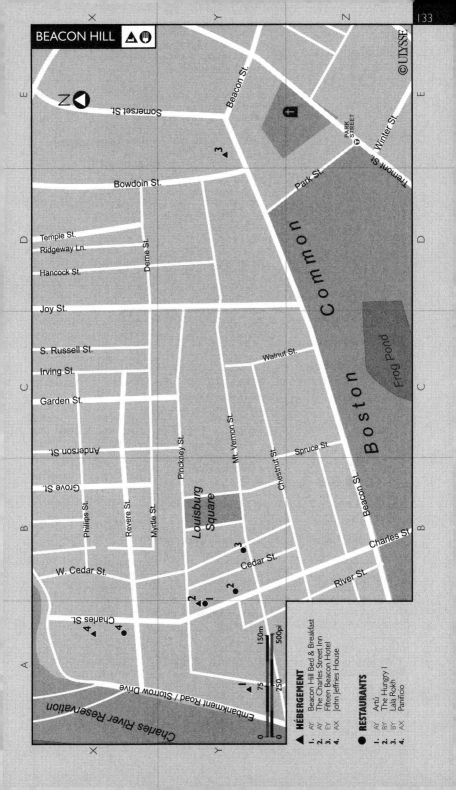

BEACON HILL

133

© ULYSSE

Beacon St.
Somerset St.
Bowdoin St.
Temple St.
Ridgeway Ln.
Hancock St.
Derne St.
Joy St.
S. Russell St.
Irving St.
Garden St.
Anderson St.
Grove St.
Pinckney St.
Mt. Vernon St.
Walnut St.
Phillips St.
Revere St.
Myrtle St.
Louisburg Square
Chestnut St.
Spruce St.
Cedar St.
W. Cedar St.
Charles St.
River St.
Charles St.
Park St.
Winter St.
Tremont St.
PARK STREET
Boston Common
Frog Pond
Charles River Reservation
Embankment Road / Storrow Drive

0   75   150m
0   250   500pi

▲ HÉBERGEMENT
1. AY   Beacon Hill Bed & Breakfast
2. AY   The Charles Street Inn
3. EY   Fifteen Beacon Hotel
4. AX   John Jeffries House

● RESTAURANTS
1. AY   Artú
2. BY   The Hungry I
3. BY   Lala Rokh
4. AX   Panificio

Fifteen Beacon Hotel
$$$$$
≡ ▲ ◎ ⌂ ⊌ ⌘ @
15 Beacon St.
☎617-670-1500
www.xvbeacon.com

Le Fifteen Beacon Hotel s'est installé dans un bâtiment Beaux-Arts, de 10 étages, élégamment restauré et n'a ménagé aucune dépense pour accueillir ses hôtes comme s'ils étaient rois et reines. Vous n'avez qu'à songer à la literie italienne, aux salles de bain en marbre, aux porte-serviettes chauffants et aux produits de toilette, fabriqués sur commande par Kiehl, pour vous faire une idée de ce qui vous attend! Ce luxueux hôtel de charme vous fournira même des cartes professionnelles personnalisées faisant état de vos coordonnées de prestige au cours de votre séjour, sans parler du chauffeur gracieusement mis à votre disposition et du personnel à même de vous appeler par votre nom.

Back Bay

Charlesmark Hotel
$$ pdj
@
Copley Square, 655 Boylston St.
☎617-247-1212
www.thecharlesmark.com

Le Charlesmark, un établissement d'une trentaine de chambres situé dans le quartier recherché du quartier de Back Bay, pratique des tarifs sans comparaison avec ses concurrents des environs. Cet hôtel-boutique de style européen a emménagé dans un édifice patrimonial qui date de 1892. Le Charlesmark, au mobilier très design fait sur mesure

par Dennis Duffy, offre une ambiance intime et chaleureuse qui rendra votre séjour mémorable.

Commonwealth Court Guest House
$$-$$$
≡ ⌂
284 Commonwealth Ave.
☎617-424-1230 ou 888-424-1230
www.commonwealthcourt.com

Située à proximité de tout, la Commonwealth Court Guest House se trouve à distance de marche du Prudential Center, du Hynes Auditorium et de Newbury Street. Cette *brownstone* à l'européenne du début du XXᵉ siècle renferme 21 chambres bien aménagées, avec cuisinette.

Copley Inn
$$$
⌂
19 Garrison St.
☎617-236-0300
www.copleyinn.com

Cette *brownstone* traditionnelle, couverte de lierre, loue des chambres à la nuitée mais propose aussi des tarifs régressifs à la semaine. Les chambres se révèlent simples mais lumineuses et plutôt attrayantes, avec leurs murs blancs et leurs accents floraux. Bien que situé dans un secteur résidentiel, le Copley Inn demeure peu éloigné des boutiques et des restaurants.

Newbury Guest House
$$$-$$$$ pdj
@ ♿
261 Newbury St.
☎617-437-7666
www.newburyguesthouse.com

Cette *brownstone* rénovée vous donnera l'impression de vous retrouver en Europe. Les murs de plâtre, les planchers de

bois et les meubles en bois foncé confèrent aux chambres une atmosphère d'élégance à l'ancienne des plus confortables. Le petit déjeuner continental est servi au salon ou sur la terrasse.

The Fairmont Copley Plaza Boston
$$$-$$$$$
≡ ⊌ ⌂ @
Copley Square, 138 St. James Ave.
☎617-267-5300 ou 877-441-1414
www.fairmont.com

Connu comme «La Grande Dame» de Boston, le Copley Plaza Hotel a été conçu par Henry Janeway Hardenbergh, qui a aussi dessiné le Plaza Hotel de New York. Il occupe l'emplacement original du Musée des beaux-arts de Boston, devant le square qui a été nommé en l'honneur de l'éminent peintre américain John Copley. Le hall richement orné croule sous l'or, le cristal de Waterford et les miroirs à dorure. Quant aux chambres, somme toute aussi élégantes que le hall, elles se veulent un peu plus réservées. Ceux qui n'ont pas les moyens de loger ici peuvent tout de même visiter les lieux (et les toilettes!) en s'adressant au concierge. Le Copley Plaza fait partie des Historic Hotels of America.

The Ritz-Carlton
$$$$
≡ ⊌ ◎ ⌂ ⌘ ⌂ ▲ Y @
15 Arlington St.
☎617-536-5700
www.ritzcarlton.com

Dominant le Public Garden, le chic Ritz-Carlton incarne la quintessence même de l'hébergement de luxe. Ses opulentes chambres et suites sont décorées dans le style provincial français le plus classique, rehaussé de tissus importés, de lustres

135

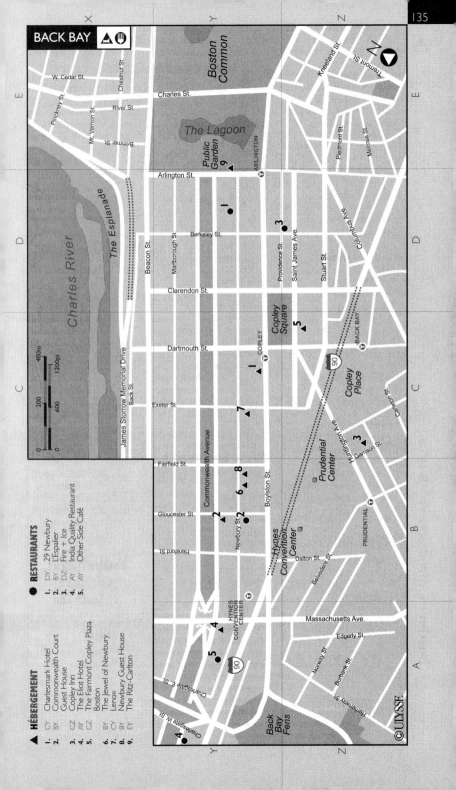

BACK BAY ▲ 🍽

▲ **HÉBERGEMENT**

1. CY	Charlesmark Hotel
2. BY	Commonwealth Court Guest House
3. CZ	Copley Inn
4. AY	The Eliot Hotel
5. CZ	The Fairmont Copley Plaza Boston
6. BY	The Jewel of Newbury
7. CY	Lenox
8. BY	Newbury Guest House
9. EY	The Ritz-Carlton

● **RESTAURANTS**

1. DY	29 Newbury
2. BY	L'Espalier
3. DZ	Fire + Ice
4. AY	India Quality Restaurant
5. AY	Other Side Café

© ULYSSE

et d'œuvres d'art remarquables. Parmi les commodités offertes, retenons le service d'entretien, le cirage de vos chaussures pendant la nuit et le service de limousine tous les matins de la semaine. Moyennant un supplément, vous aurez accès au Ritz-Carlton Club du 15e étage, un club privé qui offre une vue panoramique sur la ville, des collations quotidiennes gratuites, en plus du champagne en soirée, un bar complet et un concierge attitré à chacun des convives.

The Jewel of Newbury
$$$$$ pdj
≡ ◎ ♨ ⌂ @
254 Newbury St.
☎617-536-5523
www.jewelboston.com
Inauguré en mai 1998, ce petit hôtel est un véritable «bijou» (d'où son nom anglais) pour ceux qui cherchent à se tenir à l'écart des grands hôtels impersonnels. Le Jewel of Newbury affiche son cachet victorien avec ses meubles et son décor soigneusement choisis. Toutes les chambres et les suites, plus spacieuses les unes que les autres, disposent d'une salle de bain en marbre et sont agréablement parées d'antiquités et de tapis persans.

Lenox
$$$$$
≡ ♨ ⌂ ⇔ @
61 Exeter St., angle Boylston St.
☎617-536-5300 ou 800-225-7676
www.lenoxhotel.com
Malgré ses 200 chambres, le Lenox est parvenu à conserver une atmosphère sereine et intime. Construit en 1900, il a ainsi été baptisé en mémoire de la famille de Lady Sarah Lenox, l'épouse du roi George III. Il propose des chambres admirables où vous trouverez notamment de hauts plafonds et des moulures sculptées à la main, mais aussi, au chapitre du confort personnel, de somptueux peignoirs en velours. Le Lenox fait partie des Historic Hotels of America.

The Eliot Hotel
$$$$$
≡ ♨
370 Commonwealth Ave.
☎617-267-1607 ou 800-44-ELIOT
www.eliothotel.com
L'Eliot Hotel ne se trouve qu'à quelques minutes de Newbury Street, du Museum of Fine Arts, du Symphony Hall et du Fenway Park. Installées dans un manoir georgien, ses 95 suites décorées dans le plus grand luxe renferment des salles de bain en marbre italien et des bureaux individuels pourvus de minibars bien garnis. Les chambres à coucher sont séparées des salles de séjour par des portes «françaises», pour une impression d'espace et d'intimité accrus.

West End, North End et Waterfront

Nolan House
$$ pdj
≡
10 G St.
☎617-269-1550 ou 800-383-1550
www.nolanhouse.com
Ce confortable gîte touristique, par ailleurs tout à fait abordable, se trouve à quelques minutes à peine du bord de l'eau et du Seaport World Trade Center. Les quatre chambres de la Nolan House sont propres, douillettes et à peine encombrées de meubles victoriens. Vous aurez en outre droit à un délicieux petit déjeuner chaud avant de partir à la découverte de la ville.

Golden Slipper
$$$$ pdj
début mai à mi-nov
Lewis Wharf
☎781-545-2845
Las des sempiternels hôtels bien ancrés dans la terre ferme? Pourquoi ne pas essayer ce gîte touristique flottant? Amarré au Lewis Wharf, ce yacht Chris Craft de 12 m peut accueillir quatre personnes, et vous l'aurez pratiquement tout à vous à moins de commander un dîner officiel à bord, qui sera alors servi en grande pompe, à vous et vos invités.

Boston Marriott Long Wharf Hotel
$$$$
≡ ≋ ≀≀≀ ⇔ ♨ ✼ ◎
296 State St.
☎617-227-0800
www.marriott.com
Le Boston Marriott Long Wharf Hotel a été conçu de manière à ressembler à un navire prêt à prendre le large. Il ne se trouve qu'à courte distance de marche du North End, de l'aquarium municipal et du Faneuil Hall, et tout à côté du charmant Christopher Columbus Park. Beaucoup de ses chambres donnent sur un atrium central. L'établissement offre un service de navette pour l'aéroport.

Theatre District, Chinatown et South End

82 Chandler Street Bed & Breakfast
$$$ pdj
≡ @
82 Chandler St.
☎617-482-0408 ou 888-482-0408
www.82chandler.com
Chacune des trois chambres d'hôte du 82 Chandler Street possède une salle de

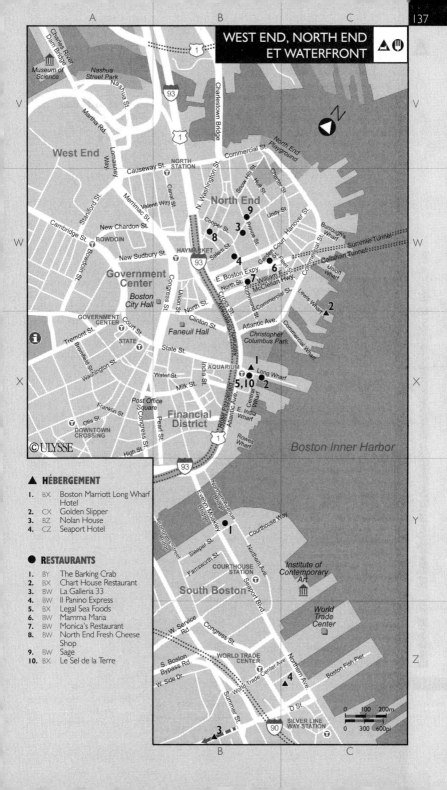

bain carrelée de granit et un grand lit confortable. La salle à petit déjeuner, qui se trouve à l'étage, s'avère tout à fait charmante et offre une vue magnifique sur la zone résidentielle du centre-ville. Cette maison en rangée revêtue de briques et comptant quatre étages abrite par ailleurs deux studios indépendants qu'on loue pour une période de sept jours ou plus.

Encore Bed & Breakfast
$$$ pdj
≡ @
116 W. Newton St.
☎617-247-3425
www.encorebandb.com

Dans le quartier BCBG de Boston, l'Encore Bed & Breakfast occupe les étages supérieurs d'une *townhouse* victorienne en briques rouges datant des années 1830 et pratiquement située à l'angle de Tremont Street. Les transformations que la maison de ville a subies reflètent le goût certain des propriétaires, l'architecte Reinhold Mahler et David Miller, un designer primé de Boston, lauréat de plusieurs prix. Les trois chambres, l'Albee, la Sondheim et la Bernstein, souffriraient d'une description par trop sommaire. Elles sont décorées d'affiches, et la collection de masques qui habille les murs de la salle à déjeuner appartient à David et provient de Grèce, de Corée, d'Italie et d'autres pays. Les hôtes connaissent bien la ville et pourront vous renseigner sur les attraits et événements qui s'y déroulent.

The Chandler Inn Hotel
$$$
@
26 Chandler St.
☎617-482-3450 ou 800-842-3450
www.chandlerinn.com

Le Chandler Inn Hotel, qui fait bon accueil aux gays, se trouve entre Copley Square et Park Square, à distance de marche de la Boston Public Library (bibliothèque municipale) et de Newbury Street. Cette auberge propose un hébergement assez rudimentaire et sans à-côtés, quoique confortable, mais le personnel est extrêmement serviable.

Clarendon Square Inn
$$$-$$$$$ pdj
≡ ▲ ◉
198 W. Brookline St.
☎617-536-2229
www.clarendonsquare.com

Les propriétaires de cette victorienne de rêve ont veillé au moindre détail lors de sa rénovation, au cours de laquelle on a refait les moulures de bois et de plâtre, de même que les savantes marqueteries de calcaire et de bois, tout en prenant le soin d'ajouter quelques touches modernes de bon goût. Des éclatantes toiles modernes du salon aux accessoires français des salles de bain, en passant par la fine porcelaine dans laquelle on vous servira, le matin venu, du pain fraîchement sorti du four, tout contribuera à faire de votre séjour dans cette auberge une expérience des plus ravissantes. Chaque chambre s'enorgueillit d'une baignoire à remous ou d'une douche pour deux personnes, et la plupart d'entre elles possèdent un foyer au bois. Mentionnons enfin la terrasse avec cuve à remous aménagée sur le toit, où vous pourrez vous

faire bronzer en après-midi en attendant un glorieux coucher de soleil.

The Boston Park Plaza Hotel & Towers
$$$$$
≡ ≋ Y ⚓ ♨ @
64 Arlington St.
☎617-426-2000
www.bostonparkplaza.com

Le Boston Park Plaza est l'un des trois représentants bostoniens des Historic Hotels of America, avec le Fairmont Copley Plaza et le Lenox. Il s'agit d'un grand hôtel construit en 1927 par E.M. Statler, un des plus éminents hôteliers du XXe siècle, qui croyait qu'un hôtel «*doit être une sorte de musée offrant au voyageur, peut-être pour la première fois, l'occasion de faire l'expérience de l'art dans ce qu'il a de plus sublime*». Et cette tradition se poursuit à ce jour, car l'hôtel n'est vraiment pas qu'un lieu d'hébergement, mais bel et bien une destination en soi. On y retrouve en effet deux salles de bal, plusieurs restaurants et bars, un théâtre, des boutiques de cadeaux, un salon de beauté et de coiffure, une pharmacie, des comptoirs de compagnies aériennes et des billetteries. Ce véritable monument renferme en outre 950 chambres et suites au mobilier classique et aux accents de luxe.

Cultural District

Hostelling International Boston
$-$$
12 Hemenway St.
☎617-536-9455
www.bostonhostel.org

Cette auberge de jeunesse offre un hébergement en dortoir, propre, confortable et sûr (salles distinctes pour

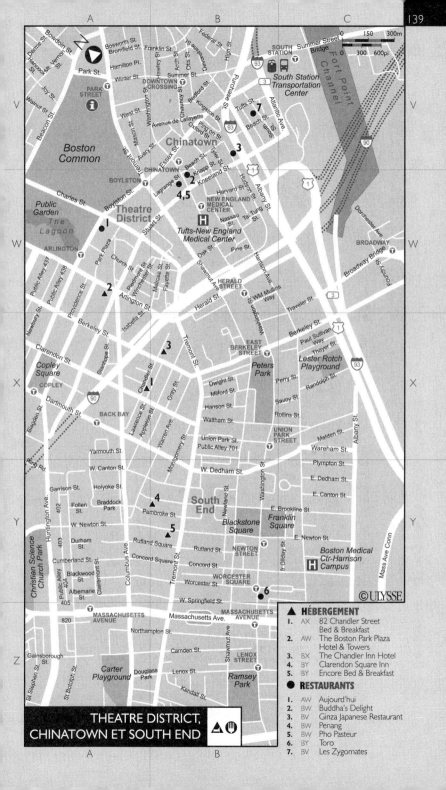

THEATRE DISTRICT,
CHINATOWN ET SOUTH END

▲ HÉBERGEMENT

1.	AX	82 Chandler Street Bed & Breakfast
2.	AW	The Boston Park Plaza Hotel & Towers
3.	BX	The Chandler Inn Hotel
4.	BY	Clarendon Square Inn
5.	BY	Encore Bed & Breakfast

● RESTAURANTS

1.	AW	Aujourd'hui
2.	BW	Buddha's Delight
3.	BW	Ginza Japanese Restaurant
4.	BW	Penang
5.	BW	Pho Pasteur
6.	BY	Toro
7.	BV	Les Zygomates

©ULYSSE

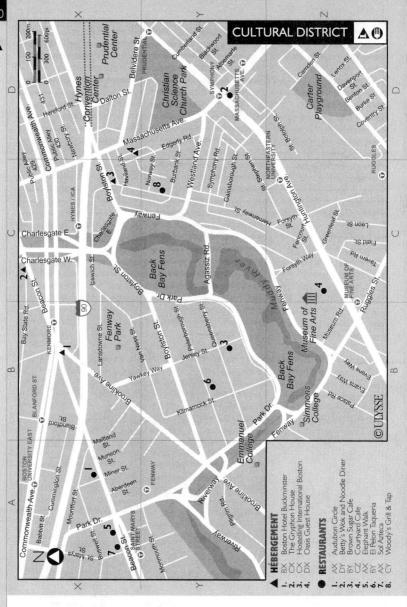

hommes et femmes), de même que des chambres privées. Draps, oreillers et couvertures vous sont gracieusement fournis, et vous n'êtes pas autorisé à utiliser votre sac de couchage.

Oasis Guest House
$$ pdj
bc/bp ≡ @
22 Edgerly Rd.
☎617-267-2262 ou 800-230-0105
▤617-267-1920
www.oasisgh.com

Dans une rue tranquille, cette pension fait bon accueil aux gays. Chaleureuses et confortables, les chambres de l'Oasis sont garnies de meubles vieillots mais bien conservés.

Boston Hotel Buckminster
$$
≡ ♨ ☞
645 Beacon St.
☎617-236-7050
▤617-262-0068
www.bostonhotelbuckminster.com
Le Buckminster propose un hébergement basique. Il est situé devant Kenmore Square, près de la Boston University et du Fenway Park. Vous trouverez à chaque étage une cuisine et une buanderie, ce qui en fait un choix abordable pour les séjours de longue durée.

The Gryphon House
$$$$ pdj
≡ ▲ ☞ @
9 Bay State Rd.
☎617-375-9003 ou 877-375-9003
www.innboston.com
Ce gîte touristique fascinant renferme huit suites uniques, chacune décorée de façon à illustrer un style propre, qu'il s'agisse de l'Arts and Crafts, du victorien, du gothique ou même du méditerranéen. La Gryphon House, érigée en 1895 pour servir de demeure à une famille, se veut luxueuse mais sans pour autant être guindée. Atmosphère chaleureuse et intime.

Cambridge

Cambridge Bed and Muffin
$$ pdj
267 Putnam Ave.
☎617-576-3166
www.bedandmuffin.com
Ce petit gîte touristique des plus attrayants est tout aussi charmant que son nom moelleux le laisse entendre. Les chambres arborent des planchers de bois et sont décorées dans les tons de rose tendre et de bleu, le tout assorti de dentelle

et de courtepointes faites à la main. Vous pourrez vous détendre dans le jardin privé de la maison ou aller vous balader sur les berges de la rivière Charles, à seulement une rue d'ici. Harvard et le MIT se trouvent par ailleurs à distance de marche. Notez toutefois que, contrairement à ce que le nom de la maison implique, le petit déjeuner continental ne comporte pas de muffins.

Carolyn's Bed & Breakfast
$$$ pdj
❋
102 Holworthy St.
☎617-864-7042
Ce gîte touristique d'allure familiale a pignon sur rue à quelque 2,5 km à l'ouest du Harvard Square. Ses deux chambres ensoleillées sont agrémentées d'objets intéressants qui reflètent les goûts éclectiques de la propriétaire qui a installé son studio de céramique dans la maison même. Bien que vous puissiez vous rendre à Harvard Square en bus, l'agréable promenade le long de Brattle Street ne vous prendra qu'une vingtaine de minutes à effectuer. Le Mount Auburn Cemetery, réputé pour ses allées fleuries et sa faune ailée, ne se trouve pour sa part qu'à 5 min de marche.

A Bed & Breakfast In Cambridge
$$$-$$$$ pdj
bc ≡
1657 Cambridge St.
☎617-868-7082 ou 800-795-7122
www.cambridgebnb.com
Ce bâtiment néocolonial de 1897 renferme trois chambres confortables, regorge d'antiquités, s'enorgueillit d'une bibliothèque consacrée à l'histoire de la région et possède un porche invitant où il fait bon se dé-

tendre sous les arbres. Cinq pour cent des bénéfices du gîte touristique sont versés au Cambridge Action Fund, un organisme sans but lucratif qui vient en aide aux sans-abri de Cambridge.

A Cambridge House Bed & Breakfast
$$$-$$$$ pdj
≡ ▲ @
2218 Massachusetts Ave.
☎617-491-6300 ou 800-232-9989
www.acambridgehouse.com
Cette maison néoclassique de 1892 est inscrite au registre national des lieux historiques. Les chambres de l'élégant gîte touristique sont décorées de façon individuelle, bénéficient d'antiquités victoriennes et possèdent pour la plupart un foyer. Vous pouvez loger dans la maison principale ou dans la remise à calèches adjacente, reconvertie il va sans dire. Les petits déjeuners complets sont délicieux et préparés sur commande, et l'on vous offrira gracieusement des hors-d'œuvre en soirée.

The Mary Prentiss Inn
$$$-$$$$ pdj
≡ ▲ @ @
6 Prentiss St.
☎617-661-2929
www.maryprentissinn.com
Chacune des chambres de cette maison historique de Cambridge se veut unique. Nombre d'entre elles arborent de hauts plafonds et des foyers fonctionnels, et toutes se révèlent admirablement pourvues d'un décor classique ainsi que de meubles et accessoires d'antan. Le salon est confortable, et la terrasse se prête on ne peut mieux à la détente et aux échanges amicaux. Il s'agissait à l'origine d'un propriété rurale, et, même

Boston - Hébergement - Cambridge

CAMBRIDGE ET HARVARD

142

N

400pi
200
100m
50
0

Hovey Ave.
Ellsworth Ave.
Dana St.
Chatham St.
Goodman Rd.
Roberts Rd.
Ellery St.
Broadway
Cleveland St.
Harvard St.
Dana St.
Trowbridge St.
Irving St.
Cambridge St.
Francis Ave.
Ashton Pl.
Irving Ter.
Felton St.
Trowbridge St.
Remington St.
Kirkland St.
Summer Rd.
Ware St.
Kirkland Pl.
Kirkland St.
Prescott St.
Quincy St.
Divinity Ave.
Broadway
Quincy St.
Harvard St.
Massachusetts Ave.
Arrow St.
Oxford St.
Bow St.
De Wolf St.
Harvard Yard
Plympton St.
Bow St.
Plympton St.
Massachusetts Ave.
Linden St.
Mill St.
Cambridge St.
Peabody St.
Flagstaff Park
Holyoke St.
Mt. Auburn St.
Mill St.
Massachusetts Ave.
HARVARD SQUARE
Dunster St.
Church St.
Palmer St.
Brattle St.
John F. Kennedy St.
Winthrop St.
South St.
Old Burying Ground
Cambridge Common
Brattle St.
Eliot St.
Garden St.
Appian Way
Story St.
Mason St.
Bennett St.
Concord Ave.
Waterhouse St.
Hilliard St.
University Rd.
John F. Kennedy Park
Berkeley St.
Phillips Pl.
James St.
Brattle St.
Mt. Auburn St.
Nutting St.
Charles River
St. Johns Rd.
Ash St.
Gerry St.
Hastings Ave.
Brewer St.
Ash St.
Hawthorn St.
Memorial Dr.
Longfellow Park

©ULYSSE

si la ville s'est développée tout autour, la Mary Prentiss House a su conserver tout son charme du XIXᵉ siècle. Elle est d'ailleurs inscrite au registre national des lieux historiques et a déjà remporté le prix du patrimoine de la Massachusetts Historical Commission.

The Inn at Harvard
$$$-$$$$$
≡ ⊮ @
1201 Massachusetts Ave.
☎617-491-2222 ou 800-458-5886
www.theinnatharvard.com
Cette opulente auberge se trouve à deux pas du campus même de l'université Harvard. Son hall aménagé en atrium, avec café et grand salon, lui confère des airs vénitiens, et les chambres, dont certaines dominent cette piazza centrale, se parent de meubles en cerisier.

Restaurants

Le cœur de Boston

Durgin Park & Oyster Bar
$
North Market Building, Faneuil Hall Marketplace
☎617-227-2038
Ce restaurant centenaire est réputé pour ses fruits de mer frais, sa côte de bœuf et ses classiques mets yankees. Les longues tables communales de cette institution locale confèrent aux lieux une atmosphère joviale (et bruyante). Pour bien apprécier les saveurs propres à Boston, essayez le traditionnel bœuf braisé (*pot roast*), le fameux *scrod* (jeune morue), les «fèves au lard» à la bostonienne (*Boston baked beans*) ou l'*Indian pudding*.

Zuma Tex Mex Grill
$-$$
7 North Market St.
☎617-367-9114
Ce restaurant en sous-sol permet d'échapper quelque temps au tohu-bohu du marché dans une tout autre atmosphère de *fiesta*. Parmi les spécialités de la maison, retenons les *quesadillas* grillées, les *fajitas* grésillées, le poulet grillé sur bois de mesquite et Margarita «néon» d'origine.

Kingfish Hall
$$$
South Market Building, Faneuil Hall Marketplace
☎617-523-8862
Le Kingfish sert des fruits de mer frais de qualité dans un environnement plutôt tapageur. Les étages de l'établissement possèdent tous les deux leur cuisine à aire ouverte, de sorte que, dans un cas comme dans l'autre, vous pourrez observer les chefs à l'œuvre.

Ye Olde Union Oyster House
$$$
41 Union St.
☎617-227-2750
Ce restaurant toujours bondé serait le plus ancien des États-Unis (voir p 93). Il comptait en outre parmi les grands favoris de John F. Kennedy (jetez un coup d'œil sur la plaque commémorative qui orne la banquette sur laquelle il s'asseyait d'habitude dans la salle à manger, à l'étage). Surtout connu pour son buffet d'huîtres, il a également comme spécialités diverses assiettes de fruits de mer, l'espadon et la chaudrée.

Beacon Hill

Panificio
$$
144 Charles St.
☎617-227-4340
Ce café-boulangerie situé à proximité de tout sert petits déjeuners, déjeuners et dîners, de même qu'un alléchant brunch le dimanche. Pour un brunch léger, essayez le Frutta, soit un pain italien fraîchement sorti du four, grillé et tartiné de beurre aux noix, garni de fruits frais et arrosé de miel. Si vous préférez quelque chose d'un peu plus consistant, songez aux

œufs bénédictine nappés d'une sauce hollandaise maison et agrémentés de saumon fumé. Le midi, optez pour un sandwich de viande fine sur pain frais, et le soir, pour le blanc de poulet grillé à la mozzarella fraîche, aux tomates Roma et à l'aïoli. Ne manquez pas non plus les plats du jour de pâtes fraîches le lundi soir. L'atmosphère est décontractée, et il suffit de commander au comptoir pour que le personnel amical vous apporte ensuite votre repas à votre table.

Artú
$$
89 Charles St.
☎617-227-9023
Artú est un excellent établissement pour déguster des mets italiens à prix raisonnable. Cette trattoria à plafond bas se veut en effet attrayante et propose des spécialités maison de la région d'origine du propriétaire, natif de Sulmona, dans les Abruzzes. Comme la salle ne compte que 20 places, l'Artú s'emplit rapidement, si bien que vous pouvez vous attendre à faire la queue pendant un petit moment. Essayez l'*antipasto* du chef, gorgé de légumes, et l'agneau ou le poulet, qu'on fait rôtir sous vos yeux dans la vitrine.

Lala Rokh
$$$
97 Mount Vernon St.
☎617-720-5511
Il n'est pas facile de trouver une authentique cuisine persane à Boston, mais le Lala Rokh fait très bien l'affaire. Son nom fait référence à l'héroïne d'un ouvrage romantique publié en 1817 par le poète Thomas Moore, qui traite

d'une belle et jeune princesse dont le nom signifie «joues de tulipe», un terme affectueux encore employé de nos jours dans la langue persane. Ce livre incarne l'essence même de toutes les fantaisies européennes relatives aux pays du Levant, thème d'ailleurs abondamment repris dans tout l'établissement, qu'on a décoré avec la collection de famille d'art persan et de cartes européennes du XVIᵉ au XVIIIᵉ siècle des propriétaires. Une combinaison aromatique d'épices orientales et méditerranéennes donne aux plats une saveur tout à fait distinctive.

The Hungry I
$$$$
71 Charles St.
☎617-227-3524
Manger au Hungry I, c'est plonger dans un autre monde. Quelques marches descendant de Charles Street donnent accès à un passage étroit puis à une terrasse verdoyante, et il est alors facile de manquer la petite porte sur la gauche qui s'ouvre sur la minuscule salle à manger de cet établissement. Cela dit, les dimensions des lieux sont vraiment tout ce qu'il y a de «petit» ici, car les murs rouge foncé, les tapis épais et la vaisselle à l'ancienne ont vraiment quelque chose d'opulent. Qui plus est, le service est excellent, la carte des vins se veut étendue, et les desserts sont exquis. Le menu varie selon la saison et comporte un grand choix de gibiers, et le Hungry I propose également un formidable brunch dominical à trois services.

Back Bay

Other Side Café
$
407 Newbury St.
☎617-563-9477
Ce comptoir bohème de jus frais et de sandwichs s'emplit de jeunes clients à la page qui s'attablent autour de mets santé et discutent à qui mieux mieux des formations musicales bostoniennes de l'heure. Choisissez les fruits et légumes que vous désirez qu'on presse pour vous, et saupoudrez le tout d'agropyre (*wheatgrass*) pour en accroître la teneur vitaminique. Quant aux sandwichs, ils sont préparés sur commande avec des viandes fraîches, des fromages et des produits végétariens, le tout servi dans du pain biologique fraîchement sorti du four. Le personnel amical se fera aussi un plaisir de vous proposer des salades, des potages maison, des boissons italiennes et un assortiment complet de cafés.

India Quality Restaurant
$-$$
484 Commonwealth Ave.
☎617-267-4499
Ce restaurant se spécialise dans la cuisine moghol du nord de l'Inde, connue pour ses savants assaisonnements et ses sauces onctueuses. Les plats du jour offerts le soir comprennent des joyaux tels que le *chana saagwala* (pois chiches frais, épinards, oignon, gingembre, fines herbes et épices dans une sauce au yogourt frais), le poulet Punjabia (viande blanche désossée cuite avec du brocoli, de la noix de coco, du gingembre frais et des épices) et le *korma* (curry) à la noix de coco fraîche (morceaux de poisson cuits avec du lait

de coco, des tomates et des fines herbes).

Fire + Ice
$$-$$$
205 Berkeley St.
☎617-482-3473
Voir description p 180.

29 Newbury
$$-$$$
29 Newbury St.
☎617-536-0290
Bien que la nourriture soit au premier rang des considérations entrant dans le choix d'un restaurant, les yeux doivent aussi se régaler. C'est ainsi que le 29 Newbury offre à ses clients l'occasion d'admirer les œuvres d'artistes locaux accrochées à ses murs ou encore le flot constant des passants depuis sa terrasse en bordure d'une rue commerciale affairée, tout en dégustant des plats originaux de la nouvelle cuisine américaine.

L'Espalier
$$$$$
30 Gloucester St.
☎617-262-3023
Aménagé dans une maison en rangée de 1886 entièrement restaurée, L'Espalier propose trois salles à manger distinctes: la classique, le salon bien aéré et la bibliothèque, plus intime. Les dîneurs ont le choix entre le menu à prix fixe, qui offre cinq ou six choix de plats principaux, et le menu dégustation. Bien que de somptueux plats de viande figurent au menu, et en grand nombre, comme la longe d'agneau rôtie et le filet de bison épicé et grillé, L'Espalier élabore aussi certains des meilleurs mets végétariens haut de gamme en ville. Si vous disposez de plusieurs

heures (et que votre appétit gronde), optez pour un des menus dégustation à quatre services, de véritables festins qui vous réservent des merveilles telles que le bar noir sauté frais du jour (menu régulier) et les gnocchis à l'orange et au safran agrémentés d'une purée de salsifis (menu végétarien), sans oublier les sorbets, les desserts et les fromages. Le menu change au gré des saisons et de la disponibilité des produits les plus frais.

West End, North End et Waterfront

North End Fresh Cheese Shop
$
81 Endicott St.
☎617-570-0007
Ce petit commerce ravit de bonheur tous les amateurs de fromage. Son propriétaire, Steven Giorgio, tient un large éventail de fromages et de charcuteries italiennes, et fabrique en outre jour après jour son propre ricotta et sa propre mozzarelle. Laissez-vous tenter par un assortiment de ces alléchants produits, ou commandez directement un sandwich sur mesure, et ne manquez surtout pas les mini-poivrons farcis de prosciutto et de parmesan. Des paniers-cadeaux et des plateaux de réception chargés de délices sont aussi offerts.

Il Panino Express
$-$$
262 Hanover St.
☎617-720-5720
Cette cafétéria (pâtes et sandwichs) sert une nourriture de qualité dans une atmosphère non formelle. Le menu se veut simple avec sous-marins, pizzas et

calzones. Les plats de pâtes sont délicieux.

La Galleria 33
$$
125 Salem St.
☎617-723-7233
Ce qui distingue La Galleria 33, un bon restaurant italien comme tant d'autres, est l'élégance des deux grandes salles à manger. Rien de plus agréable que de déguster un savoureux dîner dans un établissement qui rappelle un loft avec ses murs ornés d'expositions temporaires, tout en étant assis confortablement à une table au couvert recherché.

The Barking Crab
$$
88 Sleeper St.
☎617-426-2722
Chaleureux et peu coûteux, ce modeste restaurant représente une bonne solution de rechange aux établissements pour la plupart huppés du Waterfront. Les poissons et fruits de mer frais, apprêtés en toute simplicité et parfaitement délicieux qu'on y sert, expliquent sans détour son indéniable popularité. Installez-vous dans la salle à manger, plutôt bruyante, ou encore sur la terrasse. Tasses et couverts en plastique.

Monica's Restaurant
$$-$$$
143 Richmond St.
☎617-227-0311
Les frères Mendoza voulant perpétuer l'art de la cuisine ancestrale de leur mère, ils ont adjoint ce restaurant à l'épicerie italienne Monica's Salumeria, située au 130 Salem Street. Le restaurant propose une cuisine de l'Italie du Nord aux allures et aux goûts argentins, héritage maternelle qui se

reconnaît dans les pâtes maison, le pain rustique et les desserts sans égal.

Legal Sea Foods
$$$
255 State St.
☎617-227-3115

Installé sur le Long Wharf près du New England Aquarium, cet établissement est le seul membre de la populaire chaîne Legal Sea Foods à offrir une vue sur la mer. Le menu comporte aussi bien des classiques de la Nouvelle-Angleterre, comme le homard bouilli, que des plats d'influence asiatique. Le restaurant se fait un point d'honneur de satisfaire des goûts variés et propose même une version à faible teneur en gras de sa chaudrée de palourdes primée.

Le Sel de la Terre
$$$-$$$$$
255 State St.
☎617-720-1300

Le Sel de la Terre se spécialise dans la cuisine provinciale française, à la fois rustique et raffinée. Son robuste menu comprend notamment du calmar grillé au vin rouge et aux câpres, de la bouillabaisse et des rôtis campagnards. Le restaurant possède par ailleurs sa propre boulangerie et vend des pains, des fromages et des viandes à emporter ou à manger au comptoir.

Mamma Maria
$$$
3 North Square
☎617-523-0077

Les tables privées et la lumière tamisée de ce restaurant en font un rendez-vous romantique. Essayez le filet de bœuf arrosé d'huile de truffe, ou grignotez simplement des antipasti dans le bar intime.

Sage
$$$-$$$$
69 Prince St.
☎617-248-8814

Pour un fin mariage de la cuisine régionale italienne et de la nouvelle cuisine américaine, songez à ce petit établissement intime en retrait de la trépidante Hanover Street. Son risotto au potiron rôti et à la courge musquée accompagné d'un confit de canard, tout comme son filet de porc grillé au chou braisé, pour ne mentionner que ces plats, élargissent joyeusement l'éventail des traditionnels mets italiens. Les couleurs feutrées et les œuvres d'artistes de la région qui rehaussent le décor de la salle à manger s'harmonisent fort bien à la finesse des aliments.

Chart House Restaurant
$$$$
60 Long Wharf
☎617-227-1576

Ce restaurant loge dans un entrepôt historique du XVIIe siècle à l'intérieur du Gardner Building. Le menu se compose de fruits de mer conventionnels à l'américaine, auxquels s'ajoutent le saumon royal, le saumon rouge, le flétan et le crabe royal, tous d'Alaska, ainsi que les moules fraîches.

Theatre District, Chinatown et South End

Buddha's Delight
$-$$
3 Beach St.
☎617-451-2395

Même si son décor est tout à fait caractéristique du Chinatown, la nourriture offerte ici n'est pas du tout

comparable à celle des établissements voisins. Ce restaurant propose en effet de savoureux plats végétaliens (aucune viande ni aucun autre produit animal) d'inspiration vietnamienne et chinoise. Beaucoup de tofu!

Penang
$-$$
685 Washington St.
☎617-451-6373

Le Penang élabore une authentique cuisine malaise aux accents chinois, indiens et thaïlandais dans un décor tropical. Si le piment fort qui entre dans la composition des plats vous donne du fil à retordre, n'hésitez pas à arroser le tout d'un ABC, soit une rafraîchissante boisson malaise préparée à partir de glace râpée, de haricots rouges, de noyaux de prune, de gelée d'algue, de maïs en crème et de lait de coco.

Pho Pasteur
$-$$
682 Washington St.
☎617-482-7467

Produits frais, vaste choix de mets vietnamiens et prix raisonnables: voilà bien une combinaison gagnante. Le plat fétiche du restaurant, le *pho*, consiste en un bouillon léger et savoureux gorgé de nouilles de riz ou aux œufs, de coriandre, d'échalotes, de germes de soja et de bœuf, de poisson ou de poulet (ou même sans viande, si vous le préférez). Le Pho Pasteur est un véritable pilier du Chinatown et possède désormais d'autres succursales à Boston ainsi qu'à Cambridge et à Allston.

Toro
$$
1704 Washington St., angle W. Springfield St.
☎617-536-4300

Dans ce nouveau bar à tapas, on prépare une cuisine espagnole tout à fait traditionnelle et exquise. Les tapas sont ces bouchées que les Espagnols mangent surtout en après-midi, au bar, mais qui finissent par faire leur repas. C'est ce que les habitués du South End font ici, ce qui permet de goûter à plusieurs spécialités de l'Espagne.

Ginza Japanese Restaurant
$$$
16 Hudson St.
☎617-338-2261

Spécialités japonaises traditionnelles et sushis parmi les meilleurs en ville vous attendent dans Hudson Street. La musique pop japonaise et les serveuses en kimono contribuent à l'ambiance des lieux, et vous pourrez même, si vous le désirez, retirer vos chaussures pour accéder aux tatamis. Essayez le maki «araignée», qui ressemble vraiment à une araignée et se trouve farci de chair de crabe à carapace molle, d'œufs de poisson volant, de concombre, d'avocat et de mayonnaise épicée.

Les Zygomates
$$$$
129 South St.
☎617-542-5108

Le nom de ce confortable bistro vient des zygomatiques, ces muscles de la bouche dont nous nous servons pour sourire, et sa carte des vins vous donnera toutes les raisons de les utiliser. Les Zygomates tient en effet une sélection notable de vins de toutes les parties du monde (tout en accordant la préférence aux

crus français) et organise même des dégustations de vin et des dîners-événements. Le menu comporte entre autres des venaisons et des ris de veau, et des musiciens de jazz agrémentent les repas six soirs par semaine.

Aujourd'hui
$$$$
Four Seasons Hotel
200 Boylston St.
☎617-351-2037

À l'instar de la plupart des restaurants d'hôtel, celui de ce Four Seasons est onéreux, mais il n'en possède pas moins deux atouts certains: le panorama et la nourriture. Sa cuisine américaine contemporaine aux accents français et asiatiques est par ailleurs fort élégamment présentée. Code vestimentaire strict.

Cultural District

Courtyard Cafe
$
Museum of Fine Arts
465 Huntington Ave.
☎617-369-3476

Le Courtyard Cafe vous sert dans une ambiance de cafétéria avec vue sur Calderwood Courtyard. Au menu: un buffet de salades, des sandwichs, des potages, des plats chauds, des produits de boulangerie et des pâtes au poids. Il est possible de manger à l'extérieur en été, et l'établissement accueille plus volontiers les enfants que d'autres salles à manger de musée.

El Pelon Taqueria
$-$$
92 Peterborough St.
☎617-262-9090

El Pelon Taqueria est tout indiqué pour des mets mexicains à la fois simples

et délicieux à seulement quelques rues du Fenway Park. Lorsque le temps le permet, vous pourrez même déguster vos *enchiladas* et vos *tacos* de poisson à l'extérieur.

Woody's Grill & Tap
$$
58 Hemenway St.
☎617-375-9663

Sa délicieuse pizza à croûte mince fraîchement sortie du four à bois et ses généreuses portions de pâtes attirent ici, et ce, à toute heure, une foule de jeunes affamés, du reste souvent bruyants.

Brown Sugar Cafe
$$
129 Jersey St.
☎617-266-2928

En dépit de son nom, le Brown Sugar Cafe sert des mets thaïlandais moins sucrés que la plupart des cuisines thaïlandaises du pays. Son chef affectionne tout particulièrement les versions légères de plats maison classiques, qu'il apprête avec grâce et flair.

Sol Azteca
$$
914 Beacon St.
☎617-262-0909

Le Sol Azteca sert d'authentiques mets mexicains à des prix raisonnables. Parmi les fleurons du menu, retenons les *tortillas* fraîches, les *chilis rellenos* et le traditionnel *guacamole*, une rareté dans l'océan bostonien des petits restaurants mexicains férus de *burritos* et de *fajitas*.

Audubon Circle
$$
838 Beacon St.
☎617-421-1910

Il est facile, pour un visiteur, de manquer ce petit resto-bar effacé, mais n'hésitez pas à suivre les

hordes de jeunes gens qui affluent vers cet établissement sympa. Le menu comporte de succulents sandwichs et hamburgers, de même que d'excellents plats de résistance, tel l'albacore grillé. Et tout cela à faible distance de marche du Fenway Park.

Betty's Wok and Noodle Diner
$$$
250 Huntington Ave.
☎617-424-1950

L'emplacement de ce *diner* en fait un rendez-vous rêvé en début de soirée. Il se trouve en effet tout juste en face du Symphony Hall et à quelques pas seulement du Huntington Theatre. Ce restaurant chic, et pourtant décontracté, vous laisse libre de concevoir votre propre sauté à l'asiatique, à la cubaine ou à l'indienne. Faites votre choix parmi un vaste choix de nouilles et de riz, d'une pléthore de légumes frais, de viandes, de poissons, ainsi que de sept sauces épicées, de la *hoisin* cantonaise au *chipotle* cubain, pour composer votre repas sur mesure. Bref, le menu sera aussi varié que votre imagination.

Elephant Walk
$$$
900 Beacon St.
☎617-247-1500

Au menu de ce restaurant sans cérémonie, vous trouverez aussi bien de simples plats de bistro français que des variations plus exotiques sur le thème de la cuisine cambodgienne. Le nom de l'établissement (et son décor) rend hommage à l'éléphant, qui joue un rôle prépondérant dans la culture et la religion cambodgiennes.

Cambridge

Tea Luxe
$
Zero Brattle St.
☎617-441-0077

Ce chaleureux salon de thé propose un vaste choix d'infusions à boire sur place ou à emporter. Il s'agit là du fer de lance d'une petite chaîne de restauration qui offre par ailleurs des services Internet. Essayez la mouture du jour, ou optez pour l'un ou l'autre des nombreux mélanges exotiques. Tea Luxe vend aussi des pâtisseries, du thé en vrac, des théières du monde entier et d'autres produits assortis. Atmosphère confortable, décor à l'ancienne et personnel cordial.

Z Square
$$
6h à 2h
14 John F. Kennedy St.
☎617-576-0101

Certainement le moins cher des restaurants du Harvard Square, cet établissement propose une cuisine on ne peut plus originale. Le Z Square a transformé la cuisine rapide en de délicieux plats aux arômes insolites en mariant les ingrédients d'une manière inhabituelle. Une salle à manger en sous-sol et une petite terrasse munie de «lampes thermiques» s'ajoutent à la petite salle de l'entrée.

Fire + Ice
$$-$$$
50 Church St.
☎617-547-9007

L'idée derrière cette grilladerie qu'on pourrait qualifier d'éclectique est que chaque convive doit jouer un rôle actif dans l'élaboration de son repas. Choisissez vous-même vos viandes

et poissons (ou ce qui en tient lieu), vos légumes et vos sauces; portez-les au gril circulaire central; et observez les cuisiniers préparer votre repas. Ce restaurant sert une clientèle très variée, qui va des groupes d'employés de bureau aux familles, en passant par les jeunes dans la vingtaine attirés par les boissons glacées et exotiques du bar.

Bombay Club
$$-$$$
57 J.F.K. St.
☎617-661-8100

Le Bombay Club se veut élégant et spacieux, et deux de ses murs fenêtrés donnent directement sur Harvard Square. Fidèles à la croyance que la cuisine maison demeure la meilleure, les cuisiniers préparent quotidiennement leur propre yogourt et leur propre fromage frais, les épices étant elles-mêmes moulues au jour le jour. En entrant dans le restaurant, jetez un coup d'œil par la petite fenêtre des cuisines pour admirer de plus près le *tandoor* (four en terre cuite fonctionnant au charbon de bois). Le Bombay Club propose également un buffet de 10 plats le midi ainsi qu'un brunch la fin de semaine.

Elephant Walk
$$$
2067 Massachusetts Ave.
☎617-492-6900
Voir description plus haut.

B-Side Lounge
$$$
92 Hampshire St.
☎617-354-0766

Essayez ce restaurant branché en début de soirée, avant que la file d'attente ne se forme. Sa cuisine américaine inventive comprend

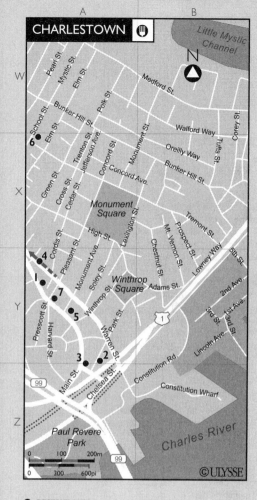

©ULYSSE

● RESTAURANTS

1.	AY	Figs
2.	AY	Ironside Grill
3.	AZ	Olives
4.	AY	Paolo's Trattoria
5.	AY	Sorelle Bakery & Café
6.	AX	Tavern on the Water
7.	AY	Warren Tavern

Upstairs on the Square
$$$-$$$$
91 Winthrop St.
☎617-864-1933

Installé dans un immense local sur trois étages, l'Upstairs on the Square propose un mélange varié de plats italo-californiens, telle cette pizza aux piments forts, brocolis, raves et feuilles d'épinard ou ce potage au melon Crenshaw, rehaussé de lime et de capucines. Repas gastronomiques, les très recherchés «Wine Dinners» du mercredi soir proposent aux convives un menu accompagné de cinq vins provenant d'une région particulière. Des tables conviviales permettent alors à une trentaine d'hôtes de partager leur appréciation des vins à déguster, commentés par le sommelier du restaurant.

Rialto
$$$$
The Charles Hotel
1 Bennett St.
☎617-661-5050

Chaque plat est soigneusement préparé et présenté de façon créative dans ce fascinant restaurant au menu de cuisine fusion à l'européenne. Décoré dans de doux tons de bleu et garni de fauteuils confortables, le Rialto mérite résolument une visite, ne serait-ce que pour un dessert.

Charlestown

Sorelle Bakery & Café
$
1 Monument Ave.
☎617-242-2125

Le *Boston Phoenix* a couronné le Sorelle pour avoir fabriqué l'un des meilleurs

---

des mets tels que le potage de *succotash*, le jarret de veau braisé au vin blanc et les *enchiladas* aux légumes.

Sandrine's
$$$-$$$$
8 Holyoke St.
☎617-497-5300

Le Sandrine's s'enorgueillit de ses nourrissants mets franco-allemands. Vous y trouverez un bel assortiment de saucisses, de viandes fumées et de choucroute. Laissez-vous tenter par le *flammekuchen*, qui se veut une sorte de croisement entre la pizza et la tarte à l'oignon. Complétez le tout avec une tarte Tatin garnie de crème glacée à la vanille.

biscotti de Boston, et sans doute n'a-t-il pas eu tort. Cette minuscule boulangerie-café offre un large assortiment de sandwichs à manger sur place ou à emporter, et elle vend naturellement, outre ses célèbres *biscotti*, ses propres pains et gâteaux.

Warren Tavern
$-$$
2 Pleasant St.
☎617-241-8142
La Warren Tavern, fondée en 1780, comptait parmi les rendez-vous favoris de Paul Revere. Elle a d'ailleurs ainsi été nommée en l'honneur de son ami, le docteur Joseph Warren, ardent patriote, qui a perdu la vie lors de la bataille de Bunker Hill, en 1775. Les plafonds bas aux poutres apparentes créent ici un espace très intime, atmosphérique et chargé d'histoire, et la moutarde à l'ail rôti qu'on fabrique sur place compense toutes les imperfections de la nourriture qu'on peut y servir.

Tavern on the Water
$$
1 Pier 6
☎617-242-8040
Situé à la hauteur d'Eighth Street, près des installations navales de Charlestown, ce restaurant de fruits de mer à l'américaine se prête on ne peut mieux à l'observation des couchers de soleil avec vue sur les bateaux et la silhouette du centre-ville. Attendez-vous à y trouver une foule de touristes et de plaisanciers, ainsi que des masses de fruits de mer frits.

Ironside Grill
$$
25 Park St.
☎617-242-1384
Ce n'est pas là une grilladerie comme les autres.

En effet, les hors-d'œuvre (entre autres les rouleaux de printemps au porc et au gouda fumé), le calmar frit, les sashimis au thon, le risotto aux crevettes et la lasagne s'ajoutent aux habituelles grillades.

Figs
$$-$$$
67 Main St.
☎617-242-2229
Cette pizzeria haut de gamme appartient au propriétaire de l'**Olives** (voir plus loin) et vous assure la même qualité à seulement une fraction du prix. Ses généreuses portions et son menu inventif fortement axé sur la nouvelle cuisine italienne, avec entre autres une pizza aux figues et au prosciutto de même qu'un risotto aux champignons sauvages accompagné d'un croustillant confit de canard, s'allient pour en faire un des meilleurs établissements de Charlestown. Le seul inconvénient, c'est que tout le monde le sait, de sorte qu'il faut s'attendre à faire la queue. Le chef et propriétaire Todd English a même ouvert d'autres Figs à Boston et ailleurs au pays. Et si vous souhaitez reproduire vous-même les délices du Figs, achetez l'un des livres de recettes maison.

Paolo's Trattoria
$$$
251 Main St.
☎617-242-7229
Le menu méditerranéen de cet accueillant restaurant familial couvre tout un éventail, depuis les pâtes jusqu'aux fruits de mer, en passant par les pizzas cuites au four à bois, couvertes de garnitures inventives.

Un haut plafond recouvert de cuivre étamé et un mur de briques nues confèrent à la salle à manger un aspect aéré et chaleureux.

Olives
$$$$
10 City Square
☎617-242-1999
Ce haut lieu culinaire doit son succès à son chef réputé (Todd English) et à sa cuisine méditerranéenne rustique. Pas étonnant qu'on doive longtemps y attendre une table! Mais vous ne le regretterez pas, car les hauts plafonds et les immenses fenêtres de la salle à manger ne font qu'accentuer les plats audacieux du chef, et vous pourrez même observer le va-et-vient des cuistots dans la cuisine à aire ouverte. En contrepartie, l'Olives tend à être bondé et bruyant.

Sorties

■ Activités culturelles

Cabarets d'humour

The Comedy Connection
lun-mer 20h, jeu 20h30, ven-sam 20h15 et 22h30, dim 19h
Faneuil Hall
245 Quincy Market Place
☎617-248-9700
Ce populaire cabaret d'humour présente des comédiens d'envergure locale et nationale.

Improv Asylum
mer-sam 20h et 22h
216 Hanover St.
☎617-263-6887
Ce cabaret d'humour de North End, axé sur l'impro-

visation, ne cesse de réjouir le cœur des habitués.

Salles de spectacle

Hatch Memorial Shell
Charles River Esplanade
☎617-523-8881
www.hatchshell.com
On présente gratuitement des concerts sur l'esplanade de la rivière Charles depuis 1910, et c'est là que vous devez vous rendre pour voir et entendre les Boston Pops, qui s'y produisent quant à eux depuis 1925. La saison s'étend de juin à octobre, du mercredi au dimanche, et comporte aussi bien des concerts de musique *dance* que de musique pop, rock et jazz. Le vendredi, le Hatch Shell se transforme en cinéma à la tombée de la nuit, alors qu'on y présente les Friday Flicks. Étendez-vous directement sur l'herbe, ou apportez une couverture ou une chaise de jardin.

Berklee Performance Center
136 Massachusetts Ave.
☎617-747-2261
www.berkleebpc.com
Filiale de la Berklee School of Music, ce rendez-vous accessible au public présente régulièrement des spectacles.

Cutler Majestic Theatre at Emerson College
219 Tremont St.
☎617-824-8000
www.maj.org
Le **Cutler Majestic** (voir p 100) a été conçu pour présenter de l'opéra. Construit sans colonnes, il offre un espace à la visibilité et à l'acoustique remarquables.

New England Conservatory of Music
290 Huntington Ave.
☎617-585-1100
www.newenglandconservatory.edu
Le **New England Conservatory of Music** (voir p 103) présente chaque année plus de 600 concerts gratuits et accueille aussi bien des solistes que des ensembles, qu'il s'agisse de membres du corps enseignant, d'étudiants ou d'artistes invités. Deux salles sont ouvertes au public: l'intime Keller Room et le splendide Jordan Hall.

Orpheum Theater
1 Hamilton Place
☎617-679-0810
L'orchestre symphonique de Boston a fait ses débuts à l'**Orpheum Theater** (voir p 98). Mais aujourd'hui, cette salle à l'ancienne accueille plutôt des formations rock de renom.

Symphony Hall
301 Massachusetts Ave.
☎617-888-266-1200
www.bso.org
Achevé en 1900, le Symphony Hall demeure la salle de concerts la mieux connue en ville. Jetez un coup d'œil sur les statues grecques et romaines qui surplombent le balcon; elles ne servent pas que de rappels à différentes notions classiques de la musique et des arts, mais jouent aussi un rôle acoustique. Le hall a été conçu par Wallace Clement Sabine, chercheur et acousticien de Harvard, et présente une des meilleures acoustiques qui soit dans le monde. Le Symphony Hall est le siège par excellence de l'orchestre symphonique de Boston, et des membres de la communauté musicale locale y présen-

tent souvent des exposés avant les concerts.

Boston Center for the Arts
539 Tremont St.
☎617-426-5000
www.bcaonline.org
Le **Boston Center for the Arts** (voir p 102) abrite trois théâtres, une galerie d'art ainsi que de nombreux studios d'artistes et espaces polyvalents, sans oublier un cyclorama de 1884.

Théâtre et comédies musicales

Mystery Theater Cafe
161 Devonshire St. (entre Milk St. et Franklin St.)
☎800-697-CLUE
www.mysterycafe.com
Déplacez-vous d'une pièce à l'autre, interrogez les suspects et recueillez les indices qui vous permettront d'épingler le coupable dans ce théâtre «meurtre et mystère» à la fois comique et interactif.

Charles Playhouse
74 Warrenton St.
☎617-426-6912
La formation Blue Man Group et la comédie «meurtre et mystère» *Shear Madness* sont depuis longtemps les grandes attractions de cette salle.

Colonial Theatre
106 Boylston St.
☎617-426-9366
Élément vital de la vie théâtrale à Boston, le Colonial présente des pièces de Broadway ainsi que d'autres spectacles en tournée. Son opulente salle arbore des murs lambrissés de bois, des colonnes de marbre rose et des balustrades recouvertes de velours.

Shakespeare on Boston Common
Commonwealth Shakespeare Company
☎617-532-1252
www.commonwealthshakespeare. org

La Commonwealth Shakespeare Company présente tout l'été des pièces gratuites au Boston Common. Cette troupe se consacre à l'œuvre de William Shakespeare et s'adresse aussi bien aux résidants de la ville qu'aux visiteurs de passage.

Boston University Theatre
Huntington Theatre Company
264 Huntington Ave.
☎617-266-0800
www.huntingtontheatre.org

La Huntington Theatre Company produit des comédies musicales, des classiques de la scène et des créations récentes.

Hasty Pudding Theatricals
12 Holyoke St.
Cambridge
☎617-495-5205
www.hastypudding.org

Ce théâtre avant-gardiste propose des pièces de l'American Repertory Theatre (ART) ainsi que des productions étudiantes et des troupes en tournée. Les spectacles sont actuellement présentés au Zero Arrow Street Theater *(angle Massachusetts Ave. et Arrow St.)* en attendant la réouverture de la salle de spectacle, présentement en rénovation, à l'été 2007 (voir p 113).

Loeb Drama Center
64 Brattle St.
Cambridge
☎617-547-8300

Le Loeb Drama Center est le siège de l'American Repertory Theatre (ART), la meilleure troupe de théâtre marginale de la ville.

■ Bars et discothèques

Le cœur de Boston

The Black Rose
160 State St.
☎617-742-2286

Le Black Rose est un pub irlandais d'allure traditionnelle qui présente des musiciens sur scène tous les soirs et les après-midi de fin de semaine. Il sert en outre des repas complets et divers plats de pub. Assez populaire auprès des touristes.

Hennessy's
25 Union St.
☎617-742-2121

Où d'autre peut-on encore s'asseoir devant une authentique cheminée à tourbe? Hennessy's a su recréer un authentique pub irlandais, jusqu'aux sols d'ardoise et au *kilmacalog* (chaudrée de coques et de moules).

Beacon Hill

21st Amendment
150 Bowdoin St.
☎617-227-7100

Ce bar à l'anglaise attire volontiers les représentants de la Chambre législative voisine de même que les étudiants de la Suffolk University, également située tout près. Soit dit en passant, le 21e amendement à la Constitution des États-Unis avait trait à l'abrogation de la Prohibition. Repas servis jusqu'à 22h.

The Sevens
77 Charles St.
☎617-523-9074

Le Sevens est un confortable bar de quartier dont la clientèle est extrêmement variée, et vous y côtoierez aussi bien des profession-

nels que des cyclistes et des touristes. Bonne nourriture de bar.

Back Bay

Bob's Southern Bistro
604 Columbus Ave.
☎617-536-6204

Des interprètes locaux de soul et de jazz rehaussent la cote de cet établissement du quartier de Back Bay.

Club Cafe
209 Columbus Ave.
☎617-536-0966

Ce bar gay fort apprécié est réputé comme lieu de rencontre. Il y règne une atmosphère chaleureuse et détendue, et sa clientèle est très variée.

Daisy Buchanan's
240 Newbury St.
☎617-247-8516

Cet établissement offre un répit des bars et des restaurants huppés de Newbury Street, dans la mesure où des gens s'y mêlent aux cartes de mode pour prendre un verre et un repas façon pub. Les tables disposées sur le trottoir se prêtent fort bien à l'observation des passants pendant la belle saison.

Sophia's
droit d'entrée
jeu-sam
1270 Boylston St.
☎617-351-7001

Les gens sont prêts à faire la queue pendant des heures pour pénétrer à l'intérieur de ce bar dansant d'inspiration latine. Vous voulez vous familiariser avec les pas de ces danses exotiques? Qu'à cela ne tienne, car tous les mercredis, à 21h15, la maison propose des leçons. On sert en outre des tapas, et la terrasse aménagée sur le toit offre une vue imprenable sur la ville.

West End, North End et Waterfront

The Fours
166 Canal St.
☎617-720-4455
Ce resto-bar sportif est truffé d'articles liés aux équipes bostoniennes et dispose d'une batterie de téléviseurs qui diffusent des matchs de partout dans le monde.

McGann's of Boston
197 Portland St.
☎617-227-4059
Ce McGann's fait pendant à celui de Doolin, dans le County Clare, en Irlande, et perpétue les traditions gaéliques en présentant des musiciens sur scène le mercredi soir et le dimanche après-midi.

Purple Shamrock
1 Union St.
☎617-227-2060
Établi à faible distance de marche du Faneuil Hall, cet autre pub irlandais grouille généralement de monde. Musique en direct tous les soirs de la semaine, nourriture de pub, soirée de karaoké le mardi et petits déjeuners irlandais les fins de semaine.

Porters Bar and Grill
173 Portland St.
☎617-742-7678
À une rue seulement du TD Banknorth Garden, ce pub décontracté est tout indiqué pour prendre un verre en début ou en fin de soirée.

Theatre District, Chinatown et South End

Aria
droit d'entrée
246 Tremont St., angle Stuart St.
☎617-338-7080
Cet intime bar dansant installé dans le sous-sol du Wilbur Theatre dessert une clientèle professionnelle dans la trentaine.

Buzz
droit d'entrée
ven-sam dès 22h
51 Stuart St.
☎617-267-8969
www.buzzboston.com
Le vendredi, cette immense boîte du centre-ville met en vedette la musique de danse européenne, tandis que la soirée du samedi est déclarée gay. Différents salons en alcôve accueillent par ailleurs ceux qui désirent prendre un verre dans un cadre plus intime.

Venu
droit d'entrée
mar-dim
100 Warrenton St.
☎617-338-8061
www.venuboston.com
C'est ici que le Tout-Boston se rassemble pour se reluquer et entendre certains des meilleurs disques-jockeys de la ville. La piste de danse vibre sans relâche et ne dérougit pas.

Cultural District

Avalon
droit d'entrée
jeu-dim dès 22h
15 Lansdowne St.
☎617-262-2424
Lansdowne Street est une artère centrale qui regorge de boîtes attirant une clientèle variée. L'Avalon compte parmi les plus populaires avec ses disques-jockeys étoiles, sa musique européenne et ses soirées

dansantes au son des grands succès de l'heure interprétés par des musiciens sur scène. C'est une clientèle plutôt jeune qui fréquente les lieux, emplissant le plus souvent la salle jusqu'aux combles. Le dimanche, l'Avalon fusionne avec l'Axis (voir ci-dessous) pour offrir une soirée gay qui ne manque pas d'attirer des gens de partout, à des kilomètres à la ronde.

Axis
droit d'entrée
couvre-chef et chaussures de sport interdits
13 Lansdowne St.
☎617-262-2437
Les soirées thématiques de cet établissement en font l'une des boîtes les plus populaires du coin. Sa clientèle dernier cri y danse au son de la musique house, progressive, industrielle ou nouvelle vague. On présente en outre, tous les lundis, un spectacle de travestis.

Bill's Bar
droit d'entrée
5½ Lansdowne St.
☎617-421-9678
www.billsbar.com
Le Bill's Bar est tout indiqué pour entendre des musiciens sur scène ou pour échapper, l'espace d'un soir, aux bars dansants bondés à craquer qui bordent Lansdowne Street. Le dimanche, le Bill's Bar offre une soirée reggae.

Jake Ivory's
droit d'entrée
9 Lansdowne St.
☎617-247-1222
Ce piano-bar inspiré dessert une clientèle décontractée. Ne manquez pas les prestations enlevantes des Amazing Dueling Pianos, tous les soirs du jeudi au samedi.

Boston - Sorties

The Ramrod

droit d'entrée

1254 Boylston St.

☎617-266-2986

Le Ramrod représente, pour les gays, une solution de rechange intéressante aux boîtes plus conventionnelles de Lansdowne Street. Torses nus et tenues de cuir sont les bienvenus, voire nécessaires les fins de semaine *(jeu-sam)*, sous peine de se voir refuser l'accès à l'arrière-salle. La boîte qui se trouve à l'étage inférieur, **The Machine**, attire une foule dansante plus mixte, et son décor rutilant de même que sa salle de jeu contrastent fortement avec le Ramrod, passablement plus rude.

Cambridge

Lizard Lounge

1667 Massachusetts Ave.

☎617-547-0759

www.lizardloungeclub.com

Pour le moins animé de sons éclectiques, le Lizard Lounge se révèle être la boîte de nuit underground par excellence de Cambridge. La clientèle se compose de jeunes professionnels et d'étudiants de l'université Harvard ou du MIT. Les petites tables pour deux, placées tout autour de la scène mais au même niveau, ainsi que le bas plafond créent une atmosphère intime: vous aurez l'impression de faire partie du spectacle.

Cantab Lounge

738 Massachusetts Ave.

☎617-354-2685

Le Cantab est un des rares établissements où vous pourrez entendre du *bluegrass* en ville (le mardi soir). Micro libre le lundi, lectures de poésie le mercredi, soirée d'improvisation le jeudi et rhythm-and-blues du vendredi au dimanche.

Club Passim

droit d'entrée

47 Palmer St.

☎617-492-7679

www.clubpassim.org

Ce café historique était au cœur de la vie folk au milieu des années 1960. Il a survécu à cette époque et continue à ce jour à présenter des musiciens folk contemporains dans une atmosphère intime. Installez-vous devant un espresso avec un bon livre, ou laissez-vous tenter par le menu moyen-oriental en attendant le spectacle.

Druid Pub

1357 Cambridge St.

☎617-497-0965

Ce pub de quartier vous changera agréablement des nombreux pubs irlandais à saveur plutôt touristique de la ville. On y sert notamment de la Guinness en pinte.

John Harvard's Brew House

33 Dunster St.

☎617-868-3585

Les gens du coin se mêlent à la foule estudiantine dans cette institution du Harvard Square. Essayez les bières maison, surtout l'India, une blonde franche et houblonnée.

The Kinsale

tlj 10h à 2h

2 Center Plaza

☎617-742-5577

www.classicirish.com/kinsale_about.html

Ce pub a été construit en Irlande puis transporté par bateau jusqu'à Boston avec ses pièces murales d'inspiration celtique et ses boiseries d'origine. On y présente des musiciens traditionnels.

The Middle East Club

droit d'entrée

472 Massachusetts Ave.

☎617-864-3278

www.mideastclub.com

Le Middle East Club est un des meilleurs petits établissements de la ville pour entendre du rock alternatif et indépendant interprété par des artistes d'envergure locale ou nationale.

Toad

1920 Massachusetts Ave.

☎617-497-4950

Le Toad se veut un espace intime qui attire des musiciens de talent de même que leurs fidèles admirateurs de la région de Cambridge. Vous pouvez être assuré d'y entendre du rock, du folk ou du blues, tous bons, et ce, n'importe quel soir de la semaine.

Charlestown

Warren Tavern

2 Pleasant St.

☎617-241-8142

La Warren Tavern, fondée en 1780, comptait parmi les rendez-vous favoris de Paul Revere, et elle continue à ce jour d'attirer les foules, surtout lorsqu'il y a un match diffusé sur les grands écrans de télévision. Ses plafonds bas et ses poutres apparentes en font un établissement très chaleureux.

■ Événements sportifs

Sport professionnel

Les amateurs de sport n'auront aucun mal à se divertir à Boston. Le Fenway Park, un des plus vieux stades des ligues majeures de baseball, accueille en effet les Red Sox, tandis que les Celtics (basket-ball) et les Bruins (hockey) jouent au TD Banknorth Garden, qui accueille par ailleurs de grands concerts, et que les New England Patriots (football américain) se produisent au Gillette Stadium de Foxborough.

Fenway Park
4 Yawkey Way
☎617-267-1700

TD Banknorth Garden
150 Causeway St.
☎617-624-1000

Gillette Stadium
One Patriot Place, Foxborough
☎508-384-4389
www.patriots.com

Tournois, concours et autres compétitions

Boston Marathon
☎617-236-1652
www.bostonmarathon.org
Le marathon de Boston, le plus ancien et le plus prestigieux du genre dans le monde, a lieu tous les ans en avril à l'occasion du Patriots' Day, et ce, depuis 1897. Cette course à pied est organisée par la Boston Athletic Association.

Head of the Charles Regatta
Boston University Boathouse
☎617-868-6200
www.hocr.org
Cette régate s'impose comme la plus grande compétition d'aviron de deux jours dans le monde. Elle a connu une croissance remarquable depuis ses humbles débuts en 1965 et attire aujourd'hui plus de 5 400 athlètes du monde entier prenant part à 19 courses différentes auxquelles assistent plus de 300 000 spectateurs. Le tracé de 3 mi (4,8 km) va du hangar à bateaux de l'université de Boston au Herter Park, et l'événement se tient traditionnellement au cours de la troisième fin de semaine d'octobre.

■ **Festivals**

Avril

Boston International Festival of Women's Cinema
Brattle Theatre et Coolidge Corner Theater, Brookline
☎617-876-6837 ou 617-734-2500
Une vitrine de premier plan sur les œuvres cinématographiques commerciales et indépendantes de femmes ou au sujet des femmes sous les auspices du Beacon Cinema Group. Chaque année, ce festival présente en avant-première d'importantes productions internationales et lance par ailleurs des films inédits ou indépendants réalisés dans la région de Boston.

New England Film & Video Festival
Coolidge Corner Theatre
290 Harvard St., Brookline
☎617-734-2500
www.befva.org
Festival du film et de la vidéo.

Juin

Lesbian & Gay Pride Festival
manifestations dans toute la ville
☎617-262-9405
www.bostonpride.org
Conférences, concerts, spectacles, carnaval et défilé.

Juillet

Boston Harborfest
manifestations dans toute la ville
☎617-227-1528
www.bostonharborfest.com
Une semaine de célébration et de plaisir qui culmine le 4 juillet, lorsque le spectacle annuel de la fête nationale, qui comporte un concert des Boston Pops et des feux d'artifice, est présenté sur l'esplanade de la rivière Charles. Cet événement est en outre l'occasion de reconstitutions historiques et d'un festival de la chaudrée.

Septembre

Boston Film Festival
AMC Loews Boston Common Theatre
☎617-523-8388
www.bostonfilmfestival.org
On présente, dans le cadre de ce festival, les meilleurs films produits à Boston et dans le reste du monde. Conférences et forums de discussion.

Open Studios
manifestations dans toute la ville
☎617-635-3245
www.bostonopenstudios.org
Du début de septembre à la fin de novembre, des artistes de tous les quartiers de Boston ouvrent leurs studios au public pour lui permettre d'apprécier de plus près la dynamique vie artistique de la ville. Beaucoup d'artistes font même des exposés et des démonstrations, et nombre d'œuvres originales sont mises en vente. Pour de plus amples renseignements sur les dates et les emplacements précis des différentes manifestations, adressez-vous au Mayor's Office of Cultural Affairs, dont le numéro apparaît ci-dessus.

Boston - Sorties

Octobre

Boston Comedy and Movie Festival

à plusieurs endroits à travers la ville

☎617-782-8100

www.bostoncomedyfestival.com

Ce festival comprend des spectacles sur scène et un concours où près d'une centaine d'humoristes du monde entier rivalisent de talent.

Achats

Boston compte plusieurs quartiers qui se prêtent bien au magasinage, chacun répondant à un style particulier. Les visiteurs et les familles se dirigent en général vers le centre-ville et le Faneuil Hall; ceux qui ne jurent que par les vêtements et accessoires dernier cri font leurs emplettes dans le quartier de Back Bay; et les jeunes à la recherche des nouvelles tendances raffolent de Cambridge.

Des boutiques de toutes les grandeurs et pour tous les goûts et tous les besoins, du grand magasin à rayons à la petite boutique de rue, se retrouvent un peu partout à l'intérieur de ces quartiers et tout autour. N'oubliez pas que la taxe de vente au Massachusetts est de 5%, et qu'elle ne s'applique pas aux articles d'épicerie ni aux vêtements vendus moins de 175$. Voici quelques adresses pour débuter votre chasse aux souvenirs!

■ Alimentation

Le cœur de Boston

Haymarket

ven-sam

Blackstone St.

Ce marché extérieur de fruits et légumes est l'occasion d'une merveilleuse expérience sensorielle. Les marchands annoncent leurs produits à grands cris, et les clients se bousculent pour accéder aux différents comptoirs. Le parfum des fruits et légumes frais emplit l'air et se mélange aux odeurs émanant des boucheries, poissonneries et fromageries voisines. Pour un casse-croûte rapide, songez à vous procurer une pointe de la meilleure pizza en ville au miteux Haymarket Pizza, à côté du marché.

Beacon Hill

Deluca's

11 Charles St.

☎617-523-4343

En arpentant les allées de ce marché de prestige, vous trouverez divers produits alimentaires, des fruits et légumes, des fromages, des pâtisseries, des pains et des spécialités ethniques du monde entier. Il s'agit là de l'endroit rêvé pour s'acheter les aliments d'un pique-nique gastronomique, qu'on peut s'offrir dans le Boston Common voisin.

Savenor's Market

160 Charles St.

☎617-723-6328

Vous croiserez ici des habitants du quartier affairés à choisir leur viande fraîche, qu'il s'agisse de cailles, de dindon sauvage ou d'alligator. On y propose en outre de fins condiments et du pain frais.

Back Bay

Back Bay Wine & Spirits

704 Boylston St.

☎617-262-6571

Rendez-vous de tout premier choix pour les amateurs, Back Bay Wine & Spirits propose plus de 160 whiskies pur malt, sans oublier sa belle sélection de vins, bières et spiritueux importés ou de fabrication nationale.

The Seasonal Table

61 Massachusetts Ave.

☎617-236-7979

Seasonal Table s'impose comme une halte gastronomique de choix avant un pique-nique. On y propose des plats cuisinés de la qualité de ceux qu'on pourrait déguster dans un bon restaurant, des fromages importés, du poisson fumé ainsi que des pains et pâtisseries fraîchement sortis du four. Et que dire des accessoires de table, des nappes et napperons, des couverts, des plateaux de service et de la verrerie!

Teuscher Chocolates of Switzerland

230 Newbury St.

☎617-536-1922

Des chocolats frais sont livrés sur place une fois par semaine en provenance des cuisines de Teuscher à Zurich, en Suisse.

Truffles

Copley Place

100 Huntington Ave.

☎617-247-2883

Du chocolat, du chocolat et encore du chocolat! Truffles se spécialise dans les truffes et les chocolats faits main, et dispose par ailleurs d'un assortiment complet de friandises et de noix.

West End, North End et Waterfront

Salumeria Italiana
151 Richmond St.
☎617-523-8743
www.salumeriaitaliana.com
Ce marché italien s'entoure d'une aura on ne peut plus européenne. Il déborde de charcuteries, de fromages frais, d'olives, de pâtes importées, de condiments, de sucreries et d'une grande variété de pains maison.

Cambridge

Cardullo's Gourmet Shoppe
6 Brattle St.
☎617-491-8888
www.cardullos.com
Les étalages de Cardullo's, qui s'étendent du sol au plafond, regorgent d'aliments importés. Cette populaire boutique se spécialise dans les paniers-cadeaux sur commande, les chocolats, le caviar et les pâtés, mais aussi dans les aliments britanniques, les spécialités de la Nouvelle-Angleterre et les sauces piquantes.

Hi-Rise Bread Company
208 Concord Ave.
☎617-876-8766
Vous pouvez toujours vous rendre à la Hi-Rise Bread Company pour acheter une miche de pain biologique fraîchement sortie du four, mais ne soyez pas étonné si vous finissez par commander un café et une pâtisserie et vous y attabler, car l'atmosphère est vraiment invitante ici.

■ Articles de sport

Le cœur de Boston

World Soccer Shop
3 Faneuil Hall
☎617-248-9696

Le World Soccer Shop tient les maillots officiels des équipes de soccer du monde entier.

Bill Rodgers Running Center
Faneuil Hall Marketplace, North Market
☎617-723-5612
Le personnel serviable de cet établissement vous aidera à trouver les chaussures idéales pour parcourir la ville au pas de course.

Cambridge

Brine's Sporting Goods
29 Brattle St.
☎617-876-4218
Brine's, le plus vieux magasin d'articles de sport de la ville, vend vraiment de tout, des chaussures de sport aux bâtons de hockey.

■ Artisanat et galeries d'art

Le cœur de Boston

International Poster Gallery
205 Newbury St.
☎617-375-0076
www.internationalposter.com
Cette galerie d'art se spécialise dans la vente d'affiches anciennes et modernes de tous genres. Vous y trouverez des publicités de la fin du XIXᵉ siècle venant de France, d'Italie, voire de Russie.

Beacon Hill

Deluca's
11 Charles St.
☎617-523-4343
En arpentant les allées de ce marché de prestige, vous trouverez divers produits alimentaires, des fruits et légumes, des fromages, des pâtisseries, des pains et des spécialités ethniques du monde entier. Il s'agit

là de l'endroit rêvé pour s'acheter tous les aliments d'un pique-nique gastronomique, qu'on peut s'offrir dans le Boston Common voisin.

Savenor's Market
160 Charles St.
☎617-723-6328
Vous croiserez ici des habitants du quartier affairés à choisir leur viande fraîche, qu'il s'agisse de cailles, de dindon sauvage ou d'alligator. On y propose en outre de fins condiments et du pain frais.

Gurari Collections
91 Charles St.
☎617-367-9800
www.gurari.com
Gurari Collections se spécialise dans les eaux-fortes, les gravures et les croquis du XVIᵉ au XXᵉ siècle, de même que dans les œuvres d'artistes contemporains, aussi bien européens qu'américains, férus de thèmes historiques.

Marika's
130 Charles St.
☎617-523-4520
Ce magasin d'antiquités d'exploitation familiale est tout spécialement réputé pour ses bijoux, quoiqu'il vende aussi des vases, des peintures et des meubles de grande qualité.

Back Bay

Copley Society of Boston
158 Newbury St.
☎617-536-5049
Cette société sans but lucratif expose et vend des œuvres d'art contemporain signées par des artistes de la Nouvelle-Angleterre.

Boston - Achats

The Shop at the Union

356 Boylston St.

☎617-536-5651

Installé dans l'immeuble de la Women's Educational and Industrial Union, ce commerce propose souvenirs, bijoux, cartes, articles pour la maison, vêtements fabriqués à la main, travaux à l'aiguille et objets de collection. Tous les produits vendus ici ont été fabriqués par des femmes ou par des sociétés appartenant à des femmes, et les profits qu'engendre leur vente servent à venir en aide à des femmes et à des familles du Grand Boston. La boutique bénéficie d'une longue histoire et offre des créations remarquables; elle a été fondée en 1877 pour aider les femmes en difficulté à soutenir leur famille en vendant leurs ouvrages.

The Society of Arts and Crafts

175 Newbury St.

☎617-266-1810

Ce lieu d'exposition et de vente au détail se spécialise dans l'artisanat contemporain d'Amérique du Nord.

West End, North End et Waterfront

Kennedy Studios

354 Hanover St.

☎617-742-6611

Cette boutique accueillante dispose d'un large éventail d'œuvres originales à prix abordables: des sérigraphies, des lithographies à tirage limité, des affiches, des photographies et des souvenirs. Vous y trouverez par ailleurs les créations de plusieurs artistes locaux qui capturent bien l'esprit du North End. Le propriétaire et son personnel se révèlent aimables et bien informés.

Theatre District, Chinatown et South End

Old South Meeting House Museum Shop

310 Washington St.

☎617-482-6439

Cette boutique de musée vend des livres historiques, des jeux et des jouets éducatifs, de même que des cadeaux variés.

Cambridge

Cambridge Artists' Cooperative

59A Church St.

☎617-868-4434

Cette galerie d'art unique en son genre est tenue et exploitée par des artistes locaux. On y trouve des produits fabriqués à la main par plus de 150 artisans américains, entre autres des bijoux, des poteries, des verreries, des articles de cuir, des tissus, des pièces murales et des courtepointes.

Harvard Collections Museum Store

Holyoke Center

350 Massachusetts Ave.

☎617-496-0700

Ce magasin représente officiellement les 20 musées et collections de l'université Harvard, et vend aussi bien des souvenirs variés que des reproductions et des livres.

■ Livres et disques

Back Bay

Trident Booksellers and Café

338 Newbury St.

☎617-267-8688

Un couple du Vermont a inauguré cette populaire librairie-café en 1984, tout en s'efforçant d'intégrer les préceptes bouddhistes aux moindres aspects de son

entreprise. L'espace confortable et accueillant qu'il est parvenu à créer témoigne de son succès.

West End, North End et Waterfront

Bluestocking Books

164 Prince St.

☎617-227-2075

Cette librairie, d'ailleurs la seule du quartier de North End, vend des livres d'occasion au pied du pont de Charlestown. Le nom de l'établissement est inspiré des «bas-bleus», ces pédantes des XVIIIe et XIXe siècles dont les cercles littéraires, en Europe comme aux États-Unis (et plus particulièrement à Boston), adulaient la lecture, l'écriture et les échanges d'idées empreints de verve.

Theatre District, Chinatown et South End

Rand McNally Map & Travel Store

84 State St.

☎617-720-1125

Rand McNally publie des cartes géographiques et divers autres ouvrages à l'intention des voyageurs depuis près de 150 ans. Vous aurez dans ce magasin un excellent choix de cartes, de plans de ville, de guides de voyage, de jeux et de cadeaux.

Cambridge

Globe Corner Bookstore

90 Mount Auburn St.

☎617-497-6277 ou 800-358-6013

www.globecorner.com

Le Globe est le rêve de tout voyageur. Il dispose d'un assortiment remarquable de guides et de récits de voyage, ainsi que d'un excellent choix de cartes et de plans. Si vous comptez séjourner dans la région pendant un certain temps, ou encore faire des achats importants, songez à vous procurer la Frequent Traveler Discount Card, qui donne droit à un rabais de 25% sur votre prochain achat lorsque vous avez dépensé plus de 100$.

In Your Ear
72 Mount Auburn St.
☎617-491-5035
Ce magasin en sous-sol déborde d'albums rock et pop.

Out of Town News
Harvard Square
☎617-354-7777
Véritable institution locale, Out of Town News vend des journaux et des revues de partout dans le monde.

Words Worth
30 Brattle St.
☎617-354-5201
Curious George Goes to WordsWorth
1 John F. Kennedy St.
☎617-498-0062
Words Worth s'impose comme la plus grande librairie indépendante de la région, et vous y aurez un choix énorme de livres à rabais. Côté enfants, arrêtez-vous plutôt à sa filiale, Curious George Goes to Words Worth, consacrée aux livres pour enfants, aux jouets, aux jeux de toute sorte et aux animaux en peluche.

■ Souvenirs et cadeaux

Le cœur de Boston

Bostonian Society Museum Shop
Faneuil Hall Marketplace, Quincy Market
☎617-720-4744
Old State House Museum

206 Washington St.
☎617-720-3284
www.bostonhistory.org
Ces deux magasins tiennent un inventaire de livres de photos et d'histoire de Boston ainsi que de l'artisanat, entre autres des courtepointes et des objets décoratifs pour la maison.

Boston Pewter Company
Faneuil Hall Marketplace, South Market
☎617-523-1776
Cette boutique de cadeaux renferme un large éventail d'objets en étain, de girouettes en cuivre et de verreries Cranberry de fabrication américaine.

Geoclassics
Faneuil Hall Marketplace, North Market
☎617-523-6112
Parcourez ce magasin pour découvrir sa fascinante collection de fossiles et de minéraux de toutes les parties du monde.

Beacon Hill

Black Ink
101 Charles St.
☎617-723-3883
Une amusante petite boutique réputée pour ses timbres de caoutchouc (tampons) exclusifs qui vend aussi du papier et des cartes, des albums de photo, des cadeaux uniques et des jouets originaux.

Twentieth Century Limited
73 Charles St.
☎617-742-1031
Ce magasin se révèle être un véritable coffre à bijoux de fantaisie des années 1920, plein d'objets Art déco et d'articles de décoration des années 1980.

Koo De Kir
65 Chesnut St.
☎617-723-8111
www.koodekir.com
Le nom de cette boutique branchée origine de l'expression française «coup de cœur». On y vend des articles pour la maison, des meubles, des luminaires et des sculptures contemporaines. Les produits tout à fait modernes qu'on y propose contrastent joliment avec l'atmosphère du XIXe siècle propre au quartier de Beacon Hill.

Back Bay

Shreve, Crump & Low
440 Boylston St.
☎617-267-9100
www.shrevecrumpandlow.com
C'est ici que les Bostoniens fortunés se procurent entre autres leurs cadeaux de mariage. La seule vue des bijoux exquis, des porcelaines, de l'argenterie, du cristal et des objets exposés ici élèvera votre statut social, mais, si par malheur vous succombez à la tentation, votre budget s'en trouvera sans doute grevé.

West End, North End et Waterfront

Thunderbird Gift Shop
445 Hanover St.
☎617-776-8409
Quelque peu perdu dans le quartier italien qu'est le North End, le Thunderbird Gift Shop vend de l'artisanat et des objets façonnés à la main d'origine amérindienne, entre autres des poteries, des katchinas, des masques et des tissus. Environ 80 nations s'y trouvent représentées!

Boston - Achats

Old North Church Gift Shop
193 Salem St.
☎617-523-6676
La Old North Church a été construite en 1723 et continue à ce jour d'accueillir la communauté épiscopalienne du coin. La boutique installée sur place propose quant à elle un bon choix de livres et de souvenirs de Boston.

Cambridge

Cambridge Antiques Market
201 Monsignor O'Brien Hwy.
☎617-868-9655
Installé dans un bâtiment historique de briques rouges au toit mansardé, l'Antiques Center offre cinq étages d'antiquités, de vêtements d'une autre époque et de produits kitsch de toute sorte.

Selletto
1356 Massachusetts Ave.
☎617-441-3636
Cette boutique intimiste s'emplit de céramiques italiennes, de savons français, de carillons éoliens japonais et de bien d'autres choses encore.

■ Vêtements

Beacon Hill

Jari, A Boutique
131 Charles St.
☎617-725-0244
Ce commerce invitant regorge de vêtements de femme uniques en leur genre fabriqués par de petites entreprises de mode. La propriétaire vous aidera à choisir le parfait chemisier romantique, une robe rétro ou un tailleur classique.

Back Bay

The Closet, Inc.
175 Newbury St.
☎617-536-1919
Cette boutique unique se spécialise dans les vêtements et accessoires signés «à peine utilisés» pour hommes et femmes. Les étalages sont pleins de vêtements, de sacs à main, d'écharpes et de cravates, tous en excellente condition et offerts à une fraction de leur coût d'origine.

Theatre District, Chinatown et South End

Filene's Basement
426 Washington St.
☎617-542-2011
Le Filene's Basement est le rendez-vous incontournable des chasseurs d'aubaines dans le centre-ville de Boston. Vous y trouverez toute une variété d'articles haut de gamme offerts à rabais, aussi bien des vêtements que des chaussures et des accessoires pour hommes et pour femmes, provenant entre autres de Neiman Marcus et de Barneys New York. La marchandise est datée dès son entrée en magasin, et soldée en fonction du temps qu'elle y reste invendue. (Pour ceux qui se poseraient la question, les bagarres entourant les robes de mariée ne sont nullement mises en scène!)

Cambridge

Garment District
200 Broadway
☎617-876-5230
www.garmentdistrict.com
Ne cherchez pas plus loin si vous êtes en quête de vêtements à la mode d'autrefois ou de créations originales adaptées par des concepteurs locaux.

Jasmine Boutique / Sola Men
35 et 37 Brattle St.
☎617-547-3173 ou 617-354-6043
Ce chic duo de boutiques propose des vêtements sport, des tenues professionnelles, des accessoires et des chaussures à la fine pointe de la mode féminine et masculine.

La côte du Massachusetts

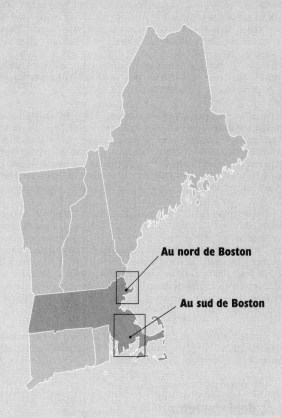

Au nord de Boston

Au sud de Boston

La côte du Massachusetts est parsemée de villes et de villages qui mêlent leur charme ancestral à l'air du large ainsi qu'à l'histoire de la région et du pays entier. Il semble qu'ici l'histoire de chaque village soit inextricablement liée à la mer, comme si elle avait décidé de veiller sur cette terre et de lui dessiner son avenir.

Berceau des États-Unis, la côte fut témoin de l'arrivée des Pères pèlerins à bord du *Mayflower* à Plymouth, qui y établirent la première colonie en sol américain en 1620. Quelques années plus tard, en 1623, des colons anglais remontèrent la côte jusqu'au Cape Ann, où ils fondèrent Gloucester, le premier port de pêche sur la côte est des États-Unis. Ce port allait s'élever au XXe siècle au rang d'un des plus importants du monde. Les petits villages poussèrent rapidement sur le littoral, tous tournés vers l'industrie maritime qui fit leur prospérité tout au long du XIXe siècle: la ville d'Essex se spécialisa dans la construction navale tandis que Newburyport évolua en un centre important de commerce maritime. Même Salem, que l'histoire a plutôt retenue pour ses célèbres procès de sorcières, a connu ses heures de gloire grâce à l'industrie maritime.

La mer a ici sculpté la vie sur le littoral. Peut-être est-ce alors par affinité que tant d'artistes y ont établi leur résidence ou se sont regroupés pour former de petites communautés artistiques comme c'est le cas pour Rocky Neck, sur le Cape Ann, où Rudyard Kipling vécut pendant quelque temps. Plusieurs immortalisèrent la beauté du paysage ou la fascinante relation entre les hommes et la mer: Herman Melville recréa, dans *Moby Dick*, l'atmosphère de la chasse à la baleine dont New Bedford était le centre, et Nathaniel Hawthorne s'inspira de la vie à Salem pour rédiger *La maison aux sept pignons* (*House of Seven Gables*).

La côte du Massachusetts exerce toujours une mystérieuse fascination, que ce soit sur les visiteurs qu'elle reçoit, les artistes qui la recherchent pour sa beauté tranquille ou les riches Bostoniens qui y possèdent une villa cossue. Elle propose au visiteur une diversité surprenante d'activités; on peut y faire des excursions d'observation de baleines ou autres activités en mer, déambuler dans les rues de petits villages bucoliques à la recherche d'antiquités, déguster des fruits de mer en regardant le soleil se coucher sur l'Atlantique ou flâner dans un de ses nombreux musées. Où que vous soyez, il y aura toujours la mer à proximité pour vous rappeler qu'encore aujourd'hui elle fait partie intégrante de la vie des gens... et de votre visite.

Le présent chapitre est divisé en deux circuits, soit le circuit **Au nord de Boston** ★ ★, qui couvre la région entre Salem et Newburyport de même que la ville de Lowell, et le circuit **Au sud de Boston** ★, qui s'étend de Plymouth à Fall River.

Accès et déplacements

■ En avion

Par voie aérienne, le point d'accès logique à cette région est bien évidemment le **Logan International Airport** (voir p 68) de Boston.

■ En voiture

Au nord de Boston

De Boston, vous pouvez emprunter l'un des deux axes routiers majeurs, soit la route 1 ou la route I-93, qui vous permettront ensuite de rejoindre des routes secondaires conduisant à la côte. Pour vous rendre à Salem, suivez la route I-93 jusqu'à la jonction avec la route 128 (sortie 37A). Prenez la route 128 jusqu'à la jonction avec la route 114 (sortie 25A) et suivez la route 114 jusqu'à Salem. Pour vous rendre à Cape Ann, suivez la route I-93 ou la route 1 jusqu'à la jonction avec la route 128, qui conduit directement à Gloucester. Pour aller à Newburyport, prenez la route 1 jusqu'à la route I-95 (sortie 57), qui vous mènera au centre-ville.

Il est beaucoup plus facile de louer une voiture à l'arrivée à Boston ou au Logan

LA CÔTE DU MASSACHUSETTS

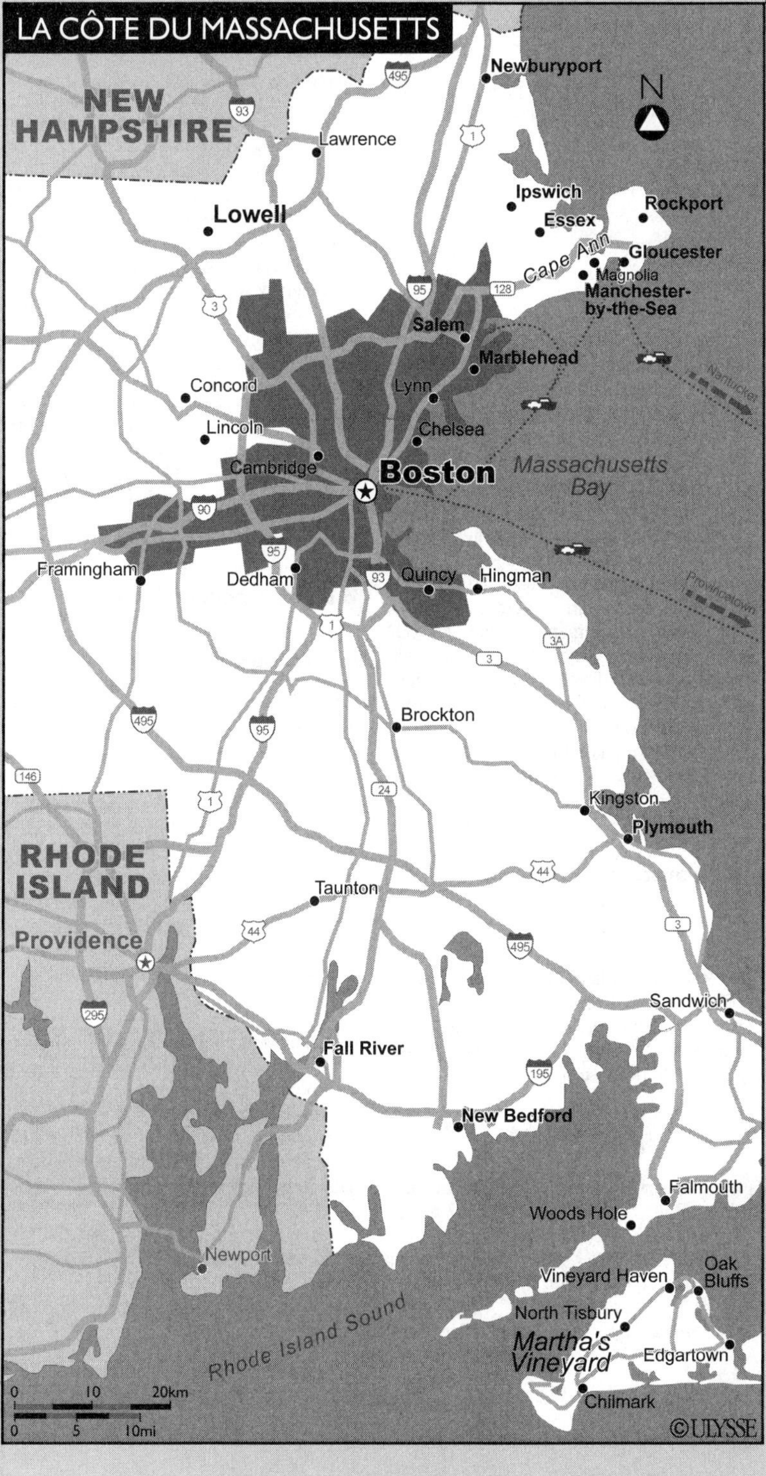

International Airport pour ensuite explorer les régions situées au nord et au sud de la capitale de l'État. Les entreprises de location de voitures y sont plus rares, mais voici tout de même quelques adresses.

Enterprise
50 Maplewood Ave.
Gloucester
☎978-281-3288
1625 Middlesex St.
Lowell
☎978-459-3533

Hertz
142 Canal St.
Salem
☎978-745-5275

Au sud de Boston

De Boston, vous pouvez prendre la route I-93 en direction sud, puis la route 3, toujours en direction sud, jusqu'à Plymouth. Pour vous rendre directement à New Bedford, prenez également la route I-93 en direction sud au départ de Boston, puis la route 128 en direction ouest et la route 24 en direction sud. Enfin, pour vous rendre de Plymouth à New Bedford, suivez la route 44 vers l'ouest hors de Plymouth, puis la route 24 en direction sud et la route 140.

■ En autocar

Au nord de Boston

Le **Massachusetts Bay Transportation Authority** (☎800-392-6100, www.mbta.com) propose plusieurs départs quotidiens pour Salem et Marblehead à partir de Haymarket ou du centre-ville de Boston.

Au sud de Boston

Les autocars de **Plymouth and Brockton Bus Lines** (☎508-746-0378, www.p-b.com) relient Plymouth à Cape Cod et à Boston. New Bedford et Fall River sont quotidiennement desservies par **Bonanza Bus Line** (One Bonanza Way, Providence, ☎888-751-8800, www. peterpanbus.com) sur les lignes reliant New York à Cape Cod et à Providence.

■ En train

Au nord de Boston

Le **Massachusetts Bay Transportation Authority** (☎800-392-6100, www.mbta.com) possède une ligne de commuter train (train de banlieue) Newburyport/Rockport qui relie la North Station de Boston à l'une ou l'autre des deux villes, en passant par Salem, Gloucester et Ipswich. Plusieurs départs quotidiens y sont proposés.

Au sud de Boston

La **Massachusetts Bay Transportation Authority** (☎800-392-6100, www.mbta.com) offre un service ferroviaire régulier entre Boston et Plymouth. La gare de Plymouth se trouve à bonne distance du centre de la ville, mais elle est desservie par autobus.

■ En transport en commun

Au nord de Boston

Salem dispose d'un excellent service de transport en commun, quoique passablement coûteux, grâce à **Salem Trolley** (12$; avr à oct, horaire variable en hiver; ☎978-744-5469, www.salemtrolley.com). Les trolleybus desservent régulièrement tous les attraits de Salem, et les titres de transport sont valables toute la journée, ce qui veut dire que vous pouvez y monter et en descendre aussi souvent que vous le désirez.

La **Cape Ann Transportation Authority (CATA)** (3 Rear Pond Rd., Gloucester, ☎978-283-7278, www.canntran.com) permet de se déplacer facilement entre les principaux points, villes ou attractions de Cape Ann. À Essex, Rockport, Gloucester et Magnolia, surveillez les panneaux indiquant un arrêt d'autobus, ou encore faites signe au chauffeur de s'arrêter. CATA propose plusieurs liaisons quotidiennes.

Au sud de Boston

À Plymouth, un service de transport en commun fiable est offert par **GATRA** (☎508-222-6106, www.gatra.org). Songez également à utiliser le **Plymouth Rock Trolley** (15$; ☎508-747-4161, www.plymouthrocktrolley. com), qui relie tous les attraits de Plymouth et permet, pour le prix d'un billet unique, de marquer autant d'arrêts que vous le désirez, et ce, toute la journée.

À New Bedford, une navette gratuite fait le tour des principaux attraits du centre-ville entre mai et octobre; vous pouvez notamment la prendre directement en face du **New Bedford Whaling Museum**, tout en sachant que les autobus passent aux 20 min.

■ En traversier

Au nord de Boston

Le **Salem Ferry** *(12$; juin à sept;* ☎*617-741-0220, www.salemferry.com)* relie Boston à Salem en 45 min.

Au sud de Boston

Le **Plymouth to Provincetown Express Ferry** *(35$; mai à sept; State Pier, Plymouth,* ☎*800-242-2469, www.provincetownferry.com)* part du Plymouth Harbor pour se rendre à Provincetown, sur la pointe du Cape Cod.

Renseignements utiles

■ Renseignements touristiques

Au nord de Boston

Greater Merrimack Valley Convention and Visitors Bureau
9 Central St., Suite 201
Lowell, MA 01852
☎978-459-6150
www.merrimackvalley.org

North of Boston Convention and Visitors Bureau
17 Peabody Square
Peabody, MA 01960
☎978-977-7760
www.northofboston.org

Destination Salem
54 Turner St.
Salem, MA 01970
☎978-744-3663 ou 877-725-3662
www.salem.org

Marblehead Chamber of Commerce
62 Pleasant St.

Marblehead, MA 01945
☎781-631-2868
www.marbleheadchamber.org

Cape Ann Chamber of Commerce
33 Commercial St.
Gloucester, MA 01930
☎978-283-1601
www.capeannchamber.com

Rockport Chamber of Commerce
3 Whistlestop Mall
P.O. Box 67
Rockport, MA 01966
☎978-546-6575 ou 888-726-3922
www.rockportusa.com

Greater Newburyport Chamber of Commerce and Industry
38R Merrimac St.
Newburyport, MA 01950
☎978-462-6680
www.newburyportchamber.org

Au sud de Boston

Destination Plymouth
170 Water St., Suite 10C
Plymouth, MA 02360
☎508-747-7533
www.visit-plymouth.com

Southeastern Massachusetts Convention and Visitors Bureau
70 N. Second St.
New Bedford, MA 02741
☎508-997-1250 ou 800-288-6263
www.bristol-county.org

■ Visites guidées

Au nord de Boston

Les **Salem Haunted Happenings** *(Destination Salem, 54 Turner St.,* ☎*978-744-3663 ou 877-725-3662, www.hauntedhappenings.org)* propose des visites guidées aux visiteurs qui sont fascinés par les attraits «halloweenesques» de Salem. On prétend en effet qu'il existe à Salem un *«monde souterrain de sorcières, d'esprits dérangés et de revenants»* (c'est du moins ce que les voyagistes voudraient vous faire croire).

La côte du Massachusetts - Renseignements utiles

Au sud de Boston

À Plymouth, les **Colonial Lantern Tours** *(15$; début avr à fin nov; 5 North St.,* ☎*508-747-4161 ou 800-698-5636, www.visit-plymouth.com)* sont fortement recommandés. Le quartier historique de la ville est en effet beaucoup plus beau à la nuit tombée, lorsqu'il est éclairé à la lanterne et qu'il y a peu de touristes dans les rues. Le tout est par ailleurs agrémenté d'histoires de fantômes et d'intéressantes données historiques.

Attraits touristiques

Au nord de Boston
★★

De Newburyport jusqu'aux nombreux musées de Salem, en passant par l'hospitalité mémorable des habitants de la petite communauté de Marblehead et les briques rouges des anciennes industries de Lowell, le nord de Boston ne se laisse approcher qu'en empruntant le rythme paisible de ses habitants. Cette portion de la côte de la Nouvelle-Angleterre est l'endroit idéal pour les amoureux de la mer; plusieurs villes, dont Gloucester, constituent encore de nos jours des ports de pêche actifs, et la plupart des villes proposent à leurs hôtes des excursions d'observation des baleines ou de simples promenades en bateau. Les nombreuses plages qui bordent le Cape Ann permettent également de prendre un bain de soleil, à moins que vous ne préfériez vous dégourdir un peu en effectuant une randonnée dans un des nombreux parcs naturels, telle Plum Island, devenue le refuge d'espèces protégées.

Les coureurs de magasins ne seront pas déçus, car toute la région regorge de boutiques qui proposent antiquités et artisanat local pour tous les budgets. La route 133, qui traverse Essex, est bordée de magasins d'antiquités, et le Bearskin Neck de Rockport regorge de galeries. Moins connu des visiteurs, le nord de Boston cache certains des plus beaux secrets du Massachusetts...

Lowell

En raison de sa situation au nord de Boston, en dehors du circuit côtier principal, il est préférable de se rendre à Lowell à partir de la capitale, en empruntant la I-93 puis la I-495 en direction ouest.

En 1813, près de Boston, l'industriel Francis Cabot Lowell (1775-1817) amassa le financement nécessaire à la création d'une manufacture qui avait ceci de révolutionnaire que, pour la première fois, toutes les étapes de la production du textile étaient centralisées sous un même toit. Des entrepreneurs, impressionnés par les résultats de ce nouveau système, se mirent en quête d'un terrain favorable à la construction d'une ville industrielle planifiée jusque dans les moindres détails; ils réalisèrent ainsi le rêve de Lowell, qui mourut avant d'avoir pu voir se concrétiser la ville modèle baptisée à sa mémoire. Aujourd'hui, ses anciennes usines en briques rouges et son passé industriel font de Lowell un véritable musée à ciel ouvert de l'histoire du textile. Il est intéressant de noter l'héritage francophone légué par de nombreux travailleurs d'origine canadienne-française, notamment dans le nom des rues.

Lowell a également servi de toile de fond à plusieurs récits de l'écrivain Jack Kerouac, qui y passa son enfance. Plusieurs personnes s'y arrêtent pour rendre un dernier hommage à cette figure mythique de la *beat generation* (voir l'encadré).

Le **Lowell National Historical Park** ★ *(www.nps.gov/lowe)* a été créé pour souligner le rôle de Lowell dans l'histoire américaine en tant que témoin important de la révolution industrielle du pays. Le parc regroupe différentes expositions, réparties dans des bâtiments historiques, de même que 9 km de canaux qui sillonnent plusieurs secteurs de la ville.

Pour bien débuter la visite des sites gérés par le parc, arrêtez-vous au **National Historical Park Visitor Center** *(été tlj 9h à 18h, reste de l'année tjl 9h à 17h; 246 Market St.,* ☎*978-970-5000),* où l'on présente un documentaire qui constitue une bonne introduction à l'histoire de Lowell de même qu'aux attraits du parc. Le personnel se fera un plaisir de répondre à vos questions et de vous donner cartes et brochures pour orienter votre visite. Stationnement gratuit.

Sur les traces de Kerouac

Jack Kerouac (1922-1969) a grandi à Lowell dans une famille de Canadiens français qui, comme des milliers d'autres à l'époque, était venue chercher de meilleurs emplois en Nouvelle-Angleterre. Il y passa non seulement son enfance, mais y fit aussi de fréquentes visites tout au long de sa vie de bohème.

Le **Kerouac Commemorative Monument**, situé dans le **Kerouac Park** *(angle Bridge St. et East Merrimack St.)*, a été inauguré en 1988 à la mémoire de l'auteur. On y retrouve des colonnes sur lesquelles sont gravés des extraits de ses écrits. La tombe de Kerouac se trouve, quant à elle, à l'**Edson Cemetery** *(Gorham St.)*, sur le lot familial de sa dernière épouse, Stella Sampas.

À l'été 2007, dans le cadre du 50e anniversaire de la publication de *On the Road*, le **Boott Cotton Mills Museum** *(près de John St.)* du **Lowell National Historical Park** *(☎978-970-5000)* présente une exposition autour du manuscrit original. Et l'organisme **Lowell Celebrates Kerouac!** *(☎877-KEROUAC, www.lckorg.tripod.com)* en profite pour organiser, comme chaque année, des lectures, des soirées musicales, des projections de vidéos, des tables rondes et bien d'autres activités.

Indépendant du parc, l'**American Textile History Museum** ★★ *(8$; mar-ven 9h à 16h, sam-dim 10h à 17h; 491 Dutton St., ☎978-441-0400, www.athm.org)*, installé dans une ancienne usine textile, retrace, par de fascinantes expositions, l'histoire de l'industrie textile aux États-Unis. On y retrouve des reconstitutions, dont un entrepôt de Savannah (XVIIIᵉ siècle) et un magasin général, des milliers d'artefacts de différentes époques reliés entre eux sous la thématique de la fabrication du textile, une collection de plus de 300 rouets, une collection de tissus et de vêtements, etc.

Le **New England Quilt Museum** *(5$; mar-sam 10h à 16h, dim 12h à 16h; 18 Shattuck St., ☎978-452-4207, www.nequiltmuseum.org)*, situé à distance de marche du National Historical Park Visitor Center, possède une impressionnante collection de courtepointes abordée selon les différentes époques de fabrication: depuis les premières courtepointes (1780-1830) jusqu'aux tendances contemporaines, en passant par l'ère victorienne qui a vu son extravagance se refléter dans les *crazy quilts*. Cette exposition se veut un mélange d'histoire et de tendances dans la fabrication des courtepointes, le tout présenté sur fond social et artistique.

De Lowell, prenez la route 3A en direction sud jusqu'au point où elle rejoint la route 3, et continuez vers le sud jusqu'à la route 128. Prenez ensuite vers l'est la route 128 jusqu'à la route 114, où vous tournerez à droite pour atteindre Salem.

Salem ★★★

La région de Salem a été colonisée dès 1626 par un groupe de Britanniques dirigé par Roger Conant. Trois ans plus tard, la petite communauté s'est jointe à la Massachusetts Bay Colony, qui, en 1643, a été désignée comme chef-lieu du comté d'Essex.

Même si Salem est aujourd'hui célèbre pour les infâmes procès de sorcières qui s'y sont tenus en 1692, il convient de savoir que ce n'était là qu'un court épisode, si sombre soit-il, dans une histoire généralement prospère. À l'aube de la guerre de l'Indépendance américaine, en 1775, Salem était la septième ville en importance des colonies, et d'ailleurs appelée à jouer un rôle de premier plan au cours du conflit, puisque sa flotte allait capturer ou couler 455 vaisseaux britanniques.

Puis, à la fin de la guerre, Salem a vraiment vu poindre la réussite. Les négociants locaux commencèrent à faire du commerce avec les Indes orientales, et, au cours des 30 années qui suivirent, la soie, le poivre et d'autres importations d'Orient et d'Inde ont fait la fortune de nombreux résidants de Salem. Des manoirs furent construits, et une nouvelle élite économique entreprit de

La côte du Massachusetts - **Attraits touristiques** - Au nord de Boston faire étalage de ses richesses et des produits de luxe acquis à l'étranger.

Les négociants d'envergure internationale ont depuis longtemps disparu, tout comme les industriels et les détaillants qui leur ont succédé pendant une bonne partie du XXᵉ siècle. Salem se voue désormais essentiellement au tourisme de masse et attire des centaines de milliers de visiteurs grâce au triste sort qu'y ont jadis connu les «sorcières». Ainsi, ce qui était par le passé une plaie et une source d'embarras pour les résidants de la ville s'est lentement transformé, depuis les années 1970, en une industrie qui rapporte des millions de dollars, et Salem compte sans doute aujourd'hui plus de musées de cire kitsch (à la mode, justement, des années 1970) par habitant que n'importe quelle autre ville d'Amérique du Nord. Fort heureusement, elle possède beaucoup d'autres attraits historiques d'intérêt de même que quelques musées respectables consacrés aux procès des sorcières, sans compter que la ville elle-même s'avère tout à fait charmante.

Le premier endroit à visiter devrait être le **National Park Service Regional Visitor Center** *(tlj 9h à 17h; 2 New Liberty St.,* ☎*978-740-1650)*, une excellente source de renseignements située à proximité de tout au centre de la ville (dans un étrange bâtiment étagé en briques rouges). Il s'agit en outre du bureau central du Salem Maritime National Historic Site, et vous pourrez y visionner une bande vidéo de 26 min sur l'histoire de Salem qui constitue une très bonne introduction à la ville.

De biais avec le centre d'accueil des visiteurs dans Essex Street se trouve le fabuleux **Peabody Essex Museum** ★★★ *(13$ plus 4$ pour la visite de la maison Yin Yu Tang; tlj 10h à 17h; East India Sq.,* ☎*866- 745-1876, www. pem.org)*, un grand musée qui devrait figu-

rer sur l'itinéraire de tous les visiteurs de Salem. Il a été créé en 1799 – ce qui en fait le premier musée d'art et de culture international du pays – par l'East India Marine Society, dont les membres voulaient présenter aux habitants de la Nouvelle-Angleterre les merveilles artistiques et autres de l'Asie, de l'Afrique et des îles du Pacifique. Le Peabody possède la plus vaste collection du monde d'objets d'art décoratifs asiatiques produits pour des connaisseurs américains et européens, une collection architecturale des premiers jours des colonies américaines de même qu'une des collections maritimes les plus complètes et les plus célèbres du pays. Ses imposantes salles, réparties sur plusieurs étages, vous réservent des surprises dans les moindres recoins. À elle seule, la résidence chinoise des **Yin Yu Tang** ★★★, le seul exemple de l'architecture vernaculaire de Chine aux États-Unis, mérite une visite.

Les attraits de la ville se trouvent, pour la plupart, à distance de marche les uns des autres, quoique les trolleybus de Salem relient également les différents points d'intérêt et offrent un bon service. Sachez enfin qu'il y a des places de stationnement payantes un peu partout dans le centre de la ville.

En face du musée, derrière le centre d'accueil des visiteurs, s'étend un complexe qui regroupe plusieurs maisons historiques gérées par le Peabody et ouvertes aux visiteurs. Entre autres, la **1684 John Ward House** a connu l'époque des procès de sorcières, et l'adorable **1804 Gardner-Pingree House** offre un aperçu de la vie de luxe de l'élite de Salem au sommet de sa prospérité.

Du centre d'accueil des visiteurs, marchez vers le nord jusqu'à New Liberty Street, tournez à droite dans Brown Street et franchissez encore un quadrilatère.

★ **ATTRAITS TOURISTIQUES**

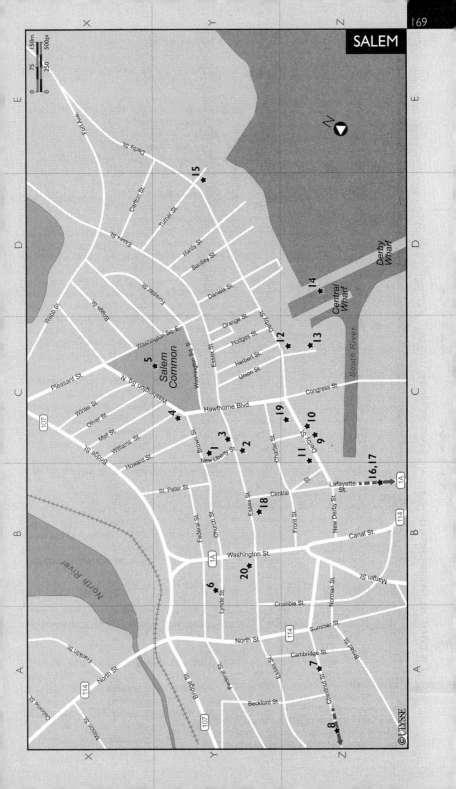

169

SALEM

Les procès
des sorcières de Salem

La renommée, ou peut-être faudrait-il plutôt dire l'infamie de la ville de Salem, repose à ce jour sur les incroyables événements qui ont entouré les procès de sorcières qui s'y sont déroulés en 1692. Vingt personnes ont en effet été condamnées à mort cette année-là, à la suite d'une hystérique chasse aux sorcières dont les circonstances demeurent à la fois mystérieuses et troublantes.

Les événements entourant les procès de sorcières de Salem demeurent à ce jour on ne peut plus mystérieux, et les théories visant à les élucider portent aussi bien sur les hallucinations qu'aurait pu provoquer la consommation de pain à base de farine de seigle fermentée que sur une forme d'hystérie collective sous le signe de la paranoïa, ce qui semble somme toute plus plausible.

De fait, la Salem du XVIIe siècle en était une où l'on croyait volontiers au diable, aux démons, aux mauvais esprits et aux sorcières, la sorcellerie revêtant un caractère à la fois religieux et traditionnel, profondément ancré dans les pratiques judiciaires britanniques de l'époque. Il y a donc fort à parier que les étranges symptômes des victimes aient été d'emblée perçus comme des phénomènes de possession, d'où les horreurs qui s'ensuivirent.

Le **Salem Witch Museum** ★ *(6$; tlj 10h à 17h; 19 Washington Sq., ☎978-744-1692, www. salemwitchmuseum.com)* se dresse tout juste en face du très vert **Salem Common**, qu'on désigne aussi du nom de «Washington Square» et qui compte parmi les plus grands parcs municipaux de la Nouvelle-Angleterre, ainsi que devant une statue aux allures de sorcière du fondateur de la ville, Roger Conant. Ce musée est un des plus anciens et des meilleurs attraits axés sur les procès de sorcières de toute la ville. Vous le trouverez passablement plaisant et intéressant, pour peu que vous regardiez ses vitrines avec un grain de sel, et vous y ver-

rez une sorte de reconstitution costumée et narrée des funestes événements (avec traduction possible sur casque d'écoute en français, en japonais, en allemand, en italien et en espagnol).

Suivez Brown Street, qui devient Church Street, puis finalement Lynde Street.

Le **Witch Dungeon Museum** *(6$; avr à nov tlj 10h à 17h; 16 Lynde St., ☎978-741-3570, www. witchdungeon.com)* présente une reconstitution particulièrement vivante du procès de John et Elizabeth Proctor, tenu au XVIIe siècle à l'époque de l'hystérique chasse aux sorcières. Sinon, le reste ne présente qu'un intérêt mitigé, qu'il s'agisse de la descente au «donjon» ou des statues de cire démodées, campées dans des décors destinés à vous «donner des frissons».

Pour échapper au fla-fla entourant les sorcières, continuez par Lynde Street, tournez à gauche dans North Street, puis à droite dans Essex Street. Franchissez trois quadrilatères, tournez à gauche dans Hamilton Street, puis à droite dans Chestnut Street.

Chestnut Street ★★ recèle certains des plus beaux exemples d'architecture de style Federal en Nouvelle-Angleterre et mérite résolument d'être parcourue. Au nº 34, vous découvrirez la **Stephen Phillips Memorial Trust House** *(entrée libre; mai à oct lun-sam 10h à 16h30; ☎978-744-0440)*, un manoir entièrement restauré qui renferme une magnifique collection d'objets ayant appartenu à cinq générations de Phillips. L'histoire bicentenaire de cette famille constitue par ailleurs une excellente toile de fond à l'histoire de la ville même, et les pièces exposées, qu'il s'agisse des porcelaines d'exportation, des meubles antiques ou des tapis, voire de la vieille Ford modèle A, valent la peine d'être examinées de plus près.

De la Phillips House, retournez au Peabody Essex Museum et franchissez deux rues en suivant Liberty Street vers le sud.

Sur votre droite, à côté de l'Old Burying Point Cemetery, se dresse le **Witch Trials Memorial**, qui commémore la tragédie des procès de sorcières de Salem. En contrepartie, apparaît sur la gauche le **Salem Witch Village** *(5,50$; tlj; 282 Derby St., ☎978-740-9229, www.salemwitchvillage.net)*, qui propo-

Nathaniel Hawthorne

La Lettre écarlate (*The Scarlet Letter*) et *La maison aux sept pignons* (*The House of the Seven Gables*) de Nathaniel Hawthorne l'ont confirmé comme le premier grand romancier romantique des États-Unis. Né à Salem en 1804, dans une maison d'Union Street, il a connu cette ville au sommet de sa prospérité commerciale pour ensuite, au fil des ans, assister aux premières loges à son déclin graduel.

Hawthorne a travaillé entre 1846 et 1849 à la Custom House (maison de la douane), sur le front de mer de Salem, et ses écrits d'alors témoignent sur un ton railleur des vains efforts de ses collègues pour raviver la flamme éteinte de la ville. En 1850, Hawthorne quitta Salem pour s'installer à Lenox, plus précisément à cet endroit que nous connaissons aujourd'hui sous le nom de «Tanglewood», et il ne tarda pas à se lier d'amitié avec Herman Melville, qui lui dédia par la suite son *Moby Dick*. Nathaniel Hawthorne est mort le 19 mai 1864, à l'âge de 59 ans, et son cortège funèbre vit défiler une kyrielle d'auteurs célèbres des États-Unis, parmi lesquels ont figuré Louisa May Alcott, Ralph Waldo Emerson et Henry Wadsworth Longfellow.

Hawthorne était un descendant du juge Hathorne, qui avait siégé aux procès de sorcières de Salem en 1692. Gêné par ce lien ancestral (c'était évidemment bien avant que les procès en question ne fassent mousser l'industrie touristique dans la région), Hawthorne décida d'ajouter un *w* à son nom pour se dissocier de ses antécédents familiaux.

se paradoxalement aux hordes de touristes férus de sorcellerie une visite dont l'accent porte sur l'histoire et les mythes entourant les sorcières.

En face du Salem Witch Village, de l'autre côté de la rue, se trouve le **Salem Wax Museum of Witches and Seafarers** *(6$; tlj horaire variable; 288 Derby St.,* ☎*978-298-2929, www. salemwaxmuseum.com)*, qui peut sans doute intéresser les enfants, mais guère plus.

Tournez à gauche dans Derby Street, en direction est, et passez Pickering Wharf, un regroupement linéaire de boutiques et de restaurants à la mode.

Le **Salem Maritime National Historic Site** ★ ★ *(tlj 9h à 17h; 193 Derby St.,* ☎*978-740-1660, www.nps.gov/sama)* propose une visite qui part du centre d'orientation, où une projection vidéo de 18 min fait revivre les beaux jours de Salem, à l'époque du commerce avec l'Extrême-Orient. Les conservateurs du site historique vous guident ensuite au fil des bâtiments historiques érigés au bord de l'eau dans ce secteur, entre autres la **1671 Narbonne House** et la **1819 Custom House**, dans laquelle Nathaniel Hawthorne a jadis écrit et dont il parle d'ailleurs dans son roman

The Scarlet Letter (*La Lettre écarlate*). Vous trouverez aussi sur place un terrain de stationnement, le Central Wharf, le Derby Wharf, un phare, le West India Goods Store et certains des tout premiers entrepôts du pays. Y est en outre amarré (au Central Wharf) le ***Friendship***, une réplique grandeur nature d'un bateau de la marine marchande de 1797; c'est le plus grand voilier en bois homologué par la Garde côtière à avoir été construit dans le nord-est des États-Unis au cours du XXᵉ siècle.

Continuez vers l'est par Derby Street et tournez à droite dans Turner Street.

La superbe **House of the Seven Gables** ★ ★ ★ *(12$; tlj 10h à 17h; 54 Turner St.,* ☎*978-744-0991, www.7gables.org)* a été construite en 1668 par John Turner et plus tard rendue célèbre par l'auteur Nathaniel Hawthorne, originaire de Salem, dans son roman du même nom (*La maison aux sept pignons*). Elle se présente telle qu'il l'a décrite, *«avec sept pignons pointus orientés vers divers points de la boussole, et une énorme cheminée en son centre»*. Le site regroupe plusieurs autres maisons historiques dominant le port de Salem, y compris celle où est né Hawthorne. Des guides costumés proposent une excellente visite de toutes les maisons, d'ailleurs restaurées d'exquise façon, tout en présentant l'histoire de Salem. Il s'agit là d'un véritable trésor culturel, et, à la différence de trop nombreux attraits de Salem, vous en aurez ici pour votre argent.

Tandis que vous serez à la House of the Seven Gables, profitez-en pour vous procurer des billets à rabais en vue de la visite du **Salem 1630: Pioneer Village** *(10$; Forest River Park,* ☎*978-744-0991)*, accessible par les transports en commun ou en voiture, en prenant vers le sud Lafayette Street au départ de Derby Street, puis en tournant à gauche dans West Avenue. Les musées d'histoire vivants connaissent une grande popularité en Nouvelle-Angleterre, et celui-ci compte parmi les tout premiers. On y a recréé la colonie britannique fondée par Roger Conant et son groupe de colons, et des guides en costumes d'époque accueillent les visiteurs dans chacun des cottages aux toits de chaume. Le village s'étend en bordure du **Forest River Park**, où il fait bon se détendre et respirer l'air marin.

D'innombrables autres attraits vous attendent dans le centre de Salem et sur le front de mer, dont beaucoup offrent exactement la même chose, soit une interprétation des procès de sorcières ou des statues de cire démodées dans des décors «halloweenesques». La plupart ne sont que de piètres ou très piètres attrape-touristes, mais peuvent tout de même plaire aux enfants. Parmi les moins pires, mentionnons le **Witch History Museum** *(6$; avr à nov tlj 10h à 17h; 201 Essex St.)* et le **New England Pirate Museum** *(6$; mai à oct tlj 10h à 17h; 274 Derby St.)*, tout en précisant qu'ils ne sont guère plus que cela, c'est-à-dire les moins pires!

La **Witch House** *(8$; mai à nov tlj 10h à 16h30; 310 Essex St.,* ☎*978-744-8815)* intéressera par ailleurs ceux que fascinent les procès de sorcières, car il s'agit de la seule maison encore debout à avoir été directement liée aux événements de 1692. De plus, elle présente d'intéressants traits architecturaux.

De Salem, prenez Lafayette Street, qui devient la route 114.

Marblehead ★★★

Fondée en 1629, la petite communauté de Marblehead est certainement l'une des plus charmantes villes de la côte du Massachusetts. Ses petites rues étroites et sinueuses, où les maisons s'accolent, portent en elles des accents d'Europe et attisent la flânerie, tandis que son port, rempli de voiliers, lui a valu le surnom de *Yachting Capital of America* (capitale américaine de la voile).

Marblehead n'étant pas aussi chanceuse économiquement que sa voisine Salem, c'est heureusement ce manque d'argent qui a freiné le développement de la ville et qui a laissé intact tout un quartier dont la construction des demeures remonte aux XVIIe et XVIIIe siècles. Si Marblehead compte plusieurs *bed and breakfasts*, c'est que les Bostoniens ont déjà adopté ses charmes...

La route 114 deviendra Pleasant Street, où vous croiserez un comptoir de renseignements touristiques *(fin mai à fin oct lun-ven 13h à 17, sam-dim 10h à 18h; Pleasant St., angle Essex St.,* ☎*781-639-8469)*. Continuez puis tournez à droite dans Rockaway Street. Nous vous proposons ici un circuit à pied qui vous permettra de savourer les beautés architecturales du Marblehead historique.

Il y a quelques places de stationnement le long de Rockaway Street en face de la **Marblehead Museum & Historical Society** *(mar-sam 10h à 16h; 170 Washington St.,* ☎*781-631-1768, www.marbleheadmuseum.org)*. Le bâtiment abrite la **J.O.J. Frost Folk Art Gallery** ★, qui présente les œuvres de Frost, natif de Marblehead (voir l'encadré), ainsi que des expositions temporaires sur différents thèmes.

Dans Washington Street, à quelques pas de l'Historical Society, vous remarquerez la haute tour de l'**Abbot Hall** *(188 Washington Sq.)*, construit en 1876. C'est à l'intérieur d'une des salles de ce bâtiment à vocation administrative qu'est exposée la célèbre peinture *Spirit of 76* de l'artiste Archibald M. Willard. Peut-être ne ressentirez-vous rien de particulier devant le spectacle d'un joueur de tambour et d'un porte-étendard, mais les Américains voient dans cette œuvre le symbole de la Révolution américaine.

Revenez sur vos pas jusqu'à l'Historical Society, où vous pourrez vous procurer des billets pour la visite du Jeremiah Lee Mansion.

Le **Jeremiah Lee Mansion** ★★ *(5$, visite guidée seulement; juin à oct mar-sam 10h à 16h; 161 Washington St.,* ☎*781-631-1768)*, qui date de 1768, est une imposante demeure de style georgien pré-révolutionnaire. Elle est considérée comme un des meilleurs exemples de ce style en Amérique, et sa façade en bois, peinte au sable, constitue une intéressante imitation de pierre. Le faste et l'opulence du colonel Jeremiah Lee, armateur et marchand prospère, se reflètent dans l'incroyable finesse du travail des boiseries intérieures, de l'escalier flanqué de lambris en acajou jusqu'aux détails de la cheminée rococo du parloir. La demeure, admirablement meublée, abrite également une impressionnante grisaille peinte à la main, seul papier peint anglais du XVIIIe siècle à être encore tendu sur son mur d'origine.

Au bout de Washington Street, tournez à droite dans Hooper Street pour jeter un coup d'œil à l'intérieur du **King Hooper Mansion** *(lun-sam 10h à 16h, dim 13h à 17h; 8 Hooper St.,* ☎*781-631-2608)*, une demeure de style colonial à laquelle le marchand Robert «King» Hooper ajouta une façade de style georgien en 1745. Propriété de la Marblehead Art Association, cette maison historique présente des expositions, des concerts et des conférences.

Continuez par Hooper Street jusqu'à Union Street, où vous apercevrez l'insolite **Lafayette House** ★ *(résidence privée, on ne visite pas; angle Hooper St. et Union St.)*, une magnifique demeure de style georgien à laquelle il manque un coin. La légende raconte que, lors du passage du général La Fayette à Marblehead en 1824, on aurait été contraint d'enlever un coin du bâtiment pour laisser passer son attelage.

En continuant jusqu'à Front Street, gardez les yeux grands ouverts pour ne rien manquer du charme des résidences colorées. Vous arriverez au **Crocker Park** ★★, un délicieux petit parc offrant un point de vue privilégié sur Marblehead Harbor. On peut facilement y passer des heures, puisque sa situation surélevée permet d'observer les activités maritimes. L'endroit dispose de bancs et constitue une aire de pique-nique idéale.

J.O.J. Frost

John Orne Johnson Frost (1852-1928) commença sa carrière de peintre en 1919, soit à l'âge de 67 ans. Pour 25 cents, les curieux pouvaient aller admirer ses œuvres exposées à l'arrière de sa maison de Pond Street. Pendant cette brève période artistique, qui ne dura que neuf années, Frost fut néanmoins très prolifique. Il laissa à la postérité 130 tableaux qui ne connurent une réelle appréciation qu'au début des années 1940. Les toiles de cet artiste naïf sont empreintes de Marblehead, de son esprit et de son caractère, afin que, comme il le disait lui-même, elles transmettent aux générations futures l'histoire de Marblehead.

Continuez par Front Street; vous ne vous lasserez pas de découvrir l'élégance des demeures et la vie du port jusqu'à votre arrivée à **Fort Sewall**, un agréable parc, lui aussi un endroit à considérer pour un pique-nique.

À la sortie du parc, prenez Franklin Street puis tournez à gauche dans Washington Street, bordée de boutiques charmantes à l'approche de Market Square, sur lequel se tient fièrement l'**Old Town House** ★ *(on ne visite pas)*. Vous ne pouvez manquer cette vivante structure jaune, second plus ancien bâtiment municipal des États-Unis, construit en 1727. Durant les différentes guerres qui ponctuèrent l'histoire des États-Unis, l'enrôlement pour le front se faisait ici.

Pour le reste du circuit, vous aurez besoin d'un vélo ou d'une voiture. De Pleasant Street, tournez à gauche dans Ocean Avenue.

Juste avant Marblehead Neck, vous trouverez la belle **Devereux Beach** (voir p 184), sur Ocean Avenue. **Marblehead Neck** est une collection d'opulentes demeures sur fond de mer. Principalement résidentiel, le Neck propose néanmoins à ses visiteurs le **Marblehead Neck Wildlife Sanctuary** *(entrée libre; Risley Rd.,* ☎*781-259-9500)*, une réserve ornithologique où vous pourrez profiter d'un peu de verdure, ainsi que le **Chandler Hovey Park**, où il fait bon se promener tout en profitant de l'air marin. L'endroit est idéal pour observer les régates pendant la saison estivale.

Retournez à Salem, puis empruntez la route 127, laquelle vous conduira jusqu'à Gloucester tout en vous permettant de ne rien manquer des différents attraits qui la bordent.

Cape Ann ★★

Le Cape Ann, surnommé «l'autre cap» en référence à son homologue Cape Cod, compte cinq communautés qui se distinguent par leur caractère particulier, mais qui ont toutes en commun un riche passé maritime. Si Essex, Magnolia et Manchester-by-the-Sea se rapprochent plutôt géographiquement de la terre ferme, tandis que Gloucester et Rockport sont situées directement sur ce bout de terre qui avance curieusement dans l'océan Atlantique. Se rendre à Cape Ann (une heure de route de Boston, tout au plus) constitue une exquise excursion d'une journée, même si deux journées complètes sont nécessaires pour goûter pleinement son charme tranquille. Car il ne faut surtout pas repartir sans avoir visité quelques galeries d'art à Rockport ou les boutiques d'antiquités d'Essex, et sans avoir fait une sortie en mer à Gloucester, sans parler des nombreuses plages qui bordent le cap. Puis on ne peut résister au charme des *bed and breakfasts* qui parsèment l'un des lieux de villégiature les plus prisés des Bostoniens.

Manchester-by-the-Sea

Si le cœur vous en dit, vous pouvez arrêter au petit village de Manchester-by-the-Sea, le temps d'une baignade à la charmante **Singing Beach ★** *(au bout de Beach St.)*, entourée de villas élégantes (voir p 184).

Continuez par la route 127 jusqu'à Magnolia et suivez les indications vers le Hammond Castle, sur Hesperus Avenue.

Magnolia

On peut s'attendre de l'homme à toutes les extravagances et même à retrouver à Magnolia, en plein cœur de la Nouvelle-Angleterre, la réplique d'un château médiéval surplombant Gloucester Harbor. Le **Hammond Castle ★** *(8,50$; en été lun-jeu*

10h à 17h, ven-dim 10h à 15h; 80 Hesperus Ave., ☎*978-283-7673, www.hammondcastle. org)*, fruit de l'excentricité de l'inventeur John Hammond Jr., abrite sa magnifique collection d'art romain et médiéval, dont un orgue de 8 200 tuyaux. Il ne faudrait surtout pas manquer de se rendre derrière le château pour avoir un point de vue exceptionnel sur l'Atlantique.

Gloucester ★

En reprenant la route 127, on arrive sur le territoire de Gloucester (prononcer *Gloster*). Bien avant sa fondation, l'explorateur Samuel de Champlain explora en 1604 l'actuel emplacement de son port et, séduit par le paysage, le baptisa «Le Beauport». Fondée en 1623, Gloucester porte fièrement le titre du «premier port de mer de la côte est des États-Unis». La pêche, qui a placé, au XIXe siècle, Gloucester en tête des plus importants ports, est encore aujourd'hui liée de près à la vie des habitants. Des quotas sur les pêches ont récemment freiné l'activité première du port, qui s'est tourné vers la transformation des produits de la mer. Le charme de cette communauté encore axée sur l'industrie maritime attire non seulement depuis plus de 150 ans un nombre incroyable d'artistes, installés à la **Rocky Neck Art Colony** (voir p 176), mais également plusieurs visiteurs (certains attirés par le film américain *The Perfect Storm*) qui découvrent d'intéressants musées et maisons historiques, des plages magnifiques, et, surtout, qui profitent de la situation géographique privilégiée du Cape Ann pour faire des excursions d'observation des baleines (voir p 186).

Le **Stage Fort Park** est une halte bienvenue avant de pénétrer au centre-ville de Gloucester. Il permet non seulement d'obtenir de l'information au **Gloucester Visitors Welcoming Center** *(juil à sept tlj 9h à 18h; route 127,* ☎*978-281-8865, www.gloucesterma.com)*, mais il dispose également de toilettes et de places de stationnement qui permettent de garer son véhicule et de prendre un autobus pour continuer jusqu'au centre-ville. Le parc, site de débarquement des premiers colons à l'origine de la fondation de Gloucester est agréable, agrémenté d'une aire de jeux pour les enfants et de deux plages tranquilles, **Cressy's Beach** et **Half Moon Beach** (voir p 184).

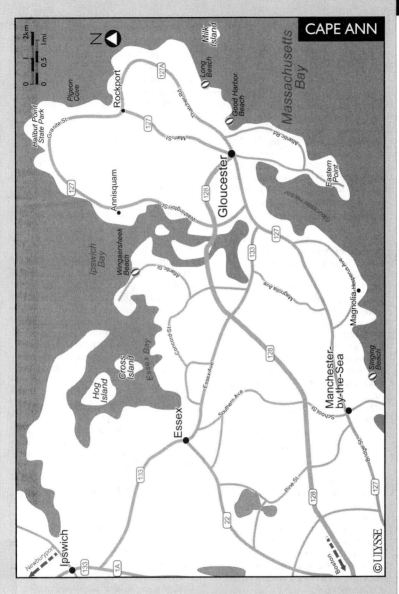

CAPE ANN

Continuez par la route 127, qui traverse le centre-ville de Gloucester sous différents noms: Stacy Boulevard, Western Boulevard et Main Street.

C'est sur Stacy Boulevard que s'élève la célèbre sculpture **The Man at the Wheel**, symbole de la ville, réalisée par Leonard Craske dans son studio de Rocky Neck. Érigé à la mémoire de plus d'une dizaine de milliers d'hommes disparus en mer, le mémorial offre une magnifique vue sur Gloucester Harbor.

Pour visiter le charmant centre-ville de Gloucester, ainsi que pour découvrir le front de mer, l'idéal est de garer sa voiture dans le stationnement de la Cape Ann Chamber of Commerce, dans Commercial Street, ou encore de tenter de trouver une place libre devant l'un des parcomètres de Main Street. Les attractions suivantes s'insèrent faci-

La côte du Massachusetts - Attraits touristiques - Au nord de Boston

lement dans un circuit à pied qui permettra de prendre le pouls de la ville.

Visible de Main Street, le **Sargent House Museum** *(7,50$; fin mai à mi-oct ven-lun 12h à 16h; 49 Middle St., ☎978-281-2432, www. sargenthouse.org)* loge dans une élégante demeure de style georgien ceinte d'une clôture blanche. Construite en 1782 pour Judith Sargent Murray, écrivaine et philosophe, qui marqua son époque de ses idéaux de justice et d'éducation, et également habitée par son mari, le révérend John Murray, fondateur de l'universalisme en Amérique, la demeure abrite une collection de meubles et de tissus ainsi que des objets d'usage courant.

À une rue au nord de Main Street, le **Cape Ann Historical Museum** ★★ *(6,50$; mar-sam 10h à 17h, fermé fév; 27 Pleasant St., ☎978-283-0455, www.capeannhistoricalmuseum. org)* présente d'intéressantes expositions, comme celle qui a lieu à la **Fitz Hugh Lane Gallery** ★★★, qui possède la plus grande collection d'œuvres de ce peintre. Plus de 40 toiles de ce natif de Gloucester reconnu pour ses paysages maritimes lumineux sont présentées, entrecoupées de meubles et d'éléments décoratifs. Les **Maritime and Fisheries Galleries** ★★ valent également un arrêt; des objets anciens reliés à la mer et de l'équipement, dont plusieurs rames, côtoient des embarcations historiques.

Reprenez Pleasant Street en sens inverse jusqu'au *harbor loop*. La goélette ***Adventure*** *(jeu-dim 10h à 16h; Harbor Loop, ☎978-281-8079, www.schooner-adventure.org)* a été amarrée dans le port de Gloucester après 62 années de service. Construite au chantier naval d'Essex en 1926, l'*Adventure* entreprit, dès 1927, et ce, pendant 27 ans, des voyages de pêche. Entre 1954 et 1988, elle fut convertie en bateau de croisière avant que le capitaine Jim Sharp ne la lègue à Gloucester Adventure à des fins récréatives et éducatives.

Le reste de la visite nécessite, si ce n'est une voiture, d'utiliser le transport en commun ou un vélo.

Rocky Neck Avenue (une aire de stationnement est mise à la disposition des visiteurs) marque le début du territoire de la **Rocky Neck Art Colony** ★★ *(durant la saison estivale, la plupart des galeries d'art sont ouvertes de 10h à 22h; www.rockyneckartcolony.org)*, la plus ancienne colonie artistique américaine.

Il fait bon flâner dans cette enclave sillonnée principalement par la Rocky Neck Avenue, comme l'ont déjà fait de nombreux artistes, entre autres Louisa May Alcott, auteure de *Little Women*, ainsi que Rudyard Kipling, Fitz Hugh Lane et Winslow Homer. Les galeries du Neck sont tout aussi originales les unes que les autres et abritent les œuvres d'artistes amateurs ou professionnels qui utilisent différents médiums. À Rocky Neck, il est tout aussi agréable de voir les artistes à l'œuvre que d'observer la vie grouillante de Smith Cove, avec le va-et-vient des bateaux, et de profiter ainsi des paysages qui inspirèrent des générations d'artistes.

Retournez jusqu'à East Main Street et prenez la droite. Ne vous laissez pas décourager par tous les panneaux indicateurs marquant *No Trespassing*: les voisins de la **Beauport Sleeper-McCann House** ★★★ *(10$; juin à mi-oct visites guidées aux heures entre 10h et 14h; 75 Eastern Point Blvd., ☎978-283-0800)* gardent jalousement leur intimité, au point où, curieusement, les heures d'ouverture du domaine se prolongent après la saison touristique. La demeure, construite par Henry David Sleeper (1878-1934), un important designer d'intérieur et collectionneur, a de quoi surprendre; visuellement, il s'agit là d'un mélange hétéroclite de tours et de pignons, le tout recouvert de bardeaux. La construction débuta en 1907 et s'étendit sur 27 ans, période durant laquelle les ajouts architecturaux se succédèrent au rythme de l'impressionnante collection d'œuvres d'art européen et américain que Henry David Sleeper amassait. Chacun des coins de ce labyrinthe intérieur évoque le génie de Sleeper; les objets sont regroupés par thèmes et l'on y trouve des toiles, des objets de verre coloré, une ancienne cuisine et bien d'autres choses.

De la Beauport Sleeper-McCann House, suivez l'Eastern Point Boulevard jusqu'au bout, et vous découvrirez l'**Eastern Point Lighthouse** et le **Dog Bar Breakwater**, qui avance dans les eaux. Le temps clair permet d'avoir une bonne vue de Gloucester, et il est agréable d'y flâner et d'observer le travail des artistes peintres qui s'inspirent de la beauté des lieux.

Revenez sur vos pas et empruntez Atlantic Road, laquelle offre une vue magnifique sur l'océan. Atlantic Road devient Thatcher Road/route 127A, qui donne accès aux routes secondaires menant à quelques magnifiques plages.

La populaire **Good Harbor Beach** ★★ (voir p 184), sur Thatcher Road, est l'endroit idéal pour regarder le soleil se lever sur l'Atlantique.

Rockport ★★★

La route 127A conduit à Rockport, une petite communauté qui laissera sans doute dans votre mémoire l'image des nasses à homards empilées près des bateaux colorés, les magnifiques paysages sur fond d'océan et le souvenir des belles découvertes dans l'une de ses boutiques. Car, si anciennement Rockport était tournée vers la pêche et l'extraction de granit (vous pouvez jeter un coup d'œil sur ses carrières), elle vit aujourd'hui de la curiosité des touristes pour ses boutiques d'artisanat accolées le long de Bearskin Neck, ses restaurants en front de mer et ses chaleureux *bed and breakfasts*. Attention, cependant, puisque Rockport est une ville «sèche», il vous sera impossible de vous y procurer des boissons alcoolisées. Tout près de Good Harbor Beach, mais située sur le territoire de Rockport, s'étend **Long Beach** (voir p 184).

La route 127A devient South Street, puis Mount Pleasant Street dans le centre-ville de Rockport. Vous pouvez garer votre voiture devant l'un des nombreux parcomètres, mais gardez bien en tête qu'en été les places se remplissent vite, et qu'il est déconseillé de laisser les véhicules dans les rues étroites de Bearskin Neck. La **Rockport Chamber of Commerce** *(lun-ven 9h à 17h; 3 Whistlestop Mall,* ☎*978-546-6575 ou 888-726-3922, www.rockportusa.com)* se trouve tout près de Bearskin Neck, si vous êtes encore dépourvu de cartes et d'information.

Le T-Wharf, en retrait de Mount Pleasant Street, constitue un bon point de départ pour la visite de Rockport. Vous découvrirez une promenade agréable qui longe le Rockport Harbor, permettant d'observer les bateaux colorés et le Motif no. 1.

Au bout de Mount Pleasant Street, prenez à droite pour découvrir **Bearskin Neck** ★★★ et ses coquettes maisons. On dit que le Neck tient son nom d'un ours resté prisonnier de la marée en 1700. Cette pointe qui s'étire dans l'océan Atlantique était un centre de commerce et de construction navale, avant que ses rues étroites ne deviennent

le lieu de prédilection des commerçants et des piétons. Il fait bon flâner non seulement dans ses boutiques agréablement décorées, mais aussi sur ses quais qui offrent de belles vues sur **Rockport Harbor** ★★. C'est sur le Bradley Wharf que se tient le coloré **Motif no. 1**, devenu par sa popularité le symbole de la ville. Cette ancienne cabane de pêcheurs de couleur rose, recouverte de bouées, est en fait la réplique exacte de l'originale, emportée par une tempête en 1978. L'extrémité de Bearskin Neck est pourvue d'un endroit dégagé d'où l'on peut profiter d'un agréable paysage qui se teinte de couleurs féeriques en fin de journée.

Dans Main Street, il ne faut surtout pas manquer de visiter la galerie de la **Rockport Art Association** *(en été lun-sam 10h à 17h, dim 12h à 17h; 12 Main St.,* ☎*978-546-6604)*, le rendez-vous des artistes et des amateurs d'art. Les exposants sont choisis par un comité de sélection selon des critères qui varient de la technique à l'originalité du sujet. La galerie, aménagée dans une maison blanche aux volets verts, est beaucoup plus grande qu'elle ne le paraît, et les expositions promettent des œuvres de qualité. On y propose également des cours de peinture et des conférences.

Le long de Sandy Bay, une portion de Main Street se change en Beach Street et longe **Front Beach** et **Back Beach**. Beach Street devient Granite Street, bordée d'un paysage idyllique. Arrêtez-vous au Granite Pier et à Pigeon Cove; le premier offre des paysages à couper le souffle sur Sandy Bay et Rockport, tandis que le deuxième est un paisible petit coin de pêcheurs.

Juste avant Pigeon Cove, le long de Pigeon Hill Street, se trouve la **Paper House** ★ *(1,50$; avr à oct tlj 10h à 17h; 52 Pigeon Hill St.,* ☎*978-546-2629, www.paperhouserockport. com)*, une curiosité dont le début de la construction remonte à 1922. Elis F. Stenman, grand lecteur de journaux, entreprit, avec sa famille, une véritable œuvre de récupération, avant même la vague écolo. Les murs de la maison sont constitués de 215 épaisseurs de journaux et les meubles intérieurs (tables, chaises, lampes, foyer et horloge grand-père) sont faits de papier journal roulé, plié ou mâché. Son aménagement a nécessité 100 000 copies de journaux et 20 ans de travail.

La côte du Massachusetts ■ Attraits touristiques - Au nord de Boston

Revenez jusqu'à Granite Street/route 27 et continuez jusqu'au bout, puis prenez Gott Avenue.

Le **Halibut Point State Park** ★ ★ ★ *(2$/véhicule; tlj du lever au coucher du soleil; Gott Ave.,* ☎*978-546-2997)* s'élève fièrement à l'extrémité nord de Rockport, offrant aux visiteurs l'un des plus impressionnants points de vue de la région. Ici, l'océan Atlantique est dominé par des falaises de granit. On peut voir l'Ipswich Bay et même le mont Agamenticus dans l'État du Maine. Halibut Point est l'endroit idéal pour la randonnée, le surf, l'observation des oiseaux ou la simple balade.

Le parc dispose d'un petit **centre d'accueil** doublé d'un **musée** qui traite de l'histoire de l'industrie du granit ainsi que de l'histoire naturelle de Halibut Point. Des **visites guidées** *(*☎*978-546-2997)* y sont offertes, et une brochure pour une visite autonome est disponible au même endroit.

Continuez par Washington Street/route 127 pour retourner à Gloucester, puis prenez Main Street et tournez à droite dans Western Avenue pour quitter la route 127 à Essex Avenue. Ensuite suivez Concord Street et les indications vers Atlantic Street.

La rencontre de l'Annisquam River et de l'Ipswich Bay forme la magnifique **Wingaersheek Beach** ★ ★ ★ *(Atlantic St.)*, en retrait du circuit principal.

Revenez jusqu'à Essex Avenue/route 133.

Essex

Aux limites du Cape Ann, vous traverserez la petite ville d'Essex, qui compte l'une des plus grandes concentrations de magasins d'antiquités (voir p 200) au pays, un musée de l'histoire de la construction navale et plusieurs *clam shacks*, dont le légendaire **Woodman's of Essex**. Celui-ci revendique le titre du premier établissement de ce genre.

Au milieu du XIXᵉ siècle, la ville d'Essex était considérée mondialement comme le plus grand chantier de construction de bateaux de pêche. L'**Essex Shipbuilding Museum** *(7$; juin à oct mer-dim 10h à 17h, nov à mai sam-dim 10h à 17h; 28 et 66 Main St./route 133,* ☎*978-768-7541, www. essexshipbuildingmuseum.org)* retrace donc, par des ateliers, des photographies et des objets anciens, l'histoire de la ville et son rôle dans le développement de l'industrie de la construction navale, qui débuta en 1668.

Ipswich

Ipswich est un petit village tranquille qui borde la route 1A. Fondée en 1633 par le gouverneur John Winthrop, elle est fière de compter plus d'une quarantaine de maisons, toujours fonctionnelles, construites avant 1725. C'est plutôt pour le formidable Crane Estate, l'ancienne propriété du magnat de la plomberie Richard T. Crane Jr., qu'on s'y arrête aujourd'hui.

Installé dans la charmante Hall-Haskell House, le **Visitor Center** *(début mai à fin oct lun-sam 9h à 17h, dim 12h à 17h; 36 S. Main St.,* ☎*978-356-8540, www.ipswichma.com)* offre, en plus de l'information locale, quelques places de stationnement à l'extérieur, bien utiles pour la visite de la **John Wipple House** et de la **John Heard House** *(7$ pour visiter les deux maisons; début mai à mi-oct mer-sam 10h à 16h, dim 13h à 16h; 54 S. Main St.,* ☎*978-356-2641 ou 978-356-2811)*. La John Wipple House, qui appartient à la First Period Architecture (1625-1725), renferme des meubles et des objets décoratifs. La seconde demeure, de style Federal, est aussi impressionnante que magnifique. John Heard commerçait avec l'Orient, occupation dont on retrouve l'influence sur ses acquisitions.

Le **Crane Estate** ★ ★ ★ *(5-8/véhicule; 290 Argilla Rd.,* ☎*978-356-4351)* s'étend sur 840 ha et regroupe en fait plusieurs attraits qui se démarquent par la magnifique tranquillité qui se dégage du paysage dans lequel ils baignent. Marais salants, collines et plages, toute la beauté de ce domaine qui appartenait à la famille Crane est depuis 1998 sous l'administration et la protection du Trustees of Reservations, dont la mission est de mettre en valeur ce patrimoine.

La pièce maîtresse du Crane Estate est la **Great House at Castle Hill** *(10$; fin mai à début oct mer et jeu 10h à 16h;* ☎*978-356-4351)*, une résidence de style Stuart de 59 pièces conçue par l'architecte David Adler et dont la construction s'est terminée en 1926. À l'arrière de l'imposante résidence, tel un immense tapis que l'on aurait déroulé, la Grand Allee ondule de toute sa verdure jusqu'à l'océan, que l'on aperçoit bien distinctement.

Le **Crane Wildlife Refuge** *(dons appréciés; tlj 8h à 16h; Argilla Rd., le comptoir de Crane Islands Tour est situé à droite de l'entrée de Crane Beach; ☎978-356-4351, www.thetrustees.org)*, accessible en bateau seulement, est constitué de cinq îles et de marais salants situés dans l'Essex River Estuary. Plus de 180 espèces d'oiseaux y ont été recensées, de même que plusieurs mammifères. La visite guidée du parc, d'une durée de 1h30, débute par la traversée de la Castle Neck River et se poursuit ensuite à bord d'un wagon tiré par un tracteur. En plus de visiter l'ancienne demeure de la famille Choate, vous pourrez vous rendre au sommet de Choate Island; c'est au cœur de ce paysage spectaculaire que reposent Cornelius et Miné S. Crane, qui léguèrent le domaine au Trustees of Reservations.

Crane Beach *(au bout d'Argilla Rd., ☎978-356-4354)* propose 6,4 km de littoral magnifique. Vous pouvez également profiter de 9 km de sentiers qui sillonnent plusieurs hectares de dunes.

Newburyport

Important centre de commerce maritime au XVIIIᵉ siècle qui vit se construire nombre de demeures de style Federal, Newburyport connut cependant, à la suite de la guerre américano-britannique de 1812, des années difficiles. L'avènement de l'ère industrielle donna un second souffle à la ville, qui vit se développer plusieurs usines en briques rouges qui font partie intégrante du paysage actuel de la ville. Une vaste campagne de préservation, lancée dans les années 1970, permit de conserver les structures du Market Square, de l'Inn Street Mall et de la Tannery, et de les transformer en boutiques et restaurants, donnant ainsi forme à un centre-ville vivant où il fait bon déambuler tranquillement.

À partir de la I-95 ou de la US 1, dirigez-vous vers Green Street, qui rejoint Merrimack Street, où vous trouverez une immense aire de stationnement gratuit, convenablement située à mi-chemin entre les boutiques du centre-ville et les quais d'embarquement pour des excursions en mer. Juste à côté se trouvent l'agréable Waterfront Park ainsi que le comptoir de

renseignements touristiques *(lun-ven 9h à 17h; ☎978-462-6680)*.

Situé quelque peu en retrait du centre-ville de Newburyport, sur la route 1A, le **Cushing House Museum** *(5$; mai à oct mar-ven 10h à 16h, sam 12h à 16h; 98 High St./route 1A, angle Fruit St., ☎978-462-2681)* loge dans une élégante demeure de brique de style Federal, ornée de volets verts. Habitée par trois générations de Cushing, l'imposante maison a été le témoin privilégié de l'âge d'or de l'industrie maritime à Newburyport, ainsi que de son déclin. La dernière Cushing à avoir habité la maison en a fait don en 1955 à la société historique, qui a magnifiquement restauré l'intérieur selon ce qu'il devait être du temps de John Newmarch Cushing, en 1818. Au cours d'une visite guidée d'une durée de 45 min, on peut y voir de précieuses antiquités de la Nouvelle-le-Angleterre, des jouets, de l'argenterie et une collection d'horloges.

C'est à partir de Water Street, qui borde une partie du centre-ville de Newburyport, que les amoureux de la nature peuvent se rendre à **Plum Island ★**, une barrière naturelle de 13,7 km, dont les 75% du territoire, au sud, sont occupés par les 1 883 ha du **Parker River National Wildlife Refuge** *(voitures 5$, piétons et cyclistes 2$; tlj du lever au coucher du soleil; du Plum Island Turnpike, tournez à droite dans Sunset Dr., ☎978-465-5753, www.parkerriver.org)*, un des plus importants lieux d'observation des oiseaux au pays (voir p 187), où plusieurs sentiers de randonnée sont aménagés (voir p 187). Durant la saison estivale, le parc ferme parfois pendant deux heures à cause du trop grand achalandage. Si vous n'avez qu'une journée pour le visiter, arrivez tôt en matinée et apportez une collation puisqu'il n'y a pas de restaurant dans le parc.

Au sud de Boston
★

Ce circuit part de Boston et suit la route 3 au fil de la côte sud-est du Massachusetts jusqu'à Plymouth, la toute première colonie de l'État, avant de piquer vers le sud-ouest pour couvrir les villes de New Bedford et Fall River, sur la côte méridionale du Massachusetts.

La côte du Massachusetts ▪ Attraits touristiques - Au sud de Boston

De Boston, prenez la route I-93 en direction sud jusqu'à la route 3, que vous suivrez vers le sud jusqu'à la sortie 6A pour atteindre Plymouth.

Plymouth

La ville de Plymouth a depuis longtemps sa place dans les cours d'histoire de toutes les écoles américaines. C'est en effet ici qu'ont débarqué les fondateurs du pays (après une courte halte à Provincetown) et qu'a pris naissance le récit de leurs aventures tenant aussi bien du mythe que de la réalité, tel qu'on le relate encore aujourd'hui.

Les Pères pèlerins, pour la plupart des fermiers peu instruits, étaient des séparatistes britanniques qui avaient rompu avec l'Église d'Angleterre, exigeant pour l'essentiel que la structure du culte soit remplacée par des pratiques protestantes plus simples. C'est ainsi qu'ils fuirent leur mère patrie pour, dans un premier temps, s'établir aux Pays-Bas, vers le début du XVIIᵉ siècle. Ayant toutefois du mal à s'adapter à leur terre d'adoption sur le Vieux Continent, ils en vinrent à s'embarquer pour le Nouveau Monde après avoir acquis les titres d'une concession terrienne en Virginie.

Cela dit, les Pères pèlerins ne devaient jamais atteindre la Virginie. Après avoir mis pied à terre là où s'étend l'actuelle Provincetown, à Cape Cod, ils résolurent de ne se soumettre à l'autorité d'aucun gouvernement, et ils signèrent conjointement une entente en vertu de laquelle ils n'obéiraient qu'à leurs propres lois. Cette entente devint par la suite *The Mayflower Compact*, un document clé quant à la poursuite de l'autonomie gouvernementale aux États-Unis. Puis, le 20 décembre 1620, les pèlerins débarquèrent à Plymouth; ils y rencontrèrent un peu plus tard la nation amérindienne Wampanoag et décidèrent d'y fonder leur propre communauté.

Près de 400 ans après l'arrivée des pèlerins, Plymouth accueille bon an mal an des centaines de milliers de visiteurs. L'industrie touristique est ici bien rodée, et vous y trouverez plus d'attraits qu'il n'en faut, d'ailleurs souvent très kitsch, pour vous familiariser avec l'histoire des Pères pèlerins. Hormis ses nombreux attraits proprement touristiques, cependant, Plymouth demeure une attrayante ville coloniale, si ce n'est qu'il vaut franchement mieux la visiter hors

saison, soit le printemps ou l'automne. Notez enfin que bon nombre des attraits, car il faut bien en parler, se trouvent le long de Water Street ou dans ses environs immédiats, en bordure du port.

Le «monument» qui ne cesse d'attirer les touristes à Plymouth depuis des années et des années se trouve à l'extrémité sud de Water Street. Le **Plymouth Rock** *(accès libre; visite en tout temps)* est un simple bloc de granit de 1 m sur 2 m sur lequel est inscrit *«1620»* et qu'on a recouvert, en 1921, d'un dais ouvert à la grecque, soutenu par des colonnes. Le rocher ne fait plus qu'un tiers de sa taille originale, en partie à cause de l'érosion, certes, mais surtout de chasseurs de souvenirs qui en ont prélevé des morceaux au fil des ans. Du reste, un autre gros fragment est conservé au Smithsonian National Museum of American History de Washington, D.C.

L'histoire veut que ce soit sur ce rocher que les Pères pèlerins aient tout d'abord posé le pied en descendant à terre, bien que l'exacte vérité sur ce sujet demeure nébuleuse. Thomas Faunce, un ancien de la Plymouth Church d'alors, aurait formellement identifié le rocher en 1741 comme étant le point de débarquement des pèlerins après avoir reçu cette information de son père, lui-même passager d'un bateau arrivé en 1623 qui l'aurait directement appris d'un tiers. Quoi qu'il en soit, beaucoup d'historiens s'entendent aujourd'hui pour dire que cette histoire n'est probablement pas vraie. Reste que le rocher de Plymouth est devenu un symbole patriotique aux yeux des citoyens des États-Unis, et le site tant visité compte parmi les tout premiers lieux de pèlerinage du pays. Rien d'étonnant, donc, à ce qu'un comptoir de restauration rapide se soit installé à quelque 100 m de là!

Du Plymouth Rock, vous verrez le ***Mayflower II*** *(24$ incluant le droit d'entrée à la Plimoth Plantation; mars à nov tlj 9h à 17h; State Pier, Water St.,* ☎*508-746-1622)*, amarré le long du State Pier. Il s'agit là d'une réplique grandeur nature du bateau qui a franchi l'océan Atlantique avec les pèlerins à son bord. Des interprètes costumés et des guides en uniforme vous renseigneront aussi bien sur le navire original que sur la réplique aujourd'hui visible, construite en 1957 en Angleterre, d'où elle a mis les voiles vers Plymouth. Le jour du départ, on estimait que l'équipage n'avait qu'une chance sur deux de traverser l'Atlantique avec succès sur ce bateau en chêne anglais aux cordages de chanvre et aux voiles de toile à la façon d'autrefois. Même si elle permet de se faire une idée des difficultés qu'ont pu affronter les pèlerins au cours de leur voyage – on a peine à croire que 102 passagers aient pu tenir dans un espace aussi restreint –, la réplique ne vaut pas vraiment le prix de la visite à elle seule, de sorte qu'il vaut mieux la jumeler à celle de la Plimoth Plantation (voir plus loin).

De l'autre côté de Water Street, sur Cole's Hill, se dresse le **Plymouth National Wax Museum** *(6$; mars à nov tlj 9h à 19h; 15 Carver St.,* ☎*508-746-6468)*. Les enfants apprécieront peut-être de revivre l'histoire des pèlerins à travers des statues de cire démodées, par le biais d'une bande sonore chuintante, mais ils seront sans doute les seuls, si bien que nous ne vous recommandons pas de visiter ce musée.

Le **Mayflower House Museum** *(5$; juil à mi-sept tlj 9h à 17h, mai et juin lun-dim 10h à 16h; 4 Winslow St.,* ☎*508-746-3188)*, qui se trouve tout juste en face du musée de cire dans North Street, nous apparaît beaucoup plus valable. Il loge dans un ravissant manoir de 1754 érigé en surplomb sur le port de Plymouth, et dont les pièces restaurées témoignent des styles en vigueur à l'époque coloniale et au XIXᵉ siècle.

Retournez jusqu'à Water Street et longez le port vers le nord jusqu'au Hedge House Museum.

Le **Hedge House Museum** *(4,50$; juin à oct jeu-sam 10h à 16h; 126 Water St.,* ☎*508-746-0012)*, installé dans une demeure de style Federal construite en 1809 pour le compte d'un propriétaire de navire marchand, abrite désormais le siège social de la Plymouth Antiquarian Society, chargée de veiller sur la Hedge House, la Spooner House et la **Harlow Old Fort House** *(4,50$; juil et août mar-ven; 119 Sandwich St.,* ☎*508-746-0012)*, qui date de 1667. La Hedge House elle-même renferme des expositions temporaires. Au moment de mettre sous presse, la Plymouth Antiquarian Society procédait à la rénovation de ces deux maisons. Réouverture prévue pour l'été 2007.

Reprenez Water Street vers l'est et tournez à droite dans Memorial Drive, tout juste avant la Hedge House.

Le **Pilgrim Hall Museum** ★ *(6$; fév à déc tlj 9h30 à 16h30; 75 Court St.,* ☎*508-746-1620, www.pilgrimhall.org)* se révèle beaucoup plus intéressant que bien d'autres. Cette imposante structure flanquée de colonnes contient en effet des objets ayant appartenu aux 102 passagers du *Mayflower*.

Comme il s'agit d'une des plus anciennes communautés du pays, Plymouth possède quelques autres maisons historiques, dont deux ouvertes au public et fort bien restaurées en plein centre de la ville, à savoir la **Richard Sparrow House** *(2$; jeu-mar 10h à 17h; 42 Summer St.,* ☎*508-747-1240, www.sparrowhouse.com)* et la **Howland House** *(droit d'entrée modique; mai à oct tlj 10h à 16h30; 33 Sandwich St.,* ☎*508-746-9590)*. Cette dernière est la seule encore debout à Plymouth dans laquelle des pèlerins ont bel et bien vécu.

À 3 km du port de Plymouth (par les rues Main et Sandwich) s'étend cependant l'attrait le plus remarquable de la région, et nous avons nommé la **Plimoth Plantation** ★★ *(24$ incluant la visite du* Mayflower II; *mars à nov tlj 9h à 17h; Warren Ave.,* ☎*508-746-1622, www.plimoth.org)*. Ce site proprement grandiose recrée la Plymouth du XVIIᵉ siècle par le biais d'une exposition historique vivante et comprend aussi bien le village des pèlerins (1627) que le Hobbamock's Homesite (établissement de la nation amérindienne Wampanoag). Le personnel dûment formé est vêtu à la mode de l'époque, s'exprime en vieil anglais et feint de n'y rien comprendre lorsqu'on lui parle des commodités du XXᵉ siècle. Le village lui-même, un assemblage de chemins de terre et de huttes en bois coiffées de chaume, a fait l'objet de recherches minutieuses et se révèle le plus authentique des nombreux attraits de Plymouth consacrés aux Pères pèlerins. Vous trouverez également sur place un excellent centre d'artisanat et un restaurant, **Creative Gourmet** (voir p 198).

La **Myles Standish State Forest** *(Cranberry Rd., South Carver,* ☎*508-866-2526)* vous accueille aussi à courte distance de route de Plymouth et vous réserve des activités récréatives telles que le vélo, la randonnée, l'équitation, la pêche, la chasse, la baignade et la navigation de plaisance sur quelque 6 000 ha.

De Plymouth, empruntez la route 44 vers l'ouest. À Taunton, prenez à gauche la route 140 et suivez-la en direction sud jusqu'à la route I-195. La route 18 Sud vous donnera ensuite accès au bord de l'eau et aux attraits de New Bedford.

New Bedford ★★

New Bedford est une ville étendue de 94 000 habitants, riche d'une histoire fascinante en ce qu'elle a été, à une certaine époque, la capitale mondiale de la pêche à la baleine. Aux XVIIIᵉ et XIXᵉ siècles, son front de mer grouillait de marins, d'artisans et de commerçants de toutes les parties du globe, attirés par la perspective des richesses associées à l'industrie de la pêche à la baleine. Herman Melville s'en est d'ailleurs lui-même épris et l'a décrite comme *«sans doute l'endroit le plus charmant où vivre en Nouvelle-Angleterre»* dans son classique *Moby Dick*.

La progression sans précédent de l'industrie précitée – dans les années 1850, plus de baleiniers quittaient New Bedford que tous les autres ports du monde réunis – fit naître des fortunes et entraîna la construction de grands manoirs. Il va sans dire que New Bedford n'est plus une ville vouée à la pêche à la baleine, et que son âge d'or est bien loin derrière elle, mais il n'en demeure pas moins que son passé l'a marquée à tout jamais. Le front de mer historique de New Bedford est à voir absolument, d'autant plus qu'il évoque des images «melvillesques» des braves marins et de leur quête de la gloire.

La plupart des attraits intéressants à visiter se trouvent à l'intérieur du **New Bedford Whaling National Historical Park ★★★**, qui englobe tout le quartier historique en front de mer de la ville sur 13 quadrilatères. Ses rues sinueuses et escarpées, pavées en cailloutis, ses vieilles maisons en bois et ses bâtiments en briques rouges étaient pour ainsi dire voués à leur perte vers la fin des années 1960 et le début des années 1970, à l'époque où l'on commençait à tout détruire pour faire place à des projets de renouveau urbain. Les citoyens se sont toutefois unis pour préserver le front de mer, depuis si longtemps l'âme même de New Bedford. Le parc dont il est ici question a finalement été créé en 1996 sous les auspices du National Park Service.

Le premier endroit à visiter devrait être le centre d'accueil des visiteurs *(tlj 9h à 16h; 33 Williams St.,* ☎*508-996-4095, www.nps.*

gov/nebe). On y distribue des plans et des guides, et tous les attraits s'en trouvent à distance de marche. Stationnement payant à proximité.

De biais avec le centre d'accueil, le **New Bedford Whaling Museum ★★** *(10$; tlj 9h à 17h; 18 Johnny Cake Hill,* ☎*508-997-0046, www. whalingmuseum.org)* est voué à l'histoire de la pêche à la baleine aux États-Unis à l'époque des grands voiliers et renferme une réplique réduite de moitié du baleinier *Lagoda* (qui mesurait 60 m), des élément d'exposition interactifs portant sur la pêche à la baleine et la vie à bord d'un baleinier, de même qu'un stupéfiant squelette de baleine bleue long de 22 m, une bête de 50 tonnes baptisée *Kobo* (King of the Blue Ocean).

Tout juste en face du musée se dresse la **Seamen's Bethel ★★** *(dons appréciés; en été lun-ven 11h à 13h, sam 10h à 17h, dim 13h à 17h).* Comme le raconte Melville, c'est dans cette chapelle grise que d'innombrables pêcheurs de baleines ont prié le Ciel de leur accorder bon vent et bonne grâce avant de prendre la mer: *À New Bedford se trouve une chapelle de marins où bien peu de pêcheurs à la baleine, si bouleux soient-ils, manquent de se rendre le dimanche avant de partir pour l'océan Indien ou l'océan Pacifique.* (Herman Melville, *Moby Dick*). La chapelle, construite en 1832, est toujours en activité, mais les visiteurs y sont tout de même les bienvenus. Vous serez surtout frappé par les cénotaphes qui tapissent les murs à la mémoire de ceux qui ont perdu la vie sur divers océans du globe. L'ancienne place réservée à Herman Melville, dans la chapelle supérieure, est clairement indiquée.

En quittant la chapelle, retournez jusqu'à Williams Street, prenez à gauche et franchissez deux quadrilatères.

Le **New Bedford Art Museum** *(3$; mer-dim 12h à 17h; 608 Pleasant St.,* ☎*508-961-3072, www. newbedfordartmuseum.org)* présente des expositions saisonnières et fait valoir les œuvres d'artistes aussi bien contemporains qu'anciens de la région.

Après être sorti du musée, tournez à gauche dans Pleasant Street, que vous suivrez l'espace de cinq quadrilatères avant de prendre à droite Madison Street, où vous franchirez deux autres quadrilatères.

Légèrement en retrait du front de mer s'élève le **Rotch-Jones-Duff House and Garden Museum** ★ *(5$; lun-sam 10h à 16h, dim 12h à 16h; 396 County St.,* ☎*508-997-1401, www.rjdmuseum.org).* Cette demeure a été construite en 1834 pour le riche négociant en produits baleiniers qu'était William Rotch Jr., natif de New Bedford, et ses pièces magnifiquement préservées font revivre 150 ans d'histoire par le biais d'une visite autoguidée avec casque d'écoute. Qui plus est, ce manoir néoclassique peint en jaune repose sur un quadrilatère entier de très jolis jardins.

Encore plus loin du front de mer vous accueille le **New Bedford Fire Museum** *(2$; tlj 9h à 16h; 51 Bedford St.,* ☎*508-992-2162),* qui fut la plus ancienne caserne de pompiers en activité ininterrompue du pays jusqu'en 1979. Les enfants apprécieront tout particulièrement ses éléments d'exposition interactifs.

Fall River

De New Bedford, prenez la route I-195 vers l'ouest jusqu'à la sortie 5 pour atteindre Fall River, à quelque 20 min de route.

Fall River est une ancienne ville industrielle qui n'a pas grand-chose de pittoresque et dont la prétention à la renommée tient surtout au fait qu'elle a été le siège d'un des procès criminels les plus célèbres des États-Unis. Le 4 août 1892, Andrew Jackson Borden et son épouse Abby étaient brutalement assassinés dans leur maison, et Lizzie Borden, la plus jeune de leurs deux filles, était arrêtée pour meurtre. Au terme d'un des procès les plus sensationnels du XIXᵉ siècle, elle fut toutefois acquittée, ce qui n'empêcha pas le folklore populaire de s'emparer de la légende et d'immortaliser Lizzie dans une comptine: *Lizzie Borden took an axe and gave her mother forty whacks* (Lizzie Borden a pris une hache et en a donné quarante coups à sa mère)!

La révolution industrielle a transformé Fall River en une ville d'usines textiles en briques rouges, et après quoi celles-ci se sont vues placardées et oubliées. Nombre d'entre elles ont toutefois été rouvertes depuis pour accueillir des magasins d'usine, devenus fort populaires.

À la fourche qui suit la sortie 5 de la route I-195, gardez la droite. Prenez ensuite la prochaine voie à droite et, tout au bout de la rampe, tournez à gauche. La prochaine rue sur la gauche est Davol Street.

Plusieurs des attraits de la ville se trouvent dans les environs du **Fall River Heritage State Park** *(200 Davol St. W.,* ☎*508-675-5759).* Ce parc de 3,4 ha abrite un centre d'accueil des visiteurs où vous trouverez une abondance de renseignements sur la ville. Il domine en outre la **Battleship Cove** *(14$; tlj 9h à 17h30,* ☎*508-678-1100, www.battleshipcove. org)* sur la rivière Quequechan, soit une anse où est amarrée l'imposant *Battleship Massachusetts,* un vaisseau gris de première ligne de la Marine américaine au cours de la Seconde Guerre mondiale. Cinq autres navires de l'époque flottent aux côtés du *Massachusetts,* entourés de canards et d'oies, et tous ces bâtiments au repos peuvent être visités.

Pour en apprendre davantage au sujet de Lizzie Borden et du célèbre massacre à la hache, rendez-vous à la **Fall River Historical Society** *(7$; avr à mi-nov mar-ven 9h à 16h30, juin à sept sam-dim 13h à 17h; 451 Rock St.,* ☎*508-679-1071, www.lizzieborden.org),* qui a pignon sur rue à flanc de colline en surplomb sur la Battleship Cove à l'angle de Rock Street et de Maple Street. On y expose les preuves médico-légales présentées lors du fameux procès, de même que des vestiges de l'âge d'or de Fall River, à l'époque où des manoirs victoriens ponctuaient le décor et où de riches mondains avaient élu domicile dans la ville.

Parcs et plages

Au nord de Boston

Salem

À Salem, plusieurs plages convenables émaillent les 28 km de littoral de la ville, notamment dans les deux principaux parcs aménagés à l'intention des vacanciers, soit le **Forest River Park** *(West Ave.)* et le **Winter Island Marine Park** *(50 Winter Island Rd., en retrait de Fort Ave.,* ☎*978-745-9430).* Stationnement payant.

La côte du Massachusetts - Parcs et plages

Marblehead

Juste avant Marblehead Neck s'étend **Devereux Beach** *(stationnement payant; Ocean Ave.).* Elle dispose de maîtres nageurs, de toilettes et de comptoirs de restauration.

Cape Ann

Avec deux douzaines de plages sur ses côtes, Cape Ann offre un grand choix pour la baignade. N'hésitez pas à rechercher les plages moins fréquentées, car elles promettent certainement d'agréables surprises.

Manchester-by-the-Sea

La charmante **Singing Beach ★** *(au bout de Beach St.)* ne comporte pas de stationnement à proximité; il est donc conseillé de laisser son véhicule au centre-ville et de marcher jusqu'à la plage. L'endroit met à la disposition des visiteurs des toilettes et des comptoirs de restauration.

Gloucester

Gloucester peut s'enorgueillir de quelques belles plages. Au Stage Fort Park, vous trouverez **Cressy's Beach** et **Half Moon Beach** *(stationnement 10-15).* **Good Harbor Beach ★★** *(stationnement 10-15; route 127A)* est l'endroit idéal d'où regarder le soleil se lever sur l'Atlantique. Des toilettes et des comptoirs de restauration se trouvent sur place. Bon endroit pour le *bodysurfing* lorsque les vagues le permettent. Elle convient cependant moins aux jeunes enfants puisque les vagues sont parfois fortes.

Rockport

Tout près de Good Harbor Beach, mais située sur le territoire de Rockport, **Long Beach** *(Thatcher Rd.)* est plus petite et offre des toilettes. Le long de Sandy Bay, une portion de Main Street se change en Beach Street et longe **Front Beach** et **Back Beach**. La rencontre de l'Annisquam River et de l'Ipswich Bay forme un des lieux de baignade les plus agréables de Cape Ann. Les familles devraient opter pour la magnifique **Wingaersheek Beach ★★★** *(stationnement 10-15; Atlantic St.),* qui se trouve en retrait du circuit principal et formée de dunes de sable blanc. Le stationnement se remplit vite en été, de même que la plage elle-même. Souvenez-vous que les chambres à air sont interdites et que les maîtres nageurs sont en poste entre 9h et 17h.

Le **Halibut Point State Park ★★** *(2$/véhicule; tlj du lever au coucher du soleil; Gott Ave., ☎978-546-2997),* à l'extrémité nord de Rockport, est l'endroit idéal pour la randonnée, le surf, l'observation des oiseaux ou la simple balade.

Ipswich

Crane Beach *(stationnement payant; 8h au coucher du soleil; au bout d'Argilla Rd., ☎978-356-4351)* propose 9 km de littoral magnifique avec douches et comptoirs de rafraîchissements, ainsi que maîtres nageurs.

Le **Crane Wildlife Refuge** *(entrée libre; tlj 8h à 16h; Argilla Rd., le comptoir de Crane Islands Tour est situé à droite de l'entrée de Crane Beach; ☎978-356-4351, www.thetrustees.org),* accessible en bateau seulement, est constitué de cinq îles et de marais salants situés dans l'Essex River Estuary. Plus de 180 espèces d'oiseaux y ont été recensées, de même que plusieurs mammifères.

Newburyport

Les amoureux de la nature peuvent se rendre à **Plum Island ★**, une barrière naturelle de 13,7 km, dont les 75% du territoire, au sud, sont occupés par les 1 883 ha du **Parker River National Wildlife Refuge** *(voitures 5$, piétons et cyclistes 2$; tlj du lever au coucher du soleil; du Plum Island Turnpike, tournez à droite dans Sunset Dr., ☎978-465-5753, www. parkerriver.org),* un des plus importants lieux pour l'observation des oiseaux de la région (voir p 187), où plusieurs sentiers de randonnée sont aménagés (voir p 187). La **Sandy Point State Reservation**, à 10 km de l'entrée principale du parc, au bout d'une route de terre, comporte une plage tranquille et un stationnement d'une capacité limitée à 50 véhicules seulement.

Au sud de Boston

Plymouth

La **Plymouth Long Beach** *(stationnement payant jusqu'en sept; à 2,5 mi ou 4 km au sud du centre de Plymouth; Warren Ave., route 3A, ☎508-830-4045)* vous permettra de vous baigner en eau salée tout en profitant d'une étendue sablonneuse. L'observation des oiseaux y est également prisée, car cette plage compte parmi les haltes et lieux de nidification d'oiseaux de rivage en migration tels que la sterne et la maubèche. Les aires où se posent les colonies d'oiseaux sont protégées par des clôtures.

La **Myles Standish State Forest** *(sortie 5 de la route 3, Cranberry Rd.,* ☎*508-866-2526)* vous accueille aussi à courte distance de route de Plymouth et vous réserve des activités récréatives telles que le vélo, la pêche, la chasse, la baignade et la navigation de plaisance sur quelque 6 000 ha.

Activités de plein air

■ Croisières et navigation de plaisance

Au nord de Boston

À Marblehead, si le cœur vous en dit, vous pouvez suivre des cours de navigation et même louer un voilier. Rien ici de disponible à moins de 200$, pour une journée de plaisir ou quelques heures d'apprentissage...

Atlantic Charters
Commercial St.
Marblehead
☎781-639-0055
www.atlantic-charters.com

Coastal Sailing School
Commercial St.
Marblehead
☎781-639-0553
www.coastalsailingschool.com

Marblehead Sailing Center
8 Ferry Lane
Marblehead
☎781-631-6526
www.marbleheadsailing.com

Harbor Tours
Harbor Loop
Gloucester
☎978-283-1979
Harbor Tours propose d'intéressantes visites axées sur différentes thématiques chères au Cape Ann. La Lighthouse Cruise

est un prétexte pour naviguer le long des côtes du cap, à la recherche des six phares qui s'y dressent majestueusement. En plus d'offrir un *Perfect Storm* Tour et un Harbor Tour, l'entreprise propose un Lobster Tour, qui entraîne les passagers à la découverte des secrets de la pêche au homard.

Schooner *Thomas E. Lannon*
Seven Seas Wharf, Gloucester House Restaurant
Gloucester
☎978-281-6634
www.schooner.org
Le schooner *Thomas E. Lannon (35$; juil et août, départs tlj à 10h, 11h30, 13h, 14h et 16h)* vous fera découvrir, pendant une croisière tranquille de deux heures, la vie des pêcheurs de Gloucester et l'histoire de son port.

Yankee Clipper
One Merrimac Landing no. 26
Newburyport
☎603-682-2293
www.harbortours.com
Le *Yankee Clipper* du capitaine Bill Taplin propose des croisières éducatives *(14$; 11h à 18h30)* d'une heure ainsi que des croisières au coucher du soleil *(20$; 18h30 à 20h)*.

Au sud de Boston

Lobster Tales
13$
Water St.
Plymouth
☎508-746-5342
www.lobstertalesinc.com
Cette excursion originale d'une heure fait le tour du port de Plymouth et permet de retirer de l'eau les nasses à homards qu'on y a préalablement déposées. Un commentaire détaillé vous apprendra comment on capture ces crustacés, tout en vous renseignant sur l'histoire de la pêche au homard, la biologie marine et la vie des pêcheurs de la Nouvelle-Angleterre. Une bonne façon de se préparer à un dîner de homard!

Pilgrim Belle
14$
State Pier
Plymouth
☎508-747-2400 ou 800-242-2469
www.plymouthharborcruises.com
Cette visite du port de Plymouth, d'une durée de 75 min, permet d'en apprendre davantage sur la ville même et sur son port de mer, mais aussi sur les Pères pèlerins.

Elle couvre entre autres les abords du *May-flower II*, de Plymouth Beach et des phares de la région.

■ Golf

Au sud de Boston

Atlantic Country club
18 trous; normale 72
450 Little Sandy Pond
Plymouth
☎508-759-6644
www.atlanticcountryclub.com

Waverly Oaks Golf Club
18 trous; normale 72
444 Long Pond Rd.
Plymouth
☎508-224-6700
www.waverlyoaksgolfclub.com

■ Kayak de mer

Au nord de Boston

North Shore Kayak
30-45
9 Tuna Wharf
Bearskin Neck
Rockport
☎978-546-5050
www.northshorekayak.com

Cette entreprise propose des excursions guidées en kayak, dont une au coucher du soleil. Le coût comprend les services d'un guide expérimenté, le kayak et l'équipement. Il est également possible de louer des kayaks *(45$/journée, 30$/demi-journée)*.

Essex River Basin Adventures
40-56
deux ou trois heures
1 Main St.
Essex
☎978-768-3722
www.erba.com

Cette entreprise propose des excursions guidées sur le magnifique Essex River Basin. Du débutant à l'initié, tous seront séduits par ses différents forfaits. Le plus populaire est le Giligan Tour, pour débutants et intermédiaires, d'une durée de trois heures. Le prix comprend le transport jusqu'au lieu de l'embarquement, ainsi que les services d'un guide et l'équipement. Pour connaître l'horaire des départs et effectuer

une réservation, il faut téléphoner quelques jours à l'avance.

■ Observation des baleines

Au nord de Boston

Vous trouverez ici en grand nombre les entreprises qui proposent des excursions d'observation des baleines. Chacune d'elles garantit la présence des baleines (ou le prochain voyage est gratuit). Aussi, chaque voyage s'accompagne de commentaires sur la nature et le mode de vie de ces mammifères, dont l'espèce la plus observée est la baleine à bosse.

Cape Ann Whale Watch
41$
avril à oct tlj à 8h30 et 13h30
415 Main St.
Gloucester
☎978-283-5110 ou 800-877-5110
www.caww.com

Capt. Bill & Sons Whale Watch
39$
juil à sept tlj à 9h et 14h
24 Harbor Loop
Gloucester
☎978-283-6995 ou 800-33-WHALE
www.captbillandsons.com

Seven Seas Whale Watch
40$
juin à fin août tlj à 8h30 et 13h30
7 Seas Wharf, route 127
Gloucester
☎978-283-1776
www.7seas-whalewatch.com

Newburyport Whale Watch
35$
fin mai à début juil lun-ven 10h, sam-dim 11h, début juil à mi-sept tlj 8h30 et 13h30
54 Merrimack St.
Newburyport
☎978-465-9885 ou 800-848-1111
www.newburyportwhalewatch.com

Au sud de Boston

Capt. John Boats
34$
début avr à fin oct (horaire variable)
Town Wharf
Plymouth
☎508-746-2643 ou 800-242-2469
www.captjohn.com

■ Observation des oiseaux

Au nord de Boston

Le **Parker River National Wildlife Refuge** (voir p 179) de Plum Island est un des plus importants lieux pour l'observation des oiseaux dans la région. Plus de 300 espèces ont été observées selon les saisons, dont certaines plutôt rares sur la côte est des États-Unis. Les différents habitats répartis sur 1 883 ha favorisent la diversité de la faune ailée qui s'y arrête, entre autres le pluvier siffleur, dont l'espèce est menacée. Le parc met à la disposition des visiteurs plusieurs kilomètres de sentiers jalonnés de plates-formes d'observation.

■ Pêche en haute mer

Au sud de Boston

Capt. Tim Brady and Sons
16 Plantation Rd.
Plymouth
☎508-746-4809
www.fishchart.com
L'excursion de pêche en haute mer que propose cette compagnie se fait à bord du *Mary Elizabeth*, qui lève l'ancre chaque matin entre 7h et 7h30. Appâts et attirail sont mis à votre disposition pour vous permettre de capturer une morue, une plie, un aiglefin, une goberge, un colin, un flétan ou un maquereau.

■ Plongée sous-marine

Au nord de Boston

Cape Ann compte plus d'une douzaine de sites de plongée accessibles depuis le rivage. Les espaces sous-marins diversifiés – crevasses, murs de granit – en font un site de plongée intéressant.

Cape Ann Divers
127 Eastern Ave.
Gloucester
☎978-281-8082
www.capeanndivers.com
Cape Ann Divers n'est pas qu'un simple magasin où l'on peut louer de l'équipement de plongée ou en acheter. Entre les mois de juin et d'août, les samedis et dimanches, le personnel vous donne rendez-vous à 10h au magasin pour une visite gratuite d'un site de plongée à partir du rivage. Le personnel se fera également un plaisir de vous indiquer les sites de plongée correspondant à votre profil.

■ Randonnée pédestre

Au nord de Boston

Vous trouverez, au **Halibut Point State Park** (voir p 178), des sentiers qui permettent de découvrir les beautés naturelles de ce parc. Les randonneurs seront récompensés par des vues à couper le souffle sur l'Atlantique.

Dans la région d'Ipswich, **Crane Beach** (voir p 179) présente de belles dunes sillonnées par 9 km de sentiers d'interprétation.

Le **Parker River National Wildlife Refuge** (voir p 179) propose les Hellcat Interpretive Trails, qui débutent à 5,6 km de l'entrée du site. Le premier sentier, le Dunes Trail, qui s'étend sur 1,3 km, comprend 10 stations d'interprétation qui traitent de différents aspects du parc, du pin noir comme de la formation des dunes, tandis que le second sentier, le Marsh Trail, de 1,3 km, ne compte que cinq stations d'interprétation.

Au sud de Boston

Holmes Reservation
entrée libre
angle Court St. et Robbins Rd.
Plymouth
☎781-821-2977
www.thetrustees.org
Placée sous les auspices du Conseil des administrateurs des réserves fauniques, la Holmes Reservation recèle une agréable promenade offrant une belle vue panoramique sur le port de Plymouth.

■ Surf

Au nord de Boston

Le jour, les plages de Cape Ann sont réservées uniquement à la baignade. Cependant, le surf est permis en dehors des heures d'affluence, soit avant 9h et après 17h.

La côte du Massachusetts - Activités de plein air

■ Vélo

Au nord de Boston

Des limites de Swampscott à celles de Salem, en passant par Marblehead, **The Path**, une ancienne voie ferrée devenue une belle piste cyclable, fera le bonheur des amateurs de vélo. Pour la location de différents types de vélos:

Salem Cycle
72 Washington St.
Salem
☎978-741-2222
www.salemcycle.com

Marblehead Cycle
25 Bessom St.
Marblehead
☎781-631-1570
www.marbleheadcycle.com

Pour une bonne randonnée en vélo qui vous permettra de découvrir les merveilles de Cape Ann, il faut prendre la route 127, qui s'étend sur 35 km (21 mi). Prévoyez environ cinq heures pour faire le trajet, ce qui comprend des haltes, et gardez bien en tête que cette route n'est pas une piste cyclable et que vous devrez la partager avec les automobilistes. Vous pouvez facilement suivre le circuit présenté dans la section «Attraits touristiques» de ce chapitre (voir p 174) en partant du centre-ville de Gloucester. Vous pouvez louer des vélos aux adresses suivantes:

Harborside Cycle
48 Rogers St.
Gloucester
☎978-281-7744

North Shore Kayak
9 Tuna Wharf
Bearskin Neck, Rockport
☎978-546-5050
www.northshorekayak.com

À Newburyport, il est possible de louer des vélos chez **Riverside Cycles** *(20$/demi-journée, 30$/jour, 75$/semaine; 50 Water St., ☎978-465-5566 ou 888-465-BIKE, www.riversidecycle.com)* pour faire une balade, jusqu'à Plum Island par exemple.

Hébergement

Au nord de Boston

Salem

Il est extrêmement difficile de trouver à se loger à Salem en octobre, alors que s'y tient le festival des Haunted Happenings. Certains lieux d'hébergement sont même réservés jusqu'à un an d'avance pour la période des fêtes de l'Halloween.

Winter Island Park
$
mai à oct
50 Winter Island Rd.
☎978-745-1875
Vous trouverez ici 57 emplacements de camping saisonniers, aussi bien pour tentes que pour véhicules récréatifs, de même qu'une plage sablonneuse. Entre autres installations, retenons les douches à l'eau chaude. Les emplacements se louent pour aussi peu que 15$.

Amelia Payson House
$$-$$$ pdj
≡
16 Winter St.
☎520-744-2365 (réservations)
www.ameliapaysonhouse.com
Cette magnifique maison néoclassique à clins bleus est flanquée de colonnes blanches et découpée de persiennes noires. Il y a maintenant 20 ans que Ada et Don Roberts accueillent les visiteurs et les logent dans l'une ou l'autre de leurs quatre chambres d'hôte à plancher de bois et au décor à la fois léger et attrayant. Un excellent gîte touristique.

Stepping Stone Inn
$$-$$$ pdj
≡
19 Washington Sq. N.
☎978-741-8900 ou 800-338-3022
www.steppingstoneinn.com
Le Stepping Stone Inn, revêtu de clins gris, a pignon sur rue tout à côté du Witch Museum, derrière la statue menaçante de Roger Conant et en face du Salem Common. La maison a été construite en 1846 pour un officier naval et renferme désormais huit chambres d'hôte pourvues d'un décor du XIXᵉ siècle, d'un grand lit et d'une salle de bain privée.

Morning Glory
Bed and Breakfast
$$-$$$ pdj
≡ ∆
22 Hardy St.
☎978-741-1703
www.morningglorybb.com
Hors des limites du centre-ville, mais tout de même à côté de la House of the Seven Gables et du port de Salem, le Morning Glory est aménagé dans une maison georgienne d'un rouge éclatant, bâtie dans le style Federal en 1808. On y dénombre quatre chambres d'hôte, dont une dotée d'un grand foyer fonctionnel. Et que dire de la terrasse aménagée sur le toit de la structure de trois étages, sinon qu'elle offre une vue splendide sur le port.

The Salem Inn
$$$-$$$$ pdj
≡ ∆ ◎
7 Summer St.
☎978-741-0680 ou 800-446-2995
www.saleminnma.com
Cet établissement regroupe en fait trois bâtiments: la Captain West House, la Curwen House et la Peabody House. La Captain West House a été construite en 1834 par le capitaine de vaisseau Nathaniel West et se compose de trois maisons en rangée de quatre étages de style Federal offrant un total de 22 chambres. La Curwen House est une maison à charpente de bois au style italianisant de 1854 qui renferme huit chambres, tandis que la Peabody House est une coloniale de 1874 qui abrite six suites. Toutes les chambres et suites sont fort bien décorées et rehaussées de meubles d'époque; plusieurs d'entre elles renferment même un foyer et une baignoire à remous. Extrêmement chic.

Hawthorne Hotel
$$$-$$$$
≡ ♨ ☂
en face du Common
☎978-744-4080 ou 800-729-7829
www.hawthornehotel.com
On ne peut mieux situé, tout juste en face du Salem Common et en plein centre-ville, le grand Hawthorne, installé dans un bâtiment carré de briques rouges, est un hôtel fort gracieux au service impeccable. Ainsi baptisé en l'honneur de l'auteur chéri de Salem, il compte 89 chambres garnies de copies de meubles du XVIIIᵉ siècle. Inauguré en grande pompe en 1925, il a depuis su affirmer sa solide réputation. Le restaurant **Nathaniel's** est aussi recommandé (voir p 195).

Marblehead

Harborside House
$$ pdj
bc @
23 Gregory St.
☎781-631-1032
www.harborsidehouse.com
La gentillesse et l'hospitalité de Susan Livingston donnent à la Harborside

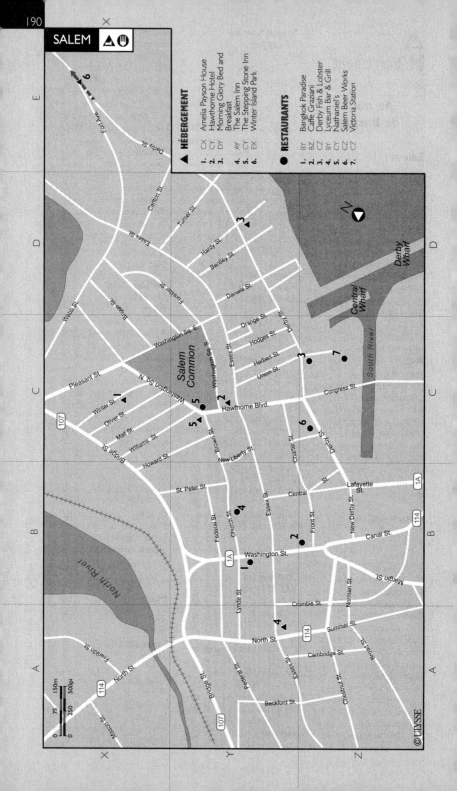

190

SALEM ▲⦾

▲ HÉBERGEMENT

1.	CX	Amelia Payson House
2.	CY	Hawthorne Hotel
3.	DY	Morning Glory Bed and Breakfast
4.	AY	The Salem Inn
5.	CY	The Stepping Stone Inn
6.	EX	Winter Island Park

⦾ RESTAURANTS

1.	BY	Bangkok Paradise
2.	BZ	Caffe Graziani
3.	CZ	Derby Fish & Lobster
4.	BY	Lyceum Bar & Grill
5.	CY	Nathaniel's
6.	CZ	Salem Beer Works
7.	CZ	Victoria Station

©ULYSSE

House un air chaleureux et le sentiment d'être chez soi. En plus, Susan a tous les talents : championne de natation, calligraphe et conceptrice de robes de mariée. Elle a décoré les chambres et les pièces communes avec goût et simplicité, de même que les espaces extérieurs qui sont garnis de fleurs durant la période estivale. Même si les invités des deux uniques chambres doivent partager la salle de bain, le confort ambiant leur fera vite oublier ce petit désagrément. La Harborside House offre une belle vue sur la mer, et elle est située tout près des principaux attraits de Marblehead.

Brimblecomb Hill Bed & Breakfast
$$ pdj
bc/bp
33 Mechanic St.
☎ 781-631-3172 ou 781-631-6366
www.brimblecomb.com

Situé au cœur du quartier historique de Marblehead, le Brimblecomb Hill est aménagé dans une demeure de style colonial construite en 1721. Des trois chambres disponibles, deux partagent une salle de bain et ont une entrée privée, tandis que la troisième partage son entrée mais non sa salle de bain... Le propriétaire tient une galerie d'art où il passe généralement sa journée.

The Harbor Light Inn
$$$-$$$$ pdj
≡ ≈ ▲ ◎
58 Washington St.
☎ 781-631-2186
www.harborlightinn.com

L'élégance et le confort du paisible Harbor Light Inn rendront votre séjour très agréable. Deux salons tapissés de papier peint et de moquette permettent aux invités de se détendre, à moins qu'ils ne préfèrent se retirer dans des chambres spacieuses, finement aménagées, reflétant le style classique de la Nouvelle-Angleterre. Des 21 chambres de l'établissement, 11 ont un foyer et 5 autres une baignoire à remous.

The Seagull Inn B&B
$$$-$$$$ pdj
≡ ● ◆ @
106 Harbor Ave.
☎ 781-631-1893
⊟ 781-631-3535
www.seagullinn.com

La plus grande qualité du Seagull Inn est qu'il convient parfaitement aux familles avec enfants, tout en restant confortable. Ses trois suites sont différentes les unes des autres, meublées sans prétention mais avec goût par Skip, propriétaire de l'établissement avec sa femme Ruth. Les invités se partagent une vaste salle commune pourvue d'un magnétoscope et d'une télévision. Pour les amateurs de plein air, kayaks et vélos sont également disponibles. Une galerie sur le toit offre une vue spectaculaire sur l'océan.

The Herreshoff Castle Bed & Breakfast
$$$$ pdj
mai à nov
≡ ▲ ◆
Two Crocker Park
☎ 781-631-1950
⊟ 781-631-2178
www.herreshoffcastle.com

Quel étrange bâtiment que ce mini-château médiéval construit au bas du Crocker Park. L'insolite Herreshoff Castle, autrefois propriété de L. Francis Herreshoff, écrivain et concepteur de yachts, reçoit ses invités à la Carriage House. Indépendant de la demeure principale, réservée à l'usage des propriétaires, le gîte de pierres de deux étages, avec toit cathédral, est une véritable petite maison, avec son entrée privée, son salon et sa cuisine, son foyer de pierres et sa petite cour, et est très populaire pour les lunes de miel. Il faut réserver tôt pour espérer profiter de ses charmes médiévaux.

Gloucester

Cape Ann Campsite
$
mai à nov
Atlantic St.
West Gloucester
☎ 978-283-8683
www.cape-ann.com/campsite/

Le Cape Ann Campsite est convenablement situé à 1,6 km de la **Wingaersheek Beach** (voir p 184). Ses 200 emplacements pour tentes et caravanes répartis sur un terrain boisé sont agréables.

Julietta House
$$$ pdj
≡
84 Prospect St.
☎ 978-281-2300
www.juliettahouse.com

Vous reconnaîtrez la Julietta House à ses colonnes et sa blancheur, propres au style italianisant. Construite en 1860 par le capitaine Benjamin Lowe, cette demeure devenue un romantique *bed and breakfast* est située au centre-ville de Gloucester, tout près du Cape Ann Historical Museum. Les chambres sont grandes et aérées, très propres et confortables. L'endroit dispose également d'une agréable véranda.

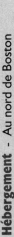

La côte du Massachusetts - Hébergement - Au nord de Boston

Harborview Inn
$$$-$$$$ pdj
≡

71 Western Ave.
☎978-283-2277 ou 800-299-6696
www.harborviewinn.com
Situé juste en face de la célèbre statue *The Man at the Wheel*, le Harborview Inn offre une belle vue sur la mer. Ses chambres sont décorées finement et reflètent le style classique de la Nouvelle-Angleterre, avec papier peint et courtepointes qui réchauffent la pièce de leurs couleurs. Assurez-vous de demander une chambre avec vue sur le port.

The Inn at Babson Court
$$$-$$$$
≡ ●

55 Western Ave.
☎978-281-4469
www.babsoncourt.com
L'Inn at Babson Court constitue une retraite paisible et élégante, juste en face de la statue *The Man at the Wheel*. Ses trois suites portent le nom d'une personne ayant déjà habité la maison; chacune d'elles est unique, décorée avec goût, et appartient à une époque précise de la demeure. Les dimensions des pièces conviennent parfaitement aux familles. Une cuisine, idéale pour se préparer un petit déjeuner, est à la disposition des hôtes.

Rockport

Rockport compte une vingtaine de *bed and breakfasts*, *inns* et motels. Plusieurs d'entre eux restent désormais ouverts toute l'année, mais il serait sage de les contacter si vous prévoyez y séjourner entre la fin du mois d'octobre et le début du mois de mai. Même si Rockport est une ville «sèche», la plupart des

établissements ne verront pas d'inconvénient à ce que vous preniez un verre au salon (à même votre provision d'alcool) en fin d'après-midi.

The Inn on Cove Hill
$$-$$$ pdj
mai à oct
≡

37 Mount Pleasant St.
☎978-546-2701 ou 888-546-2701
www.innoncovehill.com
Construit en 1791, ce qui est devenu The Inn on Cove Hill a été soigneusement restauré et mis en valeur. On y trouve un plancher en pin et un escalier en colimaçon finement sculpté, tandis que les chambres, meublées d'antiquités d'époque ou de reproductions, proposent le confort douillet d'un lit à baldaquin ou d'un lit victorien de cuivre et de fer. Les amoureux de la mer ne seront pas déçus, puisqu'ils auront accès à une galerie donnant sur le Rockport Harbor et l'Atlantique. Pendant la saison estivale, le petit déjeuner se prend à l'extérieur, tandis que, hors saison, il est servi au lit, question de garder les invités bien au chaud.

Sally Webster Inn
$$-$$$ pdj
fév à déc
≡ ▲

34 Mount Pleasant St.
☎978-546-9251 ou 877-546-9251
www.sallywebster.com
Les huit chambres du Sally Webster Inn sont confortables et meublées d'antiquités, tout comme le reste de la demeure, construite en 1832. Le salon est agréable, et les invités peuvent profiter d'un bon feu de foyer.

Old Farm Inn
$$-$$$ pdj
≡ ✼

291 Granite St.

☎978-546-3237 ou 800-233-6828
www.oldfarminn.com
L'Old Farm Inn ne dispose que de quatre chambres au décor champêtre qui se remplissent vite. Elles sont aménagées dans une ancienne étable et conviennent parfaitement aux familles. Il faut dire que la propriété, parsemée de coquets bâtiments rouges, est tranquille et convenablement située, juste à côté du Halibut Point State Park.

Tuck Inn Bed and Breakfast
$$$ pdj
≡ ≋ @

17 High St.
☎978-546-7260 ou 800-789-7260
www.tuckinn.com
Ancienne demeure coloniale de 1790, le Tuck Inn se démarque des autres établissements par sa chaleur et sa convivialité. L'hospitalité des propriétaires, Scott et Liz Wood, y est pour beaucoup, puisqu'ils s'impliquent dans le séjour des invités, en prenant le temps de converser avec chacun. Et puis Scott est aux fourneaux dès 4h pour concocter un petit déjeuner que vous n'êtes pas près d'oublier! Vous vous sentirez immédiatement chez vous dans leurs chambres coquettes et intimes, meublées avec des antiquités de bon goût. Ce *bed and breakfast* est situé tout près de Bearskin Neck.

Addison Choate Inn
$$$ pdj
≡ ≋

49 Broadway St.
☎978-546-7543 ou 800-245-7543
www.addisonchoateinn.com
Les critiques ne tarissent pas d'éloges sur l'Addison Choate Inn. Il est si charmant, et d'un romantisme si fou, que l'on pourrait y passer des

semaines à jaser sur sa galerie ou à explorer sa bibliothèque. Ses six chambres reflètent le style traditionnel de la Nouvelle-Angleterre: plusieurs sont pourvues de lits à baldaquin et de courtepointes, sur fond de papier peint qui rehausse la chaleur de la pièce.

Emerson Inn by the Sea
$$$-$$$$ pdj
≡ ≋))) ◉ ▲ ♥ ❋
1 Cathedral Ave.
☎978-546-6321 ou 800-964-5550
www.emersoninnbythesea.com
Comme son nom l'indique, le luxueux Emerson Inn by the Sea offre une vue magnifique sur l'océan Atlantique. Cette impressionnante demeure, ornée de volets verts, est un lieu de repos coupé du monde. L'arrière du bâtiment est aménagé pour mettre en valeur la vue, et, assis sur une des nombreuses chaises berçantes disposées sur la galerie, vous pourrez profiter de ce spectacle enchanteur. L'intérieur est de facture classique, tout comme son hall, son restaurant (voir p 197) et ses chambres. L'établissement propose une diversité de services, comme un après-midi de détente au spa, ainsi qu'un service de navette aux plages de Rockport et au centre-ville.

Eden Pines Inn on the Ocean
$$$$ pdj
avr à déc
≡
48 Eden Rd.
☎978-546-2505
www.edenpinesinn.com
Pour une vue et une tranquillité exceptionnelles, l'Eden Pines Inn on the Ocean répondra à vos attentes. Plusieurs aménagements permettent de se reposer devant les vagues venant se briser sur les rochers et la lointaine That-

cher's Island, bien visible avec ses deux phares. La décoration intérieure est quelque peu lourde, surtout celle des chambres, qui disposent cependant de balcons individuels donnant sur la mer.

Ipswich

The Inn at Castle Hill
$$$$-$$$$$ pdj
fermé jan
≡
Crane Estate
280 Argilla Rd.
☎978-412-2555
▤978-412-2556
www.theinnatcastlehill.com
Situé sur le Crane Estate, au pied de Castle Hill, l'Inn at Castle Hill se veut une véritable oasis de tranquillité entourée d'un magnifique paysage. Chacune des 10 chambres est peinte de belles couleurs douces ou tapissée de papier peint et porte le nom d'un ancien habitant de la demeure. Les fenêtres ont été soigneusement disposées pour permettre de ne rien manquer du spectacle fascinant des marais, des dunes et de l'Atlantique. Si le prix est élevé, dites-vous bien que vous avez non seulement accès à tout le domaine, mais également à un bar privé à l'ambiance chaleureuse animée par un foyer, construit dans les années 1950 pour le dernier propriétaire des lieux.

Newburyport

Essex Street Inn
$$-$$$
≡ ◉ ▲ ❤
7 Essex St.
☎978-465-3148
www.essexstreetinn.com
Bien situé au centre-ville, l'Essex Street Inn propose

de grandes chambres aérées, simplement décorées, mais agréables et confortables. Louez l'une des chambres du premier étage pour éviter le va-et-vient de la réception. Quelques suites sont pourvues de baignoires à remous et de foyers.

The Greenleaf Inn
$$$
≡ ▲ ◉ ❤ @
141 State St.
☎978-465-5816
www.greenleafinnnewburyport.com
Les propriétaires du Greenleaf Inn proposent à leurs hôtes un séjour mémorable dans une demeure finement restaurée. Chacune des chambres et chacun des appartements possèdent son propre charme douillet d'un romantisme fou, avec antiquités, foyer et planchers d'époque incroyablement bien entretenus. Le petit déjeuner est servi dans une remarquable salle à manger sortie tout droit du XVIIIe siècle, devant un feu qui anime parfois l'âtre encore fonctionnel.

Garrison Inn
$$$-$$$$ pdj
≡ ♥ ♿ ▲ @
11 Brown Square
☎978-499-8500
▤978-499-8555
www.garrisoninn.com
Construit en 1809, le Garrison Inn est tout de briques. Les chambres, modernes et confortables, conviennent tout à fait à une clientèle de gens d'affaires, avec service de messagerie et accès à Internet. La plupart des 24 chambres ont un mur de briques et sont décorées avec des reproductions d'antiquités; certaines disposent d'un foyer fonctionnel.

Au sud de Boston

Plymouth

Pinewood Lodge Campground
$
190 Pinewood Rd.
☎ 508-746-3548
www.pinewoodlodge.com

Le Pinewood Lodge dispose de 250 emplacements de camping ombragés, aussi bien pour tentes que pour véhicules récréatifs, le tout dans une forêt de pins blancs. Vous trouverez sur place des toilettes, des douches et même des installations de blanchissage. Les chiens ne sont toutefois pas admis.

The Colonial House Inn
$$ pdj
≡ ☻
207 Sandwich St.
☎ 508-747-4274
www.thecolonialhouseinn.com

Cette maison coloniale à clins blancs découpée de persiennes noires se trouve entre la Plymouth Plantation et le Plymouth Rock, et elle bénéficie d'une magnifique vue sur la baie de Plymouth. Les chambres arborent un décor des premiers jours de la colonie, rehaussé de planchers de bois, de lits à colonnes et de très belles courtepointes de la Nouvelle-Angleterre.

Thornton Adams House
$$ pdj
≡ ☺
73 C Warren Ave.
☎ 508-830-1849 ou 888-747-9700
www.thorntonadams.com

Ce *bed and breakfast*, aménagé dans la maison coloniale classique de Ron et Sandy Stuart, renferme trois chambres. La Marni's Suite possède une grande baignoire à remous et donne sur l'océan. La Tara's Suite s'enorgueillit d'un lit à baldaquin et d'un balcon privé s'ouvrant sur le jardin. Et

l'Erin's Boudoir fait face à l'océan, du côté où le soleil se lève chaque matin. Toutes présentent un décor charmant, et la salle de séjour classique, parée d'un mobilier anglais en chêne, se prête on ne peut mieux à la détente.

The John Carver Inn
$$$-$$$$
≡ ▯ ≈ ☎ ⅏ ▲ @ ◎
25 Summer St.
☎ 508-746-7100 ou 800-274-1620
▤ 508-746-8299
www.johncarverinn.com

Le John Carver Inn, exploité par les propriétaires du formidable **Dan'l Webster Inn** de Sandwich (voir p 240), est une auberge coloniale qui propose un hébergement de qualité dans le quartier historique de Plymouth. Son gymnase et sa piscine en font davantage un hôtel qu'une auberge rustique de la Nouvelle-Angleterre, mais toutes les commodités modernes vous sont ici offertes dans un cadre beaucoup plus charmant qu'en bien d'autres endroits. On y dénombre 85 chambres au décor des premiers jours de la colonie, et sa piscine constitue presque une attraction en soi: baptisée du nom de «Pilgrim Cove», elle comporte un toboggan nautique de 9 m, une cascade, un canon à eau et un bain à remous insulaire qui rappelle le Plymouth Rock. Les enfants en raffoleront.

New Bedford

Comfort Inn
$$
≡ ≈ ▯ @ ☞ ❄ ⅄
171 Faunce Corner Rd.
North Dartmouth
☎ 508-996-0800 ou 800-228-5150
www.comfortinndartmouth.com

Si, pour une raison ou une autre, vous en avez assez des *bed and breakfasts*, ou si vous recherchez simple-

ment un lieu d'hébergement convenant mieux à une famille, sachez que le Comfort Inn vous accueille tout près, à North Dartmouth – presque à mi-chemin entre New Bedford et Fall River par la route I-195. Les chambres sont propres et confortables, et vous y profiterez de tous les services et installations qu'on s'attend normalement à retrouver dans un hôtel moderne.

Melville House
Bed and Breakfast
$$$ pdj
100 Madison St.
☎ 508-990-1566
www.melvillehouse.net

À New Bedford, on ne rate pas une occasion d'exploiter le nom du célèbre auteur Herman Melville. Ce *bed and breakfast* est aménagé dans l'ancienne maison de la sœur de Melville, où il a d'ailleurs lui même logé dans les années 1860, alors qu'il cherchait à échapper au tumulte de la vie new-yorkaise. Ce lien plus ou moins indirect avec l'auteur ne manque pas d'attirer une clientèle nombreuse, d'autant moins que la maison bénéficie d'une situation enviable dans le quartier historique du port de New Bedford.

⅏ Restaurants

Au nord de Boston

Salem

Caffe Graziani
$-$$
fermé lun
133 Washington St.

La côte du Massachusetts - Hébergement - Au sud de Boston

☎978-741-4282

Très agréable restaurant aux rideaux de dentelle blanche et aux nappes roses ou bleues, le Caffe Graziani propose des spécialités italiennes et des sandwichs dans une atmosphère familiale. Ne manquez surtout pas ses desserts maison.

Derby Fish & Lobster
$-$$
215 Derby St., près de Pickering Wharf
☎978-745-2064

Un *clam shack* qui se prend pour un restaurant, ou un restaurant qui se prend pour un *clam shack*? Le Derby Fish & Lobster, bien situé, sert des fruits de mer et de la chaudrée de palourdes dans une ambiance très «restauration rapide».

Bangkok Paradise
$$
90 Washington St.
☎978-825-9202

Au Bangkok Paradise, les sorcières de Salem rencontrent l'ancien royaume de Siam: le décor est un parfait mélange de l'élégance des deux mondes, avec ses lanternes façon Nouvelle-Angleterre et ses magnifiques tableaux naïfs, œuvres d'artistes thaïlandais. Au menu, un vaste choix des savoureuses spécialités de la Thaïlande (à prix plus que raisonnable le midi): currys, *pad thai*, plats aigres-doux et bonne sélection de mets végétariens. Les sympathiques propriétaires se feront un plaisir de vous introduire aux délices de leur cuisine.

Salem Beer Works
$$
278 Derby St.
☎978-745-BEER

Le menu du Salem Beer Works s'inscrit dans la tradition des pubs: salades et hamburgers, pâtes et sandwichs, le tout un peu plus haut de gamme que la moyenne des établissements. L'intérieur est sympathique, tout en bois et quelque peu sombre, mais rehaussé d'un four à pizza, d'un bar central et d'un choix d'une douzaine de bières maison.

Lyceum Bar & Grill
$$-$$$
43 Church St.
☎978-745-7665

Un des restaurants préférés de Salem, le Lyceum Bar & Grill, élégant mais décontracté, s'imprègne d'un décor chargé d'histoire; c'est dans cet édifice de briques du XIXᵉ siècle qu'un dénommé Alexander Graham Bell effectua son premier appel interurbain. Le menu propose les spécialités traditionnelles de la Nouvelle-Angleterre, incluant steaks, fruits de mer et poulet.

Victoria Station
$$-$$$
Pickering Wharf
☎978-745-3400

Le Victoria Station a depuis longtemps fait ses preuves à Salem; il faut dire qu'il a tout pour lui, de son intérieur original à son emplacement sur front de mer, en plus de la terrasse pour bien profiter du paysage. On y offre un bon choix de mets aux accents américains. Son buffet de salades, avec service à volonté, est un classique de l'établissement.

Nathaniel's
$$$-$$$$
Hawthorne Hotel
18 Washington Square, sur le Common
☎978-825-4311

L'atmosphère du Nathaniel's est intime et feutrée, et un portrait du célèbre auteur Nathaniel Hawthorne domine la salle à manger. Au menu, les spécialités de la Nouvelle-Angleterre, apprêtées avec soin et servies avec cordialité. Laissez-vous tenter par la Nathaniel's Bouillabaisse (crevettes, pétoncles, palourdes et pommes de terre dans un bouillon de homard) ou par le ravioli aux champignons dans une sauce crémeuse à l'ail. L'agneau est délicieux, de même que le *mahi-mahi* grillé.

Marblehead

Driftwood
$
fermé le soir
63 Front St.
☎781-631-1145

Pour bien vous imprégner de l'atmosphère de Marblehead, allez prendre un petit déjeuner ou un déjeuner dans cette institution locale. Ici tout le monde se connaît, et il n'y a pas meilleur endroit pour apprécier le caractère unique de cette chaleureuse petite communauté. Côté menu, n'attendez rien de plus que les petits déjeuner nourrissants qu'on sert généralement dans ce genre d'établissement, ou encore, le midi, que les habituels sandwichs, fruits de mer frits et hamburgers. Le matin, il arrive souvent que les habitués attendent en file l'arrivée du propriétaire, qui ne manque pas de les installer à leur table préférée, recouverte de la traditionnelle nappe à carreaux rouges et blancs.

Pellino's
$$$-$$$$
261 Washington St.
☎781-631-3344

Considéré par plus d'un comme le meilleur restaurant où dîner à Marblehead, Pellino's accueille ses clients dans une salle à manger aux allures de bistro, aux murs pêche et aux tables tendues de nappes saumon. On ne s'étonne pas de ce que le menu présente une longue liste de plats de pâtes, notamment des gnocchis et des raviolis *pomodoro* (à la tomate) ou au homard, bien qu'y figurent également d'autres spécialités italiennes plus modernes, tel un poulet *margherita*, un poulet poêlé et un risotto aux artichauts. L'endroit est très couru, et il vaut mieux réserver à l'avance.

The Landing Restaurant
$$$-$$$$
81 Front St.
☎781-639-1266
Ce restaurant du front de mer de Marblehead a connu une véritable renaissance. Jadis considéré comme un «trou» par les habitants de la région, il a été racheté en 1998 et a depuis subi une transformation complète, d'abord sous la main experte du chef Daniel Robinson, et, depuis 2004, sous celle de Stephen James. Commencez par une chaudrée de palourdes classique et enchaînez avec l'un ou l'autre des très nombreux plats de fruits de mer, de bifteck, d'agneau ou de poulet. La nourriture est remarquable, tout comme l'ambiance d'ailleurs, à laquelle contribue le bruit des vagues qui viennent se briser sur le rivage.

Gloucester

Thai Choice Restaurant
$$-$$$
272 Main St.
☎978-281-8118
Le Thai Choice a ouvert ses portes en 1998 et a aussitôt

comblé un manque flagrant dans la région, soit celui d'un restaurant de cuisine ethnique. On vient de partout dans les environs pour y manger autre chose que du flétan ou de l'espadon. Les mets thaïlandais sont délicieux, particulièrement les currys, et offerts à bon prix. Vous les savourerez entre des murs rouge vif rehaussés de portraits des têtes couronnées de la Thaïlande.

Captain Carlo's Seafoods
$$-$$$
avr à déc mar-dim
27-29 Harbor Loop
☎978-283-6342
Il s'agit sans doute là du restaurant le plus décontracté où il vous sera jamais donné de manger du homard ou des sushis. Installé en plein cœur du port affairé de Gloucester, Captain Carlo's vous réserve en effet un décor sans la moindre prétention. Mais ne vous y trompez pas: les poissons et fruits de mer frits ou à l'étuvée sont bien frais et offerts à bon prix. L'endroit n'a vraiment rien de chic, mais il n'aspire à rien d'autre que ce qu'il est, et c'est très bien ainsi.

Passports
$$$-$$$$
110 Main St.
☎978-281-3680
Ce petit restaurant branché de Main Street sert de la nouvelle cuisine américaine dans un décor aéré et bien éclairé qui rappelle le Sud-Ouest américain. Thon en croûte et saumon grillé à l'asiatique avec salsa fraîche de papaye et de mangue ne sont que deux exemples de ce que vous retrouverez ici. L'établissement est par ailleurs très apprécié le midi pour ses

sandwichs, ses pâtes et ses salades, tous à bon prix.

Jalapeno's
$$$-$$$$
86 Main St.
☎978-283-8228
Sombreros accrochés aux murs et agencement de couleurs gaies... il n'en faut pas plus pour plonger dans l'atmosphère du Mexique et de son authentique cuisine régionale. Très populaire auprès des gens du coin.

The Madfish Grille
$$$-$$$$
mai à sept
77 Rocky Neck Ave.
☎978-281-4554
Le Madfish Grille est un restaurant original qui domine le port depuis la colonie artistique de Rocky Neck. Menu de nouvelle cuisine américaine et de fruits de mer, pour l'essentiel. Du jeudi au dimanche, des musiciens se produisent sur scène le soir venu.

The Rudder
$$$-$$$$
mai à sept
73 Rocky Neck Ave.
☎978-283-7967
Ce resto-bar au décor de bois et aux allures de taverne se trouve tout à côté du Madfish Grille. Filet de porc, veau et homard, entre autres choix. Les places extérieures offrent une belle vue sur Smith Cove.

Rockport

Rockport est une petite ville «sèche»: on n'y sert ou n'y vend aucun alcool. Vous êtes toutefois libre d'acheter votre boisson autre part et d'en profiter à votre guise dans les différents établissements de la ville.

Helmut's Strudel
$

nov à avr sam-dim
69 Bearskin Neck
☎978-546-2824

À un jet de pierre du port, Helmut's propose une longue liste de pâtisseries, de muffins, de biscuits, de *bagels* et... de strudels. On vient en outre dans cette petite cabane en clins de bois pour déguster de fins espressos, cappuccinos, laits frappés au yogourt et glaces variées.

Brackett's Ocean View
$$-$$$
avr à oct
27 Main St.
☎978-546-2797
www.bracketts.com

Brackett's vous convie à un dîner décontracté avec vue sur la mer. Décor de chaises capitaine en bois et de nappes bordeaux, et menu abordable de fruits de mer, viandes et pâtes. Essayez la cocotte de crevettes au four ou le foie aux oignons. Le midi, hamburgers, sandwichs et salades s'offrent à des prix plus que raisonnables.

My Place by the Sea
$$$-$$$$
68 Bearskin Neck
☎978-546-9667
www.myplacebythesea.com

Ce favori de longue date ne pourrait être mieux situé. Il repose en effet tout au bout d'un affleurement rocheux où se succèdent boutiques et magasins de toutes sortes jusque dans le port de Rockport, et propose une cuisine inventive à déguster à l'intérieur ou à l'extérieur, à la chandelle ou à la lueur du coucher de soleil. Saumon poêlé à la sichuanaise, aloyau grillé à l'ail et espadon sauce béarnaise ne sont que quelques-uns des choix uniques qui s'offrent à vous.

Le déjeuner se veut moins coûteux, si ce n'est que la cuisine et le paysage restent fidèles à eux-mêmes. Il est impératif de réserver pour le repas du soir.

The Grand Cafe
$$$-$$$$
avr à déc mer-dim 18h
Emerson Inn by the Sea
1 Cathedral Ave.
☎978-546-9500

Le restaurant de l'**Emerson Inn by the Sea** (voir p 193) vous convie à un dîner gastronomique sur front de mer. Votre portefeuille en prendra sûrement un coup, mais une fois n'est pas coutume, n'est-ce pas? Établi hors des limites du port de Rockport, vers Pigeon Cove, il vous réserve des délices tels que crevettes grillées à la limette, au miel et à la coriandre fraîche, pétoncles grillés ou fettuccinis au homard. À faire rêver!

Essex

Woodman's of Essex
$-$$
121 Main St. (route 133)
☎978-768-6057

Depuis 1914, ce comptoir de palourdes d'exploitation familiale est peu à peu devenu, de simple kiosque en bordure de la route qu'il était, un immense restaurant d'allure décontractée. L'arrière-grand-père Woodman, qu'on surnommait Chubby, a inventé la palourde frite, mais il n'a probablement jamais imaginé que son établissement allait un jour prendre les proportions qu'il a aujourd'hui, avec son armée d'employés en constante communication par talkie-walkie et ses interminables files d'atten-

te, et ce, à toute époque de l'année, sans compter que son invention est devenue le casse-croûte par excellence tout le long de la côte du Massachussetts. Menu varié de délicieuses fritures à vous engorger les artères et de bière pression.

Newburyport

Rosie O'Sheas Irish House
$-$$
84 State St.
☎978-499-0606

Rosie O'Sheas vous propose de la nourriture de pub à très bon prix, de même que quelques classiques irlandais, notamment du ragoût de bœuf à la Guinness, des saucisses à la purée de Dublin et le traditionnel hachis Parmentier (pâté chinois). Et il va sans dire que tous ces plats sont encore meilleurs lorsqu'ils sont accompagnés d'une pinte des meilleures bières de la verte Érin.

Rossi's
$$-$$$
Tannery Mall, Mill n° 3
50 Water St.
☎978-499-0240

Pour manger à l'italienne dans un cadre soigné, songez à la salle à manger décorée avec goût de Rossi's. Entamez votre repas avec un bol de bisque de crevettes, puis choisissez un des nombreux plats de poulet, de fruits de mer, de pâtes, de bœuf et de porc. Le menu du midi est plus économique, mais offre par contre un choix plus restreint.

Szechuan Taste and Thai Cafe
$$-$$$
19 Pleasant St.
☎978-463-0686

Ce ne sont pas les restaurants qui manquent à

Newburyport, et celui-ci compte parmi les meilleurs. Le menu est imposant et comporte aussi bien de croustillantes crevettes roses à la mode du Sichuan que des favoris de toujours tels que le *moo goo gai pan* et le porc aigre-doux.

BluWater Café
$$$-$$$$
140 High St.
☎978-462-1088

Ce bijou de café n'a pas tardé à devenir un rendez-vous nocturne très prisé à Newburyport. Vous y serez accueilli dans une salle à manger lumineuse et aérée aux murs crème tapissés de magnifiques photographies et œuvres d'art où domine un bleu très riche, ce qui lui confère une allure tout à fait méditerranéenne. Parmi les points forts du menu, retenons les moules, le gigot d'agneau rôti à la méditerranéenne et le poulet Jérusalem. Le BluWater peut toutefois devenir assez bruyant, ce qui ternit quelque peu son ambiance chaleureuse sans pour autant compromettre la qualité remarquable de la nourriture.

Au sud de Boston

Plymouth

Vous découvrirez quelques restaurants de fruits de mer sur le Town Pier, dont le **Lobster Hut** (*$-$$*; ☎508-746-2270), qui, comme une cafétéria bruyante, propose toute une gamme de fruits de mer, frits de préférence. Juste à côté, **Wood's Seafood** (*$-$$*; ☎508-746-0261) est un peu plus calme et offre un menu similaire, mais

qui compte également des sandwichs. Les deux établissements disposent de tables avec vue sur la mer.

Creative Gourmet
$$
Plimoth Plantation
☎508-746-1622

Creative Gourmet n'est pas un restaurant; en fait, il s'agit d'une expérience culinaire proposée à la Plimoth Plantation en réponse à la curiosité des visiteurs envers le mode d'alimentation des premiers colons. Ce repas, véritable expérience éducative, rassemble, sous forme de buffet, des choix de plats cuisinés au XVIIᵉ siècle par les Wampanoags et les colons anglais: fricassée de poisson, rôti de canard, «gâteau au fromage», *sobabeg* (ragoût), pain dur et thé à la menthe. Le menu varie selon les saisons. Les explications fournies en début de repas par une historienne permettent de se familiariser avec les modes de cuisson et le pourquoi des aliments utilisés.

Sam Diego's
$$
51 Main St.
☎508-747-0048

Avec son décor mexicain «à l'américaine», Sam Diego's est original et loin d'être ennuyeux. Il faut dire que sa carte compte un large choix de *margaritas*, tequilas et autres cocktails qui réchauffent. Idéal pour les familles, son menu propose *tacos*, *quesadillas*, *burritos* et *enchiladas*, ainsi que les spécialités de Sam, soit quelques plats à base de steak, poulet et fruits de mer. L'ambiance est jeune et décontractée.

New Bedford

Freestone's City Grill
$$-$$$
41 William St.
☎508-993-7477

Le Freestone's loge dans un bâtiment magnifiquement restauré. Il renferme de belles œuvres d'art contemporain et offre une ambiance très animée. Le personnel est des plus chaleureux. Les familles se réjouiront du menu pour enfants élaboré. De plus, salades, sandwichs et assiettes de poisson font honneur à la réputation de l'établissement.

Sorties

■ Activités culturelles

Gloucester

Gloucester Stage Company
267 E. Main St.
☎978-281-4433
www.gloucesterstage.com

Le dramaturge Israel Horovitz est à l'origine de la création de la Gloucester Stage Company, qui présente, depuis plus 1979, des pièces de qualité dont la réputation a vite dépassé les frontières de Cape Ann.

Newburyport

The Firehouse Center for the Arts
mer-dim 12h à 17h
1 Market Square
☎978-462-7336
www.firehouse.org

Cette ancienne caserne de pompiers datant du milieu du XIXᵉ siècle a été rénovée pour accueillir un centre d'arts multidiscipli-

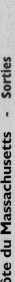

naires qui propose une variété de spectacles allant de concerts de musique classique au théâtre, en passant par la comédie musicale et la danse.

Plymouth

Plymouth Philharmonic Orchestra
Memorial Hall
83 Court St.
☎ 508-746-8008
www.plymouthphilharmonic.com
Depuis 1913, l'orchestre philharmonique de Plymouth offre chaque année un programme de concerts à compter de la fin de septembre. On y interprète aussi bien des œuvres classiques que plus contemporaines, le plus souvent bien connues. Tout au long de l'année, des spectacles de danse, de théâtre et de musique sont aussi présentés au Memorial Hall.

New Bedford

New Bedford Symphony Orchestra
Zeiterion Performing Arts Center
684 Purchase St.
☎ 508-999-6276
www.nbsymphony.org
Cet orchestre a été créé en 1915 et se produit par intermittence tout au long de l'année. Des interprètes invités de réputation internationale se joignent souvent à l'ensemble. Le Zeiterion accueille par ailleurs des spectacles de théâtre, de danse et de musique.

■ Bars et discothèques

Marblehead

Maddies
15 State St.
☎ 781-631-9824

Les gens du coin racontent que les étudiants de Harvard s'y pressent les fins de semaine, à la recherche d'émotions fortes... Il semble également qu'on arrête les passants pour leur poser cette question brûlante: *Où est le Maddies?* Disons qu'une dame y entrant seule fait sensation. Le Maddies offre une ambiance de taverne figée dans le temps, avec ses hommes assis au bar sur des banquettes rouges dégustant bière et sport tout en parlant de pêche et du large. L'endroit n'a rien de sophistiqué, allant de pair avec la foule qui le fréquente. Le Maddies est entré dans la légende on ne sait trop comment. Allez y faire un tour, vous comprendrez peut-être pourquoi.

Gloucester

Blackburn Tavern
2 Main St.
☎ 978-282-1919
À la Blackburn Tavern, le personnel est aussi sympathique que l'atmosphère de pub qui baigne les lieux. On y présente des spectacles de blues.

Studio Lounge & Deck
51 Rocky Neck Ave.
☎ 978-283-4123
En été, une foule de jeunes prend d'assaut le Studio, où l'on présente tous les soirs des spectacles de jazz au piano-bar. L'agréable terrasse offre une belle vue sur Smiths Cove.

Plymouth

Sean O'Toole's
22 Main St.
☎ 508-746-3388
Si vous éprouvez le besoin de décompresser après une

journée de visite parmi les hordes de touristes, songez à boire une bonne pinte chez Sean O'Toole's. Vous reconnaîtrez l'établissement à sa porte rouge et au drapeau irlandais suspendu à l'intérieur.

■ Festivals

Lowell

Lowell Folk Festival
juil
67 Kirk St.
☎ 978-970-5200
www.lowellfolkfestival.org
Musiciens et troupes de danse, traditions folkloriques américaines.

Lowell Celebrates Kerouac!
oct
☎ 877-KEROUAC
http://lckorg.tripod.com
Lectures, poésie, visites historiques et conférences sur l'œuvre de l'écrivain Jack Kerouac.

Salem

Haunted Happenings
oct
☎ 978-744-3663
www.hauntedhappenings.org
Salem s'anime en octobre à l'approche de l'Halloween, des milliers de personnes convergeant alors vers la ville pour y célébrer un festival de 24 jours ponctué de défilés, de bals costumés, d'expositions ésotériques et de visites de maisons hantées. Il n'y a donc rien d'étonnant à ce que nombre d'habitants de la région choisissent de prendre leurs vacances à cette époque de l'année et de s'éloigner de la ville pendant quelque temps.

La côte du Massachusetts - Sorties

Marblehead

Marblehead Race Week
juil
www.mheadrace.org
Des milliers de bateaux se rendent à Marblehead pour cette compétition. Le Chandler Hovey Park constitue un bon point d'observation.

Gloucester

Gloucester Waterfront Festival
août
☎978-283-1601
Activités qui célèbrent la vie maritime de Gloucester.

Gloucester Schooner Festival
sept
☎978-283-1601
Course de schooners, défilé de bateaux, feux d'artifice, visites des quais et activités reliées au thème de la mer.

Rockport

Rockport Chamber Music Festival
juin
Rockport Art Association
12 Main St.
☎978-546-7391
www.rcmf.org
Concerts de musique de chambre donnés par des musiciens reconnus internationalement.

Plymouth

America's Hometown Thanksgiving Celebration and Parade
troisième lun de nov
Plymouth Centre et Plymouth Waterfront
☎508-746-1818
www.usathanksgiving.com
Plymouth est la ville où la tradition du Thanksgiving a pris naissance aux États-Unis. On raconte en effet que les Pères pèlerins et les Wampanoags y auraient jadis partagé un festin afin de remercier leurs dieux respectifs à la suite d'une moisson fructueuse (les historiens ne s'entendent pas tous, cependant, sur la nature de l'événement, voire sur sa véracité). Quoi qu'il en soit, inutile de dire que le Thanksgiving est ici célébré en grande pompe, avec fanfares, chars allégoriques hauts en couleur et moult réjouissances.

New Bedford

New Bedford Summerfest
juil
☎508-999-5231
www.newbedfordsummerfest.com
Tenu chaque année durant la fin de semaine du 4 juillet (ou la plus près de cette date), le Summerfest donne lieu à des expositions d'artisanat, à des concerts de musique folklorique et ethnique, à des activités pour enfants, à un carnaval et à des feux d'artifice.

Achats

Salem

Kensington Stobart Gallery
Hawthorne Hotel
en face du Common
☎866-825-0001
Cette galerie d'art située au bord de l'eau expose et vend des marines méticuleusement réalisées par John Stobart, de même que des reproductions à tirage limité de ses œuvres. Stobart se spécialise dans les scènes de ports américains du XIXe siècle.

Marblehead

Washington Street Fine Art and Photography
fermé lun
84 Washington St.
☎978-631-5544
Cette galerie abrite une collection intéressante de photographies en noir et blanc de Marblehead et des environs.

Gloucester

Bodin Historic Photo
82 Main St.
☎978-283-2524 ou 888-BODINART
www.bodinhistoricphoto.com
Cette petite boutique du centre-ville attirera peut-être votre attention avec ses t-shirts *In Cod we trust*, si ce n'est par l'originalité des photos de Frederik D. Bodin. Cet artiste collectionne les vieux négatifs (1890-1935) traitant de l'histoire de Gloucester et les développe de nouveau. Le résultat est aussi intéressant que ses propres photographies, d'un ton beaucoup plus actuel.

Rockport

Plus de deux douzaines de galeries d'art et d'artisanat sont rassemblées dans **Bearskin Neck**, **Main Street** et **Mount Pleasant Street**. S'il y en a pour tous les goûts, il n'y en a pas pour tous les budgets, mais chacune d'entre elles propose des objets et des peintures de qualité.

Essex

Puisque la route 133, qui traverse Essex, est bordée de boutiques d'antiquités, nous en avons choisi quelques-unes pour vous permettre de commencer la chasse aux antiquités du bon pied.

White Elephant Shop
32 Main St./route 133, à côté de
l'Essex Shipbuilding Museum
☎978-768-6901
www.whiteelephantshop.com
Celui qui prétend être le
plus ancien magasin d'an-
tiquités, en activité depuis
1952, est aujourd'hui un
bric-à-brac qui vend des
antiquités de qualité et des
objets actuels à bas prix
comme des microsillons et
des livres. Les fins de semaine, vous pouvez ache-
ter des pièces à rabais au
White Elephant Outlet *(101
John Wise Ave.).*

Main Street Antiques
44 Main St./route 133
☎978-768-7039
Main Street Antiques est
le genre d'endroit où l'on
peut espérer faire de belles découvertes... mais à
prix d'antiquaire. Ses quatre étages sont remplis de
meubles, de vaisselle et de
bijoux, avec une nette pré-
pondérance d'antiquités,
malgré des pièces plus modernes et même de mau-
vais goût.

Newburyport

Oldies Marketplace
jeu-lun
27 Water St.
☎978-465-0643
www.oldies-ma.com
Vous pourrez certainement
passer des heures dans cet
impressionnant entrepôt à
la recherche d'une pièce
de valeur, à prix d'antiquaire, ou d'un je-ne-sais-quoi
dont tomber amoureux..
Meubles et vaisselle, an-
tiques ou non, bouées et
même volets et portes: on
ne s'ennuie pas ici!

Plymouth

Sparrow House Pottery
jeu-mar
42 Summer St.
☎508-747-1240
www.sparrowhouse.com
Plymouth regorge de col-
porteurs vendant à qui
mieux mieux toutes sortes
de souvenirs reliés aux Pères pèlerins qui, à vrai dire,
ne méritent guère d'être
achetés. La Sparrow House
Pottery, cependant, qui
loge dans une maison de
1640, étale une collection
d'œuvres de qualité dans
une variété de matériaux.

La côte du Massachusetts - Achats

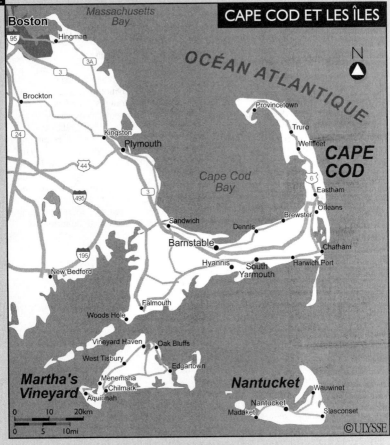

CAPE COD ET LES ÎLES

OCÉAN ATLANTIQUE

N

Massachusetts Bay

Boston

Hingman

Brockton

Kingston

Plymouth

Cape Cod Bay

Provincetown

Truro

Wellfleet

CAPE COD

Eastham

Orleans

Brewster

Sandwich

Dennis

Chatham

Barnstable

Hyannis

South Yarmouth

Harwich Port

New Bedford

Falmouth

Woods Hole

Vineyard Haven

Oak Bluffs

West Tisbury

Edgartown

Martha's Vineyard

Menemsha

Chilmark

Aquinnah

Nantucket

Wauwinet

Nantucket

Madaket

Siasconset

©ULYSSE

Cape Cod et les îles

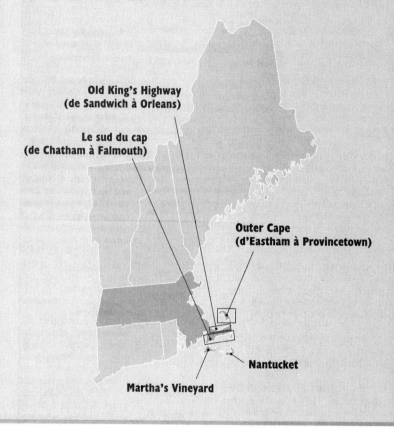

Old King's Highway
(de Sandwich à Orleans)

Le sud du cap
(de Chatham à Falmouth)

Outer Cape
(d'Eastham à Provincetown)

Nantucket

Martha's Vineyard

Surnommée affectueusement «The Cape», la presqu'île de Cape Cod compte parmi les plus belles destinations estivales de la Nouvelle-Angleterre.

C'est en 1602 que le nom de Cape Cod apparaît pour la première fois sur une carte maritime; l'explorateur Bartholomew Gosnold, frappé par l'abondance de morues qui peuplaient les eaux environnantes, baptisa cette terre «cap des morues». En 1620, c'est au tour des Pères pèlerins de mettre pied à terre sur le site de l'actuelle Provincetown. Ils y rédigeront *The Mayflower Compact*, fondement de la colonie, avant de poursuivre leur route plus à l'ouest et de fonder la Plimoth Plantation, à Plymouth.

La première ville à voir le jour sur le cap est Sandwich, en 1637. Réalisant rapidement l'ingratitude du sol, les habitants se tournèrent vers la mer pour assurer leur subsistance avec, comme principale activité, la pêche.

Isolé, vivant des richesses de la mer, le cap allait pourtant connaître son heure de gloire; l'écrivain Henry David Thoreau, qui s'y promena à la fin du XIX⁰ siècle, fut séduit par le charme de ses espaces sauvages. Avec l'arrivée du chemin de fer au milieu du XIX⁰ siècle, les riches familles de Boston et de New York commencèrent à affluer pour changer à jamais le visage du cap en y développant une retraite estivale loin de l'activité des villes.

Posées côte à côte non loin des rivages de Cape Cod, Martha's Vineyard et Nantucket ont vu leur économie accuser d'importants soubresauts depuis leur colonisation par les Européens. Une industrie baleinière prospère en fit notamment, à une certaine époque, de vigoureux centres commerciaux, les marins de ces îles passant une bonne partie du début du XIX⁰ siècle à sillonner les océans du monde entier, en quête du majestueux mammifère qui leur fournissait une huile précieuse. La découverte de combustibles fossiles plus utiles et moins coûteux finit toutefois par faire décliner la demande planétaire en huile de baleine, si bien qu'il s'ensuivit un marasme économique.

Ce marasme ne dura tout de même pas trop longtemps puisque, vers la fin du XIX⁰ siècle, les habitants du continent avaient déjà commencé à fréquenter les îles, attirés par leur quiétude, leurs plages inviolées caressées par les vagues, leurs paisibles villages de bord de mer et leurs paysages pittoresques. Martha's Vineyard et Nantucket bénéficient en effet de tous ces atouts, et le tourisme en revitalise l'économie depuis maintenant plus de 100 ans. On peut même dire qu'il s'en porte aujourd'hui mieux que jamais, d'autant plus que l'ancien président des États-Unis Bill Clinton et d'autres personnages de sa trempe passent souvent leurs vacances à Martha's Vineyard, et que d'innombrables célébrités ne cessent d'y acheter des propriétés à des coûts astronomiques.

En 1916, le gouvernement acheva la construction du Cape Cod Canal, qui relie Cape Cod Bay et Buzzards Bay. Cette construction eut deux répercussions majeures: elle isola définitivement le cap de la terre ferme et réduisit de plusieurs heures le trajet des bateaux en direction sud, tout en permettant aux capitaines d'éviter les forts courants de l'océan.

Les 500 km de plages parsemées de phares et de dunes reçoivent chaque année des milliers de visiteurs en quête du charme légendaire de Cape Cod. Les amateurs de plein air seront comblés par la diversité d'activités leur étant réservés, particulièrement par le Cape Cod Trail, une piste cyclable qui s'étend sur 35 km, et par les beautés naturelles du Cape Cod National Seashore.

Les ponts Sagamore (nord) et Bourne (sud-ouest) permettent aujourd'hui d'atteindre cet étrange morceau de terre en forme de bras replié que les Américains ont élevé au rang de lieu quasi mythique. Avec les histoires du clan Kennedy qui bercent Hyannis, la bohème artistique de Provincetown, le charme bourgeois de Chatham et les demeures historiques qui bordent les villages longeant l'Old King's Highway (route 6A), Cape Cod exerce une fascination à laquelle il est difficile de résister.

Cape Cod et les îles

Les vacanciers viennent à Martha's Vineyard et à Nantucket pour loger dans des auberges huppées, manger dans de chics restaurants et s'émerveiller à la vue de villages pittoresques et de panoramas tout à fait charmants, tout en tissant des liens pour le moins intéressants avec les résidants de longue date des îles. Or, s'il est vrai que les îles, et plus particulièrement Nantucket, attirent sans contredit des touristes haut de gamme en leur offrant tout ce qui fait «la belle vie», il n'en demeure pas moins que leur charme pittoresque et leur beauté naturelle sont à la portée de toutes les bourses.

Notez la dénomination locale des secteurs de Cape Cod, qui engendre énormément de confusion. L'Upper Cape désigne le secteur ouest, celui qui se trouve près du Cape Cod Canal; le Mid-Cape s'étend de Barnstable au nord et de Hyannis au sud, jusqu'à Orleans, tandis que l'Outer Cape (ou Lower Cape) relie Orleans à Provincetown.

Pour faciliter la localisation des circuits de Cape Cod, nous avons préféré répartir les secteurs de la façon suivante:

Old King's Highway (de Sandwich à Orleans) ★★
Outer Cape (d'Eastham à Provincetown) ★★★
Le sud du cap (de Chatham à Falmouth) ★★
Martha's Vineyard ★★★
Nantucket ★★

Accès et déplacements

■ En avion

Cape Cod

Cape Cod se situe à environ 125 km de deux aéroports importants, soit le Logan Airport de Boston et le T.F. Airport au Rhode Island, près de Providence.

La compagnie d'aviation **Cape Air** (☎508-771-6944 ou 800-352-0714, www.flycapeair.com) propose des vols vers le **Barnstable Municipal Airport** (Hyannis, ☎508-775-2020) au départ de Boston et de Providence, ainsi que vers le **Provincetown Airport** (☎508-487-0241) au départ de Boston.

US Airways Express (☎800-428-4322, www.usairways.com) relie les mêmes aéroports, au départ de Boston et de New York (LaGuardia).

Martha's Vineyard

Le **Martha's Vineyard Airport** (www.mvyairport.com) se trouve dans les environs de West Tisbury, près du centre de l'île. Il accueille à longueur d'année des vols réguliers en provenance de Boston, Hyannis, Nantucket, New Bedford et Providence (Rhode Island). **Cape Air** (☎800-352-0714, www.flycapeair.com) est la principale compagnie aérienne à relier toutes ces villes, tandis qu'**USAir Express** (☎800-428-4322) dessert Martha's Vineyard en saison au départ de New York, Philadelphie et Washington, D.C. À l'aéroport même, vous trouverez facilement des taxis, des voitures de location et un service de transport en commun.

Nantucket

Le **Nantucket Memorial Airport** (www.nantucketairport.com) est le deuxième aéroport en importance du Massachusetts, et il accueille également des vols tout au long de l'année. De Boston, le service est assuré par **American Eagle** (☎800-433-7300), **USAir Express** (☎800-428-4322) et **Cape Air** (☎800-352-0714), qui s'envole aussi de Providence (Rhode Island). De Hyannis, ce sera plutôt **Island Airlines** (☎800-248-7779) ou **Nantucket Airlines** (☎800-635-8787), tandis qu'à Martha's Vineyard vous aurez le choix entre Cape Air, USAir Express et **Continental** (☎800-352-0280). Vous trouverez à l'aéroport des taxis et des comptoirs de location d'auto pour vous rendre à la ville de Nantucket. La Nantucket Regional Transit Authority offre également un service de navette (2$; ☎508-228-7025, www.shuttlenantucket.com) entre l'aéroport et divers endroits sur l'île de Nantucket.

■ En voiture

Cape Cod

Cape Cod est situé à deux heures de voiture de Boston. Pour s'y rendre, il faut prendre la Highway 93, puis la route 3, qui conduit au Sagamore Bridge, d'où l'on rejoint la US Highway 6 (Mid-Cape Highway). Cette autoroute à quatre voies traverse la presqu'île jusqu'à Provincetown. Pour un parcours plus tranquille (mais plus long), agrémenté d'un paysage côtier idyllique, il faut suivre la route 6A (Old King's Highway), qui relie Sandwich et Orleans en passant par les petits villages qui forment le nord du littoral de Cape Cod.

Si vous arrivez des villes situées au sud de Cape Cod (Providence, New York) ou si vous vous dirigez vers Falmouth, vous devez emprunter le Bourne Bridge, le second pont qui enjambe le Cape Cod Canal. La route 28 vous mènera jusqu'à Falmouth, à moins que vous ne préfériez emprunter son pendant panoramique, la route 28A. De Falmouth, la route 28 bifurque en direction est et longe le littoral sud pour se terminer, elle aussi, à Orleans. Malheureusement, cette section est bordée de minigolfs, d'hôtels de tout acabit et de restaurants sans charme. Ce spectacle décevant se termine à Harwich. Enfin, entre Orleans et Provincetown, une seule route possible: la US Highway 6.

Attention au retard que peut causer la congestion spectaculaire des deux ponts donnant accès au cap les vendredis et dimanches après-midi, et ce, de la fin mai (Memorial Day) jusqu'à la mi-octobre (Columbus Day). Si vous avez le choix, suivez l'exemple des résidants et abstenez-vous de circuler pendant les fins de semaine. Plusieurs parcs de stationnement payants sont mis à la disposition des visiteurs qui désirent plutôt utiliser le transport en commun une fois rendus au Cape Cod.

Même si la voiture offre généralement beaucoup de liberté, il peut en être autrement une fois au Cape Cod. D'abord, la plupart des places de stationnement non payantes sont réservées à l'usage des résidants, et les visiteurs doivent payer un tarif quotidien variant entre 5$ et 10$. De plus, il s'avère dispendieux de se rendre à Martha's Vineyard et à Nantucket avec son véhicule.

Certaines localités offrent des services de transport en commun extrêmement abordables, et le vélo demeure une des options intéressantes pour explorer Cape Cod sans souci. Les rues de Provincetown sont quasiment impraticables en voiture, tant elles sont étroites et envahies par les vacanciers.

Location de voitures

Budget
Barnstable Municipal Airport, Hyannis
☎ 800-527-0700
www.budget.com

Avis
Barnstable Municipal Airport, Hyannis
☎ 508-775-2888
www.avis.com

Trek Rent a Car
70 Center St., Hyannis
☎ 508-771-2459 ou 800-776-8735
www.capecodtravel.com/trek

Martha's Vineyard

Bien que Martha's Vineyard soit plus grande que Nantucket, la circulation automobile y demeure pénible, de sorte que nous vous encourageons à laisser votre véhicule à l'embarcadère du traversier qui relie le continent à l'île. Si vous projetez tout de même de vous rendre sur l'île en voiture, sachez que vous devez réserver votre place des mois à l'avance auprès de la **Steamship Authority** (☎ 508-477-8600).

Location de voitures

Pour louer une voiture, vous pouvez vous en remettre à **Budget** (☎ 508-693-1911), qui a ses bureaux à Vineyard Haven, à Oak Bluffs et à l'aéroport. Il est en outre possible de louer des vélomoteurs auprès de nombreuses entreprises de Vineyard Haven et d'Oak Bluffs; il s'agit là d'une façon intéressante de visiter certains des attraits les plus reculés de l'île.

Nantucket

Vous n'aurez pas besoin de voiture à Nantucket; tout comme à Martha's Vineyard, il est même déconseillé d'y circuler en véhicule automobile. Mais s'il vous faut malgré tout un véhicule, sachez que plusieurs entreprises de l'île louent des voitures, des minifourgonnettes et des tout-terrains, sans bien sûr oublier les vélomoteurs.

Location de voitures

Budget
☎ 508-228-5666

Thrifty
☎ 508-771-0450

Nantucket Windmill Auto Rental
à l'aéroport
☎ 508-228-1227 ou 800-228-1227

■ En autocar

Cape Cod

Au premier abord, le réseau d'autocars de Cape Cod peut sembler complexe. Différentes compagnies, privées ou publiques, se partagent ce petit territoire. Elles sont toutes reliées entre elles à un moment de leur parcours respectif.

Les vacanciers sans voiture voudront se procurer l'indispensable *Cape & Islands Smart Guide* (gratuit; www.smartguide.org), une véritable mine d'informations pour s'y retrouver dans le labyrinthe du transport sur la péninsule, que ce soit terrestre, aérien ou maritime.

De Boston et du Logan Airport, **Plymouth & Brockton** *(à Hyannis,* ☎ *508-746-0378, www.p-b.com)* assure la liaison vers Hyannis et Provincetown, avec arrêts à Harwich, Orleans, Eastham, Wellfleet et Truro.

De Boston, du Logan Airport, de Providence et du T.F. Green Airport, au Rhode Island, **Peter Pan Bus Lines** *(☎888-751-8800, www.peterpanbus.com)* se rend à Woods Hole, Falmouth et Hyannis.

Entre Falmouth et Hyannis, les visiteurs peuvent compter sur les services de **The Breeze** *(1-2; lun-sam;* ☎*800-352-7155, www.capecodtransit.org).* De mai à septembre, ce service est relié au Falmouth Mall avec le **Whoosh Trolley** *(1$),* qui poursuit sa route jusqu'à Woods Hole, où accoste le traversier à destination de Martha's Vineyard.

The Villager Bus *(1$; lun-dim;* ☎*800-352-7155, www.capecodtransit.org)* relie Hyannis

à Barnstable Village. La **H2OLine** *(1$-3,50$)* dessert la partie est de Cape Cod, de Hyannis à Orleans, en passant par Yarmouth, Dennis, Harwich et Chatham.

À Provincetown, les visiteurs peuvent compter sur le **Provincetown Shuttle** *(1$; mi-juin à mi-sept tlj;* ☎*800-352-7155),* qui relie le centre-ville de Provincetown à la Herring Cove Beach en raccordant tous les attraits. Ce service s'étend jusqu'à North Truro pour se terminer au Plymouth & Brockton Bus Stop.

Martha's Vineyard

La **Martha's Vineyard Transit Authority** *(6$ laissez-passer d'une journée;* ☎*508-693-9440, www.vineyardtransit.com)* exploite un service d'autobus régulier sillonnant l'île tout entière. La plupart des lignes sont en service de mai ou juin à octobre.

Nantucket

Nantucket offre, en été, un solide réseau de transport en commun, la **Nantucket Regional Transit Authority** *(☎508-228-7025, www.shuttlenantucket.com)* faisant circuler ses autobus jusque dans les moindres recoins de l'île. En dehors de la saison estivale, le service ralentit toutefois jusqu'à être complètement suspendu.

■ En traversier

Boston – Provincetown

Bay State Cruise Company
44$ aller simple, 69$ aller-retour
mai à oct
200 Seaport Blvd., suite 75
Boston
☎617-748-1428
🖷617-748-1425
www.boston-ptown.com
Passagers seulement, service rapide (trois fois par jour, durée 1h30) ou régulier (sam-dim un départ par jour, durée 3h).

Boston Harbor Cruises
45$ aller simple, 70$ aller-retour
juil à oct
☎617-227-4321 ou 877-SEE-WHALE
www.bostonharborcruises.com
Passagers et vélos (frais additionnels de 5$) seulement.

Plymouth – Provincetown

Capt. John Boat Lines
20$ aller simple, 35$ aller-retour
mai à sept
☎ 508-747-2400 ou 800-242-2469
www.provincetownferry.com
Passagers et vélos seulement du Plymouth State Pier au MacMillan Wharf de Provincetown.

Martha's Vineyard – Falmouth

Island Queen
12$ aller-retour
juin à sept tlj
Falmouth Harbor
☎ 508-548-4800
www.islandqueen.com
Passagers et vélos (frais additionnels de 6$) seulement du Falmouth Harbor à Oak Bluffs.

Falmouth Ferry Service
30$ aller-retour
mai à oct, fin mai à début juin et début sept à début oct: fin de semaine seulement; juin à sept: tlj
278 Scranton Ave.
☎ 508-548-9400
www.falmouthferry.com
Passagers seulement du Falmouth Harbor à Edgartown.

Woods Hole – Martha's Vineyard

Steamship Authority
voitures 76$ à 144$ aller-retour,
passagers 13$ aller-retour
Steamship Authority Pier
en retrait de Main St.
☎ 508-477-8600
www.steamshipauthority.com
Les seuls traversiers à prendre des véhicules motorisés à leur bord, et à desservir l'île toute l'année, sont ceux de la **Steamship Authority**, au départ de Woods Hole et à destination de Vineyard Haven.

Hyannis – Martha's Vineyard

Hy-Line Cruises
69$ aller-retour
mai à oct tlj
Ocean Street Dock
☎ 508-778-2600
www.hy-linecruises.com

Passagers et vélos (frais additionnels de 10$) seulement à destination de Oak Bluffs.

New Bedford – Martha's Vineyard

New England Fast Ferry Co.
58$ aller-retour
mai à oct tlj
49 State Pier
New Bedford
☎ 866-683-3779
www.nefastferry.com
Passagers et vélos seulement à destination de Vineyard Haven.

Nantucket – Martha's Vineyard

Hy-Line Cruises
27,50$ aller simple
juin à sept tlj
☎ 508-778-2600
www.hy-linecruises.com
Passagers et vélos (frais additionnels de 6$) seulement.

Hyannis – Nantucket

Steamship Authority
180$ aller (véhicule)
60$ aller-retour catamaran rapide
30$ aller-retour traversier plus lent
juin à sept
☎ 508-477-8600
www.steamshipauthority.com
Vélos, frais additionnels de 6$.

Harwich Port – Nantucket

Freedom Cruise Line
54$ aller-retour
mai à oct
702 Main St.
☎ 508-432-8999
www.nantucketislandferry.com
Passagers et vélos seulement.

Renseignements utiles

■ Renseignements touristiques

Cape Cod

Cape Cod Chamber of Commerce
à la jonction des routes 6 et 132
Hyannis
☎ 508-362-3225 ou 888-33-CAPECOD
🖷 508-362-2156
www.capecodchamber.org

**Cape Cod Canal Region
Chamber of Commerce**
70 Main St.
Buzzards Bay
☎ 508-759-6000
🖷 508-759-6965
www.capecodcanalchamber.org

Falmouth Chamber of Commerce
20 Academy Lane
Falmouth
☎ 508-548-8500 ou 800-526-8532
🖷 508-548-8521
www.falmouthchamber.com

Hyannis Area Chamber of Commerce
1481 route 132
Hyannis
☎ 508-362-5230 ou 888-HYANNIS
🖷 508-362-9499
www.hyannis.com

Yarmouth Area Chamber of Commerce
424 route 28
West Yarmouth
☎ 508-778-1008 ou 800-732-1008
www.yarmouthcapecod.com

Harwich Chamber of Commerce
1 Schoolhouse Rd.
Harwich Port
☎ 508-430-1165 ou 800-442-7942
www.harwichcc.com

Orleans Chamber of Commerce
44 Main St.
Orleans
☎ 508-255-1386 ou 800-865-1386
www.capecod-orleans.com

Eastham Chamber of Commerce
angle route 6 et Governor Prence Rd.
Eastham
☎ 508-240-7211
www.easthamchamber.com

Wellfleet Chamber of Commerce
P.O. Box 571
Wellfleet, MA 02667-0571
☎ 508-349-2510
www.wellfleetchamber.com

Provincetown Chamber of Commerce
307 Commercial St.
Provincetown
☎ 508-487-3424
www.ptownchamber.com

Martha's Vineyard

Martha's Vineyard Chamber of Commerce
Beach Rd.
Vineyard Haven
☎ 508-693-0085
www.mvy.com

Nantucket

Nantucket Island Chamber of Commerce
48 Main St.
☎ 508-228-1700
www.nantucketchamber.org

**Nantucket Visitor Services and Information
Bureau**
25 Federal St.
☎ 508-228-0925

■ Visites guidées

Cape Cod

Provincetown

Art's Dune Tours
9 Washington Ave.
☎ 508-487-1950 ou 800-894-1951
www.artsdunetours.com
Si les dunes de Provincetown vous fascinent, faites une visite organisée avec Art's Dune Tours, qui vous racontera les histoires des écrivains venus chercher, dans les *dune shacks* du National Seashore, l'inspiration pour leurs œuvres. Cette agence de tourisme propose des visites de 10h à 17h30.

Provincetown Trolley
aux demi-heures entre 10h et 16h
☎ 508-487-9483
www.provincetowntrolley.com
Pour une visite commentée de Provincetown d'une quarantaine de minutes, le trol-

ley prend les passagers dans Commercial Street, au Town Hall.

Hyannis

Cape Cod Central Railroad
juil-août tlj, mai-juin et sept-oct horaires variables
252 Main St.
☎ 508-771-3800 ou 888-797-7245
www.capetrain.com

Une promenade de deux heures à bord du train vous fera découvrir les paysages entre Hyannis et le Cape Cod Canal. Des forfaits incluant le dîner à bord sont également proposés.

Martha's Vineyard

Martha's Vineyard Sightseeing
23$
tlj sauf en hiver
Circuit Ave. Ext.
Oak Bluffs
☎ 508-627-8687
www.mvtour.com

Cette entreprise propose des visites commentées d'une heure, en autobus et en tramway, dans cinq localités de l'île.

Nantucket

Nantucket Historical Association
10$
mi-mai à début juil et début sept à mi-oct deux visites guidées par jour, réservations requises
☎ 508-228-1894

La Nantucket Historical Association propose des visites guidées des principaux sites historiques de Nantucket.

Attraits touristiques

Old King's Highway (de Sandwich à Orleans)
★★

Le Sagamore Bridge conduit tout droit à l'une des plus belles routes de Cape Cod: l'historique Old King's Highway. Cette route longe le nord de la côte de Cape Cod où chaque maison semble avoir une histoire à raconter. Anciennes demeures de capi-

taines converties en *bed and breakfasts* ou résidences privées au charme centenaire, entrecoupées par de grands arbres, les beautés de cette route ne sont plus un secret pour personne. L'Old King's Highway, qui s'étend aujourd'hui sur quelque 55 km, était autrefois un sentier amérindien qui reliait les territoires actuels de Plymouth et de Provincetown. Au XVIIᵉ siècle, le sentier allait devenir un prolongement de la King's Highway de la colonie de Plymouth.

Toutes les villes de ce circuit s'étendent le long de la route 6A, qui longe la côte nord de la presqu'île de Cape Cod, de Sandwich à Orleans.

Sandwich ★★★

Doyenne des villes de Cape Cod, Sandwich a vu le jour en 1637 grâce à quelques Pères pèlerins qui quittèrent, insatisfaits, la Plimoth Plantation. La ville a conservé beaucoup de son charme d'antan, et des efforts de préservation visibles ont été entrepris, pour le plus grand plaisir des visiteurs qui désirent se retremper dans l'histoire.

Sandwich est une ville qui se marche. En arrivant par la route 6A, vous pouvez garer votre voiture au centre-ville, dans Main Street, et amorcer la visite de la ville à pied ou à vélo.

À l'angle de Tupper Road et de Main Street, vous trouverez le **Sandwich Glass Museum** ★★★ *(4,75$; tlj 9h30 à 16h, fermé jan; 129 Main St., ☎508-888-0251, www.sandwichglassmuseum.org)*. L'exposition de milliers de pièces de verre colorées créées à Sandwich entre les années 1825 et 1888 par la Boston & Sandwich Glass Company vous retiendra pendant au moins une heure. En verre pressé ou de couleur, les objets classés selon le style et les différentes époques dans ce musée de renommée mondiale sont de véritables œuvres d'art.

Dans Water Street, trois sites historiques longent la rive du Shawme Pond. Le **Dexter Grist Mill** ★★ *(1,50$; mi-juin à mi-sept tlj 10h à 16h)*, construit en 1640, est un petit moulin très agréable dont la roue en mouvement émerveillera les enfants.

Non loin, toujours dans Water Street, il ne faut surtout pas manquer la délicieuse **Hoxie House** ★★★ *(1,50$; mi-juin à mi-oct lun-sam 10h à 17h; 18 Water St., ☎508-888-1173)*, la

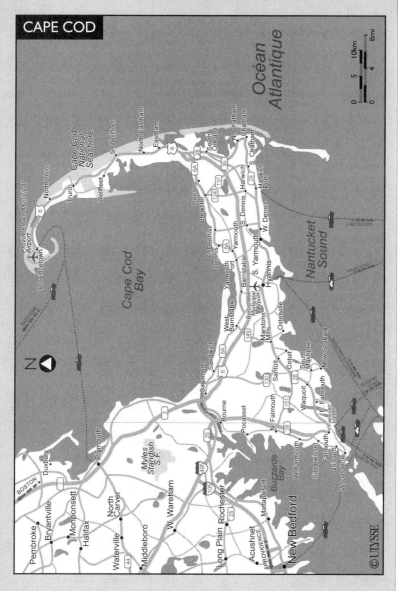

Océan Atlantique

Cape Cod National Seashore

S. Wellfleet
North Eastham
Eastham
S. Orleans
N. Chatham
Chatham
S. Chatham

North Truro
Wellfleet

Truro

North Truro

Provincetown Municipal Airport

Provincetown

Orleans
Brewster
Harwich
Harwich Port
W. Dennis

Cape Cod Bay

E. Dennis
Dennis
S. Dennis
Yarmouth
Yarmouth Port
S. Yarmouth

Nantucket Sound

West Barnstable
Barnstable
Barnstable Municipal Airport
Hyannis
Osterville

Sandwich
Sagamore
Marstons Mills
Cotuit
South Mashpee
New Seabury

Bourne
Santuit
Waquoit
E. Falmouth

Pocasset
N. Falmouth

Buzzards Bay
W. Falmouth
Sippewisset
Falmouth
Quissett
Woods Hole
Falmouth Harbor

Plymouth
Duxbury

Myles Standish S.F.

BOSTON

Pembroke
Bryantville
Monponsett
Halifax
Waterville
North Carver
Middleboro
W. Wareham
Long Plain Rochester
Mattapoisett
Acushnet
PROVIDENCE
New Bedford

©ULYSSE

plus ancienne «boîte de sel» (voir p 38) de Cape Cod, merveilleusement bien conservée, où les murs, les vestiges et les guides racontent mille histoires sur ses habitants et la vie d'une autre époque. Les familles Smith et Hoxie l'habitèrent jusqu'en 1950, avant que la ville ne se charge de la restaurer comme à son origine.

Revenir vers Main Street et emprunter Grove Street vous conduira à la **Heritage Museums & Gardens** ★★★ *(12$; avril à oct tlj 10h à 17h; 67 Grove St., ☎508-888-3300, ▤508-833-2917, www.heritagemuseumsandgardens.org).* Sur cette «plantation» où se mêlent sentiers tranquilles et jardins dans un ensemble paysager de bon goût, trois musées ont été aménagés dans autant de pavillons.

À peu de distance de marche de l'entrée, le **J. K. Lilly III Automobile Museum** ★★ abrite d'impressionnantes voitures de collection. Que vous soyez connaisseur ou non, vous apprécierez la Duesenberg verte et jaune construite spécialement pour Gary Cooper en 1931, la première voiture présidentielle ainsi que la célèbre DeLorean du film *Retour vers le Futur*.

Tout près de Sandwich, plus précisément à Sagamore, la piste cyclable qu'est le **Cape Cod Canal Bike Path** (voir p 238) longe le Cape Cod Canal entre les deux ponts de Sagamore et de Bourne sur environ 20 km (aller-retour).

Barnstable ★★

Barnstable est complexe puisqu'elle comprend en fait sept villages: Barnstable Village et West Barnstable, Cotuit, Marstons Mills, Osterville, Centerville et la vibrante Hyannis.

Barnstable Village et West Barnstable valent que l'on serpente leur territoire si élégant qui rappelle le faste de jadis. L'Old King's Highway, étroite et sinueuse, prend ici tout son sens. L'architecture extraordinaire des demeures de style Federal colorées qui se tiennent silencieuses sous de grands arbres mérite nettement un détour.

L'**Edward Gorey House** *(5$; mi-juin à mi-oct mer-dim 10h à 16h, mi-oct à mi-juin sam-dim 10h à 16h; 8 Strawberry Lane, Yarmouth Port, ☎508-362-3909, www.edwardgoreyhouse.org)* rend hommage au talent d'illustrateur d'Edward Gorey (1925-2000), qui s'est fait connaître par ses collaborations au *New York Times* et au *New Yorker*. Des expositions abordant divers aspects de l'œuvre de l'artiste se succèdent au gré des saisons dans cette maison qu'il habita pendant les dernières années de sa vie.

Yarmouth

Yarmouth s'étend sur un si vaste territoire et change tellement souvent de visage qu'il est facile de s'y perdre. Le long de l'Old King's Highway, elle prend le nom de Yarmouth Port et devient riche en histoire.

Sur la route 28, c'est West Yarmouth, la Yarmouth commerciale des vacanciers qui n'en ont que pour les divertissements: minigolfs, motels, *fast-foods*, tout comme plus loin sur cette même route lorsqu'elle pénètre dans Hyannis. Les familles en raffolent puisqu'elles ne manquent jamais d'activités pour les jeunes enfants.

Puis South Yarmouth prend des airs de lieu de villégiature, avec ses établissements en front de mer et ses belles plages. On s'arrête à Yarmouth même non pour son côté pratique plutôt que pour ses attraits historiques. Plusieurs familles choisissent de loger à Yarmouth, où la plupart des établissements disposent de nombreux services.

Dennis

Dennis est si étendue que son territoire prend des airs historiques ou de lieu de villégiature. Au sud, elle règne sur le Nantucket Sound et hérite des artifices de la route 28. Au nord, elle se penche plutôt sur Cape Cod Bay et fait écho aux histoires de capitaines qui l'habitèrent naguère.

Au **Cape Cod Museum of Fine Arts** ★ *(8$; mi-mai à mi-oct lun-sam 10h à 17h, dim 12h à 17h; route 6A, ☎508-385-4477, www.cmfa.org)*, vous pourrez admirer une grande collection d'œuvres réalisées par des artistes locaux ou par ceux qui se laissèrent inspirer par cette presqu'île. Le musée souligne le rôle de Cape Cod et des îles dans le monde de l'art, et il organise différentes activités sur ce thème.

Brewster ★

La ville de Brewster niche sur les flancs de la route 6A. Elle ravira ceux qui tentent d'échapper aux foules qui envahissent la presqu'île: elle est tranquille, sans toutefois manquer de charme.

Les enfants tout autant que les adultes apprécieront grandement la visite du **Cape Cod Museum of Natural History** ★★★ *(8$; début juin à fin sept tlj 9h30 à 16h, début oct à fin mars mer-dim 11h à 15h, début avril à fin mai mer-dim 10h à 16h; 869 Main St., ☎508-896-3867, www.ccmnh.org)* et de ses expositions interactives originales. Le musée raconte l'histoire de la formation de Cape Cod ainsi que de sa faune et de sa flore. Le sous-sol abrite une impressionnante collection d'oiseaux empaillés, ainsi que des aquariums avec poissons et tortues. Le musée organise également un nombre impressionnant d'activités axées sur la nature.

Le **Nickerson State Park** ★★ *(3488 route 6A, ☎508-896-3491)* apporte un changement radical de paysage; soudainement, plus de sable ni de mer, mais une forêt qui abrite des étangs, des sentiers pédestres, une piste cyclable, une grande variété d'oiseaux et de petits mammifères, et même un terrain de camping (voir p 241).

Orleans

Orleans fut fondée en 1644 par des colons de la Plimoth Plantation. Son nom français, aux origines encore obscures, contraste avec les autres villes de Cape Cod. Une version soutient que la ville tiendrait son nom de Louis-Philippe de Bourbon, duc d'Orléans, qui aurait visité l'endroit en 1790, lors de son exil.

Orleans, prise dans son ensemble, n'est pas à proprement parler une belle ville. Certains coins naturels valent cependant la peine qu'on s'y arrête, comme **Nauset Beach** (voir p 230), l'une des plus belles plages de Cape Cod, et le **Rock Harbor** ★, une agréable marina située sur la tranquille Cape Cod Bay, et où il fait bon flâner. Les pêcheurs la quittent tôt le matin et y reviennent plus tard avec leurs prises de la journée, un spectacle dont raffolent les visiteurs.

Ceux qui préfèrent l'histoire à la légèreté des plages peuvent visiter **The French Cable Station Museum** *(entrée libre; début juin à fin sept lun-sam 13h à 16h; angle Orleans Rd. et Cove Rd., ☎508-240-1735)*. Ce modeste bâtiment blanc conserve les échos d'événements qui marquèrent l'histoire, comme le message qui annonçait le succès de la traversée de l'Atlantique par un dénommé Charles Lindbergh, qui fut télégraphié à la station d'Orleans. De 1898 à 1940, la station assura un lien télégraphique entre l'Europe et l'Amérique. Le musée abrite plusieurs instruments télégraphiques, dont des câbles sous-marins.

Le **Jonathan Young Windmill** ★ *(entrée libre; fin juin à sept tlj 11h à 16h; route 6A, ☎508-240-1329)* a été construit dans les années 1700. Déménagé plusieurs fois avant d'être légué à la ville d'Orleans, complètement restauré par l'Orleans Historical Society, le Jonathan

Pour les ornithologues amateurs

Le **Cape Cod Museum of Natural History** *(869 route 6A, Brewster, ☎508-896-3867)* loge le club d'ornithologues amateurs de Cape Cod: le **Cape Cod Bird Club** *(www.massbird.org/ccbc)*, qui publie, en collaboration avec la Massachusetts Audubon Society, *Birding Cape Cod*, un répertoire des oiseaux de Cape Cod et des meilleurs sites où les observer. Cet excellent ouvrage se vend 15,95$ dans la plupart des librairies de la région. Le club organise aussi plusieurs sorties d'observation et autres activités gratuites à ne pas manquer (réservations requises).

Young Windmill est situé dans un parc agréable, et la visite de ce moulin à vent se veut tout simplement charmante.

Outer Cape (d'Eastham à Provincetown) ★★★

L'Outer Cape est la réponse aux rêves de larges bandes de sable blanc et de dunes, de villages pittoresques s'enchaînant les uns aux autres et d'espaces naturels grandioses demeurés inviolés qui hantent l'imaginaire populaire. Le **Cape Cod National Seashore** (voir p 229), avec ses plages et ses paysages légendaires, couvre la partie est de l'étroit Outer Cape, tandis que Provincetown, symbole de liberté et de tolérance, fait vibrer la pointe nord de Cape Cod. Plus on s'éloigne de la US Highway 6 vers la mer, qui borde les deux faces de l'Outer Cape, plus cette portion du cap devient enchanteresse...

Les villes de ce circuit sont accessibles de la **US Highway 6**, qui traverse l'Outer Cape.

Eastham ★★

La petite et tranquille Eastham, bordée à l'est par l'Atlantique et à l'ouest par Cape

Cod Bay, constitue la porte d'entrée de l'Outer Cape et bien souvent le point de départ pour l'exploration du Cape Cod National Seashore.

Ses magnifiques plages et ses espaces naturels protégés font oublier trop souvent les premiers pas d'Eastham dans l'histoire. C'est à la First Encounter Beach que les Pères pèlerins du *Mayflower* et les Amérindiens se rencontrèrent pour la première fois, en 1620. Une poignée de Pères pèlerins insatisfaits des terres de Plymouth revint en 1644 pour fonder la ville.

En arrivant sur le territoire d'Eastham par la US Highway 6, suivez les indications qui mènent à **Fort Hill ★★**, un promontoire naturel où se rencontrent les amoureux de la randonnée et des beaux paysages. L'étroite route conduit à une première aire de stationnement, d'où est accessible le **Fort Hill Trail** (voir p 237), ainsi qu'à un deuxième parc de stationnement et au **Fort Hill Overlook ★★★**, qui surplombe le Nauset Marsh, Coast Guard Beach et les champs adjacents. Il faut prendre le temps de s'arrêter pour admirer les formes et les couleurs magnifiques de ce marais, où les Amérindiens s'approvisionnèrent pendant des milliers d'années.

De l'étroite Fort Hill Road, l'unicité architecturale de la **Penniman House ★** (☎508-255-3421), construite en 1868 par le capitaine Edward Penniman, attire l'attention. De style Second Empire, son faste extérieur témoigne d'une industrie autrefois prestigieuse, celle de la baleine.

En continuant vers le nord par la US Highway 6, l'**Old Eastham Windmill** *(entrée libre; en été horaire variable;* ☎508-240-5900*)* est un joli petit moulin du XVIIe siècle, le seul de Cape Cod à n'avoir jamais été déménagé dans une autre localité.

Un peu plus loin se trouve le **Salt Pond Visitor Center ★★★** *(tlj 9h à 16h30;* ☎508-255-3421, www.nps.gov/caco*)*, point de départ de plusieurs visiteurs vers le **Cape Cod National Seashore**. Vous pourrez vous y procurer des brochures, visionner un film sur la formation de Cape Cod ou encore visiter l'une des expositions sur les ressources naturelles de la presqu'île. La librairie possède d'excellents bouquins sur les ressources naturelles de Cape Cod National Seashore,

ainsi que des livres d'intérêt général sur Cape Cod et des souvenirs.

Le centre dispose d'une immense aire de stationnement où vous pouvez laisser votre véhicule si vous désirez faire une promenade à vélo sur le **Nauset Bike Trail** (voir p 238), ou encore emprunter les magnifiques **sentiers** (voir p 237).

En sortant du stationnement, suivez pendant 2,4 km les pittoresques Nauset Road et Doane Road, qui mènent à **Coast Guard Beach** (voir p 230), laquelle fera le bonheur des amateurs de baignade, de randonnées et d'ornithologie. Même les phoques s'amusent au Nauset Spit durant les mois d'hiver.

L'Ocean View Drive, qui relie Coast Guard Beach à l'excellente **Nauset Light Beach** (voir p 230), offre une vue spectaculaire sur l'océan. Des panneaux indiquent les aires de nidification des pluviers siffleurs, une espèce menacée, et il est de mise de garder ses distances.

Du stationnement, on aperçoit la **Nauset Light** *(mi-mai à fin oct visites les dim et certains mer et sam;* ☎508-240-2612*)*, accessible à faible distance de marche. Les **Three Sisters Lighthouses** *(visites dim et mar 17h en été;* ☎508-255-3421, www.nps.gov*)*, trois phares d'une hauteur de 6,7 m, tout en bois, sont moins visibles, mais n'en demeurent pas moins accessibles en passant par un sentier qui part du stationnement.

Wellfleet ★★

Il fait bon déambuler tranquillement dans la rue principale du village de Wellfleet, à la recherche d'un trésor au fond d'une boutique d'artisanat ou d'une galerie, à moins que les magnifiques plages du Cape Cod National Seashore qui bordent la ville sur l'Atlantique ne soient plus attirantes...

Tout juste après la ligne territoriale qui sépare Eastham de Wellfleet, vous verrez le **Massachusetts Audubon Society Wellfleet Bay Wildlife Sanctuary ★★** *(3$; tlj 8h30 à 17h, sentiers ouverts de 8h à 20h en été; South Wellfleet,* ☎508-349-2615, www.massaudubon.org*)*. Un beau centre d'interprétation entouré d'un agréable aménagement paysager a été construit pour accueillir les visiteurs. Vous trouverez à l'intérieur un comptoir d'information, point de départ idéal pour une randonnée.

Ce parc compte plusieurs sentiers naturels qu'il est possible d'explorer en solitaire ou grâce à une visite guidée. Plusieurs espèces d'oiseaux peuvent y être observées. On y propose également plusieurs activités à thème, de l'excursion au **Monomoy National Wildlife Refuge** (voir p 238) à l'observation des oiseaux à Martha's Vineyard, en passant par les sorties en canot.

Continuez par la US Highway 6 jusqu'aux panneaux indiquant le **Marconi Station Site**, situé tout à côté de la magnifique **Marconi Beach** (voir p 230). C'est à partir de cette station que l'inventeur italien Guglielmo Marconi (1874-1937) réalisa son rêve le plus cher, soit la première communication transatlantique sans câble entre les États-Unis et l'Angleterre: un message du président des États-Unis au roi d'Angleterre transmis le 18 janvier 1903.

Du haut d'une falaise de 26 m, sur le Marconi Station Site, une station d'observation permet de profiter de la vue magnifique de l'océan Atlantique et des bancs de sable. Plusieurs bateaux coulèrent dans les environs, dont le désormais célèbre bateau pirate **Whydah** (voir p 216).

Truro ★

On dirait qu'à Truro la mer est partout. L'eau a inscrit Truro dans l'histoire puisque les Pères pèlerins du *Mayflower* y auraient bu leur première gorgée au Nouveau Monde. Elle encercle l'étroite bande de terre, créant ses plages et ses beaux paysages.

Les amateurs de bon vin se réjouiront de retrouver les **Truro Vineyards of Cape Cod** ★ *(route 6A, ☎ 508-487-6200, www. trurovineyardsofcapecod.com)*, où vous dénicherez non seulement une sélection de vins provenant du beau vignoble qui s'étend à l'arrière, mais où vous pourrez aussi assister à des dégustations et à des visites guidées des installations viticoles.

Au **Highland House Museum** *(4$, avec visite du phare 6$; début juin à fin sept tlj 10h à 16h30; 27 Lighthouse Rd., ☎ 487-3397, www.trurohistorical. org)*, c'est toute l'histoire de Truro qui revit grâce aux différents vestiges associés principalement à la mer. Cet ancien hôtel a

Le Cape Cod de Henry David Thoreau

Natif de Concord, tout près de Boston, Henry David Thoreau (1817-1862) a marqué toute une génération d'intellectuels. Adepte du transcendantalisme, un courant de pensée qui prônait une approche plus intuitive du divin, végétarien, défenseur de l'égalité des sexes comme de celle des races, il récolta l'admiration de tous pour avoir eu le courage de vivre selon ses idéaux. Ses idées jetèrent les bases de plusieurs mouvements sociaux.

C'est son affinité avec la solitude et les grands espaces sauvages qui l'amena à Cape Cod pour la première fois en 1849. Les observations issues des quatre voyages de Thoreau à Cape Cod, accomplis entre 1849 et 1857, sont rassemblées dans un livre d'une grande beauté, *Cape Cod*. Le livre ne parut qu'en 1865, soit trois ans après la mort de son auteur. Les récits du naturaliste sont étroitement liés à la mer et au cycle de la vie des oiseaux migrateurs, de la faune marine et des habitants du cap.

maintes fois accueilli l'écrivain Henry David Thoreau, qui y séjournait lors de ses visites au Cape Cod.

«A man can stand here and put all of America behind him» écrivait Henry David Thoreau à propos du site du magnifique **Highland Lighthouse** ★★ *(4$, avec visite du musée 6$; début juin à fin sept tlj 10h à 17h30)*, le plus ancien phare du cap, construit en 1797. La vue du haut du phare, qui est également le plus élevé de Cape Cod, est grandiose, et son site enchanteur.

Provincetown ★★★

Provincetown est sans doute la ville la plus éclatée de Cape Cod, où le respect de l'autre se lit sur tous les visages. Ses deux artères principales, Commercial Street, bordée de restaurants, de *inns* et de boutiques, et Bradford Street, plus tranquille, suffisent à donner le ton, tout comme les espaces naturels somptueux qui entourent ce petit morceau d'urbanité trônant à la pointe nord de Cape Cod. Surnommée *P-town*, la petite ville prend les airs d'une grande, avec ses bars aux allures urbaines, ses restos chics et branchés, et sa vibrante enclave artistique bien ancrée.

Sur le cap, *P-town* est plus que synonyme de fête: c'est la liberté de vivre. Les couples de même sexe abondent, les originaux s'affichent, et les hédonistes s'en donnent à cœur joie. À *P-town* la tolérante, on peut laisser sortir tout son fou sans ambages. Voilà peut-être pourquoi l'écrivain Jack Kerouac débarqua dans ses rues avec ses amis, que le dramaturge Eugene O'Neil y débuta sa carrière et que Jackson Pollock s'y établit pour explorer en peinture l'Expressionnisme abstrait.

Sous ses allures de frivolité se lit cependant une riche histoire. Le 11 novembre 1620, les Pères pèlerins du *Mayflower* jetèrent l'ancre au Provincetown Harbor. Ils explorèrent la région pendant cinq semaines, avant de poursuivre vers un site plus favorable à l'établissement d'une colonie. Provincetown constituant une pointe entourée d'eau, les habitants qui s'y établirent plus tard vécurent largement de la pêche et du commerce maritime.

Le profil de la ville s'est également dessiné avec la venue des pêcheurs portugais, principalement en provenance des Açores, qui s'y établirent pour profiter de la pêche florissante. L'héritage laissé par les nombreux pêcheurs portugais est encore palpable, notamment pendant le **Provincetown Portuguese Festival** (voir p 261).

Le point de départ idéal d'une visite de Provincetown est le **MacMillan Wharf**, en retrait de Commercial Street. Vous y trouverez un vaste stationnement, la Provincetown Chamber of Commerce, de même que la plupart des entreprises proposant des excursions d'observation des baleines (voir p 235) ou autres croisières en mer.

Tout au bout du MacMillan Wharf, vous trouverez le fascinant **Expedition Whydah Sea-Lab and Learning Center** ★★ *(8$; avr à oct tlj 10h à 16h;* ☎*508-487-8899, www.whydah.com).* L'expédition menée par Barry Clifford a permis de mettre au jour le vaisseau ***Whydah***, qui coula le long de Marconi Beach

en 1717. Il avait été capturé, rempli d'esclaves noirs et d'or, par le pirate Sam Bellamy, qui, en 15 mois, avait réussi à s'emparer de plus d'une cinquantaine de vaisseaux.

Au-delà de cette découverte extraordinaire, c'est le mythe du pirate lui-même qui refit surface. L'exposition raconte, grâce aux vestiges trouvés dans l'épave du *Wydah* et aux photos relatant les faits saillants de l'expédition, le mode de vie fascinant des pirates, comment ils séparaient le butin, leur hiérarchie, etc.

Tournez à gauche dans Commercial Street et rendez-vous jusqu'à l'angle de Ryder Street. Le terrain et les bancs du **Town Hall** constituent un lieu parfait pour se reposer.

Derrière le Town Hall, de l'autre côté de Bradford Street, le ***Pilgrim Bas Relief***, installé sur le Town Green, illustre les Pères pèlerins signant *The Mayflower Compact*. L'événement eut lieu sur le *Mayflower*, alors ancré au Provincetown Harbor, le 11 novembre 1620. Le texte et les noms des signataires apparaissent sur une pierre.

Le **Pilgrim Monument** ★★ et le **Provincetown Museum** *(7$; avr à oct tlj 9h à 16h; High Pole St.,* ☎*508-487-1310, www.pilgrim-monument.org)* se trouvent juste derrière le bas-relief. Le musée retrace les grandes lignes de l'histoire de Provincetown et de l'Outer Cape à l'aide d'expositions sur différentes thématiques.

Le Pilgrim Monument commémore l'arrivée des Pères pèlerins aux États-Unis. La structure, de 77 m de hauteur, est visible de toute la ville. Ceux qui choisissent de gravir les 116 marches qui mènent au sommet seront récompensés par une incroyable vue de Provincetown, des dunes et de l'océan Atlantique. Ce monument est la plus haute structure entièrement en granit aux États-Unis.

Revenez à Bradford Street et dirigez-vous vers l'est jusqu'à Bangs Street.

L'accueillant terrain orné de sculptures de bronze du **Provincetown Art Association and Museum** ★ *(entrée libre; fin mai à fin sept lun-jeu 11h à 20h, ven 11h à 22h, sam-dim 11h à 17h, début oct à fin mai jeu-dim 12h à 17h; 460 Commercial St., angle Bangs St.,* ☎*508-487-1750, www.paam.org)* vous attirera autant

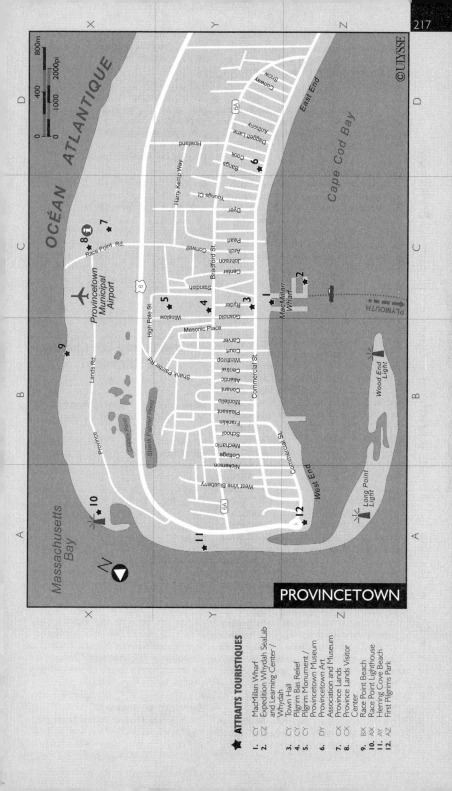

PROVINCETOWN

OCÉAN ATLANTIQUE

Massachusetts Bay

Cape Cod Bay

Provincetown Municipal Airport

MacMillan Wharf

PLYMOUTH

West End

East End

Wood End Light

Long Point Light

Race Point Rd.

Lands Rd.

Shank Painter Rd.

High Pole St.

Bradford St.

Commercial St.

Conway

Snow

Anthony

Daggett Lane

Howland

Harry Kemp Way

Youngs Ct.

Dyer

Bangs

Cook

Pearl

Arch

Johnson

Center

Standish

Ryder

Gosnold

Winslow

Masonic Place

Carver

Court

Winthrop

Central

Atlantic

Conant

Montello

Pleasant

Franklin

School

Mechanic

Cottage

Nickerson

West Vine

Blueberry

Conwell

Cape's Pond

Province

0 400 800m
0 1000 2000pi

©ULYSSE

★ ATTRAITS TOURISTIQUES

1.	CY	MacMillan Wharf
2.	CZ	Expedition Whydah SeaLab and Learning Center / Whydah
3.	CY	Town Hall
4.	CY	Pilgrim Bas Relief
5.	CY	Pilgrim Monument / Provincetown Museum
6.	DY	Provincetown Art Association and Museum
7.	CX	Province Lands
8.	CX	Province Lands Visitor Center
9.	BX	Race Point Beach
10.	AX	Race Point Lighthouse
11.	AY	Herring Cove Beach
12.	AZ	First Pilgrims Park

que ses salles d'exposition. Fondée en 1914, la collection compte aujourd'hui pas moins de 1 600 œuvres réalisées par des artistes ayant vécu un jour ou l'autre sur l'Outer Cape.

Pour le reste du circuit, vous aurez besoin d'une voiture ou d'un vélo. Cette dernière option prévaut si vous avez envie de profiter de l'air du large. Attention au temps parfois très venteux.

Retournez à Bradford Street et tournez à gauche. Continuez jusqu'à Conwell Street, qui, après avoir croisé la US Highway 6, vous mènera, sous le nom de Race Point Road, aux légendaires **Province Lands ★★★**, celles-là même qui ont inspiré nombre d'artistes et de poètes, partie intégrante du Cape Cod National Seashore, dont Henry David Thoreau.

Quelque peu fantasmagorique, surtout lorsqu'il n'y a pas foule, ce paysage de dunes peut vous retenir pendant des heures et même des journées entières. Les Province Lands sont sillonnées par plusieurs sentiers et pistes cyclables, sans oublier les magnifiques plages qui les bordent. Des efforts pour freiner le mouvement du sable et le déplacement des dunes furent entrepris dès le début du XIXᵉ siècle, efforts encore soutenus aujourd'hui notamment par l'implantation d'ammophile (*beach grass*) qui stabilise les dunes.

Pour en savoir plus sur les différents habitats qui se trouvent au cœur de ce paysage grandiose, arrêtez-vous au **Province Lands Visitor Center ★** *(mai à oct tlj 9h à 17h; Race Point Rd.,* ☎ *508-487-1256)*, très populaire auprès des groupes pour les documentaires d'introduction qu'on y présente toutes les heures. Il ne faudrait pas repartir sans avoir emprunté l'escalier menant à la tour d'observation d'où la vue de Provincetown et des Province Lands est magnifique.

Le centre d'accueil des visiteurs est le point de départ de plusieurs activités guidées intéressantes sur le territoire des Province Lands. À ceux qui désirent explorer ces étendues naturelles en solitaire, le centre remettra de la documentation sur les sentiers pédestres et cyclables.

Non loin, au bout de Race Point Road, vous pourrez profiter de **Race Point Beach** (voir p 231). En empruntant Province Lands Road en quittant le Province Lands Visitor

Center, vous verrez se dessiner la silhouette de la **Race Point Lighthouse** (voir encadré), où il est possible de passer la nuit.

Tout juste après, des panneaux indicateurs mènent à **Herring Cove Beach** (voir p 231), puis au **First Pilgrims Park**, un autre monument dédié à ceux qui n'ont foulé que pendant cinq semaines le sol de Provincetown. Le paysage est ponctué des lointains **Long Point Light** et **Wood End Light**.

Ce dernier phare, le Wood End Light, est relié à la terre ferme par une **promenade ★★★** (appelée *breakwater* en anglais) de presque 2 km de longueur. Sur cette promenade se dessine l'un des plus beaux paysages de toute la presqu'île, qui baigne dans le parfum salin et les brises rafraîchissantes. C'est un spectacle grandiose que d'observer les pluviers se repaître d'huîtres échouées dans la lumière du soleil couchant.

Le sud du cap (de Chatham à Falmouth)
★★

*Les villes de ce circuit bordent la **route 28**, associée à la côte sud de Cape Cod.*

Chatham ★★

La belle et élégante Chatham dévoile ses charmes historiques dans une atmosphère tranquille, idéale pour les vacanciers à la recherche d'une retraite paisible. Même la route 28 s'y fait coquette, et Main Street regorge de boutiques de qualité et de *inns* historiques. Si certains ne viennent que pour le magasinage, d'autres préfèrent ses espaces naturels, tel le **Monomoy National Wildlife Refuge** (voir p 220).

Surnommée le «coude» (*elbow* en anglais) du cap, en raison de sa situation géographique, la ville est bordée d'eau sur trois faces. Pleasant Bay, le Nantucket Sound et l'océan Atlantique entourent Chatham, qui est certainement l'un des endroits les plus pittoresques de Cape Cod.

En arrivant de la route 28, prenez Depot Road jusqu'au **Chatham Railroad Museum** *(entrée libre; mi-juin à mi-sept mar-sam 10h à 16h; 153 Depot Rd., www.chathamrailroadmuseum.*

Une nuit dans un phare

Si vous désirez tenter une expérience hors de l'ordinaire, réservez une nuitée dans un des deux phares de Cape Cod aménagés pour recevoir les visiteurs.

Les **Friends of Monomoy** (☎*508-945-0594, poste 19; www.friendsofmonomoy.net*) proposent, sur South Monomoy, soit la plus grande île du Monomoy National Wildlife Refuge, des *overnight nature tours* au cours desquels les amants de nature et de solitude passent la nuit dans la maison du gardien de l'historique **Monomoy Point Lighthouse**. Érigé en 1823 à South Monomoy, le phare cessa ses activités en 1923, lorsque le rayon lumineux du Chatham Lighthouse fut jugé suffisant à la sécurité du territoire. L'exploration des environs permet de découvrir les dunes et les étangs d'eau fraîche de cette île isolée, l'un des meilleurs lieux d'observation d'oiseaux sur la Côte Est américaine et un habitat de qualité pour le phoque gris. Du haut du phare, restauré en 1988, une magnifique vue panoramique sur le cap s'offre au regard. Pour se rendre sur le site, on monte à bord du **Rip Ryder** (*99 Wikis Way, Chatham,* ☎*508-945-5450*), qui atteint la pointe sud de l'île en 45 min. À l'arrivée, une randonnée d'un peu moins de 1 km dans le sable, avec guide naturaliste, conduit au **Lighthouse and Keeper's Cottage** (voir p 246), où on loge.

Sur la pointe nord du cap, au Cape Cod National Seashore, la section de Cape Cod de l'American Lighthouse Foundation est en charge du **Race Point Lighthouse** (*Race Point Rd., Provincetown,* ☎*508-487-9930, www.racepointlighthouse.net*), dont le projecteur lumineux, entretenu par la Garde côtière, est toujours utile à la navigation. Se dressant devant un endroit où les barres (amas de sable) rendaient le passage des navires plutôt périlleux, le phare d'époque a été allumé pour la première fois en 1816. Depuis, un autre phare l'a remplacé; et la maison du gardien aussi (il y en a eu deux pendant quelque temps) a été modernisée. Sur place se trouve une boutique de souvenirs. Des tours guidés du phare sont proposés les premiers et troisièmes samedis de chaque mois du printemps à l'automne. La **Keeper's House**, (voir p 243), qui loge encore le gardien, abrite trois grandes chambres d'hôte – la Whistle House, une résidence réaménagée en retrait du site, offre l'hébergement de la fin de juillet au début du mois de septembre. Les quelques chanceux qui réussiront à réserver une chambre dans la maison du gardien jouiront d'un paysage à couper le souffle. Les lieux sont bordés de vastes plages vierges offrant de superbes panoramas de l'océan, où l'on peut voir des baleines, des dauphins, des phoques, sans oublier de nombreuses espèces d'oiseaux riverains. La pêche est également incontournable dans les environs. Pour finir la journée en beauté, il faut grimper au sommet du phare pour s'offrir un coucher de soleil inoubliable…

com). Construite en 1887, cette modeste gare ferroviaire abrite une exposition et des objets à caractère ferroviaire, ainsi qu'un fourgon datant de 1910.

Retournez à la route 28 et, au rond-point, prenez Main Street à gauche. Tournez à gauche par Shore Road.

La route est bordée de résidences grandioses qui contrastent avec l'atmosphère qui règne au **Fish Pier ★★★**. Un incontournable de toute visite à Chatham, le Fish Pier rappelle aux visiteurs que l'industrie de la pêche est toujours bien vivante dans la ville, malgré ses airs cossus. Chaque après-midi, autour de 15h, les pêcheurs rentrent au port et nombreux sont ceux qui viennent assister à ce spectacle magnifique, du haut d'une promenade surplombant la mer. Le paysage est spectaculaire, avec, au loin, la pointe sablonneuse de North Beach.

En reprenant Shore Road en sens inverse, vous verrez **The Chatham Light**, cible de nombreux appareils photo, qui se tient fièrement au bout du «coude». Faisant rayonner son faisceau lumineux, ce phare peut être aperçu jusqu'à 45 km de la côte.

Cape Cod et les îles – **Attraits touristiques** - Le sud du cap (de Chatham à Falmouth)

Juste en face se trouvent la magnifique bande de sable nommée **South Beach** (voir p 231), rattachée par peu à la terre ferme, ainsi qu'un vaste stationnement mis à la disposition des visiteurs afin qu'ils puissent savourer la beauté du paysage qui s'ouvre sur l'Atlantique.

Continuez par Bridge Street et tournez à droite par Stage Harbor Road. **The Old Atwood House Museum** ★ *(5$; mi-juin à sept mar-sam 13h à 16h; 347 Harbor Rd.,* ☎*508-945-2493)*, construite en 1752, et aujourd'hui sous la protection de la Chatham Historical Society, est l'une des plus anciennes demeures de Chatham. Ses six pièces respectent le style du XVIIIe siècle, avec meubles et tableaux, outils et objets domestiques appartenant à cette époque et à l'histoire de la ville.

North Monomoy et South Monomoy, deux îles distinctes mieux connues sous le nom unique de **Monomoy National Wildlife Refuge** ★ ★, constituent un arrêt incontournable pour les amateurs de nature. Plus de 1 000 ha de dunes, de marais et d'étangs forment un refuge et un arrêt migratoire pour plus de 285 espèces d'oiseaux. La portion du refuge située sur Morris Island *(après la Chatham Light, tournez à gauche, puis à la première rue à droite et suivez les indications)* ainsi que les quartiers généraux (☎*508-945-0594)* sont accessibles en voiture.

Pour visiter les îles qui forment le Monomoy National Wildlife Refuge, il faut utiliser le traversier (voir p 207) ou encore se joindre aux **visites guidées** ★, fortement recommandées, du **Cape Cod Museum of Natural History** (☎*508-896-3867, www.ccmnh.org)* ou du **Wellfleet Bay Wildlife Sanctuary** (☎*508-349-2615, www.massaudubon.org)*.

Reprenez la route 28 en direction ouest.

Harwich

La tranquille ville de Harwich est traversée par la route 28, charmante et bordée de jolies demeures et boutiques d'antiquités. On s'y arrête pour passer la nuit (voir p 246) ou pour s'amuser sur une de ses plages. La ville se veut le berceau de l'industrie de ce petit fruit qu'est la canneberge, dont la récolte est célébrée annuellement par le **Harwich Cranberry Harvest Festival** (voir p 261).

Continuez par la route 28.

Hyannis ★ ★

En réalité, la vivante Hyannis n'est pas une ville. Son territoire constitue un des sept villages qui forment Barnstable. Mais ne vous y trompez pas, car ce titre de village ne reflète pas du tout l'animation qui règne en permanence dans Main Street, bordée de boutiques et de restaurants, ni la vie culturelle trépidante et sa vie nocturne à en rendre jalouse... n'importe quelle ville!

Si la route 28 qui traverse Hyannis n'est pas des plus agréables avec ses minigolfs, ses motels et ses *fast-foods*, les amateurs de magasinage voudront fureter au Cape Cod Mall, le plus grand centre commercial de la presqu'île.

Par contre, le front de mer de la belle Hyannis, et plus particulièrement Hyannis Port, attisent la curiosité avec leurs immenses résidences et leurs plages magnifiques. Les échos remplis des histoires de la célèbre famille qui y a établi ses quartiers, les Kennedy, attirent plusieurs visiteurs désireux d'apercevoir les lieux désormais liés à cette famille légendaire.

Dans South Street et Ocean Street, vous trouverez les traversiers en partance vers les îles de Martha's Vineyard et de Nantucket (voir p 207). Cette partie de la ville devient très animée le soir.

Commencez la visite par Main Street. Il est recommandé de laisser la voiture à l'un des parcomètres de cette rue.

Le **Village Green** est un petit parc de verdure traversé par des promenades de briques. La statue du Sachem Iyanough, qui aida les premiers colons à s'établir à Hyannis, en marque l'entrée.

Juste à côté, le **John F. Kennedy Hyannis Museum** *(5$; avr à fin oct lun-sam 10h à 16h, dim 12h à 16h; 397 Main St.,* ☎*508-790-3077, www.jfkhyannismuseum.org)* est un incontournable pour les mordus de cette figure présidentielle mythique. À travers une exposition de photos et une présentation vidéo, les visiteurs revivent les grands moments de la vie de cet homme et de sa famille. L'exposition souligne également le lien qui unissait John F. Kennedy au Cape Cod, et plus particulièrement à Hyannis Port, où le clan Kennedy possède ses quartiers.

Prenez votre voiture ou votre vélo et dirigez-vous vers South Street, puis tournez à droite dans Ocean Street. On vient nombreux au **JFK Memorial**, surtout en été. Une fontaine a été installée sur une place circulaire, dotée d'une plaque commémorative. Une sculpture à l'effigie de Kennedy domine le mémorial qui est entouré de bancs et d'arrangements floraux, le tout orné d'un immense drapeau américain.

Falmouth ★

Deuxième ville de Cape Cod de par sa population et son territoire, Falmouth est formée de huit villages: Falmouth Village, East Falmouth, North Falmouth et West Falmouth, Hatchville, Waquoit, Teaticket et Woods Hole (voir ci-dessous).

Bartholomew Gosnold explora le territoire en 1602, une expédition qu'il entreprit à partir du port de Falmouth, en Angleterre, ce qui devait laisser le nom à la ville. Falmouth compte 19 km de plages publiques, avec une température estivale moyenne de ses eaux de 21°C, la plus élevée du cap.

Le centre névralgique de la ville est réparti autour du Village Green. La **Falmouth Historical Society** *(3$/visite des deux maisons; en été mar-ven 10b à 16b; Village Green,* ☎ *508-548-4857)* a sous sa protection deux maisons historiques voisines l'une de l'autre. La Julia Wood House renferme une cuisine coloniale authentique ainsi que des pièces restaurées dans le respect de l'époque.

La Conant House a une vocation toute différente; on trouve au premier étage une collection d'objets liés à l'industrie baleinière, des harpons aux corsets, en passant par les baleines de parapluies. Au deuxième étage, une exposition retrace les faits plus ou moins saillants de l'histoire de Falmouth.

Au bout de Depot Avenue, les **Beebe Woods** mettent un peu de verdure sur votre route vers le centre de Falmouth. Ce boisé de 155 ha est sillonné de sentiers pédestres.

De Main Street, tournez à gauche par Woods Hole Road.

Woods Hole ★★

La petite communauté de Woods Hole charmera ceux qui osent s'y aventurer pour une autre raison que son traversier vers les îles (voir p 207).

Chercheurs et étudiants se côtoient dans une atmosphère détendue, inspirés des belles découvertes des réputées institutions de la ville. C'est tout de même la Woods Hole Oceanographic Institution qui permit l'exploration de l'épave du *Titanic*, avec son submersible *ALVIN*.

Water Street, la rue principale, est bordée de boutiques, de restaurants et de bars. Il est à noter cependant que les places de stationnement sont rares dans cette rue comme dans toute la localité. Peut-être vaudrait-il mieux alors emprunter le **Shining Sea Bike Path** (voir p 239) ou le **Whoosh Trolley** (voir p 207) au départ de Falmouth pour se rendre à Woods Hole.

À partir de Water Street, tournez à droite dans School Street pour visiter la **Woods Hole Oceanographic Institution (WHOI) Exhibit Center** ★★ *(contribution volontaire; visites lun-ven à 10b30 et 13b30; 93 Water St.,* ☎ *508-289-2252, www.whoi.edu)*, qui plaira tant aux tout-petits qu'aux adultes.

Le rez-de-chaussée retrace l'histoire du submersible *ALVIN*, conçu dans les années 1950 pour la recherche sous-marine. On y trouve une réplique de l'engin dans lequel les enfants peuvent s'asseoir. À l'étage, vidéo et photos font revivre les grands moments de la découverte du *Titanic* par une équipe conjointe France–États-Unis dirigée en 1985 par Robert Ballard, du WHOI. Juste à côté d'un comptoir de souvenirs, une salle est consacrée à la vie marine microscopique. En été, l'institut propose des visites guidées sur les quais de la ville *(lun-sam 10b à 16b30)*.

Juste un peu plus loin, le **Waterfront Park** ★ est une promenade avec des bancs installés en bordure du Vineyard Sound. Il fait bon s'y asseoir et observer les activités du port ou le va-et-vient des étudiants et des chercheurs.

Au bout de Water Street, tournez à droite dans Albatross Street. Le **Woods Hole Science Aquarium** ★★ *(mi-juin à mi-sept tlj 10b à 16b, reste de l'année lun-ven 11b à 16b; 166 Water St.,*

☎508-495-2001), aménagé dans un immense bâtiment de briques, n'a rien de l'aquarium récréatif traditionnel. Les enfants raffolent du bassin extérieur où des phoques pataugent tranquillement. L'intérieur est rempli d'aquariums et de panneaux éducatifs; même la salle des chercheurs est ouverte aux curieux.

Rien de mieux pour terminer la journée que de revenir sur Woods Hole Road et d'emprunter Church Street, qui vous mènera à l'un des phares les plus photographiés de Cape Cod, le **Nobska Lighthouse ★ ★ ★** *(ouvert au public selon un horaire variable; www.lighthouse.cc/nobska).* En retrait du circuit de visite principal, cet attrait vaut le détour pour la beauté du paysage dans lequel il baigne, dominant le Vineyard Sound.

Retournez à Falmouth et empruntez la route 28 en direction nord. À l'intersection des routes 28 et 151, prenez la route 151 pendant 6,5 km. Tournez à gauche par Currier Road puis à droite par Ashumet Road.

L'**Ashumet Holly and Wildlife Sanctuary ★** *(3$; du lever au coucher du soleil; 286 Ashumet Rd., East Falmouth,* ☎508-362-1426, *www.massaudubon.org)* est un sanctuaire de 20 ha réputé pour ses 65 variétés de gui, où plus de 130 espèces d'oiseaux font halte. Des sentiers traversant différents habitats sillonnent le sanctuaire, administré par la Massachusetts Audubon Society.

Martha's Vineyard
★ ★ ★

Martha's Vineyard aurait ainsi été baptisée parce que la fille de l'explorateur Bartholomew Gosnold se prénommait Martha, et que les vignes sauvages qui y poussaient en rendaient l'exploration difficile. Longue de 35 km et large de seulement 11,5 km, elle est plus grande que Nantucket, mais ne s'en parcourt pas moins facilement en quelques jours. Les attrayantes villes de Vineyard Haven, Oak Bluffs et Edgartown en sont les principales enclaves d'intérêt pour les visiteurs. Notez qu'une visite hivernale offre une expérience totalement différente. Il y a alors très peu de touristes, les contacts avec la population se font beaucoup plus librement, et un doux manteau de neige immaculée recouvre le relief ondulant de l'île.

Vineyard Haven ★

Bien qu'elle incarne le siège commercial et le principal port d'entrée de l'île, Vineyard Haven n'a rien perdu de son charme. Nichée entre deux pointes de terre saillantes, l'East Chop et le West Chop, cette ville n'a pas tardé à devenir un refuge naturel pour les marins en quête d'un havre plus calme. Moins touristique qu'Oak Bluffs et Edgartown, elle a conservé son aura de petite ville tranquille. Il s'agit de la seule localité active à longueur d'année sur Martha's Vineyard, et l'on s'y rend aussi bien pour ses activités culturelles que pour ses restaurants et ses boutiques.

Dès la descente du traversier, tout au bord de la mer, la chambre de commerce de Martha's Vineyard exploite un **kiosque d'information** *(en saison 8h à 20h)* fort utile.

Remontez Union Street en vous éloignant du port et tournez à droite dans Main Street pour ensuite emprunter la première rue à gauche, soit Church Street.

Sur la droite se dresse la **Stone Church**, une construction plutôt originale en pierres toutes rondes telles qu'on en trouve sur une plage. De part et d'autre de l'église s'étire l'historique **William Street ★**, bordée de maisons ayant appartenu aux anciens capitaines de bateau de l'île. La majorité d'entre elles sont revêtues de bardeaux blancs et datent du milieu du XIXᵉ siècle.

Quelque peu en retrait du centre de la ville, mais tout de même accessible en suivant Main Street vers l'ouest, que ce soit à vélo ou en voiture, le **West Chop Lighthouse** s'élève au-dessus du Vineyard Sound.

Pour passer un bon moment près de l'eau, songez à **Owen Park Beach**, une plage située aux abords immédiats de Main Street et du port de la ville. Elle n'est certes pas très grande, pas la plus spectaculaire de l'île, mais elle s'avère tout de même on ne peut mieux située. **Tisbury Town Beach** *(Owen Little Way)*, une autre plage publique, se trouve pour sa part tout à côté du Vineyard Haven Yacht Club.

Du centre de la ville, prenez State Road vers le sud.

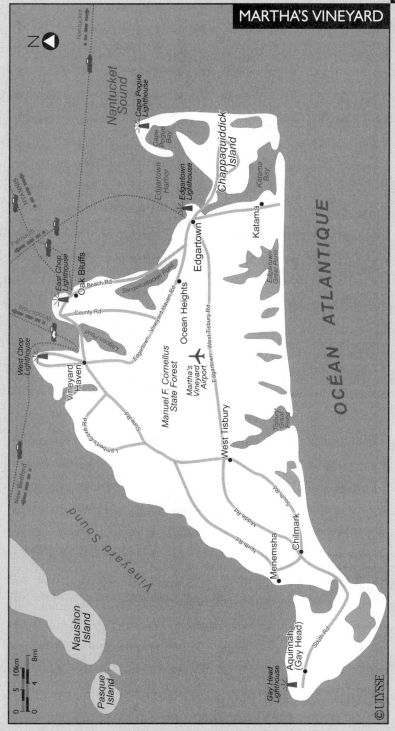

MARTHA'S VINEYARD

N

Nantucket

Nantucket Sound

Cape Pogue Lighthouse

Cape Pogue Bay

Chappaquiddick Island

Katama Bay

Edgartown Harbor

Edgartown Lighthouse

Edgartown

Katama

Edgartown Great Pond

HANNIS

Falmouth

East Chop Lighthouse

Oak Bluffs

Beach Rd.

Sengekontacket Pond

Ocean Heights

WOODS HOLE

County Rd.

Edgartown-Vineyard Haven Rd.

West Chop Lighthouse

Lagoon Pond

Edgartown-West Tisbury Rd.

Vineyard Haven

Manuel F. Cornellus State Forest

Martha's Vineyard Airport

West Tisbury

Tisbury Great Pond

New Bedford

Lambert's Cove Rd.

State Rd.

South Rd.

Vineyard Sound

Middle Rd.

Chilmark

North Rd.

Menemsha

Naushon Island

Pasque Island

Aquinnah (Gay Head)

Gay Head Lighthouse

South Rd.

OCÉAN ATLANTIQUE

0   5   10km
0   4   8mi

©ULYSSE

À plus de 5 km au sud de Vineyard Haven, surveillez l'embranchement avec Stoney Hill Road, un chemin non revêtu qui vous conduira aux **Chicama Vineyards** *(visites et dégustations gratuites; juin à oct lun-sam 11h à 17h, dim 13h à 17h; Stoney Hill Rd.,* ☎ *508-693-0309, www.chicamavineyards.com).* Il s'agit d'un des vignobles qui justifient un tant soit peu le nom de l'île, et vous y trouverez quelques bons produits qui méritent d'être goûtés (entre autres un vin de table à base de canneberges).

De Vineyard Haven, suivez Beach Road jusqu'à Oak Bluffs.

Oak Bluffs ★

L'actuelle petite ville d'Oak Bluffs, qui faisait à l'origine partie d'Edgartown et qui prit par la suite le nom de Cottage City, a vu le jour en 1835 lorsque quelques méthodistes d'Edgartown y plantèrent leurs tentes dans un bosquet de chênes. Les regroupements en plein air visant à raviver la foi des croyants jouissaient d'une grande popularité à l'époque, et c'est ainsi que des méthodistes venus de tous les coins des États-Unis commencèrent à affluer vers la région. En 1880 s'y dressait déjà, chaque été, une véritable petite ville de tentes et de cottages.

Les années qui suivirent amenèrent Oak Bluffs à devenir une station balnéaire attirant des visiteurs de toutes confessions religieuses, de fait la première station estivale de l'île, celle qui devait donner le coup d'envoi à l'industrie touristique aujourd'hui si lucrative de Martha's Vineyard.

Entamez votre visite d'Oak Bluffs au **Flying Horses Carousel** *(1$/tour de manège; mai à fin sept tlj 10h à 22h; angle Circuit Ave. et Lake Ave.),* à ce qu'on dit le plus vieux carrousel à plate-forme en activité de tout le pays. Construit en 1876, il compte 22 chevaux de bois aux crinières faites à la main avec du vrai crin de cheval.

Continuez par Lake Avenue en direction de l'eau et tournez à droite dans Sea View Avenue.

Vous atteindrez bientôt l'**Ocean Park**, un parc de 3 ha entouré de riches maisons Queen Anne et néogothiques, et tout indiqué pour une pause détente tout en respirant l'air frais de l'océan. Vous y trouverez un petit kiosque à musique où l'on présente des concerts au cours de la saison estivale.

En quittant le parc, suivez Park Avenue en vous éloignant de l'océan, puis tournez à gauche dans Circuit Avenue.

Circuit Avenue est la principale artère commerciale d'Oak Bluffs. Flanquée de bars et de boutiques, c'est aussi la plus affairée.

Tournez à droite dans la petite rue transversale qu'est Tabernacle Avenue.

Vous trouverez alors le plus important attrait de la ville, soit le **Camp Ground**, ainsi que la plus grande concentration de **Gingerbread Cottages** ★★ (cottages à dentelles de bois). Il s'agit là du lieu de rencontre initial des méthodistes, à partir duquel la ville d'Oak Bluffs s'est développée. La pièce maîtresse est un **Tabernacle**, soit une structure en acier érigée en 1879 en remplacement d'une grande tente centrale jadis plantée sur les lieux. Vous trouverez le Tabernacle au beau milieu du **Trinity Park**, une étendue circulaire et verdoyante entourée de petits cottages très colorés, qui de rose, qui de jaune, de vert ou de bleu, chaque maison semblant sortir tout droit d'un conte de fées. Certains les trouvent charmantes, d'autres un peu trop criardes, mais elles valent de toute façon le coup d'œil.

Quittez Oak Bluffs par Sea View Avenue, qui devient par la suite Beach Road, et suivez-en le tracé panoramique en bordure de l'océan vers le sud pendant 9 km pour atteindre Edgartown.

Edgartown ★★

Edgartown est la plus historique, et sans doute la plus charmante des communautés de Martha's Vineyard. Il s'agit d'une ville coloniale caractéristique de la Nouvelle-Angleterre dans ce qu'elle a de plus classique avec son port ravissant, tant et si bien qu'on l'a surnommée «la grande dame de Martha's Vineyard».

Entamez votre visite à l'**Edgartown Visitors Center** *(mai à oct tlj 8h30 à 22h; 22 Church St.,* ☎ *508-627-6029),* qui est en outre le point de départ et d'arrivée du service de transports en commun de l'île.

1.   À Cape Cod, le Wood End
     Light veille sur Provincetown
     Harbor. (page 218)
     © iStockphoto.com/ Denis Tangney

2.   Le Cape Cod National
     Seashore renferme
     quelques-uns des plus beaux
     paysages de Cape Cod, et
     certainement les plus belles
     plages. (page 229)
     © iStockphoto.com/ Denis Tangney

3.   Les splendides falaises d'argile
     d'Aquinnah et le phare de
     briques rouges qu'est le Gay
     Head Lighthouse. (page 226)
     © Denis Tangney | Dreamstime.com

1. Lieu de départ privilégié pour les excursions d'observation des baleines, le Cape Ann est un bout de terre au charme tranquille qui avance dans l'océan Atlantique sur la côte du Massachusetts. (page 174)
© Chee-onn Leong | Dreamstime.com

2. Les Berkshires en automne, une région de prés ondulants et de collines couvertes d'arbres de l'ouest du Massachusetts. (page 275)
© iStockphoto.com / Denis Tangney

3. À Salem, la superbe House of the Seven Gables a été construite en 1668 par John Turner et plus tard rendue célèbre par l'auteur Nathaniel Hawthorne dans son roman du même nom (*La maison aux sept pignons*). (page 171)
© Dreamstime.com

4. À Bearskin Neck, sur la côte du Massachusetts, se trouve la colorée Motif no. 1, cette ancienne cabane de pêcheurs de couleur rose, recouverte de bouées, qui est en fait la réplique exacte de l'originale, emportée par une tempête en 1978. (page 177)
© George Burba | Dreamstime.com

En sortant du centre, tournez à gauche et prenez Church Street vers le sud.

Sur la droite surgit un complexe de bâtiments historiques qui regroupe le **Vincent House Museum**, la **Dr. Daniel Fisher House** et l'**Old Whaling Church** ★ *(musée seulement 5$, 8$ pour visiter les trois bâtiments; musée ouvert en saison mar-sam 10h à 15h;* ☎*508-627-8619).* La Vincent House (1672) s'impose comme la plus vieille résidence de Martha's Vineyard; il s'agit d'une petite structure en bardeaux de cèdre nichée derrière l'église, et renferme des vitrines retraçant plus de 300 ans de vie sur l'île. La Dr. Daniel Fisher House a été construite en 1840 pour un magnat local de l'industrie baleinière, et elle abrite désormais le Martha's Vineyard Preservation Trust, responsable de la gestion du complexe; il s'agit là d'un bel exemple de la richesse dans laquelle pouvaient vivre certains insulaires aux jours fastes de la chasse à la baleine. Enfin, l'Old Whaling Church fait figure de point de repère étincelant dans la rue principale d'Edgartown; cette église méthodiste devint le plus important lieu de culte de la ville dès après sa construction, en 1843, par des capitaines de baleiniers.

Empruntez School Street en face de l'Old Whaling Church et suivez-la sur trois quadrilatères.

La **Martha's Vineyard Historical Society** *(7$; en été mar-sam 10h à 17h, en hiver sam 10h à 16h; 59 School St.,* ☎*508-627-4441, www.marthasvineyardhistory.org)* gère ici un autre complexe de bâtiments, dont le **Vineyard Museum**, où elle expose les quelque 25 000 objets de sa collection de manière à retracer l'histoire de l'île. L'historique lentille Fresnel du Gay Head Lighthouse (phare) se trouve aussi sur les lieux.

Revenez sur vos pas jusqu'à Main Street et prenez-la à droite jusqu'au port d'Edgartown. Longez le port par la gauche dans Dock Street jusqu'au Memorial Wharf.

Au Memorial Wharf vous attend un petit traversier *(3$/passager, 10$/ voiture)* vers **Chappaquiddick Island** ★ ★, ou «Chappy», ainsi que l'appellent affectueusement les habitants de la région. Il s'agit d'un endroit rêvé pour renouer avec la nature et échapper aux hordes de touristes, dans la mesure où l'on n'y trouve que peu de maisons et où la plus grande partie des terres en sont protégées à l'intérieur du Cape Pogue Refuge et de la **Wasque Reservation**. Les activités de plein air y sont nombreuses, et l'on y propose des visites du **Cape Poge Refuge** *(visites axées sur l'histoire naturelle 30$, visite du phare de Cape Pogue 15$;* ☎*508-627-3599)* au départ du **Mytoi Garden**, un jardin japonais situé tout au bout de Chappaquiddick Road.

En quittant Edgartown, prenez l'Edgartown-West Tisbury Road vers l'ouest et passez la Manuel F. Cornellus State Forest ainsi que le Martha's Vineyard Airport (sur votre droite) pour vous rendre à West Tisbury.

Up-Island ★ ★

Les trois villes que sont Vineyard Haven, Oak Bluffs et Edgartown occupent ce qu'il est convenu d'appeler «le bas de l'île» dans la terminologie nautique, tandis que les plus petits villages et les grands espaces ouverts du sud-ouest de Martha's Vineyard composent «Up-Island».

West Tisbury

Tout juste à l'extérieur de West Tisbury vous attend le **Polly Hill Arboretum** *(5$; mai à oct tlj 7h à 19h, fermé mer le reste de l'année; 809 State Rd.,* ☎*508-693-9426)*, un musée vivant de 24 ha où poussent plus de 1 600 espèces de plantes ligneuses et herbacées.

De West Tisbury, prenez Middle Road vers le sud jusqu'à Chilmark, puis tournez à droite pour atteindre Menemsha.

Menemsha ★ ★ ★

Menemsha est un pittoresque petit village de pêcheurs tout à fait saisissant. Il a en fait été construit de toutes pièces dans les années 1970 pour le tournage du film *Jaws*, mais est depuis demeuré un centre de pêche opérationnel. Guère plus qu'une maigre collection de cabanes en bardeaux de cèdre, il n'en constitue pas moins l'un des endroits les plus paisibles et les plus agréables de l'île. Pour optimiser votre expérience, arrêtez-vous à l'une ou l'autre des cabanes dressées en bordure du port pour y acheter un homard fraîchement pêché que vous mangerez à mains nues sur le quai (voir p 257).

Cape Cod et les îles - Attraits touristiques - Martha's Vineyard

En quittant Menemsha, retournez à Chilmark et tournez à droite par South Road.

Aquinnah

Retirée de tout dans l'angle sud-ouest de l'île, Aquinnah (qui a porté le nom de Gay Head jusqu'en 1998) accueille de nombreux résidants de l'île, de même que les descendants des premiers habitants des lieux, soit les Wampanoags.

Le principal attrait de la ville tient aux **Clay Cliffs of Aquinnah** ★, vraisemblablement le point de repère le plus photographié de l'île. Cette impressionnante succession de falaises, longue d'environ 1,5 km, présente un étonnant mélange de sable, de gravier et d'argile aux teintes les plus variées. Il s'agit là d'un site géologique important, l'érosion y ayant mis au jour d'incroyables fossiles d'animaux tels que chevaux sauvages, chameaux et baleines au fil des ans. Malheureusement, les falaises sont menacées par cette érosion constante, et il est strictement interdit d'y grimper ou d'en prélever quelque matière que ce soit.

Près du poste d'observation des falaises se dresse le **Gay Head Lighthouse** *(3$; visites au coucher du soleil en saison ven-dim,* ☎ *508-645-2211)*, un beau phare arrondi en briques rouges qui domine l'océan Atlantique.

Nantucket
★ ★

L'île charmante de Nantucket repose à 40 km des côtes du Massachusetts. Elle a vu sa population passer de 10 000 habitants à seulement 4 000 habitants entre 1840 et 1870, à la suite du déclin de l'industrie prospère de la chasse à la baleine. Le développement du tourisme s'imposait dès lors comme un choix évident, et les entrepreneurs n'ont pas tardé à vanter les mérites des plages de l'île. C'est ainsi que, dans les années 1870, Nantucket était déjà présentée aux habitants du continent comme une station balnéaire de rêve.

Nantucket incarne la quintessence même du pittoresque avec ses innombrables maisons de baleiniers en bardeaux de cèdre, ses rues pavées en cailloutis et ses nombreux bâtiments historiques, quoique le pittoresque perd quelque peu de son attrait les fins de semaine d'été, lorsque les visiteurs envahissent les lieux en quête de souvenirs aux prix excessifs. Pour en capturer tout le charme, il est donc nettement préférable de s'y rendre au printemps, en automne ou en hiver.

Nantucket ★ ★

Nantucket, avec ses vieilles maisons bicentenaires en clins de cèdre rembrunis jusqu'à prendre une teinte argentée sous les assauts répétés de l'air océanique, incite les passagers du traversier qui accoste au port à pousser des oh! et des ah! Leur plaisir se trouve d'ailleurs bientôt accru lorsqu'ils découvrent que la ville se parcourt on ne peut mieux à pied.

Ce circuit débute au Steamboat Wharf, soit le point d'arrivée de la plupart des voyageurs.

Vous trouverez un kiosque d'information saisonnier à l'extrémité ouest du Steamboat Wharf, dans Broad Street.

En continuant vers l'ouest à partir du quai, vous aurez tôt fait d'atteindre le **Whaling Museum** ★ ★ *(15$ ou laissez-passer; mai à oct tlj 10h à 17h, heures restreintes le reste de l'année; 15 Broad St., www.nha.org)*. Ce musée, qui occupe un bâtiment en briques rouges ayant jadis abrité une usine de bougies à base de blanc de baleine, constitue une première halte de choix, car ses vitrines d'exposition permettent de mieux apprécier le passé baleinier de Nantucket.

Le Whaling Museum et plusieurs des attraits décrits ci-dessous sont régis par la **Nantucket Historical Association (NHA)** *(www.nha.org)*, qui vous en donne pour votre argent à tous coups. Il est d'ailleurs avantageux de se procurer un laissez-passer d'une journée pour tous les musées et bâtiments historiques de la ville, au coût de seulement 18$.

Près du Whaling Museum se dresse le **Peter Foulger Museum** *(6$ ou laissez-passer; juin à oct tlj 10h à 17h, heures restreintes le reste de l'année; 15 Broad St.)*, qui présente des expositions temporaires tirées de la vaste collection de la NHA.

Continuez vers l'ouest par Broad Street et, une rue plus loin, tournez à droite dans Centre Street, que vous suivrez en direction nord jusqu'au quintuple

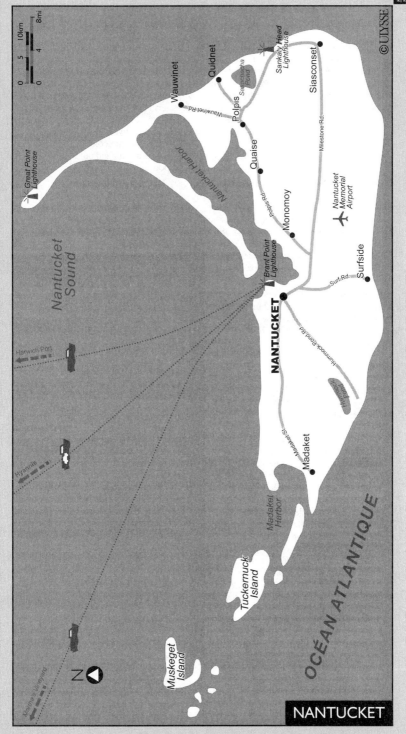

NANTUCKET

© ULYSSE

OCÉAN ATLANTIQUE

Nantucket Sound

Great Point Lighthouse

Nantucket Harbor

Wauwinet

Quidnet

Wauwinet Rd.

Polpis

Sesachacha Pond

Sarkaty Head Lighthouse

Siasconset

Polpis Rd.

Quaise

Monomoy

Milestone Rd.

Nantucket Memorial Airport

Brant Point Lighthouse

NANTUCKET

Surf Rd.

Surfside

Hummock Pond Rd.

Harwich Port

Hyannis

Martha's Vineyard

Madaket

Madaket Harbor

Madaket Is.

Tuckernuck Island

Muskeget Island

N

0   5   10km
0   4   8mi

carrefour. Prenez West Chester Street vers l'ouest et tournez à droite dans Sunset Hill Lane.

L'**Oldest House** *(droit d'entrée ou laissez-passer; mai à oct lun-sam 10h à 17h, dim 12h à 17h, heures restreintes au printemps et à l'automne; Sunset Hill Ln.)*, au nom peu inspiré, est une autre propriété de la NHA, et sa rareté tient du fait qu'elle date de l'époque de la première colonie de l'île. Elle a en effet été construite en 1686.

Retournez jusqu'à Centre Street et prenez-la vers le sud pour ensuite tourner à droite par Liberty Street, que vous suivrez vers l'ouest jusqu'à la prochaine intersection.

À une rue au sud de Liberty Street se trouve **Main Street** ★★, la fabuleuse artère pavée et bordée d'arbres de Nantucket. Il s'agit là d'un endroit idéal pour s'asseoir tranquillement et observer les passants.

En suivant Main Street vers l'ouest, vous apercevrez, après avoir parcouru quelques quadrilatères, la **Hadwen House** ★ *(6$ ou laissez-passer; juin à sept tlj 10h à 17h; 96 Main St.)*, la plus élégante des rares maisons néoclassiques de l'île. Hadwen était un négociant en blanc de baleine et en bougies qui tenait à construire *«la plus majestueuse maison de Main Street»*. Le mobilier et la décoration se révèlent impressionnants, et les guides sont bien informés.

Une rue plus à l'ouest surgit un ensemble de quatre structures relevant de la Maria Mitchell Association. La **Mitchell House** *(5$; en saison mar-sam 10h à 16h; 1 Vestal St., ☎508-228-2896, www.mmo.org)* est le lieu de naissance de l'astronome chéri de Nantucket et illustre bien le simple style quaker du XIXᵉ siècle. La **Hinchman House Natural Science Museum** *(5$; en saison mar-sam 10h à 16h; 7 Milk St., ☎508-228-0898)* se veut pour sa part un musée d'histoire naturelle locale. Le **Vestal Street Observatory** *(5$; toute l'année; 3 Vestal St., ☎508-228-9273)* propose des visites guidées et, à l'extérieur, des maquettes du système solaire. Et la **Science Library** *(toute l'année, mar-sam 10h à 16h en été; 2 Vestal St., ☎508-228-9198)* renferme une collection complète de documents, de journaux de recherche et de vitrines historiques, ainsi qu'une grande partie des papiers personnels de Mitchell. Ces lieux culturels peuvent aussi être visités grâce à un laissez-passer *(15$)*, valable pour l'ensemble des propriétés.

Suivez Vestal Street vers l'ouest jusqu'à Quaker Road, que vous prendrez à gauche, en direction sud, alors qu'elle devient Prospect Street.

L'**Old Mill** *(6$ ou laissez-passer; mi-juin à sept 10h à 17h, heures restreintes au printemps et à l'automne; 50 Prospect St., ☎508-228-1894)*, une autre propriété gérée par la NHA, est le plus récent des nombreux moulins à vent qui se sont dressés à cet emplacement. Il demeure en activité, et sa visite permet de mieux comprendre comment ses engrenages façonnés à la main utilisent la force du vent pour moudre le maïs.

Le reste de l'île ★★

Au départ de Nantucket, on peut facilement se rendre dans le reste de l'île, qui ne mesure que 22 km sur 3 km. Pour ce faire, une bicyclette ou un vélomoteur sont tout indiqués, le relief étant très plat. Et vous ne manquerez pas d'apprécier les nombreux atouts des plages, des terres humides, des landes et des prairies de Nantucket.

Un bon itinéraire consiste à prendre Polpis Road (ou la piste cyclable qui la longe) vers l'est au rond-point qui se trouve immédiatement au sud-est de Nantucket. Environ 4 km plus loin vous attend le **Nantucket Life Saving Museum** *(5$; mi-juin à oct tlj 9h30 à 16h; 158 Polpis Rd., ☎508-228-1885, www.nantucketlifesavingmuseum.com)*, voué aux efforts des *Nantucketers* (habitants de Nantucket) pour sauver des vies en mer.

Encore plus loin sur Polpis Road, l'embranchement avec Wauwinet Road mène au **Coskata-Coatue Wildlife Refuge** ★★ *(entrée libre; visite guidée 40$; visites juin à mi-oct tlj 9h30 et 13h30; ☎508-228-5646)*. Téléphonez au préalable pour réserver vos places en vue de prendre part à l'une ou l'autre des deux visites quotidiennes du plus grand marais salant de l'île à bord d'un véhicule conçu pour rouler sur le sable. La visite de trois heures se termine par l'ascension du **Great Point Lighthouse** ★★, le phare qui marque le point le plus au nord de Nantucket.

Retournez à Polpis Road, que vous suivrez en direction sud.

Le **Sankaty Head Lighthouse** (phare) se fait visible sur la mer (sur la gauche) avant d'atteindre le village de **Sconset** ★ sur le littoral sud-est de l'île. Au XIXᵉ siècle, les

Nantucketers avaient l'habitude de passer leurs vacances dans ce village de pêche constitué de huttes et de cottages tapissés de roses. L'écrivain John Steinbeck y a lui-même passé un été dans les années 1960, alors qu'il travaillait sur *À l'est d'Éden*. Vous n'y trouverez pas d'attraits à proprement parler, mais il s'agit là d'un des endroits les plus paisibles de l'île durant la saison estivale.

Parcs

Le site Internet et les adresses suivantes vous seront très utiles pour dénicher de l'information supplémentaire concernant les parcs nationaux. Ces coordonnées vous permettront, entre autres, de connaître la réglementation des parcs, de réserver un camping, de planifier votre voyage ainsi que de vous familiariser avec le parc qui vous intéresse à l'aide d'une visite virtuelle.

National Park Service
1849 C Street NW
Washington, DC 20240
☎ 202-208-6843
www.nps.gov

Northeast Region
National Park Service
U.S. Custom House
200 Chestnut St., Fifth Floor
Philadelphia, PA 19106
☎ 215-597-7013
www.nps.gov

Le **Cape Cod National Seashore (CCNS)** ★ ★ est une véritable merveille naturelle qui renferme quelques-uns des plus beaux paysages de Cape Cod et certainement les plus belles plages.

Des centaines de kilomètres de sentiers pédestres ou de pistes cyclables serpentent à travers différents habitats favorisant la diversité de la faune et de la flore: dunes, terrains boisés, marais salants et plages. Le territoire du Cape Cod National Seashore est idéal pour l'observation des oiseaux puisque plus de 350 espèces y ont été recensées, de même que des ratons laveurs, renards et coyotes, cerfs de Virginie, lièvres et petits rongeurs. Des phoques gris et des phoques communs ont également été observés. Quant aux amateurs de plages, ils

seront charmés par les magnifiques étendues de sable blanc bordant l'océan Atlantique, parmi lesquelles figurent les plus belles du cap (voir p 231).

Pour de plus amples renseignements:

Salt Pond Visitor Center
☎ 508-255-3421
www.nps.gov/caco

Plages

Old King's Highway (de Sandwich à Orleans)

L'eau des plages longeant Cape Cod Bay est habituellement plus froide que celle des plages situées sur le Nantucket Sound, plus prisées des familles pour cette raison. Les amateurs de surf pourront compter sur plusieurs plages donnant sur l'océan Atlantique.

Sandwich

Les plages de Sandwich bordent Cape Cod Bay. **Town Neck Beach** *(Town Neck Rd.)* repose à l'entrée de Sandwich Harbor. La populaire **Sandy Neck Beach** ★ ★ *(route 6A, aux limites de Sandwich et de Barnstable),* pourvue d'un maître nageur, étend ses dunes sur plusieurs kilomètres, jusqu'à West Barnstable, qui hérite d'une partie de la plage.

Yarmouth

Bass River Beach *(South Shore Dr.)*, populaire auprès des familles, est pourvue d'une aire de pique-nique. Ceux qui veulent voir de beaux couchers de soleil se rendent à Yarmouth Port, à **Gray's Beach** *(de la route 6A, prenez Center St.).* À West Yarmouth, **Seagull Beach** *(route 28, puis South Sea Ave., tournez par Sea Gull Rd.)* est une des favorites en ville, surtout auprès de la gent estudiantine. Possibilité de surf.

Dennis

L'accès à chacune des plages coûte 10$, à moins que vous ne préfériez vous procurer le laissez-passer hebdomadaire au **Dennis**

Town Office *(40$; 485 Main St., South Dennis,* ☎*508-394-8300).*

Sur Cape Cod Bay, vous trouverez **Chapin Beach** *(Chapin Beach Rd.)*, qui n'a pas de maître nageur, **Corporation Beach** *(Corporation Rd.)*, dont le bas niveau d'eau des bassins laissés par la marée en fait un endroit parfait pour les enfants en bas âge, et **Mayflower Beach** *(Beach St.)*. Ces deux dernières sont pourvues de maîtres nageurs.

Sur le Nantucket Sound, l'une des plages les plus populaires du coin est **West Dennis Beach** ★★ *(Lighthouse Rd.)*, qui possède un énorme stationnement. Dites-vous que l'été ces espaces se remplissent rapidement. Plusieurs maîtres nageurs sont en poste ici.

Brewster

Vous pouvez vous procurer des permis de stationnement pour les plages de la ville au **Visitor Information Center** *(15$/jour, 50$/ sem; 2198 route 6A/Main St.,* ☎*508-896-4511)*. Il n'y a pas de comptoirs de restauration sur les plages de Brewster, ni de maîtres nageurs à **Paine's Creek Beach**, qui, grâce à son bas niveau d'eau, convient parfaitement aux jeunes enfants, de même que **Breakwater Beach**, populaire auprès des familles. Toutes deux sont accessibles de la route 6A.

Orleans

Le stationnement vous coûtera 15$ par jour à Nauset Beach *(*☎*508-240-3780)* ou à Skaket Beach *(*☎*508-240-3775)*.

Sur l'Atlantique, la magnifique **Nauset Beach** ★★★ *(Beach Rd., East Orleans)* est parfaite pour le surf et les bains de soleil. Elle étend la majestuosité de son sable blanc sur plusieurs kilomètres et constitue l'une des plus belles plages de Cape Cod. Sur Cape Cod Bay, les eaux plus calmes de **Skaket Beach** ★★ *(Skaket Beach Rd.)* permettent même, à marée basse, la promenade. Elle est une des bonnes plages du cap pour les tout-petits.

Outer Cape (d'Eastham à Provincetown)

Eastham

Au CCNS, **Coast Guard Beach** ★★★ *(angle Nauset et Doane Rd.)* figure parmi les plus belles plages de Cape Cod, tandis que **Nauset Light Beach** ★★★ *(Ocean View Dr.)* la suit de près. Elles sont toutes deux idéales pour la baignade, et, lorsque le temps le permet, le surf à Nauset Light Beach est excellent.

Wellfleet

Il est à noter que seule White Crest Beach reçoit les surfeurs avec planches et que le coût du stationnement à cette plage ainsi qu'à Cahoon Hollow Beach est de 15$.

À **Marconi Beach** ★★ *(US Highway 6, suivez le fléchage)*, plage du CCNS, les conditions pour le surf sont excellentes, de même que pour la baignade.

En empruntant Ocean View Drive, vous ne manquerez aucune plage. **White Crest Beach** ★ est déconseillée aux enfants et aux personnes ayant de la difficulté à se déplacer puisque la mer y est plus agitée, ce qui fera tout de même plaisir aux surfeurs.

Cahoon Hollow Beach ★★ est le repaire favori des jeunes qui célèbrent la fin d'une journée de plage au bar du **Beachcomber of Wellfleet** (voir p 259).

Truro

Le **Beachmission Office** *(20$/sem., à l'arrière du Truro Post Office)* vous émettra l'autocollant qui permet de profiter de toutes les plages de Truro, excepté celle du CCNS.

Une portion de **Head of the Meadow Beach** ★★ est protégée par le CCNS et l'autre par la Ville de Truro. La présence de maîtres nageurs en fait une bonne option pour les familles. **Corn Hill Beach** *(Corn Hill Rd.)*, sur les eaux calmes de la baie, est une autre favorite des familles.

Les plages du Cape Cod National Seashore

Il en coûte 15$ par voiture pour profiter d'une place de stationnement aux plages suivantes, toutes sous la surveillance de maîtres nageurs, et ce, tous les jours entre la fin de juin et le début de septembre: **Coast Guard Beach** et **Nauset Light Beach** (Eastham), **Marconi Beach** (South Wellfleet), **Head of the Meadow Beach** (North Truro), **Herring Cove Beach** (Provincetown), **Race Point Beach** (Provincetown). Seule Herring Cove Beach dispose d'un comptoir de restauration. Le surf et la planche à voile sont des activités populaires permises seulement en dehors des zones de plage surveillées.

Provincetown

Herring Cove Beach ★ ★ ★ et **Race Point Beach** ★ ★ ★ sont toutes deux sous la protection du CCNS, et pour cause: elles sont tout simplement magnifiques. Les eaux chaudes de Herring Cove et ses grandioses couchers de soleil en attireront plusieurs.

Les amateurs de soleil choisiront Race Point Beach puisque, située sur la face nord, elle demeure ensoleillée toute la journée. Et l'on peut même y observer des baleines lorsqu'elles s'approchent des côtes.

Le sud du cap (de Chatham à Falmouth)

Chatham

Vous pouvez vous procurer l'autocollant qui vous permettra de garer votre voiture à l'une des sept plages qui l'exigent aux kiosques de Hardings Beach, de Cockle Cove Beach et de Ridgevale Beach *(15$/ jour, 45$/sem.)*.

Sur le Nantucket Sound, **Cockle Cove Beach** ★ *(Cockle Cove Rd.)*, **Hardings Beach** ★ *(Hardings Beach Rd.)* et **Ridgevale Beach** ★ *(Ridgevale Rd.)* sont sous la surveillance de maîtres nageurs, et la première constitue l'un des meilleurs choix pour les familles avec de jeunes enfants.

La magnifique et isolée **North Beach** ★ ★, accessible en bateau seulement, est en fait l'extrême sud de Nauset Beach à Orleans. Les amateurs de grands espaces qui désirent fuir le bruit des foules seront ravis de se retrouver sur cette plage. **South Beach** ★ ★ ★ borde elle aussi l'Atlantique, et il faudra parcourir une certaine distance à pied pour rejoindre les coins les plus isolés de cette bande de sable.

Hyannis

Sur le Hyannis Harbor, **Kalmus Beach** *(Ocean St.)* attire les amateurs de planche à voile. En plus d'avoir une aire réservée aux véliplanchistes, elle est sous la protection de maîtres nageurs. Les familles apprécieront les aires d'amusement et de pique-nique de **Veteran's Beach** ★ *(Ocean St.)*, située juste à côté du JFK Memorial. **Orrin Keyes Beach** ★ ★ *(Sea St.)* est très agréable.

Falmouth

Pour obtenir l'autocollant qui vous permettra de garer votre voiture à la plage, vous devez fournir la preuve qu'une partie de votre séjour se déroule à Falmouth. Adressez-vous au **Falmouth Town Hall** *(10$; ☎508-548-0533)*. À Surf Drive Beach ainsi qu'à Old Silver Beach, vous pouvez acheter un laissez-passer sur place.

Une seule plage est à distance de marche de Falmouth Village, soit **Surf Drive Beach** ★ *(Surf Dr.)*, une étroite bande de sable en croissant qui donne sur le Vineyard Sound. Les eaux sont calmes, et la plage, dotée d'un maître nageur, est populaire auprès des familles avec de jeunes enfants.

À la populaire **Old Silver Beach** ★ ★ *(Quaker Rd., N. Falmouth)*, les couchers de soleil sont phénoménaux. Il est à noter que les stationnements disponibles se remplissent extrêmement vite. Les eaux chaudes de Buzzards Bay attirent les plus jeunes. Maître nageur sur place.

Martha's Vineyard

Oak Bluffs

À la recherche d'une plage dans la région d'Oak Bluffs? L'**Oak Bluffs Town Beach**, aux eaux passablement calmes et peu profondes, débute au quai de la Steamship Authority et prend fin à la première jetée en direction d'Edgartown.

Quant à la magnifique **Joseph Sylvia State Beach ★★**, elle s'étire sur près de 4 km entre Oak Bluffs et Edgartown le long de Beach Road, et sa vaste étendue de sable chaud se prête on ne peut mieux à la détente. À la hauteur d'Edgartown, elle porte le nom de Bend in the Road Beach.

Edgartown

«Chappy» accueille aussi **East Beach ★★**, une des plus belles de l'île, et sans contredit la plus paisible. Parmi les autres plages publiques d'Edgartown, retenez **Fuller Street Beach** *(au bout de Fuller St.)* et **Lighthouse Beach** *(en marge de N. Water St.)*, toutes deux voisines du centre-ville.

Katama Beach ★★ *(au bout de Katama Rd.)* se trouve à l'extérieur de la ville, mais vaut largement le déplacement. Elle s'étire en effet sur près de 5 km, fait face au sud et au large, et s'avère dès lors prisée des surfeurs.

Up-Island

Tout près du port de Menemsha s'étend **Menemsha Beach**, dont les vagues venant du nord sont douces. L'eau en est par ailleurs claire et limpide, et les couchers de soleil y sont splendides.

De **Moshup Beach ★★** (ou **Aquinnah Public Beach**) *(stationnement 15$)*, qui gît au pied du poste d'observation, les falaises sont tout à fait magnifiques. Cette plage s'avère très fréquentée, et pour cause, puisque les vagues sont stimulantes et la vue à faire rêver. On insiste fortement pour que les visiteurs gardent leur maillot: que les nudistes se le tiennent pour dit!

Non loin d'Aquinnah se trouve **Lobsterville Beach ★** *(Lobsterville Rd.)*, qui offre 3 km de sable et de dunes face au Vineyard Sound. Cette plage est accessible à tous et est très fréquentée par les pêcheurs à la ligne, mais le stationnement est strictement interdit sur Lobsterville Road.

Nantucket

Le littoral sinueux de Nantucket recèle un grand nombre de plages publiques où passer les chaudes journées d'été. À Nantucket même, on en dénombre trois: **Francis Street Beach**, **Children's Beach** et **Brant Point Beach ★**. Francis Street Beach se trouve à seulement 5 min de marche de Main Street et convient bien à la baignade avec ses eaux portuaires plutôt calmes, si ce n'est qu'elle est relativement petite. Children's Beach n'est pas vraiment grande non plus, mais elle se trouve à courte distance de marche de la ville. Quant à Brant Point Beach, elle est surtout recommandée pour le point de vue qu'elle offre au pied du **Brant Point Lighthouse** (phare); les courants y sont en effet plus marqués, et la baignade n'y est pas recommandée.

À l'ouest de la ville de Nantucket s'étend **Jetties Beach ★**, qui fera le bonheur des familles. À moins de 5 km à l'ouest de la ville par Eel Point Road, c'est **Dionis Beach**, une plage protégée par des dunes et dont les eaux calmes invitent à la baignade. À 9 km à l'ouest de Nantucket sur Madaket Road, surgit **Madaket Beach ★★**, soit le meilleur endroit sur l'île pour observer les couchers de soleil, sans compter que le chemin pour s'y rendre est en lui-même adorable; de plus, comme cette plage fait face au sud et au large, les vagues sont plutôt fortes.

Trois autres plages font face à l'océan Atlantique du côté sud de Nantucket: **Cisco Beach** *(6 km au sud de la ville par Hummock Pond Rd.)*, **Miacomet Beach** *(au bout de Miacomet Rd.)* et **Surfside Beach ★** *(4,5 km au sud de la ville, au bout de Surfside Rd.)*. Dans les trois cas, les vagues peuvent s'avérer très fortes, tout comme à **Siasconset Beach**, qui se trouve en bordure de la falaise, près du village de Sconset.

Cape Cod et les îles - Plages

232

Activités de plein air

■ Croisières et navigation de plaisance

Cape Cod

Flyer's Boat Rental
131 A Commercial St.
Provincetown
☎ 508-487-0898
www.flyersrentals.com
Que ce soit le voilier ou le canot, vous trouverez certainement chez Flyer's Boat Rental l'embarcation qui vous convient pour vos expéditions.

Massachusetts Audubon Society Wellfleet Bay Wildlife Sanctuary
291 route 6
South Wellfleet
☎ 508-349-2615
www.wellfleetbay.org
La Massachusetts Audubon Society Wellfleet Bay Wild life Sanctuary organise des sorties en canot accompagnées d'un guide-naturaliste sur différentes étendues d'eau de Cape Cod, dont le Nauset Marsh, sur le territoire du CCNS.

Les entreprises suivantes proposent des excursions qui varient entre l'excursion d'observation des phoques (demandez la *seal cruise*), la navette entre les plages et des croisières accompagnées de naturalistes au **Monomoy National Wildlife Refuge** (voir p 220).

Beachcomber
P.O. Box 42
North Chatham
☎ 508-945-5265
www.sealwatch.com

Chatham Water Tours
Chatham
☎ 508-432-5895
www.chathamwatertours.net

Hy-Line Cruises
14$
Ocean St. Dock
Hyannis
☎ 508-778-2600
www.hy-linecruises.com
Hy-Lines Cruises propose des croisières de jour et de soir sur le Hyannis Harbor.

Catboat Rides
30$
tlj, six départs
Ocean St.
Hyannis
☎ 508-775-0222
www.catboat.com
Catboat Rides propose des promenades en voilier qui soulignent les beautés du Hyannis Harbor.

Patriot Party Boats
30$
juil départ tlj à 18h30, août départ tlj à 18h
Town Marina, 180 Scranton Ave.
Falmouth
☎ 508-548-2626 ou 800-734-0088
www.patriotpartyboats.com
Patriot Party Boats est la référence à Falmouth en matière de croisière. Le personnel propose, au coucher du soleil, une Lighthouse Sunset Cruise d'une durée de trois heures.

Ocean Quest
20$
lun-ven 10h, 12h, 14h, 16h
Waterfront Park
Woods Hole
☎ 800-37-OCEAN
www.oceanquestonline.org
Pour une expérience plus éducative, Ocean Quest présente une aventure unique de 90 min qui permet de se familiariser avec le monde sous-marin.

Martha's Vineyard

Beaucoup des voiliers et catamarans amarrés aux quais de la ville proposent des excursions aux visiteurs. Il est nécessaire de réserver dans la plupart des cas.

Mad Max
50$
25 Dock St.
Edgartown
☎ 508-627-7500
www.madmaxmarina.com

Sail Vela
55$
Memorial Wharf
Edgartown
☎ 508-560-8352
www.sailvela.com

Cape Cod et les îles - Activités de plein air

Nantucket

Il vous suffira d'arpenter les quais de Nantucket pour découvrir mille et une occasions d'excursions en mer. Voici le nom de deux voiliers offrant des sorties de 1h30 sur le Nantucket Sound:

The Christina
25$
croisière coucher de soleil 35$
Slip 1019, Straight Wharf
☎ 508-325-4000

The Endeavor
25$
croisière coucher de soleil 35$
Slip 1015, Straight Wharf
☎ 508-228-5585

■ Golf

Cape Cod

Cape Cod est réputée pour la qualité de ses terrains de golf. La presqu'île en compte plus d'une vingtaine, qui feront le bonheur des amateurs de ce sport que l'ancien résidant qu'était John F. Kennedy adorait pratiquer à Hyannis.

Bass River Golf Course
18 trous
62 Highbank Rd.
South Yarmouth
☎ 508-398-9079

Bayberry Hills Golf Course
27 trous
635 West Yarmouth Rd.
West Yarmouth
☎ 508-394-5597

Dennis Highlands Golf Course
18 trous
Old Bass River Rd.
Dennis
☎ 508-385-8347

Dennis Pines Golf Course
18 trous
route 134
Dennis
☎ 508-385-8347

Ocean Edge Resort & Golf Club
18 trous
route 6A
Brewster
☎ 508-896-9000

The Captains
18 trous
1000 Freeman's Way
Brewster
☎ 508-896-5100

Chequessett Country Club
9 trous
680 Chequesset Neck Rd.
Wellfleet
☎ 508-349-3704

Hyannis Golf Club
18 trous
route 132
Hyannis
☎ 508-362-2606

Cape Cod Country Club
18 trous
Theater Dr.
Hatchville
☎ 508-563-9842

Falmouth Country Club
18 trous
630 Carriage Shop Rd.
East Falmouth
☎ 508-548-3211

Martha's Vineyard

Mink Meadows Golf Club
9 trous
320 Golf Club Rd., off Franklin St.
Vineyard Haven
☎ 508-693-0600

Nantucket

Miacomet Golf Club
18 trous
12 West Miacomet Rd.
☎ 508-325-0335

■ Kayak

Plusieurs entreprises offrent la location de kayaks et organisent des expéditions guidées sur les côtes du cap.

Cape Cod

Pour la location de kayaks, adressez-vous à **Cape Cod Coastal Canoe & Kayak** *(36 Spectacle Pond Dr. E., Falmouth* ☎*508-564-4051).*

Martha's Vineyard

Le littoral fascinant de l'île est aussi bordé, vers l'intérieur, par de nombreux étangs qui ne demandent qu'à être explorés. Renseignements, service de location et visites guidées sont offerts par:

Wind's Up
199 Beach Rd.
Vineyard Haven
☎508-693-4252
www.windsupmv.com

Nantucket

Nantucket propose bon nombre de circuits intéressants aux kayakistes, depuis le port de la ville jusqu'au Hummock Pond. Beaucoup d'entreprises du port et de ses abords offrent visites et service de location. Essayez la **Nantucket Community Sailing** *(20$/1 heure ou 45$/3 heures; Jetties Beach,* ☎*508-228-5358, www.nantucketsailing.com).*

■ Observation des baleines

Cape Cod

Provincetown est, de loin, le meilleur endroit au Cape Cod pour observer les baleines, une expérience unique et excitante. Quelques entreprises proposent des excursions, mais nous vous suggérons fortement de faire affaire avec la compagnie Dolphin Fleet, puisqu'elle est associée avec le Center for Coastal Studies de Provincetown et que les naturalistes du centre font équipe exclusivement avec elle.

Dolphin Fleet
MacMillan Wharf
Provincetown
☎800-826-9300
www.whalewatch.com

■ Observation des oiseaux

Cape Cod

Le **Salt Pond Visitor Center**, à Eastham, le **Massachusetts Audubon Society Wellfleet Bay Wildlife** ★★ à South Wellfleet ainsi que le **Province Lands Visitor Center** à Provincetown constituent de bonnes sources de renseignements sur la faune aviaire de Cape Cod.

L'**Ashumet Holly and Wildlife Sanctuary** à Falmouth, le **Monomoy National Wildlife Refuge** ★★ à Chatham, les marais de **Fort Hill** à Eastham, le **Massachusetts Audubon Society Wellfleet Bay Wildlife** ★★ à Wellfleet et les différents habitats du **Cape Cod National Seashore** ★★ (de Nauset Beach aux Province Lands, à Provincetown) sont probablement les meilleurs endroits de Cape Cod pour l'observation des oiseaux.

Eastham

Qu'importe le sentier que vous emprunterez à Eastham, vous aurez de belles surprises. Les marais salants, les étangs, les baies et le rivage sont autant d'habitats qui reçoivent la visite d'espèces terrestres ou marines. Le **Fort Hill Trail** et le **Nauset Marsh Trail** sont particulièrement recommandés. Référez-vous à la rubrique «Randonnée pédestre» (voir p 236) pour la description des sentiers.

Wellfleet

Le **Massachusetts Audubon Society Wellfleet Bay Wildlife Sanctuary** ★★ *(291 US Highway 6, South Wellfleet,* ☎*508-349-2615, www.massaudubon.org)* propose, au coût de 5$, de fort intéressantes promenades ornithologiques *(bird walks)* qui permettent aux intéressés d'observer plusieurs espèces terrestres et marines.

Chatham

Si l'un des buts de votre visite au Cape Cod est l'observation des oiseaux, ne repartez pas sans faire halte au **Monomoy National Wildlife Refuge** ★★ (voir p 220). Presque chacune des espèces recensées, marines ou migratoires en Nouvelle-Angleterre, y a été observée.

Cape Cod et les îles ■ Activités de plein air

Martha's Vineyard

Le meilleur endroit à Martha's Vineyard pour observer de plus près la faune aviaire de l'île est sans doute le **Felix Neck Wildlife Sanctuary** *(4$; Vineyard Haven Rd., Edgartown* ☎ *508-627-4850, www.massaudubon.org).*

Nantucket

L'observation des oiseaux est un passe-temps populaire sur Nantucket. Les mois d'automne sont particulièrement prisés. La région accueille à cette époque de l'année les représentants de différentes espèces menacées d'extinction, comme l'aigle, des oiseaux chanteurs, des fauvettes et une variété d'oiseaux de rivage.

■ Pêche

Cape Cod

Cee Jay
25$ demi-journée
MacMillan Wharf
Provincetown
☎ 508-487-4330
Depuis trois générations, Cee Jay fait le bonheur des adeptes de pêche en mer.

Hy-Line Cruises
27$ demi-journée
47$ journée complète
Ocean St. Dock
Hyannis
☎ 508-778-2600
www.hy-linecruises.com
Hy-Line Cruises propose des excursions de pêche bien encadrées sur les eaux du Nantucket Sound, précédées d'une croisière de 45 min.

Patriot Party Boats
20$ demi-journée
35$ journée complète
tlj départs à 8h et 13h
Town Marina, 180 Scranton Ave.
Falmouth
☎ 508-548-2626 ou 800-734-0088
www.patriotpartyboats.com
Patriot Party Boats organise des excursions de pêche pendant lesquelles vous serez accompagné par des professionnels du métier.

Martha's Vineyard

Les habitués de la pêche dans la région affirment que c'est à l'automne qu'on fait les meilleures prises, lorsqu'a cessé le va-et-vient des vacanciers, que leurs bruyants bateaux s'en sont allés et que les poissons s'apprêtent à migrer.

De la terre ferme, les plages de sable blanc de Chilmark et d'Aquinnah sont très propices à la pratique de ce sport. Vous trouverez entre autres leurres et attirails au **Larry's Tackle Shop** *(258 Upper Main St., Edgartown,* ☎ *508-627-5088).*

Dans chacune des localités de l'île, vous trouverez en outre de nombreuses entreprises offrant des excursions de pêche en mer, parmi lesquelles:

Skipper
45$
Oak Bluffs
☎ 508-693-1238
www.mvskipper.com

Nantucket

À Nantucket, vous pouvez prendre la mer dans le cadre d'une coûteuse excursion de pêche à bord d'un bateau affrété, ou opter pour un des nombreux étangs d'eau douce de l'île. Si vous retenez la première formule, sachez que beaucoup de bateaux partent du quai principal, entre autres ceux de **Topspin Charter Fishing** *(Slip 10, Straight Wharf,* ☎ *508-228-7724, www.fishingnantucket.com).* Pour louer l'équipement voulu, adressez-vous plutôt à **Barry Thurston Fishing Tackle** *(à la marina,* ☎ *508-228-9595).*

■ Randonnée pédestre

Plusieurs sentiers aux longueurs et degrés de difficulté divers sillonnent les paysages époustouflants de Cape Cod et ses îles.

Cape Cod

Brewster

Le Cape Cod Museum of Natural History (CCMNH) est le point de départ de quelques sentiers qui traversent une grande variété d'habitats. Le petit **North Trail** (0,4 km) convient parfaitement aux enfants en bas âge. Le CCMNH organise des visites commentées sur le **Wing Island Trail** (2,9 km), mais il est également possible de l'emprunter de façon autonome.

Le **Nickerson State Park** permet également de faire de belles randonnées dans la forêt ou autour de ses lacs.

Eastham

Fort Hill (voir p 214) est le point de départ de deux sentiers: le **Fort Hill Trail**, qui s'étend sur 2,5 km, permet d'explorer le spectaculaire Nauset Marsh. Accessible du Fort Hill Trail, le **Red Maple Swamp Trail** (0,6 km) permet aux personnes à mobilité réduite de profiter du paysage grâce aux promenades aménagées sur certaines sections.

Deux **sentiers d'interprétation ★★** ont leur point de départ à côté de l'amphithéâtre du **Salt Pond Visitor Center**, le centre d'interprétation du **Cape Cod National Seashore**. L'exceptionnel **Buttonbush Trail** a été spécialement conçu pour les aveugles et malvoyants. Le parcours de 0,5 km est facile, doté d'une corde pour guider les randonneurs et de panneaux d'interprétation en braille. Le **Nauset Marsh Trail** offre un magnifique parcours facile qui s'étend sur 1,6 km entre le Salt Pond et le Nauset Marsh, en passant par des champs et une forêt. Vue spectaculaire du Nauset Marsh.

Wellfleet

L'**Atlantic White Cedar Swamp Trail** *(Marconi Station Area, South Wellfleet; suivez les indications vers la Marconi Station et le White Cedar Swamp)* est un sentier de 2,4 km incontournable. De difficulté moyenne, il compte quelques marches à pic et une petite étendue de sable. Traversant principalement une forêt de chênes et de pins, il est tout simplement magnifique.

Le **Great Island Trail** *(du centre de Wellfleet, prenez East Commercial St. et suivez les indications vers le Wellfleet Harbor; prenez Chequesset Neck Rd. jusqu'au stationnement de Great Island)* est le sentier le plus difficile du CCNS. La randonnée s'effectue en majeure partie sur le sable, et des sections disparaissent à marée haute. Les 4,8 km conduisent au Jeremy Point Overlook et offrent quelques points de vue spectaculaires.

Provincetown

Le **Beech Forest Trail** *(accès à partir de Race Point Rd.)* plonge les randonneurs dans l'univers magique des dunes et d'une forêt de hêtres, de pins et de chênes. Ce sentier de 1,6 km, principalement ensablé, sillonne un environnement magnifique.

Martha's Vineyard

De multiples sentiers sillonnent les nombreuses réserves fauniques et zones protégées de l'île. Le **Polly Hill Arboretum** *(5$; West Tisbury,* ☎*508-693-9426)*, notamment, qui repose sur une propriété de 24 ha, présente une exceptionnelle collection de plantes et se voit parcouru par plusieurs sentiers.

Le **Felix Neck Wildlife Sanctuary** *(4$; Edgartown, Vineyard Haven Rd.,* ☎*508-627-4850)* occupe une péninsule de 120 ha qui s'étend jusqu'au Sengekontacket Pond, et des sentiers parcourent ses différents habitats. Gardez l'œil ouvert car vous pourriez apercevoir des loutres, des rats musqués, des orfraies et des cerfs.

Nantucket

Les fervents de la marche aimeront arpenter les landes et les prairies de Nantucket. Il y a cependant des règles à observer, dans la mesure où une grande partie des terres sont rigoureusement protégées, plusieurs des habitats qu'on y trouve étant rares, non seulement dans la région, mais aussi dans le reste du monde. La **Nantucket Conservation Foundation** *(118 Cliff Rd.,* ☎*508-228-2884)* possède une mine de renseignements à ce sujet et met à votre disposition des cartes des terres qu'elle protège.

■ Surf et planche à voile

Les boutiques suivantes louent de l'équipement pour faire de la planche à voile, et le personnel pourra vous conseiller sur les meilleurs endroits où surfer.

Cape Cod

Cape Cod Sail & Surf
239 Central Ave.
Falmouth
☎508-548-5110

Sound Sailboarding
192 Yannough Rd.
Hyannis
☎ 508-771-3388

Monomoy Sail and Cycle
275 Orleans Rd./route 28
North Chatham
☎ 508-945-0811

Martha's Vineyard

Wind's Up *(199 Beach Rd., Vineyard Haven,* ☎ *508-693-4252, www.windsupmv.com)* est à même de vous fournir renseignements, équipement et leçons *(20$/jour planche de surf, 65$/jour planche à voile)*. Les vagues sont à leur meilleur près des plages du sud de l'île, notamment **Katama Beach** *(au bout de Katama Rd.)* et l'excellente **Moshup Beach** *(stationnement 15$; au pied des falaises d'Aquinnah)*.

Nantucket

Nantucket Surfari *(1 Essex Rd.,* ☎ *508-228-1235, www.nantucketsurfari.com)* est une des entreprises de location de Nantucket. Les meilleurs endroits où pratiquer ce sport sont les plages du sud de l'île, car elles font face à l'Atlantique, de sorte que le vent et les vagues y sont plus stimulants.

■ Vélo

Cape Cod

Le **Cape Cod Rail Trail** *(☎ 508-896-3491)* est une piste pavée qui s'étend sur 35 km, de South Dennis à Wellfleet. Le point de départ, à South Dennis, se situe à quelques minutes de la US Highway 6, à la sortie 9, sur la route 134. La piste se termine à Wellfleet, sur Lecount Hollow Road. Cette piste cyclable épouse l'ancienne emprise du chemin de fer de la Penn Central Railways qui transportaient marchandises et passagers au Cape Cod entre le début des années 1800 et 1960.

Le **Cape Cod Canal Bike Path** est une piste cyclable asphaltée (20 km aller-retour), sans dénivellation, également fréquentée par les joggeurs et les piétons. Elle suit la rive du Cape Cod Canal entre les ponts de Sagamore et de Bourne, sous lesquels se trouvent des stationnements. On y croise aussi bien le sportif que la famille en simple promenade. L'horizon dégagé et le cadre paisible du large canal sont propices à un pique-nique.

Voici quelques adresses de marchands de vélos pour la location ou la réparation:

Sandwich Cycles
40 route 6A
Sandwich
☎ 508-833-2453

The Bike Depot
500 Depot St.
Dennis
☎ 508-430-4375

Une piste cyclable traverse le magnifique Nickerson State Park pour aller rejoindre le Cape Cod Rail Trail.

Cape Cod Rail Trail Bike & Kayak
302 Underpass Rd.
Brewster
☎ 508-896-8200

Orleans Cycle
26 Main St.
Orleans
☎ 508-255-9115

Le Cape Cod Rail Trail traverse bel et bien Eastham, mais il y a d'autres voies cyclables dans les environs. Le **Nauset Bike Trail** ★★★, sous la responsabilité du Cape Cod National Seashore, relie le Salt Pond Visitor Center à Coast Guard Beach: 4 km de paysages magnifiques.

The Little Capistrano Bike Shop
341 Salt Pond Rd.
Eastham
☎ 508-255-6515

Black Duck Sports Shop
US Highway 6
South Wellfleet
☎ 508-349-9801

Le **Cape Cod National Seashore Province Lands Bike Path** *(accessible, entre autres, du Province Lands Visitor Center)* constitue l'un des plus beaux parcours cyclables de la presqu'île. Ses 8 km serpentent entre dunes et forêts, et permettent de découvrir en profondeur les richesses des Province Lands.

Ptown Bikes
42 Bradford St.
Provincetown
☎ 508-487-8735

Bikes & Blades
195 Crowell Rd.
Chatham
☎ 508-945-7600

One World Bike Rental
631 Main St.
Hyannis
☎ 508-771-4242

Les amateurs de vélo seront ravis de découvrir la piste cyclable revêtue de 6,2 km, le **Shining Sea Bike Path**, qui relie Falmouth et Woods Hole. Des places de stationnement sont disponibles à l'entrée du parcours, dans Locust Street, à Falmouth.

Corner Cycle
115 Palmer Ave.
Falmouth
☎ 508-540-4195

Martha's Vineyard

Le vélo constitue un moyen de transport très populaire à Martha's Vineyard, d'autant plus qu'on encourage les visiteurs à laisser leur voiture sur le continent. Une randonnée panoramique très appréciée, et en terrain plat, s'effectue dans le bas de l'île, entre Vineyard Haven, Oak Bluffs et Edgartown; le tronçon de Seaview Avenue/Beach Road entre Oak Bluffs et Edgartown est à couper le souffle.

Vous n'aurez aucun mal à trouver une bicyclette de location, entre autres aux adresses suivantes:

Anderson's Bike Rental
Circuit Ave. Ext.
Oak Bluffs
☎ 508-693-9346

Edgartown Bicycles
190 Upper Main St.
dgartown
☎ 508-627-9008

Nantucket

On dirait que Nantucket a été conçue pour les deux-roues; en effet, son relief est plat, ses paysages sont splendides, et les voies cyclables y ont autant d'importance que les routes. Les cinq voies cyclables de l'île varient en longueur de 3,75 km à 12 km et permettent d'atteindre les moindres recoins de Nantucket. Nous vous recommandons plus particulièrement le tracé qui relie la ville de Nantucket au point le plus à l'ouest de l'île, soit Madaket. On loue sur l'île des milliers de vélos *(environ 25-30/jour)* par l'entremise d'un grand nombre d'entreprises, notamment:

Young's Bicycle Shop
6 Broad St.
☎ 508-228-1151
www.youngsbicycleshop.com

Nantucket Bike Shop
Steamboat Wharf et Straight Wharf
☎ 508-228-1999
www.nantucketbikeshop.com

Cape Cod et les îles - Activités de plein air

Cape Cod et les îles - Hébergement - Old King's Highway (de Sandwich à Orleans)

▲ Hébergement

Old King's Highway (de Sandwich à Orleans)

Sandwich

Peters Pond Park
$
&

mi-avr à mi-oct
185 Cotuit Rd.
☎508-477-1775
Le Peters Pond Park dispose d'un magnifique terrain de camping, à 11 km de Sagamore Bridge. Le camping comporte 411 emplacements, et l'on peut y pratiquer plusieurs activités sportives. Location de bateaux et sentiers de randonnée pédestre.

Après le centre de Sandwich, la route 6A est bordée d'hôtels et de motels de différentes catégories. Ces établissements ont l'avantage d'être peu dispendieux mais, surtout, de pouvoir loger les familles avec enfants. Parmi eux, il y a le **Spring Garden Inn** *($$ pdj*; ≡ ≋ ❋; *578 route 6A,* ☎*866-345-5641, www.springgarden. com)*, dont l'extérieur coquet en clins de cèdre, avec ses boîtes à fleurs, donne le ton à l'aménagement des chambres.

The Inn at Sandwich Center
$$-$$$ pdj
≡ ▲

118 Tupper Rd.
☎ 800-249-6949
www.innatsandwich.com
Situé au centre de la ville, l'élégant Inn at Sandwich Center rappelle la grandeur

d'antan. Vous serez très bien accueilli dans cette belle demeure coloniale où l'on vous proposera des chambres fort douillettes qui baignent dans cette atmosphère historique.

The Belfry Inne and Bistro
$$$-$$$$$ pdj
✈ ◉ ♨ ≡ ▲

8 Jarves St.
☎508-888-8550 ou 800-844-4542
www.belfryinn.com
Véritables bijoux architecturaux, les trois bâtiments du Belfry Inne composent certainement l'une des auberges les plus originales du Cape Cod. La Painted Lady, demeure victorienne de 1882, affiche luxe et élégance, mais reste plus conservatrice que sa voisine, The Abbey. Les chambres de cette ancienne église portent le nom des jours de la semaine, et leur intérieur s'accorde avec l'ancienne vocation du bâtiment: plafonds cathédrale, vitraux et atmosphère solennelle, le tout accompagné de baignoires à remous et de balcons. Six chambres supplémentaires sont situées dans la Village House. Expérience unique à Sandwich, tout comme son restaurant (voir p 251).

The Dan'l Webster Inn
$$$$ pdj
◉ ≡ ▲ ♨ & ≋ ☕

149 Main St.
☎508-888-3622 ou 800-444-3566
🖶 508-888-5156
www.danlwebsterinn.com
L'hospitalité et le confort pratique et élégant des chambres du Dan'l Webster Inn sont remarquables. Bien situé, près des attraits de Sandwich, il se distingue par sa couleur rouge

et sa taille imposante qui attireront votre attention. Que ce soit à l'une de ses excellentes salles à manger (voir p 250) ou à la réception, l'accueil du personnel est exceptionnel.

Barnstable

The Lamb and Lion Inn
$$$-$$$$ pdj
≋ ≡ ▲ ● ◉ ☕

2504 route 6A
☎508-362-6823 ou 800-909-6923
www.lambandlion.com
La sympathique Alice Pitcher vous accueillera à bras ouverts au havre de paix qu'est le Lamb and Lion Inn. Mi-hôtel, mi-*bed and breakfast*, il n'est pas une seule de ses chambres qui ait été négligée par les bons soins d'Alice. La cour intérieure, organisée autour d'une piscine et d'un bassin à remous, séduira les vacanciers en quête d'intimité. Le *inn* compte huit chambres et la *Barnstable*, une étable de 1740 entièrement restaurée, peut accueillir jusqu'à cinq invités. Inoubliable expérience.

Dennis

Isaiah Hall B&B Inn
$$-$$$ pdj
≡ @

152 Whig St.
☎508-385-9928 ou 800-736-0160
www.isaiahhallinn.com
L'atmosphère de campagne qui émane du Isaiah Hall B&B Inn en fait une retraite tranquille rêvée. Son élégance toute simple demeure chaleureuse et sa décoration rappelle le bon goût de l'établissement. Hautement recommandé pour son bon rapport qualité/prix.

Scargo Manor
$$$ pdj
≡ ✳

909 Main St./route 6A
☎ 508-385-5534 ou 800-595-0034
www.scargomanor.com

Le Scargo Manor est d'une élégance traditionnelle chaleureuse. On retrouve, dans ses chambres claires, de beaux tapis tressés et de grandes salles de bain. Le terrain de la vaste propriété s'étend jusqu'au lac Scargo.

The Lighthouse Inn
$$$$$ pdj
≋ ⚓ ☀ ♨ ⚅

1 Lighhouse Rd., West Dennis
☎ 508-398-2244
www.lighthouseinn.com

Véritable station balnéaire sans prétention, le Lighthouse Inn est un de ces favoris qui se transmettent de génération en génération. Les chambres du bâtiment principal, donnant sur le Nantucket Sound, sont un mélange de bon goût et de décoration un peu défraîchie, tandis que les cottages qui parsèment l'immense propriété sont agréables et pourvus de toutes les commodités propres à ce type d'hébergement. En été, programmes spéciaux destinés aux enfants.

Brewster

Nickerson State Park
$
☞

3488 route 6A
☎ 508-896-3491

Ceux qui voudront profiter du magnifique terrain de camping du Nickerson State Park devront s'y prendre un an à l'avance pour réserver. Tranquillité assurée et 420 emplacements entourés de la plus belle nature.

Old Sea Pines Inn
$$-$$$ pdj
bc/bp ⚅

2553 Main St./route 6A
☎ 508-896-6114
www.oldseapinesinn.com

L'Old Sea Pines Inn combine le confort d'hier et d'aujourd'hui. Ses trois bâtiments proposent le meilleur des deux mondes dans une atmosphère chaleureuse sans prétention. Le salon et la salle où est servi le petit déjeuner sont des espaces agréables où relaxer. Excellent rapport qualité/prix.

Candleberry Inn
$$$-$$$$ pdj
◉ ⚠ ≡

1882 Main St./route 6A
☎ 508-896-4016 ou 800-573-4769
www.candleberryinn.com

La famille Fyfe vous ouvre les portes de leur ancienne demeure de capitaine convertie en *inn* aux effluves historiques. Les huit chambres du Candleberry Inn sont meublées dans le style classique de la Nouvelle-Angleterre et pourvues d'antiquités.

Captain Freeman Inn
$$$-$$$$$ pdj
≡ ≋ ⚠ ◉ ✳

15 Breakwater Rd.
☎ 800-843-4664
www.captainfreemaninn.com

Décidément, il n'a rien à envier à personne, le Captain Freeman Inn, situé sur un magnifique terrain. Son élégance et sa splendeur se reflètent jusque dans les chambres. De style traditionnel, certaines portent en elles un brin de romantisme avec lit à baldaquin et foyer. Vélos disponibles pour la promenade.

Orleans

The Nauset House Inn
$-$$$ pdj
bc/bp

143 Beach Rd.
East Orleans
☎ 508-255-2195
www.nausethouseinn.com

Ce qu'il est rafraîchissant, le Nauset House Inn! Pas guindé pour deux sous et chaleureux, décoré pour que les invités se sentent chez eux. Et, pour ajouter à son charme vieillot et fleuri, des petits prix comme il s'en fait rarement au Cape Cod pour un *inn* de cette qualité. Ne le dites pas trop fort: il est tout près de la magnifique Nauset Beach... Hautement recommandé.

The Cove
$$-$$$$
≡ ≋ ⚠ ☀

route 28
☎ 508-255-1203 ou 800-343-2233
www.thecoveorleans.com

The Cove est un lieu de villégiature confortable dont les chambres modernes sont équipées pour recevoir les gens d'affaires. Les familles se réjouiront également des nombreuses activités estivales mises à la disposition des visiteurs, dont une croisière gratuite sur Orleans Town Cove.

Morgan's Way
$$$ pdj
≡ ≋

9 Morgan's Way
☎ 508-255-0831
www.morganswaybandb.com

Aménagé dans une demeure moderne, architecturalement très intéressante, le Morgan's Way propose deux chambres spacieuses qui donnent sur la piscine arrière et les jardins.

The Parsonage Inn
$$$ pdj
≡

202 Main St.
East Orleans
☎508-255-8217 ou 888-422-8217
www.parsonageinn.com
Bed and breakfast historique et romantique, installé dans une demeure datant de 1770, le Parsonage Inn est une retraite tranquille, aux chambres agrémentées d'antiquités.

Outer Cape (d'Eastham à Provincetown)

Eastham

Atlantic Oaks Campground
$

3700 route 6
☎508-255-1437
www.atlanticoaks.com
L'Atlantic Oaks Campground est situé près de l'entrée du Cape Cod National Seashore et à proximité du Cape Cod Rail Trail. Ses 100 emplacements sont situés sur un terrain boisé fort charmant, et, bien que les tentes soient acceptées, le site convient mieux aux véhicules récréatifs.

Hostelling International Mid-Cape
$-$$
bc/bp
75 Goody Hallet Dr.
☎508-255-2785
www.usahostels.org
Petits budgets, réjouissez-vous de ce que trois auberges de jeunesse (ici même, à Truro et à Nantucket) se soient installées au Cape Cod. Les *cabins* de cette auberge sont situées sur un terrain boisé, à proximité du Cape Cod Rail Trail.

The Whalewalk Inn & Spa
$$$$-$$$$$ pdj
◎ △ ≡ ¥ ✳

220 Bridge Rd.
☎508-255-0617 ou 800-440-1281
www.whalewalkinn.com
Le Whalewalk Inn offre beaucoup d'intimité. Les lecteurs du *Cape Cod Life Magazine* l'ont élu durant six années consécutives meilleur *inn* de l'Outer Cape, non sans raison. Ses 17 chambres, romantiques et spacieuses, sont réparties dans six bâtiments sur un terrain merveilleusement bien aménagé.

Wellfleet

Paine's Campground
$
juin à début sept
180 Old Country Rd., 1,6 km au nord de Marconi Beach
South Wellfleet
☎508-349-3007
Le Paine's Campground propose des emplacements boisés pour tentes et véhicules récréatifs, avec activités sportives sur place. On peut se rendre à l'océan en vélo. Sections du terrain réservées aux personnes seules ou aux couples sans enfants.

The Inn at Duck Creeke
$$ pdj
bc/bp ¶
70 Main St.
☎508-349-9333
www.innatduckcreeke.com
Avec son restaurant et sa taverne adjacentes, il est vivant, le Inn at Duck Creeke. Bien que ses chambres soient petites et que les invités doivent parfois partager la salle de bain, il n'en demeure pas moins rafraîchissant et, surtout, sans prétention.

Truro

Adventure Bound Camping Resorts Cape Cod
$
&. ⊨
46 Highland Rd.
North Truro
☎508-487-1847
www.abcapecod.com
Ce terrain de camping enchanteur est à l'abri dans une forêt de pins. Ses 330 emplacements sont situés à proximité de Provincetown et de toutes les activités liées à la mer, incluant les plages du Cape Cod National Seashore.

Hostelling International Truro
$
bc/bp
North Pamet Rd.
☎508-349-3889
www.usahostels.org
Sympathique petite auberge de jeunesse installée dans une ancienne station de garde côtière, Hostelling International Truro propose aux visiteurs un emplacement idéal à 5 min de la plage. La vue depuis les fenêtres de la cuisine est superbe.

North of Highland Camping Area
$
&.
fin mai à mi-août
52 Head of the Meadow Rd.
North Truro
☎508-487-1191
www.capecodcamping.com
Ce charmant terrain de 24 ha, disposant de 237 emplacements boisés et intimes, pour tentes et véhicules récréatifs, est situé à distance de marche de la plage et du Cape Cod National Seashore.

Provincetown

Dunes' Edge Campground
$

386 US Hwy. 6
☎ 508-487-9815
www.dunes-edge.com

Ce magnifique terrain tranquille dispose de 100 emplacements où tentes et véhicules récréatifs sont séparés. Situé à proximité des dunes et des plages, il se trouve à quelques minutes en vélo des restaurants et des attraits de Provincetown. Le camping est indiqué après le Mile 116.

Heritage House
$$ pdj
bc ≡
7 Center St.
☎ 508-487-3692
www.heritageh.com

Située dans une rue tranquille, à deux pas de Commercial Street, la Heritage House est une délicieuse maison jaune à volets noirs. Propre et charmante, il s'en dégage une invitante cordialité. Clientèle surtout constituée de couples féminins.

Provincetown Inn
$$$ pdj
≡ ≋ ♙

One Commercial St.
☎ 508-487-9500
ou 800-WHALEVU
www.provincetowninn.com

On oublie la centaine de chambres de type motel à la décoration quelque peu défraîchie du Provincetown Inn dès que l'on regarde par la fenêtre. L'aménagement en U d'une partie du complexe permet à tous de profiter du magnifique paysage et de l'air du large. La promenade menant à la Wood End Light est juste à côté et c'est là une de ses grandes richesses, puis-

que les couchers de soleil sont spectaculaires. Situé à 20 min de marche du centre de la ville, il assure à sa clientèle une tranquillité idyllique, comme s'il avait été construit au bout du monde. Clientèle mixte. Familles avec enfants sont les bienvenues.

Bayberry Accommodations
$$$-$$$$ pdj
≡ ▲ ☞

16 Winthrop St.
☎ 800-422-4605
www.bayberryaccommodations.com

Les grandes chambres de facture classique du Bayberry Accommodations sont décorées avec goût, et il règne dans toute cette maison une douce quiétude. L'aménagement extérieur est intéressant avec tables et chaises où il fait bon prendre le petit déjeuner et terrasse fermée. Clientèle surtout constituée de couples masculins.

Keeper's House
$$$-$$$$
mai à mi-oct
Race Point Lighthouse
Race Point Rd.
☎ 508-487-9930
www.racepointlighthouse.net

Pouvant loger jusqu'à 11 personnes, la belle Keeper's House, rénovée comme elle était dans les années 1950, compte trois chambres (à l'étage), et la famille du gardien du phare prend soin des hôtes durant leur séjour. Les aires communes (cuisine tout équipée, avec cuisinière à gaz, deux réfrigérateurs, en plus du barbecue extérieur) et des toilettes avec lavabo se trouvent au rez-de-chaussée, mais une salle de bain complète est située à l'étage. Le transport est inclus, de même que la literie, sauf les draps. Il faut appor-

ter ses serviettes de bain et sa nourriture, ainsi que son eau à boire car l'eau du puits artésien est non potable. Maison à «énergie verte»: éolienne, capteurs solaires, génératrice à biodiésel… De plus, située à l'écart, la **Whistle House** (un responsable de Race Point est toujours à la disposition des hôtes à la Keeper's House) n'est accessible qu'avec le propre véhicule tout-terrain des gens qui veulent y séjourner (permis hebdomadaire du National Park Service requis – *www. nps.gov/* – grâce auquel les hôtes peuvent aussi explorer les dunes pittoresques et les sentiers avec vue sur la mer environnant le phare). Son intérieur, récemment réaménagé, compte deux chambres à louer qui peuvent accueillir jusqu'à huit personnes (location hebdomadaire, du samedi au samedi suivant, de la fin juillet au début septembre; dépôt requis au moment de réserver) et une salle de bain complète. Chauffage central dans les deux habitations.

Beaconlight Guesthouse
$$$$-$$$$$ pdj
≡ ▲ ✻

12 Winthrop St.
☎ 800-696-9603
www.beaconlightguesthouse.com

À la Beaconlight Guesthouse, vous vous sentirez immédiatement comme chez vous et peut-être ne souhaiterez-vous relaxer plutôt que de vous lancer dans des visites effrénées. Le salon chauffé par un bon feu de foyer est convivial, et les chambres sont décorées avec une touche à l'anglaise. Clientèle principale constituée de couples masculins.

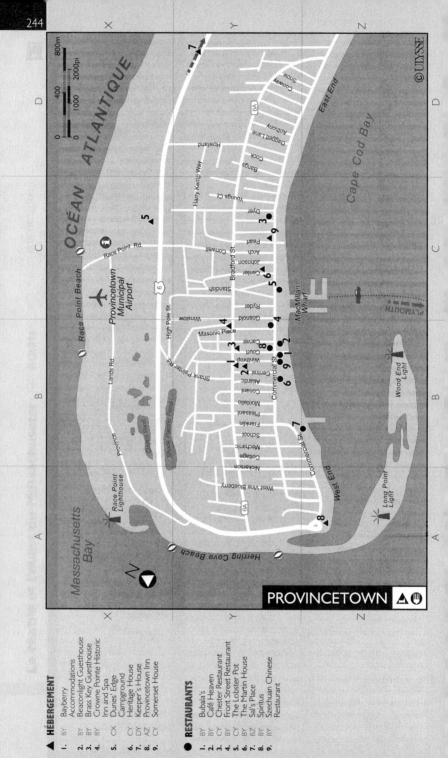

PROVINCETOWN ▲ ⊕

© ULYSSE

OCÉAN ATLANTIQUE

Massachusetts Bay

Cape Cod Bay

Race Point Beach

Provincetown Municipal Airport

Race Point Rd.

Race Point Lighthouse

Lands Rd.

Shank Painter Rd.

Shank Painter Pond

Clapps Pond

Province

High Pole St.

Harry Kemp Way

Howland

Conwell

Bradford St.

Standish

Winslow

Ryder

Gosnold

Masonic Place

Carver

Court

Winthrop

Central

Atlantic

Conant

Montello

Pleasant

Franklin

School

Mechanic

Cottage

Nickerson

West Vine Blueberry

Commercial St.

Commercial St.

West End

Long Point Light

Wood End Light

MacMillan Wharf

PLYMOUTH

Cook

Bangs

Youngs Ct.

Dyer

Pearl

Arch

Johnson

Center

Anthony

Daggett Lane

Conway

Snow

East End

0   400   800m
0   1000   2000pi

N

Herring Cove Beach

Brass Key Guesthouse
$$$$-$$$$$ pdj
≡ ≋ ❄ @ ▲
67 Bradford St.
☎508-487-9005 ou 800-842-9858
www.brasskey.com
La Brass Key Guesthouse
est un des établissements
les mieux cotés de Provincetown. Sa cour intérieure
fermée assure beaucoup
d'intimité, de même que
ses chambres adorables
aménagées avec le plus
grand goût et réparties dans
les quelques bâtiments formant l'établissement. Ici, le
mot «vacances» prend tout
son sens... Bassin à remous
et clientèle mixte mais surtout constituée de couples
masculins.

Crowne Pointe Historic Inn and Spa
$$$$$ pdj
@ ≡ ≋ ❄ ♿ ❤ @
82 Bradford St.
☎508-487-6767
www.crownepointe.com
Une ancienne résidence
de capitaine entourée d'espaces habitables pour les
marins a été transformée à
coup de plusieurs millions
en un établissement hôte-
lier luxueux et moderne.
Le personnel irremplaçable
du Crowne Pointe Histo-
ric Inn assure dès l'arrivée
un séjour de la plus haute
qualité. La décoration des
chambres est de facture
classique, et, si la plupart
disposent d'une baignoire
à remous, toutes mettent
à votre disposition chaîne
stéréo, robes de chambre
et cafetière. La disposition
des unités de logement
autour d'une terrasse fermée pourvue d'un bassin à
remous accentue la douce
intimité de l'endroit. Clientèle mixte constituée de

couples masculins et hété-
rosexuels.

Somerset House
$$$$$ pdj
❄ ≡ @ ▲
378 Commercial St.
☎508-487-0383 ou 800-575-1850
www.somersethouseinn.com
La très sympathique Somerset House, dans les tons
de jaune et vert, révèle un
intérieur au décor contemporain très original. L'endroit est particulièrement
vivant pendant la saison
estivale avec ses barbecues
du samedi. Idéal pour les
visiteurs recherchant un
établissement axé sur les
services aux gens d'affaires.
Clientèle surtout constituée
de couples homosexuels.

Le sud du cap (de Chatham à Falmouth)

Chatham

Nantucket House of Chatham
$$$-$$$$ pdj
bc ≡ ▲
2647 Main St./route 28
South Chatham
☎508-432-5641 ou 866-220-2547
www.chathamnantuckethouse.com
L'histoire de la Nantucket
House of Chatham est ins-
crite sur ses murs et sur son
magnifique plancher d'ori-
gine; en 1867, lorsque l'in-
dustrie baleinière déclina à
Nantucket, le propriétaire
décida de déménager sur le
cap... avec sa maison! Il la
mit à la mer et la fit dériver
jusqu'à son emplacement
actuel. Cette demeure histo-
rique abrite désormais une
auberge pleine de charme,
intime et chaleureuse com-
me ses propriétaires. Seul
inconvénient, les salles de

bain doivent être partagées
par les hôtes.

Chatham Bars Inn
$$$$-$$$$$
≡ ≋ ≈ ♨ ❤ ▲ @
297 Shore Rd.
☎508-945-0096 ou 800-527-4884
www.chathambarsinn.com
Luxueux parmi les plus
luxueux, le Chatham Bars
Inn figure, selon le *Condé
Nast Traveler*, parmi les
meilleures stations balnéai-
res au monde. Celui qui
ouvrit ses portes en 1914
peut se targuer d'avoir choi-
si un site privilégié, sur un
promontoire surplombant
Pleasant Bay et l'océan At-
lantique. L'endroit possède
tout ce qui donne un sens
à la définition du mot «va-
cances»: une plage privée,
un parcours de golf à neuf
trous, un court de tennis
et même un programme
d'activités pour les tout-pe-
tits. Les chambres ne sont
pas en reste, pleines d'une
grâce doublée d'un confort
moderne, et les restaurants
(voir p 255) ont été main-
tes fois récompensés par
des prix d'excellence. Les
nuitées ne sont pas pour
toutes les bourses: entre
180$ et 1 650$.

The Hawthorne
$$$$-$$$$$
☀ ≡
196 Shore Rd.
☎508-945-0372
www.thehawthorne.com
On ne va pas au Hawthor-
ne pour ses bas prix ou son
charme, mais plutôt pour
son emplacement idéal,
en front de mer, et ses
chambres aménagées de
façon fonctionnelle. L'éta-
blissement dispose de 12
chambres dites de motel,
de 4 chambres équipées de
cuisinettes et d'un cottage.
Plage privée.

Lighthouse and Keeper's Cottage
$$$$$
mi-mai à oct
Monomoy Point Lighthouse
☎ 508-945-0594, poste 19
www.friendsofmonomoy.net

Les installations du Lighthouse and Keeper's Cottage sont rustiques et peuvent loger six adultes et enfants (âge minimal de 12 ans). Il n'y a pas d'eau courante ni d'électricité. Le guide naturaliste qui accompagne les hôtes leur prépare les petits déjeuners et les dîners sur un réchaud de camping. Les lits disposent de matelas gonflables (il faut apporter son sac de couchage ou des draps et couvertures). Par mauvais temps, les séjours sont reportés à une date ultérieure. Réservations requises.

Harwich

Clapp's Guest House
$-$$
bc/bp ≡ @ ☞
15 South St.
Harwich Port
☎ 508-432-0600
www.capecodtravel.com/clapp

Il faut se rendre à la Clapp's Guest House pour tomber immédiatement sous le charme de cette auberge aux volets rouges. L'atmosphère est chaleureuse, et vous vous sentirez immédiatement comme chez vous. Excellent rapport qualité/prix.

Yarmouth

Tidewater Inn
$$-$$$
≡ ≋))) ✳ ♨ & @
135 Main St./route 28
West Yarmouth
☎ 508-775-6322 ou 800-338-6322
🖷 508-778-5105
www.tidewaterml.com

Parmi les hôtels et motels – dont plusieurs fran-

chement repoussants – qui bordent la route 28, vous serez agréablement surpris par le Tidewater Inn. De l'extérieur, il n'a rien de particulier, mais il dispose de plusieurs services, dont une cafétéria pour le petit déjeuner et des aires de jeux pour les enfants. Les chambres sont simples et propres, et le personnel est attentif.

The Inn at Cape Cod
$$$-$$$$ pdj
≡ @ ✳
4 Summer St., angle route 6A
Yarmouth Port
☎ 508-375-0590
www.innatcapecod.com

Vous ne pouvez manquer cette imposante demeure de style néoclassique dans laquelle est aménagé The Inn at Cape Cod. Les chambres sont confortables et un brin romantique, avec leurs rideaux de dentelle blanche aux fenêtres. Bien qu'élégant, il n'en demeure pas moins très informel.

Hyannis

Captain Gosnold Village
$$-$$$
☞ ≋
230 Gosnold St.
☎ 508-775-9111
www.captaingosnold.com

Situé près de l'Orrin Keyes Beach, le Captain Gosnold Village est parfait pour les familles avec enfants ou pour ceux qui prévoient un long séjour. Plusieurs types d'hébergement sont disponibles: la chambre de motel, l'*efficiency studio*, idéal pour deux personnes, qui compte une cuisinette, et le cottage, équipé d'un salon, d'une cuisine complète et d'une galerie privée.

Harbor House Inn
$$$ pdj
≡ ☞ @ @
119 Ocean St.
☎ 800-211-5551
www.harborhouseinn.net

Les familles sont les bienvenues au Harbor House Inn. L'établissement est convenablement situé à distance de marche des traversiers pour Martha's Vineyard et Nantucket, ainsi que de plusieurs restaurants et plages. Les chambres sont simples mais propres et, surtout, fonctionnelles.

Anchor In Cape Cod Hotel
$$$
✳ ≋ @
One South St.
☎ 508-775-0357
www.anchorin.com

Cet hôtel de 43 chambres domine le port et les bateaux amarrés à Hyannis. Les chambres, décorées de motifs fleuris, entourent une grande cour gazonnée où se trouve la piscine.

Simmons Homestead Inn
$$$-$$$$$ pdj
⚷ ☞ ⚓
288 Scudder Ave.
Hyannis Port
☎ 508-778-4999 ou 800-637-1649
🖷 508-790-1342
www.simmonshomesteadinn.com

Bill Putman, ancien coureur automobile, a fait de sa petite collection d'objets représentant des animaux la marque de commerce de l'unique Simmons Homestead Inn. Chaque chambre reflète une thématique animale prédominante, de la girafe à l'éléphant, en passant par le zèbre.

Mais il n'y a pas que le véritable fouillis animal – qui, curieusement, a bon goût – qui consacre l'établissement au rang des plus agréables de la presqu'île. Il y a le vin et le fromage de l'après-midi, les hamacs de la cour arrière, la salle de billard, l'ineffable gentillesse de Bill Putman, qui prend le temps de s'amuser avec ses invités, et son impressionnante collection d'automobiles rouges – de vraies! –, de la Mercedes Bentley à la Ferrari.

Falmouth

Sippewissett Campground & Cabins
$

836 Palmer Ave.
☎ 508-548-2542 ou 800-957-2267
www.sippewissett.com
Ce magnifique camping boisé propose à ses invités un service gratuit de navette pour les plages et le quai du traversier de Woods Hole pour Martha's Vineyard. Les emplacements sont propres, il s'en dégage assez d'intimité, et le personnel se fera un plaisir de répondre à vos questions.

La route 28, qui traverse Falmouth, est bordée d'hôtels, récents ou non, qui plairont aux familles et aux plus petits budgets. Parmi eux, mentionnons le **Falmouth Inn** *($$; ≡ ≋ ♨ ⛵☂; 824 Main St.,* ☎ *508-540-2500 ou 800-255-4157,* ▤ *508-540-9256,* *falmouthinn.com)*, une option abordable, en considérant surtout que les enfants de moins de 18 ans sont logés gratuitement, lorsque accompagnés de leurs parents.

Palmer House Inn
$$$-$$$$$ pdj
@ ▲ ≡ & ☀ ❄

81 Palmer Ave.
☎ 508-548-1230 ou 800-472-2632
www.palmerhouseinn.com
Le Palmer House Inn est constitué de deux maisons qui comptent 18 chambres

d'une grande élégance. Bien que certaines soient petites, elles sont toutes finement décorées, et quelques-unes réservent aux invités le luxe d'un foyer ou d'une baignoire à remous.

Inn on the Sound
$$$$ pdj
⛵ ≡ @

313 Grand Ave.
☎ 508-457-9666 ou 800-564-9668
www.innonthesound.com
Magnifiquement rénové avec soin et cachet dès l'arrivée des nouveaux propriétaires en 2006, l'Inn on the Sound est un de ces établissements où l'on se sent rapidement comme dans une grande famille grâce au chaleureux accueil des hôtes. Les 10 chambres sont modernes, confortables, bien décorées, et 9 d'entre elles offrent une vue sur la mer.

Mostly Hall B&B
$$$$-$$$$$ pdj
≡

27 Main St.
☎ 508-548-3786
www.mostlyhall.com
Véritable palais italien datant de 1849 au cœur de Falmouth, Mostly Hall est un de ces bijoux mis en valeur par les mains habiles de ses propriétaires. Chaque chambre, unique, appartient soit au style européen ou américain. Le décor en trompe-l'œil de certaines chambres transforme leur salle de bain en une petite demeure. La gentillesse des propriétaires et leur visible intérêt pour les invités achèvent de faire de ce lieu l'une des meilleures retraites du Cape Cod. Si votre budget vous le permet, descendez-y.

Woods Hole

Sleepy Hollow Motor Inn
mai à fin sept
$$
≡ ≋ ❄

527 Woods Hole Rd.
☎ 508-548-1986
▤ 508-548-5932
www.shmotel.com
Les chambres de ce motel sont disposées en *U* sur un terrain boisé, avec une piscine au milieu. L'établissement est très bien situé, à distance de marche du traversier pour Martha's Vineyard et du centre-ville de Woods Hole. Ses 24 chambres fonctionnelles conviennent aux familles, mais elles sont quelque peu sombres.

Sands of Time Motor Inn & Harbor House
$$$-$$$$ pdj
≡ ≋ ▲

549 Woods Hole Rd.
☎ 508-548-6300 ou 800-841-0114
▤ 508-457-0160
www.sandsoftime.com
Belle découverte, que le Sands of Time, en surplomb sur le Vineyard Sound. Sous des allures très modestes se cachent pourtant des chambres confortables dont les balcons privés permettent de ne rien manquer de la vue magnifique. Pour une chambre se rapprochant plus du *bed and breakfast* que du motel, logez à la Harbor House, à l'arrière du bâtiment principal.

Martha's Vineyard

Vineyard Haven

Martha's Vineyard Family Campground
$
mai à oct
569 Edgartown Rd.
☎ 508-693-3772
www.campmv.com
Le seul terrain de camping de l'île se trouve dans une

forêt de chênes et représente une des rares alternatives aux lieux d'hébergement coûteux de Martha's Vineyard. Vous trouverez sur place des toilettes modernes et une laverie automatique. Il est impératif de réserver à l'avance.

Mansion House
$$$$$ pdj
Y ≡ ❄ @
9 Main St.
☎ 508-693-2200 ou 800-332-4112
www.mvmansionhouse.com

Récemment remis à neuf par ses nouveaux propriétaires, le Mansion House a réussi à conserver un cachet d'une autre époque dans la décoration rafraîchie de ses 32 chambres. De plus, il partage désormais le bâtiment ancien avec un spa complet, accessible aux clients de l'établissement. Ne manquez pas non plus la superbe terrasse sur le toit!

Oak Bluffs

Madison Inn
$$$-$$$$
≡ @
18 Kennebec Ave.
☎ 508-693-2760 ou 800-564-2760

À deux pas du débarcadère du traversier, ce petit établissement familial propose 14 chambres décorées sobrement et rappelant la vieille époque.

The Oak Bluffs Inn
$$$$-$$$$$ pdj
fin avr à fin oct
≡

angle Circuit Ave. et Pequot Ave.
☎ 508-693-7171 ou 800-955-6235
🖷 508-693-8787
www.oakbluffsinn.com

Parfaitement située sur la trépidante Circuit Avenue, cette auberge victorienne on ne peut plus rose cadre parfaitement bien parmi les cottages à dentelles de bois du voisinage. Il s'agit d'un établissement fantaisiste et romantique dont les neuf chambres sont remplies d'antiquités et pourvues de salles de bain privées.

Martha's Vineyard Surfside
$$$$-$$$$$
≡ ⚑ ❄ ⚓ @ @
7 Oak Bluffs Ave.
☎ 508-693-2500 ou 800-537-3007
🖷 508-693-7343
www.mvsurfside.com

Le Surfside ne se trouve qu'à un jet de pierre de l'embarcadère du traversier et s'impose comme un des seuls endroits où loger à Oak Bluffs, quelle que soit la saison. Vous y trouverez de nombreuses chambres de type motel, toutes propres et confortables.

Edgartown

Shiretown Inn
$$$$-$$$$$ pdj
≡ ⚑ ⚓ △
44 N. Water St.
☎ 508-627-3353
www.shiretowninn.com

Les prix varient grandement dans cette auberge composée de deux anciennes maisons de capitaine, d'une remise à calèches et d'un cottage. La Carriage House renferme de plus petites chambres, également plus rudimentaires et plus modestes, tandis que les deux vieilles demeures de l'époque de la chasse à la baleine, construites en 1795, offrent beaucoup plus de confort. Quant au cottage, il conviendra parfaitement aux familles, puisqu'il abrite une cuisine complète et deux chambres à coucher à l'étage, quoiqu'il soit beaucoup plus onéreux.

The Victorian Inn
$$$-$$$$$ pdj
≡ △
24 S. Water St.
☎ 508-627-4784
www.thevic.com

Souvent désigné comme le meilleur *bed and breakfast* de l'île, le Victorian Inn loue 14 chambres très joliment décorées – certaines s'enorgueillissent d'une cheminée, d'un lit à baldaquin et d'une terrasse ou d'un balcon, et les antiquités de qualité y sont omniprésentes. Si vous êtes à la recherche d'un lieu de retraite romantique à Martha's Vineyard, vous ne pouvez vous tromper en logeant dans ce chic établissement. Authentiquement victorien, il vous sert même un petit déjeuner gastronomique à quatre services!

The Charlotte Inn
$$$$$ pdj
≡ ⚏ @
27 South Summer St.
☎ 508-627-4151

Membre de la prestigieuse association Relais & Châteaux, le Charlotte Inn attire les visiteurs au portefeuille bien garni et aux goûts les plus raffinés. Il s'agit à proprement parler d'un musée du mobilier anglais d'autrefois, et ses chambres sont sans contredit les plus impressionnantes que vous trouverez à Martha's Vineyard, peut-être même dans toute la Nouvelle-Angleterre. Bref, un bijou incomparable, et qui justifie tous les dollars qu'on vous demande pour y loger, à condition que vous en ayez les moyens, bien sûr. Le restaurant de l'auberge, **L'étoile** (voir p 257), se montre largement à la hauteur.

West Tisbury

Hostelling International Martha's Vineyard
$
avr à nov
bc
25 Edgartown-West Tisbury Rd.
☎ 508-693-2665
www.usahostels.org

L'auberge de jeunesse de l'île est installée en bordure de la Manuel F. Cornellus State Forest. Sa cuisine commune vous permettra d'éviter les restaurants coûteux de Martha's Vineyard. Il est impératif de réserver à l'avance.

Lambert's Cove Inn & Restaurant
$$$$-$$$$$ pdj
≡ ⊌ @
Lambert's Cove Rd.
☎ 508-693-2298
www.lambertscoveinn.com

Le Lambert's Cove Country Inn occupe une maison de ferme de 200 ans entourée de hauts pins. Il propose 15 chambres, la moitié dans la maison elle-même et les autres dans une grange et une remise à calèches restaurées.

Menemsha

Menemsha Inn & Cottages
$$$$-$$$$$ pdj
mai à oct
❀ @ ⚠ ⚓
North Rd.
☎ 508-645-2521
www.menemshainn.com

Cette formidable propriété de 5,5 ha accueille une auberge de 15 chambres et 11 cottages loués à la semaine en période estivale. Les chambres bien éclairées et aérées de l'auberge arborent des meubles en pin, mais on s'extasie surtout devant la propriété elle-même, paisible à souhait,

qui offre une vue spectaculaire sur le Vineyard Sound, sans compter qu'un sentier sinueux parcourt les dunes de Menemsha Beach.

Nantucket

Hostelling International Nantucket
$
mai à oct
bc
31 Western Ave. (Surfside Beach)
☎ 508-228-0433 ou 888-901-2084
www.usahostels.org

L'auberge de jeunesse Star of the Sea représente l'option d'hébergement la moins coûteuse à Nantucket. Vous y trouverez 49 lits, une cuisine commune et une aire de pique-nique. Le bâtiment en soi date de 1873 et abritait à l'origine un poste de sauvetage.

The Nesbitt Inn
$$-$$$
bc
21 Broad St.
☎ 508-228-0156

Le Nesbitt Inn, qui constitue un autre choix abordable, s'impose comme la plus vieille auberge de Nantucket – du moins, parmi celles qui ont été construites à cette fin. Style victorien. Les prix sont justes et la qualité remarquable. Une excellente valeur.

Hawthorn House
$$$-$$$$$ pdj
≡ ✳
2 Chestnut St.
☎ 508-228-1468
www.hawthornhouse.com

En plein centre historique de Nantucket, la Hawthorn House propose neuf chambres confortables dans une atmosphère chaleureuse. On ne sert pas le petit déjeuner sur place, mais vous

aurez droit à des coupons-repas honorés dans trois restaurants voisins.

Ship's Inn Nantucket
$$$$-$$$$$ pdj
mai à oct
≡ ⊌ ✳
bp/bc
13 Fair St.
☎ 508-228-0040
www.shipsinnnantucket.com

Le Ship's Inn occupe une vieille maison construite en 1831 pour le capitaine Obed Starbuck. Chacune de ses 10 chambres porte le nom d'un des bateaux qu'a commandés Starbuck et révèle un décor chaleureux et unique. Charmant à souhait.

The Pineapple Inn
$$$$-$$$$$ pdj
≡
10 Hussey St.
☎ 508-228-9992
www.pineappleinn.com

On ne peut plus luxueux et romantique, le Pineapple Inn renferme 12 chambres garnies de lits à baldaquin et à colonnes fabriqués à la main, d'édredons en duvet d'oie, de tapis orientaux, de baignoires en marbre blanc, ainsi que d'antiquités et d'œuvres d'art du XIXᵉ siècle. D'entre tous les *bed and breakfasts* haut de gamme de l'île, celui-ci vous est hautement recommandé.

Seven Sea Street
$$$$$ pdj
≡ ✳ ⊌ @ ⚠
Seven Sea St.
☎ 508-228-3577
www.sevenseastreetinn.com

Le Seven Sea Street est une pension bâtie de chêne rouge aux poutres apparentes, dans un style tout à fait caractéristique de Nantucket. Ses neuf chambres et ses deux suites sont agrémentées de meubles américains des premiers jours de la colonie, notamment de jolis lits à baldaquin et à filet. Une merveille de petite auberge.

The Beachside at Nantucket
$$$$$ pdj
≡ ❄ ❅ ⚲ ⚡ @
30 North Beach St.
☎ 508-228-2241
www.thebeachside.com
Le Beachside comprend 93 chambres et suites, à courte distance de marche de Main Street. Il s'agit d'un endroit recherché par les gens d'affaires, que ce soit pour quelques jours de repos, une réunion loin de tout, voire une réception spéciale, ce qui s'explique par sa taille et ses installations modernes.

The Veranda House
$$$$$ pdj
@ ≡
3 Step Ln.
☎ 508-228-0695 ou 877-228-0695
www.theverandahouse.com
La Veranda House se trouve à courte distance de marche du Steamship Wharf, et ses chambres spacieuses offrent des vues exceptionnelles sur le port de Nantucket. La véranda qui entoure l'établissement sur trois faces invite à la détente sous les brises océaniques.

The Wauwinet
$$$$$ pdj
mai à oct
≡ ⚡ @ ⚴
120 Wauwinet Rd.,
☎ 508-228-0145 ou 800-426-8718
www.wauwinet.com
Si vous êtes en quête de l'établissement le plus chic qui soit à Nantucket, sachez que le Wauwinet, membre de l'association Relais & Châteaux, vous réserve un accueil sans pareil dans un cadre à faire rêver sur la péninsule de Coskata. Élégantes et somptueuses, ses chambres bénéficient d'un décor confortable et chaleureux de style champêtre. On a pensé à tout, des barques et des kayaks gracieusement mis à votre disposition aux dégustations de fromage et de sherry l'après-midi. Le matin, le soleil se lève sur l'océan Atlantique, et, au crépuscule, vous le verrez se coucher sur la baie de Nantucket. Malheureusement, le prix des chambres ne convient qu'aux plus riches d'entre vous. Il y a également sur la propriété un restaurant gastronomique (voir p 258).

Restaurants

Old King's Highway (de Sandwich à Orleans)

Sandwich

Dunbar Tea Shop
$-$$
1 Water St.
☎ 508-833-2485
www.dunbarteashop.com
Ce pittoresque salon de thé victorien rehaussé d'une cheminée en marbre et d'un plancher en bois de pin sert chaque après-midi le thé à l'anglaise accompagné de gourmandises tels que scones cuits au four, garnis de confiture de fraises et arrosés de crème. Le midi, on propose également un menu «fermier» et un menu «pêcheur», composés entre autres de rôti de bœuf et de maquereau fumé, et accompagnés de pain chaud et croustillant.

Aqua Grille
$$-$$$
14 Gallo Rd.
☎ 508-888-8889
www.aquagrille.com
Situé en bordure du Cape Cod Canal, avec vue sur les bateaux amarrés (mais aussi, d'un côté, sur une centrale électrique), l'Aqua Grille sert une pléthore de plats de fruits de mer et de plats de viande. À l'intérieur, le décor se veut chic et moderne, et vous changera passablement des innombrables restaurants de bord de mer de la Nouvelle-Angleterre dont le thème est plus volontiers maritime.

The Dan'l Webster Inn
$$-$$$$
149 Main St.
☎ 508-888-3622 ou 800-444-3566
www.danlwebsterinn.com
Le **Dan'l Webster Inn** (voir p 240) sert d'excellents repas dans quatre décors différents: la taverne, la verrière, le salon de musique et la salle du patrimoine. Les quatre salles se révèlent agréablement aménagées, si ce n'est que la taverne est plus sombre et plus intime, et qu'on y propose un menu plus léger et plus économique. Dans tous les cas, le menu recèle de grands favoris tels que la côte de bœuf et le filet mignon, de même que d'autres plats de viande et de fruits de mer créatifs. Nous vous recommandons fortement d'y aller le midi, lorsque les délicieux plats de la maison sont servis à des prix plus que raisonnables.

The Belfry Inne and Bistro
$$$-$$$$
mar-dim
8 Jarves St.
☎ 508-888-8550
www.belfryinn.com

Le cadre unique de ce restaurant fort populaire constitue un atout de taille. Installé dans une ancienne église (voir p 240) construite en 1900, il s'enorgueillit de murs colorés, de hauts plafonds, de vitraux et de nappes blanches en tissu qui, tout ensemble, contribuent à créer une atmosphère mémorable. Le menu de viande, de fruits de mer et de pâtes est appréciable, mais le service peut s'avérer très lent lorsque le restaurant s'emplit au-delà de sa capacité les fins de semaine.

Bourne

The Chart Room
$$-$$$
mi-juin à sept tlj
1 Shipyard Ln., Kingman Marina, Cataumet
☎ 508-563-5350

Vous devrez faire un détour par Bourne pour visiter cette institution du Cape Cod, mais le déplacement en vaut largement le coup. Bondé de gens du coin les fins de semaine, il exsude une aura d'authenticité peu commune, et l'on y invite même les clients à se lever et à chanter de concert avec le pianiste et le bassiste à demeure de la maison. Le menu, fortement axé sur les fruits de mer, est à faire rêver, et, compte tenu de l'ambiance, il s'agit sans contredit d'un des plus merveilleux restaurants du cap.

Barnstable

Dolphin Restaurant
$$-$$$
3250 Main St.
☎ 508-362-6610
www.thedolphinrestaurant.com

Le Dolphin Restaurant est une enclave chaleureuse, éclairée à la bougie, en plein centre du village de Barnstable. Parmi les délices qui figurent au menu, retenons le homard, l'albacore noirci et le veau marsala.

Mattakeese Wharf Restaurant
$$$
mai à oct
Barnstable Harbor
☎ 508-362-4511
www.mattakeese.com

Le Mattakeese Wharf Restaurant ne se contente pas de surplomber le port de Barnstable, il est carrément monté sur pilotis, directement au-dessus du port. La vue est sensationnelle, et le menu de pâtes, de viandes, de volailles et de fruits de mer est irréprochable.

Dennis

Captain Frosty's Fish & Chips
$-$$
219 route 6A
☎ 508-385-8548
www.captainfrosty.com

Le Captain Frosty's est l'endroit tout indiqué à Dennis pour se gaver de fruits de mer frits pas santé pour un sou. Parfait pour un déjeuner sans façon ou un casse-croûte. Installez-vous à l'intérieur ou à l'extérieur pour déguster certains des plats estivaux les plus prisés du Cape Cod.

Gina's by the Sea
$$-$$$
134 Taunton Ave.
☎ 508-385-3213

www.ginasbythesea.com

Le Gina, qui offre un menu italien traditionnel, compte parmi les restaurants les plus courus de Dennis. Petit, intime et attrayant, il vous réserve des plats maison tout à fait remarquables.

Scargo Café
$$-$$$
799 Main St.
☎ 508-385-8200
www.scargocafe.com

Installé en face du Cape Playhouse, et d'ailleurs populaire auprès des amateurs de théâtre, le Scargo Café affiche un menu à la fois vaste et original. Pour peu que vous aimiez les produits de la mer, nous vous suggérons le strudel aux fruits de mer, soit un pot-pourri de chair de crabe, de crevettes du Golfe, de «scrod» et de pétoncles, le tout cuit au four dans une pâte feuilletée et nappé d'une délicieuse sauce crémeuse à la Newburg.

Brewster

Cobie's
$
3260 route 6A
☎ 508-896-7021
www.cobies.com

Ce comptoir de palourdes typique du Cape Cod sert des fruits de mer frits et des repas-minute. Bien situé sur la route 6A, il arbore une enseigne rouge et blanche qui attire tout naturellement de nombreux visiteurs affamés du cap.

Spark Fish
$$$
2671 Main St.
☎ 508-896-1067
www.sparkfish.com

Le Spark Fish loge dans une ancienne et adorable maison de capitaine à clins et en bois de charpente peint en rouge. À l'intérieur, le décor est toutefois légèrement moins charmant, quoique le menu ne soit pas à dédaigner avec ses fruits de mer et ses viandes, le tout cuit sur feu de bois.

The Brewster Fish House
$$$
mai à nov
2208 Main St.
☎ 508-896-7867
Le Brewster Fish House est un petit restaurant bien éclairé et aéré qui se trouve près de la chambre de commerce de Brewster et qui présente un menu exclusivement composé de plats de fruits de mer. La grillade mixte d'espadon, de crevettes, de pétoncles et d'andouilles, accompagnée d'une trempette créole, ne mérite que des éloges, tout comme le loup de mer en croûte et aux noix. Présentez-vous dès 17h, les réservations ne sont pas admises et les places sont comptées.

Chillingsworth
$$$$$
2449 Main St.
☎ 508-896-3640
www.chillingsworth.com
Sortez votre veste avant de vous rendre dans ce restaurant français fort prisé qui rivalise depuis longtemps pour le titre de meilleur établissement du cap. Installé dans une superbe maison coloniale tricentenaire débordant d'antiquités, de cristal, d'arrangements floraux et de bougies, il ne vous offre rien de moins que la crème de la crème, mais ne convient malheureusement pas à toutes les bourses. Cela dit, si vous ne vous sentez pas d'attaque

pour un festin français de sept services à prix fixe, la propriété abrite également un petit bistro offrant des repas plus légers à des prix plus abordables, et où l'on peut en outre déjeuner.

Orleans

Liam's at Nauset Beach
$
en saison tlj 9h à 20h
Nauset Beach
East Orleans
☎ 508-255-3474
Bien qu'il ne s'agisse en apparence que d'un comptoir de restauration rapide en bordure de la plage, le Liam a bâti sa réputation sur ses rondelles d'oignon, d'une qualité exceptionnelle. Encensées par des journaux tels que le *Los Angeles Times* et le *Boston Globe*, les rondelles du Liam sont uniques en leur genre et accompagnent on ne peut mieux un panier de palourdes frites. Prenez toutefois garde aux mouettes, car on ne mange qu'à l'extérieur.

Land Ho!
$$
angle route 6A et Cove Rd.
☎ 508-255-5165
www.land-ho.com
Le Land Ho! est un restaurant-bar chaleureux et terre à terre où l'on vous propose des sandwichs et des fruits de mer tout à fait acceptables. Il s'agit d'un petit établissement sans prétention qui attire aussi bien les gens du coin que les touristes.

The Lobster Claw
$$$
route 6A
☎ 508-255-1800
www.lobsterclaw.com
Cet établissement aux allures de grange accueille volontiers les familles dé-

sireuses de savourer les fruits de mer du cap sans pour autant se ruiner, quoique le décor n'ait vraiment rien de romantique. Vous y trouverez à peu près tous les poissons et crustacés imaginables, le plus souvent bouillis ou frits. Quant au bâtiment, il est impossible de le manquer puisqu'il s'agit d'une structure criarde peinte en rouge et en blanc, avec un immense homard en façade.

Mahoney's Atlantic Bar & Grill
$$$
28 Main St.
☎ 508-255-5505
www.mahoneysatlantic.com
Le chef Ted Mahoney vous propose sa version de la nouvelle cuisine américaine au Mahoney's Atlantic Bar & Grill, avec des plats tels que le sashimi de thon, le homard poêlé et flambé au brandy, ainsi que le filet mignon sauce bordelaise.

Captain Linnell House
$$$-$$$$
137 Skaket Beach Rd.
☎ 508-255-3400
www.linnell.com
Le Captain Linnell House est un des restaurants les plus romantiques du Cape Cod, et s'impose comme la meilleure option qui soit à Orleans pour un dîner raffiné. Le chef et propriétaire des lieux, Bill Conway, élabore des mets types de la Nouvelle-Angleterre, comme le combiné pétoncles et crevettes sauce au homard et à l'estragon ou le saumon de l'Atlantique poché. La carte des vins se veut étendue, et l'atmosphère est irréprochable.

Outer Cape (d'Eastham à Provincetown)

Eastham

Mary's Black Skillet Café
$-$$
5960 route 6A, North Eastham
☎ 508-240-3525

Pour tout dire plus près de Wellfleet que d'Eastham, Mary prépare chaque matin de nourrissants petits déjeuners campagnards dans son charmant petit café au long comptoir en pin et aux chaises dépareillées. Menu de fruits de mer et de plats de pâtes légers le soir.

Arnold's Lobster and Clam Bar
$$-$$$$
en saison 11h30 à 21h
3580 route 6
☎ 508-255-2575
www.arnoldsrestaurant.com

Aux abords immédiats de la grand-route, non loin du Cape Cod National Seashore, Arnold's marie fruits de mer, pâte à frire et huile bouillante sous un auvent rayé jaune et blanc. Vous y trouverez en outre un buffet de crudités et du homard à très bon prix. On mange à l'extérieur sur la terrasse.

Wellfleet

Moby Dick's
$$-$$$
en saison 11h30 à 22h
route 6
☎ 508-349-9795
www.mobydicksrestaurant.com

Le Moby Dick's est une simple cabane à palourdes d'exploitation familiale qui offre un menu de fruits de mer à déguster en plein air. Ils sont frais et peuvent vous être servis grillés, cuits à la vapeur ou frits.

The Lighthouse Restaurant
$$-$$$
317 Main St.
☎ 508-349-3681
www.mainstreetlighthouse.com

Le Lighthouse, un rendez-vous local de longue date, affiche l'habituel menu nocturne de fruits de mer, de biftecks et de pâtes. Il s'agit en outre d'un bon endroit pour prendre un petit déjeuner conventionnel ou un déjeuner de sandwichs et de salades à un prix raisonnable.

Flying Fish Café & Deli
$$-$$$
29 Briar Ln.
☎ 508-349-7292

Le Flying Fish, qui s'annonce comme *«un petit endroit original où manger»*, est un chic café aux planchers de bois installé dans une maison de couleur bleu-pourpre, non loin du centre de Wellfleet. Le dîner se veut *«élégamment décontracté»*, son menu mettant l'accent sur les fruits de mer et des plats végétariens plutôt inventifs. Il s'agit également d'un bon choix à l'heure du petit déjeuner.

The Wicked Oyster
$$-$$$
50 Main St.
☎ 508-349-3003

Ce grand et chaleureux restaurant est situé à l'entrée nord de Wellfleet. Il dispose d'un très long bar et se spécialise dans les plats de poisson et de fruits de mer, notamment les huîtres pêchées au large des côtes de Wellfleet. Poisson du jour, fruits de mer à la sauce cajun et saumon biologique font partie de son menu aux choix variés.

Truro

Terra Luna
$$-$$$
route 6A

North Truro
☎ 508-487-1019

Le Terra Luna vous attend dans un cottage à clins dépourvu d'enseigne, à seulement 5 min de route au sud de Provincetown, et vous propose une cuisine fusion de même que des plats de fruits de mer frais. Il est tout spécialement réputé pour ses petits déjeuners hors du commun, entre autres composés de *burritos* «matinaux» et d'omelettes au homard et au *mascarpone*.

Provincetown

Spiritus
$
190 Commercial St.
☎ 508-487-2808
www.spirituspizza.com

Ce restaurant familial de jour se transforme en rendez-vous nocturne à la sortie des bars, et une soirée en ville ne saurait être complète sans une halte au Spiritus pour y déguster une pointe de pizza. En été, la section de Commercial Street aux abords immédiats du restaurant est souvent fermée en raison du grand nombre de fêtards qui envahissent alors la rue.

Szechuan Chinese Restaurant
$$
179 Commercial St.
☎ 508-487-0971

Le nom peu original du Szechuan Chinese Restaurant ne rend pas justice aux délices qu'on y prépare. Oubliez l'espadon grillé pour un soir, et mordez plutôt à pleines dents dans un excellent poulet façon Général Tao, ou dans toute autre spécialité sichuanaise de la maison. Les portions sont énormes, les prix on ne peut plus raisonnables, et, oui, on peut même vous livrer votre repas.

Bubala's
$$-$$$
183 Commercial St.
☎508-487-0773
www.bubalas.com

On distingue facilement le Bubala dans Commercial Street grâce à ses couleurs turquoise et moutarde, sans oublier sa grande terrasse souvent bondée. La nourriture y est bonne, et le dîner se compose de fruits de mer, de pâtes, de viandes et de mets végétariens. Au déjeuner, les sandwichs au pain focaccia sont vraiment délicieux, surtout celui au poulet boucané à la jamaïquaine.

Café Heaven
$$-$$$
199 Commercial St.
☎508-487-9639

Le Café Heaven est un tout petit restaurant souvent envahi du milieu de la matinée jusque dans l'après-midi par la jeunesse bavarde et bien mise de Provincetown. Le décor s'en veut branché, et des œuvres d'art colorées en parent les murs. Les petits déjeuners se composent de crêpes, d'omelettes, de pain doré (pain perdu) et de saines mixtures à base de muesli, tandis que le menu du midi vous propose des salades, des chaussons et des sandwichs uniques.

Sal's Place
$$$
dîner seulement
99 Commercial St.
☎508-487-1279

Réservez à l'avance pour manger au Sal's Place, et demandez qu'on vous assigne une table donnant sur le port si vous voulez

vous offrir un très romantique dîner italien. La cuisine est authentique, du spaghetti avec boulettes de viande aux crevettes sauce marinière ou au vin blanc. Le décor de bistro italien s'agrémente de tables recouvertes de nappes à carreaux verts et blancs.

The Lobster Pot
$$$
321 Commercial St.
☎508-487-0842
www.ptownlobsterpot.com

Il s'agit là d'un des meilleurs endroits en ville, voire de tout le cap, pour déguster un crustacé bouilli. Il y a deux étages de salles à manger, et les clients font généralement la queue dans Commercial Street avant même que le restaurant n'ouvre ses portes. D'une façon ou d'une autre, les prix se maintiennent à un niveau raisonnable.

Front Street Restaurant
$$$-$$$$
230 Commercial St.
☎508-487-9715
www.frontstreetrestaurant.com

Le Front Street est on ne peut plus distingué, et ses prix sont tout à fait justifiés. La salle à manger en sous-sol, lambrissée de bois sombre, est intime et chaudement éclairée, et, bien que le menu change toutes les semaines, la nourriture demeure excellente. S'ils figurent au menu lors de votre passage, sachez que le carré d'agneau et le filet mignon farci au fromage gorgonzola sont absolument divins. La carte des vins est en outre étendue.

The Martin House
$$$$
157 Commercial St.
☎508-487-8471
www.themartinhouse.com

Le menu de la Martin House, sans conteste l'un des hauts lieux de la restauration à Provincetown, est fortement axé sur la nouvelle cuisine américaine de type fusion. Il occupe une splendide maison en clins de cèdre qui date de 1750, et s'enorgueillit d'une très attrayante terrasse verdoyante garnie de chaises en fer forgé noir pour les amateurs de dîners à la belle étoile. Les prix sont élevés, mais la nourriture est excellente.

Chester Restaurant
$$$$-$$$$$
404 Commercial St.
☎508-487-8200
www.chesterrestaurant.com

Une grande maison néoclassique du XIXe siècle accueille ce restaurant huppé sur lequel on ne tarit plus d'éloges depuis son ouverture, en 1998. Le chef élabore des plats américains saisonniers mettant souvent en vedette du veau de toute première qualité, de l'aloyau Angus, du homard, de l'espadon et du saumon de l'Atlantique. La carte des vins a reçu des prix d'excellence, et l'ambiance se fait invitante.

- - - - - - - - - - - - - - - - - - -
Le sud du cap (de Chatham à Falmouth)

Chatham

The Chatham Squire
$$$$
487 Main St.
☎508-945-0945
www.chathamsquire.com

Résolument peu chic, le Chatham Squire sert de

bons repas nourrissants de viande, de fruits de mer et de pâtes dans une atmosphère tout ce qu'il y a de plus décontractée. Rien de bien raffiné, mais tout de même satisfaisant. Vous trouverez également sur place un buffet de mollusques et crustacés crus, de même qu'un pub attenant (voir p 260).

Sosumi Asian Bistro
$$$-$$$$
mer-lun
14 Chatham Bars Ave.
☎508-945-0300
Le Sosumi est un élégant petit établissement au menu de sushis et de délices pan asiatiques. Un poisson noir dans son bocal, dont chaque table est garnie, vous observera tandis que vous dégusterez de merveilleux tempuras, teriyakis et sautés.

Chatham Bars Inn Dining Room
$$$$-$$$$$
297 Shore Rd.
☎508-945-0096
www.chathambarsinn.com
Cette salle à manger exquise, vaste et ouverte, possède un mur entier de portes-fenêtres offrant une vue panoramique sur l'océan Atlantique, le cadre rêvé pour savourer les délectables créations du chef Juho Lee, qu'il s'agisse de fruits de mer ou de viandes. Le menu n'est certes pas à la portée de toutes les bourses, si ce n'est qu'une taverne attenante sert des plats à des prix plus abordables.

Harwick

The Cape Sea Grille
$$$$-$$$$$
31 Sea St.

☎508-432-4745
www.capeseagrille.com
Ce cottage aux clins de bois argentés s'impose comme le rendez-vous de choix des habitants de Harwich lorsqu'ils désirent manger de bons fruits de mer. La grillade mixte du Sea Grille ne laisse personne indifférent, et pour cause: homard d'une demi-livre grillé, espadon mignon roulé dans le bacon fumé au bois de pommier, saumon au beurre persillé et crevettes grillées. Un pur délice. Le menu se veut original, et la nourriture s'avère excellente.

Yarmouth

The Lobster Boat
$$-$$$
route 28
☎508-775-0486
Vous ne pouvez manquer ce restaurant de fruits de mer familial dans la rue principale de Yarmouth, dans la mesure où une grande embarcation semble sortir de sa façade. Menu de homard, de pétoncles et d'autres produits de la mer apprêtés de façon traditionnelle. À l'intérieur, le décor maritime est plutôt kitsch.

Inaho
$$$
mar-dim
157 Main St.
Yarmouth Port
☎508-362-5522
Yarmouth Port, village résidentiel plutôt somnolent, s'il en est, semble peu propice à l'établissement d'un restaurant japonais, de surcroît installé dans une maison coloniale ne peut plus Nouvelle-Angleterre. Quoi qu'il en soit, on n'hésite pas à s'y rendre pour déguster d'excellents potages au miso, sushis, sashimis, teriyakis et tem-

puras. Le décor, rehaussé d'œuvres artisanales et d'art populaire japonais, convient parfaitement.

Hyannis

Thai House
$$
304 Main St.
☎508-862-1616
Ce restaurant est modestement décoré d'une ribambelle de souvenirs thaïlandais et de banquettes qui ont connu de meilleurs jours, mais ne vous pas laissez pas rebuter par si peu de chose, car Nuey et son personnel élaborent tout un assortiment d'authentiques plats thaïs. Les currys jaunes, verts et rouges aux fruits de mer de la région sont délicieux, à tel point que les riches habitants de Nantucket se font directement livrer leur repas par avion!

Baxter's Fish and Chips
$$-$$$
177 Pleasant St.
☎508-775-4490
www.baxterscapecod.com
Le Baxter, une institution de Hyannis, est un restaurant de bord de mer décontracté tout indiqué pour commander une assiette de fruits de mer cuits au four, grillés, bouillis, à l'étuvée, noircis ou, bien entendu, panés et frits. Les odeurs de friture débordent d'ailleurs jusque dans le stationnement.

Fazio's Trattoria
$$-$$$
294 Main St.
☎508-775-9400
Le talent du chef Fazio se fait sentir d'entrée de jeu dans ce restaurant aménagé dans une ancienne boulangerie. Les cuistots

Cape Cod et les îles - **Restaurants** - Le sud du cap (de Chatham à Falmouth)

préparent de succulentes pâtes maison et des pizzas cuites au four à bois dans une cuisine située au centre de la salle à manger.

Alberto's Ristorante
$$$-$$$$
360 Main St.
☎ 508-778-1770
www.albertos.net

Alberto's Ristorante est un établissement intime rehaussé de nappes blanches qui possède également une terrasse en bordure du trottoir, façon méditerranéenne. Son menu propose un vaste assortiment de savoureux plats italiens à base de porc, d'agneau, de bœuf, de veau, de poulet, de fruits de mer et de pâtes.

The Roadhouse Cafe
$$$-$$$$
488 South St.
☎ 508-775-2386
www.roadhousecafe.com

Le restaurant le plus recommandé pour un fin dîner romantique à Hyannis est le Roadhouse Cafe. Cet invitant petit piano-bar (voir p 260) sert des fruits de mer de la région, du bœuf, du veau, des côtelettes, des pâtes et diverses spécialités italiennes. Demandez qu'on vous installe à une table au coin du feu.

Falmouth

Laureen's
$$-$$$
lun-sam
170 Main St.
☎ 508-540-9104

Le Laureen est un endroit très prisé à l'heure du déjeuner pour ses merveilleux mets végétariens, méditerranéens et moyen-orientaux. Dès l'entrée, vous serez conquis par les effluves des pains au feta en train

de cuire, et le hommos est excellent.

Peking Palace
$$$
452 Main St.
☎ 508-540-8204
www.pekingpalacefalmouth.com

Le Peking Palace offre un large assortiment de succulents mets mandarins, sichuanais, cantonais et polynésiens. Vous ne pouvez pas manquer ce restaurant au décor extérieur de palais on ne peut plus voyant dans Main Street.

Woods Hole

Fishmonger's Café
$$-$$$
56 Water St.
☎ 508-540-5376

Le Fishmonger's Café, installé dans le port, sert de lieu de rencontre aux gens du coin, et il y règne une atmosphère chaleureuse et animée. Le menu de poulet, de biftecks et de fruits de mer n'a rien de renversant, mais tous les plats sont savoureux et offerts à bon prix. On y trouve en outre une grande variété de plats végétariens.

Landfall
$$$-$$$$
2 Luscombe Ave.
☎ 508-548-1758
www.woodshole.com/landfall

Le Landfall possède une grande salle à manger à deux pas de l'embarcadère du traversier qui va à Martha's Vineyard et propose un menu de fruits de mer, de biftecks et de pâtes. Le midi, vous y trouverez des sandwichs, des salades et des hamburgers à moindre prix. La vue du port n'est pas non plus pour déplaire.

Martha's Vineyard

Vineyard Haven

M.V. Bagel Authority
$
82 Main St.
☎ 508-693-4152

Pour un petit déjeuner ou même une collation simple sur le pouce, M.V. Bagel Authority propose une douzaine de sortes de *bagels*. Gardez les yeux bien ouverts pour ne pas manquer les alléchants desserts.

The Black Dog Tavern, Cafe & Bakery
$$$-$$$$
Vineyard Haven Harbor
☎ 508-693-9223
www.theblackdog.com

L'atmosphère chaleureuse du Black Dog en fait l'un des meilleurs restaurants de Vineyard Haven. Si vous choisissez une table près des fenêtres, vous aurez l'avantage d'avoir une vue magnifique du Vineyard Haven Harbor. Petits déjeuners originaux, copieux et mémorables, et dîners élaborés. Le Black Dog possède aussi deux autres cafés à Vineyard Haven *(509 State Rd.,* ☎*508-696-8190 et 11 Water St.,* ☎*508-693-4786).*

Le Grenier
$$$
96 Main St.
☎ 508-693-4906
www.legrenierrestaurant.com

Surveillez le drapeau français qui vous mènera à la salle à manger du Grenier. Jean Dupont, originaire de Lyon, chef et propriétaire, vous concocte un choix de plus d'une vingtaine de spécialités de son pays natal. Romantique. Réservations recommandées.

Oak Bluffs

Nancy's
$-$$
29 Lake Ave.
☎ 508-693-0006
En plus d'un grand choix de fruits de mer à petits prix, Nancy propose des sandwichs et des plats du Moyen-Orient, incluant *kebabs* et *falafels*. Immense terrasse donnant sur l'Oaks Bluffs Harbor.

Coop de Ville
$$
Dockside Market Place
☎ 508-693-3420
Petit et sympathique, le Coop de Ville s'anime grâce au sourire de Pete, le propriétaire, et au coucher de soleil qui teint le paysage. Prédominance des fruits de mer et des hamburgers; grand choix de bières.

Zapotec
$$$
14 Kennebec Ave.
☎ 508-693-6800
L'allure extérieure du Zapotec donne le ton à son menu, fortement coloré de la chaleur du Mexique et de la cuisine du sud-ouest des États-Unis. Bien que le menu ne soit pas très étendu, ses plats sont originaux, et l'atmosphère invite à la détente.

Tsunami
$$$-$$$$
6 Circuit Ave. Ext.
☎ 508-696-8900
La belle maison rouge dans laquelle est installé le Tsunami attirera votre attention, à moins que ce ne soit son menu aux effluves asiatiques ou la sobriété élégante de sa décoration. Bien situé, sur l'Oak Bluffs Harbor.

Edgartown

Main Street Diner
$$
65 Main St.
☎ 508-627-9337
Avec son décor sorti tout droit des années 1950, le Main Street Diner n'est pas du tout prétentieux et loin d'être intime. Ses petits déjeuners sont superbes, et le menu du dîner met l'accent sur les viandes plutôt que sur les fruits de mer.

Among the Flowers Café
$$
Mayhew Lane
☎ 508-627-3233
Sympathique petit café où il fait bon prendre le petit déjeuner (quiches ou omelettes) ou le déjeuner (salades, steak ou poulet). Among the Flowers Café mérite sa popularité: le personnel est accueillant, et ses mets de qualité sont à bon prix.

Navigator Restaurant
$$$-$$$$
2 Main St.
☎ 508-627-4320
Les visiteurs en raffolent puisque le Navigator Restaurant offre une vue privilégiée sur l'Edgartown Harbor. L'établissement propose des plats aux accents de la Nouvelle-Angleterre, avec une nette prédominance des fruits de mer. Ambiance maritime.

L'étoile
$$$-$$$$
22 N. Water St.
☎ 508-627-5187
www.letoile.net
La salle à manger de L'étoile, aménagée dans le **Charlotte Inn** (voir p 248), est certainement aussi impressionnante que son menu. Il va sans dire que la finesse de sa cuisine française est exceptionnelle, de même que le raffinement de ses plats de nouvelle cuisine.

Menemsha

Larsen's Fish Market
$-$$
sur les quais, Basin Rd.
☎ 508-645-2680
Directement du pêcheur et au prix du marché, le Larsen's Fish Market propose aux amateurs de fruits de mer de déguster homard et moules, assis à même le sol sur les promenades qui bordent les quais. Ce n'est pas un restaurant en tant que tel, mais un comptoir de fruits de mer à emporter.

The Bite
$-$$
29 Basin Rd.
☎ 508-645-9239
www.thebitemenemsha.com
Un repas au Bite débute par la commande, qui se fait à travers une moustiquaire, avant que quelqu'un ne vous remette votre plat après avoir crié votre nom. The Bite, c'est un *clam shack* typique sans chaises ni tables, coquet comme tout. Son menu, loin d'être santé, fait fureur sur l'île. Les fruits de mer habituels sont servis frits, et il ne faudrait pour rien au monde manquer sa délicieuse chaudrée de palourdes *(clam chowder)*.

Nantucket

Juice Bar
$
12 Broad St.

☎508-228-5799

Sans tables ni chaises, le charme du Juice Bar réside dans sa crème glacée maison, ses jus de fruits frais et ses pâtisseries odorantes. Les habitants de l'île l'adorent...

Brotherhood of Thieves
$$-$$$
23 Broad St.
☎508-228-2551
www.brotherhoodofthieves.com

Le menu du Brotherhood of Thieves propose sandwichs, salades et hamburgers. On le fréquente surtout pour son impressionnant choix de boissons alcoolisées, bières, cocktails, apéritifs et autres remontants. Cet établissement sombre est d'un romantisme fou. Extrêmement agréable.

The Rose & Crown
$$-$$$
23 South Water St.
☎508-228-2595
www.theroseandcrown.com

Au Rose & Crown, ambiance et nourriture de pub vous attendent. Les hamburgers ont une excellente réputation, et l'endroit est un des favoris à l'heure du déjeuner. Bon choix de bières (voir p 261).

Arno's
$$$
41 Main St.
☎508-228-7001

Le très populaire Arno's accueille ses invités dans une salle de type bistro aux murs de brique ornés de peintures. Au menu, une cuisine locale aux parfums d'ailleurs, comme ces *quesadillas* au homard ou ces currys. Malgré son allure branchée, il n'en demeure pas moins informel. Popu-

laire pour ses petits déjeuners.

The Ropewalk
$$$
1 Straight Wharf
☎508-228-8886
www.theropewalk.com

Le Ropewalk a l'avantage d'offrir une vue imprenable sur la marina. Très tranquille, sa terrasse extérieure avec parasols est des plus agréables. Vous pourrez vous y régaler de fruits de mer, mais également de hamburgers. Habitués et vacanciers y reviennent pour toute occasion.

Sushi by Yoshi
$$-$$$
2 East Chestnut St.
☎508-228-1801
www.sushibyyoshi.com

Comme son nom l'indique, Sushi by Yoshi se spécialise dans les mets japonais, plus particulièrement dans les sushis. Aménagée dans une coquette maison blanche, sa petite salle à manger revêt des couleurs claires. Réservation obligatoire.

Cioppino's
$$$$
20 Broad St.
☎508-228-4622
www.cioppinos.com

L'agréable Cioppino's reçoit ses invités dans des salles à manger élégantes de facture classique. La cuisine continentale prend des accents italiens ou locaux, c'est selon. Impressionnante carte des vins.

Topper's at the Wauwinet
$$$$
120 Wauwinet Rd.
☎800-426-8718
www.wauwinet.com

L'élégance raffinée du Topper's s'accorde avec l'hôtel dans lequel il est installé (voir p 250). Le service est impeccable, mais attendez-

vous à en payer le prix. À l'heure du déjeuner, les prix sont plus abordables. Cuisine créative qui met en valeur les produits de la Nouvelle-Angleterre.

Sorties

■ Activités culturelles

Dennis

Le **Cape Playhouse** *(820 route 6A,* ☎*508-385-3838, www. capeplayhouse.com)*, un des plus anciens théâtres d'été professionnels aux États-Unis, propose une programmation de choix pour les «grands», tandis que le **Children's Theater** présente plusieurs pièces qui feront briller les yeux des enfants.

Brewster

Ceux qui ne jurent que par les grands classiques se réjouiront du répertoire que propose le **Cape Rep Theatre** *(3299 route 6A, East Brewster,* ☎*508-896-1888, www. caperep.org)*.

Orleans

The Academy of Performing Arts *(120 Main St.,* ☎*508-255-1963, www.apa1.org)* se produit au Orleans Town Hall. Elle présente chaque année une dizaine de pièces de théâtre, des spectacles de danse et des concerts, de même que du théâtre pour enfants.

Provincetown

Assurez-vous de jeter un coup d'œil à l'horaire du **Provincetown Art Association and Museum** (☎*508-487-1750, www.paam.org)*, qui organise toutes sortes d'activités à caractère culturel.

Hyannis

La **Cape Cod Melody Tent** *(21 W. Main St.,* ☎*508-775-5630, www.melodytent.org)* présente des spectacles dont les billets se vendent rapidement. En plus de recevoir des grands noms du monde du spectacle tout au long de la période estivale, il se transforme en théâtre pour enfants chaque mercredi matin.

Les concerts du **Cape Symphony Orchestra** *(☎508-362-1111, www.capesymphony.org)* sont présentés au Barnstable High School Performing Arts Center *(744 W. Main St.)*.

Falmouth

Les performances de la **College Light Opera Company** *(☎508-548-0668, www.collegelightopera.com)* sont toujours attendues avec impatience; il faut réserver sa place à l'avance si l'on veut assister à l'une des représentations de style Broadway. La troupe se produit au **Highfield Theatre** *(50 Highfield Dr.)*.

Martha's Vineyard

The Vineyard Playhouse
24 Church St.
Vineyard Haven
☎508-693-6450
www.vineyardplayhouse.org
Cette petite compagnie théâtrale communautaire, et sans but lucratif, propose une grande variété de spectacles tout au long de l'année. Les représentations ont lieu dans un ancien temple méthodiste construit en 1833.

■ Bars et discothèques

Brewster

The Woodshed
1989 route 6A
☎508-896-7771
La jeunesse de la région se rassemble au Woodshed, qui est loin d'être tranquille. Forte musique et rock acoustique.

Wellfleet

The Beachcomber of Wellfleet
1120 Cahoon Hollow Rd.
☎508-349-6055
www.thebeachcomber.com
L'un des préférés de tout le cap, le Beachcomber est un véritable petit bijou caché dans les dunes. Une foule étudiante s'y presse joyeusement sous une forte musique ou encore pour les concerts d'artistes locaux. À ne pas manquer si vous êtes amateur de bars qui bougent.

Provincetown

The Atlantic House
4 Masonic Pl.
☎508-487-3821
www.ahouse.com
À la tête des boîtes de nuit de Provincetown, l'Atlantic House propose trois ambiances sous le même toit: un *cruising*, une discothèque et un *leather bar*, ce dernier pour hommes seulement. C'est une foule bigarrée, principalement composée d'hommes, qui se presse sur la large piste de danse de l'Atlantic House et qui s'amuse une bonne partie de la nuit. Mais elle n'est pas que fête, l'Atlantic House. Construite en 1798, elle était le repaire d'Eugene O'Neil, pour lequel on a posé une plaque commémorative soulignant sa contribution au monde du théâtre.

Boatslip Resort
en été seulement
161 Commercial St.
☎508-487-1669
Réputé pour ses *tea dances* qui se tiennent entre 15h30 et 18h30, animées par des DJ, le Boatslip Bistro attire tout naturellement les fêtards. Sa piscine et ses nombreuses places extérieures, de même que son emplacement en front de mer, y contribuent sûrement beaucoup. Clientèle variée, principalement gay et lesbienne.

The Mews Restaurant & Café
429 Commercial St.
☎508-487-1500
www.mews.com
Quel café sympathique et rafraîchissant, isolé des musiques trop fortes et des pistes de danse! The Mews ravira ceux qui désirent sortir pour jaser entre amis et boire un petit coup. La grande sélection de vodkas est tout simplement... invitante! Clientèle variée.

Vixen
5$
336 Commercial St.
☎508-487-6424
www.ptownvixen.com
Bar où prédomine la clientèle féminine, le Vixen dispose de tables de billard et d'une piste de danse. L'été apporte avec lui des humoristes et des concerts, ainsi que des soirées thématiques avec DJ.

Cape Cod et les îles – Sorties

Chatham

The Chatham Squire
487 Main St.
☎ 508-945-1111
www.chathamsquire.com
Une clientèle mixte fréquente le Chatham Squire aux murs tapissés de plaques d'immatriculation. L'établissement a des allures de pub très décontracté et animé, avec un immense bar occupant presque tout l'espace.

Hyannis

Baxter's Boat House Club
fin mai à début sept tlj
177 Pleasant St.
☎ 508-775-4490
www.baxterscapecod.com
En quelques mots, c'est un piano-bar pour voir et être vu. Célébrités régionales ou nationales, amateurs de bateaux, visiteurs de passage, bref, c'est une clientèle variée, et argentée, qui fréquente le Baxter's Boat House Club. La galerie arrière donne sur la marina, et l'endroit est idéal pour prendre un verre en fin d'après-midi et observer le retour des bateaux de plaisance. Beaucoup d'habitués.

Roadhouse Cafe
488 South St.
☎ 508-775-2386
www.roadhousecafe.com
Pour prendre un verre dans une atmosphère calme et chaleureuse, le Roadhouse Cafe est parfait. L'endroit se donne des airs de pub un peu sophistiqués. Musiciens de jazz sur place certains soirs.

Falmouth

The British Beer Company
263 Grand Ave.
☎ 508-540-9600
www.britishbeer.com
Rien de mieux après une baignade à Falmouth Heights Beach que d'aller se rafraîchir à la British Beer Company, juste en face. L'atmosphère de pub est on ne peut plus chaleureuse, surtout lorsqu'elle est rehaussée par la présence de groupes ou de chanteurs de folk. Clientèle variée, vaste choix de bières et personnel sympathique.

Liam Maguire's Irish Pub & Restaurant
273 Main St.
☎ 508-548-0285
www.liammaguire.com
Vous reconnaîtrez ce pub aux drapeaux qui ornent sa devanture ainsi qu'à ses larges fenêtres à carreaux. La clientèle est variée et des musiciens agrémentent l'établissement de musique irlandaise à tous les soirs. Vous pouvez également manger sur place.

Woods Hole

Captain Kidd
tlj
77 Water St.
☎ 508-548-8563
www.thecaptainkidd.com
Le Captain Kidd est un bar populaire auprès de la jeunesse du coin, étudiants, pêcheurs ou chercheurs. La pièce sombre et toute de bois vêtue, qui abrite également un restaurant, est dominée par la thématique maritime. Une terrasse à l'arrière donne sur l'Eel Pond. On y discute plus que l'on y danse, assis au long bar ou sur un des barils qui tient lieu de siège.

Martha's Vineyard

The Ritz Cafe
4 Circuit Ave.
Oak Bluffs
☎ 508-693-9851
Le Ritz Cafe jouit d'une certaine popularité auprès des insulaires et présente souvent des musiciens de blu-

es. Il s'agit d'un bon endroit pour côtoyer les marins du coin et les entendre ruminer les potins de l'heure.

Atlantic Connection
Circuit Ave.
Oak Bluffs
☎ 508-693-7129
Une boîte dansante où la basse résonne à fond et où les lumières ne cessent de clignoter. Des formations en visite dans la région s'y produisent souvent.

The Boathouse Bar
mai à oct
2 Main St.
Edgartown
☎ 508-627-4320
L'été, le Boathouse Bar s'emplit de touristes qui en apprécient sans doute le décor de hutte à la *Gilligan's Island*. Une formation locale de jazz et de blues monte sur scène les fins de semaine.

The Wharf Pub
Lower Main St.
Edgartown
☎ 508-627-9966
Ce rendez-vous est un bon endroit à visiter pour ceux qui tentent de passer pour autre chose que des touristes. Son long bar accueille des clients à toute heure du jour (ou presque), et son téléviseur ne présente tout l'été que des matchs des Red Sox de Boston (équipe de baseball).

Nantucket

La plupart des restaurants de Nantucket se transforment en bars ou en boîtes de nuit le soir venu.

Brotherhood of Thieves
23 Broad St.
☎ 508-228-2551
www.brotherhoodofthieves.com
Cette institution de Nantucket s'emplit de touristes

Cape Cod et les îles - Sorties

au cours de la saison estivale, et de résidants de la région en basse saison. Il s'agit d'une taverne à l'ancienne, sombre et authentique, qui regorge d'atmosphère. Des musiciens de blues et de bluegrass, de la région ou en visite, s'y produisent régulièrement.

The Rose & Crown
23 S. Water St.
☎508-228-2595
www.theroseandcrown.com
The Rose and Crown est un pub animé et accueillant qui présente des spectacles sur scène tous les soirs. La carte des bières y est très complète.

■ Festivals

Avril

Daffodil Festival
Sumner
☎508-863-5924
www.daffodilfestival.net
Dans le cadre de cette célébration printanière, à la fin du mois d'avril, plus de trois millions de jonquilles transforment la campagne de Nantucket en un tapis jaune vif. Défilé de voitures classiques et anciennes, et nombreuses activités familiales en plein air.

Juin

Provincetown Portuguese Festival
Provincetown
☎508-487-0500
Festival portugais de Provincetown: défilé, artisanat, activités pour enfants, musique.

Juillet

Edgartown Regatta
Martha's Vineyard
Edgartown

☎508-627-4361
Edgartown se targue d'être le centre par excellence de la navigation de plaisance en Nouvelle-Angleterre, et, le temps d'une fin de semaine à la mi-juillet, son port s'emplit de bateaux à faire rêver, perpétuant ainsi une tradition qui date déjà de plus de 80 ans.

Septembre

Harwich Cranberry Harvest Festival
Harwich
☎508-430-2811
www.harwichcranberryfestival.org
Différentes célébrations autour de la thématique de ce fruit célèbre qu'est la canneberge.

Décembre

Christmas Stroll
Nantucket
☎508-228-1700
Si vous allez dans les environs de Cape Cod pendant la saison des fêtes, ne manquez pas de visiter Nantucket, lorsque les vieilles maisons de capitaine se font encore plus belles pour l'occasion. Tout au long du mois, on peut assister à des représentations théâtrales, à des expositions de circonstance et à des défilés on ne peut plus populaires.

🗂 Achats

La **route 6A** est réputée pour ses boutiques d'antiquités. De Sandwich à Brewster, elles sont nettement prédominantes, et vous y trouverez de tout, à prix de connaisseur. Les chasseurs d'aubaines seront déçus, mais les fouineurs

raffoleront de ce tronçon historique.

Provincetown

Berta Walker Gallery
208 Bradford St.
☎508-487-6411
www.bertawalker.com
La Berta Walker Gallery, splendidement aménagée et aérée, présente des œuvres d'artistes contemporains de grand talent, ainsi que de créateurs locaux, toutes époques confondues.

Vous trouverez de délicieux bonbons à l'eau salée et pas moins de 12 types de *fudge* chez **Cabot's Candy** *(276 Commercial St.,* ☎*508-487-3550)*. Son voisin d'en face, **The Penney Patch** *(279 Commercial St.,* ☎*508-487-2766)*, de taille un peu plus modeste, est tout aussi alléchant.

Moda Fina
349 Commercial St.
☎508-487-6632
www.shopmodafina.com
Les vêtements de femmes originaux et de qualité de Moda Fina raviront les amateures de mode. La lingerie, les chaussettes, les accessoires de même que les vêtements sont dispendieux, mais tellement mignons.

Passions Gallery
336 Commercial St.
☎508-487-5740
www.passionsgallery.com
Enfin une galerie d'art originale où l'on sent l'amour sous toutes ses formes, dans des sculptures sensuelles ou des photographies originales, dans les peintures ou dans le sourire de la propriétaire. Ici, pas d'art poussiéreux d'un terne réalisme.

Cape Cod et les îles - Achats

Toys of Eros
200 Commercial St.
☎508-487-0056
www.toysoferos.com

Toys of Eros est une boutique érotique saine qui n'a rien de vulgaire ni de grossier. On y trouve des objets de qualité à thématique sexuelle, comme des livres, des condoms et des photographies de nus en noir et blanc. Les accessoires en cuir sont garantis... à vie!

Chatham

On dit des boutiques de Chatham qu'elles sont raffinées et que le magasinage promet de belles surprises. Vêtements de qualité, artisanat original, cadeaux et galeries se côtoient dans une Main Street animée, certainement l'une des artères commerciales les plus agréables du Cape Cod.

Chatham Jewelers
532 Main St.
☎508-945-0690
ou 800-535-GEMS
www.chatgems.com

Queues de baleines, coquillages, poissons, bref, vous trouverez toutes sortes de pendentifs à thématique marine! Bijoux de qualité, en or; créations sur mesure.

Mermaids on Main
410 Main St.
☎508-945-3179

Pour des souvenirs ou des cadeaux sortis directement du palais de Neptune, ce magasin propose de l'artisanat inspiré des trésors et des légendes océaniques.

Yellow Umbrella Books
501 Main St.
☎508-945-0144

Boutique de livres neufs ou d'occasion fort agréa-

ble. Vaste choix de livres sur Cape Cod et les îles.

Harwich

Cape Cod Braided Rug Co.
537 route 28, Port Centre Building Harwich Port
☎508-432-3133 ou 888-784-4581
www.capecodbraidedrug.com

Si vous mourez d'envie de vous procurer l'un de ces magnifiques tapis tressés qui ornent nombre de chambres au Cape Cod et partout ailleurs au Massachusetts, la Cape Cod Braided Rug Company propose des centaines de ces tapis colorés.

Hyannis

La route 28 est bordée de petits centres commerciaux. Vous y trouverez de tout, sauf des galeries d'art et des boutiques d'artisanat. Le plus populaire du coin est le **Cape Cod Mall** *(769 Iannough Rd.,* ☎*508-771-0200)*. Le plus grand centre commercial du Cape Cod compte plus de 120 magasins ainsi que plusieurs comptoirs de restauration rapide et un cinéma multisalles. Vêtements d'hommes et de femmes, objets décoratifs, etc.

Pour des boutiques avec un cachet plus artistique ou sophistiqué, la **Main Street** de Hyannis répondra sûrement à vos attentes. Vêtements pour la plage, œuvres d'art, boutiques d'importation, sculptures africaines ou cartes postales et chandails-souvenirs: les adeptes du magasinage seront comblés. Et, si vous avez besoin d'un livre pour la plage, **Tim's Used Books** *(386 Main St.,* ☎*508-778-5550)* tapisse ses murs de bouquins d'occasion.

Falmouth

Queen's Byway *(angle route 28 et Palmer Ave.)* est un petit centre commercial qui abrite quelques boutiques d'antiquités et de cadeaux. Parmi elles, **Oolala** *(104 Palmer Ave.,* ☎*508-495-2888)* est une boutique de cadeaux colorés qui n'a rien du magasin traditionnel. Sous des airs de musique de jazz ou de techno, chandelles, savons et bijoux originaux sont au rendez-vous. La boutique soutient les artistes régionaux et même internationaux.

Martha's Vineyard

À Vineyard Haven, nombre de boutiques et galeries émaillent Main Street. À Oak Bluffs, la principale artère commerciale, Circuit Avenue, est à ne pas manquer. Quant à Edgartown, elle possède la plus forte concentration de galeries haut de gamme et de magasins exclusifs des îles dans Winter Street.

Bramhall & Dunn
23 Main St.
Vineyard Haven
☎508-693-6437

Ce magasin possède une belle collection de nappes, carpettes et tapis faits main. Vous y trouverez aussi d'attrayants plats peints à la main.

The Gypsy's Suitcase
oct à mai
frappez à la porte
94 Main St.
Vineyard Haven
☎508-696-0396

Dans cette pittoresque petite maison à clins de bois de Main Street, on vend des cadeaux asiatiques, y compris des bijoux provenant de Bali et de l'Inde.

Glimpse of Tibet
39 Circuit Ave.
Oak Bluffs
☎ 508-693-9795
Ce petit commerce propose des carpettes, des livres, de l'artisanat et des enregistrements musicaux authentiques du Tibet, sans oublier une étonnante collection de vêtements traditionnels.

Nantucket

À Nantucket, vous pourriez très bien passer tout votre temps à faire des achats. Les rues et les quais en sont en effet bordés de boutiques d'antiquaires, de commerces variés et de galeries aussi attirantes que chères, et la plupart de ces établissements s'adressent visiblement à une clientèle cherchant à tout prix à ramener des souvenirs exclusifs de l'île. Quant à vous, si c'est le lèche-vitrine qui vous intéresse d'abord et avant tout, vous serez comblé à peu près partout.

Nantucket Lightship Basket Museum
49 Union St.
☎ 508-228-1177
Un panier de bateau-phare constitue sans doute le souvenir de Nantucket le plus authentique que vous puissiez trouver. Ici, on a appris à maîtriser les règles les plus strictes qui régissent la fabrication artisanale de ces objets.

Four Winds Craft Guild
6 Rays Court
☎ 508-228-9623 ou 800-686-0960
www.sylviaantiques.com
Simplement connu sous le nom de «The Guild», cet établissement expose les œuvres des artisans de Nantucket depuis 1948. On y trouve d'ailleurs de véritables trésors, notamment des paniers de bateau-phare, de l'ivoire sculpté et gravé, ainsi que des objets d'art populaire.

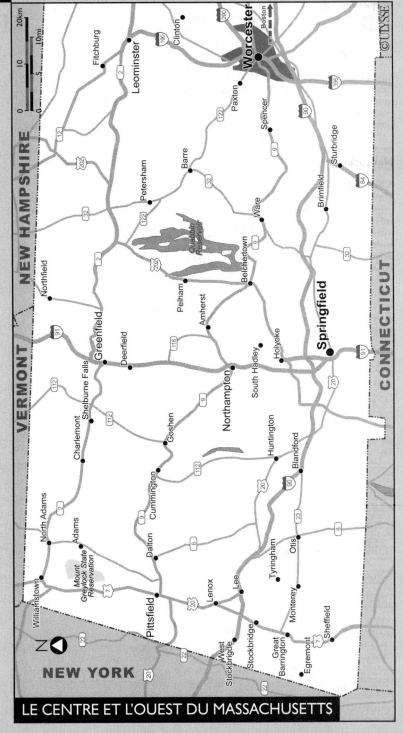

LE CENTRE ET L'OUEST DU MASSACHUSETTS

Le centre et l'ouest du Massachusetts

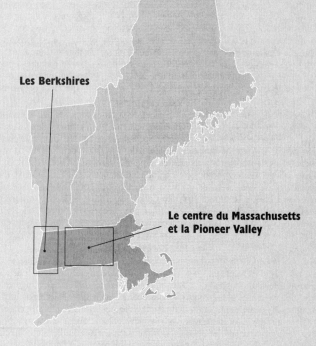

Les Berkshires

Le centre du Massachusetts et la Pioneer Valley

Bien que le Massachusetts puisse d'emblée évoquer des images des rues de Boston, des vagues rugissantes de l'Atlantique ou de pittoresques villages de bord de mer, il convient de savoir que les régions du centre et de l'ouest de cet État recèlent des lieux tout aussi intéressants et magnifiques.

En contrepartie de l'océan, souvent violent sur les côtes de la Nouvelle-Angleterre, vous trouverez ici d'innombrables lacs et étangs cachés par de denses forêts et des collines ondulantes. L'automne venu, les feuillages d'un rouge ardent se reflètent dans ces plans d'eau aussi lisses que des miroirs, et des villages tout ce qu'il y a de plus «Nouvelle Angleterre» émaillent un peu partout le paysage.

Après la colonisation de la côte, des complexes agricoles et industriels ont lentement commencé à émerger plus à l'ouest. L'ouest du Massachusetts a été colonisé plus de 100 ans après la côte est, et, longtemps après la retentissante révolution industrielle, il demeure aujourd'hui sous-peuplé en comparaison de la côte. Ce sont des cultivateurs européens qui, les premiers, se sont aventurés plus à l'ouest, bientôt suivis de capitalistes désireux de construire des usines le long du fleuve Connecticut. Après la Seconde Guerre mondiale, beaucoup de ces entreprises se sont toutefois effondrées ou ont déménagé plus au sud en quête d'une main-d'œuvre moins coûteuse, de sorte que certains secteurs de la région demeurent à ce jour économiquement défavorisés.

La Pioneer Valley, une région de champs et de collines formées par le fleuve Connecticut, s'étend à l'ouest de Worcester et se voit ponctuée d'anciennes villes industrielles qui se succèdent vers le nord entre Springfield et Brattleboro, au Vermont. Cette région assure en outre le maintien de la solide réputation de l'État en ce qui a trait à l'éducation postsecondaire, plus particulièrement dans ce qu'il est convenu d'appeler la «Five College Area» (zone des cinq grandes institutions d'enseignement). L'imposante University of Massachusetts se trouve à Amherst, tout comme l'Amherst College et le Hampshire College. Le Mount Holyoke College se trouve pour sa part immédiatement au sud de South Hadley, tandis que Northampton accueille le Smith College. Toutes ces institutions contribuent à la riche vie culturelle de la région, de même que leurs milliers d'universitaires.

Plus à l'ouest encore se dressent les Berkshires, une région montagneuse et boisée qui reçoit nombre d'estivants en quête de culture et de températures plus fraîches (généralement de plusieurs degrés) qu'à Boston ou New York. La Taconic Range et la Hoosac Range, deux chaînes plus hautes que des collines mais qui ne sont pas tout à fait des montagnes à proprement parler, définissent cette région où vivaient et chassaient jadis des tribus mohawks et mohegans. La première colonie anglaise du secteur fut Stockbridge, où John Sergeant fut envoyé pour convertir les Amérindiens au christianisme en 1734. Cela dit, les Autochtones finirent par se déplacer plus à l'ouest.

Un siècle plus tard, des artistes et des écrivains firent peu à peu des Berkshires leur destination estivale favorite. À leur suite, attirés par les œuvres d'auteurs locaux tels que Nathaniel Hawthorne, Herman Melville et Edith Wharton, de riches familles newyorkaises entreprirent d'y construire de grandioses domaines et firent ainsi naître une sorte d'âge d'or.

Le présent chapitre est divisé en deux circuits, soit **Le centre du Massachusetts et la Pioneer Valley** ★★ et **Les Berkshires** ★★.

Accès et déplacements

■ En avion

Le centre du Massachusetts et la Pioneer Valley

Worcester ne se trouve qu'à 71 km à l'ouest de Boston, et le **Logan International Airport** (voir p 68) s'impose comme la destination logique pour quiconque désire accéder directement à la région, quoique l'aéroport régional qui suit offre un accès encore plus direct:

Le **Bradley International Airport** (voir p 497), au Connecticut, dessert la Pioneer Valley et les Berkshires depuis un point situé à seulement 20 km au sud de Springfield.

Les Berkshires

Les Berkshires sont facilement accessibles depuis Boston ou New York, le trajet demandant environ trois heures de route dans un cas comme dans l'autre. L'**Albany International Airport** (☎518-242-2200, *www. albanyairport.com*), dans l'État de New York, ne se trouve cependant qu'à 45 min de route à l'ouest des Berkshires.

■ En voiture

Le meilleur moyen d'explorer cette région consiste à la parcourir en voiture. Bien qu'il existe d'autres options viables, il y a beaucoup à voir dans les coins et recoins du centre et de l'ouest du Massachusetts, si bien qu'il est presque indispensable de disposer d'un véhicule.

Si vous venez de Boston, le chemin le plus rapide pour accéder à la région consiste à emprunter le Massachusetts Turnpike (route I-90). Ce grand axe traverse le Massachusetts sur toute sa longueur et comporte des sorties vers beaucoup des villes et villages mentionnés dans ce chapitre. Cependant, nous ne saurions vous le recommander car les charmes de la région vous attendent surtout le long des petits chemins en lacets et des routes secondaires. Ainsi la route I-91 sillonne-t-elle la région de la Pioneer Valley du nord au sud, tandis que la route 7 constitue la principale artère nord-sud dans les Berkshires.

La location d'une voiture

Hertz
561 Park Ave.
Worcester
☎508-798-5196

Budget
1500 State St.
Springfield
☎413-733-3849

Enterprise
440 W. Columbus Ave.
Springfield
☎413-739-2344

Enterprise Rent-A-Car
558 East St.
Pittsfield
☎413-443-6600

Hertz
1050 South St.
Pittsfield
☎413-499-4153

■ En autocar

Le centre du Massachusetts et la Pioneer Valley

Peter Pan Bus Lines (*1776 Main St., Springfield,* ☎*800-343-9999, www.peterpanbus.com*) offre un excellent service, et ses autocars parcourent toutes les localités mentionnées dans ce circuit. Un aller simple Boston-Worcester vous coûtera 18,50$, et un aller simple Boston-Springfield 21$, les cars circulant pratiquement aux heures.

Greyhound Bus Lines (☎*800-231-2222, www. greyhound.com*) dessert également Worcester et Springfield au départ de Boston.

Les Berkshires

Peter Pan Bus Lines (☎*800-343-9999, www. peterpanbus.com*) exploite une ligne quotidienne entre Boston et Lenox en passant par Pittsfield et Lee. La compagnie dessert aussi les Berkshires du nord au sud en marquant des arrêts à Williamstown, Pittsfield, Lee, Lenox, Stockbridge et Great Barrington.

Le centre et l'ouest du Massachusetts - Accès et déplacements

En train

Amtrak *(☎800-872-7245, www.amtrak.com)* dessert le centre et l'ouest du Massachusetts au départ de Boston et de New York (arrêts à Worcester, Amherst, Springfield et Pittsfield).

En transports en commun

Le réseau d'autobus de Worcester est exploité par la **Worcester Regional Transit Authority** *(☎508-791-9782)*, et les véhicules sillonnent la ville à intervalles réguliers. À Springfield, le service de transports en commun de la **Pioneer Valley Transit Authority** *(☎413-781-7882)* dessert, outre la ville elle-même, les localités de la vallée; les lignes d'autobus sont en fonction du lundi au samedi. Dans les Berkshires, vous pourrez compter sur les services de la **Berkshire Regional Transit Authority** *(☎800-292-2782)*.

Renseignements utiles

Renseignements touristiques

Le centre du Massachusetts et la Pioneer Valley

Central Massachusetts Convention and Visitors Bureau
30 Major Taylor Blvd.
Worcester
☎508-755-7400

Sturbridge Information Center
380 Main St.
Sturbridge
☎508-347-7594
www.sturbridge.org

Greater Springfield Convention and Visitors Bureau
1441 Main St.
Springfield
☎413-787-1548 ou 800-723-1548
www.valleyvisitor.com

William C. Sullivan Riverfront Visitor Center
1200 W. Columbus Ave.
Springfield
☎413-750-2980

Northampton Chamber of Commerce
99 Pleasant St.

Northampton
☎413-584-1900
www.explorenorthampton.com

Amherst Chamber of Commerce
28 Amity St.
Amherst
☎413-253-0700
www.amherstarea.com

On trouve aussi un petit kiosque dans le Common d'Amherst.

Franklin County Chamber of Commerce
18 Miner St.
Greenfield
☎413-773-9393
www.co.franklin.ma.us

Les Berkshires

Pour tout renseignement sur les activités et les événements de la région, composez le numéro de la **Berkshire Tourist Information Hotline** *(☎800-237-5747)*.

Berkshire Visitors Bureau
3 Hoosac St.
Adams
☎413-743-4500 ou 800-237-5747
www.berkshires.org

Northern Berkshire Chamber of Commerce
57 Main St.
North Adams
☎413-663-3735

Williamstown Chamber of Commerce
à la jonction de la route 2 et de la route 7
Williamstown
☎413-458-9077 ou 800-214-3799
www.williamstownchamber.com

Lenox Chamber of Commerce
The Curtis, 5 Walker St.
Lenox
☎413-637-3646
www.lenox.org

Lee Chamber of Commerce
3 Park Place
Lee
☎413-243-0852
www.leechamber.org

Southern Berkshire Chamber of Commerce
362 Main St.
Great Barrington
☎413-528-1510 ou 800-269-4825
www.greatbarrington.org

■ Visites guidées

Plusieurs compagnies d'autocars proposent des excursions organisées en divers points du Massachusetts afin de permettre aux visiteurs d'admirer les feuillages d'automne. Même si elles ne peuvent offrir l'intimité d'une balade en voiture particulière sur les routes secondaires de l'État, sachez que les entreprises mentionnées ci-dessous savent dénicher les endroits où le feuillage est à son plus beau.

Tauck Tours
☎ 800-788-7885
www.tauck.com

Brush Hill/Gray Line Tours
☎ 617-986-6100 ou 800-343-1328
www.brushhilltours.com

Attraits touristiques

Le centre du Massachusetts et la Pioneer Valley
★ ★

Ce circuit quitte Boston en direction ouest et passe par Worcester et Sturbridge dans le centre du Massachusetts, avant de se diriger vers le nord pour remonter la Pioneer Valley entre Springfield et Deerfield.

De Boston, prenez la route 9 vers l'ouest sur 71 km pour atteindre Worcester.

Worcester

Worcester compte quelque 176 000 habitants et s'impose comme la troisième ville en importance de la Nouvelle-Angleterre. Il s'agit d'une grande métropole affairée, jadis le siège de nombreuses usines dont la croissance industrielle attirait des milliers d'émigrants italiens et irlandais. La grande crise des années 1930 a toutefois durement frappé Worcester, après quoi la ville a connu des difficultés économiques pendant presque tout le reste du siècle.

On a cependant assisté à un début de renaissance au cours des années 1990, grâce à la réputation grandissante des nombreux collèges et universités de la région, à un

projet de complexe hospitalier de 8 ha en plein centre-ville et à la revitalisation incessante du cœur même de ce centre-ville. Cela dit, il ne s'agit pas d'une ville facile à explorer, mais certains de ses attraits méritent tout de même une visite.

L'attrait le plus commodément situé de la ville est le **Worcester Historical Museum** *(5$; mar-sam 10h à 16h, jeu jusqu'à 20h30; 30 Elm St.,* ☎ *508-753-8278, www.worcesterhistory. org)*, qui se trouve aux abords immédiats de Main Street à proximité du centre-ville; trois siècles d'histoire industrielle novatrice y sont relatés. Le musée est également responsable du **Salisbury Mansion** *(5$ incluant le droit d'entrée au musée; jeu 13h à 20h30, ven-sam 13h à 16h; 40 Highland St.)*, qui se dresse à peine une rue plus loin; ce manoir compte parmi les rares bâtiments du XVIIIe siècle encore debout à Worcester, et on l'a restauré de manière à lui rendre son aspect des années 1830.

Le **Worcester Art Museum** ★ *(10$; mer-ven et dim 11h à 17h, jeu jusqu'à 20h, sam 10h à 15h; 55 Salisbury St.,* ☎ *508-799-4406, www. worcesterart.org)* est situé au nord du centre-ville et est accessible par la sortie 10 de la route I-190. Ses galeries présentent une collection plutôt exceptionnelle de quelque 35 000 œuvres, composée de peintures (y compris de très nombreuses toiles impressionnistes), de sculptures, de photographies, d'antiquités égyptiennes et de mosaïques romaines.

Un peu plus au nord se trouve le **Higgins Armory Museum** ★ *(8$; mar-sam 10h à 16h, dim 12h à 16h; 100 Barber Ave.,* ☎ *508-853-6015, www.higgins.org)*. Cette structure aux allures de château renferme la plus grande collection d'armures du Moyen Âge et de la Renaissance de tout l'hémisphère occidental. Les enfants apprécieront tout autant les pièces elles-mêmes que le cadre dans lequel elles sont présentées.

L'**EcoTarium** ★ *(10$; toute l'année lun-sam 10h à 17h, dim 12h à 17h; 222 Harrington Way,* ☎ *508-929-2700, www.ecotarium.org)* s'est installé à l'est du centre-ville, mais on y accède aussi par Franklin Street en quittant la route 290. Il s'agit d'un bâtiment de trois étages qui abrite un musée et un planétarium sur une propriété de 24 ha sillonnée de sentiers pédestres et ponctuée d'habitats naturels tantôt boisés et tantôt marécageux. On y dénombre 60 espèces vivantes, des ours blancs aux grenouilles, ce centre œuvrant de pair avec des organismes aussi bien locaux que nationaux afin de rééduquer des animaux blessés en vue de les relâcher dans la nature de même que pour favoriser la reproduction d'espèces menacées d'extinction.

Quittez Worcester par la route 9 Ouest et tournez à gauche à East Brookfield pour suivre la route 49 South jusqu'à Sturbridge.

Sturbridge

Deux choses attirent plus particulièrement les visiteurs à Sturbridge: les antiquités et un merveilleux musée d'histoire vivant. De plus, la ville se trouve à la jonction de routes importantes reliant Boston, New York, Providence et Springfield.

La rue principale de Sturbridge, qui se trouve aussi être la route 20, est bordée de nombreuses boutiques d'antiquaires, d'auberges et de motels. Les chasseurs d'antiquités et d'aubaines viennent ici en foule au cours de l'été pour y dénicher toutes sortes de trésors parmi le fouillis amassé devant les boutiques. Et si vous êtes vraiment mordu, organisez-vous pour assister aux très populaires **Brimfield Antique Shows** *(suivez la route 20 vers l'ouest sur 10 km; www.brimfieldshow.com)*, qui se tiennent trois fois au cours de l'été dans le village voisin, Brimfield.

Dans la rue principale de Sturbridge, tout juste en face du centre d'accueil des visiteurs de la ville, vous trouverez l'entrée de l'**Old Sturbridge Village** ★★★ *(20$, droit d'entrée valable pour 2 jours; avr à oct mar-dim 9h30 à 16h; 1 Old Sturbridge Village Rd.,* ☎*508-347-3362, www.osv.org)*, un village entièrement recréé pour le moins remarquable – il s'agit du meilleur des nombreux musées d'histoire vivants de l'État. Des collections d'objets, des expositions variées, des bâtiments restaurés de façon authentique et des interprètes costumés y retracent l'histoire de la vie de tous les jours dans une petite ville de la Nouvelle-Angleterre des années 1830. Entre autres, un vrai potier y exerce son art avec un équipement datant du XIXe siècle, sans parler des installations de ferme, des bateaux, des commerces, des habitations, des halls d'assemblée et du moulin d'autrefois. Les explications fournies par les interprètes sont franchement

fascinantes, tant pour les adultes que pour les enfants, et font revivre de façon crédible la Nouvelle-Angleterre du XIXe siècle. Vous n'aurez aucun mal à passer une journée entière sur les lieux.

Quittez Sturbridge par la route 20 Ouest pour atteindre Springfield.

Springfield ★

Springfield, qui bénéficie d'un emplacement enviable sur le fleuve Connecticut, a été fondée en 1636 et constituée en 1641, ce qui en fait la plus vieille ville des États-Unis portant ce nom (beaucoup d'autres villes et villages américains ont le même toponyme). À ses débuts, les terres en étaient pour la plupart cultivées; mais, compte tenu de sa situation en bordure d'une excellente voie navigable, on y assista, au XVIIIe siècle, à l'érection de nombreuses usines, comme d'ailleurs dans tout le reste de la vallée du fleuve Connecticut.

De nos jours, la ville en soi compte près de 152 000 habitants et s'impose comme le point de départ tout indiqué de toute exploration de la Pioneer Valley en partant du sud. Vous y trouverez nombre d'attraits méritant une visite, dont beaucoup se trouvent à distance de marche du centre-ville.

Le cœur même du centre-ville est sans doute la partie la plus attrayante de la ville et abrite notamment le **Court Square** *(entre Court St. et Elm St.)*, un carré de verdure façon Nouvelle-Angleterre qu'entourent plusieurs bâtiments historiques, comme l'**Old First Church** (église), le **Byers Block**, la **H.H. Richardson's Courthouse** (palais de justice), le **City Hall** (hôtel de ville), le **Campanile** et le **Symphony Hall** (salle de concerts), autant de structures impressionnantes qui valent un coup d'œil. Les portes en bronze des trois derniers bâtiments présentent des scènes du passé de Springfield.

Du Court Square, prenez Main Street vers le sud et tournez à droite dans State Street pour atteindre West Columbus Avenue. Tournez alors à gauche et marchez vers le sud jusqu'au **Naismith Memorial Basketball Hall of Fame** *(17$; lun-sam 9h à 17h, dim 10h à 17h; 1150 W. Columbus Ave.,* ☎*413-781-6500, www.hoophall.com)*. Le temple de la renommée du basket-ball se veut un incontournable pour tous les mordus de ce sport,

La rébellion de Shays

Au XVIIIe siècle, la source d'énergie qu'offrait le fleuve Connecticut donna lieu à la construction de nombreuses scieries et briqueteries dans la région de Springfield. À la suite de la Révolution américaine, toutefois, survint une grave crise économique qui mit les agriculteurs et les propriétaires d'usines en grande difficulté financière.

C'est alors qu'entre en scène un certain Daniel Shays. Las des décisions judiciaires qui frappaient les habitants endettés de la région, il prit en 1787 la tête d'une insurrection agraire au palais de justice de Springfield et à l'arsenal que George Washington avait créé 10 ans plus tôt. Shays et ses partisans espéraient fermer les tribunaux par la force des armes saisies à l'arsenal (qui devint par la suite la Springfield Armory), et ce, dans le but d'empêcher de nouvelles forclusions de fermes locales. Cependant, le général William Shepard parvint à défendre l'arsenal avec succès et à disperser les quelque 1 200 hommes de Shays.

Les rebelles battirent en retraite jusqu'à Petersham, où ils furent de nouveau éconduits. Shays dut s'enfuir au Vermont, mais obtint par la suite le pardon du gouverneur du Massachusetts, John Hancock, pour le rôle qu'il avait joué dans l'insurrection. L'incident avait toutefois eu son importance, puisque les autorités bostoniennes se montrèrent plus enclines à entendre les doléances non seulement des résidants de la capitale mais aussi de la population de l'État tout entier.

mais ennuiera probablement à mourir ceux qui n'ont jamais entendu parler de Larry Bird. Il occupe un massif bâtiment carré et rend hommage aux joueurs de basket-ball professionnel et amateur (aussi bien féminin que masculin) par le biais de panneaux explicatifs, de photos et d'objets rares. Le basket-ball a été inventé à Springfield en 1891 par un Canadien d'origine, Dr. James Naismith.

À l'est du centre-ville (en s'éloignant du fleuve Connecticut dans State Street) se dressent les **Springfield Library and Museums at the Quadrangle** ★★ *(10$ laissez-passer pour les 4 musées; tlj 9h à 17h; juil et août aussi mar 12h à 17h; 220 State St.,* ☎ *413-263-6800 ou 800-625-7738, www.springfieldmuseums.org).* Le Quadrangle regroupe quatre musées: le George Walter Vincent Smith Art Museum, le Museum of Fine Arts, le Springfield Science Museum et le Connecticut Valley Historical Museum.

Le **George Walter Vincent Smith Art Museum** ★★ loge dans le plus vieux des bâtiment du Quadrangle, soit une construction de 1895 épousant le style d'une villa italienne. Il renferme la vaste collection personnelle de George Walter Vincent Smith et de son épouse, qui comporte des armes et des armures, des paravents, des laques, des tissus et des céramiques, tous japonais, de même que de beaux tapis persans et des objets d'art décoratifs chinois. Vous pourrez en outre y admirer une magnifique sélection de toiles américaines du XIXe siècle.

Le **Museum of Fine Arts** ★★ renferme six galeries consacrées à l'art américain et présente des œuvres importantes d'artistes de la région. Parmi ses fleurons, il convient de retenir le gigantesque *Historical Monument of the American Republic* d'Erastus Salisbury Field et la *New England Scenery* de Frederic Church. Certaines galeries présentent par ailleurs des pièces européennes, impressionnistes et du XXe siècle.

Le **Springfield Science Museum** fera le bonheur des enfants avec, entre autres, sa réplique grandeur nature d'un tyrannosaure. On y couvre les sciences naturelles et physiques par le biais, notamment, d'expositions sur la faune et les peuplades d'Afrique, d'objets façonnés par les Premières Nations, d'habitats terrestres et aquatiques, et de vitrines sur les dinosaures et sur les «mystères de la science». Le musée abrite aussi un planétarium.

Le **Connecticut Valley Historical Museum** témoigne de l'histoire et des traditions de la vallée – de 1636 à nos jours – à travers une succession d'expositions temporaires.

En poursuivant vers l'est par State Street, passé la Saint Michael's Cathedral (sur votre gauche), vous apercevrez le **Springfield Armory National Historic Site** *(mar-dim 10h à 17h; One Armory Square, entrée sur Federal St., ☎413-734-8551, www.nps.gov/spar)*. Cette armurerie date de 1777, à l'époque où les États-Unis n'étaient âgés que d'un an et luttaient encore pour leur indépendance. Le général George Washington avait choisi cette colline en surplomb sur le fleuve Connecticut pour y cacher le premier arsenal du pays, et, au cours des 190 années qui suivirent, son entrepôt de mousquets devint l'une des installations les plus importantes qui soient dans le monde en ce qui a trait à la conception, au développement et à la production d'armes légères à des fins militaires. En 1968, l'arsenal a cessé de fabriquer des armes, et la propriété sur laquelle il se trouve englobe désormais le Springfield Technical Community College. Le site historique couvre une superficie de 22 ha et regroupe plusieurs bâtiments du complexe original, y compris un musée abritant «la plus grande collection d'armes légères du monde», dans la structure principale de l'arsenal.

Également accessible en voiture, le **Forest Park** *(200 Trafton Rd., sortie 4 de la route I-91 S., ☎413-733-2251)* constitue le plus grand espace vert de Springfield. Vous y trouverez des sentiers pédestres, des jardins de roses et des aménagements aquatiques sur 298 ha, sans oublier la flamme éternelle qui brûle en mémoire de l'ancien président des États-Unis John F. Kennedy. Le **Zoo in Forest Park** *(4,50$; avr à nov tlj 10h à 16h30; Sumner Ave., ☎413-733-2251, www.forestparkzoo.org)* en fait également partie et permet d'admirer 200 espèces animales tout en offrant un tour de train aux enfants.

De Springfield, prenez la route I-91, que vous suivrez vers le nord jusqu'à la sortie de Northampton.

Northampton ★★★

Northampton est une petite ville universitaire de près de 30 000 habitants où vivent sans doute plus d'artistes, d'écrivains et de musiciens au mètre carré qu'à New York ou Montréal. Au cœur même de la «Five College Area» de la Pioneer Valley, Northampton recèle une myriade de cafés, de galeries d'art et de librairies, surtout le long de **Main Street ★★★**. Le bohémien ou la bohémienne qui sommeille en vous ne manquera pas de s'éveiller, et vous ne devez à aucun prix rater cette expérience. Fortement influencée par une université réputée, de même que par une communauté gay et lesbienne de tout premier plan, Northampton, résolument avant-gardiste, a été proclamé «la meilleure petite ville artistique d'Amérique». Elle se parcourt fort bien à pied, et vous trouverez des places de stationnement payantes dans la plupart de ses rues.

Dominant Northampton à l'extrémité ouest de Main Street, le **Smith College** *(angle Main St. et Elm St., ☎413-585-2700, www.smith.edu)* possède un campus tout à fait charmant, ponctué d'incontournables bâtiments historiques et d'espaces verts.

Le **Smith College Museum of Art ★** *(5$; mar-sam 10h à 16h, dim 12h à 16h; Tyron Hall, Smith College, Elm St., ☎413-585-2760)* recèle une collection de plus de 24 000 objets datant de 2 500 av. J.-C. à nos jours et couvre un large éventail de cultures. Une de ses forces tient à ses œuvres des XIXᵉ et XXᵉ siècles.

Cachés tout au fond du campus du Smith College, le **Botanic Garden of Smith College** *(dons appréciés; tlj 8h30 à 16h; College Ln., ☎413-585-2740)* possède une importante collection de plantes vertes du monde entier présentées dans des habitats reconstitués de toutes pièces. Les nombreux membres du personnel se feront un plaisir de répondre à vos questions.

En partant du Smith College, continuez vers l'ouest par Main Street au-delà de l'église catholique romaine St. Mary's, de l'hôtel de ville de Northampton (un édifice plus ou moins laid qui ressemble à un château cubique surmonté de flèches néogothiques pour le moins bizarres) et du pont ferroviaire pour atteindre l'**Historic Northampton ★** *(5$; mar-ven 10h à 16h, sam-dim 12h à 16h; 46 Bridge St., ☎413-584-6011, www.historic-northampton.org)*, un musée d'histoire locale qui renferme quelque 50 000 objets et trois bâtiments historiques datant des XVIIIᵉ et XIXᵉ siècles qui se trouvent toujours à leur emplacement d'origine et que l'on peut visiter le samedi et le dimanche. La collection du musée comporte plus de 10 000 photographies, documents et manuscrits du XVIIe au XXe siècle.

De Northampton, prenez la route 9 (Main Street) vers l'est jusqu'à Amherst.

Amherst ★ ★

La petite ville d'Amherst est située sur des terres achetées en 1658 par un Autochtone appartenant à la tribu locale des Norwottucks et vivant à Springfield. Elle est demeurée relativement peu peuplée jusqu'au début du XVIIIe siècle, après quoi des colons ont commencé à s'y installer et à faire de l'agriculture la principale industrie de la région. La ville a été constituée en 1777 et a pris le nom de Lord Jeffrey Amherst, un Anglais qui, en 1760, avait marché sur Montréal à la tête de trois armées pour ainsi prendre possession du Canada au nom de la Grande-Bretagne. Il est intéressant de noter que Lord Amherst ne s'est jamais même rendu dans la ville qui porte son nom.

Aujourd'hui, bien que l'agriculture soit toujours importante, l'économie s'est élargie pour englober l'éducation, dans la mesure où les institutions d'Amherst produisent chaque année 10 000 diplômés de niveau postsecondaire et où trois des cinq universités de la région ont leur siège sur place (l'University of Massachusetts, l'Amherst College et le Hampshire College). Tout comme à Northampton, ces maisons d'enseignement exercent une influence profonde sur la culture d'Amherst.

En arrivant par la route 9, tournez à gauche dans North Pleasant Street (une des rares rues principales de l'État à ne pas porter le nom de Main Street).

Vous verrez alors sur votre droite l'**Amherst Town Common**, un espace de verdure où sont présentés nombre de spectacles et d'expositions durant tout l'été et l'automne; il est par ailleurs entouré de beaux bâtiments historiques, notamment le **Town Hall** (hôtel de ville), la **Grace Episcopal Church** (église) et le **Lord Jeffrey Inn** (voir p 288). Le Town Common lui-même se prête en outre on ne peut mieux à un moment de détente, un bon livre à la main.

Faites votre prochain arrêt à l'ancienne demeure d'Emily Dickinson (voir encadré),

La belle solitaire d'Amherst

Elle n'est pas sortie de chez elle depuis 15 ans. Elle est toujours tout de blanc vêtue, et on dit que son esprit est absolument merveilleux. Elle écrit bien, mais personne ne la voit jamais.

– Un résidant d'Amherst à propos d'Emily Dickinson, en 1881

Telle est la mystique qui entoure la poétesse bien-aimée d'Amherst. Dans sa maison, Dickinson a écrit ses vers aujourd'hui encensés, sans jamais vraiment faire d'effort pour les publier (à peine 10 textes connus auraient été publiés avant sa mort). Après son décès, en 1886, sa sœur Lavinia a trouvé plus de 800 poèmes cachés dans sa chambre et écrits sur du papier à lettres, sans titres, sans dates et sans même une signature.

Tout comme Franz Kafka à sa suite, Dickinson avait insisté pour que tous ses papiers soient détruits après sa mort. Lavinia décida cependant de conserver les feuillets trouvés et fit publier un recueil complet des poèmes de sa sœur en 1890. Les écrits provocants et pleins d'esprit de Dickinson, sur la vie, la mort, l'amour et la douleur, connurent aussitôt un immense succès, si ce n'est que le plus grand mystère continue d'entourer la belle solitaire d'Amherst.

l'enfant chérie d'Amherst. L'**Emily Dickinson Museum** ★ ★ ★ *(8$; mars et nov à début déc mer et sam 13h à 17h; avr, mai, sept et oct mer-sam 13h à 17h; juin à août mer-sam 10h à 17h, dim 13h à 17h; 280 Main St., ☎413-542-8161, www.emilydickinsonmuseum.org)* est à 5 min de marche de North Pleasant Street en remontant la rue principale et s'impose comme l'endroit que tout le monde devrait visiter à Amherst.

La célèbre et solitaire poétesse est née dans cette maison carrée de style Federal le 10 décembre 1830 et y a vécu toute sa vie sauf pour une période de 15 ans. C'est dans la maison même et sur la paisible propriété bordée d'arbres qui l'entoure qu'elle a écrit ses vers fabuleux. La propriété a été achetée par l'Amherst College en 1965, puis transformée en musée en 1999; vous y trouverez des effets personnels et le mobilier de la famille Dickinson. Les visites, qui permettent d'explorer les différentes pièces de la maison en terminant par la chambre à coucher d'Emily, portent sur ce que l'on sait de sa vie palpitante et sont ponctuées d'anecdotes du temps où elle vivait ici. Les plus fervents admirateurs de Dickinson en pèlerinage sur les lieux fondent souvent en larmes au terme de la visite!

Retournez à North Pleasant Street, tournez à gauche et marchez au-delà du Town Common.

Vous voilà sur le campus ondulant de l'**Amherst College** *(à la jonction de la route 116 et de la route 9; www.amherst.edu)*. Les premiers bâtiments de briques de l'université ont vu le jour à cet endroit en 1820 et accueilli dès le départ des hommes de la trempe de Noah Webster (auteur du *New World Dictionary*) et de Samuel Fowler Dickinson (le grand-père d'Emily). L'Amherst College devint dès 1821 une institution vouée à la formation de futurs ministres du culte chrétien. Depuis, les choses ont quelque peu changé puisque l'université accueille aujourd'hui 1 600 étudiants des deux sexes et offre un programme d'études axé sur une vision élargie des arts libéraux.

Sur le campus même se trouve le **Mead Art Museum** ★ *(entrée libre; sept à mai mar-dim 10h à 16h30, sam-dim 13h à 17h; mai à août mar-dim 13h à 16h; ☎413-542-2335)*, qui recèle une collection de 16 000 peintures américaines et européennes ainsi qu'une collection de sculptures asiatiques et africaines.

Revenez sur vos pas en repassant par le Town Common, puis tournez à gauche dans Amity Street.

La **Jones Library** *(entrée libre; lun 13h à 17h30, mar-sam 9h à 17h30, mar et jeu jusqu'à 21h30, sept à mai aussi dim 13h à 17h; 43 Amity St., ☎413-259-3090, www.joneslibrary.org)* est une bibliothèque qui date de 1928. Elle a été construite en pierres des champs de Pelham par une équipe d'artisans italiens et renferme des vitrines sur Robert Frost, Emily Dickinson et Robert Francis, sans oublier une foule de documents historiques sur Amherst.

Derrière la bibliothèque se dresse l'**Amherst History Museum at the Strong House** *(4$; mi-mai à mi-oct tlj 12h30 à 15h30; 67 Amity St., ☎413-256-0678)*, qui expose des objets d'arts décoratifs, des peintures, des articles ménagers et des instruments agricoles, de même que d'autres souvenirs de l'histoire d'Amherst, qui s'étend sur près de 300 ans. La Strong House a été construite en 1750 et compte parmi les premières structures de la ville alors qu'elle entamait à peine sa croissance. Ses pièces d'époque font d'ailleurs partie du musée et présentent un mélange de styles victoriens des XVIIIe et XIXe siècles.

Le grand campus moderne de l'**University of Massachusetts** est accessible par les transports en commun ou en voiture, en tournant à gauche dans Triangle Street, à l'extrémité nord de North Pleasant Street et du centre de la ville. Après avoir croisé un grand nombre de maisons d'associations d'étudiants affichant des caractères grecs, vous atteindrez l'**University Gallery** *(entrée libre; sept à avr mar-ven 11h à 16h30, sam-dim 14h à 17h; Fine Arts Center, campus de l'UMass, en bordure de la route 116, ☎413-585-3670)*, qui abrite une collection respectable d'art moderne contemporain.

Pour profiter du grand air, rendez-vous au sud d'Amherst par la route 116 en direction de South Hadley. Vous découvrirez alors l'impressionnant **Mount Holyoke Range State Park** ★★ *(centre d'accueil des visiteurs tlj 9h à 17h; ☎413-586-0350)*, qui regroupe cinq sommets et propose une foule d'activités récréatives. Également au sud d'Amherst, le **J.A. Skinner State Park** ★ *(en bordure de la route 47, Hadley, ☎413-586-0350)* se trouve au sommet du mont Holyoke.

Quittez Amherst par la route 9 en direction ouest et tournez à droite vers le nord dans la route 116.

La route 5 et la route 116 ont toutes deux des sorties vers le **Mount Sugarloaf** ★ *(de l'aube au crépuscule; route 116, ☎413-545-5993)*. Cette montagne tient son nom des étranges formations rocheuses en strates rouges qui lui confèrent une légèreté comparable à celle d'un pain de sucre. Une route serpente jusqu'au sommet, où vous trouverez une petite tour d'observation et plusieurs tables de pique-nique. Bien qu'il ne s'agisse pas d'une montagne très imposante, la vue que l'on a du sommet se révèle extraordinaire et presque complètement circulaire, embrassant aussi bien le fleuve Connecticut que les terres cultivées dont il s'entoure.

Continuez en direction nord-ouest par la route 116, puis tournez à droite, en direction nord, dans la route 5, suivie de la route 10, pour atteindre Deerfield.

Deerfield ★ ★ ★

Fondée en 1669 pour servir d'avant-poste aux Britanniques débarqués en Amérique du Nord, Deerfield se trouve sur un territoire occupé par des Amérindiens pendant quelque 8 000 ans avant l'arrivée des Européens. Après sa colonisation aux mains des Anglais, cet endroit devint, au début du XVIIIᵉ siècle, le site d'affrontements sanglants entre les Autochtones et les nouveaux arrivants, si bien que Deerfield se retrouva dans les livres d'histoire après avoir été presque entièrement détruite par un détachement de Français et d'Amérindiens le 29 février 1704. De nos jours, le village de Deerfield, entouré de champs et de petites collines boisées, se veut le témoignage vivant d'une époque révolue, et ses rues bordées de charmantes maisons historiques ne peuvent que rappeler ce passé fascinant.

Entamez votre visite de l'**Historic Deerfield ★ ★ ★** au **Hall Tavern Information Center** *(14$; toute l'année tlj 9h30 à 16h30; Old Main St.,* ☎*413-774-5581, www.historic-deerfield. org)*, qui a pignon sur rue juste en face du **Deerfield Inn** (voir p 288). Le droit d'entrée vous donne accès à 13 maisons historiques ouvertes au public, toutes plus magnifiques les unes que les autres et remplies de plus de 25 000 objets fabriqués ou utilisés aux États-Unis entre 1650 et 1850, notamment des meubles, des céramiques, des étoffes, de la verrerie et de l'argenterie. Toutes ces maisons se trouvent à distance de marche les unes des autres.

En retrait de Main Street se dresse le **Memorial Hall Museum ★** *(6$, ou compris dans le droit d'entrée de l'Historic Deerfield; début mai à fin oct tlj 11h à 17h; 8 Memorial St.,* ☎*413-774-3768, www.deerfield-ma.org)*, soit un des plus vieux musées des États-Unis. Il présente un assortiment impressionnant d'antiquités de la Nouvelle-Angleterre et d'objets historiques de la région de Deerfield.

Quittez Deerfield par les routes 5 et 10 en direction nord, et prenez vers l'ouest la route 2 à Greenfield pour atteindre Charlemont.

Charlemont

Charlemont, un tout petit village campé en bordure de la route 2 et du **Mohawk Trail** (voir encadré), constitue l'un des meilleurs rendez-vous de plein air qui soient dans le centre et l'ouest du Massachusetts; de la descente de rapides jusqu'au ski, vous y trouverez en effet de tout. La **Mohawk Trail State Forest ★** *(175 Mohawk Trail/route 2,* ☎*413-339-5504)* a pour sa part une superficie de 2 430 ha et saura combler les plus fervents amateurs de grands espaces.

Continuez vers l'ouest par la route 2 pour atteindre le nord des Berkshires.

- -

Les Berkshires
★ ★

Ce circuit s'étend du nord au sud de l'extrémité ouest du Massachusetts, fortement boisée et connue sous le nom de «Berkshires». Il s'agit d'une région de prés ondulants, de collines couvertes d'arbres, de lacs miroitants et de cours d'eau bouillonnants. Mais, bien que ces facteurs naturels attirent une foule d'amateurs de grand air, les Berkshires se targuent aussi d'être un rendez-vous culturel de tout premier plan aux États-Unis, soit un endroit où les arts, le théâtre et la danse font accourir chaque année des hordes de citadins en vacances venus de Boston et de New York.

En été, les chemins de campagne sont envahis par des Mercedes, des BMW et des véhicules utilitaires sport chargés à bloc, les Volkswagen vieillissantes se faisant plutôt rares. Les visiteurs de la région privilégient en effet les auberges luxueuses, les bons restaurants et les attraits culturels, et cherchent généralement à revivre l'âge d'or de ce coin de pays, à l'époque où les aristocrates new-yorkais de la fin du XIXᵉ siècle s'y ruaient pour ériger d'élégants manoirs qu'ils qualifiaient ironiquement de *cottages*. Cela dit, les Berkshires ont encore beaucoup à offrir même à ceux qui ne gagnent pas le salaire d'un avocat new-yorkais.

Le centre et l'ouest du Massachusetts - Attraits touristiques - Les Berkshires

Le Mohawk Trail

Les premiers colons européens du nord-ouest du Massachusetts eurent tôt fait de découvrir que les terres sauvages de leur nouvelle patrie étaient sillonnées de nombreux sentiers, soit des pistes empruntées par les Premières Nations depuis de nombreuses générations. Le sentier qui est devenu le Mohawk Trail date de l'ère postglaciaire et servait déjà à cette époque aussi bien au commerce qu'aux voyages. Les colons européens l'utilisèrent eux-mêmes à leur arrivée pour se déplacer entre les colonies anglaises de Boston et de Deerfield, de même que pour atteindre les colonies hollandaises de New York. Avec la venue du cheval et des voitures à traction animale, on ne tarda d'ailleurs pas à l'élargir.

Une grande partie du Mohawk Trail a depuis longtemps été revêtue et forme aujourd'hui la route 2, un axe est-ouest de 100 km. Les automobiles ont donc remplacé les Amérindiens et les chariots européens, si ce n'est qu'un tronçon de la piste se prête encore à la randonnée pédestre dans la bien nommée Mohawk Trail State Forest.

En partant de North Adams, ce circuit descend vers le sud et croise les pittoresques petites villes de la région le long de la route 7, qui est la principale artère nord-sud du secteur, et des routes secondaires plus retirées. La visite prend fin à Great Barrington, dans l'angle sud-ouest de l'État. Sachez toutefois que, si vous venez de Boston par le Massachusetts Turnpike (route I-90) et comptez seulement visiter les Berkshires en omettant la Pioneer Valley, il est plus logique d'effectuer ce circuit en sens inverse (en partant de Great Barrington pour ensuite remonter vers le nord).

North Adams

En venant de la Pioneer Valley par la route 2, soit l'ancien Mohawk Trail, le relief gagne en altitude, les arbres obscurcissent la vue des deux côtés de la route, puis North Adams émerge des Berkshire Hills. Cette ville a été créée en 1878 au moment où s'achevait la construction du Hoosac Tunnel, long de 7,6 km. Le tunnel en question permettait en effet au chemin de fer, ô combien primordial à l'époque, d'atteindre la ville, séparant ainsi North Adams de la ville même d'Adams.

Au cours de la révolution industrielle, North Adams vit pousser les usines textiles en briques rouges sur les berges de la rivière Hoosic et donna ainsi du travail à nombre d'immigrants polonais, italiens et irlandais. Ces bâtiments sont d'ailleurs toujours en place, et ce, malgré le fait que l'industrie textile de la Nouvelle-Angleterre a depuis longtemps déménagé ses pénates dans les États du Sud. En 1942, la Sprague Electric Company a de fait entrepris d'utiliser ce complexe de bâtiments désaffectés aux abords du centre-ville pour y fabriquer de l'équipement électronique. Puis, l'ensemble est devenu le siège du majestueux **Massachusetts Museum of Contemporary Art ★ ★ ★** *(10$; juil à sept tlj 10h à 18h, sept à juil mer-lun 11h à 17h; 87 Marshall St.,* ☎*413-662-2111, www.massmoca.org).* Le MASS MoCa, ainsi qu'on le désigne ici, a une superficie de 18 000 m² et s'impose comme l'un des plus grands centres d'arts visuels contemporains et d'arts de la scène des États-Unis. On y présente notamment des expositions d'art contemporain, des œuvres théâtrales multimédias, des spectacles de danse, des concerts, des créations numériques, des œuvres d'animation et des réalisations cinématographiques. On l'a grandement louangé pour avoir en quelque sorte sauvé North Adams en y stimulant une renaissance artistique et économique après les années difficiles qui ont suivi la fermeture de l'usine de la Sprague Electric Company en 1985. Les galeries du MASS MoCA renferment de tout, du plus bizarre au franchement génial, et ne peuvent en aucun cas être ignorées.

Continuez vers l'ouest par la route 2 en direction de Williamstown et tournez dans Notch Road.

À seulement 10 min de North Adams, vous trouverez l'entrée de la **Mount Greylock State Reservation** ★★★ (☎413-499-4262) sur Notch Road, une route sinueuse et panoramique, accessible en voiture de mai à octobre, qui mène au sommet de la plus haute montagne de l'État, soit le mont Greylock (alt. 1 064 m). Prenez garde en montant, car on peut difficilement voir les voitures qui viennent en sens inverse. La vue époustouflante des montagnes couvertes d'arbres que vous aurez du sommet est de celles qui ont inspiré des personnalités littéraires du Massachusetts telles que Herman Melville, Nathaniel Hawthorne et Henry David Thoreau.

Tout en haut se dressent la **War Memorial Tower**, une tour de 30 m qui rend hommage aux hommes et aux femmes du Massachusetts qui ont perdu la vie dans des conflits à l'étranger, le pittoresque **Bascom Lodge** à charpente de bois, le **Thunderbolt Ski Shelter** et le **Summit Garage**. L'ensemble de la réserve couvre plus de 5 000 ha et renferme un tronçon de 18,5 km de l'Appalachian Trail. Le centre d'accueil des visiteurs se trouve sur Rockwell Road à Lanesboro, aux abords immédiats de la route 7 (l'autre principale voie d'accès au mont Greylock).

Faites 10 km vers l'ouest sur la route 2, qui va à Williamstown, où elle devient Main Street.

Williamstown ★

Bien qu'il se trouve dans le voisinage immédiat de North Adams et qu'il possède un formidable musée d'art, le village de Williamstown s'auréole d'une atmosphère tout autre. *The Village Beautiful*, dont la population est d'environ 8 200 habitants, prend en effet des allures de ville universitaire luxuriante et cultivée avec son fameux festival de théâtre (voir p 299) et son paysage distinctement dépourvu d'entrepôts et d'usines. De fait, il semble que l'industrialisation ait oublié Williamstown dans son sillage.

Williamstown accueille notamment les 2 000 étudiants du **Williams College**, une université reconnue auprès des étudiants en arts libéraux, les restaurants de la région étant d'ailleurs tapissés de leurs œuvres. Leur présence au sein de la communauté est nettement sentie et y injecte une bonne dose de vigueur juvénile.

Le campus de l'université s'étend de part et d'autre de la route 2 (Main Street) en entrant dans Williamstown, et comprend le **Williams College Museum of Art** ★ *(entrée libre; mar-sam 10h à 17h, dim 13h à 17h; 15 Lawrence Hall Dr., ☎413-597-2429, www.wcma.org)*. Les galeries du musée abritent 12 000 œuvres, principalement d'arts contemporain et moderne, d'art américain de la fin du XVIIIᵉ siècle à nos jours et d'art non occidental.

En sortant du musée, promenez-vous sur le vaste campus verdoyant de l'université. La **Thompson Memorial Chapel**, une chapelle en pierres couverte de lierre, se dresse tout juste en face du musée d'art et vaut un coup d'œil rapide. Directement derrière la chapelle se dresse la **Chapin Library**, une bibliothèque qui renferme plus de 25 000 livres rares, premières éditions et documents historiques. Le **Hopkins Observatory** *(entrée libre; toute l'année; Main St., ☎413-597-2188)* s'impose pour sa part comme le plus vieil observatoire universitaire des États-Unis. Il présente des expositions sur l'histoire de l'astronomie ainsi que des spectacles de planétarium.

En poursuivant par la route 2 (Main Street), vous croiserez la jonction avec la route 7, où vous tournerez à gauche dans South Street.

Le **Sterling and Francine Clark Art Institute** ★★★ *(entrée libre début nov à fin mai, 10$ début juin à fin oct; sept à juin mar-dim 10h à 17h, juil et août tlj 10h à 17h; 225 South St., ☎413-458-2303, www.clarkart.edu)* apparaîtra sur votre droite 1 km plus loin. L'institut regroupe un complexe de bâtiments, parmi lesquels figure la structure principale en granit rouge qui loge les galeries du musée d'art, lui-même d'envergure internationale.

Monsieur Clark était l'un des héritiers de la fortune des Singer (fabricants de machines à coudre), et l'institut a été créé à partir de la collection d'art que lui et son épouse d'origine française, Francine, avaient personnellement constituée. Il s'agit d'ailleurs d'une collection fort impressionnante, particulièrement riche en toiles d'impressionnistes français, en œuvres américaines et en tableaux des vieux maîtres. On présente en outre régulièrement, dans les salles d'exposition temporaires du musée, des expositions spéciales d'œuvres provenant de collections du monde entier.

En quittant Williamstown par Main Street, prenez la route 7 en direction sud jusqu'à Pittsfield.

Pittsfield

Pittsfield est la «métropole» des Berkshires, pour peu que sa population d'à peine 44 000 habitants justifie une telle appellation. Cette ancienne plantation, connue sous le nom de «Pontoosuc», a été rebaptisée en 1761 en l'honneur de l'homme d'État britannique William Pitt. Même s'il ne s'agissait au départ que d'une communauté agricole, le commerce de détail et l'industrie ne tardèrent pas à s'y développer dans les années qui suivirent, ce qui explique la présence des nombreux bâtiments de briques rouges, façon industrielle, qui émaillent la ville. Pittsfield est sans doute beaucoup moins charmante que les villages pittoresques qui l'entourent, mais elle n'en recèle pas moins quelques attraits dignes de mention.

Aux abords immédiats du **Park Square**, qui s'étend à l'extrémité sud de la ville, dans le secteur le plus attrayant de Pittsfield, s'élève le **Berkshire Museum** *(8$; lun-sam 10h à 17h, dim 12h à 17h; 39 South St./route 7, ☎413-443-7171, www.berkshiremuseum.org).* Il s'agit là d'un musée familial de trois étages doublé d'un aquarium où l'on met l'accent sur les arts, les sciences naturelles et l'histoire; un bon endroit à visiter si vous avez des enfants, mais auquel vous pourrez facilement passer outre dans le cas contraire.

Du Park Square, empruntez East Street, tournez à droite dans Elm Street, puis à droite dans Holmes Road. Une dizaine de minutes plus tard apparaîtra sur votre droite la maison en planches jaunes du célèbre écrivain Herman Melville.

La **Herman Melville's Arrowhead** ★★ *(12$; début mai à fin oct mer-lun 10h30 à 16h, sur rendez-vous le reste de l'année; 780 Holmes Rd., ☎413-442-1793, www.mobydick.org)* présente davantage d'intérêt, mais s'avère aussi un peu plus difficile à trouver. C'est dans cette maison de ferme du XVIIIᵉ siècle que Melville a écrit son classique *Moby Dick* (voir encadré). «Arrowhead» (le nom donné à la maison par Melville lui-même) a été préservée en l'état, avec ses meubles d'époque et les biens personnels de la famille, et la visite guidée des lieux fournit d'excellentes données sur le contexte dans lequel le chef-d'œuvre de Melville a été écrit. Le

point saillant de la visite est le cabinet de travail de l'auteur, à l'étage, dont une des fenêtres offre une vue imprenable sur le mont Greylock. Les théoriciens avancent que la forme de cette montagne (qui fait penser à un cachalot macrocéphal) pourrait avoir inspiré l'écrivain à écrire son œuvre. La propriété de 17,5 ha comporte en outre un sentier pédestre à travers bois où Melville se promenait souvent.

À seulement 8 km à l'ouest de Pittsfield par la route 20, tout près de la frontière de l'État de New York, s'étend le **Hancock Shaker Village** ★★ *(15$ haute saison, 12,50$ basse saison; avr et mai tlj 10h à 16h, juin à oct tlj 9h30 à 17h; route 20, ☎413-443-0188, www.hancockshakervillage.org).* Ce village recrée fort bien, et de manière intéressante, une société communautaire shaker et a d'ailleurs bel et bien été un village shaker, actif entre 1790 et 1960, dont les membres partageaient tous leurs biens et pratiquaient le célibat, l'égalité et la séparation des sexes, de même que le pacifisme. Il s'agit aujourd'hui d'un musée d'histoire vivant dont les interprètes costumés vous font découvrir le mode de vie des shakers au fil de quelque 20 bâtiments restaurés, entre autres un atelier, des bâtiments de ferme, une école, un bureau d'administration et une fascinante étable à vaches laitières en pierres de forme circulaire. Démonstrations, conférences et visites guidées font partie du programme d'activités des lieux.

De retour sur la route 7, prenez vers le sud en direction de Lenox.

Le **Canoe Meadows Wildlife Sanctuary** *(3$; mar-dim 7h au crépuscule; Holmes Rd., ☎413-637-0320)* est une réserve faunique composée de riches terres humides, de boisés, de champs et de terres arables en bordure de la rivière Housatonic.

Continuez vers le sud par la route 7 jusqu'à Lenox, où vous emprunterez la sortie vers l'Historic Lenox Village.

Lenox ★★

La pittoresque ville de Lenox marque le cœur des Berkshires, au point de vue tant géographique que culturel. Elle devint une éminente destination estivale à l'époque où les riches aristocrates new-yorkais ont entrepris de s'y faire construire des

À la recherche d'une baleine dans les Berkshires

La campagne qui m'entoure me donne l'impression d'être en mer... Dès mon réveil, je regarde par ma fenêtre comme s'il s'agissait du hublot d'un navire voguant sur l'Atlantique. Ma chambre elle-même ressemble à une cabine de bateau, et la nuit venue, lorsque le vent hurlant me réveille, j'ai presque le sentiment que la voilure de ma maison est trop importante et que je devrais me hâter de monter sur le toit pour bien amarrer la cheminée.

– Notes de Herman Melville, pendant qu'il écrivait *Moby Dick* chez lui, à Arrowhead

C'est dans sa maison de Pittsfield, baptisée «Arrowhead», que Melville a écrit son célèbre *Moby Dick*, très loin de l'océan, et avec pour seule vue, du haut de son étude à l'étage, le mont Greylock et les champs de maïs. De 1850 à 1863, il y a produit ses récits les plus remarquables, entre autres son œuvre la plus connue, racontant l'histoire d'un homme et d'une baleine.

manoirs entre 1880 et 1920, soit au cours de cette période désignée du nom d'«âge d'or» du pays. Ces imposantes propriétés influencent d'ailleurs toujours le paysage de la ville, beaucoup d'entre elles ayant été converties en écoles et en complexes hôteliers qui accueillent une nouvelle génération de riches vacanciers.

Un événement qui a plus ou moins contribué à maintenir la ville en vie après les années folles a été l'établissement, en 1937, du siège estival de l'orchestre symphonique de Boston à **Tanglewood** ★★ *(accès libre aux lieux pendant la journée; toute l'année; 297 West St., ☎413-637-1600).* En été, le très prisé **Tanglewood Music Festival** (voir p 299), qui présente des concerts du célèbre orchestre et d'autres interprètes de renom, attire 300 000 visiteurs à Lenox.

Même si vous n'avez pas l'intention d'assister à un concert, Tanglewood mérite tout de même une visite. À seulement 5 min de route au sud du village historique de Lenox, par West Street, s'étendent en effet 160 ha de pelouses paysagées, de prés ondulants, de jardins classiques et de bâtiments historiques. S'y trouve par ailleurs une reconstitution du petit cottage où le célèbre auteur Nathaniel Hawthorne a vécu et écrit une grande partie de ses œuvres *La maison aux sept pignons* et *Contes de Tanglewood* en 1850 et 1851. Un sentier balisé sillonne la propriété.

Tout juste à la périphérie du centre de Lenox, à la jonction de la route 7 et de Plunkett Street, se dresse **The Mount Estate & Gar-**

dens ★ *(16$; mai à fin oct tlj 9h à 17h; 2 Plunkett St., ☎413-637-1899, www.edithwharton. org),* soit l'ancienne résidence de l'écrivaine Edith Wharton, récipiendaire du prix Pulitzer. Il s'agit d'un manoir américain classique, majestueux et grandiose, construit pour Wharton (auteure d'ouvrages tels que *The Age of Innocence, Ethan Frome* et *The House of Mirth)* en 1901 et 1902. La structure aux allures de château repose sur une colline et s'entoure de pelouses, de jardins fleuris et de boisés. La visite des lieux (départs réguliers) fait voir les différentes pièces du manoir et traite aussi bien de l'architecture de The Mount que de la vie de Wharton.

Du village historique de Lenox, prenez Cliffwood Street jusqu'à ce qu'elle devienne Reservoir Road.

Si la nature vous manque, notez que le **Pleasant Valley Wildlife Sanctuary** ★ *(4$; mar-ven 9h à 17h, sam-dim et lun fériés 10h à 16h; 472 W. Mountain Rd., ☎413-637-0320, www. massaudubon.org)* se trouve immédiatement à l'ouest du **Kennedy Park**, au pied du mont Lenox. Vous y trouverez 600 ha d'espaces ouverts, 11,3 km de sentiers et de nombreux représentants de la faune que vous pourrez observer à loisir. Quant au Kennedy Park lui-même, il renferme aussi des sentiers parcourant de paisibles collines boisées et s'avère un excellent endroit où pratiquer le ski de fond durant l'hiver.

En quittant Lenox, continuez vers le sud par la route 7 et roulez pendant une dizaine de minutes pour atteindre Stockbridge.

Stockbridge ★ ★ ★

Dans cette région de villes et villages pittoresques, Stockbridge pourrait fort bien se révéler la localité la plus pittoresque de toutes. Norman Rockwell, le grand héros local, l'a un jour décrite comme *«la meilleure de la Nouvelle-Angleterre, voire de l'Amérique»*. Nous pouvons sans doute le taxer d'une certaine partialité, mais force est de reconnaître que cette petite ville demeure une des plus belles et des moins prétentieuses de la Nouvelle-Angleterre. Il n'y a donc rien d'étonnant à ce qu'elle foisonne de touristes.

Main Street est au cœur de l'action, avec son **Red Lion Inn** ★ ★ (voir p 291), une auberge établie depuis 200 ans, de même que de nombreux restaurants, boutiques et galeries. Même si vous ne logez pas à l'auberge, allez prendre un verre sous son porche car il n'y a pas meilleur endroit pour prendre le pouls de la ville.

Immédiatement à l'ouest du centre, toujours dans Main Street, se trouve le **Mission House Museum** *(6$; mi-mai à mi-oct tlj 10h à 17h; 19 Main St.,* ☎*413-298-3239)*, une maison minimaliste en planches construite en 1739 (l'année même où Stockbridge a été constituée en corporation) par John Sergeant lui-même, missionnaire dans la région auprès de la nation Mahican. La structure a été entièrement restaurée et dotée d'authentiques meubles d'époque. Il s'agit d'un musée depuis 1930, et les visites se font aux heures.

De Main Street, prenez Pine Street en direction nord, et tournez à gauche dans Prospect Hill Road.

Pour admirer de plus près un manoir de l'âge d'or merveilleusement bien restauré, rendez-vous à **Naumkeag** ★ ★ *(10$; mai à oct tlj 10h à 17h; 5 Prospect Hill Rd.,* ☎*413-298-3239, www.thetrustees.org)*. La maison en briques rouges de style Domestic Revival américain et les jardins soignés de la famille Choate ont été préservés avec amour. La demeure elle-même a été conçue par le célèbre architecte Stanford White en 1885, tandis que les jardins ont été dessinés par Fletcher Steele, l'éminent architecte-paysagiste du XXᵉ siècle. L'intérieur regorge de porcelaines chinoises, de rares tapis persans, de lustres en cristal de Waterford et de magnifiques pièces de mobilier colonia-

les du XVIIIᵉ siècle et du début du XIXᵉ siècle. Naumkeag est un mot amérindien employé pour désigner la région de Salem, au Massachusetts, et signifie «paix et sérénité».

Au départ du centre-ville, suivez la route 102 en direction sud sur 3 km.

Le **Berkshire Botanical Garden** ★ *(7$; mai à oct tlj 10h à 17h, serres ouvertes toute l'année; à la jonction des routes 102 et 183,* ☎*413-298-3926, www.berkshirebotanical.org)* a une superficie de 6 ha et recèle de paisibles jardins paysagers avec herbes aromatiques, plantes annuelles et vivaces, des rocailles, des étangs et un sentier boisé. L'endroit est on ne peut mieux choisi pour se détendre parmi les fleurs, les arbres et les arbustes, aussi bien indigènes qu'exotiques. Fondé en 1934, ce jardin botanique compte parmi les plus anciens centres horticoles des États-Unis.

De la route 102, empruntez la route 183 en direction sud jusqu'au Norman Rockwell Museum.

L'excellent **Norman Rockwell Museum** ★ ★ ★ *(12,50$; mai à oct tlj 10h à 17h, nov à avr lun-ven 10h à 16h, sam-dim 10h à 17h; 9 Glendale Rd., route 183,* ☎*413-298-3229, www.nrm.org)* témoigne du fait que le célèbre illustrateur et artiste incarne le cœur et l'âme de Stockbridge (voir encadré), tant et si bien qu'une visite de la ville ne saurait être complète sans voir ce musée. L'œuvre à la fois touchante et pleine d'humour de Rockwell a su capter d'extraordinaires expressions faciales dans des situations de tous les jours et n'a pas manqué d'envoûter le pays tout entier. Beaucoup de ses peintures originales sont exposées ici, entre autres *Home for Christmas*, qui représente merveilleusement bien la rue principale de Stockbridge à l'époque de Noël, et *The Runaway*. Le musée s'entoure d'une propriété de 14,5 ha offrant une vue panoramique sur les Berkshire Hills le long de la rivière Housatonic, sans oublier le studio de Rockwell, accessible au public entre mai et octobre. Enfin, outre l'exposition permanente consacrée à Rockwell, le musée présente des expositions temporaires sur d'autres illustrateurs réputés.

Un peu plus loin sur la route 183 se trouve la voie d'embranchement menant à Chesterwood.

Chesterwood ★ *(10$; mai à oct tlj 10h à 17h; 4 Williamsville Rd.,* ☎*413-298-3579, www.*

chesterwood.org) fut l'impressionnante propriété estivale de 50 ha de Daniel Chester French, le sculpteur acclamé dont les œuvres comprennent l'*Abraham Lincoln* assis du Lincoln Memorial de Washington, D.C. La visite couvre les terres, la maison et le studio de French, ce dernier étant tout particulièrement intéressant dans la mesure où les guides y expliquent en détail les méthodes de travail de l'artiste. La propriété accueille par ailleurs des expositions de sculptures signées par des artistes contemporains.

Prenez la route 102 vers l'est pour vous rendre à Lee.

Lee

Lee diffère quelque peu des villages et des petites villes voisines en ce qu'elle n'a pas tout à fait mordu à l'hameçon du tourisme à outrance. Vous n'y trouverez donc pas les chics et coûteuses boutiques et galeries d'art qui font notamment la marque de Lenox et de Stockbridge, ce qui, somme toute, n'est pas forcément une mauvaise chose.

Downtown Lee ★ est inscrit au registre national des lieux historiques, et son artère principale, comme c'est bien souvent le cas, porte le nom de «Main Street». Des plans de visite à pied autoguidée sont disponibles au centre d'accueil des visiteurs de la ville (voir p 268), dont l'idyllique rue principale à l'ancienne s'enorgueillit de la blanche et symbolique **First Congregational Church**, avec son clocher de 51 m, et du superbe **Memorial Hall**, de briques rouges et de marbre, pour ne mentionner que ces deux exemples parmi tant d'autres.

Tout juste au nord de Lee s'étend la grande **October Mountain State Forest** *(256 Woodland Rd., ☎413-243-1778)*, qui couvre 6 680 ha. Il s'agit d'un bon endroit pour pratiquer la randonnée, le canot, le camping et la pêche.

Officiellement situés dans le village de Tyringham, mais à courte distance de route de Lee, les **Santarella Museum and Gardens ★** *(6$; mai à fin oct tlj 10h à 17h; de la route 102, tournez à gauche en direction sud dans Tyringham Rd., 75 Main Rd., ☎413-243-3260)* comprennent entre autres l'ancienne maison et le studio du sculpteur Sir Henry Hudson

M. Stockbridge

J'adore Stockbridge. Pour tout dire, Stockbridge offre le meilleur de l'Amérique, le meilleur de la Nouvelle-Angleterre.

– Norman Rockwell

Et l'on pourrait affirmer sans mal que l'histoire d'amour liant Stockbridge à Norman Rockwell est parfaitement réciproque. Partout où vous conduisent vos pas dans cette charmante petite ville, il se trouve en effet quelque chose pour vous rappeler le célèbre illustrateur, que ce soit une carte postale de sa peinture *Home for Christmas* ou les reproductions de ses œuvres qui parent les murs des auberges locales.

Rockwell n'est cependant pas né à Stockbridge, mais plutôt à New York, en 1894. Il a emménagé à Stockbridge en 1953, à l'âge de 59 ans, avec sa deuxième épouse, Mary Barstow, et leurs trois fils. Mary est décédée six ans plus tard, et Rockwell s'est remarié en 1961. Il est mort paisiblement dans sa maison de Stockbridge le 8 novembre 1978.

Kittson (on lui doit notamment le *Minuteman* de Lexington). Cette pittoresque petite maison à dentelles de bois *(gingerbread house)* est du genre de celle où vous verriez très bien vivre la grand-mère du Petit Chaperon rouge, et la propriété comporte un petit musée, un jardin et un sentier boisé ponctué de sculptures contemporaines.

En quittant Lee, prenez la route 102 en direction ouest, passez Stockbridge et tournez à gauche dans la route 183 Sud. Ce bucolique chemin de campagne longe la rivière Housatonic en croisant de minuscules villages et s'impose comme une des routes les plus panoramiques des Berkshires. Les feuillages d'automne y sont par ailleurs féeriques.

Great Barrington ★

Great Barrington présente un curieux mélange de chic et de commun. Il s'agit là du siège commercial du sud des Berkshires et d'un endroit où une librairie nouvel âge peut très bien avoisiner un magasin d'appareils ménagers. Nombre de vieilles papeteries ponctuent par ailleurs les berges de la rivière Housatonic, mais il n'y a, somme toute, aucun attrait digne de ce nom, si ce n'est que la ville en soi se veut accueillante et que ses abords immédiats offrent de nombreuses possibilités d'activités de plein air.

De Main Street, prenez **Railroad Street ★**, une rue bordée de briques autour de laquelle se déploie le nouveau quartier à la mode de la ville.

Pour prendre un peu d'air frais, suivez la route 7 en direction nord jusqu'à la **Monument Mountain Reservation ★**, où les panoramas sont à couper le souffle. À l'est de la réserve, le pittoresque village de **Monterey** se voit pour sa part flanqué de la **Beartown State Forest** *(69 Blue Hill Rd., ☎413-528-0904)*, qui s'étend sur 4 860 ha et propose un large éventail d'activités de plein air.

Au sud-ouest de Great Barrington, sur la route 41, vous trouverez enfin le **Bash Bish Falls State Park ★** *(Falls Rd., Mount Washington, ☎413-528-0330)*, où les eaux dévalent en cascade du mont Washington à travers une succession de gorges débouchant sur une impressionnante chute de 20 m.

Activités de plein air

■ Canot, kayak et rafting

Le centre du Massachusetts et la Pioneer Valley

Pour louer un kayak ou un canot, ou pour prendre part à une descente de rapides conçue à l'intention des débutants ou des sportifs d'expérience sur la rivière Deerfield, adressez-vous à **Crab Apple Whitewater** *(Mohawk Trail, route 2, Charlemont, ☎413-553-7238, www.crabappleinc.com)*.

■ Croisières

Le centre du Massachusetts et la Pioneer Valley

Quinnetukut II Riverboat
10$
mai à sept
Northfield Mountain Recreation and Environmental Center
99 Millers Falls Rd.
Northfield
☎413-659-3714 ou 800-859-2960

La portion nord du fleuve Connecticut est couverte par ce bateau qui fait une excursion de 20 km d'une durée de 1h30, dont l'accent porte plus particulièrement sur les aspects géologiques, écologiques et historiques du cours d'eau. La croisière part de Northfield, tout juste au nord de Charlemont.

■ Équitation

Les Berkshires

Undermountain Farm *(55$; 400 Undermountain Rd., Lenox, ☎413-637-3365, www.undermountainfarm.com)* propose des excursions guidées sur les sentiers depuis les environs de Tanglewood.

Ceux qui recherchent quelque chose d'un peu moins exigeant peuvent profiter des balades à dos de lama offertes par **Berkshire Mountain Llama Hikes** *(322 Lander Rd., Lee, ☎413-243-2224)*. On demande 40$ par personne pour la première heure pour un groupe de trois personnes, et 10$ l'heure par la suite.

■ Golf

Le centre du Massachusetts et la Pioneer Valley

Ce circuit comporte quelques terrains de golf publics de 18 trous, parmi lesquels:

Franconia Golf Course
619 Dwight Rd.
Springfield
☎413-734-9334

Hickory Ridge Country Club
191 W. Pomeroy Ln.
Amherst

☎ 413-253-9320
www.hickoryridgecc.com

Les Berkshires

Les Berkshires s'enorgueillissent de nombreux terrains de golf, si ce n'est que plusieurs d'entre eux sont privés ou semi-privés. Parmi ceux qui sont ouverts au public, retenons:

Waubeeka Golf Links
137 New Ashford Rd.
South Williamstown
☎ 413-458-5869
www.waubeeka.com

Au nord des Berkshires, voici un 18 trous à normale 72 ouvert de 7h au crépuscule du 1er avril au 1er décembre. Comptez 37$ en semaine et 47$ la fin de semaine.

Cranwell Resort and Golf Club
55 Lee Rd., route 20
Lenox
☎ 800-272-6935
www.cranwell.com

Bien qu'il se trouve également dans le centre des Berkshires, ce terrain de golf présente une atmosphère légèrement différente des autres. Il s'agit en effet d'un parcours de championnat à 18 trous (normale 70) aménagé sur 154 ha naturellement boisés d'où vous aurez vue sur les montagnes. Comptez 69$ en semaine et 79$ la fin de semaine.

■ Pêche

Dans le centre et l'ouest du Massachusetts, la pêche en eau douce est très populaire, et très fructueuse, d'autant plus que, chaque année, l'État ensemence plus de 500 lacs, étangs, rivières et ruisseaux de quelque 700 000 truites. Du fleuve Connecticut aux cours d'eau glacials des Berkshires, les options sont nombreuses. Pour tout renseignement sur les meilleurs sites de pêche, sur les programmes d'ensemencement, sur les zones de pêche sportive (avec remise à l'eau), sur les permis et sur les règlements applicables, adressez-vous à **MassWildlife** *(Field Headquarters, 1 Rabbit Hill Rd., Westboro, MA 01581, ☎ 508-792-7270, www.mass.gov/ dfwele/dfw/dfwrec.htm).*

■ Randonnée pédestre

Le centre du Massachusetts et la Pioneer Valley

Mount Tom State Reservation
route 5
Holyoke
☎ 413-534-1186

Plus de 33 km de sentiers de randonnée sillonnent les 845 ha du mont Tom et couvrent de fait une chaîne de montagnes entière. Vous y aurez de superbes vues sur le fleuve Connecticut et la Pioneer Valley.

J.A. Skinner State Park
route 41
Hadley
☎ 413-586-0350

Le J.A. Skinner State Park renferme 16 km du **Metacomet and Monadnock Trail** tout en chevauchant les sommets du mont Holyoke et de la chaîne voisine des Holyoke. Il s'agit d'un tracé d'endurance qui part du Connecticut et parcourt 190 km avant d'atteindre le mont Monadnock, au New Hampshire.

Channing Blake Meadow Walk
entrée par The Street
Deerfield

De passage à Deerfield, n'hésitez surtout pas à faire cette promenade. Elle n'a rien de difficile et parcourt de paisibles prés, des terres cultivées et des cours d'eau, ce qui en fait un tracé rêvé pour les familles.

Mohawk Trail State Forest
175 Mohawk Trail, route 2
Charlemont
☎ 413-339-5504

Située entre la Pioneer Valley et les Berkshires, le long de la route 2 et du Mohawk Trail, cette forêt d'État est une des plus panoramiques du Massachusetts. Nombre de ses sentiers amérindiens d'origine, dont le Mohawk Trail, y sont accessibles aux randonneurs. Vous trouverez l'entrée du parc à 6,5 km à l'ouest de Charlemont.

Les Berkshires

Mount Greylock State Reservation
accès par Rockwell Rd., Lanesborough ou Notch Rd.
North Adams
☎ 413-499-4262

Cette réserve spectaculaire renferme 11 sentiers différents (pour un grand total de 73 km) qui varient aussi bien par leur niveau de difficulté que par les beautés panoramiques qu'ils offrent. Vous pouvez aussi accéder à l'incomparable Appalachian Trail à partir d'ici. Un tracé particulièrement digne de mention est le Cheshire Harbor Trail, soit un sentier de 3 km qui prend fin au sommet du mont Greylock et permet d'admirer cinq États différents.

Pittsfield State Forest
1041 Cascade St.
Pittsfield
☎413-442-8992

Vous trouverez ici 50 km de sentiers ponctués de cours d'eau, de cascades et d'arbustes à fleurs, le parc renfermant 26 ha d'azalées sauvages. La vue depuis le sommet du mont Berry est tout particulièrement frappante, et il s'agit là d'un endroit rêvé pour observer le coucher du soleil. Les personnes en fauteuil roulant pourront, pour leur part, entreprendre le Tranquillity Trail, entièrement revêtu.

Pleasant Valley Wildlife Sanctuary
472 West Mountain Rd.
Lenox
☎413-637-0320
www.massaudubon.org

Tout juste au sud des Canoe Meadows, la Pleasant Valley dispose de 12 km de sentiers sur 600 ha de forêts de feuillus, de ruisseaux, d'étangs, de prés et de pentes escarpées (celles du mont Lenox). Le sentier qui longe le ruisseau Yokun mérite une mention spéciale dans la mesure où, au coucher du soleil, la riche population de castors de la réserve s'y nourrit et s'affaire à y réparer ses barrages et ses abris. Au printemps, ce sont plutôt les salamandres qui migrent le long de West Mountain Road. Les sentiers sont ouverts les mêmes jours que le centre d'interprétation de la nature de la réserve faunique, soit de l'aube au crépuscule.

Monument Mountain Reservation
route 7
Great Barrington
☎413-298-3239

Tout juste au nord de Great Barrington, le mont Monument offre 5 km de sentiers sous un haut couvert forestier de pins et de chênes. Les pâles formations rocheuses de quartzite des environs composent des paysages intéressants.

Beartown State Forest
69 Blue Hill Rd.
Monterey
☎413-528-0904

La Beartown State Forest s'enorgueillit d'un important réseau de sentiers et d'une faune particulièrement riche, notamment composée de lynx roux, d'ours et de cerfs. On y trouve par ailleurs beaucoup de ruisseaux et d'étangs où vivent des castors. La boucle de 2,5 km qui fait le tour de l'étang Benedict en est un des points saillants. Il s'agit là d'un autre point d'accès à l'Appalachian Trail.

■ Ski alpin

Les Berkshires

Jiminy Peak Mountain Resort
37 Corey Rd., entre les routes 7 et 43
Hancock
☎413-738-5500
www.jiminypeak.com

Jiminy Peak s'impose comme la plus grande station de ski et de planche à neige du sud de la Nouvelle-Angleterre. On y offre des forfaits pour débutants à 79$, location d'équipement comprise.

Ski Butternut
380 State Road, route 23
Great Barrington
☎413-528-2000
www.skibutternut.com

Ski Butternut est une bonne station familiale dans la mesure où les pentes en sont variées. Les adultes doivent compter entre 31$ et 49$ pour un billet de remonte-pentes.

■ Ski de fond

Le ski de fond est une activité hivernale très prisée dans la région (surtout dans les Berkshires), de sorte qu'on trouve d'innombrables endroits où le pratiquer. Les sentiers qui sillonnent les parcs d'État constituent des valeurs sûres, mais les terrains de golf recouverts de neige ne sont pas à négliger non plus.

Le centre du Massachusetts et la Pioneer Valley

À l'intérieur de ce circuit, deux des endroits les plus attrayants pour le ski de fond sont des parcs d'État dont les sentiers de randonnée se transforment en pistes de rêve après une chute de neige:

Mohawk Trail State Forest
175 Mohawk Trail, route 2
Charlemont
☎413-339-5504

Elwell Recreation Area
Connecticut River Greenway State Park
Northampton
☎413-586-8706

Les Berkshires

Voici certains des meilleurs endroits où pratiquer ce sport:

Mount Greylock State Reservation
N. Main St.
Lanesborough
☎413-499-4262

Cranwell Resort and Golf Club
55 Lee Rd., route 20
Lenox
☎413-637-1364

Beartown State Forest
69 Blue Hill Rd.
Monterey
☎413-528-0904

■ Vélo

Le centre du Massachusetts et la Pioneer Valley

Norwottuck Rail Trail
Connecticut River Greenway State Park, Elwell Recreation Area
Northampton
☎413-549-6305
Ce sentier a été spécifiquement conçu pour le vélo de randonnée et relie Northampton et Amherst. Il s'agit d'un parcours revêtu de 16 km sur le tracé d'une ancienne voie ferrée.

Vous trouverez services de location, cartes, équipement et conseils, de même que des circuits organisés chez:

Northampton Bicycle
319 Pleasant St.
Northampton
☎413-586-3810
www.nohobike.com

Les Berkshires

Les Berkshire Hills s'explorent on ne peut mieux sur deux roues. Entreprenez, par exemple, l'ascension épuisante du mont Greylock ou la descente non moins exigeante du Jiminy Peak (après avoir pris le télésiège pour grimper jusqu'au sommet, il va sans dire), à moins que vous ne préfériez l'une ou l'autre des nombreuses options plus clémentes de la région, qu'il s'agisse des forêts d'État ou des chemins de campagne ondulants.

Vous trouverez services de location, cartes, équipement et conseils, de même que des circuits organisés chez:

Mountain Goat
130 Water St.
Williamstown
☎413-458-8445
www.themountaingoat.com

Le centre et l'ouest du Massachusetts ■ Activités de plein air

▲ Hébergement

Le centre du Massachusetts et la Pioneer Valley

Worcester

Holiday Inn
$$
≡ 🛏 ≋ ❚❚))) 🚭 🐾 @
500 Lincoln St.
☎ 508-852-4000
www.holidayinn.com
Bien qu'il se trouve quelque peu en retrait du centre-ville, le Holiday Inn propose des chambres confortables et sans doute un tant soit peu plus chic que la plupart des chaînes hôtelières. Toutes les commodités modernes sont disponibles, et les abords de la piscine intérieure s'agrémentent de plantes, ce qui en fait un endroit propice à la détente.

Crowne Plaza
$$-$$$
≡ ≋ ❚❚ ⚙ ❄ @
10 Lincoln Sq.
☎ 508-791-1600 ou 800-628-4240
🗐 508-791-1796
www.cpworcester.com
Le Crowne Plaza est un autre des nombreux hôtels à succursales multiples de Worcester, et il dessert une importante clientèle d'affaires. Ses 243 chambres sont décorées de façon plus ou moins conventionnelle, et un service de navette en provenance et à destination de l'aéroport est gracieusement offert par l'établissement.

Sturbridge

Outdoor World Campground
$
≋
19 Mashapaug Rd.
☎ 508-347-7156
Ce terrain de camping fera le bonheur des enfants avec sa piscine intérieure, son bain à remous, son minigolf et sa salle de jeux électroniques, sans oublier la salle de bar intérieure pourvue d'un écran géant à l'intention des adultes. On y dénombre 101 emplacements pour tentes et véhicules récréatifs de même que 52 petits chalets.

Country Motor Lodge
$-$$
≡ ⚙
sur le Common, route 131
☎ 508-347-3313 ou 800-PUBLICK
www.publickhouse.com
Le Country Motor Lodge est géré par les propriétaires du Publick House Historic Inn (voir ci-dessous), mais renferme moins d'antiquités et offre plus de commodités aux familles. Ses 92 chambres de motel présentent un style champêtre.

Publick House Historic Inn
$$
≡ ≋ ❚❚
sur le Common, route 131
☎ 508-347-3313 ou 800-PUBLICK
www.publickhouse.com
Le Publick House invite ses hôtes à remonter dans le temps dans une auberge de 17 chambres qui date de 1771. Les moutons paissent encore dans le pré, le personnel porte des costumes du XVIIIe siècle, et les chambres sont pleines d'antiquités ou de copies authentiques de meubles d'époque. Le restaurant lui-même propose des mets nourrissants d'une ère révolue (voir p 293).

Thomas Henry Hearthstone Inn
$$-$$$ pdj
≡ @ ❚❚ ⚙
453 Main St.
☎ 888-781-7775
www.hearthstonestur.com
Le Thomas Henry Hearthstone Inn est aménagé dans une vaste maison jaune à plusieurs niveaux dans la rue principale de Sturbridge. Le décor en est campagnard, et certaines chambres disposent de baignoires à remous en angle. Un bon choix pour une escapade romantique.

Sturbridge Host Hotel and Conference Centre
$$$ pdj
≡))) ⚙ 🛏
366 Main St.
☎ 508-347-7393 ou 800-582-3232
🗐 508-347-3824
www.sturbridgehosthotel.com
L'immense Sturbridge Host Hotel est situé au bord du très beau lac Cedar, ce qui permet à toute la famille de pratiquer divers sports nautiques. C'est le pied-à-terre idéal pour ceux qui viennent visiter l'Old Sturbridge Village, l'attrait touristique principal de la région.

Sturbridge Country Inn
$$$ pdj
≡ @ ❚❚ △
530 Main St.
☎ 508-347-5503
www.sturbridgecountryinn.com
Le Sturbridge Country Inn, de style néoclassique, abrite neuf unités d'hébergement, soit six chambres régulières, deux grandes suites en angle et un imposant loft. Cette propriété des années 1840 exsude une authentique atmosphère champêtre avec ses âtres et ses lits à colonnes (dans certaines chambres), sans oublier son salon à haut plafond. Vous bénéficierez par ailleurs d'une bouteille

de champagne, gracieuseté de la maison.

Springfield

Lathrop House Bed & Breakfast
$$ pdj
bc ≡ @
188 Sumner Ave.
☎413-736-6414
www.dianamarahenry.com/lathrop
Le gîte touristique Lathrop House est installé dans une maison victorienne construite en 1899. Situé à courte distance du centre-ville et voisin du Forest Park, il offre un emplacement idéal pour les adeptes du jogging, du vélo ou de la marche en forêt. Trois chambres y sont aménagées. Le petit déjeuner (casher) gratuit est servi à l'heure qui vous convient, et une collation de fruits et de fromages est servie durant la journée. Le gîte possède trois chats.

Holiday Inn
$$
≡ ⚓ ≋ ◎ ♨ ⚠
711 Dwight St.
☎413-781-0900 ou 800-465-4329
▤413-785-1410
www.hispringfield.com
Le Holiday Inn de Springfield loue 242 chambres régulières et suites plus luxueuses. Vous trouverez le restaurant de l'hôtel et la salle de bar au 12ᵉ étage.

Springfield Marriott
$$$-$$$$
≡ ♨ ◎ ≋))) ⚓ ⚠ @
2 Boland Way
☎413-781-7111 ou 888-236-2427
▤413-731-8932
www.marriotthotels.com
En face du Sheraton (voir ci-dessous) se dresse l'autre hôtel «géant» de Springfield, soit le Marriott de neuf étages. Moderne et imposant, il propose 265 chambres et un large éventail de services; 75 de ses chambres ont été spécialement

conçues à l'intention des gens d'affaires.

Sheraton Springfield Monarch Place Hotel
$$$$
≡ ⚓ ≋))) ◎ ♨ ⚠ ⚓ @
One Monarch Pl.
☎413-781-1010
▤413-747-8065
www.sheraton-springfield.com
Le haut Sheraton est une des deux grandes structures du ciel de Springfield. À l'intérieur de cette tour de 12 étages agrémentée d'un atrium, vous trouverez tous les services dont vous pouvez rêver, ce qui explique que de nombreux gens d'affaires choisissent d'y séjourner. Les 325 chambres se révèlent confortables, et la situation centrale de l'hôtel, en surplomb sur le fleuve Connecticut, est idéale. Le restaurant de l'hôtel, le Peter's Grille, sert une variété de biftecks.

Northampton

The Autumn Inn
$$$ pdj
@ ≋
259 Elm St.
☎413-584-7660
www.hampshirehospitality.com
Situé près des restaurants et des galeries d'art du centre-ville, l'Autumn Inn est aménagé dans une grande maison de style colonial. Il propose 29 chambres et trois suites au mobilier colonial, ainsi qu'une piscine et un barbecue dans un bel environnement boisé. Réservations requises.

Clarion Hotel & Conference Center
$$$-$$$$ pdj
≡ ≋ ♨ @
1 Atwood Dr.
☎413-586-1211
www.thhg.com
Le Clarion constitue un bon choix pour les familles. Situé en périphérie immédiate du

centre de Northampton, à la sortie 18 de la route I-91, il compte 122 chambres modernes, confortables et garnies de meubles en cerisier. Vous y trouverez deux piscines, l'une intérieure et l'autre extérieure, de même qu'une salle de jeux pour les enfants.

Hotel Northampton
$$$-$$$$ pdj
≡ ♨ @ ⚓
36 King St.
☎413-584-3100 ou 800-547-3529
www.hotelnorthampton.com
Cet hôtel historique de tout premier ordre du centre de Northampton propose 106 chambres tantôt charmantes, tantôt luxueuses. Bien que le service y soit parfois quelque peu brusque, le bâtiment de briques rouges qu'il occupe se révèle très beau, d'autant plus qu'une grande salle vitrée en pare toute la façade. Le Coolidge Park Cafe et le **Wiggins Tavern Restaurant** (voir p 295) y servent des repas.

Amherst

Campus Center Hotel
$$ pdj
≡ ♨ ⚠ ⚓ @ ⚓
University of Massachusetts
1 Campus Center Way
☎413-549-6000
Le Campus Center Hotel loue 116 chambres sur le vaste campus de l'University of Massachusetts. Ne vous attendez à rien de flamboyant, mais les prix se révèlent très abordables, et vous pourrez facilement accéder à la ville grâce aux transports en commun.

Allen Victorian House Inn
$$-$$$ pdj
≡
599 Main St.
☎413-253-5000
www.allenhouse.com
Pratiquant d'excellents prix, l'Allen Victorian House est

Le centre et l'ouest du Massachusetts - **Hébergement** - Le centre du Massachusetts et la Pioneer Valley

une maison victorienne Stick Style jaune et vert où vous trouverez un service émérite. De plus, on a pris soin de la restaurer en respectant son authenticité, ce qui lui confère une chaleureuse ambiance à la mode d'autrefois. Le petit déjeuner lui-même y est victorien et comporte cinq services.

Black Walnut Inn
$$-$$$ pdj
≡

1184 N. Pleasant St.
☎413-549-5649
413-549-5149
www.blackwalnutinn.com
Le Black Walnut a pignon sur rue dans une imposante maison en briques de style Federal qui renferme sept chambres. Chacune d'elles présente un mélange de meubles d'époque et de copies, un grand lit et une salle de bain privée. La vieille grange qui se dresse sur la propriété est fort jolie et s'entoure d'un demi-hectare de pelouses ombragées par de vieux noyers noirs.

Lord Jeffery Inn
$$-$$$
≡ Ψ ☞ @

30 Boltwood Ave.
☎413-253-2576 ou 800-742-0358
www.lordjefferyinn.com
Le Lord Jeffery Inn, qui domine le Town Common d'Amherst, est installé dans un bâtiment néocolonial en briques rouges, majestueux quoique quelque peu effacé. Il s'agit là d'une bonne vieille auberge de la Nouvelle-Angleterre riche en histoire, qui offre une hospitalité inégalée dans 48 chambres pittoresques, rehaussées de meubles faits main, d'une literie en coton et de courtepointes

colorées. Certaines chambres se louent à des prix très raisonnables, et l'on ne peut que louanger son restaurant, **Windowed Hearth** (voir p 295).

Deerfield

White Birch Campground
$
début mai à début nov
214 North St.
Whately
☎413-665-4941
Le White Birch Campground se trouve immédiatement au sud de l'historique Deerfield dans la petite ville de Whately. En venant du sud, prenez la sortie 25 de la route I-91 pour vous rendre à South Deerfield, puis tournez à gauche dans Whately Road. Ce terrain de camping propose aussi bien des emplacements ouverts que boisés avec eau courante, bois de foyer et pêche en ruisseau.

Deerfield Inn
$$$$-$$$$$ pdj
≡ Ψ ☞

81 Old Main St.
☎413-774-5587 ou 800-926-3865
www.deerfieldinn.com
Le Deerfield Inn se trouve au cœur même du village et loue 23 chambres campagnardes au décor impeccable. Les salons du rez-de-chaussée sont très raffinés et recèlent d'authentiques canapés, fauteuils et tapis d'époque. En activité depuis 1884, cette auberge a acquise une réputation plus qu'enviable pour son confort et son hospitalité, et les rumeurs voulant que certaines chambres soient hantées ne semblent nullement avoir affecté ses affaires. Assurez-vous de réserver suffisamment à l'avance pour un séjour en haute

saison. Quant au restaurant de la maison (voir p 295), il est tout simplement remarquable.

Les Berkshires

Le **Berkshire Visitors Bureau** (☎800-237-5747, poste 140, www.berkshires.org) offre un service de réservation pour plus de 2 500 chambres dans la région.

North Adams

Historic Valley Campground
$
10 Main St.
☎413-662-3198
L'Historic Valley Campground est aménagé sur les rives du lac Windsor et reste ouvert de la mi-mai à la mi-octobre. Vous y trouverez une plage, des sentiers de randonnée et un service de location de barques et de canots.

Blackinton Manor
$$$-$$$$ pdj
≡))) ≈

1391 Massachusetts Ave.
☎413-663-5795 ou 800-795-8613
413-663-3121
www.blackinton-manor.com
Le Blackinton Manor, presque à mi-chemin entre North Adams et Williamstown sur la route 2, se targue d'être le «haut lieu de la musique dans les Berkshires». Il s'agit d'un charmant manoir de style Federal italianisant datant de 1840, tendu de blanc et découpé de balcons en fer forgé noir, et il est tenu par un pianiste de concert. Ainsi verrez-vous des pianos dans les salons et dans une des six chambres offertes en location, et peut-être même aurez-vous droit à un concert improvisé ou en bonne et due forme.

Williamstown

Mount Greylock
State Reservation
$
avr à sept
par la route 2 ou la route 7
☎ 877-422-6762

La route en lacets qui grimpe jusqu'au sommet de la plus haute montagne du Massachusetts peut s'avérer quelque peu fastidieuse, mais vous aurez du mal à trouver un meilleur endroit où camper dans tout l'État. On y dénombre 28 emplacements avec toilettes sèches, eau courante, tables de pique-nique et foyers, mais aucune douche.

Williamstown
Bed and Breakfast
$$-$$$$ pdj
≡
30 Cold Spring Rd.
☎ 413-458-9202
www.williamstownbandb.com

Cette maison victorienne de 1881 entièrement restaurée renferme quatre chambres avec salle de bain privée et meubles antiques en chêne, en érable et en acajou. Les attraits de Williamstown se trouvent tous à distance de marche.

The House on Main Street
$$-$$$ pdj
bp/bc ≡ @
1120 Main St.
☎ 413-458-3031 ou 800-519-4667
🖹 413-458-2254
www.houseonmainstreet.com

La House on Main Street est un petit *bed and breakfast* victorien fort chaleureux situé près du centre de Williamstown et tenu par Tim Hamilton et Donna Riley. Il s'agit d'une maison construite au début du XVIIIᵉ siècle qui a été transportée à son emplacement actuel autour de 1830, et elle a jadis servi de résidence à la fille du président Woodrow Wilson, qui s'y est rendu à maintes reprises au cours de son mandat. Bien qu'elle arbore un style victorien, la demeure ne donne nullement une impression de musée, dans la mesure où ses chambres présentent un heureux mélange de meubles et accessoires modernes et anciens. La salle commune du rez-de-chaussée vous convie pour sa part à d'agréables soirées de détente au coin du feu. Cinq grandes chambres au total, dont deux avec salle de bain privée.

1896 House
$$$ pdj
≡ ≈ @ ♨ ▲ ⚹ @
route 7, Cold Spring Rd.
☎ 413-458-1896 ou 888-999-1896
www.1896house.com

La très accueillante Denise Richer offre à ses hôtes la possibilité de loger «côté ruisseau» (*brookside*) ou «côté étang» (*pondside*) dans deux bâtiments qui se font face de part et d'autre de la route 7. Les chambres «côté étang» se louent à moindre prix, mais renferment aussi moins de commodités, tandis que les chambres «côté ruisseau» s'entourent de passerelles à treillis et de jardins de plantes vivaces, sans oublier le porche garni de chaises berçantes; elles présentent en outre un décor exquis de meubles en érable Cushman et de motifs Waverly-Schumacher. Vous trouverez aussi sur place des appartements de trois pièces.

Field Farm Guesthouse
$$$-$$$$ pdj
≡ ≈ ⚹ ▲
554 Sloan Rd., tout juste en retrait de la route 7 S.
☎ 413-458-3135
www.guesthouseatfieldfarm.org

La Field Farm Guesthouse, dont la propriété de 118 ha bénéficie d'une splendide vue sur le mont Greylock, est unique en son genre dans ce coin de pays où l'on ne semble trouver que des établissements victoriens ou champêtres. Les cinq chambres de cette pension s'enorgueillissent de meubles originaux signés par des concepteurs de renom des années 1950 tels que Hans Wegner et Vladimir Kagan. La maison a été construite en 1948 pour le compte de Lawrence et Eleanor Bloedel, et sa salle de séjour de 54 m² abrite une partie de leur collection de chics meubles scandinaves et d'art moderne américain. Bien que la notion de «décor des années 1950» ne semble pas constituer en soi un puissant argument de vente, il faut savoir que les chambres de cet établissement témoignent réellement d'un bon goût et d'une originalité exceptionnelle. La vaste propriété englobe par ailleurs des jardins soignés, des forêts, des champs, des terres humides et un réseau de sentiers totalisant 6,5 km.

Orchards Hotel
$$$$
≡ ♨ ≈ ⚙ @ @ ▲
222 Adams Rd.
☎ 413-458-9611 ou 800-225-1517
🖹 413-458-3273
www.orchardshotel.com

L'Orchards Hotel a tout pour plaire. Il s'agit d'une des auberges les plus respectées des Berkshires et elle arbore un décor de bon goût rehaussé d'antiquités anglaises et de touches orientales. Lits à colonnes et oreillers en duvet et en plume d'oie sont la norme dans les 49 chambres de l'auberge, et la cheminée de la salle de séjour, entourée d'un manteau en chêne sculpté du XVIIIe siècle, flambe tout l'hiver. L'extérieur présente une somptueuse façade de marbre rose flanquée d'une fontaine bouillonnante et d'un jardin haut en couleur. Vous ne vous en tirerez pas à bon prix, mais vous serez traité comme rois et reines. Il y a en outre un restaurant renommé sur place (voir p 296).

Hancock

Jiminy Peak Mountain Resort
$$$-$$$$$
≡ 🛏 🍽 ❄ ♨))) @

Brodie Mountain Rd., en retrait de la route 43 E.
☎800-882-8859
www.jiminypeak.com

Ce complexe hôtelier pourvu de pentes de ski sert une clientèle quelque peu différente de celle des chics et omniprésents *bed and breakfasts* des Berkshires. Ses 101 chambres ont beau ressembler à celles de nombreux hôtels conventionnels, le véritable attrait des lieux tient à la vaste propriété qu'il occupe. En hiver, il s'agit de la plus grande station de ski et de planche à neige du sud de la Nouvelle-Angleterre, tandis qu'en été les amateurs de vélo de montagne peuvent facilement atteindre le sommet du Jiminy Peak grâce à son télésiège accueillant six personnes à la fois, avant de dévaler la montagne.

Lenox

Brook Farm Inn
$$$-$$$$$ pdj
≡ ❄ ▲ ◎ @ ♿

15 Hawthorne St.
☎413-637-3013 ou 800-285-7638
www.brookfarm.com

Le Brook Farm Inn est aménagé dans une maison victorienne centenaire et propose 14 chambres. Détente assurée à l'heure du thé, l'après-midi, ou devant un bon feu de foyer en hiver, tout en lisant un livre de poésie tiré de la bibliothèque de l'établissement (il y a même des lectures de poésie sur place le samedi). Quant aux chambres, elles sont tout simplement splendides.

Gateways Inn & Restaurant
$$$-$$$$$ pdj
≡ ♥ ◎ ▲

51 Walker St.
☎413-637-2532
🖷413-637-1432
www.gatewaysinn.com

Les aubergistes Fabrizio et Rosemary Chiariello vous proposent 12 magnifiques chambres décorées de façon individuelle à l'intérieur du manoir de 1912 de Harley Procter, de la compagnie Procter and Gamble. De l'extérieur, on dirait une barre de savon (Procter devait tout de même sa fortune à cette indispensable commodité), tandis que l'intérieur vous réserve toute l'élégance et le confort voulus, les chambres étant pourvues de lits à baldaquin, de lits en laiton ou de lits-traîneaux et de nombreuses antiquités. Le prix des chambres se compare à celui des autres auberges chères des Berkshires, mais l'hospitalité de Fabrizio et Rosemary s'avère exceptionnelle. Cette dernière, autrefois designer à New York, a en outre fait des merveilles avec le décor. Quant au restaurant (voir p 296) de l'auberge,

il s'impose comme un des meilleurs de Lenox.

Cliffwood Inn
$$$-$$$$$ pdj
≡ ❄ ◎ ▲

25 Cliffwood St.
☎413-637-3330 ou 800-789-3331
🖷413-637-0221
www.cliffwood.com

Le superbe Cliffwood Inn, flanqué de colonnes blanches, recèle des planchers de bois immaculés et d'adorables lits à baldaquin, sans parler du riche mobilier, des œuvres d'art et des tapis d'Orient. Beaucoup des meubles sont d'ailleurs des copies de pièces muséales créées par des artisans français, italiens et belges. Six des sept chambres renferment en outre un foyer fonctionnel.

Village Inn
$$$$-$$$$$ pdj
≡ ▲ ♥ ◎

16 Church St.
☎800-253-0917
www.villageinn-lenox.com

Il s'agit là d'une charmante auberge coloniale de 1771 en plein cœur de Lenox. Chacune des 32 chambres du Village Inn est individuellement décorée d'antiquités, et certaines d'entre elles renferment même des lits à colonnes et des foyers.

Hampton Terrace
$$$$-$$$$$ pdj
≡ ◎ ❄ ▲

91 Walker St.
☎413-637-1773 ou 800-203-0656
www.hamptonterrace.com

Le hall principal du Hampton est lumineux et accueillant, d'autant plus qu'il renferme un grand piano et deux cheminées. Les chambres du pavillon principal s'agrémentent pour leur part de lits en métal blanc, de baignoires anciennes sur pattes et de planchers de bois. La Carriage House voisine, un bâtiment rénové qui se trouve derrière la maison principale, abrite aussi des chambres, mais au décor plus moderne et moins chaleureux. Nous vous recommandons plutôt les chambres de la maison principale.

Harrison House
$$$$-$$$$$ pdj
≡ ▲

174 Main St.
☎413-637-1746
www.harrison-house.com

La Harrison House est une exquise auberge victorienne qui a ouvert ses portes en 1999 au sommet de Church Hill. Chacune de ses six chambres bénéficie d'un décor individuel rehaussé de meubles d'époque et d'antiquités, et certaines d'entre elles renferment un romantique lit à baldaquin et un foyer. La maison possède en outre un porche enveloppant propice aux après-midi de farniente.

Stockbridge

Blue Willow Bed and Breakfast
$$-$$$$ pdj
≡ ▲

2 Lincoln Ln.
☎413-298-3018
www.bluewillowbb.com

Caché dans une rue tranquille près des abords de Main Street, le Blue Willow s'impose comme un cottage du XIXᵉ siècle offrant une vue pittoresque sur le mont Laura. La rivière Housatonic traverse la propriété de 1 ha, et l'endroit se révèle on ne peut plus paisible.

Historic Merrell Inn
$$$-$$$$ pdj
≡ ▲

1565 Pleasant St., route 102
☎413-243-1794 ou 800-243-1794
🖳413-243-2669
www.merrell-inn.com

Bien qu'officiellement situé à South Lee, le rouge et blanc Merrell Inn de style Federal se trouve en fait plus près de Stockbridge que de n'importe quelle autre ville. Il s'agit d'un bâtiment historique, construit en 1794, qui a servi d'auberge et de taverne de 1817 à 1860. Les planchers en épinette sont aussi vieux que la maison, et beaucoup des meubles datent du XVIIIᵉ siècle. Et que dire de la propriété elle-même, la rivière Housatonic coulant derrière la maison à proximité d'un charmant belvédère blanc! On trouve ici 10 chambres au décor individuel ainsi qu'une suite.

Red Lion Inn
$$$$-$$$$$
≡ 🍴 ♿ @

30 Main St.
☎413-298-5545
🖳413-298-5130
www.redlioninn.com

Cette grande auberge est située au centre de l'action à Stockbridge et constitue un attrait en soi. Vous pourriez facilement passer des heures à errer dans ses salles tout en admirant sa vaste collection d'illustrations de Norman Rockwell et d'antiquités. La terrasse convient on ne peut mieux pour siroter un cocktail et prendre le pouls de l'artère principale de Stockbridge, tandis que les chambres se révèlent accueillantes et bien décorées. Il n'y a pas meilleur endroit où loger en ville, et vous trouverez même sur place deux restaurants (voir p 297).

Lee

October Mountain State Forest
$
mi-mai à mi-oct
256 Woodland Rd.
☎413-243-1778

En guise d'alternative aux coûteuses auberges et aux *bed and breakfasts* des Berkshires, l'October Mountain propose 50 emplacements de camping. Vous trouverez sur place des toilettes à chasse d'eau, des douches, des tables de pique-nique, de l'eau potable, des foyers et une station de vidange.

Applegate Inn
$$$$-$$$$$ pdj
≡ ≋ ⊚ ▲ ♨

279 West Park St.
☎413-243-4451 ou 800-691-9012
www.applegateinn.com

Cette maison coloniale georgienne à colonnes, joliment entourée de 2,5 ha de terres, constitue l'un des meilleurs établissements des Berkshires. Ses 11 chambres sont décorées de façon exquise, et la paisible propriété comporte des jardins fleuris bien entretenus, de vieux pommiers et de grands pins. Les chocolats belges et les flacons de brandy en cristal qu'on retrouve dans chaque chambre ajoutent incontestablement à l'expérience.

Great Barrington

The Turning Point
$$-$$$ pdj
bp/bc ⚭ ▲

3 Lake Buel Rd.
☎413-528-4777
www.turningpointinn.com

Le Turning Point est une maison coloniale de style Federal du XIXᵉ siècle qui renferme six chambres. Bien situé sur une propriété de 1 ha sillonnée de sentiers, il recèle même un cottage de deux étages et de quatre pièces pour ceux qui désirent faire des folies ou simplement jouir d'une plus grande intimité (environ 270$). Le propriétaire est également le chef cuisinier, et il vous propose un petit déjeuner beaucoup plus nourrissant et savoureux que certains autres établissements. À la différence de beaucoup d'autres établissements des Berkshires, les enfants sont également les bienvenus dans les murs.

Thornewood Inn
$$-$$$$$ pdj
≡ ≋ ♨ ⚠

453 Stockbridge Rd.
☎413-528-3828 ou 800-854-1008
www.thornewood.com
Un passage incurvé en brique mène les voyageurs au Thornewood Inn, de style colonial hollandais. Il renferme 15 chambres absolument charmantes d'inspiration champêtre, chacune d'elles renfermant des antiquités de bon goût. À peu près à mi-chemin entre Stockbridge et Great Barrington, sur la route 7.

Windflower Inn
$$$-$$$$ pdj
≡ ≋

684 S. Egremont Rd., par la route 23
☎413-528-2720 ou 800-992-1993
▤413-528-5147
www.windflowerinn.com
Le Windflower Inn est un établissement champêtre de style Federal datant de 1860 et pourvue d'une piscine extérieure. Des courts de tennis et un terrain de golf se trouvent tout près. Établi sur une propriété de 4 ha, il offre amplement d'espace et permet d'explorer à loisir les Berkshire Hills.

Weathervane Inn
$$$-$$$$$ pdj
≡ ≋ ♨

South Egremont
☎413-528-9580 ou 800-528-9580
www.weathervaneinn.com
Le Weathervane est une charmante petite auberge champêtre de South Egremont, à 10 min de route de Great Barrington. Les chambres en sont pittoresques sans pour autant être chargées, et de magnifiques courtepointes de la Nouvelle-Angleterre recouvrent des lits incroyablement confortables. Vous vous y sentirez vraiment chez vous, d'autant plus que votre hôte, Jeff Lome, a quitté le monde bourdonnant des affaires pour devenir un aubergiste émérite.

Restaurants

Le centre du Massachusetts et la Pioneer Valley

Worcester

Irish Times
$-$$
244 Main St.
☎508-797-9599
www.irishtimespub.com
Les patrons de Dublin ont fait de l'Irish Times un pub où le service est cordial et l'atmosphère, tout empreinte d'Irlande, chaleureuse. Le menu propose un grand choix de spécialités irlandaises et internationales qui raviront les amateurs de viande: ragoût d'agneau, pâté à la viande, steak sauté au whisky ir-

landais, etc. Emplacement idéal au centre-ville.

Viva Bene Italian Restaurant
$$
144 Commercial St
☎508-797-0007
Le Viva Bene a l'avantage de se trouver au centre-ville de Worcester et à proximité des théâtres et d'un complexe multifonctionnel (sports, congrès et concerts), le DCU Center. L'aménagement de la grande salle à manger de style méditerranéen offre une intimité que l'on retrouve dans les petits établissements. Comme son nom l'indique, le restaurant propose une cuisine italienne: par exemple, comme entrée, les champignons Portobello rôtis avec asperges, et comme plat principal, le veau Saltimbocco, soit un médaillon de veau sauté et *prosciutto* sauce au beurre au citron.

Sturbridge

Cedar Street Restaurant
$$
12 Cedar St.
☎508-347-5800
Pour un repas mémorable, rendez-vous au Cedar Street Restaurant. Reconnu pour sa fine cuisine, le chef propriétaire, William Nemeroff, propose un menu éclectique qu'il réinvente fréquemment. Dans un cottage discret au décor peu recherché, vous aurez droit à un service courtois et à une carte des vins à la hauteur de vos attentes. Autant les végétariens que les «carnivores» seront satisfaits.

Ugly Duckling Loft
$$
502 Main St., route 20
☎508-347-2321
www.thewhistlingswan.com
L'Ugly Duckling Loft est le pendant informel du Whist-

ling Swan (voir ci-dessous). Installé dans le grenier traversé de poutres d'une ancienne étable, qui fait partie du corps du bâtiment principal, l'Ugly Duckling Loft est populaire et familial. Le menu, intéressant, répondra à tous les goûts: pâtes, sandwichs, poulet, fruits de mer, le tout complété d'une impressionnante carte de desserts.

Whistling Swan
$$$-$$$$
502 Main St., route 20
☎508-347-2321
www.thewhistlingswan.com
Aménagée à l'intérieur d'une maison de style Greek Revival datant de 1856, la salle à manger du Whistling Swan, dont les murs sont recouverts de papier peint aux couleurs douces, est élégante et de facture classique, agrémentée d'antiquités. On retrouve comme entrées plusieurs choix de fruits de mer et des escargots, et au repas principal, filet mignon, porc, canard, poulet, agneau, saumon, pétoncles, pâtes. Réservations essentielles.

Salem Cross Inn
$$$-$$$$
fermé lun
route 9
West Brookfield
☎508-867-8337
www.salemcrossinn.com
En vous arrêtant au Salem Cross Inn, administré par les descendants de la même famille depuis 1705, vous serez immédiatement projeté dans l'atmosphère traditionnelle du début du XVIIIe siècle. Vous découvrirez à l'intérieur un véritable musée qui renferme des antiquités de grande valeur dont un magnifi-

que vaisselier, lesquelles respectent le style colonial de la demeure. La spécialité de la maison est le méchoui à l'ancienne, préparé soit à l'extérieur en saison, soit dans l'âtre du sous-sol qui possède encore de son tournebroche d'origine, le seul encore en fonction en Amérique.

Si vous n'avez pas le temps de vous offrir un méchoui ou que vous avez manqué l'occasion de participer à cette expérience gastronomique, allez tout de même profiter des spécialités traditionnelles de la Nouvelle-Angleterre dans la salle à manger traversée de poutres taillées à la hache. Avec les portions gigantesques qui y sont servies, vous garderez en mémoire le souvenir d'avoir partagé un véritable festin à base de viande ou de fruits de mer, de facture toute régionale.

Publick House Restaurant
$$$-$$$$
Public House Inn
route 131
☎508-347-3313 ou 800-PUBLICK
www.publickhouse.com
Aménagé à l'intérieur de l'historique Publick House Inn, le restaurant du même nom propose à ses hôtes un repas inoubliable dans une salle à manger intime qui semble tout droit sortie du XVIIIe siècle. Un âtre immense surmonté de deux mousquets domine la pièce, meublée d'antiquités de bon goût et bordée de délicieuses fenêtres à carreaux. Le menu, où la viande est à l'honneur, s'inspire du passé et du présent de la Nouvelle-Angleterre; chaque repas est servi avec des relishs maison et un panier d'exquis petits pains frais du jour. L'assiette de dinde

est excellente, de même que la soupe à l'oignon. Le service est attentionné et discret.

Springfield

Frigo's
$-$$
1244 Main St.
☎413-731-7797
Le Frigo's est l'endroit par excellence où déjeuner à Springfield. Visiblement l'un des favoris des gens d'affaires du coin, le Frigo's est un *deli* gourmet de style new-yorkais qui propose salades de pâtes, poulet, ainsi que le grand favori, le gigantesque *chicken wrap*, composé de fromage bleu, de riz et de délicieux morceaux de poitrine de poulet. Vous pouvez déguster le tout sur place, accoudé à l'un des comptoirs, ou encore emporter vos délices dans le parc adjacent. Les petits prix des sandwichs et des assiettes cuisinées raviront les petits budgets de même que les papilles les plus raffinées.

Gus & Paul's
$$
1500 Main St.
☎413-781-2253
Deli de style new-yorkais, le Gus & Paul's propose une variété de *bagels* et de muffins, ainsi que des pâtisseries exquises fraîches du jour, sans oublier le menu plus élaboré avec sandwichs, alléchantes salades, steaks et poulet. Beaucoup plus qu'un simple comptoir où se restaurer sur le pouce, Gus & Paul's est un endroit animé où il fait bon s'attarder à l'une des tables disposées dans la salle à manger bordée d'immenses fenêtres, ou encore sur la terrasse qui permet d'ob-

server le va-et-vient dans Main Street *(deuxième succursale au 1209 Sumner Ave.,* ☎*413-782-6629).*

The Student Prince Cafe & The Fort Dining Room
$$$
8 Fort St.
☎413-734-7475 ou 413-788-6628
www.studentprince.com

Au Student Prince Cafe & The Fort Dining Room, vous trouverez une ambiance chaleureuse et décontractée comme il s'en fait peu. L'atmosphère est à la fête, attendez-vous donc à un repas bien arrosé; pourquoi ne pas commencer par une Spatten, la bière-vedette importée directement de Munich? Les mets au menu sont surtout à base de fruits de mer, mais il ne faudrait pas manquer l'occasion de goûter à ses succulentes spécialités allemandes comme le *sauerbraten* (un rôti), les *schmitzels* et plusieurs plats de viande accompagnés de *sauerkraut*, pommes de terre ou chou rouge. La collection de bocks qui orne le haut des murs du restaurant est l'une des plus importantes collections de ce genre aux États-Unis. Réservations requises. *Prozit*!

Old Storrowton Tavern
$$$-$$$$
1305 Memorial Ave.
West Springfield
☎413-732-4188

Faisant partie intégrante du Storrowton Village Museum, l'Old Storrowton Tavern a été elle aussi, comme le reste des bâtiments, déménagée de son emplacement d'origine, puis restaurée sur le site du village reconstitué. L'ancienne Atkinson Tavern,

construite au XVIIIe siècle dans le village de Prescott, propose aujourd'hui l'une des tables les plus fines de la région, reflétant la cuisine traditionnelle de la Nouvelle-Angleterre. Ses plats régionaux (bœuf, steaks, volaille, fruits de mer) de même que les spécialités de la maison (veau, canard, porc et agneau) sont servis dans l'ambiance chaleureuse et familiale de la taverne qui n'a rien perdu de son atmosphère d'antan. Réservations requises.

Northampton

Fire Cuisine
$
16 Main St.
☎413-582-0755

L'ardoise accrochée au mur du Fire Cuisine pourrait bien se retrouver dans un resto universitaire. En effet, du matin au soir, étudiants et artistes y défilent pour déguster crêpes, sandwichs, pizzas ou autres spaghettis. Il faut savoir que, le jeudi soir, l'établissement fait salle comble car le French Language Group occupe toutes les tables.

Zen Restaurant
$-$$
41 Main St.
☎413-582-6888

Le menu du Zen est bouddhique dans le sens qu'il propose des mets de la Thaïlande, du Myanmar, de la Chine et du Japon. Certes, on y sert les sushis et les makis à la japonaise, mais la spécialité de la maison est le Mango Curry, un curry thaï au poulet et crevettes avec mangue et légumes dans une sauce au coco. Délicieux!

Amanouz Cafe
$-$$
44 Main St.
☎413-585-9128

Ne vous laissez pas rebuter par l'ambiance de cafétéria et la décoration relâchée de l'Amanouz Cafe, car les portions sont généreuses, et une grande variété de spécialités méditerranéennes et marocaines se retrouvent au menu: *kabab, shawerma, falafel* et *hummus*, de même que plusieurs salades et couscous. Essayez le délicieux Amanouz Royal Feast, composé d'*hummus, falafel, tab.oulé, musaka* et *pita*, un délice. Idéal pour un repas sur le pouce.

La Veracruzana
$-$$
31 Main St.
☎413-586-7181
www.laveracruzana.com

Ce restaurant accueille à l'heure du déjeuner une clientèle jeune qui dévore de généreux *burritos, fajitas, quesadillas, tacos* et autres spécialités mexicaines entre des murs aux couleurs chaudes, décorés de photographies en noir et blanc réalisées par des artistes locaux. Petits prix et rassasiement garanti.

India House
$$$
45 State St.
☎413-586-6344
www.indiahousenorthampton.com

Si vous n'avez jamais goûté un plat de homard marsala ou de pétoncles et crevettes rôties dans une sauce au cari, vous ne regretterez pas l'occasion de le faire à l'India House. Certains plats portent en eux l'influence régionale, mais le menu n'en demeure pas moins typiquement indien, avec une variété de currys et de plats *tandooris*, en passant par les incontournables *samosas* et même quelques bières indiennes. Le personnel est sympathique et très avenant.

Wiggins Tavern Restaurant
$$$-$$$$
Hotel Northampton
36 King St.
☎413-584-3100
Cette taverne vieille de plus de 200 ans, aux plafonds bas traversés de poutres, magnifiquement décorée avec des antiquités, offre une ambiance intime et détendue. Sous un éclairage tamisé diffusé par des lampes à huile, les plats servis sont raffinés: fruits de mer et poissons, de même que steaks et volaille reflètent la cuisine traditionnelle de la Nouvelle-Angleterre dans toute sa finesse.

Amherst

The Black Sheep
$-$$
79 Main St.
☎413-253-3442
www.blacksheepdeli.com
À mi-chemin entre le *deli* et le café, le Black Sheep constitue l'endroit idéal où commencer la journée. Pâtisseries et pain frais du jour, bon choix de cafés, dont l'excellent Black Sheep, salades et viandes froides, ainsi que sandwichs au goût du monde: le Berlin Wall, le French Kiss, le New Yorker, etc. Idéal pour un repas sur le pouce ou pour faire provision de nourriture avant une excursion.

Amherst Brewing Company
$-$$
24-36 North Pleasant St.
☎413-253-4400
www.amherstbrewing.com
Si vous recherchez de la nourriture typique de pub, vous n'aurez aucune mauvaise surprise en vous rendant à l'Amherst Brewing Company. Hamburgers, sandwichs, *fish and chips*, *nachos* et bon choix de bières, toutes brassées maison, attendent les convives dans une salle quelque peu sombre, aux murs de briques. Concerts de jazz les lundis soir.

Judie's Restaurant
$$$
fermé lun
51 N. Pleasant St.
☎413-253-3491
www.judiesrestaurant.com
La réputation de Judie's n'est plus à faire; les clients attendent même son ouverture à la porte le midi! Les trois différentes salles à manger sont décorées avec goût et sobriété, ornées d'œuvres d'art, mais la plus agréable demeure celle donnant sur Main Street, bordée de larges fenêtres. L'ambiance décontractée demeure agréable, et le personnel est sympathique. Au menu, un grand choix de salades méditerranéennes et toscanes, sans oublier le poulet sauce madère, en plus des différents types de salades César, des sandwichs et des plats cuisinés à base de viande ou végétariens, le tout accompagné de la spécialité de la maison, le *popover*, une sorte de pain rond. Réservations recommandées pour le dîner.

Windowed Hearth
$$$-$$$$
Lord Jeffery Inn
30 Boltwood Ave.
☎413-253-2576 ou 800-742-0358
Un repas au Windowed Hearth figurera certainement parmi vos meilleurs souvenirs gastronomiques du Massachusetts. L'atmosphère qui se dégage de la principale salle à manger évoque les somptueux repas d'une époque révolue, durant lesquels le feu d'un immense âtre réchauffait les convives. La cuisine de cet établissement a été maintes fois récompensée, et il en est de même pour la carte des vins. Le menu suggère d'ailleurs le meilleur vin pour accompagner les entrées, les viandes, la volaille et les fruits de mer. La chaudrée de palourdes est la meilleure de toute la Nouvelle-Angleterre.

Deerfield

Deerfield Inn
$$$-$$$$
fermé mar et mer
81 Old Main St.
☎413-774-5587
www.deerfieldinn.com
Au déjeuner, le restaurant du Deerfield Inn accueille à sa terrasse agréable les visiteurs affamés en leur proposant un menu léger de qualité, à prix abordable, qui se compose de salades et de différents plats cuisinés à base de viande. Le soir venu, il propose à ses hôtes le charme et l'élégance typiques de la Nouvelle-Angleterre, en les invitant dans une salle à manger décorée avec le plus grand soin. Le menu se définit comme un mélange de cuisine américaine aux accents internationaux. Le personnel, des plus attentionnés, offre un service remarquable.

Les Berkshires

North Adams

Appalachian Bean Cafe
$-$$
67 Main St.
☎413-663-7543
L'Appalachian Bean Cafe propose un bon choix de sandwichs et un buffet de salades, le tout dans un ancien magasin à haut plafond.

Williamstown

Lickety Split Ice Cream
$
69 Spring St.
☎413-458-1818
Même si le menu du Lickety Split Ice Cream propose sandwichs et salades servis à l'intérieur, l'endroit est plutôt reconnu pour sa crème glacée. La vue de tous ces gens léchant leur glace devant le restaurant vous poussera irrésistiblement à en franchir le seuil.

Sushi Thai Garden
$$
27 Spring St.
☎413-458-0004
Le Sushi Thai Garden propose un vaste choix de plats de poulet, de bœuf et de fruits de mer aux parfums de la Thaïlande et du Japon. Le menu compte également une bonne sélection de plats végétariens et de currys, épicés au goût du client. Visiblement populaire auprès des gens de la place, le restaurant reçoit ses hôtes dans une salle lumineuse, à l'élégance toute simple.

Yasmin's Restaurant
$$$-$$$$
Orchards Hotel
222 Adams Rd.
☎413-458-9611
www.orchardshotel.com
Aménagé au rez-de-chaussée du magnifique Orchards Hotel, Yasmin's compte deux salles au menu bien distinct. Au confortable et intime *lounge* orné d'un foyer fonctionnel et d'un piano qui s'anime les fins de semaine, un intéressant menu léger aux accents internationaux est proposé. Le menu de la salle à manger principale, quant à lui, reflète les traditions culinaires de la région, avec une touche originale: veau servi avec pesto, sole, canard et bœuf. Si le menu est plutôt restreint, vous êtes sûr d'y retrouver qualité et fraîcheur, ainsi qu'un choix impressionnant de vins de qualité.

Hancock

John Harvard's Restaurant & Brewery
$$-$$$
Jiminy Peak Mountain Resort
37 Corey Rd., entre les routes 7 et 43
☎413-738-5500, poste 3780
www.jiminypeak.com
Vu son isolement, le Jiminy Peak Mountain Resort a dû se doter d'un restaurant de qualité pour nourrir ses invités. Le John Harvard's propose une atmosphère typiquement *lodge* et familiale, avec vue imprenable sur le Jiminy Peak. La salle à manger, pourvue d'un bar, est décorée avec des antiquités intéressantes. Le personnel sympathique vous propose un menu classique de brasserie.

Lenox

Carol's Restaurant
$
8 Franklin St.
☎413-637-8948
Loin de posséder le charme et l'élégance des restaurants situés dans les *inns* de Lenox, le Carol's n'en demeure pas moins sympathique avec ses nappes arc-en-ciel qui lui donnent une touche de gaieté. Dans le style casse-croûte, avec cuisine à aire ouverte, le restaurant le moins cher en ville se veut familial, et surtout, abordable. Populaires petits déjeuners, sandwichs, frites et hamburgers s'offrent à la fois aux petits budgets et aux gros appétits.

Bistro Zinc
$$$
56 Church St.
☎413-637-8800
Son aspect extérieur plutôt sage ne laisse pas présumer de l'allure branchée du Bistro Zinc. Le décor est simple et épuré; les murs sont habillés de couleurs chaudes, le plancher est couvert d'un carrelage noir et blanc, et le plafond est... en zinc. Les plats de lapin, homard, bœuf et autres sont apprêtés de façon originale.

Gateways Inn & Restaurant
$$$-$$$$
51 Walker St.
☎413-637-2532
www.gatewaysinn.com
La salle à manger rouille du Gateways Inn reflète l'élégance typique de la Nouvelle-Angleterre, avec lustres et œuvres d'art. Le menu, restreint, propose quelques choix de viandes et de pâtes. Une consistante carte de vins accompagne le tout, et le bar compte une excellente sélection de scotchs. Au dessert, laissez-vous tenter par le délicieux feuilleté aux fraises avec crème chantilly, et, pour la prochaine fois, souvenez-vous que les *gelati* et les sorbets sont directement importés d'Italie...

Spigalina
$$$-$$$$
80 Main St.
☎ 413-637-4455
www.spigalina.com

Le menu du Spigalina propose pâtes, viandes et fruits de mer aux parfums d'Italie, d'Espagne, du sud de la France, de la Grèce et du Maroc. Le chef utilise fièrement les produits locaux pour sa cuisine. Pendant la saison estivale, vous pourrez profiter d'une agréable galerie.

Stockbridge

Tout près du Red Lion Inn, le **Daily Bread Bakery** *($; 31 Main St.,* ☎ *413-298-0272)* vous propose d'alléchantes pâtisseries, baguettes, *bagels* et sandwichs à emporter. Juste en face, le **Main Street Café** *($; 40 Main St.,* ☎ *413-298-3060)* dispose de plusieurs tables dans une pièce éclairée par de grandes fenêtres. Au petit déjeuner, on y sert omelettes, crêpes et *French toasts* (pain perdu) ainsi qu'un choix de soupes, sandwichs, hamburgers et salades au déjeuner.

Truc Orient Express
$$
3 Harris St.
West Stockbridge
☎ 413-232-4204

Coup de cœur pour l'hospitalité vietnamienne légendaire et l'élégante sobriété du restaurant de la propriétaire Trai Duong. Des puits de lumière et de larges fenêtres bordées de rideaux rouges éclairent cette grande salle à manger répartie sur deux étages, finement décorée d'œuvres d'art de bon goût. Réalisées par des artistes vietnamiens, certaines des œuvres sont même dédicacées à la propriétaire. Le menu propose un grand choix de spécialités vietnamiennes, des plats aigres-doux en passant par les mets aux parfums de citronnelle, à base de poulet, de bœuf ou de fruits de mer, et les incontournables rouleaux Truc. En été, une agréable terrasse permet aux hôtes d'observer les activités des artisans du Berkshire Center for Contemporary Glass.

Lion's Den
$$
Red Lion Inn
30 Main St.
☎ 413-298-5545
www.redlioninn.com

Situé au sous-sol du prestigieux Red Lion Inn, le Lion's Den se veut beaucoup plus décontracté et informel que l'élégante salle à manger de l'étage supérieur (voir ci-dessous). La nourriture de type pub est tout aussi excellente que les petits prix qui l'accompagnent, et l'ambiance feutrée constitue une toile de fond idéale pour les spectacles quotidiens qui y sont présentés, sans droit d'entrée. Un des meilleurs rapports qualité/prix des environs.

Once Upon A Table
$$$
The Mews
36 Main St.
☎ 413-298-3870

Voisin du Red Lion Inn, Once Upon A Table est un petit restaurant très populaire qui offre une atmosphère chaleureuse de bistro. Le menu très abordable du midi est composé principalement de sandwichs et de salades, ainsi que de quelques mets plus élaborés. Le menu du soir, de facture continentale innovatrice, varie selon les saisons, mais vous y trouverez à coup sûr viandes et fruits de mer préparés avec goût.

Red Lion Inn Restaurant
$$$-$$$$
Red Lion Inn
30 Main St.
☎ 413-298-5545
www.redlioninn.com

Aménagé dans l'hôtel du même nom, le restaurant du Red Lion Inn dégage une élégance classique et confortable. Sa magnifique salle à manger, ornée de trois gigantesques lustres de cristal, est meublée d'antiquités de qualité, et les murs sont recouverts d'une tapisserie fleurie aux teintes douces. Le personnel attentionné propose une cuisine typique de la Nouvelle-Angleterre.

Great Barrington

Cheesecake Charlie's
$$
271 Main St.
☎ 413-528-7790

Les amateurs de gâteau au fromage deviendront fous de Charlie's: dans ce charmant café aux tables vertes se cache une cinquantaine de variétés de gâteaux au fromage et de pâtisseries. Si les desserts mettent l'eau à la bouche, les petits déjeuners ne sont pas en reste, avec une section *French connections* au menu comprenant l'assiette «canadienne-française», soit du pain perdu servi avec jambon fumé et sirop d'érable. Des plats plus élaborés sont servis après 16h. L'éternel choix de sandwichs et salades est disponible toute la journée.

Helsinki Cafe
$$
284 Main St.
☎ 413-528-3394
www.clubhelsinkiweb.com

Avec son ambiance jeune et bohème, idéale pour une sortie rafraîchissante, ce resto plein de charme se donne des airs de salon. L'intérieur chaleureux et joliment décoré peut se targuer d'être original, complété par un menu aux accents russo-scandinaves.

Bizen
$$-$$$
17 Railroad St.
☎ 413-528-4343

À son retour du Japon, où il étudia pendant quatre ans une technique de poterie millénaire, Michael Marcus décida d'ouvrir un comptoir à sushis qui est vite devenu très prisé non seulement dans la région des Berkshires, mais dans toute la Nouvelle-Angleterre. Le restaurant sympathique et décontracté accueille une clientèle qui va de la famille aux gens d'affaires, en passant par les visiteurs de passage et les connaisseurs. Aidé de ses chefs japonais, le propriétaire prépare lui-même les assiettes de sushis et fabrique la vaisselle utilisée dans son établissement. Bon choix de sakés.

Sorties

■ Activités culturelles

Les événements culturels et les festivals comptent parmi les grands attraits des Berkshires depuis l'âge

d'or du pays. C'est ainsi que, chaque été, les Bostoniens et les New-Yorkais continuent d'envahir la région pour y assister à d'excellents concerts de musique, pièces de théâtre et spectacles de danse.

Worcester

Mechanics Hall
321 Main St.
☎ 508-752-0888
www.mechanicshall.org

Ce joyau architectural du XIXe siècle est le théâtre de nombreux événements musicaux tout au long de l'année. Vous pourrez y entendre des ensembles de jazz et des orchestres, de même qu'admirer des troupes de danse internationales. L'acoustique du hall est absolument remarquable, et aussi bien Charles Dickens que Mark Twain y ont donné des conférences.

Springfield

Symphony Hall
Court St.
☎ 413-788-7033
www.symphonyhall.com

Bien situé sur le Court Square du centre-ville, cet élégant bâtiment loge l'orchestre symphonique de Springfield. Outre des concerts, cette salle accueille régulièrement des pièces de Broadway, des drames, des comédies et des spectacles pour enfants.

Pittsfield

Berkshire Opera Company
297 North St.
☎ 413-442-9955
www.berkshireopera.org

Bien qu'elle ne soit nullement la ville la plus raffinée des Berkshires, Pittsfield demeure tout de même le

siège de la Berkshire Opera Company, qui présente des opéras année après année.

■ Bars et discothèques

Worcester

Irish Times
244 Main St.
☎ 508-797-9599
www.irishtimespub.com

Worcester est une assez grande ville pour qu'on y trouve toutes sortes de bars et de boîtes de nuit, mais s'il est un établissement digne de mention entre tous, c'est bien cet authentique pub irlandais du centreville, où résonnent en direct des airs folkloriques d'outre-mer. Par ailleurs, au deuxième étage, se trouve un bar dansant animé par un disque-jockey de la région.

Northampton

The Grotto
25 West St.
☎ 413-586-6900

Comme dans toute bonne ville universitaire, Northampton offre une vie nocturne appréciable, et l'un de ses points chauds est le Grotto, qui fait bon accueil aux gays. Situé tout près du Smith College, il renferme une piste de danse et une salle de bar à l'étage. Tout au long de l'année scolaire, les fins de semaine voient s'étirer les files d'attente, de sorte qu'il vaut mieux arriver tôt.

Iron Horse Music Hall
20 Center St.
☎ 413-584-0610
www.iheg.com

Il s'agit là d'un excellent endroit pour assister à un spectacle, puisque des artistes de blues et de rock-and-roll bien connus s'y produisent régulièrement.

Amherst

Amherst Brewing Company
24-36 N. Pleasant St.
☎413-253-4400
www.amherstbrewing.com
Cette brasserie au décor de briques rouges rehaussé de verdure propose une incroyable carte de bières maison. On y présente souvent des prestations de musiciens, le lundi soir étant pour sa part réservé aux concerts de jazz.

Great Barrington

Club Helsinki
284 Main St.
☎413-528-3394
www.clubhelsinkiweb.com
Ce bar dansant présente divers spectacles sur scène, entre autres de musique celtique, de soul et de blues.

■ Festivals

Springfield

The Big E
mi-sept à oct
Eastern States Exposition
1305 Memorial Ave.
West Springfield
☎413-737-2443
www.thebige.com
Souvent désignée du nom de «New England's Autumn Tradition», cette foire à grande échelle attire des foules venues des six États de la Nouvelle-Angleterre. Il y a un cirque, des spectacles ainsi que divers concours et activités à caractère agricole.

Northampton

Paradise City Arts Festival
début oct
30 Industrial Dr. E.
☎413-527-0772
www.paradisecityarts.com
Northampton célèbre l'art par le biais de ce festival d'artisanat contemporain et de beaux-arts.

Williamstown

Williamstown Theatre Festival
juin à août
1000 Main St.
☎413-597-3400
www.wtfestival.org
Beaucoup des acteurs les plus respectés et des grandes vedettes actuelles d'Hollywood ont fait leurs débuts dans le cadre de ce merveilleux événement théâtral. Le festival de Williamstown a acquis une réputation d'excellence à l'échelle du pays et présente aussi bien des pièces classiques que modernes.

Stockbridge

Berkshire Theatre Festival
mai à sept
Unicorn Theatre
Main St.
☎413-298-5536, poste 33
www.berkshiretheatre.org
Bien qu'il ne soit pas aussi réputé que le festival du nord des Berkshires, celui de Stockbridge n'en est pas moins l'occasion d'excellentes représentations.

Lenox

Tanglewood Music Festival
juil et août
West St.
☎413-637-5165
www.bso.org
Depuis des années, le festival d'été de Tanglewood s'impose comme un des plus grands attraits des Berkshires. S'y produisent régulièrement des artistes, des musiciens, des compositeurs et des chefs d'orchestre de réputation mondiale, de même que l'orchestre symphonique de Boston. Les vertes pelouses de la propriété se prêtent on ne peut mieux à un pique-nique suivi d'un concert de musique classique à son meilleur, que vous apprécierez en étant confortablement installé sur une couverture.

Becket

Jacob's Pillow Dance Festival
juin à août
358 George Carter Rd.
☎413-243-0745
www.jacobspillow.org
Établi à Becket, à 20 min de route de Lee, Jacob's Pillow est le plus vieux festival de danse des États-Unis et attire chaque année des artistes du monde entier. On y présente des ballets, de la danse contemporaine, du flamenco et des danses inspirées d'œuvres littéraires allant de Shakespeare au hip-hop. Chaudement recommandé.

Achats

Le sud des Berkshires regorge d'artisans qui vendent leurs produits dans diverses boutiques et galeries. Beaucoup de leurs créations sont fort belles, mais la région attire depuis longtemps une clientèle fortunée, de sorte que les prix sont généralement très élevés.

Le centre et l'ouest du Massachusetts - Achats

Sturbridge

La ville de Sturbridge saura combler les rêves les plus fous des amateurs d'antiquités, qui pourront chercher à loisir le trésor caché qu'ils convoitent au fil des nombreuses boutiques de Main Street (route 20). Parmi les plus courues, retenons le **Showcase Antique Center** *(route 20, ☎508-347-7190)* et le **Fairgrounds Antique Center** *(362 Main St., ☎508-347-3926).*

Northampton

La rue principale de Northampton présente un mélange éclectique de boutiques et de galeries branchées qui en sont d'ailleurs un des grands attraits. Passez un après-midi à vous promener le long de cette artère, et vous dénicherez sûrement quelques trouvailles répondant à vos goûts.

Pride and Joy
lun-mer 10h à 18h, jeu-sam 10h à 21h, dim 12h à 17h
20 Crafts Ave.
☎413-585-0683
www.nohoprideandjoy.com
Pride and Joy dessert l'importante communauté gay et lesbienne de la ville depuis une dizaine d'années avec son assortiment d'enregistrements musicaux, de bijoux, de vêtements, de livres et de créations artisanales. Ce magasin sert en outre officieusement de centre de ressources pour gays et lesbiennes.

Ten Thousand Villages
lun-mer 10h à 18h, jeu-sam 10h à 20h, dim 13h à 17h
82 Main St.
☎413-582-9338
www.tenthousandvillages.com
Ten Thousand Villages contraste vivement avec les nombreuses galeries chères de la ville. Ce magasin de Northampton fait partie d'une chaîne établie à l'échelle des États-Unis et du Canada, et vouée au commerce des créations d'habiles artisans du tiers-monde. Il est intéressant de noter qu'il ne s'agit nullement d'une entreprise d'exploitation, dans la mesure où l'on se fait un point d'honneur de présenter l'histoire de chaque artisan et de démontrer qu'on lui a acheté ses œuvres à un prix convenable.

Amherst

Atkins Farm Country Market
tlj 7h à 20h
1150 West St.
☎413-253-9528
www.atkinsfarm.com
Bien que situé quelque peu à l'extérieur de la ville sur la route 116, l'Atkins Farm Country Market vaut bel et bien le déplacement. Offrant de nombreux comptoirs intérieurs aussi bien qu'extérieurs, il attire des clients de toute la région, et vous y trouverez de tout, du homard vivant jusqu'aux bleuets.

Lenox

Church Street est l'artère de Lenox consacrée aux boutiques, aux galeries et aux cafés. Vous trouverez des œuvres d'art, des créations artisanales, des céramiques et des bijoux exceptionnels à la **Lenox Gallery** *(69 Church St., ☎413-637-2276, www.lenoxgallery.com)* et à la **Hoadley Gallery** *(21 Church St., ☎413-637-2814, www. hoadleygallery.com).*

Nejaime's Wine Cellars
lun-sam 9h à 21h
60 Main St.
☎413-637-2221
444 Pittsfield Rd.
☎413-448-2274
www.nejaimeswine.com
Nejaime's Wine Cellars offre un excellent choix de vins et de fromages, tout indiqués pour un pique-nique à l'extérieur ou un fin repas dans votre chambre d'hôtel.

Stockbridge

An American Craftsman
36 Main St.
☎413-298-0175
www.anamericancraftsman.com
Pour de magnifiques objets de verre et des sculptures en bois, songez à An American Craftsman. Les pièces exposées sont de grande qualité, uniques et très coûteuses.

L'art constitue l'une des principales industries de **West Stockbridge**, si bien qu'on y trouve une abondance de galeries intéressantes à visiter. Le **Berkshire Center for Contemporary Glass** *(tlj 10h à 18h; 6 Harris St., ☎413-232-4666)* présente de la verrerie contemporaine riche en couleur; même si vous n'avez pas l'intention d'acheter une pièce, vous aurez plaisir à voir les souffleurs à l'œuvre. Pour de magnifiques céramiques, songez à **Hoffman Pottery** *(tlj 10h à 17h; 103 route 41, ☎413-232-4646, www.ehoffmanpottery.com);* Elaine Hoffman produit notamment des accessoires de cuisine fantaisistes ainsi que de beaux cache-pots pour le jardin.

Le Maine

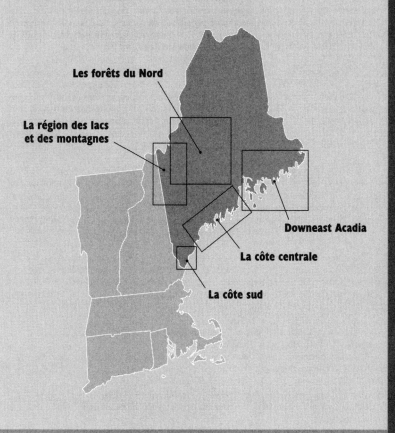

Les forêts du Nord

La région des lacs et des montagnes

Downeast Acadia

La côte centrale

La côte sud

Ni la beauté sereine des montagnes et des lacs virginaux, ni les innombrables anses, plages sablonneuses, baies rocheuses et ports pittoresques du Maine d'aujourd'hui, tous plus paisibles les uns que les autres, ne laissent soupçonner la violence des événements qui ont jadis façonné la géographie sans pareille de la région.

Ce sont en effet des forces parmi les plus imposantes sur terre qui ont créé le paysage unique de cet État, certaines montagnes ayant surgi des profondeurs du sous-sol sous la poussée de volcans préhistoriques, tandis que d'autres doivent leur formation à un gigantesque glacier en mouvement qui a par ailleurs creusé et sculpté sur son passage de profondes vallées sinueuses de même que le Somes Sound, le seul véritable fjord de la côte est des États-Unis, qui pourfend sans merci Mount Desert Island.

L'État du Maine est long d'environ 515 km, large de quelque 305 km et d'une superficie totale de plus de 86 000 km², plus ou moins égale à celle des cinq autres États de la Nouvelle-Angleterre réunis. Encadré par les provinces de Québec au nord-ouest et du Nouveau-Brunswick au nord-est, de même que par l'État du New Hampshire au sud-ouest et l'océan Atlantique au sud-est, le Maine est le seul État de l'Union à ne toucher qu'un seul autre État. Le point le plus à l'est du pays se trouve dans le Maine, le soleil y apparaissant en tout premier lieu sur le promontoire de West Quoddy.

Le climat du Maine se révèle changeant et varié, avec des températures moyennes de 21°C en été et de –6°C en hiver, assorties de pointes extrêmes. Sur la côte méridionale, par exemple, les températures diurnes atteignent régulièrement les 32°C au cours de la saison estivale, heureusement tempérées par les rafraîchissantes brises salines de l'océan Atlantique, tandis que, dans les montagnes du nord de l'État, les températures hivernales peuvent descendre jusqu'à –34°C, sans même tenir compte du facteur de refroidissement éolien!

D'une altitude de 1 606 m au-dessus du niveau de la mer, le mont Katahdin s'impose comme le plus haut sommet du Maine. Augusta en est la capitale, quoique Portland soit de loin la plus grande ville de l'État, suivie de Lewiston et de Bangor. L'animal-emblème de l'État est l'orignal, ce qui est tout à fait logique puisqu'on en dénombre ici à peu près 30 000. Quant au chat fétiche du Maine, il s'agit du chat-raton à long poil (*Maine Coon cat*).

L'origine du mot «Maine» demeure incertaine. D'aucuns prétendent qu'il dérive du terme employé par les marins pour désigner le continent (*mainland*), tandis que d'autres croient plutôt que ce sont les colons français qui l'ont ainsi baptisé en mémoire de la province française du même nom.

D'abord colonisé au XVIIᵉ siècle, le Maine n'est officiellement devenu un État qu'en 1820, à l'époque où il s'est séparé du Massachusetts. Sa population actuelle est estimée à 1,2 million d'habitants.

L'économie de cet État pourvu d'un sol rocheux et pourtant fertile, par ailleurs boisé à plus de 80%, est depuis longtemps dominée par l'agriculture, l'industrie des pâtes et papiers, et la pêche commerciale. Au chapitre de l'agriculture, s'il est vrai que la culture des pommes de terre et l'élevage des volailles viennent en tête de liste, il faut aussi savoir que la culture des bleuets figure en bonne place, à tel point que, si vous avez jamais mangé des bleuets aux États-Unis, il y a fort à parier qu'ils venaient du Maine, puisque cet État produit plus de 90% de tous les bleuets du pays! Du côté de la pêche, le Maine est bien sûr réputé pour ses mollusques et crustacés; d'autant plus que près de 29 millions de kilos de homard y sont pêchés chaque année, presque tout le homard consommé aux États-Unis venant des eaux du Maine.

Le XXᵉ siècle a vu croître rapidement l'industrie touristique dans le Maine. Bien que Boothbay et Bar Harbor soient devenues des destinations de choix auprès des vacanciers fortunés dès la fin du XIXᵉ siècle, ce n'est qu'au cours des années 1920 que cet État a

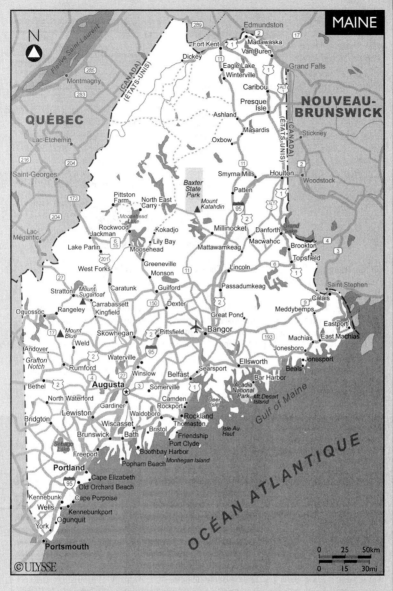

MAINE

vraiment commencé à capter l'attention du grand public. Le tourisme n'a depuis cessé de s'y développer, et l'on comprend aisément pourquoi lorsqu'on connaît les incommensurables richesses naturelles de ce pan de pays. Il y a en effet ici quelque 220 000 ha de parcs d'État et de parcs nationaux, y compris l'Allagash Wilderness Waterway (une voie navigable longue de 148 km), l'Acadia National Park (un des parcs nationaux les plus visités des États-Unis) ainsi que le Baxter State Park (qui abrite le mont Katahdin de même que la portion la plus septentrionale de l'Appalachian Trail). Les régions montagneuses intérieures recèlent quant à elles des possibilités sans fin de randonnée pédestre, de vélo, de canot, de kayak, de descente de rapides, de pêche, de chasse, de ski de fond,

Le homard, roi des crustacés

Roi incontesté des crustacés, le *Homarus americanus*, ou simplement «homard», subit la peine capitale dans un bain d'eau bouillante! Mais il s'agit du prix à payer pour qu'il puisse trôner dans votre assiette, flamboyant dans sa livrée écarlate, toutes pinces étalées pour votre bon plaisir gastronomique!

Le homard du Maine, puisque c'est de lui qu'il s'agit, possède son folklore et ses mythes tenaces, que nous allons tenter de décortiquer (sans jeu de mots). Ainsi, on dit de lui que c'est une créature sensible et conviviale; le homard est au contraire un redoutable guerrier du fond des mers, prêt à tout pour défendre son territoire. La prétention que le homard souffre énormément alors qu'il est jeté vivant dans une marmite d'eau bouillante représente également une autre contrevérité véhiculée par les âmes sensibles; en réalité, le homard, comme tous les arthropodes, est doté d'un système nerveux des plus primitifs, et il ne possède pas, comme l'humain, de cortex cérébral, la partie du cerveau d'où origine la perception de la douleur.

de motoneige et d'observation des feuillages d'automne, sans oublier une foule d'attraits culturels et historiques.

Néanmoins, les plus grands attraits du Maine, et de loin, restent le sable et la mer. Inclusion faite du pourtour des nombreuses îles, le Maine possède en effet environ 8 000 km de littoral, bordés de plages sablonneuses et immaculées, de falaises saisissantes, de phares historiques, de ports de pêche somnolents et de villes portuaires affairées.

Old Orchard Beach, avec sa promenade haute en couleur, ses salles de jeux électroniques et ses restaurants, trône depuis longtemps parmi les destinations estivales les plus courues de l'État. Cela dit, de plus petites plages, également plus tranquilles, parmi lesquelles figurent Kennebunk Beach, York Beach et Ogunquit, attirent aussi leur part de vacanciers en quête de beaux bords de mer aux foules moins nombreuses.

Au-delà de ses beautés naturelles, le passé même du Maine est, pour beaucoup de voyageurs, l'occasion d'un retour dans le temps, voire d'un véritable pèlerinage spirituel. Pour nombre de personnes vivant hors des frontières du Maine, cet État incarne en effet la quintessence d'un mode de vie idyllique qu'on considère de plus en plus étranger au monde moderne. Les extrêmes qui caractérisent ici la nature sont perçus comme d'une beauté à couper le souffle, tout en constituant un défi de taille, que relève une population aguerrie et immunisée contre les caprices de la vie moderne. Ainsi l'humeur du Maine gravite-t-elle le plus souvent autour d'une population locale d'une grande sagesse qui évolue à son propre rythme, en harmonie avec son environnement et en interaction sentie avec des visiteurs fébriles, toujours pressés et manifestement perdus.

On se rend dès lors dans le Maine en quête de petites communautés vibrantes et inviolées, émouvantes d'authenticité, qui permettent d'échapper un moment à un monde de plus en plus artificiel. Le magnifique et impressionnant bord de mer, les lacs et les montagnes intacts, les havres de paix d'une sérénité exceptionnelle et les habitants mêmes du Maine contribuent tous à en faire une des destinations de vacances les plus prisées des États-Unis.

Le présent chapitre est divisé en cinq circuits, soit **La côte sud** ★★, **La côte centrale** ★, **Downeast Acadia** ★★, **La région des lacs et des montagnes** et **Les forêts du Nord** ★.

Accès et déplacements

■ En avion

Portland International Jetport
1001 Westbrook St.
Portland
☎207-774-7301
www.portlandjetport.org

Situé à 10 min du centre-ville, le Portland International Jetport est utilisé par plus d'un million de voyageurs chaque année. Il est desservi par plusieurs transporteurs d'envergure, notamment Continental Airlines, Delta Airlines et US Airways, qui offrent tous des vols quotidiens. De nombreuses lignes d'autobus relient quotidiennement l'aéroport et la ville. L'autobus nᵒ 5 se rend au centre-ville de Portland et offre des correspondances pour le vieux port (Old Port) et divers autres quartiers de la ville. Vous trouverez aussi des entreprises de location de voitures à l'aéroport, telles qu'Alamo, Avis, Budget, Hertz et National. Des taxis vous attendent par ailleurs au Ground Transportation Booth, tout juste au-delà de l'aire de retrait des bagages; si votre destination se trouve à l'intérieur des limites du Grand Portland, le prix de la course sera déterminé par le compteur; à l'extérieur de cette zone, il s'agira plutôt d'un tarif fixe, déterminé par une liste tenue à votre disposition. D'autres services de transport, tels que limousines et minibus, sont aussi offerts sur demande (☎207-879-1903).

Bangor International Airport
287 Godfrey Blvd., Bangor, Exit 47 de l'US 1-95
☎207-947-0384
www.flybangor.com

Pour sa part, le Bangor International Airport est desservi par cinq transporteurs nationaux (Continental, Northwest, Delta, American Eagle et US Airways).

■ En voiture

La côte du Maine est parcourue par l'US Route 1. Ce guide suit le tracé de cette route en ce qui a trait aux trois premiers circuits, soit jusqu'au point le plus au nord de la côte, sauf pour un tronçon de la route 3 en direction de Bar Harbor et de l'Acadia National Park. Après avoir fait le tour de Mount Desert Island par la route 102 et la route 198, revenez jusqu'à la route 3 pour ensuite rejoindre la route 1, qui vous mènera, un peu plus loin, à la route 186, laquelle fait le tour de la péninsule de Schoodic, qui représente la partie continentale de l'Acadia National Park.

Portland

Boston ne se trouve qu'à deux heures de route au sud de Portland, qu'on rejoint par ailleurs d'à peu près n'importe quel point de la Nouvelle-Angleterre en moins de quatre heures. De Boston (Massachusetts), engagez-vous vers le nord sur l'Interstate 95 jusqu'à l'Exit 6A (I-295, South Portland). De Portland, prenez l'Interstate 295 en direction sud jusqu'à l'Interstate 95 Nord (l'I-295 devient l'I-95 à Falmouth), puis empruntez l'Exit 22 de la route 1 Nord.

Bath-Brunswick

Équidistante de trois des plus grands centres urbains du Maine – Portland, Augusta et Lewiston/Auburn –, la région de Bath-Brunswick ne se trouve qu'à 30 min de route par l'Interstate 95 ou la route 196. La route 1 passe quant à elle par Brunswick, Bath et Wiscasset avant de filer plus au nord. Bien qu'il s'agisse d'une route moins panoramique, vous pouvez emprunter l'Interstate 95 pour vous rendre de Kittery à Brunswick. Elle s'éloigne ensuite de la côte en direction de Bangor. Si vous optez pour cette route plus commode, assurez-vous d'avoir de la monnaie car il s'agit d'une route à péage.

La région des lacs et des montagnes

Le circuit débute sur la route 4 à Rangeley, d'où l'on emprunte la route 16 jusqu'à Carrabassett, près de la station de sports d'hiver Sugarloaf. Rendez-vous un peu plus loin par la même route jusqu'à Kingfield. De Kingfield, empruntez vers le sud-ouest la route 142 et la route 2 pour atteindre Bethel et la partie de la White Mountain National Forest qui se trouve dans le Maine, en vous arrêtant à mi-parcours au Mount Blue State Park, sur la route 142. Prenez ensuite la route 26 vers le sud jusqu'à la route 115, qui vous conduira à North Windham, au cœur de la région de Sebago Lakes.

Les forêts du Nord

C'est à Calais, sur le littoral, que débute la longue randonnée de ce circuit à travers les forêts du nord de l'État. Reprenez la route 1 vers le nord jusqu'à Topsfield, où vous emprunterez la route 6 vers l'est jusqu'à Lincoln. De là, la route 55 vous conduira sur une courte distance à l'US 95, que vous emprunterez vers le nord jusqu'à Medway, où vous prendrez la route 157 vers Millinocket et le Baxter State Park, situé au nord de cette ville. Revenez par la suite à Millinocket, où la route 11 en direction sud-ouest vous mènera à la jonction avec la route 6, que vous emprunterez vers le nord jusqu'à Greenville, sur le lac Moosehead.

■ En autocar

Les autocars de la compagnie **Greyhound** (*☎800-231-2222, www.greyhound.com*) s'arrêtent dans la plupart des grandes villes de l'État, alors que **Concord Trailways** (*☎800-639-3317, www.concordtrailways.com*) dessert les villes importantes du Maine et du New Hampshire au départ de l'aéroport Logan de Boston.

■ En train

Le *Downeaster* d'**Amtrak** (*☎800-872-7245, www.thedowneaster.com*) assure la liaison entre Boston et Portland quatre fois par jour, avec des arrêts à Wells, à Saco et à Old Orchard Beach.

■ En traversier

Le traversier *The Cat* de la compagnie **Bay Ferries Limited** (*☎877-359-3760, www.catferry. com*) assure la liaison entre Yarmouth en Nouvelle-Écosse (*58 Water St., ☎902-742-6800*) et Bar Harbor (*121 Eden St., ☎207-288-3395*) ou Portland (*468 Commercial St., ☎207-761-4228*).

Les trois entreprises suivantes font la navette entre le continent et Monhegan Island. Nous vous recommandons de réserver vos places à l'avance.

Monhegan Boat Line
départs tlj à 7h, 10h30 et 15h
Port Clyde
☎207-372-8848
www.monheganboat.com

The Balmy Days II
départ tlj à 9h30
Boothbay Harbor
☎207-633-2284 ou 800-298-2284
www.balmydayscruises.com

Hardy Boat Cruises
départs tlj à 9h et 14h
New Harbor
☎207-677-2026 ou 207-278-3346
www.hardyboat.com

Renseignements utiles

■ Hôpitaux

Maine Medical Center
22 Bramhall St.
Portland
☎207-662-0111 ou 877-339-3107

Mount Desert Island Hospital
10 Wayman Ln.
Bar Harbor
☎207-288-5081

■ Renseignements touristiques

Vous pouvez vous procurer de l'information directement auprès de l'office de tourisme du Maine ou des différentes chambres de commerce locales.

La côte sud

Maine Tourism Association
327 Water St.
Hallowell, ME 04347
☎207-623-0363
▤207-623-0388
www.mainetourism.com

Kittery Visitor Information Center
angle I-95 et route 1, Kittery, ME 03904
☎207-439-1319
▤207-439-8281

Greater York Region Chamber of Commerce
1 Stonewall Lane, York, ME 03909
☎207-363-4422
▤207-363-7320
www.gatewaytomaine.org

Ogunquit Chamber of Commerce
P.O. Box 2289, Ogunquit, ME 03907
☎207-646-2939
www.ogunquit.org

Wells Chamber of Commerce
P.O. Box 356, Wells, ME 04090
☎ 207-646-2451
www.wellschamber.org

Kennebunk & Kennebunkport Chamber of Commerce
P.O. Box 740, Kennebunk, ME 04043
☎ 207-967-0857
www.visitthekennebunks.com

Old Orchard Beach Chamber of Commerce
P.O. Box 600
Old Orchard Beach, ME 04064
☎ 207-934-2500
www.oldorchardbeachmaine.com

Convention and Visitors Bureau of Greater Portland
245 Commercial St.
Portland, ME 04101
☎ 207-772-5800
à l'aéroport, près de l'aire de retrait des bagages
☎ 207-775-5809
www.visitportland.com

Greater Portland Regional Chamber of Commerce
60 Pearl St., Portland
☎ 207-772-2811
▤ 207-772-1179
www.portlandregion.com

La côte centrale

Southern Midcoast Maine Chamber of Commerce
59 Pleasant St., Brunswick
☎ 207-725-8797
▤ 207-725-9787
49 Front St., Bath
☎ 207-443-9751
▤ 207-442-0808
www.midcoastmaine.com

Camden-Rockport-Lincolnville Chamber of Commerce
P.O. Box 919, Camden, ME 04843
☎ 207-236-4404 ou 800-223-5459
▤ 207-236-4315
www.camdenme.org

Downeast Acadia

Calais Visitor Information Center
39 Union St., Suite B, Calais, ME 04619
☎ 207-454-2211
▤ 207-454-7227

Bar Harbor Chamber of Commerce

1201 Bar Harbor Rd., Trenton
☎ 207-288-5103
www.barharborguide.com

Eastport Area Chamber of Commerce
P.O. Box 254, Eastport, ME 04631
☎ 207-853-4644
www.eastport.net

La région des lacs et des montagnes

Rangeley Lakes Region Chamber of Commerce
P.O. Box 317, Rangeley, ME 04970
☎ 207-864-5364 ou 800-685-2537
www.rangeleymaine.com

Bethel Area Chamber of Commerce
8 Station Place, P.O. Box 1247, Bethel, ME 04217
☎ 207-824-2282 ou 800-442-5826
www.bethelmaine.com

Les forêts du Nord

Katahdin Area Chamber of Commerce
1029 Central St., Millinocket, ME 04462
☎ 207-723-4443
www.katahdinmaine.com

Moosehead Lake Region Chamber of Commerce
P.O. Box 581, 158 Moosehead Lake Rd.
Greenville, ME 04441-0581
☎ 207-695-2702 ou 888-876-2778
www.mooseheadlake.org

Attraits touristiques

La côte sud
★ ★

La côte sud du Maine s'étend de la ville de Kittery à la région de Sebago Lakes. Cette portion du littoral réjouira le cœur des amateurs de plages, car elle offre des kilomètres et des kilomètres de beaux rubans sablonneux dans des localités telles qu'Ogunquit, Wells, les Kennebunks et Old Orchard Beach. En été, les villages de la côte sud du Maine sont en outre prisés non seulement des amants du soleil et de la mer, mais aussi des mordus du lèche-vitrine, surtout à Kittery et à Freeport, où pullulent les magasins d'usine, notamment le fameux magasin L.L. Bean. C'est également dans cette région que se trouve la plus grande ville du Maine, Portland.

Ce circuit longe la route 1 de Kittery à Calais. Bien que la panoramique route 1 passe par tous les villages de la côte, il ne s'agit pas là de l'axe le plus rapide pour se déplacer d'un endroit à l'autre. Ainsi les voyageurs pressés qui ne tiennent pas forcément à tout voir en chemin préféreront-ils sans doute prendre l'autoroute à péage qu'est l'Interstate 95.

Kittery ★

Sur la route 1, Kittery est la première ville du Maine que vous croiserez, tout de suite après avoir enjambé la rivière Piscataqua en arrivant du New Hampshire.

Fondée en 1647 sur les berges de la rivière Piscataqua, Kittery s'est vite imposée comme une ville importante au plan de l'industrie navale, et les Britanniques y ont construit nombre de vaisseaux militaires jusqu'en 1776.

Le **Kittery Historical and Naval Museum** *(3$; mai à oct mar-sam 10h à 16h; Rogers Rd., près des routes 1 et 236,* ☎*207-439-3080)* rappelle le passé des chantiers navals de la région et des États-Unis, et présente l'histoire de cette partie de l'Amérique. Vous pourrez y voir des maquettes de navires du XVIIIᵉ siècle à aujourd'hui. Des diaporamas, des photographies et des peintures viennent en outre agrémenter la visite. On y propose occasionnellement des expositions spéciales.

Continuez par Rogers Road jusqu'à la route 103, laquelle devient Pepperrell's Road à Kittery Point. Cette partie de la ville est un des premiers sites habités de la Nouvelle-Angleterre. De plus, la vue panoramique y est extraordinaire, en surplomb sur la baie de Kittery. Poursuivez par la route 103. Le fort McClary est à votre droite sur Kittery Point Road.

Le **Fort McClary State Historic Site** ★ *(2$; juin à sept 9h à 17; Kittery Point Rd.,* ☎*207-384-5160)* se dresse dans la plus vieille partie de la ville. En effet, Kittery Point fut fortifiée au début du XVIIIᵉ siècle pour protéger la ville contre les Français, les Amérindiens et les pirates. La plus vieille partie du fort fut d'abord nommée «Fort William» en l'honneur de Sir William Pepperrell, un aristocrate admiré de la région. Durant la guerre de l'Indépendance, les Américains agrandirent le fort et y placèrent une gar-

nison; Fort William devint alors Fort Mc-Clary, pour honorer la mémoire du major Andrew McClary, tué à Bunker Hill. Le fort sera considéré comme trop bien gardé pour que les Anglais s'y risquent. On y reverra des soldats en 1812, durant la guerre de Sécession américaine, lors de la guerre contre l'Espagne et, finalement, au cours de la Première Guerre mondiale. Enfin, ce petit site historique d'État, avec sa magnifique vue sur la baie de Kittery, est un très bel endroit où pique-niquer en famille.

Continuez par la route 1 jusqu'à York.

York Village

Situé sur les berges de la rivière York depuis 1630, le village de York renferme un admirable quartier historique qui mérite un détour.

Old York est célèbre pour sa résistance face aux Français et aux Amérindiens. On peut encore voir aujourd'hui les Logg Garrison Houses, qui ont permis aux habitants de se protéger. Un bon exemple de ces casernes est la **MacIntire Garrison** *(on ne visite pas; route 91)*, avec son deuxième étage en saillie. Si l'on en croit la légende, lorsque les Amérindiens ou les Français attaquaient, alors que les hommes tiraient de leur mousquet, les femmes versaient de l'eau bouillante sur l'ennemi.

L'**Old York Historical Society** ★ *(5$ pour visiter un seul édifice ou 10$ pour visiter les huit; début juin à mi-oct lun-sam 10h à 17h; 207 York St.,* ☎*207-363-4974, www.oldyork.org)* gère huit édifices datant du XVIIIᵉ siècle. Cette société possède une admirable collection de meubles, de tissus et de livres ayant appartenu aux premières familles du village. Il est possible de voir cette collection dans l'édifice principal, le **George Marshall Store**, un ancien magasin général qui domine le quai de la ville.

Ici débute la visite des bâtiments aménagés de l'Old York Historical Society. Bâtie en 1750 pour le compte du capitaine Samuel Jefferds, la **Jefferds Tavern** servit longtemps de halte sur la route entre York et Kennebunk. Aujourd'hui, elle marque le point de départ de la visite et renferme un centre d'interprétation de l'histoire locale.

La petite école d'une seule pièce qu'est l'**Old Schoolhouse** est agréablement meublée des pupitres et des chaises d'origine. On y retrace aussi, brièvement, l'histoire des premières écoles de la région.

Figurant parmi les plus vieux édifices publics des États-Unis, la vieille **Old York Gaol** ★★ servait à l'époque de prison royale pour le district du Maine. Ce donjon aux murs de plus de 1 m d'épaisseur a été subséquemment agrandi pour accueillir d'autres cellules et les appartements du gardien, avant que la prison ne soit désaffectée en 1860. La visite de cette geôle vous donnera sans doute des frissons. Le système judiciaire de l'époque permettait à n'importe quel créancier de faire incarcérer une personne pour non-paiement de dette. C'est pourquoi cette petite prison a fait souffrir plus d'un fermier qui, en plus d'être endetté jusqu'au cou, se voyait jeté au cachot et séparé de sa famille. On peut aussi visiter les appartements du gardien, meublés au goût de 1790.

Depuis sa construction en 1742, l'**Emerson-Wilcox House** a eu plusieurs affectations. D'abord bureau de poste, taverne puis salon de coiffure, elle devint une résidence privée jusqu'à ce qu'on la transforme en musée d'histoire locale. Vous y verrez différents artefacts provenant de la région.

La côte du Maine offre un spectacle architectural bien particulier. À la fin du XIXᵉ siècle, la bourgeoisie bostonienne cherchait à retrouver l'esthétique de la Nouvelle-Angleterre du siècle précédent. En effet, elle déplorait la laideur de son pays et accusait les immigrants de ruiner «sa» Nouvelle-Angleterre. Comme le Massachusetts était déjà perdu aux yeux de ces bourgeois, ils choisirent le Maine pour instaurer le style appelé à devenir le Colonial Revival American (néocolonial américain). Un bon exemple de ce style architectural est l'**Elizabeth Perkins House** *(Lindsay Rd.)*. Plutôt que de se faire bâtir une luxueuse demeure sur le port de York, comme le voulait la mode, Elizabeth Perkins choisit de restaurer une maison toute simple le long de la rivière, et réussit à en faire un modèle de Colonial Revival. Vous y remarquerez une cuisine et des poutres raffinées.

La **John Hancock Warehouse** fut construite au milieu du XVIIIᵉ siècle. John Hancock était un riche marchand, également patriote et

signataire de la déclaration d'Indépendance. Cet entrepôt raconte l'histoire du commerce maritime dans la région.

La **Ramsdell House** fut acquise par l'Old York Historical Society en 2002, et sa restauration se poursuivait toujours au moment de notre passage. On estime que l'édifice aurait été construit autour de 1750 pour servir d'entrepôt pour une tannerie locale. Il aurait ensuite été converti en résidence en 1814 pour loger un ouvrier qui travaillait sur une ferme qui appartenait à Daniel Bragdon, le beau-frère du fameux patriote John Hancock. De facture nettement plus modeste que les maisons-musées que l'on rencontre généralement en Nouvelle-Angleterre, la Ramsdell House offre néanmoins un regard fascinant sur le quotidien de la classe ouvrière du Maine au milieu du XIXᵉ siècle.

Continuez par Maine Street jusqu'à York Harbor.

York Harbor ★★

Ce petit port fourmille d'artisans qui y exposent leurs œuvres. Vous pourrez également y voir de superbes maisons, pour la plupart construites au XIXᵉ siècle par les citadins de Boston et de New York qui cherchaient à fuir leur milieu urbain.

Le marchand Jonathan Sayward acheta, dans les années 1760, une maison de style classique datant de 1718. Il la fit agrandir et la décora de meubles Queen Anne et Chippendale. La légende veut que son mobilier provienne d'un butin de guerre pris aux Français à Louisbourg en 1745. Heureusement, les générations subséquentes ont su conserver la maison et son ameublement intacts. La **Sayward-Wheeler House** *(5$; visites guidées aux heures de 11h à 16h; juin à mi-oct sam-dim 11h à 17h; 9 Barell Lane Extension, ☎207-384-2454)* appartient désormais à la Société de préservation des antiquités de la Nouvelle-Angleterre. L'édifice comme tel ne présente que peu d'intérêt, mais la décoration intérieure en surprendra plus d'un. Avec ses plafonds bas, ce qui laisse présupposer une demeure simple, cette maison admirablement décorée témoigne fort bien des richesses acquises par les colons britanniques à la veille de la guerre de l'Indépendance.

Empruntez Long Beach Avenue jusqu'à York Beach.

York Beach

Seulement quelques kilomètres séparent York Village de York Beach, mais on croirait changer d'univers. Les deux Yorks précédents vibrent à un rythme plus lent et plus traditionnel, alors que York Beach se veut plus populaire, plus «rock-and-roll». On y trouve un amalgame de restaurants et de boutiques de souvenirs, bordés d'une longue rangée d'hôtels dressés comme des soldats protégeant la mer.

Deux attraits dominent le paysage à partir de la plage, le **Mount Agamenticus** et le Nubble Light. Haut de quelques centaines de mètres (692 m), le petit mont Agamenticus offre une vue superbe sur la Presidential Range et le golfe du Maine. De plus, il fut longtemps un précieux point de repère pour les marins, se démarquant du reste de la plaine côtière.

Quittez la route 1A et prenez la Nubble Road jusqu'à la pointe du Cape Neddick.

Le **Nubble Light** ★, situé sur le Cape Neddick, constitue encore aujourd'hui un superbe site pour les amateurs de photos, en plus de guider les navires dans la région. Le phare comme tel n'est pas extraordinaire, mais la vue de l'Atlantique vaut le déplacement.

Le **York's Wild Kingdom** *(adultes 18,25$, 10 ans et moins 14,25$; les manèges sont ouverts de fin mai à début sept de 12h à 21h30; le zoo est ouvert de fin mai à début oct de 10h à 17h; route 1,* ☎*207-363-4911, www.yorkzoo.com)* se définit comme un zoo doublé d'un parc d'attractions. Vos enfants y feront une balade à dos d'éléphant ou de poney. Le zoo compte près de 500 animaux.

Reprenez la route 1 par la route 1A jusqu'à Ogunquit.

Ogunquit ★ ★

Dans la langue des Algonquins, le mot *ogunquit* signifie «bel endroit près de la mer». Leurs contemporains de la communauté artistique sont d'ailleurs totalement en accord avec cette appellation. Ogunquit

s'est effectivement rendue célèbre grâce à son effervescence artistique au début du XXᵉ siècle, et, encore aujourd'hui, nombre de créateurs immortalisent sa longue plage de sable fin à travers leurs talents de paysagistes ou d'auteurs. Ogunquit est également une destination de choix auprès de la communauté gay; il s'agit en fait, pour ce groupe, de la destination américaine la plus populaire après Provincetown, à Cape Cod, Massachusetts.

Ogunquit a su conserver son aspect pittoresque malgré l'achalandage touristique grandissant. La plage a pu être préservée grâce à un plan d'urbanisme efficace et habile qui a eu pour effet d'éloigner les parcs de stationnement. Une balade sur le **Marginal Way** (voir p 340) par une chaude nuit d'été s'avère toujours fort agréable.

Fidèle à sa réputation de village d'artistes, Ogunquit s'est dotée d'une admirable petite galerie d'art que l'on peut facilement qualifier de musée. L'**Ogunquit Museum of American Art** ★ *(adultes 5$, aînés 4$, entrée libre pour les moins de 12 ans; début juil à fin oct lun-sam 10h30 à 17h, dim 14h à 17h; Shore Rd.,* ☎*207-646-4909, www.ogunquitmuseum.org)* propose une sélection d'œuvres d'artistes qui ont travaillé ou qui travaillent encore dans la région. Le nombre impressionnant de ses fenêtres lui confère un charme bien particulier et permet de ne jamais perdre la mer de vue.

Empruntez la Shore Road ou, à pied, le Marginal Way jusqu'à Perkin's Cove. Notez que, l'été venu, le stationnement y est presque impossible. Vous pouvez toujours vous y rendre grâce au service de tramways de la ville.

Perkin's Cove ★ ★

Ce petit hameau est en fait le port d'Ogunquit. Dans les années 1930, il était devenu évident que le petit bassin réservé aux pêcheurs et aux amateurs de sports nautiques était trop étroit. Les pêcheurs se rallièrent, et le Perkin's Cove Harbor Project vit le jour. On décida alors de creuser et d'agrandir la baie jusqu'à lui donner ses dimensions actuelles. Aujourd'hui Perkin's Cove est un petit village de pêcheurs agrémenté de délicieuses boutiques d'art, de restaurants et de cafés. On s'y balade entre les bons restaurants et les terrasses tranquilles. Remarquez également le pont piétonnier qui relie les deux côtés de la baie. Lorsque les bateaux s'avancent vers le port, ils sifflent trois fois pour demander au *harbourmaster*, le gardien du port, de lever le pont. Le pont se sépare alors en deux parties inégales, la plus longue s'ouvrant mécaniquement et l'autre manuellement. L'achalandage estival rend le stationnement presque impossible. Il est donc recommandé de vous y rendre à pied par le magnifique Marginal Way ou d'utiliser les tramways.

Reprenez la route 1 jusqu'à Wells.

Wells

Wells est une petite ville encaissée entre la route 1 et la mer. Sa longue plage rejoint celle d'Ogunquit par Moody Beach. La plage de Wells est semi-privée, c'est-à-dire qu'elle est réservée aux propriétaires et aux locataires des multiples villas qui la bordent. Pour y avoir accès, vous devrez louer une maison ou une chambre avec accès à la plage. De l'autre côté de la route 1A se trouve le centre-ville de Wells. Plusieurs boutiques, spécialement des antiquaires, font figure de proue dans la région. On dit d'ailleurs que Wells est un paradis pour ceux qui recherchent des antiquités ou des livres anciens.

Toujours par la route 1, continuez pendant quelques kilomètres jusqu'à Kennebunk. Empruntez ensuite la route 35 jusqu'à l'intersection avec la route 9, où vous pouvez tourner à gauche pour aller à Kennebunkport ou continuer tout droit en direction de Kennebunk Beach.

Kennebunkport ★ ★

Kennebunkport a été rendue célèbre par la présence de la résidence d'été de l'ancien président américain George Bush. Sa famille y possède une villa depuis le début du XXᵉ siècle. En fait, Bush n'est pas le premier résidant célèbre de Kennebunkport. L'auteur américain Kenneth Roberts fut le premier à faire découvrir la région au reste de l'Amérique dans les années 1920 et 1930. Décrivant la vie de l'Amérique coloniale, Roberts est vite devenu très populaire. Ses romans *Rabble in Arms*, *Northwest Passage*, *Oliver Wiswell* et *Arundel* sont de précieuses sources d'information sur la vieille Amérique. D'ailleurs, le village de North Kennebunk a changé son nom pour «Arundel» en honneur de l'écrivain. Kenneth Roberts

était un extravagant personnage qui voulait s'éloigner de la civilisation. Sa popularité et l'attrait grandissant de Kennebunkport le dérangeaient presque jusqu'à la folie. On le vit même tirer sur un avion, tant il haïssait le bruit. Il finit par se retirer dans un lieu plus tranquille que Kennebunkport.

Le centre de la ville, autour du **Dock Square**, est toujours très animé. On retrouve, dans les rues avoisinantes, toutes sortes de boutiques et de galeries d'art, ainsi que plusieurs charmants petits restaurants. En été, le Dock Square est envahi par les touristes venus flâner en ville.

Prenez la rue Spring jusqu'à la rue Maine, puis tournez à gauche.

Construite en 1853 par Charles Perkins, la **Nott House** ★ *(5$; mar, mer et ven 13h à 16h, jeu et sam 10h à 13h; visites guidées mi-juin à mi-oct; Maine St., ☎207-967-2751)* est un très bel exemple néoclassique. Remarquez les colonnes doriques qui ont valu à cette maison le nom de «White Columns». Perkins et son épouse, Celia Nott Perkins, ont emménagé dans la demeure au lendemain de leurs noces. Une visite guidée retrace l'histoire du couple et de la maison à travers le journal intime de Celia. Encore aujourd'hui, la décoration d'origine brille dans toute sa gloire.

Reprenez la rue Maine que vous suivrez jusqu'au bout. Prenez ensuite vers le nord la rue North, qui devient la rue Logg Cabin, jusqu'au Seashore Trolley Museum.

Le **Seashore Trolley Museum** ★ *(8$; début mai à fin mai et mi-oct à fin oct sam-dim 10h à 17h, fin mai à mi-oct tlj 10h à 17h; 195 Logg Cabin Rd., ☎207-967-2712, www.trolleymuseum.org)* a récupéré et surtout restauré plusieurs tramways. L'exposition raconte les 100 ans d'histoire de ce moyen de transport. On y trouve plus de 250 tramways en provenance des quatre coins du monde, de Boston à Nagasaki en passant par New York et Sydney. Les enfants raffoleront de la petite balade (5 km environ) sur une ancienne voie de tramway. Ils auront droit à un arrêt très intéressant à l'atelier de restauration du musée, où l'on transforme des tas de ferraille en glorieux souvenirs du début du XXᵉ siècle.

Prenez la route 9 en direction est jusqu'à la Dyke Road, qui mène à la King's Highway. Emprun-

Le Maine - Attraits touristiques - La côte sud

RÉGION DE KENNEBUNKPORT

N

0   375   750m
0   0,25   0,5mi

Stage Island

Trott Island

Cape Island

Green Island

Gulf of Maine

Pier Rd.

Cape Porpoise

Langsford Rd.

Vaughn Island

Turbats Creek

Cleaves Cove

Walkers Point

Ocean Ave.

9

Wildes District Rd.

School St.

Cape Arundel

Arundel Rd.

Beechwood Ave.

Seashore Trolley Museum

Log Cabin Rd.

Arundel Rd.

River Rd.

9

Gooch's Beach

Sinnett Rd.

River Rd.

River Rocks Rd.

Old Port Rd.

Voir agrandissement

Kennebunk River

KENNEBUNKPORT

Lords Point

Wedding Cake House

Heath Rd.

35

Arundel

Parsons Beach

Sea Rd.

9

Brown St.

Agrandissement

Mill Pond

9

School St.

Maine St.

Elm St.

Spring St.

Chestnut St.

Pearl St.

Green St.

Ocean Ave.

Wharf St.

Kennebunk River

© ULYSSE

ATTRAITS TOURISTIQUES

★

1. AX   Dock Square
2. AX   Nott House
3. CX   Seashore Trolley Museum

terez ensuite cette dernière vers l'ouest jusqu'à Goose Rocks Beach.

Goose Rocks Beach

Ce petit hameau calme et paisible est un lieu de retraite pour les amants de la solitude. Vous y verrez plusieurs petites maisons tranquilles qui s'attardent devant l'Atlantique, comme hypnotisées par la puissance et la beauté du grand océan sur lequel la plage (voir p 333) offre de magnifiques vues.

En partant de Kennebunk Port, prenez Main Street jusqu'à la route 9; suivez cette dernière vers l'est jusqu'à la Pier Road, dans le village de Cape Porpoise. Cette dernière vous mènera au quai de la ville.

Cape Porpoise ★ ★

Une petite baie où sont amarrés d'humbles bateaux de pêche, voilà Cape Porpoise. Si vous êtes à la recherche d'un endroit serein et placide où retrouver le Maine pittoresque, ce menu village vous charmera. Découvert au début de la colonie par John Smith, *The Cape* vit au rythme des pêcheurs, qui, à l'aube, partent en silence sur le miroir océanique pour aller lever leurs cages. Homards et crabes sont ainsi ramenés dans les viviers le long de la côte. Nul besoin de préciser que Cape Porpoise s'est taillé une solide réputation auprès des amateurs de fruits de mer.

Au départ de Kennebunkport, prenez la route 35 vers le nord jusqu'à la route 1, que vous emprunterez vers l'est en direction de Saco.

Saco

Saco est une petite ville qui annonce la plage d'Old Orchard. On y retrouve beaucoup de descendants de Québécois, ce qui explique les enseignes «Tremblay Hardware Store» ou encore «Pilon Insurance». Selon des statistiques nord-américaines, on compte plus de sept millions d'Américains d'origine québécoise. Souvenons-nous de ces migrations en masse qui ont frappé le Québec au XIXe siècle, alors que la crise économique (1873) rendait la recherche d'emplois de plus en plus difficile. Au même moment, l'industrie américaine du textile fleurissait et la main-d'œuvre se faisait rare. C'est ainsi que nombre de familles québécoises ont quitté leur ferme pour se rendre aux États-Unis avec le désir de réussir, mais aussi avec la tristesse de laisser derrière elles leur pays.

Aujourd'hui, Saco assure les services nécessaires aux estivants d'Old Orchard. On y a vu naître bon nombre d'attractions touristiques destinées aux enfants le long de la route 1, ainsi que des hôtels, motels et restaurants présentant un excellent rapport qualité/prix pour les voyageurs au budget restreint.

Toute la famille appréciera **Funtown Splashtown USA** *(forfaits variant entre 10$ et 32$; mi-mai à mi-sept, fins de semaine seulement au printemps et en automne; route 1, à l'intersection avec l'autoroute I-95,* ☎ *207-284-5139 ou 207-287-6231),* qui réunit toutes les composantes classiques des parcs d'attractions. De plus, on y a accès à des toboggans nautiques des plus excitants.

À partir de Saco, prenez la route 5 Sud, qui mène directement à Old Orchard Beach.

Old Orchard Beach

C'est en 1657 que le verger (*orchard*) a été planté par Thomas Roger, mais il fallut attendre 1837 et la venue d'E.C. Staples avant que quelqu'un n'anticipe l'avenir touristique d'Old Orchard. Ce dernier fit bâtir l'Old Orchard House, le premier établissement hôtelier de la région. Il demandait, à l'époque, 1,50$ par semaine pour héberger les visiteurs. La construction du Grand Trunk Railway amena une foule de voyageurs venus du Québec et d'ailleurs aux États-Unis à Old Orchard.

On retrouve à Old Orchard Beach une belle plage longue de plus de 10 km ainsi qu'une atmosphère de carnaval qui, malheureusement, détonne quelque peu avec l'ambiance des autres villes côtières du Maine qui ont mieux su conserver leur charme d'antan. La plage attire, bon an mal an, une grande quantité de voyageurs québécois venus se tailler une «place au soleil». D'ailleurs, avec la Floride, Old Orchard Beach est probablement l'un des endroits aux États-Unis où l'on entend le plus parler la langue de Molière, et l'abondance d'enseignes en français témoigne bien de l'importance du marché québécois pour l'in-

Le Maine - Attraits touristiques - La côte sud

dustrie touristique locale. La région a tendance à être surpeuplée, surtout durant les plus chaudes journées d'été, et plaira surtout à ceux qui désirent profiter de la plage ou aux familles qui souhaitent divertir leurs enfants au fameux Palace Playland.

Le **Pier** («quai» en français) d'Old Orchard est presque une institution dans la région. Le premier modèle de ce célèbre quai a vu le jour en 1898 et était entièrement fait de fer. On y trouvait plusieurs pavillons dans lesquels se côtoyaient un minizoo, un casino et plusieurs restaurants. On dut rénover le quai à maintes reprises jusqu'en 1980, date à laquelle la ville décida d'en construire un nouveau. Cette fois, les architectes ont fait appel au bois comme matériau principal. Aujourd'hui encore, le quai d'Old Orchard Beach accueille une abondance d'installations et de services. On y compte nombre de restaurants, de boutiques de souvenirs et de bars.

Même après 60 ans d'existence, le **Palace Playland** *(tarif selon le manège ou 24,95$ pour la journée; juin à sept horaires variables;* ☎*207-934-2001, www.palaceplayland.com)* continue d'attirer une foule d'amateurs de sensations fortes avec ses jeux pour les enfants et ses manèges. Remarquez le carrousel aux chevaux de bois entièrement peints à la main. Aussi, un tour de grande roue vous permettra de bénéficier d'une superbe vue sur la baie de Saco.

Continuez par la route 1 jusqu'au croisement avec la route 77, que vous prendrez en direction de Cape Elizabeth.

Cape Elizabeth ★

Dominant l'Atlantique tel un gardien intemporel du silence, le **Portland Head Light** est le symbole pictural le plus représenté du Maine. C'est George Washington lui-même qui ordonna la construction de ce phare en 1790. Imaginez la terreur des capitaines s'avançant vers cette côte rocheuse par ces matins brumeux. Regardez le ressac qui vient battre cette côte avec force et violence, et imaginez ce que cette même côte peut faire à la coque d'un navire. On peut lire sur des panneaux l'histoire de l'*Annie C. McGuire*, qui s'est échoué la veille de Noël 1886. Le petit parc qui entoure le fort Williams, où est situé le phare, est le site idéal pour un pique-nique en famille.

Enfin, l'ancienne maison du gardien abrite un agréable petit **musée** *(adultes 2$, enfants 1$; fin mai à début oct tlj 10b à 16b; 1000 Shore Rd.,* ☎*207-799-2661, www.portlandheadlight. com).* On y retrace l'histoire internationale des phares et celle de l'industrie navale américaine.

Le **Crescent Beach State Park ★** *(adultes 4,50$, enfants de 5 à 11 ans 1$; fin mai à début oct; route 77,* ☎*207-799-5871)* est un autre site très populaire, mais auprès des habitants de la région, cette fois. Cette plage de sable fin est une des plus belles du Maine. Vous trouverez sur place toutes les installations nécessaires telles que toilettes, restaurants, etc. Également situé sur le cap Elizabeth, le **Two Lights State Park** *(3$; route 77,* ☎*207-799-5871)*, comme son nom l'indique en anglais, entoure deux phares. Le Cape Elizabeth Light guide encore les marins de la région, alors que son frère jumeau s'est éteint il y a quelques années. Vous pouvez, si le cœur vous en dit, escalader l'ancienne tour militaire pour jouir d'une vue imprenable sur l'Atlantique.

Prenez la route 77, qui conduit à Portland.

Portland ★ ★

Portland est une petite ville qui surplombe la baie de Casco. On la surnomme «la San Francisco de l'Est». Évidemment, ses rues étroites qui semblent plonger dans la mer, l'abondance de ses maisons victoriennes et même son effervescence culturelle (surprenante pour une ville de seulement 64 000 habitants) rappellent San Francisco, mais la comparaison demeure injuste. Portland possède son âme propre, celle d'une ville au passé riche et passionnant, celle d'une ville qui a souffert le feu et la reconstruction, celle d'une ville fière, aujourd'hui résolument tournée vers l'avenir.

La **Wadsworth-Longfellow House** *(adultes 7$, enfants 3$; début mai à fin oct lun-sam 10b à 17b, dim 12b à 17b; 485 Congress St.,* ☎*207-774-1822)*, bâtie par le grand-père du célèbre poète américain, a accueilli une famille très importante de Portland. En effet, Peleg Wadsworth s'est imposé comme un héros de la guerre de l'Indépendance, et que dire de Henry Wadsworth Longfellow. Avec la Révolution américaine, bon nombre de fidèles à la Couronne britannique ont dû quitter le pays, laissant derrière eux

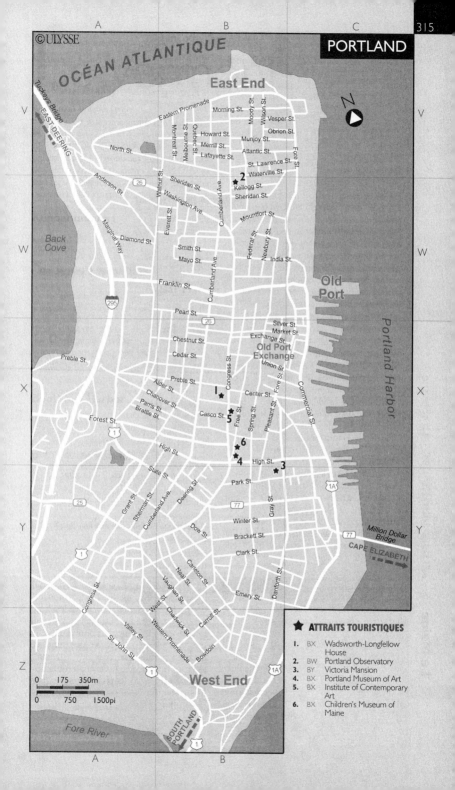

© ULYSSE

OCÉAN ATLANTIQUE

PORTLAND

East End

A   B   C

V

Tuckeys Bridge
EAST DEERING

Eastern Promenade
Morning St.
Moody St.
Wilson St.
Vesper St.
Obrion St.
Howard St.
Quebec St.
Montreal St.
Melbourne St.
Merrill St.
Munjoy St.
North St.
Lafayette St.
Atlantic St.
Fore St.
St. Lawrence St.
Anderson St.
Sheridan St.
Waterville St.
26
Walnut St.
2
Washington Ave.
Kellogg St.
Cumberland Ave.
Sheridan St.
Everett St.
Mountfort St.
Diamond St.

W

Back
Cove

Marginal Way
Smith St.
Federal St.
Newbury St.
Mayo St.
India St.
Cumberland Ave.
Franklin St.

**Old
Port**

295
Pearl St.
26
Silver St.
Market St.
Exchange St.
Chestnut St.
**Old Port
Exchange**
Cedar St.
Union St.
Preble St.
Congress St.
Center St.
Fore St.

Portland Harbor

Preble St.
1
X
Forest St.
Alder St.
Chanover St.
Parris St.
Brattle St.
Casco St.
5
Free St.
Spring St.
Pleasant St.
Commercial St.
6
1
High St.
4
High St.
3
State St.
Park St.
1A

Y

25
Grant St.
Sherman St.
Deering St.
Cumberland Ave.
77
Gray St.
Million Dollar
Bridge
Winter St.
77
Dow St.
Brackett St.
CAPE ELIZABETH
1
Clark St.
Carleton St.
Neal St.
Danforth St.
Vaughan St.
West St.
Emery St.
Chadwick St.
Congress St.
Carroll St.

Z

Valley St.
Western Promenade
Bowdoin St.
1A
St. John St.
1
West End

0   175   350m
0   750   1500pi

SOUTH
PORTLAND
1

Fore River

A   B

★ **ATTRAITS TOURISTIQUES**

1. BX   Wadsworth-Longfellow
         House
2. BW   Portland Observatory
3. BY   Victoria Mansion
4. BX   Portland Museum of Art
5. BX   Institute of Contemporary
         Art
6. BX   Children's Museum of
         Maine

leur emploi et leur source de revenus. Les familles Wadsworth et Longfellow ont su tirer parti de cette situation pour faire fortune à leur tour. Le musée aménagé dans la maison en 1902 retrace l'enfance du poète et rappelle l'importance de Portland dans la culture américaine. En été, ne manquez surtout pas de visiter le joli petit jardin situé derrière la maison. On y retrouve quelques-unes des plantes et essences indigènes du Maine qui ont inspiré Henry Wadsworth Longfellow dans ses poèmes.

Il faut grimper quelque 100 marches pour atteindre le sommet du **Portland Observatory** *(adultes 5$, enfants 3$; fin mai à début oct tlj 10h à 17h; 138 Congress St.,* ☎*207-774-5561, poste 104)*, seul survivant des observatoires de l'Atlantique. On s'imagine les familles attendant impatiemment le retour des marins et scrutant éternellement l'horizon dans l'espoir d'apercevoir une voile au loin. Bâti en 1807, cet édifice octogonal offre une vue superbe sur la mer.

L'extérieur sévère du **Victoria Mansion** *(adultes 10$, enfants 3$; mai à oct lun-sam 10h à 16h, dim 13h à 17h; 109 Danforth St.,* ☎*207-772-4841, www.victoriamansion.org)* offre bien des surprises aux visiteurs. Ainsi, on retrouve à l'intérieur une ornementation très impressionnante. Avec des fresques en trompe-l'œil, des boiseries riches et du marbre, cette demeure est un des meilleurs exemples du luxe des années 1850. Construite selon les plans d'Henry Austin, cette résidence appartenait à Rugles S. Morse, un homme originaire du Maine ayant fait fortune dans l'hôtellerie à La Nouvelle-Orléans. Comme ce dernier passait beaucoup de son temps en Louisiane, sa maison de Portland ne fut que très peu utilisée, ce qui explique l'état de préservation exceptionnelle dont elle bénéficie aujourd'hui.

Fondé en 1882, le **Portland Museum of Art** ★★ *(adultes 10$, enfants 4$; mar-jeu et sam-dim 10h à 17h, ven 10h à 21h, ouvert aussi lun 10h à 17h en été; 7 Congress Square,* ☎*207-775-6148, www.portlandmuseum.org)* est le plus important musée d'art du Maine. Il possède une impressionnante collection d'œuvres d'artistes américains, entre autres Winslow Homer. Depuis 1991, la collection «Joan Whitney Payson» fait partie de la collection du musée. Cette série se compose, entre autres, d'œuvres de Degas, de Renoir et même de Picasso. Pour sa part, la collection «Scott M. Black» se consacre

à l'art européen du XIXe et du début du XXe siècle. On y retrouve des peintures, des sculptures et des objets d'art décoratif. Différentes expositions temporaires d'envergure sont aussi présentées au cours de l'année.

L'**Institute of Contemporary Art** ★ *(entrée libre; mer et ven-dim 11h à 17h, jeu 11h à 19h; 522 Congress St.,* ☎*207-879-5742, poste 229, www.meca.edu)* loge dans le Maine College of Art. Ses galeries abritent des œuvres contemporaines et avant-gardistes d'artistes américains et internationaux. On y organise également des débats, des conférences et des ateliers qui visent à démystifier les différents courants artistiques modernes.

Le **Children's Museum of Maine** *(6$; lun-sam 10h à 17h, dim 12h à 17h, fermé lun de début sept à fin mai; 142 Free St.,* ☎*207-828-1234, www.childrensmuseumofme.org)* propose plusieurs jeux interactifs destinés aux enfants. On y retrouve les expositions *Shipyard, Our Town* et l'*Explore Floor*, où les enfants dévorent les ressources naturelles du Maine grâce à une série de bornes interactives. Il s'agit d'un bon endroit où passer un après-midi en famille.

L'**Old Port Exchange** ★★ est sans doute l'endroit le plus plaisant où se balader en ville, avec ses petites rues étroites pavées de pierres et de briques, ses restaurants, ses bars, ses boutiques et ses galeries d'art. Touristes et gens du coin s'y rendent en soirée pour faire la fête en profitant de la brise qui arrive de la mer. Un incontournable pour bien saisir le pouls de la ville.

Reprenez l'autoroute 295 vers l'est en direction de Freeport.

Freeport

Freeport est aujourd'hui synonyme d'achats. Depuis près de 75 ans, le magasin L.L. Bean sert les amateurs de plein air jour et nuit, 365 jours par année. Devenu une institution en Nouvelle-Angleterre, ce détaillant a attiré, en plus des acheteurs, toute une vague de magasins renommés, comme Gap, Polo Ralph Lauren et Calvin Klein. Mais Freeport a plus que des aubaines à offrir.

Cette petite ville située à l'est de Portland est devenue un important centre naval dans les années qui ont suivi la guerre de Sécession. Par la suite, la ville a acquis une bonne réputation dans la pêche au maquereau et, plus tard, dans la production de chair de crabe. Enfin, vous verrez, au centre du village, une architecture coloniale admirablement préservée.

Situé à quelques kilomètres à l'extérieur de la ville, le **Desert of Maine** *(visites guidées aux demi-heures, adultes 8,75$, enfants 6,25$; mimai à mi-oct 9h au coucher du soleil; 95 Desert Rd.,* ☎*207-865-6962, www.desertofmaine.com)* en surprendra plus d'un. Le site se trouve sur une ancienne ferme datant de 1797dont on a abusé du sol et qu'on a, plus tard, transformée en chantier de coupe de bois. Avec le temps et l'érosion, les sables datant de la période glaciaire ont pris le dessus et se sont répandus jusqu'à engloutir des arbres entiers. La composition minérale particulière du sol l'a rendu inutilisable à des fins commerciales. Des visites guidées sont organisées, et près de 40 ha de territoire sont ouverts à la randonnée pédestre. Vous pourrez également y visiter un petit musée aménagé dans la grange originale et y faire du camping.

La côte centrale
★

La côte centrale du Maine englobe la portion du littoral comprise entre Brunswick et la région de Downeast Acadia. Les quatre comtés de la région – Knox, Lincoln, Sagadahoc et Waldo – s'enorgueillissent de collines ondulantes et de pittoresques ports de pêche qui en font une destination estivale de choix. La plupart des localités y possèdent un riche passé de construction navale, de commerce maritime et de tourisme. Le long de la côte, vous pourrez explorer les nombreuses bandes de terre qui s'avancent dans la baie de Penobscot et l'océan Atlantique tout en profitant de leurs belles plages. Cette région accueille également de nombreux sites historiques et phares, de même que des musées maritimes et des musées d'art.

Brunswick

Fondée en 1739, Brunswick a d'abord été colonisée en 1628, autour des chutes de la rivière Androscoggin, et on la tient pour le cœur de l'ancienne région de Pejepscot,

qu'elle partage aujourd'hui avec les villes de Topsham et de Harpswell. On pense que «Pejepscot» était le nom d'un peuple amérindien ayant vécu dans la région avant que les premiers Européens ne s'y installent dans les années 1630. En 1739, après nombre d'années de conflits et d'incendies destructeurs, Brunswick est devenue la 11e ville de la Massachusetts Province of Maine. Ses débuts ont été truffés de difficultés et marqués par la pauvreté, mais le milieu du XVIIIe siècle vit naître les premières entreprises industrielles autour des chutes qui se trouvent entre Brunswick et Topsham, après quoi s'y multiplièrent les usines de coton et de papier, entre autres. En cette période de prospérité, les propriétaires d'usines de Brunswick recrutèrent des ouvriers québécois, qui s'établirent progressivement dans la région au cours de la deuxième moitié du XIXe siècle, si bien qu'en 1904 54% de la population de Brunswick était de descendance canadienne-française. Une autre industrie importante des débuts de Brunswick fut la construction navale, qui demeure d'ailleurs à ce jour une activité traditionnelle de premier plan dans la région.

De nos jours, Brunswick est une ville aux nombreux visages, alliant les charmes d'une ville universitaire en milieu rural à l'animation d'un centre régional économiquement prospère. Siège du Bowdoin College (dont étaient diplômés Henry Wadsworth Longfellow et Nathaniel Hawthorne, pour ne mentionner que ceux-là), elle regroupe une population variée et de beaux styles architecturaux tels le néogrec et le Federal, notamment visibles dans les grands manoirs des capitaines de la marine marchande.

Le **Peary-MacMillan Arctic Museum** *(entrée libre; mar-sam 10h à 17h, dim 14h à 17h; Bowdoin College, 9500 College Station,* ☎*207-725-3416)* honore les explorateurs de l'Arctique Robert Peary et Donald MacMillan, tous deux diplômés du Bowdoin College où loge le musée. Le musée compte trois galeries dédiées à l'environnement arctique et aux peuples qui y vivent, et des expositions temporaires y sont présentées régulièrement. Sa collection comprend des objets reliés à l'expédition de 1908 qui fit de Peary le premier explorateur du pôle Nord, ainsi que plusieurs photos prises par MacMillan au cours de ses voyages.

Le **Pejepscot Museum** *(entrée libre; mar-jeu 10h à 17h, ven-sam 10h à 16h; 159 Park Row,* ☎*207-729-6606)* présente des expositions temporaires consacrées à l'histoire de la région de Pejepscot. Vous y ferez des découvertes telles que la plus grande collection d'écrits liés à Joshua Chamberlain ainsi que les archives de Pejepscot, soit une collection de documents et de manuscrits comportant entre autres un nombre impressionnant de photographies locales.

Bath ★

Située sur les berges de la rivière Kennebec, Bath possède une tradition navale qui remonte à 1762, l'année où le *Earl of Bute* a été lancé depuis les chantiers de la ville. Au XIXᵉ siècle, Bath est devenu l'un des principaux ports maritimes des États-Unis, rivalisant à ce titre avec New York, Boston, Philadelphie et Baltimore.

En 1993, la ville fut choisie comme une des 100 meilleures petites villes du pays, et elle honore son passé en préservant ses grandes maisons de capitaine, dont la beauté architecturale vaut réellement le détour. L'activité commerciale de cette communauté bien vivante se concentre surtout le long de l'historique Front Street et de la route 1.

Érigé à l'emplacement de l'ancien Percy and Small Shipyard (chantier naval), tout juste à la périphérie de Bath, le **Maine Maritime Museum** *(10$; tlj 9h30 à 17h; 243 Washington St.,* ☎*207-443-1316)* s'avère à la fois intéressant et instructif. C'est à cet endroit qu'a été construite la goélette à six mâts *Wyoming*, soit le plus grand vaisseau jamais utilisé par la Marine américaine, et les nombreux bâtiments qu'on trouve sur place renferment des expositions sur les différents aspects de la vie en mer. Vous y verrez entre autres des vitrines révélant des instruments de navigation, des armes et des vêtements ayant jusqu'à 200 ans d'âge. L'ancien atelier de construction navale a été transformé de façon à accueillir une exposition réaliste sur l'histoire de l'industrie de la pêche au homard, depuis la préparation des bateaux et des cages à la transformation et à la mise en conserve des prises ramenées au port. Vous pourrez même monter à bord d'une goélette et d'un bateau de pêche au quai du musée, sur la rivière Kennebec. La visite de ce musée s'impose pour quiconque s'intéresse aux bateaux ou à la mer, d'autant plus qu'elle met en contexte l'histoire des communautés côtières de la région.

Wiscasset

Réputé être «le plus joli village du Maine», Wiscasset a été fondé en 1663 sur les berges de la rivière Sheepscot, constitué en corporation en 1760 et désigné comme siège administratif du comté en 1794. Au XIXᵉ siècle, il possédait le plus grand port actif à l'est de Boston et exploitait un important chantier naval. Depuis 1973, Wiscasset est inscrit au registre national des lieux historiques.

Fidèle à ses traditions maritimes, le village continue d'accueillir des pêcheurs locaux de même que des plaisanciers, et vous y trouverez des bâtiments des XVIIIᵉ et XIXᵉ siècles fort bien conservés, notamment d'adorables maisons de capitaines, sans oublier deux magnifiques goélettes renflouées par la municipalité en mai 1998, le *Hesper* et le *Luther Little*. Les trottoirs en briques, les échoppes d'antiquaires, les galeries d'art et les boutiques spécialisées de Wiscasset vous raviront.

Au sud de Wiscasset, sur la rivière Sheepscot, pointe **Westport Island**, reliée au continent par un pont, tandis que le **fort Edgecomb**, le plus imposant point de repère de la région, constitue un excellent exemple d'architecture militaire de l'époque de la guerre américano-britannique de 1812. Il s'agit d'une construction en bois de forme octogonale à l'origine conçue pour protéger le village contre toute attaque britannique.

L'ancienne prison du comté, la **Lincoln County Jail** (1811), et la maison du gardien adjacente (1839) forment aujourd'hui le **1811 Old Jail and Lincoln County Museum** *(4$; juil et août mar-sam 10h à 16h, juin et sept sam 10h à 16h; 133 Federal St.,* ☎*207-882-6817)*. Utilisée jusqu'en 1824, la prison accueillait aussi bien des criminels que des débiteurs en faute et des malades mentaux, et vous pourrez visiter ses cellules tout en examinant les graffitis qu'y ont laissés leurs occupants au fil des ans.

Boothbay

Les premiers habitants de cette région furent les Wawenocks, un peuple abénaquis, auxquels succédèrent plus tard des colons européens convertis à la pêche et au commerce dans la première moitié du XVIIᵉ siècle. Ces premiers colons furent évincés en 1689, mais, dès 1729, la région reçut le nom de «Townsend» et fut repeuplée, cette fois pour de bon, par environ 60 familles européennes. Vivant tant bien que mal de l'agriculture, la pauvre communauté dépendait lourdement de la coupe du bois destiné au marché bostonien pour sa survie, après quoi elle se tourna peu à peu vers la pêche. En 1764, le nom de «Townsend» fut officiellement remplacé par «Boothbay», et la municipalité absorba les localités actuelles de Boothbay, de Southport et de Boothbay Harbor.

Faites un voyage dans le temps au **Boothbay Railway Village** *(8$; route 27, ☎207-633-4727)*, dont les bâtiments historiques datent des environs de 1850. Vous pourrez faire le tour du site en 20 min à bord d'un ancien train à vapeur avant de visiter l'hôtel de ville de 1847, un vieux magasin général, une propriété du tournant du XXᵉ siècle et les 25 autres structures regroupées ici. Il y a en outre une énorme grange à l'intérieur de laquelle vous trouverez une impressionnante collection de voitures anciennes, de même qu'une exposition sur l'histoire et le développement du chemin de fer le long de la côte du Maine.

Boothbay Harbor

Boothbay Harbor a fait partie de Boothbay pendant 125 ans, après quoi un incendie destructeur survenu dans le secteur du port en 1886, suivi d'un conflit relatif au financement d'un système d'alimentation en eau, précipita la création de la municipalité de Boothbay Harbor. Celle-ci fut constituée en 1889 et comptait alors moins de 1 500 habitants permanents.

Aujourd'hui, le tourisme constitue sans contredit la principale ressource économique de la ville, où comptoirs de restauration rapide, bars et boutiques de souvenirs au goût douteux attirent des hordes de visiteurs pendant les chauds mois de l'été. Néanmoins, la ville demeure une destination de choix pour ceux qui veulent s'offrir une excursion en bateau puisque plusieurs

entreprises de croisière ont pignon sur rue à Boothbay Harbor.

Le quai du village accueille une foule de bateaux de toutes tailles, depuis les embarcations de plaisance privées jusqu'aux bateaux de pêche, en passant par les bateaux pour l'observation des baleines et des phoques. Une passerelle de bois enjambe les eaux du port et relie ainsi le quai, les boutiques et les restaurants affairés, d'un côté, aux hôtels et aux viviers à homards, de l'autre côté.

Le **Maine State Aquarium** *(5$; fin mai à début sept tlj 10h à 17h; 194 McKown Point Rd., ☎207-633-9542)*, géré par le Service des ressources maritimes du Maine, constitue une bonne introduction aux innombrables créatures qui hantent les profondeurs de l'océan. Vous y trouverez un bassin où il est possible de caresser un requin (jusqu'ici, personne n'y a laissé sa main!), une myriade de poissons de différentes espèces, des homards, des étoiles de mer, des natices (lunaties) et bien d'autres merveilles encore. Les tables de pique-nique disposées près de l'eau permettent de bénéficier à souhait d'une belle vue du pittoresque village de Boothbay Harbor.

Damariscotta

Cette communauté qui s'appelait à l'origine «The Bridge», porte dorénavant le nom de «Damariscotta», qui signifie «l'endroit où le poisson est abondant». Pendant des siècles, les Amérindiens de la région ont mangé des huîtres dont ils empilaient les écailles vides sur les berges de la rivière Damariscotta, et certains de ces amas, qui peuvent atteindre jusqu'à 7 m de hauteur, demeurent ici visibles à ce jour.

Le centre de Damariscotta a presque entièrement été détruit par un incendie en 1845. On y dénombre aujourd'hui à peu près 2 000 habitants, et le village s'enorgueillit de la plus vieille église catholique encore active de toute la Nouvelle-Angleterre, la **St. Patrick's Church** (1808).

Le **Fort William Henry** *(2$; fin mai à début sept tlj; route 130, New Harbor, ☎207-677-2423)* est une tour de fortification ronde en cailloutis érigée en 1692 pour protéger la baie. Du sommet de la tour, la vue panoramique est d'ailleurs tout à fait saisissante, et elle permettait sans nul doute aux défenseurs de voir venir les bateaux bien avant qu'ils n'approchent du rivage. Des cartes et des artefacts sont exposés à l'intérieur.

Suivez la route 130 en direction sud depuis Damariscotta, et ce, jusqu'aux confins des terres à l'extrême pointe de la péninsule.

Le **Pemaquid Light** ★ *(2$; route 130, Bristol,* ☎*207-677-2494)* est un des phares les plus remarquables du Maine. Construit en 1857, il s'élève à une hauteur de près de 10 m sur un imposant plateau rocheux à quelques mètres seulement des brisants. Le littoral se prête ici fort bien à l'escalade, si ce n'est qu'il est préférable de chausser de bonnes bottes de randonnée avant de s'aventurer sur les rochers. À côté du phare, un *diner* et la Pemaquid Art Gallery (qui expose les œuvres à caractère maritime d'artistes locaux) voisinent avec une boutique de souvenirs. Enfin, à l'intérieur de l'ancienne maison du gardien se trouve le petit mais non moins intéressant Fisherman's Museum, qui renferme des objets liés à l'histoire et au développement de l'industrie de la pêche dans le Maine.

Monhegan Island ★★

Située à 10 mi (16 km) du continent, Monhegan Island se présente comme une petite île rocheuse de 2,5 km². Baptisée «île de la mer» par les Amérindiens qui venaient y pêcher, elle a été colonisée par les Européens dès 1619.

Étant donné que Monhegan Island était la première terre aperçue par beaucoup de voyageurs venus de l'autre côté de l'Atlantique, un phare en granit, le Monhegan Island Light, y a été érigé en 1824. Après avoir été endommagée par une tempête, la tour de 14,5 m a dû être reconstruite, et elle a depuis tenu jusqu'à nos jours. Son projecteur s'élève à 54 m au-dessus du niveau de la mer, ce qui en fait le second phare en hauteur du Maine, derrière celui de Seguin Island.

L'île est desservie par trois navettes maritimes (voir p 306). On n'y trouve ni voitures ni routes revêtues, celles-ci étant remplacées par 17 mi (27 km) de sentiers pédestres entourés de centaines d'espèces de fleurs sauvages et d'oiseaux marins. Souvent abrupts et exigeants, ces sentiers traversent des zones boisées et longent des saillies rocheuses jusqu'à certaines des plus hautes falaises océaniques des côtes du Maine.

Moins de 20% de la surface de l'île est habitée, et, ces dernières années, on y compte rarement plus de 75 résidants à longueur d'année, vivant de la pêche traditionnelle et de la pêche au homard. Le charme et la beauté naturelle de Monhegan Island ont toujours inspiré les artistes, si bien que, l'été venu, on y dénombre jusqu'à 20 studios.

Le **Monhegan Museum** *(dons appréciés; juil et août tlj 11h30 à 15h30, sept tlj 12h30 à 14h30, www.monheganmuseum.org)* a été créé en 1968 dans l'ancienne maison du gardien du phare. Le rez-de-chaussée présente des vitrines consacrées à la riche histoire de l'île, tandis que le premier étage honore les oiseaux et les fleurs sauvages des environs.

Swim Beach est la seule plage de l'île qui convienne à la baignade, encore que l'eau y est passablement froide et que les courants s'y font plutôt violents.

Pour vous livrer à l'observation des oiseaux, et plus particulièrement à celle des oiseaux de rivage, le meilleur endroit est sans contredit **Lobster Cove**, à l'extrémité sud de l'île. Avec un peu de chance, vous pourriez même y apercevoir un veau marin.

Si vous projetez d'explorer les nombreux sentiers de cette île, vous devez vous préparer en conséquence. Comme la température peut parfois être assez fraîche, rappelez-vous de vous munir d'un bon chandail, d'une veste légère pour la traversée en bateau et même de vêtements protecteurs supplémentaires en cas de gros temps. Vous devriez par ailleurs porter de bonnes chaussures de marche à même de résister aux surfaces rocheuses, aux saillies, aux zones boisées et à la boue, de même qu'un pantalon et des chaussettes pour ne pas vous exposer inutilement aux moustiques, à l'herbe à puce (sumac toxique) et aux tiques. N'oubliez pas non plus de vous procurer une carte des sentiers et de faire preuve d'une vigilance constante, car certains secteurs de l'île peuvent s'avérer dangereux. Rappelez-vous par ailleurs qu'il n'y a ici ni éclairage de rue (une lampe de poche risque donc d'être utile) ni banque, et qu'on interdit aussi bien les bicyclettes que le camping. Les trois bateaux qui desservent l'île accordent environ quatre heures à leurs passagers avant de reprendre la direction du continent, mais il est aussi possible de passer la nuit sur l'île en prenant les dispositions nécessaires à l'avance, dans la mesure où l'on y trouve plusieurs auberges et restaurants.

Rockland ★ ★

Rockland a été nommée ainsi en raison du calcaire qui a longtemps alimenté son économie, de pair avec la pêche et la construction navale. Son port est bien protégé de la mer par une bande de terre rocheuse, et son **Main Street Historic District** a été inscrit au registre national des lieux historiques pour ses beaux et nombreux exemples d'architecture italianisante, en mansarde, néogrecque et néocoloniale. C'est d'ailleurs une des villes qui a le mieux su conserver son cachet d'antan, et une promenade le long de sa rue principale permet aux visiteurs de goûter à l'authenticité des petites villes de la Nouvelle-Angleterre, sans parler de l'accueil chaleureux qui les attend dans les commerces et établissements de la ville.

Rockland a connu quatre William Farnsworth influents en autant de générations, et leurs biens de même qu'une grande partie de la propriété familiale ont permis la création du **Farnsworth Art Museum ★ ★** *(10$; en été tlj 10h à 17h, reste de l'année fermé lun; 16 Museum St., ☎207-596-6457, www. farnsworthmuseum.org)* après le décès de Lucy Farnsworth en 1935. Inauguré en 1948, ce musée présente une exposition permanente et également des expositions temporaires d'art américain des deux derniers siècles dont l'accent porte surtout sur les œuvres d'artistes du Maine ou d'artistes qui ont pris cet État pour sujet.

Le **Wyeth Center at the Farnsworth** *(droit d'entrée compris dans celui du Farnsworth Art Museum; 16 Museum St., ☎207-596-6457)* est une addition au musée Farnsworth qui comporte deux étages d'œuvres issues de la plus célèbre dynastie artistique du Maine. Les créations mélancoliques et troublantes d'Andrew, de Newell Convers (N.C.) et de James Wyeth, dont le caractère historique se veut volontiers lourd et sombre, ne doivent être manquées à aucun prix.

La **William A. Farnsworth Homestead** *(droit d'entrée compris dans celui du Farnsworth Art Museum; en été tlj 10h à 17h, reste de l'année fermé lun; Elm St., ☎207-596-6457)* est une maison historique d'architecture néogrecque inscrite au registre national des lieux historiques. Parcourez ses nombreuses pièces meublées pour avoir un aperçu de la vie de tous les jours des nantis du Maine il y a plus de 150 ans.

Le **Rockland Harbor Trail** part du terrain de stationnement municipal du centre-ville. Il s'agit d'un tracé panoramique balisé en bleu qui longe le front de mer en traversant le centre-ville de Rockland pour aboutir au Breakwater Lighthouse (phare), environ 4 mi (6,5 km) plus loin.

Le **Breakwater ★** est une longue chaussée de roc massif, constituée de 732 277 tonnes de blocs de granit, qui relie le rivage au phare planté tout au bout. Le Breakwater protège le port de Rockland contre les tempêtes et les vagues déferlantes de l'Atlantique depuis maintenant un siècle, le phare qui se dresse à son extrémité ayant été ajouté en 1902. Chose rarissime, ce phare, bien qu'érigé à près de 1,5 km du littoral, demeure accessible à pied. Il convient toutefois de se montrer vigilant, car les pierres, bien que larges, s'avèrent inégales et parfois mouillées par les embruns ou les lames qui viennent s'écraser sur la structure. Sur la pointe de terre où se trouve le phare, vous aurez une vue superbe du port de Rockland et de son bord de mer, de même que des nombreux voiliers et bateaux de pêche croisant au large.

À seulement 5 min au sud de Rockland, l'**Owl's Head Transportation Museum** *(7$; nov à mars tlj 10h à 16h, avr à oct tlj 10h à 17h; route 73, Owl's Head, ☎207-594-4418, www. ohtm.org)* possède une impressionnante collection d'anciens avions, véhicules terrestres et locomotives ayant marqué l'évolution des transports dans l'État du Maine. Plus de 100 avions, automobiles, bicyclettes, charrettes et locomotives historiques y sont exposés en permanence. Le musée présente par ailleurs des spectacles aériens et organise des événements spéciaux au cours desquels on peut voir certains appareils et véhicules de sa collection en pleine action.

Camden ★

Cette localité historique, en activité toute l'année, est un véritable village de carte postale de la Nouvelle-Angleterre. Ses chantiers navals sont exploités depuis plus de 200 ans, et Edna St. Vincent Millay, une des plus importantes poétesses lyriques du XXᵉ siècle, est née ici en 1892. Son fameux poème *Renascence* lui a en fait été inspiré par les panoramas à couper le souffle qu'elle pouvait admirer du haut du mont Battie.

Connue comme la capitale de la goélette, Camden possède un des ports les plus pittoresques du Maine. Depuis 1936, une flotte de goélettes en bois propose des croisières d'agrément entre les îles de la baie de Penobscot, et permet de contempler la faune, les phares et les magnifiques îles inhabitées de la région.

Contrairement à certaines stations de villégiature plus connues du Maine, les boutiques, les restaurants et la plupart des auberges et des musées de Camden restent ouverts toute l'année. La ville possède en outre un opéra, les Merryspring Gardens, des studios d'artistes, une bibliothèque renfermant une collection de peintures à caractère maritime ainsi que des modèles réduits de bateaux, un parc doté d'un amphithéâtre, des paysages historiques, des galeries d'art, des échoppes d'antiquaires et des boutiques d'artisanat exclusives.

Lincolnville

Lincolnville est protégée de l'océan Atlantique par la baie de Penobscot, et le littoral de cette région, qui englobe le Ducktrap Harbor, est en outre protégé par Islesboro, une île longue de 16 km qui divise la baie en deux portions, l'une à l'est et l'autre à l'ouest, et que permet d'atteindre un traversier. Petite ville tranquille, Lincolnville offre un cadre idyllique aux photographes, et possède par ailleurs une plage ainsi qu'une grande variété de boutiques, de galeries, de restaurants et d'entreprises de toutes sortes.

Searsport

Searsport se désigne fièrement comme «la capitale des antiquités du Maine»; les boutiques d'antiquaires et les marchés aux puces s'y succèdent d'ailleurs sur un tronçon de 7 mi (13 km) de la route 1. La ville s'enorgueillit en outre de près de 10 mi (16 km) de littoral sur la baie de Penobscot.

Les bâtiments historiques du **Penobscot Marine Museum** *(8$; mai à oct lun-sam 10h à 17h, dim 12h à 17h; 5 Church St., angle route 1, ☎207-548-2529, www.penobscotmarinemuseum.org)* sont aménagés de manière à recréer l'univers des familles de marins du XIXᵉ siècle sur les côtes du Maine, et plus particulièrement de la baie de Penobscot. Ce complexe muséal fait partie du «paysage urbain» d'origine de Searsport, et il vise autant à divertir les visiteurs qu'à les instruire sur l'histoire, les atouts et les défis de la vie maritime. À l'intérieur de chaque bâtiment vous attend un aménagement différent qui met en lumière un aspect de la vie côtière ou en mer. Vous trouverez également sur place une bibliothèque, une salle d'archives et une boutique de souvenirs.

Bucksport

Cette ville portuaire, la seconde localité en importance du comté de Hancock, a été colonisée sous le nom de Buckstown à compter de 1764. En 1779, elle fut incendiée par des troupes britanniques, puis reconstruite jusqu'à devenir le port important qu'elle demeure à ce jour. Une légende locale veut qu'au décès du fondateur de la ville, Jonathan Buck, en 1795, les contours d'une jambe et d'un pied, de même qu'un dessin en forme de cœur, soient apparus sur sa pierre tombale quelques jours seulement après qu'on l'eut installée sur sa tombe. On eut beau la remplacer, la jambe et le pied y réapparurent peu de temps après, ce qui fit croire aux concitoyens de Buck qu'il était ainsi puni pour avoir fait monter une femme sur le bûcher après l'avoir condamnée pour sorcellerie, d'aucuns prétendant que la jambe de la pauvre s'était détachée de son corps pendant qu'elle brûlait et que son cadavre était revenu hanter le repos éternel de son bourreau. Il n'existe cependant aucune trace de chasse aux sorcières ni d'exécutions de cet ordre à Bucksport. Quoi qu'il en soit, la pierre tombale en question se trouve dans le cimetière de Main Street, où vous pourrez la voir du haut d'une plate-forme aménagée au-dessus du trottoir, les visiteurs n'étant pas autorisés à franchir la clôture en fer qui entoure le lot funéraire de la famille Buck.

Érigé entre 1844 et 1869 pour protéger la baie de Penobscot contre toute attaque navale, le **Fort Knox State Historic Site** *(3$; début mai à fin oct; route 1, Prospect, en face de Bucksport, de l'autre côté de la baie, ☎207-469-7719)* se révèle parfaitement intact, et si grand qu'il faut plusieurs heures pour l'explorer en entier. Les nombreuses vitrines accrochées aux murs présentent avec force détails les vêtements, les armes et l'histoire des hommes qui y vivaient jadis. Les couchettes des officiers sont toujours en place, de même que les canons pointés vers les eaux de la baie. La vue qu'on a du haut des tours embrasse les collines verdoyantes et ondulantes des environs, de même que le centre-ville de Bucksport, de l'autre côté de la baie. Vous y trouverez en outre une vaste cour gazonnée ainsi que des tables de pique-nique disposées autour des murs d'enceinte. Songez à vous munir d'une lampe de poche, car beaucoup des passages souterrains en pierres sont obscurs et sinueux, et seuls les plus intrépides oseraient s'y aventurer dans le noir.

Un des plus vieux cinémas du nord de la Nouvelle-Angleterre est **The Alamo** *(85 Main St., ☎207-469-0924)*, inauguré à titre de théâtre en 1916 et exploité comme tel jusqu'en 1956. Il est maintenant géré par Northeast Historic Film, et renferme une cinémathèque historique, une salle d'archives et un centre d'études cinématographiques.

Castine

Petite ville au riche passé historique, Castine a ainsi été nommée en l'honneur du baron Jean de St. Castin, un explorateur français qui a vécu ici à la fin du XVIIᵉ siècle. Située près de l'embouchure de la rivière Penobscot, Castine s'est presque vue transformée en île lorsque les troupes britanniques occupant la région ont entrepris de creuser un canal pour la couper du continent et ainsi mieux la protéger contre d'éventuelles attaques. L'héritage de Castine a bien été préservé, en partie grâce à la restauration minutieuse d'un grand nombre de maisons georgiennes et de style Federal des XVIIIᵉ et XIXᵉ siècles le long de Main Street.

La **Maine Maritime Academy** *(on ne visite pas)* a été fondée en 1941, et c'est ici que certains des meilleurs marins et officiers de la marine marchande du monde sont formés. De réputation internationale, elle couvre tous les aspects du métier, du simple matelotage à l'ingénierie de pointe, et ses diplômés ne cessent d'être en demande.

Blue Hill

Située sur la côte orientale de la péninsule de Penobscot, et pourvue d'un port intérieur, Blue Hill offre une vue spectaculaire sur Mount Desert Island, de l'autre côté de Blue Hill Bay. De nos jours, Blue Hill s'impose comme une communauté côtière prospère et un important centre d'art et de musique.

Beaucoup des bâtiments historiques de la ville sont dotés de plaques qui indiquent la date de leur construction, laquelle remonte souvent à plus de 150 ans, de même que le nom des personnes ou des entreprises pour le compte de qui ils ont été érigés.

Le **Blue Hill Town Park** *(entrée libre; Water St.)* ne se trouve qu'à 2 min de Main Street, au-delà du quai municipal. Une grande surface gazonnée accueillant un terrain de jeu pour enfants y est bordée d'une bande rocheuse en front de mer où vous aurez plaisir à vous promener. On a, de ce parc, une belle vue sur les îles et les bateaux qui émaillent la baie.

Downeast Acadia
★ ★

La région du Maine connue sous le nom de «Downeast Acadia» englobe des portions côtières des comtés de Hancock et de Washington. Le terme «Downeast» vient du temps où les goélettes transportaient des marchandises le long de la côte, les vents dominants du sud-ouest les poussant alors vers l'est *(east)*, sous le vent *(downwind)*. Il s'agit d'une région encadrée par la baie de Penobscot à l'ouest, le Canada à l'est et l'océan Atlantique au sud, qui présente un littoral irrégulier ponctué d'îles, de péninsules, d'anses et de baies. Certaines des îles sont si minuscules qu'elles deviennent à peine visibles à marée haute, tandis que d'autres se veulent beaucoup plus grandes, notamment la montagneuse Mount Desert Island; beaucoup d'entre elles sont d'ailleurs faciles d'accès et méritent un détour. Dans cette région aux ports innom-

Le Maine - Attraits touristiques - Downeast Acadia

Le bleuet béni

En parcourant le Maine, et plus particulièrement la région du Downeast, vous devriez en profiter pour faire provision de bleuets (*blueberries* en anglais). Le comté de Washington est en effet le plus grand producteur de ce fruit au monde. Le bleuet sauvage nain, ou *Vaccinium angustifolium*, pousse depuis des milliers d'années en Amérique du Nord dont il est originaire, dans des plaines au sol sablonneux façonnées par les glaciers. En plus d'être délicieux, le bleuet s'avère excellent pour la santé.

brables, l'économie repose nécessairement sur la pêche et les industries maritimes, entre autres la construction navale. Mais il convient aussi de savoir que le comté de Washington (Maine) produit plus de 90% des bleuets consommés au pays.

Bangor

Le périple débute par un petit détour vers le nord en direction de Bangor, sur la route 1A. L'histoire de cette ville se confond avec celle de la rivière Penobscot qui la baigne. Dans un premier temps, cette dernière servit de couloir pour acheminer vers la mer les navires construits dans les chantiers maritimes des environs; puis, à mesure qu'augmentèrent les besoins en bois des États-Unis au tournant du XXᵉ siècle – besoins considérables s'il en était –, sa situation privilégiée en fit la voie de transport idéale pour les millions de billes de pin acheminées depuis les inépuisables forêts du Maine jusqu'à Bangor. Naguère surnommée la «capitale mondiale du bois d'œuvre», Bangor conserve à ce jour les traces de ce passé glorieux à l'intérieur du **Broadway Historic District** *(Broadway Blvd., entre Garland St. et State St.)*, où, de chaque côté d'un large boulevard, subsistent encore plusieurs des somptueuses résidences édifiées à l'époque par les magnats de l'industrie du bois. On y retrouve d'ailleurs aujourd'hui la résidence de style gothique de l'auteur Stephen King.

Ellsworth

Cette région, désignée comme la «porte d'entrée du Downeast et de l'Acadia National Park», a d'abord été habitée par les nations Passamaquoddy et Penobscot avant d'être colonisée, dès 1763, par les Français puis par les Anglais. La petite ville a été constituée en corporation en 1800, et consacrée siège administratif du comté de Hancock en 1837.

Aujourd'hui Ellsworth est devenue un centre gouvernemental et commercial. Jadis un important chantier naval, son port n'accueille plus désormais que des bateaux de plaisance.

Mount Desert Island ★ ★ ★

Reliée au continent, Mount Desert Island est une des plus grandes îles de la Nouvelle-Angleterre. C'est Samuel de Champlain qui l'a découverte et ainsi baptisée (île des Monts Déserts) en 1604. Elle faisait alors partie de l'Acadie, soit une région englobant les côtes de l'est du Maine, du Nouveau-Brunswick et de la Nouvelle-Écosse d'aujourd'hui. Son principal attrait est d'ailleurs l'**Acadia National Park** (voir p 334), ainsi nommé en mémoire de l'ancien territoire acadien.

Une fois que vous aurez franchi le pont qui relie le continent à l'île, l'**Acadia National Park Visitor Center** *(Hulls Cove, route 3, ☎207-288-3338)* exige un arrêt: vous y trouverez une abondante documentation sur le parc ainsi que des conseils et des recommandations utiles. C'est également au Visitor Center que débute la **Park Loop Road** ★ ★ *(20$ par véhicule, laissez-passer valable pour une semaine)*, la route panoramique qui serpente à travers le parc sur 27 mi (43 km) et permet d'en apprécier la topographie unique. La première halte se trouve à **Sand Beach** ★, une magnifique plage de galets aux eaux cristallines et... glaciales! De là, l'**Ocean Trail** mène à l'une des curiosités parmi les plus visitées du parc, le **Thunder Hole** ★, où le ressac des vagues s'engouffrant dans un entonnoir naturel produit à intervalles réguliers un bruit de «tonnerre», d'où son nom. Aménagé de façon beaucoup moins «touristique» que le précédent, le site voisin, l'**Otter Cliffs** ★, constitue un bon exemple du littoral exclusif au parc Acadia, avec ses longs rochers plats de granit rose que l'océan tourmenté vient

La nation Passamaquoddy

On ne sait que peu de chose des premiers habitants de la côte du Maine. Les fouilles archéologiques les plus poussées font toutefois état d'un groupe connu sous le nom de *Red Paint People*, ainsi baptisé en raison des mystérieuses jarres de «peinture rouge» maintes fois trouvées dans ses lieux de sépulture.

Le prochain groupe à faire son apparition dans la région, des centaines d'années avant l'arrivée des premiers Européens, fut celui des Passamaquoddys. Tout le secteur des environs de la baie de Passamaquoddy, dans le Maine comme au Nouveau-Brunswick, a même été, à une certaine époque, presque exclusivement habité par cette nation amérindienne. La vannerie, la fabrication de bijoux, la sculpture sur bois et la confection de canots ne sont que quelques-uns des arts ancestraux que les Passamaquoddys perpétuent à ce jour. Leurs produits fabriqués à la main se trouvent facilement dans les boutiques de la région de même que dans la réserve amérindienne de Pleasant Point.

lécher à vos pieds. En progressant sur la route, prenez la voie de l'embranchement qui mène à la **Cadillac Mountain ★★**, laquelle offre, depuis son sommet de 466 m, une vue panoramique époustouflante sur le parc Acadia et les paysages qui s'étendent à l'horizon; notez, en passant, que vos pieds foulent les mêmes rochers plats de granit rose que l'on retrouve sur le littoral du parc, plus bas. Pour sa part, le site de la **Sieur de Monts Spring**, à la sortie de la Park Loop Road, offre deux attractions dignes de mention. Les **Wild Gardens of Acadia** *(entrée libre)* se veulent un condensé de la végétation du parc avec leur sentier ponctué de panneaux d'interprétation qui permettent d'en apprendre davantage sur la flore de la région. Quant à l'**Abbe Museum** *(2$; mai à oct tlj 9h à 16h; ☎207-288-3519)*, situé à quelques mètres des jardins, il s'agit d'un musée dédié à la culture et au mode de vie des Amérindiens du Maine. Un deuxième Abbe Museum (voir plus loin) est situé au centre-ville de Bar Harbor; il s'ajoute à celui du parc Acadia.

Un autre fleuron du parc est le **Somes Sound**, le seul véritable fjord de la Côte Est. Il s'enfonce profondément dans l'île et la divise presque en deux. Northeast Harbor et Southwest Harbor, de part et d'autre de ce bras de mer, sont distantes l'une de l'autre de quelques minutes à peine en bateau, alors qu'il faut au moins 30 min en voiture pour se rendre de l'une à l'autre.

Bar Harbor ★★

Un peu passé Hulls Cove, toujours sur la route 3, vous noterez une accentuation marquée de l'infrastructure touristique; ces hôtels, motels et restaurants constituent l'avant-poste de Bar Harbor, naguère la destination estivale privilégiée des bien nantis de Boston et de Philadelphie. De nos jours, c'est plutôt la classe moyenne qui constitue le gros des hordes touristiques qui l'envahissent chaque été, venus visiter l'Acadia National Park voisin.

La ville possède les atouts – et les inconvénients – d'une destination touristique populaire: si une balade sur le quai, au bout de la rue principale, permet d'embrasser du regard la splendide **Frenchman's Bay ★★**, il faut cependant partager ce plaisir avec un nombre toujours plus grandissant de touristes... À partir du quai, à vocation aussi bien touristique que traditionnelle (on peut y voir chaque jour, en fin d'après-midi, les pêcheurs revenir avec leurs prises), un circuit fort intéressant permet d'échapper au brouhaha du centre-ville. Le **Shore Path ★** longe le rivage et permet d'observer au loin les Porcupine Islands ou d'admirer de près les magnifiques villas qui ont survécu à l'incendie de 1947; cette boucle d'environ 1 mi (1,6 km) vous ramènera à votre point de départ en passant par la rue principale, avec sa ribambelle de boutiques et de restaurants.

Si toutefois vous décidez de vous attarder au centre-ville, vous pourrez visiter l'**Abbe**

Le Maine - Attraits touristiques - Downeast Acadia

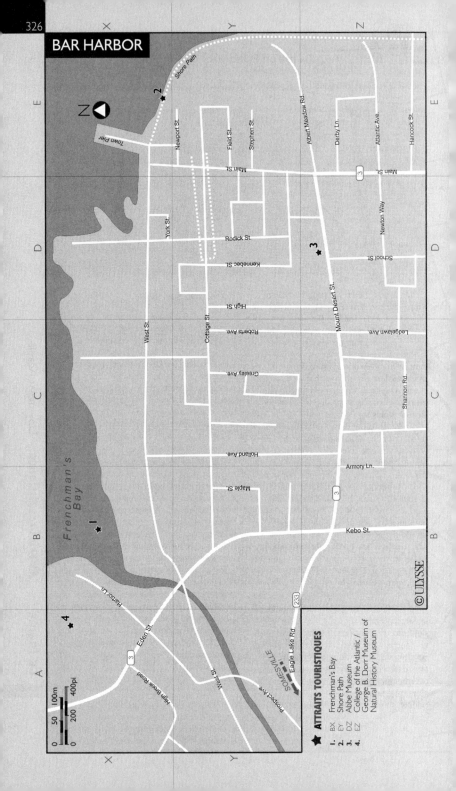

BAR HARBOR

326

★ 2

Shore Path

Town Pier

Newport St.

Field St.

Stephen St.

Albert Meadow Rd.

Derby Ln.

Atlantic Ave.

Hancock St.

Main St.

3

Main St.

York St.

Rodick St.

★ 3

Newton Way

School St.

Kennebec St.

Mount Desert St.

West St.

High St.

Cottage St.

Roberts Ave.

Ledgelawn Ave.

Greeley Ave.

Shannon Rd.

Holland Ave.

Armory Ln.

Maple St.

3

★ 1

Kebo St.

Frenchman's Bay

233

SOMESVILLE

Eagle Lake Rd.

Prospect Ave.

West St.

Eden St.

Harbor Ln.

3

High Brook Road

★ 4

© ULYSSE

0   50   100m
0   200   400pi

ATTRAITS TOURISTIQUES

★
1. BX Frenchman's Bay
2. EY Shore Path
3. DZ Abbe Museum
4. EZ College of the Atlantic /
   George B. Dorr Museum of
   Natural History Museum

Museum *(6$, comprend l'entrée au premier musée; fin mai à début nov tlj 9h à 17h; 26 Mount Desert St., ☎207-288-3519)*, dédié à la culture et au mode de vie des Amérindiens du Maine.

Le site cossu du **College of the Atlantic**, une université située en bord de mer, accueille le **George B. Dorr Museum of Natural History Museum** *(3,50$; mi-juin à début sept lun-sam 10h à 17h; 105 Eden St., ☎207-288-5015)*, un musée d'histoire naturelle des plus intéressants. Sa mission est d'explorer et de comprendre l'histoire naturelle du Maine, si étroitement liée à la mer. Le visiteur peut y entrer à l'intérieur d'un barrage de castors ou assembler un squelette de baleine et se familiariser avec différents mammifères marins. Une boutique de souvenirs et des dioramas complètent les installations.

L'île recèle, outre Bar Harbor, d'autres villages intéressants à plus d'un égard. **Somesville ★**, qu'on rejoint en empruntant la route 233 vers l'ouest dans Eagle Lake Road, a gardé tout son cachet original; pour vous en convaincre, visitez entre autres le **Mount Desert Island Historical Society Museum** *(1$; juin à oct mar-sam 10h à 16h; angle Oak Hill Rd. et route 102, Somesville, ☎207-276-9323)*, un site hybride composé d'un édifice de 1780 et du musée proprement dit (érigé en 1981), reliés entre eux par un pont tout ce qu'il y a de plus pittoresque.

La route 102 vous conduit ensuite vers le sud jusqu'à **Southwest Harbor**, un village industriel voué à la fabrication et à l'entretien de bateaux de toutes sortes. Toujours plus au sud, par la route 102A, voici **Bass Harbor** et son célèbre phare noir et blanc qui guide les marins depuis un siècle et demi du haut de son pic de roche. Enfin, de l'autre côté du fjord qu'est le Somes Sound, le port de **Northeast Harbor**, qu'on atteint par la route 198 à partir de la route 233, est le port d'attache de plusieurs navires d'excursion amenant les touristes vers la **Little Cranberry Island**, où l'**Isleford Historical Museum** *(entrée libre; tlj mi-juin à sept 10h30 à 16h30; Isleford, ☎207-288-3338)* présente une exposition de divers objets ayant trait à l'histoire maritime des îles.

Retournez jusqu'au continent et empruntez la route 1 vers l'est.

De retour sur la route 1, poussez une pointe vers le sud jusqu'à la route 186, qui

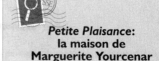

Petite Plaisance: la maison de Marguerite Yourcenar

Poète, romancière et essayiste, élue à l'Académie française, Marguerite Yourcenar, née Crayencour à Bruxelles en 1903, est décédée en 1987 sur l'île des Monts Déserts (Mount Desert Island), où elle résidait depuis 1950. Tel qu'était son souhait, *Petite Plaisance*, sa résidence de Northeast Harbor, est désormais ouverte au public de la mi-juin à la fin d'août, et ce, tous les jours, sur rendez-vous *(☎207-276-3940 entre 9h et 16h; www.chez.com/museeyourcenar)*. La demeure est telle qu'elle était à son décès. Marguerite Yourcenar est inhumée au cimetière Brookside, près de Somesville, non loin de *Petite Plaisance*.

mène à la **Schoodic Peninsula ★ ★**, cette partie de l'Acadia National Park située hors de Mount Desert Island. Beaucoup moins fréquentée que sa contrepartie insulaire, cette section du parc n'en réserve pas moins de magnifiques panoramas tout au long du parcours de 6,3 mi (10 km) qui fait le tour de la péninsule. Ne manquez pas d'escalader la **Schoodic Head ★ ★**, à l'extrême sud de la péninsule: la vue sur Frenchman's Bay et Mount Desert Island y est exceptionnelle. Plusieurs petits ports de pêche typiques, tels Bunker's Harbor, Corea Harbor et Winter Harbor, ornent le paysage tout autour de la péninsule.

Jonesport

Petite ville paisible, Jonesport repose sur une péninsule longue de 12 mi (19 km) et accueille la célèbre résidence d'été de l'ancien président Franklin D. Roosevelt. Elle est aussi réputée pour ses excursions d'observation des puffins et ses bleuets sauvages, récoltés en août chaque année.

Machias

Fondée en 1763, Machias est le siège administratif du comté de Washington. Son

Le grand incendie de 1947

En octobre 1947, un feu de forêt dévastateur a ravagé Mount Desert Island et détruit une bonne partie de la ville de Bar Harbor. À cette époque, l'île était un havre pour gens fortunés, dont beaucoup s'étaient fait construire des manoirs sur ses côtes panoramiques.

À l'apogée de la conflagration, Bar Harbor se trouva complètement coupée du reste de l'île, et ses résidants durent chercher refuge sur les quais. Plus de 400 d'entre eux furent évacués par bateau, et les 2 000 qui restaient s'enfuirent par la route 3. Plus de 4 000 ha de l'Acadia National Park furent ainsi rasés, et cinq personnes trouvèrent la mort.

Après l'incendie, Bar Harbor se retrouva sans un seul hôtel pour accueillir les visiteurs. Cela dit, certains des rares manoirs à avoir survécu aux flammes sont par la suite devenus des auberges ou des *bed and breakfasts* haut de gamme.

nom dérive du mot amérindien *mechises*, qui signifie «mauvais cours d'eau» ou «mauvaises petites chutes», et fait référence à la rivière qui la traverse; le Bad Little Falls Park fournit d'ailleurs une excellente occasion de constater de visu ce dont il retourne exactement. C'est à Machias que la toute première bataille navale de la guerre de l'Indépendance a eu lieu, tout près de l'emplacement actuel du **Fort O'Brien State Park**, à Machiasport. La **Burnham Tavern** *(2$; mi-juin à début sept lun-jeu 9h à 17h; route 192, ☎207-255-4432)*, lieu de rassemblement par excellence à l'époque de la Révolution, est aujourd'hui devenue un musée. Tout juste en deçà de Machiasport se trouvent en outre les restes du fort O'Brien, construit pour protéger les abords de la rivière Machias pendant la guerre de l'Indépendance.

Les habitants de cette petite ville ont toujours dépendu de la rivière et des forêts avoisinantes pour leur subsistance, cette région ayant d'ailleurs, à une certaine époque, dominé les industries de l'exploitation forestière et de la construction navale. Située en bordure de la rivière Machias et de sa baie d'eau salée, Machias est la deuxième communauté en importance du comté, de même que le siège de l'University of Maine at Machias. Comme elle repose au cœur même du pays des bleuets, il n'y a rien d'étonnant à ce que Machias organise chaque année en août un **Wild Blueberry Festival** (voir p 369).

Lubec

Lubec, qui se trouve être la ville la plus à l'est des États-Unis, s'enorgueillit de 170 km de côtes non développées. Son histoire est d'ailleurs étroitement liée à la mer, ses eaux riches en palourdes, en pétoncles, en oursins, en harengs et en d'autres espèces marines ayant depuis longtemps soutenu son économie.

Le **West Quoddy Head Lighthouse**, ce fameux phare à rayures rouges, domine Sail Rock, le point le plus à l'est des États-Unis. Le **Quoddy Head State Park** (voir p 336) est en outre le premier endroit au pays à voir pointer le soleil. Ce parc d'État de 195 ha est sillonné de sentiers de randonnée en bordure de l'océan Atlantique, et il offre des vues à couper le souffle sur les îles Campobello et Grand Manan, lesquelles font partie de la province canadienne du Nouveau-Brunswick. On s'y rend également pour observer les baleines. Vous trouverez enfin sur place un centre d'information touristique *(fin mai à mi-oct tlj 10h à 16h; ☎207-733-2180)*.

Bien qu'à strictement parler l'île Campobello appartienne au Nouveau-Brunswick, elle n'en est pas moins accessible depuis Lubec grâce à un pont international. Créé en 1964, le **Roosevelt Campobello International Park** *(entrée libre; fin mai à mi-oct tlj 10h à 18h; ☎506-752-2922, www.nps.gov)*, d'une superficie de quelque 1 100 ha, renferme des éléments d'exposition interactif à caractère historique. Ses atouts naturels d'une grande beauté se laissent facilement découvrir au fil de nombreux sentiers, routes et plages. Quant au cottage de l'ancien président Roosevelt, il attire des visiteurs du monde entier et vous fera remonter dans le temps jusqu'à l'époque où Roosevelt et son épouse Eleanor passaient leurs étés ici.

De retour sur la route 1, après avoir contourné la baie de Cobscook jusqu'à Perry, bifurquez vers le sud-est sur la route 190 jusqu'à Eastport.

Eastport ★

Eastport était jadis un port de mer bouillonnant d'activité, à l'époque de la construction navale et des nombreuses conserveries de sardines. Le déclin de cette espèce entraîna celui de la ville, si bien qu'aujourd'hui Eastport ne compte guère plus de 1 600 habitants. Toutefois, depuis quelques années, elle a courageusement entamé un recentrage de son économie sur l'industrie du tourisme; à cet égard, elle ne manque d'ailleurs pas d'atouts, car elle a su conserver un je-ne-sais-quoi de nostalgique que ne vient ternir – jusqu'à maintenant! – aucun développement touristique intempestif. On en veut pour preuve le ravalement progressif de son **Historic Waterfront District** le long de Water Street, mené dans le plus profond respect du passé. Un peu plus bas, le vieux port accueille encore les bateaux de pêche et de plaisance.

Profitez de votre passage à Eastport pour visiter le **Raye's Mustard Mill** *(visites guidées lun-ven 10h à 15h; 85 Washington St.,* ☎*207-853-2937 ou 800-853-1903)*, qui fabrique encore diverses moutardes à l'aide d'une immense meule comme à l'époque florissante des conserveries de sardines; on peut visiter ce musée-usine et se procurer moutardes et autres produits connexes au magasin situé à l'entrée.

Eastport possède la seconde marmite naturelle en importance du monde, l'**Old Sow**. Ces eaux tourbillonnantes situées entre Deer Island, où se trouve Eastport, et le Nouveau-Brunswick accusent des courants de plus de six nœuds, provoquant des marées atteignant jusqu'à 7,5 m et plongent à des profondeurs estimées à 125 m. Nombre de bateaux en ont fait les frais, surtout à l'époque des grands voiliers, de même que beaucoup de curieux irrésistiblement attirés par ce mystérieux phénomène.

Calais

Bien que ce soit sur l'île St. Croix, aujourd'hui connue sous le nom de Calais, que Samuel de Champlain a fondé, en 1604, la toute première colonie européenne en Amérique du Nord – du moins au nord de St. Augustine (Floride) –, Calais n'a été peuplée de façon permanente qu'à partir de 1770. Plus de 175 ans plus tard, l'entrepreneur Dan Hill et d'autres familles explorèrent la région et en exploitèrent les ressources naturelles. C'est ainsi que Calais est devenue une ville prospère, dotée de scieries, de chantiers navals et d'un port affairé comptant plus de 30 quais. Cette prospérité ne tarda pas à attirer de plus en plus de gens, à tel point que Calais devint peu à peu l'une des plus grandes villes au nord de Boston. Mais, tout comme dans les autres villes de la région, les ressources finirent par s'épuiser, ce qui entraîna la fermeture de plusieurs scieries et chantiers navals.

De nos jours, Calais s'impose surtout comme un centre commercial, tout en figurant au sixième rang des ports d'entrée les plus affairés des États-Unis le long de la frontière canadienne. De fait, la ville entretient des rapports remarquables avec sa jumelle canadienne, St. Stephen (Nouveau-Brunswick). Toutes deux situées au centre de la St. Croix Valley sur la rivière St. Croix, elles coexistent dans la plus grande harmonie et partagent de nombreux traits communs. À titre d'exemple, on y célèbre aussi bien les fêtes canadiennes que les fêtes américaines, et presque tous les organismes comptent des membres des deux pays. Calais importe son eau potable du Canada, et les services de police et d'incendie joignent leurs forces au moindre appel. L'**International Homecoming Festival** (voir p 369) célèbre d'ailleurs une fois l'an cette fraternité unique.

Le **St. Croix Island International Historic Site** *(entrée libre; début juin à mi-oct tlj du lever au coucher du soleil)* marque l'endroit où Champlain a fondé la première colonie française en Amérique du Nord, en 1604. Le site est administré conjointement par le National Park Service américain et Parcs Canada, et comprend des sentiers d'auto-interprétation.

Le Maine - Attraits touristiques - Downeast Acadia

La région des lacs et des montagnes

Adossée au New Hampshire, avec lequel elle partage la White Mountain National Forest, la région des lacs et des montagnes s'étend jusqu'à la frontière du Québec, plus au nord. La partie sud de la région, facilement accessible de Portland, la métropole du Maine, recèle de nombreux lacs (entre autres dans la région de Sebago Lakes) qui en ont fait une destination de villégiature estivale très courue. Plus au centre, la nostalgique Bethel, au charme suranné, ouvre les portes de la White Mountain National Forest. Enfin, la portion nord de la région, avec d'un côté le paisible village de Rangeley et de l'autre la station de sports d'hiver Sugarloaf, offre, l'année durant, sa nature généreuse aux mordus de plein air.

Rangeley

S'articulant autour de la ville éponyme, la région des **Rangeley Lakes** ★, vaste étendue d'eau et de verdure cernée de montagnes, constitue essentiellement un havre de nature vierge et d'air pur propice à la pratique d'innombrables activités de plein air. On peut s'y livrer, entre autres activités, à la pêche à la mouche (au printemps), à la descente de rivière (en été) et à la motoneige (en hiver). Rangeley, comme bien des villages isolés, n'est à prime abord qu'une rue principale autour de laquelle s'agglutinent les commerces habituels. Toutefois, quand on y regarde de plus près, on peut voir ici, à l'entrée du village, un mignon petit parc, le **Lakeside Park**, où l'on peut pique-niquer et se baigner paisiblement; là, au centre, la bibliothèque municipale, aux murs chargés de livres et d'histoire; et là, en haut de la rue, le **Rangeley Inn** (voir p 356), un remarquable hôtel historique entièrement restauré dans le meilleur goût. Une curiosité dans ce coin perdu, le **Wilhelm Reich Museum** ★ (6$; lun-ven 9h à 14h; Dodge Pond Rd., ☎207-864-3443) est en fait le domaine et l'observatoire du célèbre psychiatre et psychanalyste tels que ce dernier les laissa à sa mort. Érigé sur un promontoire avec vue panoramique sur la campagne environnante, l'**Orgone Energy Observatory** (juil et août mer-dim 13h à 17h, sept dim 13h à 17h) loge dans un édifice à l'architecture remarquable. En plus d'y prendre connaissance des inventions et des expériences de Reich, on peut notamment s'y renseigner sur sa

controversée théorie de l'énergie «orgonique», ce qui l'amena à se faire incarcérer au pénitencier de Lewisbourgh, en Pennsylvanie, où il mourut au bout de quelques mois, en 1957.

Sugarloaf ★

Au nord-est de Rangeley, le mont Sugarloaf offre une vue imprenable sur la verdoyante **Carrabassett Valley** en contrebas. Station de sports d'hiver à la mode avec son «village» et les aménagements habituels, **Sugarloaf/ USA** (voir p 341) est la plus haute montagne skiable de l'Est américain. On peut également y pratiquer d'autres sports d'hiver, la station exploitant un réseau très bien entretenu de sentiers de ski de fond ainsi qu'une patinoire olympique.

Kingfield

Tout près de Sugarloaf, Kingfield ne manque pas de charme avec son cachet victorien et son vieux pont suspendu. Arrêtez-vous au **Stanley Museum** (4$; début juin à fin oct mar-dim 13h à 16h, reste de l'année sur rendez-vous; 40 School St., ☎207-265-2729, www. stanleymuseum.org), un musée aménagé dans une ancienne école de style victorien; on y raconte la vie et les réalisations de cette famille d'entrepreneurs, notamment célèbres pour leurs voitures à vapeur du début du XXᵉ siècle.

Bethel ★

Bethel présente pour sa part une belle unité architecturale, typique de la Nouvelle-Angleterre telle qu'on se l'imagine. Avec ses maisons blanches à clins de bois, son quartier historique et ses pelouses manucurées à perte de vue, la ville possède un charme fou et une assurance tranquille que ne dément pas la qualité des diverses échoppes et auberges qui la parsèment. Assister, par un beau soir d'été, à une partie de baseball amateur sur le terrain de jeu municipal avec, pour toile de fond, les maisons historiques et le magnifique **Bethel Common Gazebo** trônant au milieu de l'immense pelouse, convie à la délectation!

Parmi le lot de demeures historiques que compte la ville, il faut mentionner la **Dr. Moses Mason House** (4$; juil à début sept mar-dim 13h à 16h; 14 Broad St., ☎207-824-2908, www.

Les Shakers

L'United Society of Believers in Christ's Second Appearing, communément désignée du nom de «Shakers», a été fondée en 1747 à Manchester, en Angleterre. Par dérision, ces membres séparatistes étaient appelés *Shaking Quakers* (quakers tremblants) parce que, pendant leurs rituels d'adoration, ils tombaient en extase et s'agitaient violemment. En 1774, sous la houlette d'une jeune femme dénommée Ann Lee (1736-1784), qui fut emprisonnée en 1770 pour ses points de vue religieux et qui eut alors des visions – elle deviendra à partir de cette année-là le leader du groupe sous l'appellation de Mother Ann –, huit membres partent pour l'Amérique. Ils s'établissent alors près d'Albany, l'actuelle capitale de l'État de New York, pour vivre conformément à leurs croyances religieuses. À ce jour, une seule communauté shaker demeure active, désormais connue sous le nom de «Sabbathday Lake Shaker Village», qui s'est établie à New Gloucester, dans le Maine, en 1783.

bethelhistorical.org), une résidence de style Federal érigée en 1813 et parfaitement restaurée. Construite pour le notable du même nom, elle abrite accessoirement la société d'histoire locale. D'autres maisons d'un intérêt historique certain se retrouvent dans la même rue, regroupées au sein de l'**Historic District** ★, notamment l'**O'Neil Robinson House** *(dons appréciés; mar-ven 10h à 16h, aussi sam-dim 13h à 14h en juil, août et déc;* ☎*800-824-2910, www.bethelhistorical.org)* dans Broad Street.

New Gloucester

Le **Sabbathday Lake Shaker Museum** ★ *(visites guidées 6,50$; fin mai à mi-oct lun-sam 10h à 16h30; 707 Shaker Rd.,* ☎*207-926-4597, www.shaker.lib.me.us)* témoigne bien des traditions propres aux shakers, cette communauté qui refuse le progrès et qui s'en tient rigoureusement à un mode de vie du XIXᵉ siècle! Les visites guidées au cœur d'un village authentique de cette époque donnent aux visiteurs une bonne idée de la philosophie et des réalisations de cette communauté.

Les forêts du Nord
★

On pourrait, en blaguant à peine, affirmer que la partie septentrionale du Maine, immense étendue qui englobe plus de la moitié de l'État, est davantage le territoire de l'orignal que celui de l'*Homo sapiens!* Parsemée de quelques villes isolées, la région offre à la vue un environnement de lacs et de forêts à faire se pâmer le plus blasé des coureurs des bois! Au milieu de cet écrin de verdure émergent quelques joyaux choisis, notamment le Baxter State Park et le lac Moosehead, auréolés l'un comme l'autre du lustre particulier qui sied à un lieu d'exception: la beauté sauvage de la nature restée vierge pour le premier et le calme olympien d'un immense plan d'eau pour le second.

Millinocket

Millinocket, qui se trouve à 116 mi (185 km) de Calais, est la première localité d'importance que vous rencontrerez en direction de cette région des forêts du Nord. Rien à signaler à propos de cet endroit, sinon qu'il constitue un tremplin vers le **Baxter State Park** (voir p 336), un pur joyau de nature vierge d'environ 80 000 ha ayant le **Mount Katahdin** ★★ comme vedette principale. Ce parc possède la particularité unique, en ces années de commercialisation à outrance, de n'offrir aucun service commercial de quelque nature que ce soit: ni téléphone ni dépanneur, rien! Cela, en vertu de la volonté exprimée par son fondateur, le gouverneur Percival Baxter, qui stipula, en guise de condition à sa donation du parc à l'État du Maine, de le maintenir en son état naturel à perpétuité, pour que jamais ne soit altérée la beauté sauvage des lieux. Le parc reflète aujourd'hui à merveille les aspirations du fondateur: avec ses 46 sommets et environ 320 km de pistes et sentiers, il constitue un éden pour les mordus de plein air avides de nature sans compromis. Pour sa part, le mont Katahdin (1 606 m) offre aux randonneurs le défi le plus imposant des différents sommets que renferme le parc. De plus, le fameux **Appalachian Trail** (voir p 340), bien connu des randonneurs expérimentés, trouve ici son aboutissement.

Greenville

De retour à Millinocket, un lacis de routes vous mènera, 88 mi (140 km) plus à l'ouest, à Greenville, une charmante petite localité située à l'extrémité sud du **Moosehead Lake** ★, cet immense plan d'eau long de 64 km et large de 16 km. Cette petite mer intérieure, autrefois très utile pour le transport du bois, n'a aujourd'hui qu'une vocation récréative. Toutefois, les terres qui le bordent appartiennent presque en totalité à des entreprises forestières, on n'y voit que très peu de constructions riveraines, tant et si bien que les paysages entourant le lac sont restés inviolés. Ce décor idyllique constitue donc un théâtre de choix pour le **SS Katahdin** ★ ★ *(divers forfaits; fin juin à début oct;* ☎ *207-695-2716, www.katahdincruises. com)*, un splendide vapeur mythique du début du XXᵉ siècle (carburant aujourd'hui au gazole) qu'on a reconverti en bateau de croisière après une longue carrière commerciale. Il fut d'abord utilisé pour transporter des passagers vers la non moins mythique **Kineo Island** et servit par la suite de remorqueur pour les immenses radeaux de billes de bois provenant des exploitations forestières du nord de l'État. À Greenville même, le **Moosehead Marine Museum** *(dons appréciés; tlj juin à sept; Main St.,* ☎ *207-695-2716)*, un tout petit musée retraçant l'histoire maritime locale, abrite également la billetterie pour les excursions à bord du *SS Katahdin*.

Rockwood

Rockwood, à mi-chemin du lac Moosehead, du côté ouest, constitue un petit village de services avec ses motels, ses boutiques de chasse et pêche et son magasin général, tous ces établissements étant conçus pour répondre aux besoins des pêcheurs et des chasseurs qu'attirent les vastes forêts de la région. Bourg banal donc, si ce n'est qu'il offre une vue imprenable sur le **Mount Kineo** ★, un promontoire surgi de nulle part au milieu du lac Moosehead sur l'île du même nom. Au début du XXᵉ siècle, Kineo Island, avec son luxueux hôtel éponyme – disparu depuis belle lurette – s'imposait

comme le refuge par excellence des riches villégiateurs venus chercher isolement et dépaysement. Encore de nos jours, la voie maritime constitue le seul accès à cette île étrange; en saison, le touriste curieux peut s'y rendre à bord d'une petite navette qui prend jusqu'à cinq passagers une fois l'heure sur le quai de Rockwood. Il flotte sur cette île un étrange parfum de nostalgie quand on connaît l'intense activité qui y régnait jadis. Aujourd'hui, il ne subsiste des installations initiales que cinq villas pour témoigner de cette époque révolue.

Parcs et plages

La côte sud

York Beach

La magnifique **Long Sands Beach** s'impose, avec raison, comme le joyau de York. Cette plage longue de 3,2 km, qui borde la rue du même nom, attire chaque année une foule d'estivants. Mais ne vous inquiétez pas, il y a de la place pour tout le monde. Ici aussi, le stationnement est limité.

Située de l'autre côté du Cape Neddick, la **Short Sands Beach** est une copie réduite de la Long Sands Beach. En plus des joies de la mer, on apprécie particulièrement le décor des maisons victoriennes qui lui font face. S'étend également près de la Short Sands Beach la partie la plus fréquentée de York, avec ses bars, ses restaurants et ses cafés.

Ogunquit

La plage principale d'Ogunquit est divisée en trois portions imprécises: **Main Beach** ★, **Footbridge Beach** et **Ogunquit North Beach**. Ces plages se veulent agréables mais très fréquentées. Elles sont toutes situées à quelques minutes du centre de la ville et ouvertes de 8h à 17h en saison. On retrouve, à proximité de l'entrée de **Beach Street**, restaurants, toilettes et stationnement.

Wells

Moody Beach *(route 1, puis Eldrige St.)* est le prolongement d'Ogunquit Beach. Comme cette dernière, elle se révèle fort agréable, un endroit où le soleil est un dieu pour tous les estivants à la recherche d'un peu d'azur. Souvenez-vous que vous devez marcher vers la droite une fois rendu sur la plage, puisque celle-ci est privée de l'autre côté.

Wells Beach est située à l'extrémité est de la longue bande de sable fin qui annonce les villes d'Ogunquit et de Wells. La plage s'avère large et lisse. Il s'agit d'un endroit propice à la pratique du surf sans planche. Se trouvent près de la plage un casino, quelques boutiques, des restaurants, des toilettes publiques, etc.

Kennebunkport

Afin d'éviter un afflux trop important de visiteurs les fins de semaine, la ville de Kennebunk a instauré un système de permis pour le stationnement *(10$/jour, 20$/sem ou 50$/mois)*. Pour obtenir ce permis, vous devez vous rendre au poste de police de Kennebunk (et non de Kennebunkport), ou vous le procurer à votre hôtel. Cette initiative a permis de contrôler le nombre des baigneurs et d'assurer une relative tranquillité sur les plages de la région.

Les plages sont ouvertes de 9h à 17h en juillet et en août. Muni du permis spécial, vous pouvez garer votre voiture dans les stationnements de la ville. Cela dit, le meilleur moyen d'accéder aux plages consiste à prendre les trolleybus qui circulent toute la journée et vous emmènent où vous voulez en ville pour à peine 1$.

Kennebunkport est entourée de trois magnifiques plages. **Kennebunk Beach** *(le long de Beach Ave.)* s'étire sur quelque 3 km, et ses trois sections (Gooch's Beach, Middle Beach et Mother's Beach) forment un très bel ensemble qui se prête on ne peut mieux à la détente. Partagée entre le sable fin et les galets, cette magnifique plage est beaucoup moins fréquentée que celles d'Ogunquit ou d'Old Orchard. **Gooch's Beach** et **Middle Beach** sont surtout fréquentées par des adultes souhaitant prendre un long bain de soleil; vous verrez cependant quelques surfeurs dans les vagues. **Mother's Beach ★**,

pour sa part, voit arriver une ribambelle d'enfants et, derrière eux, des papas et des mamans leur assurant la sécurité.

Parson's Beach ★ *(sur la route 9 entre Kennebunk et Wells)* constitue un havre de paix. Peu connue, cette petite plage offre un mélange de simplicité, de sable fin et de calme. On peut s'y balader tout seul la nuit, sous les rayons blafards de la lune. Notez cependant que le stationnement est très limité et que vous devrez probablement laisser votre voiture sur la route 9 pour ensuite descendre Grand Avenue, une artère bordée d'érables, jusqu'à la plage.

Goose Rocks Beach

Goose Rocks Beach ★ *(le long de King's Hwy.)* s'étire un peu plus loin que les autres, soit au nord du village de Kennebunkport. Large et recouverte de sable fin, elle offre de magnifiques vues sur les îles qui lui font face. Elle plaira aux marcheurs qui, le matin venu, pourront se laisser émerveiller par les rayons du soleil qui brillent sur la mer. Un peu comme Mother's Beach, cette plage est populaire auprès des familles qui apprécient les eaux calmes de cette petite baie. Il vous faudra ici aussi un permis de stationnement, différent de celui de la Kennebunk Beach, que vous pourrez vous procurer au poste de police de Kennebunkport (et non de Kennebunk) au même tarif que le précédent.

Old Orchard Beach

Old Orchard Beach ★ compte sûrement parmi les plus belles plages de toute la côte du Maine. Longue d'environ 11 km, elle est amplement large et bien entretenue. Prenez toutefois garde à la marée, car elle monte rapidement dans la région. Contrairement aux plages plus strictes, voire snobs des Kennebunks, les jeux et les enfants sont ici les bienvenus. Vous verrez donc sur la plage, en plus des traditionnels architectes de châteaux de sable, du volley-ball, du lancer de frisbee «olympique» et beaucoup d'autres sports de plage. Toutes ces activités et les quelques gouttes de sueur qu'elles procurent vous immuniseront contre la froideur de l'eau.

Le Maine - Parcs et plages

La côte centrale

Bath

Moins connue que ses homologues de la côte sud, la plage du **Popham Beach State Park ★★** *(4$; route 209, à 10 min de Bath)* compte pourtant parmi les plus belles du Maine. Très large et longue de plus de 4 mi, elle offre de belles vues sur les îles rocheuses qui pointent immédiatement au large, et dont certaines s'atteignent même à pied à marée basse. Assurez-vous toutefois de revenir vers la côte avant que la marée ne monte de nouveau, sans quoi vous risquez d'y rester coincé ou d'avoir à revenir à la nage. Le parc abrite en outre le fort Baldwin, surmonté de plusieurs tours d'observation et construit au cours de la Seconde Guerre mondiale. Des tables de pique-nique, des grils, des vestiaires et des toilettes complètent les installations.

Camden

Directement en marge de la route 1 entre Camden et Lincolnville s'étend le **Camden Hills State Park ★** *(3$; route 1)*. Une des montagnes qu'il abrite, le mont Battie, est parcouru par une route carrossable de même que par des sentiers de randonnée menant jusqu'à son sommet. Il ne s'agit nullement d'une ascension difficile, quoique le tracé d'environ 1 mi (1,8 km) en soit par moments assez abrupt, et la vue que vous aurez depuis le sommet vous laissera pantois: l'ensemble du port de Camden, la baie de Penobscot, les îles au large et les nombreux voiliers qui croisent dans la région s'y laissant admirer dans toute leur splendeur. Et, pour voir encore plus loin, pourquoi ne pas gravir la petite tour d'observation érigée sur la cime du mont Battie? Ce parc d'État de 364 ha recèle par ailleurs 30 mi (48 km) de sentiers de randonnée le long de la côte et autour des autres élévations, en plus d'offrir des rampes de mise à l'eau et des emplacements de camping.

Downeast Acadia

Mount Desert Island

Surgie de la mer sous l'action combinée de l'érosion et de la fonte des glaciers au fil de centaines de millions d'années, Mount Desert Island abrite aujourd'hui l'un des plus beaux parcs nationaux des États-Unis. Bien qu'il empiète quelque peu sur le continent, notamment sur la péninsule de Schoodic, l'**Acadia National Park ★★★** *(20$ laissez-passer de 7 jours avec véhicule; ☎207-288-3338, www.nps.gov)* tient presque tout entier dans cette île reliée à la côte du Maine par la route 3. Les lieux ayant tour à tour été explorés par les Amérindiens et les Européens, c'est en 1916 qu'un groupe de riches notables commença à en regrouper diverses parcelles jusqu'à faire reconnaître l'ensemble du site comme parc national en 1919. D'abord appelé «Lafayette» en raison du découvreur français qui avait exploré la région, le parc fut rebaptisé Acadia quelques années plus tard.

La façon la plus logique d'explorer le parc est sans conteste d'emprunter la **Park Loop Road**, une boucle à sens unique qui fait le tour des attraits les plus marquants (voir p 324). Ainsi, peu après le départ du Visitor Center à Hulls Cove, le Frenchman's Bay Overlook permet d'admirer les îles limitrophes; pour sa part, le site de Sand Beach offre sa magnifique plage de sable et ses eaux cristallines aux orteils peu frileux! Un peu plus loin, les **Wildwood Stables** *(location de calèches, mi-juin à mi-oct tlj; Park Loop Rd., ☎207-276-3622)* vous permettront d'arpenter, à l'écart de la meute touristique, l'un des secrets les mieux gardés du parc, soit les **Carriage Roads ★**, un réseau de chemins pour calèches qui sillonne l'intérieur du parc. Construits dans la première partie du XXe siècle par le milliardaire et philanthrope John D. Rockefeller Jr., ces chemins de rocaille furent conçus avec le souci constant du respect de la nature: matériaux pris sur place, ponts de granit ocre, etc., avec comme résultat un ensemble des plus intégrés au parc et à son environnement. À noter que les calèches partagent ces routes avec les chevaux, les cyclistes et les marcheurs. Juste avant de boucler la boucle de la Park Loop Road, on peut aussi prendre la voie de l'embranchement qui mène à la **Cadillac Mountain** et rouler jusqu'à son sommet, d'où la vue panoramique de la mer et des paysages environnants se révèle exceptionnelle. D'autre part, la **Schoodic Peninsula ★**, une bande de terre étroite et accidentée située à 47 mi (75 km) de Bar Harbor, constitue la partie continentale du parc. Elle offre, au fil des 9 km de la route en boucle qui la ceinture, une suite ininterrompue de rivages accidentés et de vues superbes sur Mount Desert Island. Vous

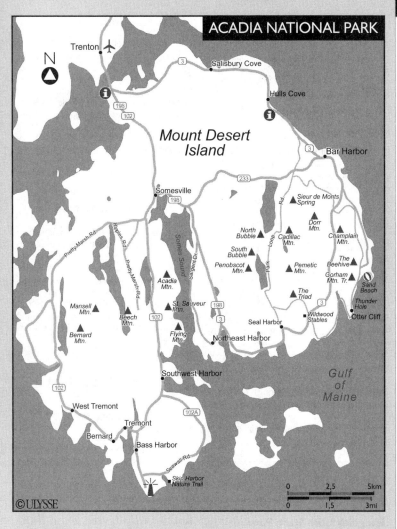

ACADIA NATIONAL PARK

N

Trenton ✈

Salisbury Cove

Hulls Cove

3

Bar Harbor

Mount Desert Island

198
102

233

Somesville
198

Sieur de Monts Spring

Dorr Mtn.

North Bubble

Cadillac Mtn.

Champlain Mtn.

South Bubble

The Beehive

Penobscot Mtn.

Pemetic Mtn.

Gorham Mtn. Tr.

Sand Beach

Acadia Mtn.

The Triad

Thunder Hole

Mansell Mtn.

St. Sauveur Mtn.

198

Wildwood Stables

Otter Cliff

Beech Mtn.

102

3

Seal Harbor

Bernard Mtn.

Flying Mtn.

Northeast Harbor

Pretty-Marsh-Rd.

Pretty-Marsh-Rd.

Ripples-Rd.

Somes Sound

Sargent-Dr.

Park Loop Rd.

Southwest Harbor

Gulf of Maine

102

West Tremont

102A

Tremont

Bernard

Bass Harbor

Seawall-Rd.

Skip Harbor Nature Trail

0   2,5   5km
0   1,5   3mi

©ULYSSE

---

trouverez dans le parc des kiosques d'information, des aires de pique-nique, des toilettes et des boutiques de souvenirs, en plus d'une navette gratuite, l'*Island Explorer*. Le parc compte trois terrains de camping: Blackwoods, Isle au Haut et Seawall.

Tout juste en bordure de la Park Loop Road s'étire **Sand Beach**, fort prisée des amateurs de bronzage et de bain de mer. La plage est longue d'environ 300 m, et, en dépit de son nom, elle se compose surtout de coquillages broyés. Par ailleurs, étant donné que Mount Desert Island repose dans l'Atlantique Nord, il convient de savoir que,

même en été, les eaux qui l'entourent sont franchement froides.

Dennysville

Le **Cobscook Bay State Park** *(3$;* ☎*207-726-4412)* doit son nom au mot amérindien *cobscook*, qui signifie «cascades». Le phénomène assez particulier qui est à l'origine de cette appellation tient à l'inversion de ces cascades au rythme quotidien des marées. Accessible par la route 1, près de Dennysville, ce site à la beauté tranquille est tout à fait propice à la randonnée. Vous trouverez sur place des aires de pique-nique et des toilettes, de même que plusieurs emplacements de camping boisés au bord de l'eau avec douches à l'eau chaude. Baignade en eau froide, par contre! En hiver, les sentiers du parc se transforment en pistes de ski de fond bien entretenues.

Lubec

Le **Quoddy Head State Park** ★★ *(2$;* ☎*207-733-0911)* se trouve au point le plus à l'est des États-Unis et reçoit par conséquent les premiers rayons du soleil. Tirant parti de la beauté rugueuse et sauvage du littoral, ce parc offre une vue grandiose sur la mer en contrebas, mais aussi, à l'horizon, sur les îles Campobello et Grand Manan, lesquelles reposent dans la baie de Fundy, en territoire canadien.

Calais

En route vers Calais, prévoyez un arrêt au **Moosehorn National Wildlife Refuge** ★ *(entrée libre;* ☎*207-454-7161)*, une réserve faunique pour oiseaux migrateurs et autres espèces divisée en deux parties distantes de 19 mi (30 km) l'une de l'autre (la première à Edmunds et la seconde à Baring). De multiples pistes et sentiers aménagés permettent d'observer à loisir la flore et la faune locale, notamment des orignaux et des aigles.

La région des lacs et des montagnes

Rangeley Lake State Park

On accède à ce parc familial par Rumford, sur la route 117. Renommé pour la qualité de sa pêche (truites et saumons), ce parc présente quelques-uns des plus beaux paysages de cette région du Maine. On y trouve un terrain de jeu pour enfants, des aires de pique-nique et une rampe de mise à l'eau *(droit d'accès pour la journée: 3$)* ainsi qu'une cinquantaine d'emplacements de camping. En hiver, le parc est sillonné de sentiers de motoneige larges et entretenus. Renseignements: ☎207-864-3858.

Mount Blue State Park

Situé près de Weld, sur la route 156, ce charmant parc sans prétention autre que ses superbes panoramas réserve ses 1 400 ha à maintes activités récréatives, articulées en grande partie autour du lac Webb. Aussi a-t-on aménagé des aires de pique-nique sur les rives du lac avec grils, cabines de bain, rampe de mise à l'eau, programme d'interprétation et salle de récréation. Droit d'accès pour la journée: 4$. On peut également y camper. Renseignements: ☎207-585-2347.

Grafton Notch State Park

Juste au nord de Bethel, ce magnifique parc s'étend de part et d'autre de la route 26 entre Upton et Newry. La rivière serpente au gré de la route, offrant çà et là de splendides paysages de cascades et de rochers au fil de l'eau. Au sud du parc se trouve la Wight Brook Nature Preserve avec ses Step Falls, où se trouve une aire de pique-nique aménagée près d'un ruisseau. Droit d'accès pour la journée: 2$.

Les forêts du Nord

Baxter State Park ★★★

La plus grande réserve naturelle de la Nouvelle-Angleterre, le Baxter State Park – legs intouchable et intouché de Percival Baxter – propose ses 80 000 ha de nature vierge au bon usage du public visiteur. Toutefois, ce dernier serait bien avisé de conduire prudemment, l'étroite **Park Tote Road** qui permet la visite du parc n'étant pas revêtue. Il s'agit néanmoins de la meilleure façon de découvrir le parc, car cette route donne accès à la plupart de ses attraits, qu'il s'agisse du mont Katahdin, des lacs et rivières ou des nombreux sentiers en montagne qu'il recèle. Comme il n'y a aucun service à l'intérieur des limites du parc, il faut faire ses provisions à **Millinocket** (voir p 331), son port d'attache. De là, au bout d'une vingtaine de kilomètres, la masse imposante du splendide mont Katahdin émerge à l'horizon, au-delà des collines, signe que l'entrée du parc n'est pas loin. C'est au Visitor Center, juste avant l'entrée du parc, que vous trouverez cartes et renseignements. Juste à côté, la **Togue Pond Picnic Area** permet de se restaurer à l'ombre des pins tout en contemplant le petit lac Togue aux eaux cristallines. La barrière d'entrée du parc se trouve un peu plus loin *(12$)*. De là, on a le choix de deux routes; la Park Tote Road, à gauche, ou, à droite, celle qui donne accès à plusieurs sentiers du mont Katahdin de même qu'à certains terrains de camping. Cette dernière route, un chemin cahoteux et sans issue de 7,5 mi (12 km), grimpe jusqu'au camping du Roaring Brook, un excellent camp de base pour les grimpeurs qu'intéressent le mont Katahdin et les montagnes voisines.

Activités de plein air

■ Croisières

Que diriez-vous d'une aventure à bord d'un voilier, le roulis rythmant votre voyage? Eh bien, c'est possible, même pour ceux qui n'ont pas de bateau. Nombre de compagnies de navigation organisent en effet des croisières à bord de différentes embarcations, qu'il s'agisse de vieux voiliers du début du XXᵉ siècle ou de bateaux de croisière cinq étoiles. Les prix varient selon l'embarcation et la durée du séjour à bord.

La côte sud

Finest Kind Scenic Cruises
départs au restaurant Barnacle Billy's à Perkin's Cove
Ogunquit
☎ 207-646-5227
www.finestkindcruises.com

Schooner Eleanor
départs à l'Arundel Wharf Restaurant
43 Ocean Ave.
Kennebunkport
☎ 207-967-8809

À Portland, plusieurs entreprises organisent des croisières à travers les îles de la baie de Casco. On y dénombre entre 136 et 222 îles (personne n'est d'accord sur le nombre exact), chacune ayant son mélange d'attraits architecturaux et de petits villages de pêcheurs.

Casco Bay Lines
Casco Bay Ferry Terminal
56 Commercial St.
Portland
☎ 207-774-7871
www.cascobaylines.com

Eagle Island Tours
Long Wharf
Portland
☎ 207-774-6498
www.eagleislandtours.com

Avatrice Freeport Sailing Adventures
départs au Freeport Town Wharf
Freeport
☎ 207-854-6112

Atlantic Seal Cruises
départs au Town Wharf
South Freeport
☎ 207-865-6112

La côte centrale

Betselma
départs au Town Wharf
Camden
☎ 207-236-4446
www.betselma.com

Schooner Appledore II
Camden Harbor
Camden
☎ 207-236-8353 ou 800-233-7437
www.appledore2.com

Downeast Acadia

Downeast Windjammer Cruises
Bar Harbor Inn Pier
Bar Harbor (Mount Desert Island)
☎ 207-288-4585

Lulu Lobsert Boat Rides
Harborside Hotel & Marina
55 West St.
Bar Harbor (Mount Desert Island)
☎ 207-963-2341
www.lululobsterboat.com

■ Kayak de mer

Il est fortement recommandé de prendre un cours d'initiation avant de se lancer à l'assaut des flots. Le détaillant d'articles de plein air L.L. Bean de Freeport organise des événements qui sauront plaire aux amateurs de tout acabit. Le **L.L. Bean Sea Kayaking Walk-On Adventure** *(fin mai à début sept;* ☎ *800-*

559-0747, www.llbean.com) propose des ateliers de formation autant pour les débutants que pour les experts. Également, la plupart des entreprises organisant des excursions de kayak en mer proposent un stage d'initiation. Pour les kayakistes expérimentés, ces mêmes entreprises organisent des excursions en groupe de plusieurs jours. Leur personnel vous guide alors à travers les îles qui ponctuent la côte du Maine.

La côte sud

Harbor Adventures
York Harbor
☎207-363-8466
www.harboradventures.com

Maine Island Kayak Co.
70 Luther St.
Peak Island
☎207-766-2373
www.maineislandkayak.com

La côte centrale

Breakwater Kayak
8 Mill St.
Rockland
☎207-596-6895 ou 877-559-8800
www.breakwaterkayak.com

Downeast Acadia

Coastal Kayaking Tours
48 Cottage St.
Bar Harbor
☎207-288-9605

National Park Kayak
39 Cottage St.
Bar Harbor
☎800-347-0940
www.acadiakayak.com

La région des lacs et des montagnes

Encore une fois, à l'intérieur des terres, les lacs et rivières abondants et variés s'avèrent tout à fait propices à la pratique de ces activités en eau calme ou vive.

La rivière Kennebago, aux alentours de Rangeley, se prête bien aux courtes excursions de une ou deux heures. Il s'agit d'un parcours pour tous qui peut requérir quelques portages, selon le niveau d'habileté

des kayakistes. La rivière Cupsuptic, en direction d'Oquossoc, est encore plus facile d'accès, et son parcours peut donner l'occasion d'apercevoir un orignal ou quelque autre bête du cru. Location d'embarcations au **Dockside Sports Center** (2556 Main St., Rangeley, ☎207-864-2424).

Du côté de Bethel, la rivière Androscoggin, qui serpente dans la ville et tout autour, présente un parcours facile qui permet d'admirer le paysage environnant tout en bénéficiant de visites fréquentes de la faune terrestre. On peut louer un canot au **Sun Valley Sports and Guide Service** (129 Sunday River Rd., Bethel, ☎207-824-7533).

■ Observation des baleines

La côte sud

First Chance Whale Watch
4 Western Ave.
Kennebunk
☎207-967-5507
www.firstchancewhalewatch.com

La côte centrale

Boothbay Whale Watch
départs au Town Wharf
Boothbay Harbor
☎207-633-3500
www.whaleme.com

Downeast Acadia

Bar Harbor Whale Watch Co.
1 West St.
Bar Harbor (Mount Desert Island)
☎207-288-9800
www.barharborwhales.com

■ Observation des oiseaux

La côte sud

La **Wells National Estuarine Research Reserve at Laudholm Farm** (2$; lun-ven 10h à 16h, aussi sam 10h à 16h et dim 12h à 16h en été; Laudholm Rd., Ogunquit, ☎207-646-1555, www.wellsreserve.org) est divisée en deux parties. La première, la **Laudholm Farm**, soit un ancien domaine ayant appartenu à la famille Lord, est aujourd'hui reconvertie en centre d'interprétation de la nature. On y trouve une petite exposition, une salle de projection de diapositives, des toilettes et un parc de stationnement adjacent. À cet endroit débutent près de 7,5 mi (12 km) de sentiers de randonnée survolés par les oiseaux. La seconde partie, le **Laudholm Trust**, propose sensiblement la même chose à travers des excursions guidées sur les sentiers. Arrivez tôt dans la matinée, lorsqu'il n'y a encore que très peu de visiteurs.

■ Pêche

La côte sud

Kittery Deep Sea Fishing
Pepperrell Cove
Kittery
☎ 207-439-9101 ou 877-433-3426
www.kitteryfishing.com

Shearwater
départs au Town Dock n° 2
York Harbor
☎ 207-363-5324

Bunny Clark Deep Sea Fishing
Ogunquit
☎ 207-646-2214
www.bunnyclark.com

Cast-Away Fishing Charters
Kennebunkport
☎ 207-284-1740
www.castawayfishingcharters.com

Old Port Marine
Long Wharf
Portland
☎ 207-699-2988
www.oldportmarinefleet.com

La côte centrale

Sweet Action Charters
départs au Kaler's Crab & Lobster House
48 Commercial St.
Boothbay Harbor
☎ 207-633-4741
www.sweetactioncharters.com

La région des lacs et des montagnes

L'intérieur du Maine ayant généreusement été nanti par la nature en lacs, en rivières et en forêts, la pêche sous toutes ses formes occupe une place de choix parmi les activités extérieures. Elle se pratique à peu près partout, les eaux des lacs et des rivières étant d'une qualité irréprochable. Toutefois, la région des lacs et des montagnes se veut l'endroit de prédilection pour la pratique de cette activité. Il est à noter qu'un permis est obligatoire pour les non-résidents de 12 ans ou plus. On peut se le procurer dans les boutiques de plein air et dans les magasins de sport dûment autorisés. Pour de plus amples renseignements, adressez-vous au **Department of Inland Fisheries and Wildlife** *(284 State St., Augusta, ME 04333, ☎ 207-287-8000).*

La région des lacs des environs de Rangeley, un véritable éden pour la pêche à la mouche, regorge d'ombles de fontaine et de saumons, le plus souvent d'une taille fort respectable. D'ailleurs, c'est dans cette région qu'est née la pêche à la mouche moderne. Les lacs où cette activité se pratique sont trop nombreux pour être tous mentionnés; cependant, les lacs Rangeley, Cupsuptic et Big Kennebago sont des choix sûrs. Quant à la pêche en rivière, presque essentiellement à la mouche, on la pratique avec succès dans la rivière Kennebago, entre autres. On peut louer ou acheter tout l'équipement nécessaire, et même louer les services d'un guide chevronné, auprès de **River's Edge Sports** *(route 4, Oquossoc, ☎ 207-864-5582).*

À Bethel, bien qu'on puisse pêcher dans plusieurs rivières et lacs environnants, c'est tout naturellement vers la White Mountain National Forest qu'on se dirige. Avec ses plans d'eau immaculés et ses paysages bucoliques, l'endroit se prête à la pêche à la mouche dans les meilleures conditions. Équipement et guides sont disponibles à plusieurs endroits, notamment au **Sun Valley Sports and Guide Service** *(129 Sunday River Rd., Bethel, ☎ 207-824-7533).*

■ Rafting

Les forêts du Nord

C'est surtout dans cette partie du Maine qu'est concentrée cette activité fort populaire grâce aux cours d'eau qu'on y dénombre, idéals pour la descente de rivière. Là, sur la section ouest de la rivière Penobscot de même que sur la Dead River et la rivière Kennebec, plusieurs entreprises proposent des forfaits et excursions. **Unicorn Expeditions** (route 201, Lake Parlin, ☎800-864-2676) est du nombre, de même que **Wilderness Rafting Expedition** *(Rockwood,* ☎*800-825-9453, www. wildernessrafting.com)*. Ces deux entreprises proposent à peu près les mêmes forfaits, et l'une comme l'autre vous donnent le loisir de choisir l'embarcation désirée, soit un radeau pneumatique, un canot ou un kayak. Il convient par ailleurs de savoir qu'elles organisent des excursions tout l'été, le flot des rivières précitées étant savamment contrôlé par une série de barrages.

■ Randonnée pédestre

La côte sud

Le **Mount Agamenticus** *(entrée libre; tlj du lever au coucher du soleil; accès par Mountain Rd. depuis la route 1, York,* ☎*207-363-1040)*, avec ses modestes 200 m d'élévation, constitue malgré tout le plus haut «sommet» de la côte atlantique entre York et la Floride. Un petit sentier mène tout en haut et offre une vue imprenable sur la «chaîne présidentielle» (Presidential Range) ainsi que sur l'océan Atlantique.

Wells National Estuarine Research Reserve at Laudholm Farm (voir p 338).

Long de plus de 1 km, le **Marginal Way** suit la plage depuis le centre-ville d'Ogunquit jusqu'au quai de Perkin's Cove. Ce sentier, don de Josiah Chase effectué dans les années 1920, offre aux visiteurs une exquise rencontre avec la mer.

Située à quelques centaines de mètres à l'est de Kennebunkport, la presqu'île de la **Vaughn's Island Preserve** (on y accède à pied 3 heures avant ou 3 heures après la marée haute) vous permet de suivre des sentiers de randonnée au cœur d'une futaie.

Le **Scarborough Marsh Audubon Center** *(mi-juin à sept 9h30 à 17h30; Pine Point Rd.,* ☎*207-883-5100, www.maineaudubon.org)* constitue le plus gros marais salant du Maine. On peut y faire du canot ainsi que de la randonnée pédestre sur les sentiers environnants.

Plusieurs sentiers ont été aménagés à l'intérieur du **Gilsland Farm Audubon Center** *(entrée libre; 20 Gilsland Farm Rd., Falmouth,* ☎*207-781-2330, www.maineaudubon.org)*.

Le **Fort Allan Park**, qui date de 1814, défie paisiblement le vent du haut de sa colline. On accède également à l'**Eastern Promenade**, dessinée par Frederick Law Olmsted. Il s'agit du même architecte qui a gratifié Boston de son Emerald Necklace, New York du désormais célèbre Central Park et Montréal du parc du Mont-Royal. Cette promenade constitue une excellente façon de découvrir la richesse architecturale de Portland. Il en est de même pour la **Western Promenade**, qui offre le même attrait avec, en plus, une vue sur la rivière Fore.

La côte centrale

Monhegan Island vous réserve des kilomètres de sentiers de randonnée pour le moins stupéfiants. En fait, les paysages de cette île rocheuse sont si époustouflants que des artistes du monde entier ont voulu les reproduire. Les sentiers de l'île Monhegan varient en difficulté (de modérés à franchement laborieux), de sorte qu'il convient de prendre des précautions supplémentaires au moment de les arpenter.

Downeast Acadia

Acadia National Park
20$ laissez-passer de sept jours
☎207-288-3338

Il y a plus de 190 km de sentiers de randonnée au sein de l'Acadia National Park. On a donc le choix des sentiers, qui vont de plats et faciles jusqu'au **Precipice Trail** (2,6 km), un sentier aussi abrupt et difficile que son appellation le suggère. Pour sa part, le sentier du **Jordan Pond Shore** (5,3 km), de difficulté moyenne, longe le rivage et comporte des parties rocheuses. Le sentier du **Champlain Mountain Bear Brook** (3,6 km), également de difficulté moyenne, donne l'occasion d'admirer les panoramas saisissants de la Frenchman's Bay.

Du côté de Southwest Harbor, le sentier de **Beech Mountain** (1,9 km) est l'occasion d'une ascension assez exténuante jusqu'au sommet. L'effort vaut cependant le coup, car la vue sur les îles et les montagnes environnantes est à couper le souffle.

La région des lacs et des montagnes

L'**Appalachian Trail**, le plus célèbre des sentiers de randonnée américains, traverse une bonne partie du Maine avant de termi-

Le Maine - Activités de plein air

ner son parcours dans le Baxter State Park. On le retrouve notamment ici, dans la région des lacs et des montagnes, à Andover, jusqu'à la Saddleback Mountain. On rejoint le sentier par la route 17, près d'Oquossoc. De là, l'Appalachian Trail se rend jusqu'à la route 4, sur une distance de 20 km de difficulté moyenne.

Pour une randonnée facile en famille, empruntez le sentier de **Bald Mountain** (1,7 km), situé près de la route du même nom; assurez-vous de vous rendre jusqu'au sommet, près de la vieille tour à feu, pour contempler le panorama superbe et les montagnes des alentours.

Le **Grafton Notch State Park**, près de Bethel, offre maints sentiers de randonnée fort pittoresques, entre autres celui des **Mother Walker Falls** (2 km), qui mène à la chute éponyme. Le point d'accès à l'Appalachian Trail se trouve également ici, tout comme celui du sentier de **Bald Pate Mountain**.

Les forêts du Nord

Le **Baxter State Park** et son fort populaire **Mount Katahdin** recèlent une multitude de sentiers de randonnée, parmi les plus sensationnels de la Côte Est.

Le mythique **Mount Kineo**, au milieu du lac Moosehead, près de Rockwood, offre quatre sentiers de randonnée pour qui veut d'abord faire l'effort de se rendre sur cette presqu'île, accessible seulement par bateau (une navette quitte Rockwood aux heures). Une fois rendu sur place, longez le golf pour atteindre la base du mont Kineo, où deux sentiers permettent d'atteindre le sommet: l'un plus facile, le **Bridle Trail** (1,6 km), l'autre plus difficile mais aussi beaucoup plus intéressant, l'**Indian Trail** (1,6 km). La vue qui s'offre en contrebas est fantastique et permet de mieux imaginer le refuge pour villégiateurs fortunés que fut jadis Kineo Island.

■ Ski alpin et planche à neige

La région des lacs et des montagnes

Le Maine renferme le plus haut sommet propice aux sports de glisse de la Nouvelle-Angleterre: le mont Sugarloaf. La station d'hiver **Sugarloaf/USA** *(5092 Sugarloaf Access Rd., Carrabasset Valley,* ☎*207-237-2000 ou 800-843-5623, www.sugarloaf.com)* n'a rien à envier aux ténors du genre. Outre son altitude de 431 m à partir de la base et une descente de 860 m, elle présente 131 pistes aux skieurs et planchistes de tous niveaux. Ces derniers se voient d'ailleurs réserver deux parcs de jeu et une demi-lune. Comme tous les mégacentres du genre, une flopée d'hôtels, de copropriétés locatives, de boutiques et de restaurants à la mode s'étend au pied des pentes pour former le fameux «village». Coût des remontées: 61$/jour.

C'est une autre atmosphère, plus familiale celle-là, qui prévaut à **Saddleback Maine** *(Saddleback Mountain Rd.,* ☎*207-864-5671 ou 866-918-2225, www.saddlebackmaine.com)*. Il faut dire qu'ici les ambitions sont plus modestes, la montagne n'offrant qu'une quarantaine de pistes. Mais le petit village au pied des pistes est charmant et convivial. Coût des remontées: 40$/jour.

Le **Sunday River Ski Resort** *(Bethel,* ☎*207-824-3000, www.sundayriver.com)*, en plus de présenter de beaux défis à tous les types de skieurs, offre, depuis le haut des pentes, une vue imprenable sur le mont Washington à l'horizon. On y dénombre plus de 126 pistes, notamment la plus longue de l'est des États-Unis, la bien nommée White Heat. Et bien sûr, les planchistes y trouveront leur parc de jeu spécifique et une demi-lune assez impressionnante. Coût des remontées: 63$/jour.

■ Ski de fond

Downeast Acadia

Au sein de l'Acadia National Park, les fameuses **Carriage Roads**, ces pittoresques chemins de calèches d'antan qui sillonnent le parc, deviennent, l'hiver venu, de reposants sentiers de ski de fond lorsque le parc est livré au silence de la morte saison, loin des hordes de touristes estivales.

La région des lacs et des montagnes

Rangeley offre 65 km de sentiers de ski de fond bien entretenus à travers de grandioses panoramas. Au fil des multiples embranchements, le skieur peut choisir des sentiers bien identifiés, au gré de son habileté. Le tout est sous la supervision du **Rangeley Cross Country Ski Club** (☎*207-864-4309)*.

La région de Bethel, quant à elle, propose ses 100 km de sentiers, entre autres aux alentours du **Sunday River Cross Country Ski Center** *(Sunday River Rd., Newry,* ☎*207-824-2410)*, où l'on peut louer de l'équipement. De plus, les sentiers de la White Mountain National Forest et du non moins pittoresque Grafton Notch State Park sont accessibles à courte distance de Bethel.

■ Vélo

La côte du Maine est une région qui se prête à merveille aux randonnées cyclistes. En suivant la route 1, vous serez amené à voir toutes les magnifiques baies et villages qui parsèment la côte. De plus, comme il s'agit d'une plaine côtière, vous n'aurez pas à affronter des ascensions interminables. Une seule ombre au tableau: la circulation qui a tendance à devenir très dense en période de pointe.

Si vous ne voulez ou ne pouvez pas emporter votre vélo, il est facile d'en louer un sur place. Voici quelques adresses susceptibles de vous aider:

La côte sud

Wheels and Waves
route 1
Wells
☎207-646-5774

Cape-Able Bike Shop
83 Arundel Rd.
Kennebunkport
☎207-967-4382

Cycle Mania
59 Federal St.
Portland
☎207-774-2933

La côte centrale

Tidal Transit
18 Granary Way
Boothbay Harbor
☎207-633-7140

Ragged Mountain Sports
46 Elm St.
Camden
☎207-236-9754

Birgfeld's Bike Shop
route 1
Searsport
☎207-548-2916

Downeast Acadia

Le réseau en gravier des **Carriage Roads** au sein de l'**Acadia National Park** se prête admirablement bien à la randonnée à vélo; ses larges chemins sinueux, qu'on dirait tracés par la nature tellement ils font corps avec elle, constituent un moyen privilégié de découvrir l'environnement unique de ce parc fort apprécié. Il s'agit d'un parcours d'une soixantaine de kilomètres, agrémenté de plusieurs ouvrages d'art tels que ponts, remparts et garde-fous, tous construits avec de la pierre locale. Par ailleurs, la **Park Loop Road**, bien que partagée avec les voitures, représente également un excellent choix. On peut louer des vélos au **Bar Harbor Bicycle Shop** *(141Cottage St.,* ☎*207-288-3886)* ou chez **Acadia Bike** *(48 Cottage St., Bar Harbor,* ☎*800-526-8615)*.

Pour une balade qui sort de l'ordinaire, dirigez-vous du côté de **Southwest Harbor** et pédalez sur la Western Mountain Road. On l'atteint par la route 102 et la Seal Cove Road. Un peu plus loin, au lieu-dit **Gilley Field**, la route non revêtue offre un parcours des plus énergisants à travers bois, dont la végétation luxuriante vous rafraîchira agréablement.

La région des lacs et des montagnes

Pour une expérience de vélo sans pareille, allez vous balader du côté de Bethel et empruntez la route 26, qui serpente à travers le **Grafton Notch State Park**. En plus de croiser ponctuellement des panoramas de toute beauté, vous y serez à proprement parler enveloppé par le couvert des arbres, qui se rejoignent en plusieurs endroits au-dessus de la route.

▲ Hébergement

La côte sud

Kittery

Enchanted Nights
Bed & Breakfast
$$-$$$$ pdj
≡ ⚕ ⚠ ⊚

29 Wentworth St.
☎ 207-439-1489
www.enchanted-nights-bandb.com

Le gîte touristique Enchanted Nights est aménagé dans une maison victorienne rénovée avec goût. L'accueil simple et sans prétention du gentil couple californien propriétaire de l'établissement s'avère toujours apprécié.

Portsmouth Harbor Inn & Spa
$$$-$$$$ pdj
≡ ❋ ⅄

6 Water St.
☎ 207-439-4040
www.innatportsmouth.com

Le Portsmouth Harbor Inn & Spa est installé dans une magnifique maison victorienne. On se laisse facilement charmer par une des cinq chambres et par la vue de la rivière Piscataqua. Enfin, le confort, l'accueil formidable et la grande qualité du petit déjeuner font de cet établissement une adresse à retenir à Kittery. Les enfants de moins de 12 ans ne sont pas admis.

York Harbor

Inn at Harmon Park
$$-$$$ pdj
bp/bc ≡ ⚠

415 York St.
☎ 207-363-2031

L'accueil chaleureux que l'on reçoit à l'Inn at Harmon Park fait partie des habitudes de la maison. Les propriétaires qui ont reconverti en gîte cette maison victorienne bâtie à la fin du XIXᵉ siècle comptent plus de 20 ans d'expérience à titre d'hôtes, et cela se voit. On se réveille doucement pour descendre vers la terrasse où est servi un bon petit déjeuner à la française. Que demander de plus?

York Harbor Inn
$$$-$$$$ pdj
Ⅲ @ ⊚ ⚠

Coastal route 1A
☎ 207-363-5119 ou 800-343-3869
🗎 207-363-7151
www.yorkharborinn.com

Décidément l'un des plus beaux établissements hôteliers de la région, le York Harbor Inn allie luxe et bon goût. Fière d'une tradition d'excellence depuis près de 100 ans, cette auberge réussit à charmer les visiteurs année après année. Vous remarquerez l'ameublement composé d'antiquités ainsi que la décoration de bon ton. Chacune des 54 chambres a un charme particulier qui confère au York Harbor Inn une atmosphère bien à lui.

York Beach

Union Bluff Hotel
$$$-$$$$
Ⅲ ≡ ⊚

8 Beach St.
☎ 207-363-1333 ou 800-833-0721
www.unionbluff.com

Bien que ses chambres soient légèrement chères, l'Union Bluff Hotel rafle la palme pour son identité bien particulière. Haut de quelques étages, ce bâtiment blanc rappelle les vieux hôtels des films des années 1950. Les chambres modestes, mais confortables, offrent une agréable vue sur la mer.

Ogunquit

Seafarer Motel
$$-$$$ pdj
≡ ≋ ☀

route 1
☎ 207-646-4040 ou 800-646-1233
www.seafarermotel.com

Le Seafarer propose un choix de chambres et de suites bien tenues et commodément situées sur la route 1, à quelques minutes seulement du centre-ville d'Ogunquit et de la plage. Nombre d'unités bénéficient d'une cuisinette et de plusieurs lits, ce qui en fait un établissement tout indiqué pour des vacances en famille ou en groupe. Ce motel compte en outre quelques touches appréciables, entre autres des piscines intérieure et extérieure.

The Meadowmere Resort
$$-$$$
≡ ⊛ ❋ ⚠ ⊚ ☀ ⅄ Ⅲ ⟰ ≋

74 Main St.
☎ 207-646-9661 ou 800-633-8718
www.meadowmere.com

Le Meadowmere Resort est situé à proximité du centre d'Ogunquit et dispose de tous les services habituels d'un établissement de villégiature, le tout à un prix tout à fait raisonnable. Ses 145 chambres offrent un bon confort, et la plupart d'entre elles donnent accès à un petit balcon ou à une terrasse privée.

The Colonial Inn
$$$ pdj
≡ ≋

145 Shore Rd.
☎ 207-646-5191 ou 800-233-5191
www.thecolonialinn.com

Le grand complexe hôtelier qu'est le Colonial Inn propose une solution intermédiaire raisonnable par rapport aux prix toujours plus hauts des autres établissements. Les chambres sont sans surprise mais confortables. On peut également y louer de petits appartements tout équipés ou des studios. Une bonne adresse pour son rapport qualité/ prix.

The Old Village Inn
$$$
≡ ⛟ ❄ @ ♨

250 Main St.
☎ 207-646-7088
🖩 207-646-7089
www.theoldvillageinn.com

Situé au cœur de l'action à Ogunquit, l'Old Village Inn offre un excellent rapport qualité/prix. La décoration est juste et sans artifice, alors que les chambres sont de dimensions quelque peu restreintes. Le service courtois et aimable est plus qu'apprécié.

The Aspinquid
$$$-$$$$
≋ ≡ ☻

57 Beach St.
☎ 207-646-7072
🖩 207-646-1187
www.aspinquid.com

Ne vous laissez pas effrayer par l'apparence de l'Aspinquid, car on y trouve un choix intéressant. Ainsi vous avez la possibilité de louer studios ou appartements, ou encore des chambres régulières à prix raisonnable, le tout à quelques minutes de la plage. Les chambres sont confortables.

Nellie Littlefield House
$$$$-$$$$$ pdj
≡

27 Shore Rd.
☎ 207-646-1692
www.nellielittlefieldhouse.com

En pénétrant à l'intérieur de la Nellie Littlefield Hou-

16 Beach Street B&B
$$$$ pdj
≡

16 Beach St.
☎ 207-221-5329 ou 866-356-8207
www.16beachstreet.com

Parmi la ribambelle de lieux d'hébergement qui s'offrent au voyageur à Ogunquit, il serait difficile d'en dénicher un qui soit mieux situé que le charmant 16 Beach Street B&B: directement au centre-ville et à quelques minutes à peine de la plage et du joli sentier qu'est le Marginal Way. Cette élégante maison typique de la Nouvelle-Angleterre fut achetée en 2002 par les sympathiques hôtes, Linda et Dick, qui l'ont convertie en gîte touristique en 2006. Elle comprend quatre chambres spacieuses et décorées avec goût. Une salle commune est mise à la disposition des invités, qui peuvent aussi profiter de l'agréable véranda par temps chaud. Le délicieux petit déjeuner, ainsi que le thé et les scones maison servis en après-midi, ajoutent au plaisir d'un séjour déjà mémorable.

se, vous aurez l'impression de remonter dans le temps. La simplicité de l'accueil, la qualité et le confort des chambres, et une attention toute spéciale, confèrent à ce gîte touristique une personnalité bien à lui.

Kennebunkport

Captain Fairfield Inn
$$$-$$$$ pdj
≡ @ ♿ ⊜

8 Pleasant St., angle Green St.
☎ 207-967-4454

Maison d'architecture Federal datant de 1813, le Captain Fairfield Inn brille par la qualité de son service. Vous y trouverez neuf chambres confortables, agréablement décorées d'antiquités et de divers objets rappelant l'époque des grands voiliers. Informez-vous des différentes réductions proposées selon les saisons.

English Meadows Inn
$$$-$$$$ pdj
≡ ☻

141 Port Rd.
☎ 207-967-5766 ou 800-272-0698
www.englishmeadowsinn.com

Situé au cœur de Kennebunkport, l'English Meadows Inn accueille les visiteurs dans une ferme victorienne reconvertie en gîte touristique. La décoration, composée d'antiquités agencées dans la plus pure tradition de la Nouvelle-Angleterre, définit bien la

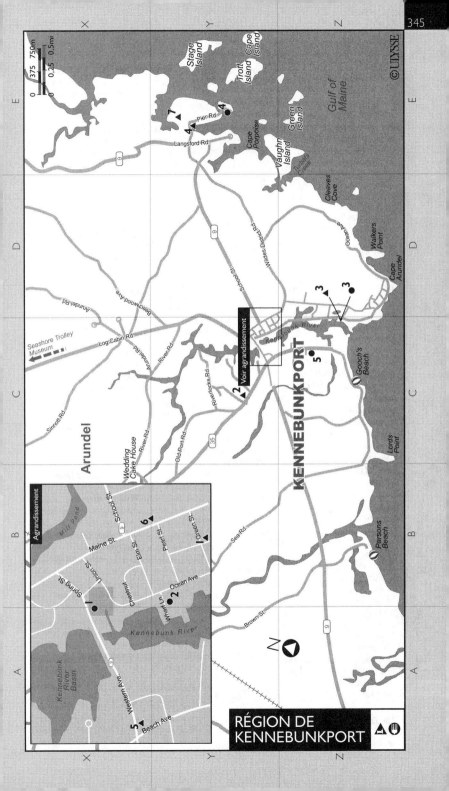

RÉGION DE
KENNEBUNKPORT

personnalité de cet établissement. Les chambres spacieuses sont réparties entre les deux maisons, chacune ayant un charme particulier. Alors que celles qui se trouvent dans la maison principale sont plus belles et plus luxueuses, les petits studios de la seconde maison conviendront davantage aux familles dans la mesure où ils sont équipés d'une cuisinette.

Green Heron Inn
$$$-$$$$ pdj
126 Ocean Ave.
☎207-967-3315
www.greenheroninn.com
Face au port de Kennebunkport, le Green Heron Inn offre un bon rapport qualité/prix. L'accueil informel et amical, conjugué aux chambres sans luxe mais confortables, confère à cet établissement toute sa valeur. Le Shannon Cottage, une charmante maison située à deux pas, peut également être louée. Elle comprend deux chambres.

King's Port Inn
$$$-$$$$ pdj
angle Beach Ave. et Western Ave.
☎207-967-4340 ou 800-286-5767
📠207-967-4810
www.kingsportinn.com
Le King's Port Inn offre un confort acceptable ainsi qu'un emplacement avantageux, à quelques pas du Dock Square. Les 33 chambres, sans éclat, s'avèrent tout de même convenables. Quelques suites plus luxueuses sont également disponibles. Il s'agit d'un bon choix pour les personnes à la recherche d'une adresse à prix abordable et bien située.

The Maine Stay Inn & Cottages
$$$$ pdj
34 Maine St.
☎207-967-2117 ou 800-950-2117
www.mainestayinn.com
Outre la beauté de l'établissement, au Maine Stay c'est l'incroyable qualité de l'accueil qui prime. Cet établissement aménagé dans une maison datant de 1860, inscrite sur le registre national des sites historiques, charmera les visiteurs les plus sceptiques.

Inn at Harbor Head
$$$$-$$$$$ pdj
41 Pier Rd.
☎207-967-5564
📠207-967-1294
L'Inn at Harbor Head figure parmi les établissements les plus charmants du Maine. L'accueil chaleureux et attentionné, la qualité du petit déjeuner et le confort incontestable des chambres assurent aux visiteurs un séjour mémorable. Ajoutez à cela le calme et la tranquillité de Cape Porpoise Harbor, et vous jugerez que vous êtes au paradis.

The White Barn Inn & Spa
$$$$$ pdj
37 Beach Ave.
☎207-967-2321
📠207-967-1100
www.whitebarninn.com
Membre de la prestigieuse association des Relais & Châteaux, le White Barn Inn figure parmi les établissements les plus luxueux de la région. Les chambres confortables, la décoration composée d'antiquités ainsi que le service attentionné lui valent une renommée internationale. De plus, le restaurant de l'auberge (voir p 359) est tout aussi réputé.

Old Orchard

La région d'Old Orchard regorge d'hôtels et de motels de tout acabit. Malheureusement, avec les années, nombre d'entre eux n'ont pas su déployer les efforts nécessaires afin de maintenir leur établissement à un niveau de qualité acceptable. Au moment de choisir une chambre, surtout si vous décidez de vous rendre sur place sans réservation, il est fortement conseillé d'en visiter quelques-unes au préalable. Aussi, la présence des voies ferrées qui traversent l'endroit est un autre élément à garder en tête lors de votre choix d'établissement, car les nuits peuvent être longues si vous êtes constamment dérangé.

Puisque plusieurs voyageurs recherchent des terrains de camping, voici quelques adresses susceptibles de les satisfaire. Comme le camping est très populaire dans la région, il est fortement recommandé de réserver avant de se rendre sur place.

Bayley's Camping Resort
275 Pine Point Rd., Scarborough
☎207-883-6043
www.bayleys-camping.com

Old Orchard Beach Campground
route 5, Ocean Park Rd.
☎207-934-4477

Wagon Wheel RV Resort & Cabins
3 Old Orchard Rd.
☎207-934-2160

Americana Motel
$$
angle First St. et Heath St.
☎207-934-2292 ou 800-656-9662
www.americanaoldorchard.com
Bien situé, à quelques minutes de marche de la plage et

du Pier, l'Americana Motel propose une série de chambres semblables les unes aux autres, mais propres et bien tenues. Les enfants sont les bienvenus, les moins de 16 ans y étant reçus gratuitement. Une bonne adresse à prix abordable.

Atlantic Birches Inn
$$-$$$ pdj
≋●≡

20 Portland Ave.
☎207-934-5295 ou 888-934-5295
www.atlanticbirches.com
Toujours dans la tradition des maisons victoriennes reconverties en lieu d'hébergement, l'Atlantic Birches Inn se compose de cinq chambres confortables et bien décorées. C'est à l'ombre des bouleaux que l'on peut, le matin venu, déguster un bon café avant d'aller attaquer les vagues de cette plage incontournable qu'est Old Orchard Beach. Cinq chambres supplémentaires sont situées dans la Cottage House attenante à la maison.

Portland

Embassy Suites Hotel
$$$ pdj
≡ ≋ ▬ ♨))) ✳

1050 Westbrook St.
☎207-775-2200 ou 800-753-8767
www.embassysuitesportland.com
Ce grand hôtel situé tout à côté du Portland International Jetport loue des suites de luxe dans un environnement que complètent une piscine intérieure, un bain à remous, un sauna et un centre de conditionnement physique, de sorte que vous pourriez être tenté de ne jamais quitter les lieux.

Inn on Carleton Street
$$$-$$$$ pdj
46 Carleton St.
☎207-775-1910 ou 800-639-1779

☎207-761-0956
www.innoncarleton.com
On apprécie spécialement l'accueil de l'Inn on Carleton Street. Bien situé, cet établissement confortable et décoré d'antiquités victoriennes saura satisfaire les critiques les plus ingrats.

Eastland Park Hotel
$$$$ pdj
≡ ♨ @ ✈

157 High St.
☎207-775-5411 ou 888-671-8008
☎207-775-2872
www.eastlandparkhotel.com
Rénové afin de lui rendre sa gloire de 1927, l'Eastland Park Hotel est idéalement situé à proximité des musées et des boutiques de Portland. L'hôtel compte 202 chambres spacieuses et confortables, mais à la décoration plutôt froide. Celles des étages supérieurs offrent une vue spectaculaire sur la ville et le port. Service professionnel.

Pomegranate Inn
$$$$-$$$$$ pdj
≡ ▲

49 Neal St.
☎207-772-1006 ou 800-356-0408
☎207-733-4426
www.pomegranateinn.com
Le Pomegranate Inn héberge les visiteurs dans huit chambres. Les propriétaires ont su décorer leur établissement avec goût. Chacune des chambres porte une marque particulière, que ce soit les meubles antiques, la tapisserie ou encore les draperies: tout est superbe. Une très bonne adresse, quoiqu'un peu chère.

Freeport

Recompence Shore Campsites
$
✈

134 Burnett Rd.
☎207-865-9307

www.freeportcamping.com
Les Recompence Shore Campsites sont situés sur les abords de la baie de Casco. On y retrouve 100 emplacements boisés qui plairont aux amateurs de camping rustique.

Maine Idyll Motor Court
$-$$ pdj
●▲✈

1411 route 1
☎207-865-4201
Le Maine Idyll dispose de 20 cottages rustiques dispersés dans un joli bosquet d'arbres aux abords immédiats de Freeport. Les maisonnettes en question sont de dimensions variables, peuvent loger de deux à six personnes et renferment chacune une salle de bain moderne avec douche ou baignoire, un chauffage au gaz ou à l'électricité, un téléviseur couleur, un porche frontal et des lits très confortables. Plusieurs d'entre elles possèdent un foyer (le bois est fourni) et une cuisinette.

La côte centrale

Brunswick

Brunswick Bed & Breakfast
$$$ pdj
≡ @

165 Park Row
☎207-729-4914 ou 800-299-4914
www.brunswickbnb.com
Installé en face du parc municipal, ce gîte touristique, aménagé dans une grande maison de style néogrec datant de 1849 et entièrement restaurée, propose 15 chambres pourvues de lits confortables et de salles de bain privées, et se voit décoré d'antiquités, de fleurs fraîchement coupées, de

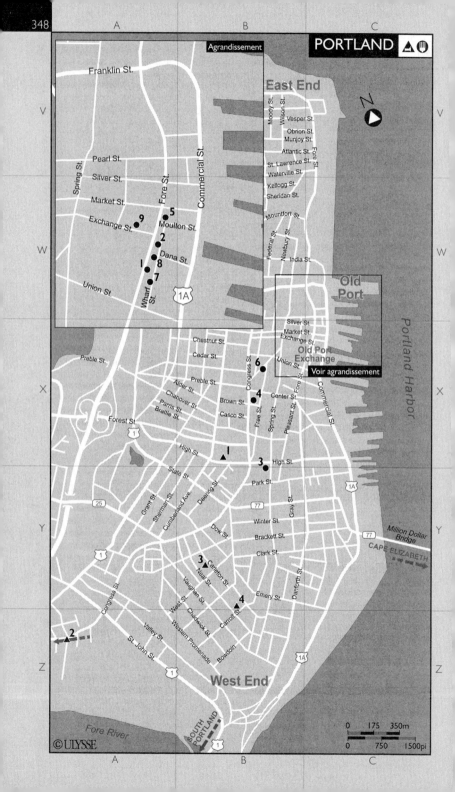

PORTLAND △ 🍴

East End

N

Agrandissement

Franklin St.

Moody St.
Wilson St.
Vesper St.
Obrion St.
Munjoy St.
Atlantic St.
St. Lawrence St.
Waterville St.
Kellogg St.
Sheridan St.

Mountfort St.

Commercial St.

Spring St.

Pearl St.
Silver St.
Market St.
Exchange St.

Fore St.

Moulton St.

9
5
2
8
1
7

Union St.

Wharf St.

1A

Federal St.
Newbury St.

India St.

Old Port

Voir agrandissement

Silver St.
Market St.
Exchange St.

Old Port Exchange

Union St.

Portland Harbor

Chestnut St.
Cedar St.

Congress St.

Preble St.

Preble St.
Alder St.
Chanover St.
Parris St.
Brattle St.

Brown St.

Casco St.

6

4

Center St.
Spring St.
Pleasant St.

Fore St.

Commercial St.

Forest St.

1

High St.

▲**1**

3 High St.

State St.

Park St.

1A

25

Grant St.
Sherman St.
Cumberland Ave.
Deering St.

Dow St.

77

Winter St.

Brackett St.

Gray St.

Million Dollar Bridge

77

CAPE ELIZABETH

1

Clark St.

3 ▲ Carleton St.
Neal St.

Vaughan St.
West St.
Chadwick St.
Western Promenade

Carroll St.

Emery St.

Danforth St.

4 ▲

▲**2**

Valley St.

St. John St.

1

Bowdoin St.

1A

West End

Congress St.

Fore River

SOUTH PORTLAND

1

0   175   350m
0   750   1500pi

©ULYSSE

▲ HÉBERGEMENT

1. BX Eastland Park Hotel
2. AZ Embassy Suites Hotel
3. BY Inn on Carleton Street
4. BY Pomegranate Inn

● RESTAURANTS

1. Granny's Burritos
2. Gritty's McDuff's Portland Brew Pub
3. BY Katahdin
4. BX Margaritas
5. Old Port Tavern Restaurant
6. BX Soak Foot Sanctuary and Teahouse
7. Street and Co
8. Vignola
9. Walter's Café

Note: les établissements sans coordonnées sont positionnés sur l'agrandissement.

---

vieilles photographies et de courtepointes faites par la propriétaire elle-même. Le rez-de-chaussée présente de larges baies vitrées ainsi qu'un porche enveloppant, et comporte deux salons rehaussés de cheminées de même qu'une salle où l'on vous sert un petit déjeuner complet après une bonne nuit de sommeil. L'établissement est commodément situé tout près du marché public, à distance de marche des plages, des musées et des attraits de la ville.

Phippsburg

Spinney's Guesthouse and Cottages
$$ chambre
$$-$$$ cottage
♨ ☙

987 Popham Rd.
☎ 207-389-2052

Les installations du Spinney's, qui comprennent un restaurant (voir p 361), constituent le seul établissement commercial à des kilomètres à la ronde, ce qui en fait un lieu de retraite rêvé. L'ensemble repose aussi près de Popham Beach qu'il est possible de le concevoir sans craindre de voir les fondations s'enfoncer dans le sable. Les trois cottages qu'on loue ici renferment des cuisinettes et sont bien pourvus de tous les ustensiles et acces-

soires nécessaires à un long séjour. Ils sont rustiques, certes, quoique attrayants et typiquement représentatifs de la Nouvelle-Angleterre. Quant aux chambres d'hôte, elles se révèlent un peu plus exiguës, mais demeurent à proximité d'une des plus belles plages du Maine, ce qui est loin d'être négligeable.

Wiscasset

Snow Squall Inn
$$-$$$ pdj
≡ ▲

5 Bradford Rd.
☎ 207-882-6892
🖶 207-882-6832
www.snowsquallinn.com

Les différentes salles communes de ce lieu d'hébergement on ne peut plus invitant sont lumineuses, décorées avec goût et rehaussées de beaux meubles, sans parler du charme propre à cette région du Maine qu'est le Downeast. Les quatre principales chambres d'hôte de la maison, la «White Falcon», la «Golden Horn», la «Flying Eagle» et l'«Ocean Herald», tout comme les trois suites de la remise à calèches, la «Red Jacket», la «Windward» et la «Defiance Suite», portent les noms de clippers construits dans le Maine, et leur décoration reflète à merveille, sur un mode rustique, la longue tradition maritime de la région.

Chaque chambre possède une salle de bain privée, un grand lit ou un très grand lit, de même qu'un téléphone, et certaines disposent d'un foyer fonctionnel.

Boothbay Harbor

Cap'n Fish's Waterfront Inn
$$
≡ ♨

65 Atlantic Ave.
☎ 207-633-6605 ou 800-633-0860
www.capnfishmotel.com

À seulement 2 min de marche de la passerelle piétonnière qui enjambe le port, le Cap'n Fish's est un des établissements les plus abordables de Boothbay. Les chambres qui donnent sur le port se veulent un peu plus chères, mais il faut avouer que la vue sur le splendide littoral de la baie est vraiment spectaculaire. Lorsque vous logez chez le capitaine, vous avez en outre droit à un rabais applicable aux excursions d'observation des baleines et des puffins qu'il organise.

Ocean Point Inn
$$$
≡ ♨ ≈ ▲ ❋

191 Shore Rd.
☎ 207-633-4200 ou 800-552-5554
www.oceanpointinn.com

Installée tout au bout de l'Ocean Point, l'auberge éponyme bénéficie d'un cadre vraiment stupéfiant. Vous y aurez le choix entre

Le Maine - Hébergement - La côte centrale

un cottage à clins de bois blancs, une des chambres à l'intérieur de l'auberge ou une des suites de l'ancien bâtiment de ferme, les prix variant selon votre préférence. L'auberge s'entoure de vastes jardins et pelouses en bordure du magnifique littoral et possède une piscine, un restaurant, de même qu'une salle de bar où l'on sert des cocktails.

Admiral's Quarters Inn
$$$-$$$$ pdj
≡ ▲

71 Commercial St.
☎ 207-633-2474 ou 800-644-1878
🖷 207-633-5904
www.admiralsquartersinn.com
L'Admiral's Quarters Inn, qui date de 1830, est admirablement bien situé au bord de l'eau. Ses hôtes qualifient l'atmosphère qui y règne de «chic et décontractée». Chaque chambre bénéficie d'une entrée et d'une terrasse privées avec vue sur le port, et leur décoration rehaussée de motifs floraux, d'antiquités et de meubles en osier blanc ne fait qu'ajouter au caractère «Nouvelle-Angleterre» de cette ancienne maison de capitaine.

Spruce Point Inn Resort & Spa
$$$-$$$$$
≡ ♨ ≈ ⚓ Y ▲ @ ☎ ◉

88 Grandview Ave.
☎ 207-633-4152 ou 800-553-0289
🖷 207-633-6347
www.sprucepointinn.com
Posé sur une magnifique propriété de 23 ha en front de mer, sur la pointe d'une péninsule privée, le Spruce Point Inn se trouve à seulement 5 min de route du centre-ville de Boothbay Harbor. Ses jardins et ses pelouses permettent de profiter au mieux de somptueux panoramas, des brises océaniques et de couchers de soleil romantiques

à souhait. On y loue aussi bien des cottages privés que des chambres d'hôte et des suites, et les installations comprennent des piscines chauffées, des courts de tennis, un gymnase et un restaurant gastronomique.

Pemaquid Point

The Bradley Inn
$$$-$$$$$ pdj
≡ ♨ ▲

3063 Bristol Rd., New Harbor
☎ 207-677-2105 ou 800-942-5560
🖷 207-677-2105
www.bradleyinn.com
Cette charmante maison du tournant du XXᵉ siècle a été transformée en un ravissant lieu d'hébergement pourvu de 12 grandes chambres, d'une décoration à l'ancienne et d'un immense jardin. Elle se trouve par ailleurs à distance de marche du Pemaquid Point Lighthouse, un des phares les plus spectaculaire de la côte. Quatre chambres additionnelles se trouvent dans la Carriage House et le Garden Cottage situés à proximité de la maison. Vous trouverez également sur place des bateaux, un restaurant et une taverne.

Rockland

Berry Manor Inn
$$$-$$$$ pdj
≡ ▲ @ ◉

81 Talbot Ave.
☎ 207-596-7696
www.berrymanorinn.com
Bien situé dans une petite rue tranquille à proximité des boutiques et restaurants de Rockland, le Berry Manor Inn est aménagé dans un élégant manoir victorien dont la construction remonte à 1898. L'établissement compte 12 chambres spacieuses, cha-

cune décorée avec goût. L'accueil sympathique et le petit déjeuner savoureux en font un bon choix d'hébergement à Rockland.

Captain Lindsey House Inn
$$$-$$$$ pdj
≡ @

5 Lindsey St.
☎ 207-596-7950 ou 800-523-2145
www.lindseyhouse.com
Construite en 1832 pour servir de résidence à un capitaine au long cours, la Lindsey House a été reconvertie en lieu d'hébergement dès 1837. En y pénétrant, vous aurez une bonne idée de ce qui vous attend en voyant le vaste et élégant salon réchauffé par un âtre et décoré de ravissantes antiquités. Depuis les petits salons intimes jusqu'à la bibliothèque cachée, en passant par la salle à petit déjeuner ensoleillée et les splendides chambres à coucher, la Captain Lindsey House s'impose comme un havre de charme et d'élégance.

LimeRock Inn
$$$-$$$$ pdj
▲ @ ◉

96 Limerock St.
☎ 207-594-2257 ou 800-546-3762
www.limerockinn.com
Le LimeRock Inn est aménagé dans une superbe résidence victorienne de la fin du XIXᵉ siècle. Les très sympathiques hôtes, Frank et PJ, ont acheté l'auberge en 2004 et ont très bien su préserver son cachet d'antan. Les huit chambres de l'établissement sont toutes spacieuses, douillettes et agréablement décorées avec du mobilier d'époque. Nous vous recommandons fortement cet établissement, autant pour son cachet et sa situation à deux

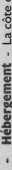

pas du Main Street Historic District que pour l'accueil chaleureux de ses hôtes qui auront tôt fait de vous faire sentir chez vous avec leurs petites attentions et leurs judicieux conseils sur les attraits et restaurants à visiter dans la région. De plus, le petit déjeuner gastronomique vous aidera à commencer votre journée du bon pied.

Camden

Cedar Crest Motel
$$
🗒 ≡ ≈ ❀
115 Elm St.
☎ 207-236-4839 ou 800-422-4964
www.cedarcrestmotel.com
Le Cedar Crest pourrait fort bien être l'établissement le plus économique de Camden. À distance de marche agréable et à quelques minutes de route seulement de la ville, ce motel a vue sur le mont Battie, et ses chambres peuvent accueillir de une à quatre personnes. Chauffage individualisé, climatisation, baignoire et douche, téléphone et télévision couleur par câble sont au rendez-vous dans toutes les chambres. Qui plus est, vous trouverez sur place un café ouvert tous les jours de 6h à 14h où vous pourrez prendre un petit déjeuner complet. Le Cedar Crest bénéficie en outre d'une piscine extérieure chauffée.

Norumbega Inn
$$$-$$$$$ pdj
△
63 High St.
☎ 207-236-4646
www.norumbegainn.com
En parcourant la route 1 entre Camden et Lincolnville, vous ne pourrez vous empêcher de remarquer au passage le Norumbega Inn, car il s'agit du seul château en pierres qu'il vous sera donné de voir dans ce coin de pays. Construit en 1886 sur la côte du Maine en surplomb sur la baie de Penobscot, le Norumbega renferme 13 chambres décorées d'élégante façon et pourvues de très grands lits à colonnes, de baignoires à pattes griffues ainsi que de foyers fonctionnels.

Searsport

Sea Captain's Inn
$$ pdj
8 Water St.
☎ 207-548-0919
Joliment niché à quelques pas de Main Street, et d'ailleurs tout aussi près de Searsport Beach, le Sea Captain's Inn a été construit en 1853 pour servir de résidence à un capitaine de navire, et sa propriétaire actuelle l'a directement achetée de la famille du capitaine en question. C'est le charpentier du navire qui a réalisé toutes les boiseries de la maison, ce qui explique que les couloirs en bois soient courbés comme la coque d'un bateau. La nouvelle propriétaire étant chef cuisinier de son état, il y a fort à parier que ses petits déjeuners vous inciteront à vous lever de bon matin, et ce, même si vous êtes en vacances, ses spécialités étant les gaufres belges, les crêpes et les quiches gastronomiques.

Bucksport

Best Western Jed Prouty Motor Inn
$$-$$$
≡ 🗒 ❀ @
64 Main St.
☎ 207-469-3113
🖷 207-469-3113
Au cœur de Bucksport, le Jed Prouty Motor Inn de la chaîne Best Western se dresse sur les berges de la rivière Penobscot et permet de contempler l'historique Fort Knox State Park de même que le pont suspendu Waldo Hancock. Les chambres donnant sur l'eau bénéficient d'ailleurs de panoramas on ne peut plus pittoresques. Les boutiques et les restaurants du centre-ville de Bucksport ne se trouvent qu'à deux pas.

Castine

Pentagöet Inn
$$-$$$ pdj
🗒 △
26 Main St.
☎ 207-326-8616 ou 800-845-1701
www.pentagoet.com
Ainsi nommé en mémoire du premier avant-poste militaire de la péninsule, le fort Pentagoet, ce vaste hôtel victorien du centre de Castine se veut des plus confortables. Son Passports Pub rappelle les salons britanniques d'autrefois et sert aussi bien de la nourriture que des boissons, tandis que chacune de ses 16 chambres possède son charme propre. Certaines d'entre elles arborent une tourelle percée d'une fenêtre panoramique, alors que d'autres disposent d'un porche ou offrent une vue sur le port. Profitez en outre de la véranda enveloppante, éclairée à la chandelle, pour goûter les brises océaniques du soir et échanger avec les autres voyageurs qui logent à la même enseigne que vous. Les petits déjeuners sont ici de véritables festins, d'autant qu'un des propriétaires a été chef cuisinier pendant des années.

Le Maine - Hébergement - La côte centrale

The Manor Inn
$$-$$$$ pdj
♨ ▲ @ ≡

Battle Ave.
☎ 207-326-4861 ou 800-464-7559
www.manor-inn.com

Le Manor Inn a été construit en 1895 dans le style victorien, puis remodelé au fil des ans jusqu'à revêtir son allure actuelle de cottage en clins de bois. Le hall, où se trouve la réception, est flanqué, d'un côté, d'un escalier richement sculpté et bordé de grandes fenêtres elles-mêmes fort délicates, et, de l'autre, d'une invitante salle commune garnie d'une cheminée massive, de fauteuils confortables et d'un piano demi-queue, dont joue à l'occasion un musicien de passage. Ce grand cottage renferme par ailleurs des chambres aux dimensions peu habituelles; quatre d'entre elles disposent d'un foyer, et toutes possèdent une salle de bain privée. Quant au restaurant de l'hôtel, il sert des repas gastronomiques tous les soirs de la semaine.

Blue Hill

Captain Isaac Merrill Inn & Restaurant
$$$ pdj
♨ ▲

1 Union St.
☎ 207-374-2555 ou 877-374-2555
🖷 775-254-9384
www.captainmerrillinn.com

La demeure du capitaine Isaac Merril date de 1830. Ce capitaine au long cours a navigué au départ de Blue Hill pendant plus de 50 ans et a ainsi effectué son dernier voyage à la barre à l'âge de 74 ans. Son arrière-petite-fille a transformé sa maison en auberge et continue d'y offrir à ce jour de magnifiques chambres, suites et appartements en plein centre-ville de Blue Hill.

Downeast Acadia

Mount Desert Island

Belle Isle Motel
$$
≡ ≋

route 3
☎ 207-288-5726

Le Belle Isle Motel se trouve à proximité de tout sur la route 3, à seulement 10 min de Bar Harbor et plus près encore de l'Acadia National Park. Les chambres sont petites, mais propres et confortables, et il s'agit d'un des établissements les plus abordables de cette île où il peut être coûteux de se loger.

Bar Harbor

Blackwoods Campground
$
🛏

route 3, à 8 km de Bar Harbor
☎ 800-365-2267

Ce terrain de camping met plus de 300 emplacements à votre disposition.

Morgan House Inn
$$ pdj
15 High St.
☎ 207-288-4325
www.barharbormorganhouse.com

Le principal atout de cette maison, par ailleurs charmante et coquette, tient au fait que son hôte occupe le poste de *ranger* à l'Acadia National Park voisin; les invités bénéficient donc d'une source privilégiée de conseils et de suggestions concernant le parc. Les chambres, sans être d'un luxe inouï, sont proprettes et chaleureuses.

Anne's White Columns Inn
$$-$$$ pdj
≡

57 Mount Desert St.
☎ 207-288-5357 ou 800-321-6379
www.anneswhitecolumns.com

Le bien nommé Anne's White Columns Inn est installé dans une élégante maison de style georgien dont la façade présente de grandes colonnes blanches. On y retrouve 10 chambres propres et confortables garnies de meubles d'époque, dont quelques-unes donnent accès à un balcon privé. L'emplacement à l'écart du brouhaha du centre-ville est propice à la détente, et les tarifs permettent de se loger à prix raisonnable à Bar Harbor.

The Black Friar Inn
$$-$$$ pdj
≡ ▲

10 Summer St.
☎ 207-288-5091
www.blackfriar.com

Les riches boiseries et le mobilier d'époque que l'on retrouve partout dans cette élégante victorienne concourent à l'aura de maison cossue et bourgeoise qui se dégage de l'ensemble. Les rafraîchissements offerts l'après-midi, parmi la profusion d'annuelles du jardin à l'anglaise, ainsi que le copieux et varié petit déjeuner, vous convaincront de sa convivialité.

Castlemaine Inn
$$-$$$$ pdj
≡ ▲ @ @

39 Holland Ave.
☎ 207-288-4563 ou 800-338-4563
🖷 207-288-4525
www.castlemaineinn.com

Cette superbe auberge servait jadis de résidence secondaire à l'ambassadeur austro-hongrois, ce qui en dit long sur son âge et sur son niveau de raffinement! Ceinturée à chaque étage d'une élégante galerie, elle est idéalement située dans une rue tranquille tout en étant à portée de l'effervescence du centre-ville. Ambiance feutrée et cachet d'authenticité garantis! Petit déjeuner de type buffet.

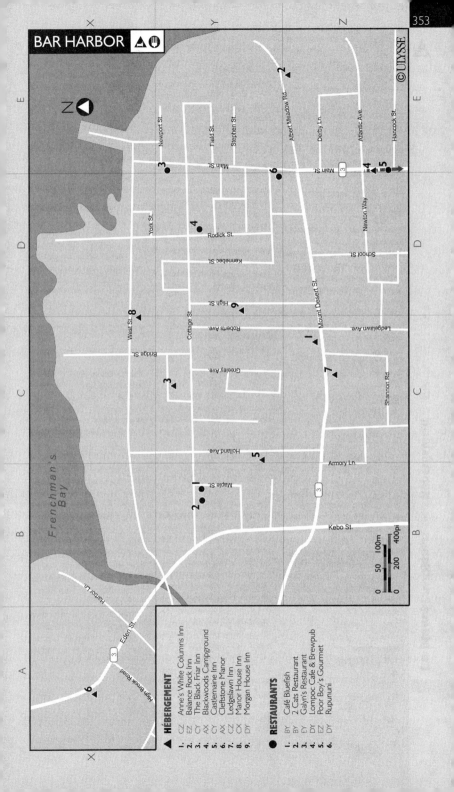

BAR HARBOR

353

N

Frenchman's Bay

©ULYSSE

▲ HÉBERGEMENT

1. CZ Anne's White Columns Inn
2. EZ Balance Rock Inn
3. CY The Black Friar Inn
4. AX Blackwoods Campground
5. CY Castlemaine Inn
6. AX Cleftstone Manor
7. CZ Ledgelawn Inn
8. CX Manor House Inn
9. DY Morgan House Inn

● RESTAURANTS

1. BY Café Bluefish
2. BY 2 Cats Restaurant
3. EY Galyn's Restaurant
4. DY Lompoc Cafe & Brewpub
5. EZ Poor Boy's Gourmet
6. DY Rupununi

Le Maine - Hébergement - Downeast Acadia

Ledgelawn Inn
$$-$$$$ pdj
≈ △))) ◎ ⚑ ≡

66 Mount Desert St.
☎ 207-288-4596 ou 800-274-5334
🖨 207-288-9968
www.ledgelawninn.com

Beaucoup des chambres spacieuses de ce lieu d'hébergement historique s'agrémentent d'une baignoire à remous, d'un sauna et d'un foyer fonctionnel. Le Ledgelawn regroupe désormais l'établissement original de 1904, avec ses 21 chambres décorées de façon individuelle, de même que la remise à calèches, qui renferme 12 chambres supplémentaires. Salon des plus chaleureux avec bar complet et véranda en surplomb sur la piscine.

Cleftstone Manor
$$$-$$$$ pdj
≡ △ ◎

92 Eden St.
☎ 207-288-8086 ou 888-288-4951
www.cleftstone.com

Érigée sur un promontoire, cette immense villa de la fin du XIXᵉ siècle comprend 17 chambres, toutes décorées avec soin dans l'esprit victorien de l'époque. Vous vous sentirez grand seigneur, tant l'allure extérieure du manoir et l'opulence de son intérieur impressionnent. L'accueil y est sans reproche, attentionné mais sans ostentation. On y sert un petit déjeuner des plus consistants, et l'apéro est offert l'après-midi.

Manor House Inn
$$$-$$$$$ pdj
△ ◎

106 West St.
☎ 207-288-3759 ou 800-437-0088
🖨 207-288-2974
www.barharbormanorhouse.com

Ce serait un euphémisme de dire que cet établissement est splendide. Avec ses clins de bois d'un jaune pâle chatoyant, son architecture inspirée et sa situation rêvée au sein d'un écrin de verdure, il s'agit là tout simplement du plus beau lieu d'hébergement de la ville. L'intérieur n'est d'ailleurs pas en reste, puisqu'il présente un hall renversant d'harmonie et de bon goût, avec le reste des pièces à l'avenant. La cuisine participe elle aussi à ce concert des plus réussis, offrant au petit déjeuner une grande variété de muffins, de pains maison et de plats chauds, le tout mettant en vedette les bleuets sauvages du Maine!

Balance Rock Inn
$$$$$ pdj
≡))) ⚑ △ ◎ ⛱

21 Albert Meadow
☎ 207-288-2610 ou 800-753-0494
www.balancerockinn.com

L'emplacement du Balance Rock Inn, dans un espace boisé au bout d'Albert Meadow et en bordure de Frenchman's Bay, fait oublier sa proximité du centre-ville grouillant de touristes de Bar Harbor. Cet ancien manoir fut bâti en 1903 pour Alexander Maitland, le magnat écossais des chemins de fer. Les chambres spacieuses et douillettes ont presque toutes un petit balcon et une vue sur la mer, et l'accès direct au **Shore Path** (voir p 325), derrière le vaste jardin de la propriété, permet de profiter de la mer en toute quiétude. Le service est professionnel tout en étant chaleureux, et le petit déjeuner saura satisfaire les plus difficiles d'entre vous.

Northeast Harbor

Kimball Terrace Inn
$$$-$$$$
≡ ⛉ ≈

Huntington Rd., près du quai
☎ 207-276-3383 ou 800-454-6225

Un sentier balisé à travers bois partant du centre-ville permet d'atteindre le Kimball Terrace Inn. Construite en 1886 par la famille Kimball, cette auberge propose de nos jours 70 chambres modernes et spacieuses dont 52 avoisinent un balcon ou une terrasse privée. Vous y bénéficierez d'une piscine extérieure, du resto-bar Main Sail et de vues pittoresques de la Northeast Harbor Yacht Marina.

Southwest Harbor

The Claremont Hotel
$$$$-$$$$$ pdj
⛉ △ ◎

Claremont Rd.
☎ 800-244-5036
www.theclaremonthotel.com

Cet hôtel de villégiature érigé au XIXᵉ siècle sur un site exceptionnel dominant le Somes Sound offre un point de vue imprenable sur ce bras de mer et les montagnes du parc Acadia. Conservant, en dépit d'une restauration, son cachet d'origine, ce monument historique saura séduire les nostalgiques de la villégiature à l'ancienne, celle où le temps n'était pas compté. Tant le mobilier d'époque qu'une certaine idée du décorum créent cette atmosphère intangible qui fait de l'endroit un espace de vie intemporel. Soyez rassuré toutefois, car l'hôtel offre tout le confort moderne qu'on s'attend à retrouver dans ce type d'établissement!

Machias

Captain Cates Bed & Breakfast
$-$$ pdj
bc @
☎ 207-255-8812
🖨 207-255-6705
www.captaincates.com

Cet élégant gîte touristique est installé dans une maison qui a été bâtie dans les années 1850, pour ensuite devenir, en 1875, la demeure du capitaine J. Willard Cates, un important négociant et propriétaire foncier de Machiasport. Chacune des six chambres est individuellement nommée et décorée de riches couleurs ainsi que de courtepointes, et toutes sauf une ont vue sur la rivière. Les trois salles de bain de l'établissement sont partagées par tous les hôtes de la maison.

Jonesport

Harbor House on Sawyer Cove
$$ pdj
27 Sawyer Sq.
☎ 207-497-5417
www.harborhs.com

Ouvert à longueur d'année, cet établissement de deux chambres a été construit en 1880 et a jadis abrité un bureau de télégraphe. Vous y trouverez par ailleurs, au rez-de-chaussée, une boutique d'antiquités, une galerie d'art et un café. Les chambres se trouvent au deuxième étage et offrent une belle vue panoramique sur la petite baie, sur Moosabec Reach et sur les îles toutes proches. Le petit déjeuner complet vous sera servi sous le porche ou à l'intérieur du café.

Lubec

Peacock House Bed & Breakfast
$$-$$$ pdj
❋

27 Summer St.
☎ 207-733-2403 ou 888-305-0036
www.peacockhouse.com

Ce gîte touristique renferme sept chambres, dont quatre revêtent l'aspect de suites agréablement aménagées. Un somptueux petit déjeuner vous sera servi à la bonne franquette, de même que le thé l'après-midi, au jardin s'il vous plaît, au cours des mois les plus chauds. Cinq générations de Peacock ont vécu dans cette maison historique et accueilli au fil des ans certains des personnages les plus en vue du Maine. Toutes les chambres offrent une salle de bain privée, un lit confortable et un cadre accueillant.

Eastport

Kilby House Inn
$-$$ pdj
bp/bc
122 Water St.
☎ 207-853-0989 ou 800-853-4557
www.kilbyhouseinn.com

Érigée en 1887 par un marin et entrepreneur local du nom de Herbert Kilby, cette maison de la fin de l'époque victorienne renferme désormais cinq adorables chambres d'hôte pourvues d'un charme et d'un décor uniques, certains de leurs meubles et accessoires antiques ayant appartenu à la famille Kilby. Le petit salon s'enorgueillit d'une grande cheminée et d'un piano demi-queue.

Milliken House Bed & Breakfast
$$ pdj
29 Washington St.
☎ 207-853-2955 ou 888-507-9370
www.eastport-inn.com

La chaleur et l'atmosphère qui se dégagent de cette belle maison de 150 ans contribuent au bonheur d'y faire une halte. Son hôtesse, d'un âge vénérable mais vive et alerte, fait tout, par sa générosité et sa gentillesse, pour vous faire sentir comme chez vous; ses muffins aux bleuets, inoubliables, vous feront craquer pour de bon!

Motel East
$$
✆ @
23A Water St.
☎/🖨 207-853-4747

Les chambres du Motel East se révèlent spacieuses et décorées avec goût, sans toutefois exsuder le charme à l'ancienne de beaucoup des auberges de la côte. Vous y trouverez de simples chambres et suites, de même que des unités dotées d'une pratique cuisinette. La plupart disposent d'un balcon privé, et toutes ont vue sur la baie de Passamaquoddy.

Calais

The Brewer House Bed and Breakfast
$$-$$$ pdj
route 1
☎ 207-454-2385
www.thebrewerhousebnb.com

Cet historique manoir de capitaine des années 1830, pour le moins majestueux et romantique, incarne toute l'élégance décontractée d'une époque depuis longtemps révolue sans pour autant être oubliée. Il repose en bordure de la Coastal route 1, à 12 mi (20 km) au sud de Calais, et ses chambres sont décorées de riches antiquités ramenées des nombreux voyages des propriétaires de la maison. La Brewer House est inscrite au registre national des lieux historiques et a par ailleurs été désignée comme le site

Le Maine - Hébergement - Downeast Acadia

officiel de l'Underground Railroad.

La région des lacs et des montagnes

Rangeley

North Country Inn Bed & Breakfast
$$ pdj
2541 Main St.
☎ 207-864-2440 ou 800-295-4968
www.northcountrybb.com
Idéalement située au cœur du village, cette splendide demeure de style colonial en impose avec sa façade à colonnade au blanc immaculé. L'intérieur, qui comprend quatre grandes chambres avec salle de bain privée, n'en est pas moins tout aussi propret. Mobilier confortable et petit déjeuner copieux accentuent l'impression de «chez-soi» qui se dégage de l'ensemble.

Rangeley Inn
$$-$$$ pdj
◎ ⩫ △
51 Main St.
☎ 207-864-3341 ou 800-666-3687
www.rangeleyinn.com
Entièrement restauré, cet hôtel historique, revêtu de clins de bois bleus et érigé au début du XXᵉ siècle, compte 35 chambres avec salle de bain privée. Le hall reflète bien le confort luxueux mais sans ostentation des lieux avec ses meubles d'époque, sa riche moquette et ses boiseries d'acajou. Stratégiquement situé dans la rue principale, tout en haut de la colline, le Rangeley Inn est flanqué d'un motel de 15 chambres qui surpasse les normes du genre.

Sugarloaf

Grand Summit Resort Hotel
$$$-$$$$$
≡ ≈ ⩫ ⩫ ⫶⫶⫶ @ ●
route 27, RR1
Carrabassett Valley
☎ 800-843-5623
www.sugarloaf.com/grandsummit
Installé au centre du village de ski, au pied des pentes, cet établissement a une situation idéale. Il présente tout le confort et les commodités qu'on s'attend à retrouver dans cette catégorie d'hébergement.

Bethel

Crocker Pond House
$$ pdj
&
917 North Rd.
☎ 207-836-2027
🖥 207-836-3304
www.crockerpond.com
Bien que la Crocker Pond House soit située à l'extérieur du village, vous aurez le coup de foudre pour cette remarquable demeure contemporaine, conçue et bâtie de ses mains par l'hôte des lieux, architecte retraité de son état. Inspirée librement de l'architecture traditionnelle de la Nouvelle-Angleterre, mais de facture résolument moderne, la maison se marie admirablement bien à l'environnement boisé que l'important fenestration permet d'admirer de tous côtés. Au petit déjeuner, monsieur Crocker vous servira lui-même sa spécialité, les crêpes de blé aux bleuets, un régal!

The Sudbury Inn
$$ pdj
≡ ⩫ △ ◎
151 Main St.
☎ 207-824-2174 ou 800-395-7837
www.sudburyinn.com
Cette grande maison victorienne, construite en 1873 et située au cœur du village, comprend 17 chambres propres et coquettes. Tout le rez-de-chaussée est dévolu à la vaste et accueillante salle à manger ornée d'un foyer et de fauteuils confortables à souhait. Son restaurant, outre qu'il sert des petits déjeuners complets, compte parmi les bonnes tables de Bethel.

The Bethel Inn Resort
$$ ½p
≡ ⩫ ● △ ◎
Village Common
☎ 207-824-2175 ou 800-654-0125
www.bethelinn.com
S'il y a un incontournable à Bethel, c'est bien cette auberge de grand style à clins de bois jaune pâle qui trône triomphalement au centre du village. Il s'agit d'un établissement qui offre en toutes saisons des forfaits comprenant deux repas par jour et toutes les activités sportives, notamment le golf, le tennis et le ski de fond.

Sebago Lakes

Sebago Lake Lodge & Cottages
$-$$$ pdj
●
White's Bridge Rd.,
North Windham
☎ 207-892-2698
www.sebagolakelodge.com
Dans le plus pur style des *lodges* d'antan, ces établissements au confort feutré et à l'ambiance chaleureuse s'il en était, le Sebago Lake Lodge & Cottage, au cachet envoûtant, domine le magnifique lac Sebago de son promontoire boisé. Plusieurs chambres disposent d'une galerie avec vue sur le lac. Canots, pédalos et kayaks sont gracieusement mis à la disposition des clients.

Les forêts du Nord

Millinocket

Big Moose Inn Cabins & Campground
$
♨ bp/bc
route 157
☎ 207-723-8391
www.bigmoosecabins.com

Stratégiquement situé entre Millinocket et le Baxter State Park, cet ensemble hôtelier sans prétention comprend l'auberge principale, quelques chalets rustiques et un camping. Le décor est celui des *lodges* de l'arrière-pays, du genre «tête d'orignal au-dessus du foyer de pierres monumental».

Greenville

Pleasant Street Inn
$$-$$$ pdj
26 Pleasant St.
☎ 207-695-3400
www.pleasantstinn.com

Située dans la rue du même nom, à quelques centaines de mètres du lac, cette maison victorienne de belle allure, meublée d'antiquités, possède un cachet certain avec sa magnifique véranda propice au farniente l'après-midi.

Greenville Inn
$$$$ pdj
♨ ▲ ≡
Norris St.
☎ 207-695-2206 ou 888-695-6000
www.greenvilleinn.com

Tout, dans cette superbe auberge (naguère la résidence d'un magnat du bois), respire le luxe et le confort: le hall et son escalier en bois précieux surmonté d'une splendide verrière, les pièces communes ornementées de boiseries d'acajou, et les chambres elles-mêmes, toutes différentes et décorées avec un goût sûr. En prime, la vue sur le lac Moosehead est tout simplement splendide, et, pour couronner le tout, la cuisine contemporaine servie ici relève d'une classe à part dans ce coin de pays (voir p 367).

Restaurants

La côte sud

Kittery

Bob's Clam Hut
$-$$
315 route 1
☎ 207-439-4233

Pour des fruits de mer à l'américaine, c'est-à-dire frits et servis avec frites et salade de chou, la Bob's Clam Hut est un incontournable. On mange à des tables de pique-nique, le tout dans la plus grande simplicité et avec rapidité.

Cap'n Simeon's Galley
$-$$
route 103, Kittery Point
☎ 207-439-3655

En dégustant un bon homard bouilli, on se laisse enchanter par l'ambiance feutrée et détendue du Cap'n Simeon's Galley. De la salle à manger surplombant le quai de Kittery Point, on peut observer les pêcheurs qui rentrent au village après une longue journée en mer. Une très bonne adresse.

Warrens Lobster House
$$
11 Water St.
☎ 207-439-1630

Réputé dans la région pour la qualité de ses fruits de mer, le Warrens Lobster House n'a plus besoin de présentation. Laissez-vous tenter par le homard à Oscar: de la chair de homard sautée au beurre, arrosée de sauce béarnaise et servie avec des asperges. Un pur délice!

Les Yorks

The Bluff
$$-$$$
Union Bluff Hotel
8 Beach St.
☎ 207-363-1333

Le restaurant de l'Union Bluff Hotel prend des allures de pub londonien. On y savoure une cuisine simple, mais combien efficace, dans une ambiance décontractée et chaleureuse. Le menu se compose de fruits de mer et de grillades, en plus d'offrir une bonne sélection de soupes et de salades, histoire d'alléger votre assiette après les dures heures passées sous le soleil.

Fox Lobster House
$$-$$$
Nubble Point Rd., York Beach
☎ 207-363-2643

Un décor simple, une vue imprenable sur la mer, un menu de fruits de mer admirable: voilà le Fox Lobster House. On apprécie le service courtois et rapide, de même que le homard apprêté de mille et une façons.

York Harbor Inn
$$-$$$
Coastal route 1A
☎ 207-363-5119

La table du York Harbor Inn fait tout aussi bonne figure que l'hôtel lui-même (voir p 343). Dans un environnement chaleureux

Le Maine - Restaurants - La côte sud

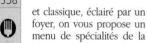

et classique, éclairé par un foyer, on vous propose un menu de spécialités de la région.

Ogunquit

The Front Porch Café
$
9 Shore Rd.
☎ 207-646-4005
L'ambiance décontractée et sympathique du Front Porch Café attire sa large part d'habitués qui viennent y prendre un repas honnête ou un verre avant de terminer la soirée au piano-bar situé à l'étage. Le menu ne révolutionnera pas la cuisine américaine (hamburgers, *fish and chips*, salades, chaudrée de palourdes), mais le tout est bien apprêté, et le ton chaleureux de l'endroit est contagieux. Bonne sélection de bières locales.

The Old Village Inn
$$-$$$
250 Main St.
☎ 207-646-7088
Avec son décor de salon anglais, l'Old Village Inn se donne des airs distingués, sans toutefois trop gonfler ses prix. On apprécie le service amical, mais on s'y rend surtout pour son menu créatif.

Gypsy Sweethearts
$$$-$$$$
fermé lun
30 Shore Rd.
☎ 207-646-7021
Établi à Ogunquit depuis 1977, le Gypsy Sweethearts est aménagé dans une élégante maison qui date de la fin du XIXᵉ siècle. On y sert une cuisine éclectique aux influences françaises, espagnoles et mexicaines. Bien sûr, les classiques de la Nouvelle-Angleterre font aussi leur apparition au menu, mais dans un rôle moins familier, comme en témoignent cette surprenante *quesadilla* au homard et ces beignets de crabe servis avec une mayonnaise à la tequila et à la lime. S'il fait beau, installez-vous sur l'agréable terrasse ou à l'une des tables disposées dans le joli jardin attenant.

98 Provence
$$$-$$$$
262 Shore Rd.
☎ 207-646-9898
Le 98 Provence figure parmi les meilleurs restaurants de la région. Les propriétaires d'origine montréalaise se spécialisent dans la fine cuisine française, où se côtoient homard poêlé à l'aigre-doux et cailles grillées en crapaudine. Que peut-on demander de plus?

Arrow's
$$$$$
Berwick Rd.
☎ 207-361-1100
Plusieurs critiques culinaires l'ont consacré «meilleur restaurant du Maine», et l'Arrow's continue d'en surprendre plus d'un. Chacun des plats est préparé à partir de spécialités régionales, à la différence près que les deux chefs ont un penchant pour l'expérimentation (pour notre plus grand plaisir). Le homard comme vous ne l'avez jamais goûté, une expérience en soi.

Perkin's Cove

Barnacle Billy's
$-$$
☎ 207-646-5575 ou 800-866-5575
Curieusement, Barnacle Billy's est une véritable institution dans la région. Les voyageurs s'y bousculent pour déguster un homard dans un casseau de papier, assis à une table de pique-nique. Le moins qu'on puisse dire, c'est qu'il s'agit d'un restaurant sans prétention, mais où les prix sont au rendez-vous, lesquels s'avèrent peu élevés.

Wells

Maine Diner
$-$$
2265 Post Rd.
☎ 207-646-4441
Ce rustique et chaleureux *diner* se trouve sur la route 1 à Wells. Réputé pour sa chaudrée de palourdes primée (elle a remporté le premier prix de l'Ogunquit Chowderfest sept années de suite), ce restaurant convient aussi on ne peut mieux à l'heure du petit déjeuner, d'autant plus que ce repas, dit le plus important de la journée, est justement servi... toute la journée. Les grandes crêpes moelleuses aux bleuets sont vivement recommandées.

Kennebunkport

The Green Heron Inn
$
126 Ocean Ave.
☎ 207-967-3315
Pour une bonne adresse où déguster le petit déjeuner en famille, le Green Heron Inn fait bonne figure. Dans une ambiance sans prétention, on vous prépare les classiques: œufs, bacon, crêpes, etc.

Alisson's
$-$$
11 Dock Square
☎ 207-967-4841
Situé sur le **Dock Square** (voir p 311), le restaurant Alisson's propose un menu familial simple et des plats bien apprêtés. Le service détendu et attentionné est apprécié d'une clientèle d'habitués qui reviennent

pour déguster le fameux *lobster roll* (petit pain au homard). Ce dernier serait, selon une rumeur locale, le meilleur en ville.

Arundel Wharf Restaurant
$$
43 Ocean Ave.
☎207-967-3444

L'Arundel Wharf Restaurant propose un vaste choix de fruits de mer à prix abordable. De plus, l'emplacement du restaurant, en bordure du quai, vous permet de savourer un bon repas tout en admirant les bateaux qui rentrent au port, éclairés par les rayons blafards du soleil couchant.

Pier 77 Restaurant
$$$
77 Pier Rd., Cape Porpoise Harbor
☎207-967-8500

L'emplacement du restaurant Pier 77, directement sur le quai de Cape Porpoise, garantit une vue superbe sur ce petit port de pêche. On y déguste des classiques de la Nouvelle-Angleterre (chaudrée de palourdes, beignets de crabe, homard) ainsi que quelques créations plus originales, entre autres le plat de canard glacé à la pêche et au vinaigre balsamique. Le restaurant adjacent, **The Ramp Bar & Grill** *($$-$$$)*, est tenu par les mêmes propriétaires. L'atmosphère y est plus décontractée et le menu plus restreint: ici, les poissons et fruits de mer prévalent toujours, mais on peut aussi y manger des hamburgers, des *tacos* et les autres classiques des grilladeries américaines.

White Barn Inn Restaurant
$$$$
37 Beach Ave.
☎207-967-2321

Comme il fallait s'y attendre, la table du White Barn Inn a remporté les prix les plus prestigieux. Le menu se compose de plats plus raffinés les uns que les autres, servis dans une atmosphère des plus huppées, et l'on s'y sent toujours un peu nerveux à l'idée de prendre la mauvaise fourchette. Tenue de ville requise.

Old Orchard

À Old Orchard, plus encore que dans les autres localités qui ponctuent la côte du Maine, vous trouverez une abondance de comptoirs de restauration rapide. Entre deux boutiques de souvenirs, les classiques restaurants de hamburgers, de pizzas et de hotdogs pullulent le long de la plage et sur le **Pier** (voir p 314).

Bayley's Lobster Pound
$-$$
East Grand Ave., Scarborough
☎207-883-4571

Pour des fruits de mer pas trop chers, le Bayley's Lobster Pound s'impose. Crabes, homards, huîtres et crevettes sont à l'honneur dans ce restaurant simple et accueillant.

Village Inn
$-$$
213 Saco Ave., Old Orchard Beach
☎207-934-7370

Pour sa part, le Village Inn affiche un menu varié alliant fruits de mer et grillades. Le «combo» de fruits de mer est d'ailleurs délicieux, mais surtout immense.

Joseph's by the Sea
$$-$$$
55 West Grand Ave., Old Orchard Beach
☎207-934-5044

Acclamé depuis déjà quelque temps, le Joseph's by the Sea continue d'assurer la survie des papilles gustatives des résidants et estivants de la région. Cet établissement se distingue par son décor romantique, certes, mais surtout par son menu créatif. En été, on peut manger sur la terrasse.

Portland

Granny's Burritos
$
420 Fore St.
☎207-761-0751

Pour une cuisine santé avec une touche Tex-Mex, rendez-vous chez Granny's Burritos, situé dans le quartier de l'Old Port Exchange. On y sert des plats santé, pour la plupart végétariens, accompagnés de riz et de haricots frits. L'atmosphère bohème cadre bien avec le secteur, et la sélection de bières locales permet de découvrir quelques créations brassicoles de la Nouvelle-Angleterre. Des formations musicales présentent régulièrement des spectacles au *lounge* situé à l'étage.

Gritty's McDuff's Portland Brew Pub
$-$$
396 Fore St.
☎207-772-2739

Les amateurs de bière seront comblés au Gritty McDuff's. Ce petit établissement est idéal pour une bouchée rapide arrosée d'une bonne bière maison. L'ambiance décontractée et le service amical font également bonne figure.

Margaritas
$-$$
11 Brown St.
☎207-774-9398

Le Margaritas, où l'on peut déguster la plus savoureuse cuisine mexicaine et Tex-Mex de Portland, sert également d'énormes Margaritas (d'où son nom) aux saveurs fruitées aussi intéressantes que variées. Outre les classiques mexicains tels que *burritos* et *chimichangas*, sachez qu'on élabore ici de merveilleuses grillades de poulet et de bœuf, dont les coupes sont soigneusement choisies, ainsi que d'excellentes salades.

Old Port Tavern Restaurant
$-$$
11 Moulton St.
☎207-774-0444
Un classique dans la région, l'Old Port Tavern accueille une clientèle hétéroclite et enjouée. En plus, la cuisine est hors pair et le service sans anicroche.

Soak Foot Sanctuary and Teahouse
$-$$
30 City Center
☎207-879-7625
Vous avez passé la journée à arpenter les jolies rues de Portland?... Pourquoi ne pas faire un arrêt chez Soak, où vous pourrez prendre le thé et une bouchée tout en faisant tremper vos pieds dans un mélange d'argile et de chocolat? Des massages thérapeutiques sont aussi offerts.

Katahdin
$$
fermé lun
106 High St.
☎207-774-1740
Le Katahdin a réussi à s'établir grâce à l'accueil familial et sans prétention qu'il réserve à ses clients. Le menu, essentiellement composé de poissons et de grillades (la truite est délicieuse), plaira aux voyageurs à la recherche d'un

établissement offrant un bon rapport qualité/prix.

Street and Co.
$$
33 Wharf St.
☎207-775-0887
Street and Co. varie son menu selon les arrivages de poissons. On vous assure ainsi d'un repas de qualité à prix abordable. L'environnement sympathique et raffiné contribue aux plaisirs de la table.

Walter's Café
$$
15 Exchange St.
☎207-871-9258
On peut y déplorer un service quelque peu nonchalant, mais le Walter's Café se rachète admirablement bien grâce à la qualité de sa cuisine. On apprécie encore plus son repas lorsqu'il est bercé par des airs de jazz. Quoi de mieux qu'un espresso en fin de repas, en contrepoint avec *So What* de Miles Davis?

Vignola
$$$-$$$$
10 Dana St.
☎207-772-1330
Vignola, le nouveau restaurant du chef Lee Skawinski, a ouvert ses portes en juillet 2006, créant par la même occasion un coup d'éclat sur la scène gastronomique de Portland avec sa cuisine italienne créative. Le menu, qui varie selon les arrivages, favorise les mets longuement mijotés tel le lapin sauce bolognaise. Certains des ingrédients proviennent de la ferme du chef, qui s'assure par le fait même de la fraîcheur des produits. L'originalité des plats (saucisses italiennes confites, espadon grillé avec beurre aux anchois et

aux câpres) et la décoration moderne mais chaleureuse de la spacieuse salle à manger du Vignola en font un excellent endroit pour savourer une nouvelle cuisine américaine que l'on s'attendrait plutôt à découvrir à New York ou à San Francisco. De plus, la carte des vins et des bières en surprendra plus d'un. Fortement recommandé.

La côte centrale

Brunswick

Fat Boy Drive-In
$
Bath Rd.
☎207-729-9431
Le Fat Boy Drive-In est un endroit bien connu des estivants de Brunswick depuis 1955. De fait, il n'ouvre ses portes que de mars à la fin d'octobre et s'impose bel et bien comme un rendez-vous de choix après une journée de plaisir au soleil. Tout comme dans le bon vieux temps, on vous y servira directement à votre voiture, que vous optiez pour un sandwich au bacon, à la laitue et aux tomates (BLT) accompagné de rondelles d'oignon, une assiette de fruits de mer frais, un petit pain au homard ou au crabe. Si vous le préférez, vous pouvez aussi vous attabler à l'intérieur, dans un décor des années 1950, mais à condition qu'il y ait de la place, car il n'y a en tout et pour tout que cinq banquettes!

Richard's Restaurant
$$
115 Maine St.
☎207-729-9673
Au cœur du centre-ville de Brunswick, Richard's élabore des mets allemands

Le Maine - Restaurants - La côte sud

traditionnels tels que le *sauerbraten*, le *spœtzle* et la choucroute, de même que des repas plus légers à base de poulet ou de fruits de mer. Le décor se veut à la fois chic et chaleureux, les chopes de bière alignées sur les murs offrant un rappel de l'Allemagne. Attendez-vous à un service de premier ordre et à des plats délicieux.

Captain Daniel Stone Inn
$$$
tous les soirs ainsi que le midi en semaine
10 Water St.
☎207-725-9898

Ce chic restaurant d'auberge loge dans l'ancienne demeure d'un capitaine de la marine marchande. Vous y dégusterez des entrées raffinées telles que croquettes de pomme de terre sauce au persil et au citron, épinards rôtis à l'ail en pâte phyllo et raviolis chinois aux crevettes et au gingembre, de même que des plats de résistance à base de homard, d'espadon grillé et de saumon poché, sans oublier les biftecks et le poulet. Intime et recherché, ce restaurant présente un agréable décor aux riches boiseries.

Bath

Kennebec Tavern & Marina
$-$$
119 Commercial St.
☎207-442-9636

La Kennebec Tavern & Marina, tout à fait décontractée, se trouve directement au bord de l'eau, à une rue de Front Street. Ce resto-bar sert d'excellents fruits de mer tout en offrant une des plus belles vues de la ville. La salle à manger rustique, rehaussée de boiseries, renferme de simples banquettes ainsi que des tables

légèrement plus soignées, tandis que la terrasse vous permettra de manger au bord de l'eau. La maison possède même sa propre marina, de sorte que vous pouvez vous y présenter en bateau si le cœur vous en dit. On regrette toutefois l'absence d'une baie vitrée permettant de contempler la mer depuis la salle à manger.

Mae's Café & Bakery
$-$$
160 Centre St.
☎207-442-8577

Le sympathique Mae's Café & Bakery sert de délicieux petits déjeuners et brunchs le matin, ainsi qu'il offre un choix éclectique de plats en soirée, dont un savoureux duo de saucisses et de magret de canard servi avec une sauce à l'oignon caramélisé, un saumon à la cajun servi avec crevettes épicées et un poulet rôti sauce aux pommes et cari. Vous pouvez aussi tout simplement y faire un arrêt pour acheter quelques-unes de ses délicieuses pâtisseries et autres gâteries à emporter.

J.R. Maxwell & Co.
$$
122 Front St.
☎207-443-2014

Aménagé dans un bâtiment datant de 1840, ce restaurant des plus invitants se spécialise dans les fruits de mer. L'atmosphère y est résolument maritime, les planchers de bois usés et les murs de briques rappelant le repaire d'un vieux loup de mer, tandis que les murs sont garnis de peintures de bateaux, de modèles réduits de goélettes, de portraits de capitaines au long cours et d'instruments nautiques variés. Quant au menu, il en a pour tous les

goûts, depuis le homard jusqu'aux hamburgers en passant par les excellentes salades, quoique la côte de bœuf demeure un des plats les plus prisés.

Phippsburg

Spinney's Restaurant
$-$$
987 Popham Rd.
☎207-389-1122

Ce restaurant se trouve à côté du fort Popham, tout au bout de Popham Beach. Il dispose d'un vivier de homards et propose un menu complet de fruits de mer et de biftecks. Pour quelque chose de plus léger, tournez-vous plutôt vers les nombreux sandwichs et casse-croûte. Il y a également un bar complet sur place, si bien que vous pourrez tranquillement siroter une boisson fraîche tout en profitant de la vue, que ce soit depuis la salle à manger ou la terrasse d'ensoleillement en surplomb sur la plage et sur la baie.

Wiscasset

Sarah's Cafe
$-$$
angle Main St. et Water St.
☎207-882-7504

Le Sarah's Cafe domine la rivière Sheepscot, et vous y jouirez, depuis la jolie salle à manger garnie de boiseries et entourée de fenêtres sur trois côtés, d'une vue somme toute incomparable. Il s'agit d'un endroit décontracté où il fait bon prendre le petit déjeuner, ou encore un potage et un sandwich le midi, sans compter un menu complet de fruits de mer. Il y a d'ailleurs sur place un vivier de homards, et les habitants de la région ne tarissent plus d'éloges sur la chaudrée de palourdes de la maison. Curieusement, cet établissement du nord-est des États-Unis propose aussi une liste étonnamment longue de classiques mexicains du Sud-Ouest!

Boothbay Harbor

Upper Deck Café
$
petit déjeuner et déjeuner
4 Bridge St.
☎ 207-633-7447
L'Upper Deck Café passe facilement inaperçu aux yeux de quiconque explore la ville pour la première fois, alors qu'il s'agit pourtant d'un *diner*-café décontracté où il fait particulièrement bon s'accorder un répit loin des foules d'estivants empressées. L'aimable personnel se fera un plaisir de vous raconter l'histoire de la ville et de vous renseigner sur les attraits et les activités de la région. Choix impressionnant de sandwichs gastronomiques, potages, palourdes frites, poisson-frites et tartes maison.

La **Lobstermen's Co-op** *($-$$; 97 Atlantic Ave.,* ☎ *207-633-4900)* et le **Sea Pier** *($-$$; 87 Atlantic Ave.,* ☎ *207-633-0627)* sont voisins du côté est de Boothbay Harbor et se veulent des incontournables de cette expérience culinaire unique qu'offrent les viviers à homards. Sitôt déchargés des bateaux, les homards sont bouillis et consommés directement sur le quai. Impossible d'avoir plus frais! Vous fournissez votre propre boisson (les gens arrivent souvent avec des glacières bien remplies) et mangez votre homard à même le panier dans lequel on vous le vend sur une des tables de pique-nique disposées

le long du quai, ou encore assis à une longue table en bois à l'intérieur d'un grand hangar à bateau. Vous ne trouverez pas plus décontracté et n'hésiterez sans doute même pas à enfiler un bavoir. Il est en outre possible d'acheter sur place du homard vivant ou bouilli à emporter, de même que d'autres fruits de mer frais.

Christopher's Boat House
$$-$$$
25 Union St.
☎ 207-633-6565
Considéré par certains comme l'endroit par excellence où manger à Boothbay Harbor, le Christopher's Boat House n'est ouvert que le soir. Offrant une vue somptueuse sur le port, cet établissement sert une cuisine internationale raffinée de même que des spécialités locales à base de fruits de mer. La maison est par ailleurs réputée pour le soin particulier qu'elle apporte au service dans sa salle à manger haut de gamme. Si vous songez à vous passer de homard et de palourdes, n'hésitez pas à essayer les succulentes grillades de poulet, de bœuf ou d'agneau. Il est recommandé de réserver.

Rockland

Rockland Cafe
$$
441 Main St.
☎ 207-596-7556
Ce confortable café, parfaitement décontracté, se trouve en plein cœur du centre-ville de Rockland. Tapissé de grandes photographies en noir et blanc qui retracent l'histoire de la ville, cet endroit est tout indiqué pour un café, un casse-croûte ou un repas rapide, de

même qu'un des rares établissements de restauration conventionnelle de la ville où l'on peut se faire servir un petit déjeuner préparé sur commande. Le reste de la journée, on vous réserve un menu de potages, de sandwichs, de hamburgers et de fruits de mer.

The Waterworks Pub
$-$$
7 Lindsey St.
☎ 207-596-2753
L'agréable Waterworks Pub est installé dans un bâtiment historique dont le nom fait référence à l'époque où il était affecté à l'approvisionnement en eau de la ville. Sa décoration ne manque pas de cachet, avec son bar massif en bois et en laiton, sa vieille cheminée en pierres des champs et ses murs de briques. La nourriture de pub qu'on y sert est tout à fait acceptable, et la sélection de bières artisanales permet de découvrir quelques-unes des créations brassicoles locales.

Amalfi
$$$
fermé dim-lun
421 Main St.
☎ 207-596-0012
Dans la petite salle à manger au style épuré du restaurant Amalfi, on sert une variété de plats savoureux d'inspiration méditerranéenne qui mettent en valeur les produits de la région. Comme l'établissement est populaire auprès des résidants de Rockland, nous vous suggérons fortement de réserver votre place.

Café Miranda
$$$
15 Oak St.
☎ 207-594-2034
Vous voulez vous offrir un bon repas à prix raison-

nable, mais vous avez du mal à vous entendre sur le type de restaurant?... Alors rendez-vous au très sympathique Café Miranda, où le chef Kerry Altiero concocte entre autres des plats d'inspiration italienne, thaïlandaise, mexicaine et arménienne. Mais attention! Vous risquez de passer plus de temps à lire l'incroyable menu et à choisir parmi ses 83 entrées et plats principaux (oui, nous les avons tous comptés!) que vous n'en passerez à déguster votre (très) généreuse assiette. Grand choix de plats végétariens, de bières locales et de vins. Service attentionné.

Camden

Cappy's Chowder House
$
1 Main St.
☎207-236-2254
Cappy's est indiscutablement le restaurant le plus couru de Camden. Situé au point d'intersection des deux principales artères de la ville, il est d'ailleurs difficile à manquer, et il n'est pas rare de voir les gens faire la queue sur le trottoir aux heures de pointe (en termes de restauration, s'entend). La salle à manger est entièrement de bois, depuis les tables et les chaises jusqu'aux planchers et aux murs, garnis de nasses à homards, de bouées, de vestes de sauvetage et de divers autres objets rappelant la mer toute proche. Le menu se compose d'une «fameuse» chaudrée de palourdes, de fruits de mer à toutes les sauces possibles et imaginables, de hamburgers, de sandwichs, de pizzas et de pâtes. Bref, cet établissement doublé d'une boulangerie et d'une boutique vous réserve une expérience culinaire «terre

à terre» et décontractée tout à fait unique.

Waterfront Restaurant
$-$$
Main St.
☎207-236-3747
Le Waterfront Restaurant se trouve sur les quais, à un jet de pierre de l'Atlantica (voir ci-dessous). Ce restaurant de fruits de mer se veut plus rustique et décontracté que son voisin et enrichit son menu de quelques propositions pour le moins inusitées, entre autres cette fondue au crabe et à l'artichaut – de quoi vous changer de l'ordinaire! Quant au gril, il vous promet d'énormes hamburgers, des biftecks et des fruits de mer fumés.

Atlantica
$$-$$$
1 Bayview Landing
☎207-236-6011
Planté sur le quai, au cœur de l'action, l'Atlantica se veut un restaurant de fruits de mer quelque peu huppé. Nappes en tissu et bougies ornent les tables, d'où vous pourriez observer à loisir le va-et-vient des bateaux dans le port. Il y a aussi une terrasse si près de l'eau qu'il vous semblera pouvoir toucher les voiles des embarcations de passage. Outre un large éventail de fruits de mer plus délicieux les uns que les autres, l'Atlantica affiche un menu complet de viandes grillées de tout premier choix, allant du bœuf à l'agneau en passant par la volaille et le saumon grillé.

Lincolnville

Lobster Pound
$-$$
route 1
☎207-789-5550
Directement sur la plage de Lincolnville, le Lobster

Pound possède une salle à manger décontractée qui avance au-dessus de l'eau et permet de contempler l'océan de toutes les tables, mais aussi une petite terrasse pour manger à la belle étoile lorsque la température le permet. On se spécialise ici dans les biftecks et les fruits de mer, qu'il s'agisse de homard apprêté de toutes les façons imaginables, de chaudrées, de palourdes, de moules, de poisson frites ou d'autres délices du genre. Vous trouverez au bar de la bière, du vin et un modeste assortiment de cocktails. Il y a en outre une petite boutique de cadeaux sur les lieux.

Whale's Tooth Pub & Restaurant
$-$$
route 1
☎207-789-5200
Le Whale's Tooth se cache derrière le Lobster Pound. On y propose des bières pression de la région, un bon menu de pub (hamburgers, frites, *nachos,* ailes de poulet, bâtonnets de mozzarelle, etc.) de même que des biftecks, des fruits de mer et des pâtes. Les plats du jour changent quotidiennement et peuvent aussi bien comprendre une assiette d'agneau qu'un hachis Parmentier (pâté chinois), une brochette ou un plat de volaille. La carte des vins est tout à fait convenable, et l'on propose même des Margaritas bien frappées. La terrasse arrière offre de belles vues sur Lincolnville Beach.

Chez Michel
$$-$$$
route 1
☎207-789-5600
Directement en face du Lobster Pound et du Wha-

le's Tooth, Chez Michel est un restaurant français où l'omniprésente chaudrée de palourdes côtoie la soupe à l'oignon sur le menu. Les spécialités de bœuf bourguignon et de canard au poivre se voient en outre complétées par un choix de fruits de mer apprêtés à l'européenne. Essayez la coquille Saint-Jacques, garnie de pétoncles et de chair de crabe arrosés d'une sauce à la crème et garnis de fromage suisse. Il y a aussi du bifteck, du homard et un menu pour enfants. La salle qui se trouve à l'étage offre une vue imprenable sur la baie de Penobscot.

Searsport

The Mariner
$
fermé dim
23 E. Main St.
☎207-548-6600

Si vous désirez vous offrir un mets typique de la Nouvelle-Angleterre dans une ambiance conviviale, rendez-vous au Mariner, un agréable petit restaurant de Searsport établi sur le site de la première taverne de Searsport (1834). On y sert les fameux *lobster rolls*, des beignets de crabe et une excellente chaudrée de poisson, ainsi que quelques plats du jour qui varient selon les arrivages.

Downeast Acadia

Bucksport

MacLeod's Restaurant
$$
Main St.
☎207-469-3963

On proclame généralement MacLeod's le meilleur restaurant de Bucksport. Le décor en est plutôt inusité

pour la région avec son grand aquarium aménagé de façon à ressembler à un bassin amazonien, et son menu se veut lui même étonnant avec ses plats de fruits de mer, d'aiglefin, de saumon, de homard et autres produits de l'océan, mais aussi son choix varié d'autres plats, qu'il s'agisse de *burritos* au poulet ou de caneton rôti de Long Island. Quant au bar de la maison, il propose un assortiment de boissons exclusives. Le midi, attendez-vous à trouver différentes salades ainsi que des versions réduites des assiettes de fruits de mer et de pâtes.

Blue Hill

Captain Isaac Merrill Inn & Restaurant
$$-$$$
1 Union St.
☎207-374-2555

Ce restaurant d'auberge est tout indiqué pour le repas du midi. La cuisine vous réserve un assortiment de plats de fruits de mer, de salades et de grillades. Il y a en outre des potages et des chaudrées, le tout élaboré à partir d'ingrédients biologiques frais de la région, autant que faire se peut. Petite salle intérieure, où l'on se sent aussi à l'aise que dans la salle de séjour d'un ami, et jardin extérieur ponctué de tables invitantes.

Pantry Restaurant
$
lun-ven 7h30 à 14h30, sam-dim 8h à 14h
Water St.
☎207-374-2229

Le Pantry, intime et rustique, sert tous les jours de copieux petits déjeuners, et ce, toute la matinée. Le midi, il s'agira surtout de sandwichs, le manque de

variété étant alors compensé par la générosité des portions. Quoi qu'il en soit, tout est abondant, frais et savoureux à souhait.

Castine

Dennett's Wharf Restaurant & Oyster Bar
$-$$
15 Sea St.
☎207-326-9045

Voici le restaurant de fruits de mer par excellence de Castine, qu'il s'agisse de homard, de moules, de palourdes frites ou de poissons variés, tous fraîchement pêchés quotidiennement. La grande terrasse qui domine le port est couverte de tables et flanquée d'un bar extérieur, tandis que la salle à manger se veut plus intime (n'oubliez surtout pas de demander comment le plafond en est venu à être tapissé de billets de un dollar!).

Mount Desert Island

Bar Harbor

2 Cats Restaurant
$
130 Cottage St.
☎207-288-2808

On ne peut manquer le 2 Cats dans la très passante Cottage Street, car ses couleurs vives (jaune et rouge) attirent immanquablement l'attention des visiteurs en quête d'un petit déjeuner ou d'un déjeuner. Séduit par le magnifique jardin qui l'avoisine, on ne peut ensuite que succomber à la lecture du menu qui, au fil de propositions plus originales et audacieuses les unes que les autres, renouvelle carrément le genre.

Lompoc Cafe & Brewpub
$$
36 Rodick St.
☎ 207-288-9392

Si l'idée d'un pichet de bière maison vous fait craquer, vous ne pouvez manquer de vous arrêter à cet estaminet qui fait également office de restaurant. Restaurant par ailleurs fort original, dans la mesure où il affiche un menu passablement multiculturel mettant à l'honneur les cuisines de la Grèce, du Moyen-Orient et même d'Israël. Le service on ne peut plus personnalisé et les prix raisonnables contribuent également à la notoriété de l'établissement.

Rupununi
$$
119 Main St.
☎ 207-288-2886

Situé en plein cœur de l'activité touristique du centre-ville, ce restaurant des plus populaires ne désemplit pas. Son accueillante terrasse ouverte sur la rue attire irrésistiblement le promeneur en quête de nourriture. Le service attentionné – malgré l'affluence – et la bouffe très convenable vont d'ailleurs rapidement le conforter dans son choix. Au menu, entre autres choses, le homard et le hamburger, la spécialité des lieux (essayez le hamburger à la viande d'autruche, une rareté à chair maigre et délicieuse). Le **Carmen Verandah** (voir p 368), un bar branché, se trouve à l'étage.

Poor Boy's Gourmet
$$-$$$
300 Main St.
☎ 207-288-4148

S'il est à Bar Harbor un restaurant honnête et sans prétention (à part celle d'offrir une cuisine authentique et savoureuse), c'est bien celui-ci. Les pâtes, servies à volonté, vous assurent d'un rapport qualité/prix sans égal. De plus, chose relativement rare dans ce coin de pays, on peut y déguster quelques mets végétariens, entre autres un mémorable Strogonoff aux haricots et aux champignons. Sinon, il va sans dire qu'on retrouve ici toute la gamme des plats à base de homard, de même qu'une bonne variété de poissons frais apprêtés selon les règles de l'art. Une mention toute spéciale également pour la carte des vins, variée et abordable.

Galyn's Restaurant
$$$
17 Main St.
☎ 207-288-9706

Comme ce n'est pas le décor sans fioritures de cet établissement qui impressionne, force est de conclure que les files d'attente qui s'étirent à l'entrée s'expliquent par la qualité de sa cuisine. Et l'on ne se trompe pas, car tout est délicieux, de la simple bisque de homard à la croustade de pommes et de bleuets, en passant par les coquilles Saint-Jacques à la méditerranéenne et un somptueux panaché de tomates, feta et ail, le tout parfumé à l'aneth. En outre, ce qui ne gâte rien, l'addition est tout ce qu'il y a de raisonnable.

Café Bluefish
$$$-$$$$
122 Cottage St.
☎ 207-288-3696

Au charmant Café Bluefish, on apprête le poisson et les fruits de mer de mille et une façons, toutes plus originales les unes que les autres. Le menu varie évidemment selon les arrivages, mais la maison se targue tout de même d'offrir quelques savoureuses spécialités, dont l'espadon à la cajun, le saumon aux pacanes, et le grand favori, le strudel au homard (servi dans une pâte filo avec une sauce aux oignons caramélisés et au fromage – un pur délice). Le service convivial mais professionnel et le décor à la fois simple et éclectique en font un excellent endroit pour ceux qui désirent éviter les restaurants plus «touristiques» de Bar Harbor.

Northeast Harbor

Maine Sail Restaurant
$-$$
Kimball Terrace Inn
☎ 207-276-3383

Le Main Sail offre une vue imprenable sur le port. Son menu se compose de fruits de mer apprêtés de toutes les façons imaginables, de plusieurs plats de homard ainsi que de poulet et de bœuf. Il s'agit d'un très bon endroit pour un agréable dîner maritime sans façon, que ce soit à l'intérieur ou à l'extérieur, la terrasse offrant évidemment un superbe panorama.

Southwest Harbor

Beal's Lobster Pier
$
182 Clark Point Rd.
☎ 207-244-7178

On ne peut échapper à cette coutume locale qui consiste à déguster du homard fraîchement pêché sur une simple table de pique-nique, tout en observant le va-et-vient des bateaux de pêche dans le port. Et c'est dans ce paisible village de Mount Desert

Le Maine - Restaurants - Downeast Acadia

Island, loin de l'agitation de Bar Harbor, qu'on peut l'apprécier au mieux. Or, le Beal's Lobster Pier, une véritable institution du genre, propose précisément cette forme de festin à la bonne franquette. Vous pourrez y accompagner le roi homard d'épis de maïs, de palourdes et d'autres victuailles appropriées, en plus d'arroser votre repas de bière locale ou de vin.

Quietside Cafe and Ice Cream Shop
$
360 Main St.
☎ 207-244-9444

Vous avez là un simple restaurant de sandwichs et de desserts, installé en plein centre-ville. Mais si vous souhaitez vous reposer un moment de votre exploration de l'île, il y a de bonnes chances pour que vous y trouviez votre compte. Les sandwichs et les sous-marins gastronomiques sont délicieux et s'accompagnent toujours d'une variété de chaudrées et de potages chauds, sans oublier un menu complet de paniers de fruits de mer et de pizzas, et au moins 30 parfums de glaces.

Machias

Artist's Café
$-$$
lun-sam 11h à 14h et 17h à 20h
3 Hill St.
☎ 207-255-8900

Ce charmant restaurant établi en bordure de la rivière Machias conviendra on ne peut mieux à tous ceux qui cherchent à sortir des sentiers battus. À l'Artist's Café, vous trouverez en effet un menu économique de plats inventifs et sans prétention élaboré par nulle autre que la propriétaire, chef et artiste, Susan Ferro, qui allie de main de maître ses connaissances culinaires à ses souvenirs de voyage pour vous offrir une expérience inoubliable. Au déjeuner, il s'agira de salades, de potages, de plats légers et de sandwichs, tandis que le menu du soir, tout aussi créatif quoique plus restreint, vous réserve entre autres une salade de homard, une étouffée de crevettes et une assiette végétarienne à l'italienne. Pour arroser le tout, une longue carte des vins et de bières brassées dans le Maine.

Helen's Restaurant
$-$$
route 1
☎ 207-255-8423

Ce restaurant familial, qui offre une adorable vue sur la rivière Machias, est une institution locale depuis de nombreuses années, et son homologue d'Ellsworth est tout aussi réputé. Apprécié pour son exclusive cuisine maison, il élabore des classiques tels que le foie aux oignons, le poisson frites et, un soir par semaine, «la bouillie spéciale de la Nouvelle-Angleterre», composée de *corned-beef*, de chou, de navet et de pommes de terre. Hormis ce menu de bifteck et de fruits de mer, l'établissement est en outre célèbre dans tout le Maine pour ses tartes maison. Tant pour la cuisine maison que pour le service cordial, vous ne trouverez pas mieux.

Eastport

La Sardina Loca
$-$$
28 Water St.
☎ 207-853-2739

«La sardine folle» est fière de s'annoncer comme le restaurant mexicain le plus à l'est des États-Unis. Son nom rend hommage à l'industrie de la sardine, aujourd'hui éteinte quoiqu'elle ait longtemps soutenu l'économie de la ville. Certains favoris de la cuisine mexicaine y sont apprêtés avec des accents du Maine, telle cette *enchilada* à la chair de crabe ou ce *burrito* au homard.

Eastport Chowder House
$$
167 Water St.
☎ 207-853-4700

Les restaurants se comptent sur les doigts d'une main dans cette petite ville peu peuplée. Celui qui ressort du lot porte bien son nom, car on y sert du homard et des poissons d'une fraîcheur absolue. Le restaurant à pignon sur rue à même le quai où accostent les bateaux de pêche! On peut même observer par la fenêtre (outre la magnifique baie de Passamaquoddy) les pêcheurs débarquant leurs prises tout en décortiquant le fruit de leur pêche précédente: authenticité assurée! Quant à la cuisine, elle remplit son office convenablement.

Calais

Bernadini's Restaurant
$$
257 Main St.
☎ 207-454-2237

Bernadini's constitue un excellent choix pour un dîner italien de qualité. Sa salle à manger aux éclairages tamisés est empreinte d'une atmosphère d'élégance et de romantisme, et son superbe menu comporte des sandwichs, des potages, de fines coupes de bœuf, du veau et d'excellentes pâtes.

Bethel

Cafe DiCocoa
$
125 Main St.
☎ 207-824-5282
Le menu du Cafe DiCocoa est surtout composé de mets végétariens et de pâtisseries maison. Si vous avez l'impression d'avoir mangé trop de repas gras et lourds au cours de votre périple américain, les savoureuses soupes maison de ce charmant établissement à l'allure bohème vous remettront sur le droit chemin en un rien de temps. Certains plats aussi à emporter.

Les forêts du Nord

Greenville

Kelly's Landing
$$
route 15, Greenville Junction
☎ 207-695-4438
Un décor ordinaire et une vue hors de l'ordinaire: ces quelques mots décrivent bien ce restaurant qui bénéficie d'une situation exceptionnelle sur le lac Moosehead. Quant à la cuisine, elle répond aux critères d'un restaurant familial, dans la mesure où l'on y trouve tout ce qui est susceptible de plaire au plus grand nombre, depuis les sandwichs jusqu'aux fruits de mer, en passant par les steaks et les pâtes les plus diverses. Le tout apprêté de façon impeccable.

Greenville Inn Restaurant
$$$-$$$$$
Norris St.
☎ 207-695-2206

Ce chic restaurant d'auberge revendique le titre de la table la plus en vue du lac Moosehead, et ce, non sans raison. Bien qu'il soit situé à des lieues de toute agglomération urbaine, on y trouve un niveau de raffinement digne des meilleures tables, et la réussite des mets proposés y est totale, autant par la présentation que par l'originalité.

Sorties

■ Activités culturelles

Ogunquit

Ogunquit Playhouse
10 Main St.
☎ 207-646-5511
Ouvert depuis 1933, l'Ogunquit Playhouse continue à présenter, chaque été, plusieurs pièces de théâtre et comédies musicales. Cet établissement est également l'un des premiers théâtres d'été des États-Unis à avoir ouvert ses portes.

Leavitt Fin Arts Theater
259 Main St.
☎ 207-646-3123
Ce vieux cinéma rénové assure la présentation des plus récentes superproductions hollywoodiennes.

Portland

Portland Symphony Orchestra
☎ 207-773-6128
www.portlandsymphony.com
En saison, les mélomanes se retrouvent au **Merrill Auditorium** *(20 Myrtle St., ☎207-842-0800)* pour se laisser envelopper par les plus belles symphonies classiques.

Lark Society for Chamber Music/Portland String Quartet
☎ 207-761-1522
www.portlandstringquartet.org
PCA Great Performances
☎ 207-773-3150
www.pcagreatperformances.org
Ces deux organismes produisent également des concerts de musique classique à travers la ville et dans le reste de l'État. Le premier se spécialise dans la musique de chambre, tandis que le second présente un répertoire plus éclectique.

Portland Stage Company
25A Forest Ave.
☎ 207-774-0465
www.portlandstage.com
La Portland Stage Company présente diverses pièces de théâtre de septembre à mai.

Rockland

The Strand Theatre
339 Main St.
☎ 207-594-0070
Ce cinéma historique a rouvert ses portes en 2005 et présente des films de répertoire ainsi que divers concerts et spectacles d'humour.

Bucksport

The Alamo
85 Main St.
☎ 207-469-0924
www.oldfilm.org
Un des plus vieux cinémas du nord de la Nouvelle-Angleterre est **The Alamo** (voir p 323), inauguré à titre de théâtre en 1916 et exploité comme tel jusqu'en 1956. Il renferme une cinémathèque historique, une salle d'archives et un centre d'études cinématographiques. Vous y verrez aussi bien de récentes productions hollywoodiennes que

Le Maine - Sorties

de grands classiques des dernières décennies.

Eastport

Eastport Arts Center
36 Washington St.
☎ 207-853-2358
www.eastportartscenter.com
Ce centre d'art communautaire incarne à lui seul toute l'activité culturelle de la ville. Il s'agit d'une salle de spectacle dont les locaux sont situés dans l'ancienne Washington Street Baptist Church. On y présente des concerts, des pièces de théâtre et d'autres manifestations culturelles.

■ Bars et discothèques

York Beach

Beach Street Pub & Grill
8 Beach St.
☎ 207-363-1333
Adjacent à l'Union Bluff Hotel, ce petit pub sympathique accueille une clientèle d'habitués et quelques clients de l'hôtel. Rien d'extraordinaire, mais tout de même une ambiance plaisante; et l'on peut y discuter sans s'arracher les cordes vocales.

Ogunquit

The Front Porch
Town Square
☎ 207-646-4005
Le Front Porch est un bar-salon situé en plein cœur du centre-ville d'Ogunquit. Il accueille souvent un pianiste le soir, et parfois même des formations musicales complètes. Un endroit charmant où passer une soirée tranquille ou prendre un verre au son de ses mélodies préférées.

Maxwell's Pub
243 Main St.
☎ 207-646-2345
Le Maxwell's est le rendez-vous des noctambules d'Ogunquit. Musiciens sur scène, fréquentes séances de karaoké, tables de billard et excellent choix de bières locales et importées. L'atmosphère festive de ce pub attire une clientèle mixte de gens du coin et de visiteurs de passage.

Kennebunkport

Federal Jack's Brew Pub
8 Western Ave.
☎ 207-967-4322
Le Federal Jack's Brew Pub accueille une foule de fêtards de toute la région. Cet établissement produit également sa propre bière; d'ailleurs, la rousse vaut le détour. Il y a quelques tables de billard, et l'on y présente souvent des concerts.

Old Orchard

Le **Pier** regroupe, sans aucun doute, la plus grande concentration de fêtards du sud du Maine. Le soir venu, le tout Old Orchard s'y rend pour prendre un verre et danser entre amis. Au bout du quai se dresse un bar country. On y trouve également une série de casse-croûte qui sauront satisfaire les appétits nocturnes.

Portland

Brian Borù Public House
57 Center St.
☎ 207-780-1506
Les amateurs de Guinness se retrouvent au Brian Borù. Ils incarnent la consécration de la publicité qui disait: *Guinness, not only for breakfast anymore* (la Guinness ne se boit plus qu'au petit déjeuner!).

Gritty McDuff's Portland Brew Pub
396 Fore St.
☎ 207-772-2739
Un classique dans la région, le Gritty McDuff's brasse sa propre bière. Une très bonne bitter et une excellente stout figurent au menu de ce pub à l'anglaise. On y retrouve une clientèle d'habitués qui viennent ici pour fêter entre amis.

Three Dollar Deweys
241 Commercial St.
☎ 207-772-3310
Si vous aimez les pubs sans prétention où tout le monde se connaît, Three Dollar Deweys vous comblera. Dans une ambiance chaleureuse et sans prétention, on déguste une bonne bière parmi une vaste sélection de bières importées. La clientèle se compose d'inconditionnels qui semblent y passer leurs grandes journées.

Camden

Gilbert's Publick House
16 Bayview St.
☎ 207-236-4320
Tout à côté des bateaux qui accostent dans le pittoresque port de Camden vous attend un pub irlandais. Cet établissement où il fait bon prendre une bière en toute tranquillité l'après-midi s'anime davantage le soir venu. Musiciens sur scène, tables de billard, jeux de fléchettes et séances de karaoké à l'occasion.

Bar Harbor

Carmen Verandah
119 Main St. (à l'étage du restaurant Rupununi)
☎ 207-288-2766
Dans cet endroit branché par excellence, la jeune génération vient danser, assister à des spectacles

de musique, ou encore s'y
rend pour voir et être vue.
Il faut arriver tôt, car la salle
s'emplit rapidement.

Reel Pizza
33 Kennebec Pl.
☎207-288-3811
L'astucieux jeu de mots (*reel*
signifie «bobine» de film) de
son nom dit tout du concept
de cet établissement. Située
à l'arrière du Village Green,
cette pizzeria permet de
visionner un film récent,
confortablement installé
avec votre pizza dans des
fauteuils, divans ou autres
sièges à l'avenant.

Sugarloaf

Sugarloaf Inn Resort
Sugarloaf Access Rd.
☎207-237-6814
La station d'hiver Sugar-
loaf/USA compte plusieurs
estaminets qui se doublent
souvent de lieux de spec-
tacle le soir venu. Mentionnons, entre autres, le **Double Diamond Steakhouse and
Pub** (*☎207-237-2222*) de
l'hôtel Grand Summit et le
Widowmaker Lounge (*☎800-
843-5623*).

Bethel

Millbrook Tavern & Terrace
The Bethel Inn Resort
Village Common
☎207-824-2175
La Milbrook Tavern, qui fait
partie intégrante du Bethel
Inn Resort, présente un
profil un peu moins for-
mel que le reste de l'établissement; cette approche
populiste lui vaut d'être
fréquentée, les fins de semaine, par une clientèle
plus jeune, venue ici pour
entendre les musiciens qui
s'y produisent.

■ **Festivals**

Rockland

Maine Lobster Festival
1ʳᵉ sem d'août
☎207-596-0376
www.mainelobsterfestival.com
Ce festival gravite tout naturellement autour du cé-
lèbre homard et des non
moins appréciés fruits de
mer du Maine. Cela dit, il
est aussi l'occasion d'activités variées, qu'il s'agisse
d'expositions, de vente
d'artisanat local, de tours
de bateau, de jeux et de
prestations musicales sur
scène.

Bar Harbor

Bar Harbor Music Festival
juil
☎207-288-5744
www.barharbormusicfestival.org
Ce festival regroupe une
variété d'événements musicaux, qu'ils s'agisse de qua-
tuors à corde, de concerts
de jazz ou d'interprétation
de succès populaires. La
plupart des spectacles se
donnent à l'église congrégationaliste de Bar Harbor
et au Blackwoods Camp-
ground Amphitheater de
l'Acadia National Park.

Machias

Wild Blueberry Festival
3ᵉ sem d'août
☎207-255-4402
www.machiasblueberry.com
Cet événement de trois
jours comporte un défilé,
de la musique, un petit
déjeuner de crêpes aux
bleuets, de l'artisanat et la
fameuse course aux bleuets
de Machias (Machias Blue-
berry Run).

Calais

**International Homecoming
Festival**
*début août (durant une di-
zaine de jours)*
Célébré à Calais (Maine)
et à St. Stephen (Nou-
veau-Brunswick), cet évé-
nement présente un des
plus grands défilés de la
Nouvelle-Angleterre, mais
aussi des spectacles, des
jeux pour enfants, des feux
d'artifice et de l'artisanat.

Achats

Kittery

On a dit de Kittery qu'il
s'agissait d'un paradis du
consommateur fébrile, et
voici pourquoi: on y trouve
une centaine de boutiques
réparties sur à peine 2 km,
parmi lesquelles figurent
Gap, Timberland, Bose, Liz
Claiborne, Tommy Hilfiger,
Anne Klein, Calvin Klein et
bien d'autres. Kittery, en
raison de sa moins grande
popularité (le L.L. Bean est
à Freeport), est en général
moins fréquentée, de sorte
que les prix ont réellement
tendance à diminuer. De
plus, les détaillants de cette
petite ville clament à qui
veut l'entendre que, chez
eux, tous les magasins sont
de véritables *factory outlets*,
soit des magasins d'usine.
On retrouve tous ces cen-
tres commerciaux le long
de la route 1.

Freeport

C'est ici que tout a com-
mencé, avec la venue du
détaillant en vêtements de
plein air **L.L. Bean** (*95 Main
St.,* ☎*800-559-0747, www.
llbean.com*). En 1912, Leon

Le Maine - Achats

Leonwood Bean inventa une paire de bottes particulièrement bien conçues pour la chasse et la pêche. Au début, il vendait ses bottes de cuir à semelles de caoutchouc par la poste. Avec le temps, il s'aperçut que nombre de chasseurs passaient dans sa ville la nuit, et il décida d'ouvrir ses portes 24 heures sur 24, 365 jours par année. Avec les années et une presse favorable, son magasin familial prit l'ampleur qu'on lui connaît. Aujourd'hui, L.L. Bean est une véritable institution, une église autour de laquelle se prosterne une pléiade de magasins d'usine et de boutiques spécialisées. L.L. Bean se spécialise évidemment dans les vêtements et le matériel de plein air. Des gants aux canots, on y trouve de tout. Il faut vraiment prendre le temps de pénétrer dans ce temple de la consommation. On s'y perd, tellement c'est grand et rempli à craquer d'acheteurs frénétiques.

Avec le succès retentissant du détaillant de plein air, d'autres entreprises sont venues s'installer à Freeport. On y dénombre près de 110 commerces parés à satisfaire vos désirs de consommation les plus fous, à prix réduit en plus, entres autres les Gap, Calvin Klein, Polo Ralph Lauren, Crabtree & Evelyn, Levi's, Reebok/Rockport, etc. Avec une liste aussi impressionnante de grandes marques, il faut s'attendre à voir beaucoup de monde. L'été venu, il s'agit véritablement d'une folie contagieuse. Enfin, on trouve amplement de places de stationnement à l'arrière des boutiques. Un petit conseil, arrivez tôt dans la matinée, car, le jour, ça devient franchement difficile à supporter.

Pour vous rendre à Freeport, empruntez l'autoroute I-95 en direction est. Prenez l'Exit 19 South, puis continuez par Main Street jusqu'au royaume des aubaines.

Cape Neddick

Pie in the Sky Bakery
jeu-lun 9h à 18h
1 River Rd., angle route 1 (entre York Beach et Ogunquit)
☎ 207-363-2656
Idéalement située sur la route 1, la Pie in the Sky Bakery saura satisfaire ceux qui désirent prendre une bouchée sur la route entre deux repas. Les biscuits et les tartes de cette minuscule pâtisserie sont toujours préparés à partir de fruits frais en saison, et l'arôme envoûtant qui émane de ses fours vaut à lui seul le déplacement.

York

York Antiques Gallery
route 1
☎ 207-363-5002
www.yorkantiquesgallery.com

York Village Crafts
211 York St.
☎ 207-363-4830
www.yorkvillagecrafts.com
Aménagée dans une église datant de 1834, cette boutique renferme des objets d'art, des antiquités et différents produits des artisans locaux. Une bonne adresse pour vos cadeaux-souvenirs.

Portland

Abacus
44 Exchange St.
☎ 207-772-4880
Cette boutique spécialisée dans l'artisanat américain

présente le travail de plus de 600 artisans.

Books Etc.
38 Exchange St.
☎ 207-774-0626

Casco Bay Books
151 Middle St.
☎ 207-541-3842
www.cascobaybooks.com

Fetch
195 Commercial St.
☎ 207-773-5450
Fido vous attend à la maison pendant que vous explorez la planète (ou, du moins, la Nouvelle-Angleterre)?... Rapportez-lui un petit cadeau de chez Fetch, sans doute une des boutiques d'accessoires pour animaux les plus sympathiques que nous ayons visitées.

Maine Potter's Market
376 Fore St.
☎ 207-774-1633
www.mainepottersmarket.com
Si vous cherchez divers objets en céramique, voilà l'endroit où aller. On y propose une vaste sélection de pièces aussi bien traditionnelles que nouvelle vague.

Ogunquit

R. Jorgensen Antiques
502 Post Rd.
☎ 207-646-9444

Spoiled Rotten
27 Beach St.
☎ 207-641-8477
Cette charmante boutique est aménagée dans une jolie maison à deux pas de la plage. On y trouve une foule d'objets décoratifs originaux et de produits locaux pour offrir en cadeau ou se faire plaisir.

Wells

MacDougall-Gionet Antiques
2104 Post Rd.
☎ 207-646-3531

Wells Union Antiques Center
route 1
☎ 207-646-4551
Il s'agit là d'un complexe regroupant une quinzaine de détaillants spécialisés dans les antiquités.

Kennebunkport

Kennebunk Book Port
10 Dock Sq.
☎ 207-967-3815
Installée dans une ancienne distillerie de rhum datant de 1775, cette charmante petite librairie possède une riche collection de livres, en plus d'une vaste sélection d'ouvrages sur le Maine et la mer.

Boothbay Harbor

Sherman's Books and Stationery
5 Commercial St.
☎ 207-633-7262
En plein cœur du centre-ville de Boothbay Harbor se trouvent ce grand magasin et bien d'autres. Sherman's occupe deux immenses étages et renferme une vaste sélection d'ouvrages de toute sorte, y compris une importante section sur le Maine, la navigation et l'univers maritime en général. Vous y trouverez en outre du papier à lettres, des cartes postales, des souvenirs, des jouets, des bijoux et plus encore.

Lincolnville

Maine Artisan's Collective
route 1, en face de Lincolnville Beach
☎ 207-789-5376
Cette galerie d'artisanat coopérative présente des tissus fabriqués dans la région, des œuvres d'art, de belles créations artisanales et même du sirop d'érable. Tout est fait à la main, et les artisans eux-mêmes se trouvent souvent sur place, toujours disposés à parler de leur travail. Les visiteurs découvriront ici une foule d'articles intéressants.

Bar Harbor

Le centre-ville de Bar Harbor vous réserve de tout. Entre les comptoirs et les kiosques d'artisanat local et les boutiques haut de gamme proposant des vêtements signés, vous trouverez sûrement ce que vous cherchez. Notez que les articles vendus ici tendent à se vendre plus cher que dans beaucoup d'autres localités de la côte du Maine, si ce n'est que les prix chutent considérablement vers la fin de septembre, au moment où plusieurs établissements s'apprêtent à fermer leurs portes pour l'hiver.

Bar Harbor Hemporium
116 Main St.
☎ 207-288-3014
Non, il ne s'agit pas d'une faute d'orthographe: le *hemp* du nom fait référence au chanvre dont est constituée la majeure partie de l'inventaire de ce magasin des plus originaux. On fabrique, à partir de cette fibre naturelle des plus polyvalentes, une profusion d'objets utilitaires, notamment des bijoux, des vêtements et des accessoires

dont l'esthétique vous surprendra.

Cool as a Moose
118 Main St.
☎ 207-288-3904
Cette jolie (et très fréquentée) boutique loge dans une magnifique maison aux auvents bleus, au cœur de l'activité commerciale de la ville. On y trouve de tout, mais son créneau principal reste les chandails et les t-shirts, dont la qualité se situe au-dessus de la moyenne.

Song of the Sea
47 West St.
☎ 207-288-5653
Song of the Sea est une boutique de musique celtique située sur le pittoresque front de mer de Bar Harbor. Vous y trouverez toutes sortes d'instruments de musique traditionnels tels que flûteaux, harpes et cornemuses, de même qu'une belle sélection d'enregistrements de musique celtique, du monde, folk et traditionnelle. Pour les amants de la musique, il s'agit là d'un incontournable à Bar Harbor.

Eastport

45th Parallel, The Store
Coastal route 1, Perry
☎ 207-853-9500
Une borne placée à proximité de ce délicieux capharnaüm rappelle au visiteur qu'il se trouve exactement à mi-chemin entre le pôle Nord et l'équateur, d'où le nom du magasin. À l'intérieur, l'amoncellement ordonné avec art d'une multitude d'articles tous plus surprenants les uns que les autres ébahira le client le plus blasé. Antiquités uniques et meubles exotiques y cohabitent avec

les objets de décoration les plus divers.

Crowtracks Woodcarving Gallery
11 Water St.
☎ 207-853-2336
www.crowtracks.com

Cette petite galerie-atelier mérite bien une visite. Un artiste local du nom de Roland LaVallee sculpte des animaux et des personnages fort réalistes que d'aucuns, parmi les connaisseurs, s'arrachent à prix d'or. La boutique doit son nom à une des premières sculptures de LaVallee, dont la signature était si peu lisible que quelqu'un l'a comparé à des traces de corneille... Sans se laisser décourager par un tel commentaire, l'artiste a continué de perfectionner son art tout en intégrant cette image au nom de sa galerie.

Raye's Mustard Mill and Pantry Store
83 Washington St.
☎ 207-853-4451

On produit des moutardes depuis 1903 à cet endroit! Et on le fait depuis toujours selon la méthode traditionnelle européenne, en broyant les graines de moutardes à l'aide d'une série de meules en marbre, ce procédé garantissant la conservation des arômes volatils de ces épices. Naguère au service des conserveries de sardines, la Raye's s'est depuis réorientée dans les moutardes fines qu'elle met aujourd'hui en vente, sous différents conditionnements, dans sa boutique située à l'avant de la fabrique.

Rangeley

Alpine Shop
2623 Main St.
☎ 207-864-3698

Sans doute cette boutique doit-elle son nom à l'origine autrichienne de son propriétaire... Quoi qu'il en soit, il s'agit d'une sorte de magasin général mâtiné d'une boutique de souvenirs où l'on trouve de tout, depuis les bijoux jusqu'aux bottines de marche, en passant par la vaisselle et les vêtements de sport.

Greenville

Indian Hill Trading Post
route 15
☎ 800-675-4487

On trouve de tout et même plus dans cette immense caverne d'Ali Baba, où vêtements et articles de plein air côtoient volontiers la bimbeloterie amérindienne, les canots et les kayaks, également offerts en location. Le «poste de traite» avoisine même un supermarché.

Le New Hampshire

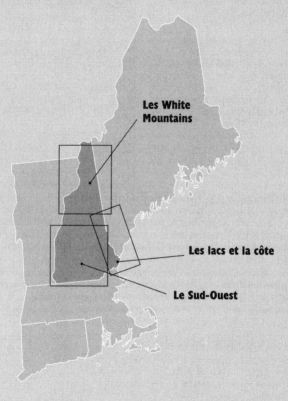

Les White Mountains

Les lacs et la côte

Le Sud-Ouest

La montagne et la mer: le New Hampshire demeure un des rares États de l'Union où les sommets éternels des montagnes font écho au littoral ensoleillé.

Cette particularité géographique a de tout temps comblé les visiteurs. Le calme invitant des White Mountains a constitué un baume à la pollution des villes dès la fin du XIXe siècle. On venait aussi sur la côte pour retrouver le repos avec sa succession de dunes bordées de récifs dramatiques et d'agglutinations de villages gourmands d'air marin. On peut aujourd'hui parcourir ces deux régions en seulement quelques heures, puisque les dimensions du New Hampshire ne sont que de 160 km d'est en ouest et de 322 km du nord au sud.

Les routes bucoliques du New Hampshire revêtent un intérêt en toutes saisons, pour culminer avec le kaléidoscope d'émotions des couleurs chaudes de l'automne. Les vacanciers nostalgiques voudront savourer la nature sans ambages à bord d'un «train-navette» de campagne dont le service a été rétabli dans les régions des White Mountains et des lacs. Pour hâter la cadence, deux autoroutes principales traversent le New Hampshire. Quel que soit votre mode de transport, la vie sauvage vous éblouira avec ses caribous et ses cerfs de Virginie fréquemment remarqués au passage, à partir des White Mountains jusque dans le nord de l'État.

Votre itinéraire vous conduira invariablement le long des routes secondaires ponctuées de fascinantes clôtures de granit. À dessein, le New Hampshire porte le sobriquet d'«État du granit», cette roche dont l'origine remonte à 300 millions d'années, dans la mouvance des glaciers et l'évolution de la morphologie. Cette vibrante morphologie s'est heureusement atténuée et transformée en un véritable paradis pour les randonneurs et les skieurs. Le fameux Appalachian Trail pourfend l'État du New Hampshire d'est en ouest. On y retrouve de nombreux pics dont le plus haut sommet de la Nouvelle-Angleterre, le mont Washington, à 1 917 m, accessible notamment par le centenaire Cog Railway et où des vents foudroyants de 375 km/h ont déjà été enregistrés!

Plusieurs formations glaciaires d'une beauté exceptionnelle constituent un solide héritage de ce passé turbulent: dans les White Mountains, la Flume Gorge est une gorge spectaculaire; dans le Sud-Ouest, le mont Monadnock est devenu la montagne la plus escaladée d'Amérique du Nord, offrant une vue imprenable sur les six États de la Nouvelle-Angleterre!

De tels trésors ont agi comme un aimant sur la propension d'entrepreneuriat des habitants du New Hampshire. De coquets établissements hôteliers, restaurants et boutiques se profilent discrètement un peu partout où les éléments naturels ont attiré les vacanciers. Le New Hampshire se vante de compter un grand nombre de ponts couverts. La création en 1769 du prestigieux Dartmouth College et la présence du sculpteur Augustus Saint-Gaudens ont galvanisé le tourisme dans l'ouest de l'État. La région de Monadnock se targue d'abriter la fabuleuse résidence pour artistes qu'est la MacDowell Colony. Le tournage du film *On Golden Pond* avec Henry et Jane Fonda, à Holderness, dans la «région des lacs», constitue un atout supplémentaire pour les visiteurs.

L'attirance pour la montagne a connu une véritable explosion lors de la révolution industrielle et de la construction du chemin de fer. Les White Mountains sont devenues l'endroit de villégiature par excellence dans l'est des États-Unis pour de nombreuses personnalités et artistes dont le poète Robert Frost, récipiendaire de quatre prix Pulitzer. Encore aujourd'hui, vous retrouverez des vestiges de la splendeur de la vie d'hôtels de cette époque révolue. Quant aux villages manufacturiers, plusieurs ont été laissés en plan avec la fermeture des moulins. Paradoxalement, ce sont des entreprises de haute technologie qui logent aujourd'hui dans ces édifices impressionnants.

L'impact de l'évolution du New Hampshire sur la politique américaine contemporaine est indéniable: premier État à déclarer son indépendance du joug britannique en 1776, il fut le

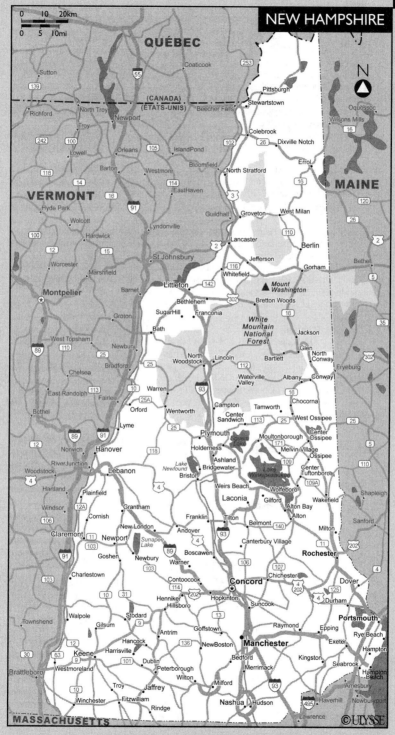

NEW HAMPSHIRE

QUÉBEC

(CANADA)
(ÉTATS-UNIS)

VERMONT

MAINE

MASSACHUSETTS

©ULYSSE

0 10 20km
0 5 10mi

N

Sutton
139
Richford
North Troy
Troy
Newport
242
100
Lowell
Orleans
105
IslandPond
118
Barton
Westmore
114
EastHaven
14
Hyde Park
91
Wolcott
Lyndonville
100
Hardwick
12
15
St Johnsbury
Worcester
Marshfield
Barnet
Montpelier
West Topsham
89
110
Groton
25
Newbury
Chelsea
Bradford
25
East Randolph
113
Fairlee
10
Warren
Bethel
25A
Orford
Wentworth
89
91
Lyme
12
Norwich
118
Hanover
RiverJunction
Woodstock
4
Lebanon
Hartland
Plainfield
Windsor
12A
Grantham
106
Cornish
New London
Claremont
11
Newport
103
Goshen
Newbury
103
Charlestown
103
10
31
Townshend
Walpole
Stoddard
Gilsum
9
30
12
Hancock
63
Keene
Harrisville
9
101
Westmoreland
Dublin
10
Troy
Jaffrey
Winchester
Fitzwilliam
Rindge
Brattleboro

Coaticook
253
Pittsburgh
Stewartstown
Colebrook
102
26
Dixville Notch
Beecher Falls
Errol
North Stratford
16
3
Guildhall
Groveton
West Milan
116
110
Lancaster
Berlin
Jefferson
Gorham
116
Whitefield
142
Littleton
302
Bretton Woods
Bethlehem
SugarHill
Franconia
White
Mountain
National
Forest
Jackson
Bath
Glen
North
Woodstock
Lincoln
112
Bartlett
North
Conway
Waterville
Valley
Albany
Conway
16
Campton
Tamworth
Chocorua
Center
Sandwich
113
25
West Ossipee
Plymouth
Center
Ossipee
Holderness
Moultonborough
171
Lake
Newfound
Ashland
Bridgewater
Melvin Village
Bristol
109
Center
Tuftonboro
Weirs Beach
Lake
Winnipesaukee
109A
Wolfeboro
Laconia
Gilford
Wakefield
Alton Bay
Franklin
Tilton
Alton
Andover
93
Belmont
140
Milton
Canterbury Village
11
106
Boscawen
Warner
107
Rochester
Contoocook
114
202
Chichester
Dover
Henniker
Hopkinton
Suncook
4
202
125
Hillsboro
13
4
Durham
Antrim
Goffstown
Raymond
Epping
Portsmouth
136
NewBoston
Manchester
Exeter
Rye Beach
Bedford
Kingston
Hampton
Peterborough
Merrimack
Seabrook
Wilton
Milford
Hampton
Beach
Nashua
Hudson
495
Haverhill
Newburyport
Lawrence
Amesbury

Oquossoc
Wilsons Mills
16
120
26
2
Bethel
5
35
302
Fryeburg
5
110
Shapleigh
Sanford
5
202
4

55
Mount
Washington
16
Squam Lake
Sunapee
Lake
Concord
25

Le granit: plus qu'un sobriquet

Le sobriquet de *Granite State* pour l'État du New Hampshire provient de l'abondance de granit sur son territoire, probablement au grand dam des fermiers des débuts de la colonie, qui, de peine et de misère, ont dû enlever ces roches de granit de leurs champs. Celles-ci ont quand même servi de clôture pour les propriétés, de jalons pour les chemins de l'époque et de pierres tombales. D'ailleurs, vous pourrez en voir le long des routes de campagne, près desquelles de jolis petits cimetières se blottissent.

neuvième État à ratifier la Constitution des États-Unis. La devise *Live Free or Die* (vivre libre ou mourir) sur les plaques d'immatriculation témoigne de l'esprit de liberté des résidants. Et tous les quatre ans, depuis 1952, à l'hôtel The Balsams, on y entend les échos des premiers applaudissements des primaires lors de l'élection présidentielle.

La gastronomie du New Hampshire s'est aussi mise au diapason: à la tradition des fruits de mer et de la fameuse tarte aux pommes avec cheddar, s'ajoutent des microbrasseries exquises, des restaurants alliant des influences de l'Afrique et de l'Orient et de raffinées auberges. L'industrie touristique du New Hampshire, en pleine effervescence, profite des fruits du labeur du passé, de la richesse de son histoire et de l'esprit d'entreprise caractéristique de ses habitants. Vous aimerez découvrir ses 65 parcs, ses 80 terrains de golf, ses 30 km de plages et ses sommets enivrants.

L'État du New Hampshire est divisé en sept zones touristiques que nous avons regroupées en trois circuits: **Les White Mountains** ★ ★ ★, **Les lacs et la côte** ★ et **Le Sud-Ouest** ★. Le premier circuit vous transportera dans la région du plein air et de la vie sauvage avec les White Mountains et les Great North Woods; le second propose un itinéraire ensoleillé avec les lacs et la côte; et le dernier, qui couvre le cœur économique de l'État, vous fera découvrir le Merrimack aux villes manufacturières gorgées d'histoire, le Monadnock avec ses ponts couverts ainsi que la région de Dartmouth-Lake Sunapee, sportive et universitaire, où paradoxalement le temps semble s'être arrêté.

Accès et déplacements

■ En avion

New Hampshire Division of Aeronautics *(☎603-271-2551)* vous donnera tous les renseignements au sujet des aéroports municipaux et privés.

Le **Lebanon Municipal Airport** *(5 Airpark Rd., ☎603-298-8878, www.flyleb.com)*, à quelques minutes de Hanover et à 30 min de New London et de Claremont, offre des vols réguliers à bord de USAir Express sur Boston, Philadelphie et l'aéroport La Guardia de New York.

Le **Manchester Airport** *(One Airport Rd., ☎603-624-6539, www.flymanchester.com)* est l'aéroport le plus grand du New Hampshire.

Le **Pease International Airport** *(☎603-433-6088, www.peasedev.org)* de Portsmouth propose des vols intérieurs et internationaux.

■ En voiture

Le New Hampshire est traversé par deux autoroutes majeures (la I-93 et la I-89), et les routes secondaires sont bien entretenues. Il est possible de tourner à droite au feu rouge après avoir cédé la route aux autres automobilistes qui ont la priorité. Il est obligatoire de s'arrêter dans les deux directions lorsque les feux d'arrrêt ou que l'affiche STOP d'un autobus scolaire sont actionnés. Le port de la ceinture de sécurité est obligatoire pour tous. L'avertissement répété de prendre garde aux orignaux et de réduire votre vitesse est sérieux: en raison de leur taille et de leur attrait notamment pour le sel des routes, ces bêtes font fréquemment des victimes sur la route, même à faible vitesse.

Le New Hampshire

Location de voitures

Hertz *(☎800-654-3131, www.hertz.com)* possède des comptoirs à Portsmouth, Nashua, Manchester, Concord et Lebanon.

Avis *(☎800-331-1212, www.avis.com)* fait la location à Concord, Hampton, Laconia, Manchester, Nashua, Lebanon, West Lebanon, North Swanzey, Swanzey, Merrimack, Salem et Keene.

National *(☎800-227-3876, www.nationalcar.com)* dispose d'une flotte de véhicules à Portsmouth, Manchester et Lebanon.

Budget *(☎800-268-8900, www.budget.com)* offre ses services à Portsmouth, Manchester, Nashua et Salem.

■ En autocar

Peter Pan *(☎800-343-9999, www.peterpanbus.com)* dessert entre autres Concord, Manchester, Nashua, Boston et New York.

Concord Trailways *(Depot St. Extension, ☎603-228-3300 ou 800-639-3317, www.concordtrailways.com)* effectue un triangle Concord-White Mountains-Boston en passant par la «région des lacs».

Greyhound Bus Lines/Vermont Transit *(☎603-436-0163 ou 800-231-2222, www.greyhound.com)* s'arrête entre autres à Hanover, New London, Keene, Concord, Manchester et Nashua.

Vermont Transit Lines *(☎802-864-6811)* propose des arrêts à Boston, White Junction, Concord, Manchester et Portsmouth.

Southwick Airport Shuttle *(☎888-942-5044)* fait la navette entre l'aéroport de Manchester et la ville même.

■ En train

Amtrak/USA Rail *(☎800-872-7245, www.amtrak.com)* dessert la Nouvelle-Angleterre en s'arrêtant à Claremont, mais ne traverse pas directement le New Hampshire. Par contre, vous verrez plusieurs trains qui effectuent des circuits touristiques, notamment dans les White Mountains et la «région des lacs».

Renseignements utiles

■ Hôpitaux

Concord Hospital
250 Pleasant Rd.
Concord
☎603-225-2711

Huggins Hospital
route 28
Wolfeboro
☎603-569-7500

Cheshire Medical Center
580 Court St.
Keene
☎603-354-5400

Memorial Hospital
3073 White Mountain Hwy.
North Conway
☎603-356-5461

Upper Ct Valley Hospital
181 Corliss Lane
Colebrook
☎603-237-4971

■ Renseignements touristiques

New Hampshire Division of Travel and Tourism Development
172 Pembroke Rd
Concord
☎603-271-2665 ou 800-FUN-IN-NH
www.visitnh.gov

Les White Mountains

En arrivant par le nord sur la route I-93, prenez le temps de rencontrer les préposés de **Moore Station** *(tlj 8h à 18h; sortie 44 de la route I-93)*, qui offrent une foule de renseignements et une quantité de dépliants; à défaut de voir les orignaux dans la nature, vous pourrez contempler de magnifiques bois d'élan d'Amérique surplombant les bureaux.

Le bureau de tourisme de **Littleton** *(mi-oct à mi-juin lun-ven 8h à 17h, mi-juin à mi-oct tlj 9h à 18h; Main St., sortie 43 de la route I-93, Littleton ☎603-444-6561, www.littletonareachamber.com)* est installé dans une maisonnette accueillante dont la grande fenêtre est jonchée de fleurs en été.

À **Conway**, le kiosque d'information est bien en vue dans le parc au cœur du village sur la route 16; deux autres bureaux vous renseigneront, le **White Mountain National Forest** *(été tlj; 33 Kancamagus Hwy.,* ☎*603-447-5448)* et le **Passaconaway Information Center** *(été tlj),* sur le même tronçon, à 20 km à l'ouest de Conway.

Si vous souhaitez vous procurer de l'information concernant le **White Mountains Trail**, dans la région de **Lincoln** (voir p 382), adressez-vous au **White Mountains Attractions Visitor's Center & Ski 93 Information** *(tlj 8h30 à 17h30; Main St., sortie 32 de la route I-93,* ☎*603-745-8720 ou 800-FIND-MTS; info ski:* ☎*800-88-SKINH, www.visitwhitemountains.com).*

À **Gorham**, tous les renseignements sur les excursions d'observation des orignaux se retrouvent au **Northern White Mountain Chamber of Commerce** *(Main St., Memorial Park, devant la gare ferroviaire,* ☎*603-752-6060, www.northernwhitemtnchamber.org),* ouvert tout l'été.

Les lacs et la côte

Pour de l'information générale, adressez-vous à la **Lakes Region Association** *(New Hampton,* ☎*603-774-8664 ou 800-605-2537, www.lakesregion.org).*

Les employés de la **Wolfeboro Chamber of Commerce** *(32 Central Ave.,* ☎*603-569-2200 ou 800-516-5324, www.wolfeborochamber.com)* brillent par leur efficacité et offrent des dépliants pertinents dont celui des activités pendant les jours de pluie!

La **Greater Portsmouth Chamber of Commerce** *(lun-ven; 500 Market St., sortie 7 de la route I-95,* ☎*603-436-1118, www.portsmouthchamber.org)* se trouve sur une des routes d'accès et offre un stationnement, alors que son **Downtown Kiosk** *(fin mai à mi-oct, tlj 10h à 17h; Market Square)* est situé en plein centre-ville.

Toute l'information sur **Hampton Beach** se trouve au **Hampton Beach Visitor Center** *(mai à oct; 22 C St.,* ☎*603-926-8717, www.hamptonbeach.org).*

Le Sud-Ouest

Greater Concord Chamber of Commerce
40 Commercial St.
Concord
☎603-224-2508
www.concordnhchamber.com

Hanover Area Chamber of Commerce
lun-ven 9h à 16h
53 S. Main St.
Hanover
☎603-643-3115
www.hanoverchamber.org

Dartmouth Hanover Information
juin à sept tlj 9h30 à 17h
Dartmouth Green, devant le Hanover Inn
Hanover

Greater Manchester Chamber of Commerce
889 Elm St.
Manchester
☎603-666-6600
www.manchester-chamber.org

Greater Peterborough Chamber of Commerce
route 101
Peterborough
☎603-924-7234
www.peterboroughchamber.com

■ Taxes

Il n'y a pas de taxe de vente au New Hampshire, que ce soit pour les vêtements, l'alcool ou les articles de consommation courante. Une taxe de **8%** est cependant appliquée à l'hébergement et aux restaurants.

Attraits touristiques

Les White Mountains

Destination centenaire, les White Mountains sont impressionnantes pour la sérénité du grand air et la richesse de la vie sauvage. La région est délimitée par le Maine à l'est, le Vermont à l'ouest, au sud par la «région des lacs» et par la région de Dartmouth-Lake Sunapee et par les Great North Woods au nord. Ces chaînes de montagnes comptent 86 sommets dont le

Les grands hôtels des White Mountains

À la fin du XIXᵉ siècle, à cause de l'emploi du charbon comme combustible, l'air vicié des villes commençait à être étouffant. Les White Mountains devinrent alors la solution aux maux de santé des citadins riches et célèbres en quête d'air pur et tonifiant. Au faîte de cette époque luxueuse, on dénombrait une trentaine d'hôtels ceinturant la région, de Bethlehem à Bretton Woods, en passant par Whitefield, Franconia et Sugar Hill. Identifiés comme faisant partie du «groupe des 400», ces gens fortunés se déplaçaient avec quantité de bagages, serviteurs et tuteurs pour leurs enfants, souvent pour toute la période estivale. Cinq présidents des États-Unis ainsi que les plus grandes personnalités de l'époque ont gravé leur nom sur les registres des hôtels de la région. Ces établissements rivalisaient de raffinement et d'opulence. Les premiers visiteurs des White Mountains y sont parvenus en carriole. Au milieu du XIXᵉ siècle, on venait les cueillir à la gare ferroviaire. Dans les années 1920, la popularité de l'automobile signifia pour plusieurs la liberté d'explorer des régions méconnues; son avènement mit fin à cette ère fastueuse.

mont Washington, qui domine la Presidential Range. La Presidential Range comprend des pics éponymes des présidents des États-Unis dont un nouveau venu, le mont Clinton. L'**Appalachian Trail** ★ ★ ★ (voir p 404) fait le bonheur des randonneurs qui traversent les White Mountains. Un circuit spectaculaire sur route de 160 km, le **White Mountains Trail** ★ ★ ★ (voir p 382), permet de découvrir la morphologie spectaculaire de la région dont ses gorges à couper le souffle et de charmants villages. En vous y attardant, vous serez témoin d'une riche vie culturelle et de l'attachement que les résidants vouent au patrimoine.

Littleton ★

Une des portes d'entrée dans les White Mountains, Littleton est accessible par les deux routes I-91 et I-93 qui la contournent. Son essor économique est tributaire à son accession au Main Street Community Program en 1997. Vous y trouverez d'adorables auberges et des restaurants de fine cuisine. Remarquez la magnifique girouette du Thayers Inn, cet établissement qui a été érigé en 1843. C'est à Littleton que les Kilburn Brothers ont produit les stéréoscopes en 1869, un appareil permettant de voir des photos en deux dimensions, un divertissement de taille à l'époque!

Le **Littleton Grist Mill** ★ *(entrée libre; tlj 10h à 17h; 18 Mill St., ☎603-444-7478 ou 888-284-7478, www.littletongristmill.com)* domine la rivière Ammonoosuc depuis 1798. On y fabrique de la farine biologique sur pierre, vendue ensuite à la boutique.

Le record Guinness du plus long comptoir à bonbons (près de 35 m avec 600 jarres de sucreries) appartient au **Chutter General Store** ★ *(43 Main St., ☎603-444-5787)*, qui vend aussi de l'artisanat et d'autres produits de la Nouvelle-Angleterre.

Main Street devient la route 302; empruntez-la vers l'est jusqu'à Bethlehem.

Bethlehem

L'entrée inopinée à Bethlehem se fait avec le domaine historique qu'est **The Rocks Estate** *(entrée libre; route 302, ☎603-444-6228)*. Les naturalistes vous expliqueront le programme de gestion de la forêt pour les animaux, d'achat de sapins de Noël, d'identification de fleurs en haute montagne et d'astronomie.

Les trésors de ce charmant village, entre autres sa vieille gare ferroviaire qui est maintenant une maison privée, ses antiquaires et ses terrains de golf centenaires, sont répertoriés dans un dépliant disponible au **Bethlehem Historical Museum & Information Center** *(lun-ven 10h à 16h sam dim 10h à 17h; Main St., ☎603-869-3409, www.bethlehem-whitemtns.com)*. Regroupés sous forme de circuit pédestre, ils se visitent librement.

Poursuivez par la route 302 vers le sud-est.

Bretton Woods

Bretton Woods est situé sur la route 302 et s'est fait connaître au cours du XXᵉ siècle par le **Mount Washington Hotel** (voir p 407), où s'est tenue la Conférence des Nations Unies en 1944 pour la création de l'Union monétaire internationale. On y trouve le centre de ski de **Bretton Woods** (voir p 405) et le Cog Railroad.

L'ascension de plus de 4 km du mont Washington s'effectue en trois heures à bord d'un train à crémaillère datant de 1869, soit le **Mount Washington Cog Railway** *(57$; fin avr à oct tlj; route 302, ☎603-278-5404, www. thecog.com)*, situé à Bretton Woods puisqu'il grimpe la montagne du côté ouest. Avis à ceux qui pensent prendre un train romantique: ce train est bruyant et dégage de fortes émanations de carburant.

Le **Crawford Depot** *(route 302)* est à la fois un centre d'information et une boutique de plein air. Bien aménagé et géré par l'Appalachian Mountain Club (voir l'encadré sur le Four Thousand Footer Club, page suivante), c'est aussi un arrêt pour le «train-navette» des randonneurs, le **Conway Scenic Railroad** (voir p 381). On y déniche des cartes, des livres et de l'équipement pour achever les préparatifs d'une excursion.

Continuez par la route 302, qui longe une gorge époustouflante avec des haltes pour bien apprécier le paysage. À 0,5 km de la route 302 par la route 16, Glen propose deux centres d'attraction.

Glen

Heritage New Hampshire *(11$; fin mai à début sept tlj 9h à 18h; route 16, ☎603-383-4186, www.heritagenh.com)* vous propose de revenir au XVIIᵉ siècle à bord de ses stations interactives.

Adjacent à Heritage New Hampshire, vous reconnaîtrez les maisonnettes amusantes du village de **Story Land** *(22$; fin mai à début sept tlj 9h à 18h, début sept à début oct sam-dim 9h à 18h; route 16, ☎603-383-4186, www.storylandnh.com)*, qui vous convie à son monde imaginaire avec 16 manèges à thème.

Continuez par la route 16 Nord.

Jackson Village ★ ★

Ce village de carte postale de la fin du XIXᵉ siècle est niché dans une vallée en retrait de la route 16: en suivant les indications, vous le reconnaîtrez à son charmant pont couvert. Vous ne verrez ni enseigne au néon ni route bruyante, mais plutôt des terrains de golf et de raffinées auberges gastronomiques qui attendent les plus romantiques!

Reprenez la route 16 Nord.

Pinkham Notch ★ ★

Pinkham Notch se trouve dans une gorge où la conduite automobile sur la route 16 est déroutante: tantôt elle longe la vallée, tantôt elle borde la montagne. Région de plein air au cœur des Appalaches, elle abrite le fameux **Mount Washington State Park**, où se dresse la chaîne de montagnes dite Presidential Range avec le mont Washington; d'ailleurs une maquette de cette cordillère est exposée à l'intérieur de l'imposant **Pinkham Notch Visitor Center** *(toute l'année; route 16, ☎603-466-2727, www.outdoors.org)*, qui est la référence pour planifier une excursion dans les White Mountains. Vous y trouverez des guides, un excellent casse-croûte santé, une navette pour les randonneurs et des conférences les soirs d'été à 20h sur des sujets comme les feux de forêt et le saumon de l'Atlantique dans les White Mountains.

Le **Mount Washington** ★ ★ ★ domine élégamment la Presidential Range avec son pic de 1 916 m, le plus élevé du nord-est du continent. On a déjà enregistré des conditions météorologiques extrêmes comme des vents de 375 km/h à son sommet, où l'on retrouve un musée de l'observatoire du mont Washington avec des souvenirs d'époque et des fleurs arctiques rares. En plus du Cog Railway, les visiteurs y accèdent depuis 1861 en suivant la sinueuse route de 13 km qu'est la **Mount Washington Auto Road** ★ ★ *(20$/voiture et 7$/passager; mi-mai à fin oct 7h30 à 18h; route 16, au nord du Pinkham Notch Visitor Center, ☎603-466-3988, www.mountwashingtonautoroad.com)*. En hiver, le **SnowCoach** *(tlj 9h à 14h30; ☎603-466-2333)* vous permet de n'acheter qu'un titre de passage, si le cœur vous en dit, pour redescendre en raquettes, en skis de fond ou en télémark. Pour maximiser votre randonnée, il est suggéré de vérifier la visibi-

Four Thousand Footer Club

Il existe 48 sommets de plus de 1 219 m dans les White Mountains. À l'origine, le **Four Thousand Footer Club** *(www.amc4000footer.org)* visait à regrouper les adeptes de randonnée de montagne qui avaient franchi le sol de ces sommets peu communs. Aujourd'hui, le club, qui célèbre ses 50 ans en 2007, se dote en plus d'une mission de préservation des montagnes. Afin de devenir membre, vous devez remplir un formulaire disponible sur PDF au *www.amc-4000footer.org/apps.htm*, en indiquant les renseignements d'usage pour l'ascension que vous aurez choisie (coordonnées, âge, date de l'ascension, compagnons de randonnée et autres détails au besoin), à retourner par la poste au **AMC Four Thousand Footer Committee** *(P.O. Box 444, Exeter, NH 03833-0444)*.

lité au centre d'information du côté est de la route 16.

De multiples sentiers de randonnée pédestre s'éparpillent de tous bords tous côtés à partir de Pinkham Notch. Leur nombre et leur niveau de difficulté varient grandement. Ainsi, on peut partir pour quelques heures comme pour plusieurs jours en prévoyant dormir sous sa tente ou dans un des refuges du parc. L'un des sentiers les plus populaires est le **Tuckerman Ravine Trail** (voir p 405). Certains viennent grimper ce sentier avec leurs skis sur le dos pour profiter des neiges printanières les plus tardives de la région.

Revenez sur vos pas et continuez par la route 16 Sud.

North Conway

La route 16 devient Main Street à la hauteur de North Conway, un village construit sur la longueur: la rue principale est jalonnée d'auberges sympathiques, de nombreux restaurants, d'un théâtre, d'une vieille gare rénovée d'où partent des «trains-navettes» et de centres commerciaux où se trouvent

les fameux *outlets*, soit des magasins d'usine à grande surface et de bonne réputation où les prix sont souvent très avantageux.

Au nord du village, le centre interactif qu'est le **Weather Discovery Center** ★ ★ *(entrée libre; tlj 10h à 17h; route 16, ☎603-356-2137, www.mountwashington.org/education/center)* permet de se familiariser avec le mont Washington à l'aide d'une chambre à vent qui simule des bourrasques effrénées. Vous pouvez même parler aux météorologues travaillant au sommet de la montagne!

Tout le monde à bord pour une randonnée sur le **Conway Scenic Railroad** ★ *(19,50$, 23$ et 36$; mi-avr à mi-mai et nov à mi-déc sam-dim, mi-mai à fin oct tlj; Schouler Park, www.conwayscenic.com)*! Trois quais d'embarquement: Conway, Bartlett et Crawford Depot. Vous pouvez choisir la première classe et le forfait «toit panoramique» avec dîner.

Continuez par la route 16 Nord.

Conway ★

Ce village fait contraste à North Conway par son calme et son intimité. Conway est la porte d'entrée de la Kancamagus Highway, que vous devrez emprunter sur toute la longueur pour vous rendre du côté ouest des White Mountains, à Lincoln.

La **Kancagamus Highway** ★ ★ est une route panoramique de 34,5 milles (55,5 km) et d'axe est-ouest qui relie les villages de Conway et de Lincoln en traversant la **White Mountain National Forest** (voir p 399), le long de la Swift River, et dont l'élévation culmine à près de 915 m. Notez bien que par temps clair, les fins de semaine, la circulation y est très dense: vous voudrez peut-être en profiter pour faire la traversée tôt le matin ou alors franchir le tronçon en vélo!

Au sortir du parc, vous vous retrouverez sur la route 112.

Lincoln

À l'ouest de la Kancamagus Highway, Lincoln est avant tout un centre de ski avec une succession d'hôtels, de restaurants et de cafés, en plus d'un centre commercial où un adorable théâtre d'été, le **Papermill Theatre** (voir p 422), a pignon sur rue.

C'est à Lincoln que commence ou finit (selon le point de départ ou d'arrivée) le spectaculaire circuit automobile ou à vélo de 160 km du **White Mountains Trail** ★★★, de North Woodstock, en passant par Franconia Notch Parkway et Crawford Notch, pour se terminer avec la Kancamagus Highway: cette boucle rassemble les panoramas les plus spectaculaires des White Mountains. Un dépliant indiquant les points d'intérêt est disponible au **White Mountains Attractions Visitor's Center**, juste à l'ouest de Main Street, avant la route I-93.

Le trajet familial de 80 min à bord du petit train du **Hobo Railroad** ★ *(10$; fin mai à mi-juin sam-dim 11h 13h, fin juin à mi-oct tlj 11h 13h; Main St., ☎603-745-2135, www.hoborr. com)* traverse la forêt et le golf le long de la rivière Pemigewasset et propose en plus un forfait pique-nique.

Suivez la route 112 vers l'ouest, puis, à la fourche, prenez à gauche la route 3 Sud. Au carrefour au sud du village de North Woodstock, prenez la route 112 en direction ouest.

Des grottes glaciaires, des chutes spectaculaires, une immense crevasse de granit, un sentier écologique et un jardin avec plus de 300 espèces de buissons et de plantes sont au nombre des beautés naturelles de la **Lost River Gorge** ★ *(11,50$; mi-mai à oct tlj 9h à 17h, juil et août jusqu'à 18h; route 112, ☎603-745-8031, www.findlostriver.com).*

Revenez sur vos pas jusqu'à la route I-93.

Franconia Notch Parkway ★★★

La route I-93 devient la Franconia Notch Parkway sur 10 km, à travers le Franconia Notch State Park, qui comprend les merveilles que sont la Flume Gorge, le Basin, l'Echo Lake et la Cannon Mountain. Cette section de la route offre plusieurs sorties et haltes qui vous permettent d'admirer chacune de ces merveilles de la nature.

Le **Franconia Notch State Park** ★★★ *(sortie 1-3, ☎603-823-8800, www.nhparks.state.nh.us)* s'étend sur 2 400 ha et offre camping, pêche à la mouche, baignade, ski alpin et randonnées de toute sorte, à pied, à vélo ou en ski. Vous trouverez ci-dessous ses attraits.

Les guides du **Flume Gorge Visitor Center** *(tlj 9h à 16h30; sortie 1, ☎603-745-8391, www. flumegorge.com)* offrent conseils et documentation pour vos besoins, avec des suggestions de circuits de randonnée, cartes topographiques à l'appui. En plus, vous pourrez y voir un présentoir vitré montrant divers artefacts provenant des grands hôtels de la région, des animaux empaillés et des vidéos.

C'est par le Flume Gorge Visitor Center que vous accédez à la **Flume Gorge** ★★★ *(10$; mai à oct tlj 9h à 17h)*, un fjord de 250 m saisissant, creusé par le retrait des glaciers et où coule la rivière Pemigewasset. Pour y accéder à partir du Visitor Center, empruntez le vieux pont couvert The Flume du XIXᵉ siècle, peu importe que vous choisissiez de franchir la courte distance à pied ou en navette (autobus).

Du Franconia Notch Parkway, en suivant les indications, vous arriverez au stationnement qui mène au **Basin** ★★, une impressionnante formation circulaire de 7 m orchestrée par les torrents tournoyants il y a 25 000 ans. On recommande de porter de bonnes chaussures de marche pour le rejoindre par un sentier de roche de quelques minutes (un détour permet d'y aller en fauteuil roulant).

Le **New England Ski Museum** ★ *(entrée libre; fin mai à fin mar tlj 10h à 17h; ☎603-823-7177)* est situé au bas de la Cannon Mountain. Vous pourrez y voir des équipements et des vêtements de ski ainsi qu'une projection continue de films d'époque.

La **Cannon Mountain** (voir p 406) se dresse au milieu du Franconia Notch State Park pour le plus grand plaisir des skieurs et des randonneurs en toutes saisons. De beaux sentiers de randonnée (voir p 405) et, par temps clément, la gondole qu'est l'**Aerial Passenger Tramway** *(10$; mi-mai à fin oct tlj 9h à 16h30)* vous permettent d'accéder au sommet de 1 276 m. Une tour d'observation offre une perspective époustouflante à 360 degrés! La descente peut se faire à pied avec un choix de niveaux de difficulté de pistes.

Le petit **Echo Lake** ★★ repose au pied de la Cannon Mountain, au nord du Franconia Notch State Park. Quelques sentiers très courts, et surtout une petite plage (voir p 400), permettent un arrêt bienvenu

Ponts couverts

Le New Hampshire compte peut-être le plus grand nombre de ponts couverts *(www.nh.gov/nhdhr/bridges)* en Nouvelle-Angleterre. Un des moments les plus favorables pour les admirer est sûrement la période de crue printanière. Leur structure fermée, à l'instar d'une grange, effrayait moins les chevaux, et leur toit protégeait les poutres de bois de la neige et en retardait donc la dégradation. Les ponts couverts portaient aussi le sobriquet de «ponts des baisers» à cause de l'intimité qu'ils offraient, et il semble qu'à cet effet celui de Bath fût le plus fréquenté!

pour se dégourdir les jambes, d'autant plus que la Franconia Notch Parkway passe à quelques centaines de mètres du lac. Seuls ceux qui n'ont pas peur de l'eau froide s'y baigneront. Les autres apprécieront la vue spectaculaire des vertigineux flancs de montagnes qui s'élèvent de chaque côté du lac, créant un corridor propices aux vents violents.

Reprenez la route I-93 en direction nord et prenez la sortie de Franconia.

Franconia

Franconia a été un florissant village au XIXᵉ siècle en raison de son moulin de fonte servant à la fabrication des fameux poêles Franconia. D'ailleurs, un immense four de fonte est visible dans Main Street. Le village comporte une rue principale qui offre une poignée de restaurants, quelques services et une boulangerie.

En retrait du centre du village, on y a construit le **Forest Hills Hotel**, devenu en 1961 le **Franconia College**, dans lequel on voulait calquer l'esprit d'Oxford, avec en prime, le ski à la porte! Ce bâtiment fut démoli en 1984.

Continuez par la route 116 Sud.

De la route 116, prenez Bickford Hill Road à droite vers l'ouest; après le pont, tournez à gauche; 0,5 km plus loin se trouve la **Frost Place** ★ *(4$; fin mai à fin juin sam-dim 13h à 17h, juil à fin nov mer-lun; ☎603-823-5510, www.frostplace.org)*. Il s'agit du domaine où Robert Frost a élevé sa famille et cultivé vergers et jardins. Son œuvre a été couronnée de quatre prix Pulitzer et d'une cinquantaine de doctorats honorifiques. On y fait des lectures de poésie en été.

À l'extrémité de la route 116 Sud, prenez la route 112 vers l'ouest jusqu'à la route 302, que vous emprunterez vers le nord.

Bath ★

On vient à Bath pour admirer l'un des trois ponts couverts et préparer un pique-nique à l'improviste à l'intrigant magasin général qu'est le Brick Store (1774).

Le **Swiftwater Bridge** ★, convoité par les photographes, se trouve sur la route 112, à l'est de la route 302. Sur la route 302, le **Bath Village Bridge** ★, d'une longueur de 122 m, serait le plus long pont couvert du New Hampshire! Le **Bath Haverhill Bridge** est situé à l'ouest de Bath sur la route 135, à 0,5 km au nord de la route 302.

Juste au sud du Bath Village Bridge, le magasin général dénommé le **Brick Store** ★ *(route 302, ☎603-747-2074)* a survécu à trois incendies: vous pouvez d'ailleurs y remarquer les trois épaisseurs de briques! Le mur arrière servait de panneau publicitaire pour les trains. À l'intérieur, le comptoir bas accueillait les dames en robes à crinoline. Une section où l'on peut s'offrir de la soupe maison, des sandwichs appétissants et du *fudge* maison, est adjacente au fumoir où sont préparés le bacon et les grosses meules de fromage.

Continuez par la route 302, au nord de Lisbon, et tournez à droite dans la route 117 vers Sugar Hill. Suivez la côte de Sugar Hill vers Franconia; tournez à droite à l'arrêt dans la route 116, qui devient Main Street, puis continuez tout droit jusqu'à la jonction avec la route 142 Nord. Quelques kilomètres plus loin, la route 142 fait un crochet par Main Street à Bethlehem. Prenez-la en direction nord.

Whitefield

À la jonction des routes 116 et 3, le premier coup d'œil qu'on a de Whitefield est le **Common**, un parc avec une rotonde, légué à la ville en 1833 comme «terrain de jeu pour les garçons» et où l'on présente des spectacles les samedis soir et les dimanches matin de l'été. Vous y trouverez le **Weathervane**, un théâtre d'été et quelques auberges, entre autres le **Mountain View Grand Resort & Spa**, dont la réouverture en 2002 après des travaux de 13 millions de dollars mit fin à 15 années d'incertitude économique dans la région.

Après avoir tourné à droite dans la jolie route 116 vers Jefferson, bifurquez sur la route 2, que vous prendrez vers l'est jusqu'à Gorbam.

Gorham

Le village de Gorham se trouve géographiquement et philosophiquement entre la ville papetière de Berlin et les White Mountains: vous y verrez plusieurs motels et restaurants commerciaux de même que de charmantes auberges comme la **Philbrook Farm** (voir p 408). Quelques organisateurs d'excursions d'observation des caribous y ont élu domicile. Une vieille gare transformée en musée borde le grand parc central.

Revenez à la route 2 vers l'ouest jusqu'à la jonction avec la route 16, puis filez franc nord pendant quelques kilomètres, jusqu'à Berlin.

Berlin ★

Berlin est une ville industrielle qui contraste avec l'atmosphère des montagnes que l'on voit au sud. Son histoire est bien expliquée dans le dépliant de la visite autoguidée *Heritage Tour of Berlin* (gratuit; Northern White Mountains Chamber of Commerce; lun-ven 8h30 à 16h30;164 Main St., ☎603-752-6060 ou 800-992-7480), qui propose un itinéraire à pied ou en voiture: le visiteur remonte dans le temps jusqu'aux débuts de la coupe de bois et, en raison de l'immigration, se fait expliquer les influences culturelles de la ville avec sa riche architecture et la moitié de sa population qui est francophone. Vous verrez au passage, le long de la rivière, une

Les immigrants, main-d'œuvre spécialisée

Au XIXe siècle, des émissaires de l'industrie du bois allaient recruter les immigrants débarqués sur les quais de Long Island, à New York, pour bénéficier d'une main-d'œuvre spécialisée. Chaque culture possédait son expertise. En plus d'être habitués aux longs et rudes hivers, les Canadiens français avaient une excellente connaissance de la forêt; les Scandinaves étaient tout aussi familiers avec la foresterie; les Russes avaient une forte éthique de travail; les Italiens étaient de bons maçons; les Irlandais étaient reconnus pour la construction des ponts et des routes; les Allemands étaient souvent ingénieurs ou inventeurs (comme Alfred Tupper, ex-résidant de Berlin, New Hampshire, et inventeur du fameux Tupperware).

série d'îlots de pierre, soit des repères sur lesquels se postaient les draveurs.

La maison qui abrite le **Brown Company House Museum** (entrée libre; 961 Main St., ☎603-752-7202, www.northernforestheritage. org) a hébergé, au XIXe siècle, travailleurs et invités d'honneur des compagnies forestières. Elle a été léguée au Northern Forest Heritage Park Trust, dont le mandat est la protection et la mise en valeur de la forêt. Une de ses initiatives, le **Heritage Park ★**, est la reconstitution d'un village de l'époque avec camp de bûcherons aux abords de la rivière Androscoggin.

La **route 16 Nord qui longe la rivière Androscoggin entre Berlin et Errol ★ ★** est spectaculaire avec tantôt ses bouleaux austères, tantôt ses arbres touffus, ses parcs et ses haltes routières avec aire de pique-nique.

À partir d'Errol, la panoramique route 26 mène à **Dixville Notch ★ ★**, une gorge spectaculaire qui pourfend les montagnes et qui comprend plusieurs très beaux sentiers de randonnée (voir p 405); on y trouve le site de l'hôtel centenaire **The Balsams** (voir p 409), établi sur une presqu'île. Ses installations épatantes accueillent tous les quatre ans les primaires qui lancent le bal de l'élection présidentielle.

À la jonction de la route 26 et de la route 145, **Colebrook** offre une épicerie, un terrain de golf, un magasin de sport, quelques motels et restaurants.

À partir de Colebrook, prenez la vallonnée route 145, où se trouve le 45ᵉ parallèle et qui mène à Pittsburg.

Pittsburg offre une dernière chance de faire le plein d'essence et de vous sustenter avant de prendre le chemin des trois magnifiques **Connecticut Lakes** ★★. Les amoureux du plein air seront comblés par la vie sauvage abondante, les parcs, haltes et pourvoiries qui sont situés sur les rives des trois lacs ou qui en ont une vue spectaculaire. Il est fortement conseillé de ralentir la vitesse de votre véhicule et de ne pas vous y aventurer à la brunante: si vous devez le faire, vous n'aurez pas d'autre choix que de rouler à très basse vitesse avec la présence de dizaines de caribous, souvent arrêtés sur la route même!

Les lacs et la côte
★

Notre itinéraire commence dans la «région des lacs», où vous longerez en grande partie une étendue d'eau, le lac Winnipesaukee. Avec une variation sur le même thème, la seconde partie nous mène cette fois à la mer, de Rye aux Hamptons.

Plymouth

Plymouth est une petite ville universitaire où il fait bon vivre ou s'arrêter. Le cœur géographique de la ville est le parc appelé le **Common**, qui donne sur le **Plymouth State College**, lequel contribue, pour une bonne partie, à l'activité économique. Vous trouverez plusieurs pubs et cafés dont le torréfacteur costaricain **Café Monte Alto** (voir p 417). L'université propose un calendrier annuel de spectacles.

Légèrement au nord de Plymouth, le **Polar Caves Park** ★ *(12$; mi-mai à mi-oct tlj 9h à 17h; route 25, sortie 26 de la route I-93, ☎603-536-1888 ou 800-273-1886, www.polarcaves. com)* propose l'émerveillement aux enfants avec des souterrains aux passages étroits qui remontent à l'époque glaciaire, des animaux à nourrir, des sentiers avec des chutes et une aire de pique-nique au sein de conifères majestueux.

Les cordes de rappel remplacent les balles de foin à la **Rock Barn** ★ *(15$; oct à mai lun-ven 17h à 22h, sam-dim 12h à 20h, juin à sept lun, mer et ven 17h à 22h, sam-dim 13h à 19h; jonction des routes 25 et 3A, ☎603-536-2717)*, dans une sympathique ferme devenue un centre d'escalade qui fait la location d'équipement et donne des cours.

La route 3 vous transporte dans la région des pins majestueux.

Les Canadiens français dans les usines

L'**Association Canado-Américaine** *(www.aca-assurance.org)*, fondée en 1896, compte aujourd'hui 50 000 membres tant aux États-Unis qu'au Canada. Théophile Biron, premier immigrant canadien-français surintendant dans les usines d'Amoskeag, a cherché à fournir aux travailleurs francophones une protection financière en cas d'accident, de maladie ou de décès. Avec la fusion de deux sociétés paroissiales – à l'époque les seuls pourvoyeurs d'assurance-santé et d'assurance-vie –, les cotisations et les avantages sociaux doubleraient. Cette fusion correspondait à l'objectif que s'était fixé M. Biron, soit d'unir les immigrants canadiens-français et préserver leur langue et leur culture, à travers l'Église et dans les écoles francophones. La contribution des Canadiens français à la vie économique et culturelle du New Hampshire n'a jamais eu de cesse. Aujourd'hui, la moitié de la population de Berlin est francophone. Il est fréquent d'y voir des noms de commerces francophones et d'y croiser un descendant d'une famille d'immigrants francophones.

Le New Hampshire - Attraits touristiques - Les lacs et la côte

Holderness ★★

Holderness impressionne avec ses grands conifères qui ont miraculeusement été épargnés de la main des entrepreneurs. Le village est bordé de deux lacs, **Little Squam ★** et **Big Squam ★**, passés à l'histoire depuis le tournage du fameux film *On Golden Pond*. Plusieurs activités y gravitent. La localité voisine, **Ashland**, est réputée pour ses fermes de bleuets qu'on cueille en saison.

Sur la jolie route 3, à la jonction avec la route 113, le **Squam Lakes Natural Science Center ★★** *(13$; mai à oct tlj 9h30 à 16h30; route 113, ☎603-968-7194, www.nhnature.org)* offre une programmation intérieure et extérieure affriolante pour les enfants: quatre sentiers de 2 km avec jardins et animaux en liberté contrôlée tels que lynx, ours, oiseaux de proie et tortues! Le programme «découverte en bateau» sur les lacs Squam vous mènera sur la piste des huards à la pleine lune.

Pour plus d'indépendance, la **Squam Lakes Camp Resort Marina** *(route 3, ☎603-968-7227, www.squamlakesresort.com)* fait la location de canots, bateaux à moteur et pontons.

Center Sandwich ★★

Au carrefour de routes de campagne savoureuses, Center Sandwich est un adorable village, de la taille de la paume de la main! Les amateurs de golf trouveront de beaux terrains tout autour.

À l'angle de la route 113 et de Maple Street, au passage du Corner House Inn, le **Sandwich Historical Society Museum** *(dons appréciés; juin à sept mar-sam 11h à 16h et sur rendez-vous; 4 Maple St., ☎603-284-6269, www.sandwichhistorical.org)* fait revivre entre autres un magasin général.

*Suivez la route 113, qui se dirige vers l'est à North Sandwich, puis bifurquez à gauche sur Foss Flat Road, une route de campagne extraordinaire (surtout avec les coloris d'automne), pour atteindre le pont couvert qu'est le **Durgin Bridge ★**, construit en 1828. Revenez à la route 113 et roulez jusqu'à Tamworth.*

Tamworth ★

En 1931, Tamworth s'est fait connaître par l'ouverture du premier théâtre d'été des États-Unis, soit les **Barnstormers** (voir p 422), dont l'initiative revient à Francis Grover Cleveland, fils du 22ᵉ président des États-Unis.

Au centre du village, le **Remick Country Doctor Museum and Farm ★** *(entrée libre; toute l'année lun-ven 10h à 16h plus sam juil à oct; 58 Cleveland Hill Rd., ☎603-323-7591 ou 800-686-6117)* recrée la vie, les coutumes et les activités de la ferme comme le barattage du beurre avec une cuisine et un grand foyer du XIXᵉ siècle.

La route 113 mène à la route 16, où se trouve notre prochaine destination: préparez votre appareil photo.

Mount Chocorua ★

Le village appelé Mount Chocorua est reconnu pour sa montagne qui s'offre immuablement en spectacle. Du côté ouest de la route 16, au sud du lac Chocorua, à la ferme et à la barrière d'accès, vous en aurez une perspective idéale appréciée des photographes.

Revenez sur vos pas jusqu'à la route 16, que vous emprunterez en direction sud jusqu'à la jonction avec la route 25. Suivez cette dernière route en direction ouest pour vous rendre à Moultonborough, où se profile le lac Winnipesauke.

Moultonborough

On retient surtout le nom du village de Moultonborough grâce au domaine de Castle in the Clouds. Chemin faisant sur la route 25 vers le sud-ouest, vous remarquerez du coin de l'œil le magasin général amusant où plusieurs s'arrêtent.

L'allure de vieux magasin général et les barils de bois sur sa galerie sont les repères de l'**Old Country Store ★** *(☎603-476-5750, www.nhcountrystore.com)*, à l'intersection avec la route 25. Il a eu plus d'une vocation depuis 1781: bibliothèque, bureau de poste et concessionnaire de calèches. Vous y verrez une intéressante section de cartes topographiques, qui pourra compléter votre itinéraire. À l'étage, vous trouverez

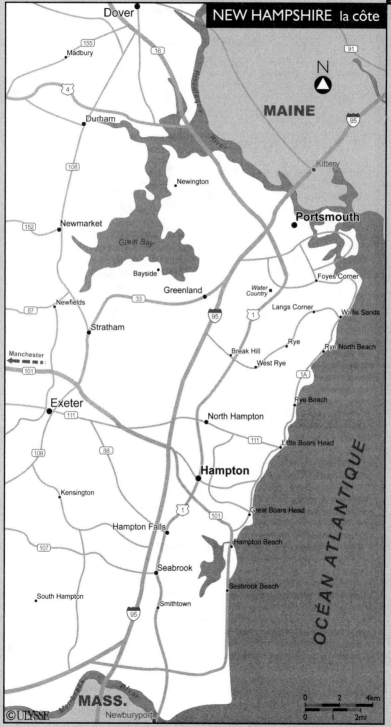

NEW HAMPSHIRE la côte

N

MAINE

Dover

Madbury

Durham

Newington

Newmarket

Great Bay

Bayside

Greenland

Newfields

Stratham

Manchester

Exeter

Kensington

Hampton Falls

South Hampton

Seabrook

Smithtown

MASS.

Newburyport

Kittery

Portsmouth

Foyes Corner

Water Country

Langs Corner

Wallis Sands

Break Hill

Rye

Rye North Beach

West Rye

Rye Beach

North Hampton

Little Boars Head

Hampton

Great Boars Head

Hampton Beach

Seabrook Beach

OCÉAN ATLANTIQUE

©ULYSSE

0   2   4km
0   1   2mi

un fascinant et poussiéreux musée qui présente des instruments aratoires et d'autres outils.

La vue en plongée sur le lac Winnipesaukee à partir de **Castle in the Clouds** ★ ★ *(10$; route 171, au sud de Moultonborough,* ☎*603-476-5900 ou 800-729-2468, www.castleintheclouds. org)* est spectaculaire pendant la visite commentée du manoir de l'industriel Thomas Plant; le président Teddy Roosevelt y avait sa chambre. Le domaine comporte un casse-croûte, des sentiers de randonnée et une ferme d'équitation.

Vous commencerez à longer le lac Winipesauke par la route 25, qui recoupe la route 3 à la hauteur de Meredith.

Winnipesaukee est un nom autochtone qui signifie «sourire du Grand Esprit». D'une longueur de 28 milles (45 km), il est orienté vers le tourisme avec ses 274 îles, 273 lacs et étangs, et plusieurs types de destinations, entre autres Wolfeboro, qui se targue d'être le premier site de villégiature aux États-Unis.

Meredith

Meredith est située sur une baie du lac Winnipesauke, aux carrefours de deux routes d'accès. La route 25 devient Main Street à l'ouest et contourne la vieille section un peu plus sympathique avec quelques restaurants et la gare ferroviaire. D'ailleurs, le dépliant explicatif **Historic Walking Tour** *(Meredith Area Chamber of Commerce, au sud du village sur la route 3)* relate l'historique de la ville au XVIIIe siècle. Le moulin du complexe The Mill est un vestige de cette époque. Dans la zone limite de la ville, par Meredith Street, vous accéderez au **Lake Waukeman**, où une jolie rampe d'accès pour bateaux semble attirer les lève-tôt.

Le train familial avec casse-croûte du **Winnipesaukee Scenic Railroad** *(11$; fin mai à mi-oct tlj; Meredith Station, angle Main St. et Maple St.,* ☎*603-745-2135, www.hoborr.com)* propose deux heures de plaisir à bord et des points de vue spectaculaires le long des rives du lac Winnipesauke. Il faut compter une seule heure à bord, à partir de Weirs Beach.

Continuez par la route 3 Sud.

Laconia

Ce village a déjà connu une époque touristique foisonnante que vous reconnaîtrez à l'architecture de certains édifices, entre autres la magnifique gare ferroviaire, maintenant reconvertie en gare routière et qui abrite aussi la **Laconia Chamber of Commerce** *(toute l'année, lun-ven 6h30 à 17h, sam jusqu'à 19h15; angle Depot St. et Main St.).* Au nord du village se trouve l'**Opechee Park** (voir p 400).

Prenez la route 3, qui mène à Tilton et ensuite à Franklin. De là, empruntez la route 127, qui bifurque vers l'ouest (à droite), et suivez les indications jusqu'à la maison de Daniel Webster.

Franklin

On vient à Franklin surtout pour visiter l'amusante maisonnette de deux pièces qu'est la **Daniel Webster Birthplace** ★ *(3$; mi-juin à début sept tlj 10h30 à 17h30, jusqu'à fin nov sam-dim; route 127,* ☎*603-934-5057, www.nhstateparks.com/danielwebster.html),* où est né ce fameux orateur et politicien en 1782. Un guide en costume d'époque raconte les us et coutumes de cette période épique qu'était la Révolution américaine. Un sentier de 1 km entoure la propriété.

Non loin de Franklin se trouve le petit village de **Tilton** avec son impressionnante réplique de l'arche de Titus à Rome, d'une hauteur de 20 m.

Revenez par la route 127 jusqu'à la route 3 et, à Tilton, prenez la route 140 vers Belmont, et puis empruntez Shaker Road, à l'ouest de la route 106, qui conduit au village shaker.

Canterbury

Vous remarquerez de loin le **Canterbury Shaker Village** ★ ★ *(15$; mai à oct tlj, nov-déc et avr sam-dim 10h à 17h; 288 Shaker Rd.,* ☎*603-783-9511, www.shakers.org),* ce bourg du XVIIIe siècle avec ses 25 édifices originaux entre autres la boulangerie, le magasin général (où n'entrent pas plus de trois personnes à la fois!) et un restaurant, **The Shaker Table** (voir p 417) où tout provient de la ferme! En plus du célibat, les shakers prônent un mode de vie sans artifice: des artisans y font des démonstrations de la fabrication de meubles aux lignes classiques.

Remontez franc nord vers Belmont; la route 106 est croisée par la route 11, que vous emprunterez vers le sud-est.

Gilford

La route 11 longeant le lac Winnipesauke et l'**Ellacoya State Park** (voir p 400) vous permettra d'apprécier le doux oscillement des vagues.

Continuez par la route 11, et vous arriverez à l'extrémité sud du lac.

Alton Bay

On a l'impression que la route s'arrête ici, dans ce petit village, où vous pouvez vous baigner à la plage publique d'Alton (voir p 400), marcher le long du *boardwalk* ou casser la croûte.

À l'entrée du village, en bordure du lac, notez la signalisation de l'ancienne gare ferroviaire qui abrite le **Lakes Region Association/Alton Bay/Visitor Center** *(jeu-sam 8h30 à 17h; Main St.,* ☎*800-60-LAKES, www.lakesregion.org).*

Au sud d'Alton Bay, **Barr Road** est ponctuée de quelques comptoirs de fruits et légumes. D'Alton Bay, la route 28 contourne le lac et en offre une perspective très intéressante.

Wolfeboro ★ ★

Cette station balnéaire établie depuis le XVIIIᵉ siècle se targue d'être le premier site de villégiature aux États-Unis. Wolfeboro tient son nom du général Wolfe (celui qui vainquit les Français à Québec en 1759), mais c'est le président Grover Cleveland qui, en y élisant sa résidence d'été, l'a popularisée. L'infrastucture touristique est très bien développée autour du lac Winnipesauke. Les activités sont regroupées par thèmes dans une série de dépliants judicieux, dont celui sur les attraits et plages, disponibles à la chambre de commerce, aménagée dans une magnifique gare ferroviaire, en retrait du côté est de la rue principale.

Le joli **Clark House Museum Complex** *(juil à début sept lun-sam; 337 S. Main St.,* ☎*603-569-4997)* comprend trois bâtiments et jardins

des XVIIIᵉ et XIXᵉ siècles, entre autres la charmante école du village.

Vous pouvez découvrir la ville avec le tour guidé de 45 min à bord du tramway **Molly the Trolley** *(15$; juil et août tlj 10h à 16h; Town Docks, 60 N. Main St.,* ☎*603-569-1080).*

Les routes 109A et 171 dévoilent de larges pans de majestueuses forêts de pins.

La prochaine destination est Portsmouth et la côte que vous rejoindrez en empruntant la route 16 et en passant par Rochester et Dover.

Portsmouth ★ ★ ★

Les premiers navigateurs anglais désignent d'abord Portsmouth, découverte en 1623, du nom de «Strawberry Banke», appellation qui restera jusqu'en 1653 en raison de la profusion de talus à baies. **Fort Constitution ★** *(sur l'île adjacente de New Castle; voir p 390)* a été le théâtre de la première révolte des patriotes. Au XVIIIᵉ siècle, sa situation géographique lui permet de s'affermir comme base militaire puis comme gros chantier naval. L'activité portuaire engendre inexorablement la prostitution. Le puritanisme protestant triomphe avec les deux sœurs Prescott, qui estiment que la prostitution est un fléau: les établissements gênants sont démolis. Plusieurs entreprises relatent cette époque de grand remue-ménage de même que son architecture, qui, fort heureusement, a été préservée en grande partie. Vous apprécierez aussi sa culture et sa gastronomie.

Le **Harbour Trail Walking Tour Guide and Map** *(8$; juil à fin oct jeu-lun; Market Square Kiosk,* ☎*603-436-1118)* propose soit des visites guidées historiques ou un dépliant explicatif avec attraits de la ville. Vous découvrirez l'activité portuaire et le rôle qu'y a joué la prostitution, la mise en contexte des brasseries dans la société puritaine de l'époque, de même que la vie religieuse, intellectuelle et économique.

Sur les berges de la Piscataqua River, le **Prescott Park ★** propose des jardins magnifiques et une programmation familiale à ciel ouvert.

Le fascinant village du XVIIIᵉ siècle qu'abrite le **Strawbery Banke Museum ★ ★ ★** *(15$, valable pour 2 jours; tlj 10h à 17h; Hancock St.,*

603-433-1100, www.strawberybanke.org) est une reconstitution d'époque avec d'authentiques édifices et commerces comme des ateliers et un magasin général. À l'intérieur, des acteurs vous raconteront leur occupation et leurs préoccupations! Les jardins, les tables de pique-nique ou le Café on the Banke procurent une halte agréable.

Enfants et adultes trouvent leur compte au **Children's Museum of Portsmouth** ★★ *(6$; juin et juil mar-sam 10h à 17h, dim 13h à 17h; 280 Marcy St., 603-436-3853, www. childrens-museum.org)*, accessible en fauteuil roulant. Il propose des stations et des jeux interactifs aux amateurs d'archéologie, de sciences, d'arts et de musique.

Visitez l'authentique sous-marin **U.S.S. Albacore** ★ *(5$; tlj mai à sept, jeu-lun oct à avr; 600 Market St., Albacore Park, 603-436-3680, www.ussalbacore.org)*, qui a établi plusieurs records de vitesse et a été retourné à son lieu d'origine. Vous y trouverez une aire de pique-nique et un centre d'accueil des visiteurs.

Les 13 manèges à thème aquatique, entre autres la piscine à vagues du **Water Country** *(33$; juin à début sept 10h à 17h, juil à mi-août 9h30 à 19h; route 1, 603-427-1111, www.watercountry.com)*, sont un succès à coup sûr!

Au XIXᵉ siècle, **Four Tree Island** (voir p 400) avait la cote pour les bars et les maisons de jeu. Quel contraste avec ce qu'est devenu cet adorable petit parc pour pique-niquer avec vue sur la baie! Adjacente, la piscine extérieure de **Pierce Island** ★ *(2,50$; mi-juin à fin août; 603-427-0717)* donne aussi sur la mer.

Au sud-est de Portsmouth, l'île de New Castle est facilement accessible en voiture ou à vélo par la route 1B.

New Castle ★★

Cette île résidentielle comporte aussi quelques jolis parcs et plages, un hôtel historique, une marina et Fort Constitution, le lieu d'un des premiers actes de rébellion envers l'autorité royale.

Fort Constitution ★ *(entrée libre; tlj 8h à 16h; route 1B, Coast Guard Station)* est le site historique de la bataille des patriotes qui, en 1774, juste avant la Révolution américaine,

ont fait l'assaut de ce fort pour y enlever poudre à canon et fusils des mains des loyalistes, et qui ont ainsi déclenché la Révolution américaine. À travers les ruines, les enfants s'amusent à courir et à imaginer les scénarios de l'époque. Le stationnement est très limité.

Reprenez la route 1B, qui mène à la route 1A, en direction de la côte.

La **route 1A** ★★★ *(Seacoast Office, 603-436-1552)* longe la côte, de Portsmouth à Hampton Beach, et offre 30 km de littoral spectaculaire, de plages sablonneuses ou rocailleuses, de récifs dramatiques, de dunes, de marécages salins et un authentique parc préhistorique. On l'appelle aussi «Ocean Boulevard».

Rye ★★

Sur le site de l'**Odiorne Point State Park** (voir p 400), le **Seacoast Science Center** ★★ *(3$; avr à oct tlj 10h à 17h, nov à mars sam-lun 10h à 17h; route 1A, 603-436-8043, www. seacoastsciencecenter.org)* vous fascinera avec ses présentations interactives sur la vie aquatique (incluant les homards du golfe du Maine et l'effet des marées sur la chaîne alimentaire).

Poursuivez votre balade le long de la route 1A.

La **Wallis Sands State Beach** (voir p 400) est le premier jalon de ce village inopinément dessiné en longueur sur la côte. Son petit port, Rye Harbor, compte de nombreux organisateurs d'activités en haute mer.

Le sympathique commandeur du port de Rye se targue de connaître mieux que qui que ce soit les cétacés et vous propose des excursions fascinantes d'observation des baleines avec **Granite State Whale Watch** ★ *(27$; route 1A, Rye Harbor, 603-964-5545, www.granitestatewhalewatch.com)*.

*Au cours de votre balade sur la route 1A en direction sud, vous passerez **Pirate's Cove Beach** (voir p 400).*

North Hampton

La renommée des **Fuller Gardens** *(6,50$; mi-mai à mi-oct tlj 10h-17h30; 10 Willow Ave., 603-964-5414)*, réaménagés dans les

Le New Hampshire - Attraits touristiques - Les lacs et la côte

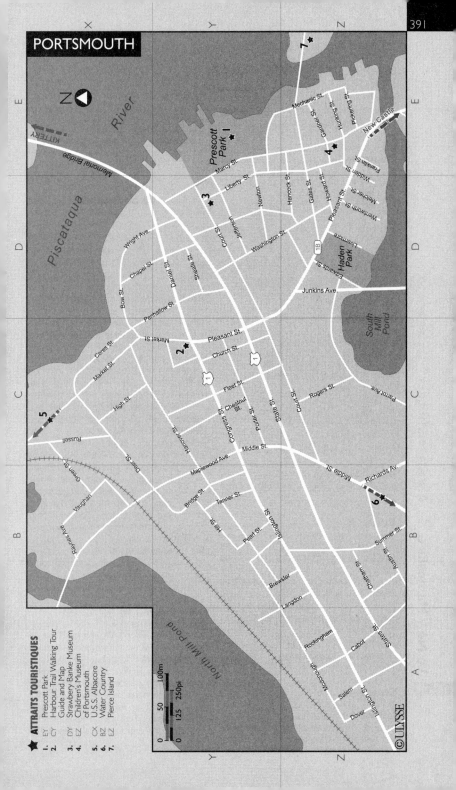

PORTSMOUTH

N

Piscataqua

River

Memorial Bridge

KITTERY

Prescott Park 1

Marcy St.

Liberty St.

3

Wright Ave.

Chapel St.

Daniel St.

Steele St.

Court St.

Wibbefeur

Newton

Washington St.

Bow St.

Penhallow St.

Ceres St.

Market St.

Market St.

High St.

Pleasant St.

2

Church St.

Fleet St.

Chestnut St.

Congress St.

Hanover St.

Portland St.

State St.

Court St.

Rogers St.

Middle St.

Maplewood Ave.

Bridge St.

Tanner St.

Hill St.

Islington St.

Pearl St.

Brewster

Langdon

Rockingham

Cabot

States St.

Islington St.

Salem

Dover

McDonough

Chatham St.

Arthur St.

Summer St.

Richards Av.

6

Middle St.

Parrot Ave.

South Mill Pond

Haden Park

Edwards St.

Junkins Ave.

1B

Livermore

Pleasant St.

Wentworth St.

Melcher St.

Widden St.

Howard St.

Gates St.

Hancock St.

Franklin St.

New Castle

Pickering St.

Humburg St.

Gardner St.

Mechanic St.

4

7

Green St.

Vaughan

Raynes Ave.

Deer St.

Russell

5

North Mill pond

© ULYSSE

ATTRAITS TOURISTIQUES

1.	EY	Prescott Park
2.	CY	Harbour Trail Walking Tour Guide and Map
3.	DY	Strawbery Banke Museum
4.	EZ	Children's Museum of Portsmouth
5.	CX	U.S.S. Albacore
6.	BZ	Water Country
7.	EZ	Pierce Island

0   50   100m

0   125   250pi

années 1930 par les frères Olmsted, dont le père a dessiné le Central Park de New York, tient sûrement à ses 2 000 roses, ses jardins japonais ou tropicaux et ses fleurs sauvages.

*En reprenant la route 1A, vous croiserez **Hampton North Beach** (voir p 400).*

Hampton Beach

On vient à Hampton Beach pour la plage du **Hampton Beach State Park** (voir p 400) et pour festoyer! Les hôtels modernes de ce village qui a été dévasté par un feu au début du XXe siècle attirent une clientèle familiale populaire.

Laissez la côte et revenez vers les terres par la route 1, appelée aussi Lafayette Road.

Seabrook

Seabrook a fait la manchette en raison de sa centrale nucléaire; les autorités y ont construit le **Science & Nature Center at Seabrook Center** ★★ *(entrée libre; lun-ven 8:30 à 16h, réservations requises; route 1, ☎603-773-7219 ou 800-338-7482)*, qui vous en met plein la vue avec ses présentations séduisantes sur les ressources de l'énergie nucléaire. Un joli marécage et un boisé se visitent librement à l'aide d'une carte descriptive.

De la route 1, rejoignez la route I-95 en direction nord et prenez la sortie de la route 88 vers Exeter.

Exeter ★

Capitale de l'État à partir de 1776 pendant plus de 20 ans, Exeter est fière de son passé et de son architecture diversifiée que vous remarquerez entre autres sur **Main Street**. Un de ses riches commerçants, John Phillips, a fondé la **Phillips Exeter Academy**, un collège pré-universitaire qui demeure bien fréquenté.

Empruntez la route 108 Nord.

Stratham

Le village de Stratham est traversé par la route 33, qui mène au **Sandy Point Discovery Center** ★★ *(dons appréciés; mai à sept tlj*

10h à 16h, oct sam-dim; 89 Depot Rd., ☎603-778-0015). Les enfants y satisfont leur curiosité, notamment en plongeant leurs mains dans un aquarium peuplé de crabes et de mollusques; à l'extérieur, une ingénieuse aire de jeux avec des bateaux grandeur nature et un boisé avec *boardwalk* mène à l'estuaire de la Great Bay avec concert de chant d'oiseaux, observation des mammifères et parfum des fleurs sauvages.

Le Sud-Ouest

Le sud-ouest du New Hampshire est divisé en trois grandes régions: **Dartmouth-Sunapee**, où se trouvent le fameux Dartmouth College et la résidence du sculpteur Saint-Gaudens, sur la Connecticut River; le **Merrimack** nous ramène à l'intrigante époque des manufactures et des nombreuses migrations; le **Monadnock** recense un très grand nombre de ponts couverts et le magnifique mont Monadnock, la montagne la plus grimpée du monde. De longue date, les résidants de Boston et d'aussi loin que la Floride ont adopté cette partie du New Hampshire. Il en résulte une infrastructure touristique riche où l'on retrouve une étonnante qualité d'auberges gourmandes. Les villages coquets que l'on traverse en empruntant un pont couvert sont tous surmontés de clochers d'église. Les vallons et les routes bucoliques qui les sillonnent marquent le temps inexorable et le rythme apaisé de la région. Notre dernier circuit s'amorce en contournant le lac Sunapee, pour chevaucher le Monadnock et le Merrimack, et enfin se terminer avec la région de Dartmouth-Sunapee le long de l'immuable et historique Connecticut River, à deux pas des White Mountains, notre premier circuit.

New London ★

À la croisée des routes I-89 et 11, la région de New London s'est particulièrement développée avec les riches résidants de la Floride et du New Jersey qui venaient y passer leurs vacances d'été. C'est ce qui explique en partie la longévité du vieux théâtre qu'est le **Barn Playhouse**, dans la rue principale. Tout près, vous admirerez l'élégance du campus du **Colby-Sawyer College**, établi en 1837. Vous trouverez à New

1. Old Orchard Beach dégage une atmosphère de carnaval qui plaira à ceux qui désirent profiter de la belle plage longue de plus de 10 km et aux familles qui souhaitent divertir leurs enfants. (page 313)
    © Chee-onn Leong | Dreamstime.com

2. Partagée entre le sable fin et les galets, la magnifique plage de Kennebunk Beach s'étire sur quelque 3 km. (page 333)
    © Chee-onn Leong | Dreamstime.com

3. Le Baxter State Park et son fort populaire Mount Katahdin recèlent une multitude de sentiers de randonnée, parmi les plus sensationnels de la Côte Est. (pages 331 et 336)
    © Amelia Takacs | Dreamstime.com

4. Surgie de la mer sous l'action combinée de l'érosion et de la fonte des glaciers au fil de centaines de millions d'années, Mount Desert Island abrite l'un des plus beaux parcs nationaux des États-Unis, l'Acadia National Park. (page 334)
    © Chee-onn Leong | Dreamstime.com

1. Le mont Monadnock, au New Hampshire, détient le record de la montagne la plus escaladée en Amérique du Nord. L'arrivée au sommet est enivrante, avec une vue panoramique sur les six États de la Nouvelle-Angleterre. (page 397)
© iStockphoto.com / Denis Tangney

2. L'ascension de plus de 4 km du mont Washington s'effectue à bord d'un train à crémaillère datant de 1869, le Mount Washington Cog Railway. (page 380)
© iStockphoto.com / Kenneth C. Zirkel

3. Si le mont Washington attire les randonneurs en été, les skieurs s'y donnent rendez-vous en hiver. (page 380)
© Chee-onn Leong | Dreamstime.com

London une poignée de cafés et de restaurants, et une région de plein air avec parcs, pistes cyclables et sentiers de randonnée.

Pour longer le lac Sunapee, prenez la route 11 Sud, qui devient la route 103, et suivez les indications.

Lake Sunapee ★

Le **Lake Sunapee Region Visitor Information Booth** *(route 11, ☎603-526-6575)*, est un kiosque d'information touristique, votre repère pour bifurquer sur la route 103. Dirigez-vous vers l'est dans le cœur de Sunapee Harbor, à l'instar d'un petit village de pêcheurs avec une marina et un petit parc. L'auberge gastronomique qu'est l'**Inn at Sunapee** (voir p 412) y a pignon sur rue.

Prenez quelques minutes pour humer la nature en faisant le tour de la presqu'île entourant Sunapee Harbor, avec une jolie perspective du mont Sunapee. Reprenez la route 103 Sud.

Newbury

À partir de Newbury, la route 103A donne l'impression de s'enfouir dans la forêt, jusqu'à ce qu'on se retrouve sur la propriété qu'est **The Fells, John Hay National Wildlife Refuge ★★** *(6$; tlj du lever au coucher du soleil; route 103A, ☎603-763-4789, www.thefells.org)*, ouverte au public en tout temps, si vous n'optez pas pour les visites guidées, et qui propose en saison ses jardins de roses, son jardin de pierres, ses fleurs sauvages et son sentier écologique de 2 km en forêt. On recommande le port de bottes de marche. Des membres de la famille du diplomate et auteur John Hay y demeurent encore.

La route 103 bifurque vers l'est en passant par Bradford en direction de Warner.

Warner ★

Warner est un de ces sympathiques villages impromptus que la vie culturelle et la montagne ont façonnés. Sont en vedette ici le mont Kearsage, le Mount Kearsarge Indian Museum, les Carroll Studios et les spectacle branchés présentés à la librairie du village.

Au nord de Main Street, dans School Street, l'horloge de bois de l'école veille au pied de Kearsarge Mountain Road, une splendide route de 8 km où se trouve le **Mount Kearsarge Indian Museum ★★** *(entrée libre, visites guidées 8,50$; mai à oct lun-sam 10h à 17h, dim 12h à 17h; nov à fin déc sam-dim; Kearsage Mountain Rd., ☎603-456-2600, www.indianmuseum.org)*, qui se définit comme un centre culturel d'éducation de la philosophie et des coutumes des Amérindiens.

Au nord du village de Warner, les automobilistes peuvent facilement accéder au spectacle inoubliable du sommet du **Mount Kearsarge ★★★** en traversant le **Rollins State Park** *(3$; fin mai à oct tlj de clarté; Kearsarge Mountain Rd.)*.

Au cœur du village, vous verrez **Main Street Book Ends** *(16 Main St., ☎603-456-2700, www.mainstreetbookends.com)*, une amusante librairie pour tous les âges, doublée d'une salle d'exposition où sont présentées des œuvres d'artistes de la région.

En traversant le village au sud vers Lower Warner Village, arrêtez-vous pour rencontrer, à l'invitant petit atelier que sont les **Carroll Studios ★** *(entrée libre; sam-dim 10h à 15h; 237 E. Main St., ☎603-456-3947, www.davidmcarroll.com)*, l'aquarelliste Laurette Carroll et son mari David, un naturaliste, artiste et auteur, qui a fait sa renommée avec l'observation des tortues et la description de leur habitat naturel.

Sur la route 103 Sud, juste avant le village de Contoocook, s'érige à gauche un pont couvert désaffecté, où l'on s'imagine entendre de nouveau l'écho des sabots de chevaux. Pour aller à Concord, vous pouvez soit continuer par la route 103 Sud et, tout de suite après Hopkinton, prendre la route 202, soit rejoindre la route I-89 à la première occasion.

Concord ★

La capitale du New Hampshire s'est déplacée d'Exeter à Concord en 1808 pour apaiser la grogne des habitants de la région du fleuve Connecticut qui se sentaient mis à l'écart en raison de leur éloignement géographique. Concord se comporte en capitale typique avec son centre d'affaires, quelques musées importants et une auberge, le **Centennial Inn** (voir p 413), qui offre une excellente table.

Le New Hampshire - Attraits touristiques - Le Sud-Ouest

Concord se reconnaît de loin au dôme couvert de feuilles d'or de la **State House ★** *(nov à juin lun-ven 8h à 16h, juil à oct tlj; Main St., ☎603-271-2154)*, siège du Parlement, où se font des visites guidées ou libres. Remarquez le style néoclassique de cet édifice construit en 1819.

De la route I-93, prenez la sortie 15E, qui mène à la route I-393; au bas de la rampe de la sortie 1, gardez votre gauche, et, 0,5 km plus loin, vous verrez la pyramide en verre du **Christa McAuliffe Planetarium ★** *(8$; tlj horaire variable, réservations recommandées; Institute Dr., ☎603-271-STAR, www.starhop. com)*, dont la coupole de 12 m de diamètre s'emplit d'étoiles et d'objets célestes avec animation holographique.

Dans un entrepôt rénové du XIXᵉ siècle, le **Museum of New Hampshire History ★★** *(5,50$; mar-sam 9:30 à 17h, dim 12h à 17h, aussi lun début juil à mi-oct; 6 Eagle Sq., ☎603-226-3189, www.nhhistory.org)* retrace l'évolution du New Hampshire grâce à d'amusantes bornes interactives. Un stationnement gratuit se trouve au sud du musée et de Storrs Street.

Franklin Pierce, avant son mandat à la Maison-Blanche, a habité **Pierce Manse ★** *(5$; mi-juin à début oct mar-sam 11h à 15h; 14 Pentacook St., ☎603-225-2068, www.piercemanse. org)*, qui a été déménagée dans le quartier historique. Dans la rue, des panneaux font état de cette histoire souvent reliée à la législature du New Hampshire.

De Concord, vous avez le choix de prendre la route I-89 en direction ouest ou la route 202, qui devient la route 9. Si vous prenez la route I-93 à péage, en direction sud, entre 22h et 6h, assurez-vous d'avoir de la monnaie en main. Vous y trouverez une halte routière avec tous les services, ouverte jour et nuit.

Henniker

Henniker est un petit village en bordure de la région du Merrimack qui est reconnu pour son université et de bons établissements dont une ravissante auberge de style Tudor, le **Colby Hill Inn** (voir p 413).

Faites 3 km au sud du village de Henniker sur la route 114, prenez à droite Flanders Road, qui est entrecoupée à gauche par Craney Hill, que vous suivrez sur 3 km.

Une vallée bucolique mène aux **Peak Orchards ★** *(sept et oct sam-dim 10h à 17h; Craney Hill Rd., ☎603-428-3397)*, un verger qui brille, durant l'automne, de toutes ses couleurs chaudes avec diverses variétés de pommes, entre autres la Cortland, l'Empire et la McIntosh.

La route 9, de Henniker à Hillsborough, est particulièrement jolie, en plus de chevaucher à la fois deux régions, le Merrimack et le Monadnock.

Il fait bon s'arrêter dans la région de **Monadnock ★★** en toutes saisons pour se vautrer au coin du feu d'une auberge qui offre une gastronomie raffinée. Vous y verrez une succession de petits villages invitants caractérisés par les fameux belvédères sur des places publiques gazonnées. Captez son histoire dans les églises aux clochers remarquables, franchissez ses nombreux ponts couverts et visitez ses antiquaires et ses musées sensationnels.

Reprenez la route 202 Sud pour vous rendre au village de Peterborough.

Peterborough ★★

Peterborough se distingue par la vivacité de sa vie culturelle, tributaire de la fondation de la MacDowell Colony, il y a 100 ans. Vous pourrez admirer les œuvres d'artistes régionaux dans certaines boutiques, entre autres le **Sharon Arts Center** (voir p 425). Le plein air figure au centre des préoccupations des visiteurs. Pour vous sustenter, vous aurez le choix d'excellents établissements hôteliers à l'atmosphère intimiste et de haute gastronomie.

Le troisième dimanche d'août, résidants et visiteurs attendent que s'ouvrent les portes de la magnifique propriété pour les artistes en résidence qu'est la **MacDowell Colony ★★★** *(100 High St., ☎603-924-3886, www. macdowellcolony.org)*. En temps régulier, le site est fermé au public, de façon à respecter le cadre de création et de réclusion.

En poursuivant par la route 101 vers l'ouest, vous rejoindrez l'**Edward MacDowell Lake**, qui vous donnera amplement d'espace et de choix d'activités pour vous délier les jambes et vous sustenter.

MacDowell Colony:
la plus ancienne colonie d'artistes d'Amérique

La MacDowell Colony a été fondée en 1907 dans la région de Monadnock par le célèbre compositeur américain Edward MacDowell (1860-1908) et sa femme Marian (1857-1956). Célébrant son centenaire en 2007, elle représente la doyenne des colonies d'artistes aux États-Unis. Chaque année, quelque 200 artistes de toutes disciplines et de tous les coins du globe viennent créer ici pendant une période de huit semaines, dans la réclusion d'un des 32 studios, isolés les uns des autres sur les 180 hectares de cette propriété de toute beauté, à l'environnement inspirant.

Depuis ses débuts, sur les quelque 5 500 résidents qu'a accueillis la colonie, une cinquantaine ont été lauréats de prix Pulitzer, entre autres distinctions. Leonard Bernstein y a composé sa messe *Mass*, Aaron Copland y a été inspiré pour *Appalachian Spring*, et Thornton Wilder y a écrit la pièce de théâtre *Our Town*, calque de Peterborough (New Hampshire). En 1997, la MacDowell Colony a obtenu la *National Medal of Arts* des mains du président Bill Clinton, pour avoir nourri les ambitions artistiques de plusieurs des meilleurs artistes du XXᵉ siècle.

Dans l'autre direction, sur la route 101 Est, en bordure de Peterborough, vous voudrez peut-être escalader le **Pack Monadnock** du **Miller State Park** (voir p 401), facilement accessible à pied de même qu'en voiture.

Si vous choisissez de visiter Manchester, bifurquez sur la route 101 Est puis sur la route 45 Sud et roulez jusqu'à Temple, où se trouve le Birchwood Inn (voir p 413). La bucolique route 101A de Temple à West Wilton ★★ traverse, à 4,5 km de Temple, un petit village avec une jolie cascade et deux maisons presque identiques: trouvez l'erreur! Continuez vers l'est pour rejoindre la route 101.

Si vous préférez demeurer dans la région de Monadnock, rendez-vous au village de **Jaffrey** ★ (voir p 397).

Manchester ★

Voir la carte page suivante.

Dans la région de Merrimack, Manchester est une ville industrielle qui a su capitaliser sur le passé en développant une identité moderne tout en respectant son riche héritage. Au cours du XIXᵉ siècle, c'est par milliers que les Canadiens français et les Européens y ont immigré pour trouver du travail et soutenir l'industrie du textile en plein ébullition qui nécessitait une main-d'œuvre accrue. Encore aujourd'hui, vous y trouverez des quartiers ethniques et le Centre Franco-Américain. Même si Manchester a dû fermer les portes de ses manufactures en 1935, celles-ci ont été reconverties en restaurants ou en entreprises de toutes sortes.

Le legs historique des filatures de Manchester du XIXᵉ siècle consiste en plus de 1 km de manufactures en briques rouges le long du fleuve Merrimack: **Amoskeag Millyard Scenic and Cultural Byway**.

Un magnifique édifice abrite le **Franco-American Centre** ★ *(52 Concord St.,* ☎*603-669-4045, www.francoamericancentrenh.com)*, où l'accueil se fait en français. Le mur de l'escalier menant à la bibliothèque du centre de ce majestueux édifice est une galerie d'art en soi!

L'intimiste musée de style Beaux-Arts qu'est la **Currier Museum of Art** ★★ *(201 Myrtle Way,* ☎*603-669-6144, www.currier.org)* est malheureusement fermé pour cause de travaux jusqu'en 2008. Par contre, il est possible de visiter la **Zimmerman House** *(11$; visites guidées lun et ven 14h, jeu 14h et 16h, sam 11h30, 13h et 14h30, dim 13h et 14h30; réservations* ☎*603-669-6144, poste 108)*, décorée avec son mobilier d'origine et que Frank Lloyd Wright a dessinée et habitée. Vous devez réserver vos places puisqu'on vous y transporte en minibus afin de protéger la vie privée des résidants du quartier.

À l'ouest de Manchester, pour avoir une vue époustouflante sur le Mount Vernon ★★, prenez la route I-293 Ouest, qui rejoint la route 114; empruntez la route 13 Sud, puis admirez le

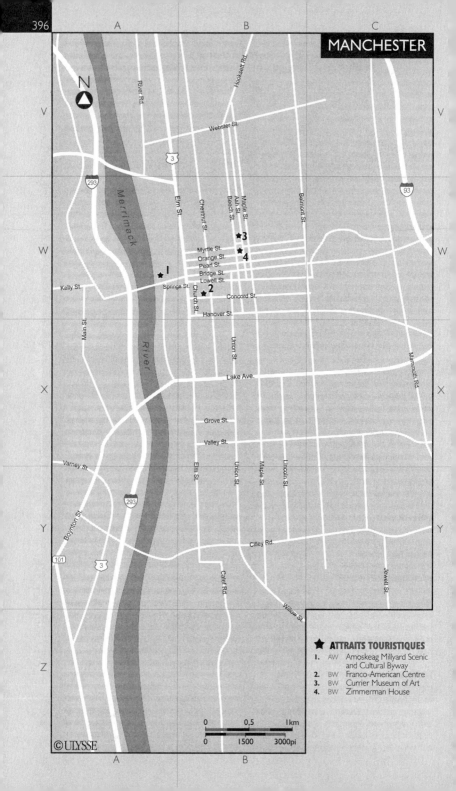

MANCHESTER

N

River Rd.

Hooksett Rd.

Webster St.

3

293

Merrimack

Elm St.

Chestnut St.

Maple St.
Ash St.
Beech St.

Balmont St.

93

★ 3

Myrtle St.
Orange St.
Pearl St.
Bridge St.
Lowell St.

★ 4

Kelly St.

Springs St.

Church St.

★ 1

★ 2

Concord St.

Hanover St.

Main St.

River

Union St.

Lake Ave.

Mammoth Rd.

Grove St.

Valley St.

Varney St.

Elm St.

Union St.

Maple St.

Lincoln St.

293

Boynton St.

Cilley Rd.

Jewett St.

101

3

Cater Rd.

Willow St.

©ULYSSE

★ **ATTRAITS TOURISTIQUES**
1. AW Amoskeag Millyard Scenic and Cultural Byway
2. BW Franco-American Centre
3. BW Currier Museum of Art
4. BW Zimmerman House

0   0,5   1km
0   1500   3000pi

Le sommet le plus grimpé d'Amérique du Nord

D'une hauteur de 964 m, le mont Monadnock, situé à Jaffrey, au cœur de la région de Monadnock, détient le record de la montagne la plus escaladée en Amérique du Nord. Sa géomorphologie est renversante, car les monadnocks en tant que tels sont des montagnes rocheuses ayant résisté exceptionnellement à l'érosion. Quel que soit le choix du sentier, l'arrivée au sommet est enivrante, avec une vue panoramique sur les six États de la Nouvelle-Angleterre!

paysage le long de la rivière Piscataquog en passant par le plateau de Mount Vernon. Reprenez la route 101, cette fois en direction ouest et, à Peterborough, empruntez la route 202 Sud.

Jaffrey ★★

Jaffrey a acquis ses lettres de noblesse avec le **Mount Monadnock** ★★★, dont l'ascension est aisée même pour les moins hardis. Les férus d'histoire apprécieront le circuit libre de 10 édifices et commerces historiques de la rue principale produit par la Ville de Jaffrey.

Prenez la route 202 vers le sud, puis tournez à gauche, en direction est, dans la route 119.

De la route 119, surveillez les indications de Cathedral Road, qui mène à l'impressionnante **Cathedral of the Pines** ★★ *(avr à oct tlj; 75 Cathedral Entrance,* ☎*603-899-3300),* avec ses 2 000 sièges au sein de grands conifères. Elle a vue sur la vallée et elle a été érigée à la mémoire des Américains morts au combat. À l'entrée, la Memorial Bell Tower, avec des bas-reliefs de Norman Rockwell, honore les femmes militaires et au civil.

Poursuivez par Cathedral Road pour reprendre la route 119, qui traverse la route 12 et le village de Fitzwilliam.

Fitzwilliam ★★

On se réfère souvent à ce village comme à une carte postale en raison de ses maisons centenaires et du magnifique **Fitzwilliam Inn** (voir p 414), qui se dressent gracieusement autour du parc commémoratif qu'est l'**Historic Fitzwilliam Common**. Un dépliant gratuit explicatif est disponible à l'auberge.

Poursuivez vers l'ouest par la route 119.

Vous arriverez au réputé **Rhododendron State Park** (voir p 401), dont des hectares de rhododendrons sont en fleurs tout l'été.

Rejoignez la route 12, que vous emprunterez en direction nord pour vous rendre à Keene.

Keene

Cette ville universitaire au cœur du Monadnock est reconnue pour son festival annuel de citrouilles. Plusieurs activités culturelles au centre d'art du Keene State College sont à surveiller. Vous serez agréablement surpris par ses excellents restaurants.

Sur le campus du **Keene State College**, la magnifique **Thorne-Sagendorph Art Gallery** ★ *(entrée libre; été dim-mer 12h à 16h; autrement sam-mer 12h à 16h, jeu-ven 12h à 19h; 229 Main St.,* ☎*603-358-2720)* présente une exposition permanente d'œuvres d'artistes régionaux du XIXe siècle et contemporains tels que Robert Mapplethorpe.

*Prenez la route 9 ouest vers Chesterfield pour admirer le sentier glaciaire du **Chesterfield Gorge State Park** (voir p 401). Empruntez la route 63 vers le nord, puis la route 12, toujours en direction nord. En chemin vers Charlestown, vous croiserez **Walpole**, où vous pourrez vous arrêter au **Restaurant at L.A. Burdick Chocolate** (voir p 421).*

Charlestown ★

Avant d'arriver au fascinant Fort at No. 4, Charlestown se déploie en une longue rue principale dont vous pourrez explorer les trésors architecturaux, entre autres l'église épiscopale datant de 1863, de style gothique, avec le dépliant du **Historic Charlestown Walkabout**, disponible à l'hôtel de ville *(lun-ven 8h à 16h; Railroad Rd.,* ☎*603-826-5821).* Vous trouverez peu de restaurants, sauf le *dîner* local, et quelques casse-croûte avec pizza pour emporter!

Par contre, pour un pique-nique sympathique, en bordure sud du village, descendez Landing Road jusqu'à la rampe de mise à l'eau des bateaux sur le fleuve Connecticut. Des tables et grils abrités sous de beaux grands arbres s'y trouvent.

Rejoignez la route 12 Nord, que vous suivrez sur 2 km. Prenez ensuite la route 11 et suivez les indications vers le Fort at No. 4.

La reconstitution historique du **Fort at No. 4** ★★ *(8$; début juin à fin oct tlj 10h à 16h30; route 11, ☎603-826-5700)* rappelle le courage des familles qui ont érigé cette enceinte afin de se protéger des Amérindiens et des Français. Des guides en costumes d'époque retracent ce passé épique. Les enfants s'y amusent tout autant!

Reprenez la route 12 en direction nord.

Claremont

Claremont a vécu des années de restructuration difficiles en raison de la délocalisation de l'industrie textile. Les beaux édifices de briques rappellent une époque économique plus affairée. Le magnifique **Claremont Opera House** (voir p 423), qui a été rénové, présente des spectacles en tous genres. Le **Goddard Mansion** (voir p 414) vaut le déplacement pour une nuitée.

À partir de Claremont, traversez le village par la route 103 pour accéder à la route 12A vers le nord: vous longerez alors le fleuve Connecticut.

Tout juste après la jonction des routes 103 et 12A, l'entreprise **North Star Canoe Rentals** (voir p 402) offre tout l'équipement pour la descente de l'imposant fleuve Connecticut. À 6 km au nord, le **Chase House Bed & Breakfast Inn** ★ est aménagé dans la maison où est né Salmon Portland Chase, fondateur du Parti républicain et instigateur du mouvement antiesclavagiste.

À environ 1,5 km, vous verrez le Cornish-Windsor Bridge, un pont couvert.

Cornish ★★

Cornish est bordé par le fleuve Connecticut et est reconnu pour Saint-Gaudens, la Cornish Colony et son fameux **Cornish-Windsor Bridge**, construit en 1866, qui relie le Vermont et le New Hampshire: remarquez les conseils d'usage encore lisibles! Le pont Cornish-Windsor de 137 m est le plus long pont en bois aux États-Unis et le plus long pont couvert à deux pans au monde.

La **Cornish Colony** a été fondée à la fin du XIXe siècle par des artistes, des intellectuels, des notables et des gens bien en vue. Le sculpteur Saint-Gaudens en a été largement responsable. On peut aujourd'hui admirer le site de cette confrérie autour du Cornish Colony Museum de même que la résidence d'été de Saint-Gaudens.

Continuez par la route 12A et suivez les indications vers le domaine Saint-Gaudens.

C'est s'approprier l'histoire un peu plus que de visiter le **Saint-Gaudens National Historic Site** ★★ *(5$; fin mai à oct tlj 9h à 16h30; route 12A, ☎603-675-2175, www.sgnhs.org)*, qui comprend l'ancienne résidence et les jardins du sculpteur Augustus Saint-Gaudens, un Français d'origine qui a élu domicile ici à la fin du XIXe siècle. La maquette du monument Sherman à New York a été élaborée dans son studio, où figurent d'autres œuvres. Des concerts d'été sont offerts les dimanches après-midi. Un beau sentier de randonnée sillonne le site sur 3 km. Il est préférable de vérifier l'horaire vers la fin de la saison.

Gardez le cap sur la route 12A.

Plainfield

Ce hameau sur la route 12A a acquis ses lettres de noblesse avec l'auberge gastronomique qu'est le **Home Hill Inn** (voir p 414). Chemin faisant, le charmant **General Store**, avec véranda et chaises berçantes, mérite qu'on le prenne en photo!

Reprenez la route 12A.

Meriden

Juste au nord de Plainfield, en vous dirigeant vers l'est sur True Brook's Road qui devient Colby Hill Road, vous serez ravi de découvrir la jolie route de campagne qui vous mène en moins de 4 km à l'adorable **Mill Bridge**, un pont couvert sous lequel vous pouvez combiner pique-nique et baignade! Pour vous ravitailler, le fumoir de fromage, bacon et jambon qu'est la **Garfield's Smokehouse** (voir p 425) se trouve à moins de 1 km, à votre droite, devant l'érablière Taylor Farm.

Notre prochaine destination est le village shaker. Tournez dans la route 120 Nord puis dans la route I-89, le temps de prendre la sortie de la route 4.

Enfield

Ce village abrite une auberge shaker qui offre des installations modernes, avec le cachet d'autrefois. Vous remarquerez le gros édifice de pierres qui se profile bien de la route.

L'**Enfield Shaker Museum** *(7$; lun-sam 10h à 17h, dim 12h à 17h; 4 Caleb Dyer Lane, ☎603-632-4346, www.shakermuseum.org)* relate l'origine de la communauté shaker. Demandez-y le plan du circuit libre pour visiter le village en quelques minutes!

Prenez la route 4 vers l'ouest, puis la route I-89 brièvement et enfin la sortie de la route 120 Nord.

Hanover

Hanover a acquis une bonne réputation avec son prestigieux **Dartmouth College**, qui stimule l'activité économique et touristique, et la ville offre de charmants *bed and breakfasts* (voir p 414) et d'honnêtes restaurants (voir p 422). Sur le campus, vous admirerez des splendeurs architecturales comme le **Hood Museum of Art**, la **Baker-Berry Library** ★★ et la **Rollins Chapel** ★★, de style néo-romanesque, où sont présentés des spectacles.

Un des plus vieux musées universitaires américains, le **Hood Museum of Art** ★ *(mar-sam 10h à 17h, mer jusqu'à 21h, dim 12h à 17h; ☎603-646-2808)*, sur le campus du Dartmouth College, possède une collection de 60 000 objets, élaborée depuis 1769: art européen, américain, africain, océanien et amérindien.

Poursuivez votre itinéraire par la route 10 Nord.

Au nord de Hanover, surveillez à droite, sur Reservoir Road, la **Storrs Pond Recreation Area** (voir p 401), une aire récréative qui comprend un parc, un camping et une plage.

Revenez à la route 10 Nord.

Lyme ★★

Dorchester Road, la route entre Montréal et Boston, traversait le village. À l'époque, les voyageurs en calèche s'arrêtaient à Lyme pour le gîte et le petit déjeuner. On y a déjà dénombré 13 auberges! Remarquez derrière l'église la présence des «entre-deux» pour chevaux et les calèches des paroissiens de l'époque qui cadrent bien avec cet adorable village de conte.

Environ 1 km plus loin, sur la route 10, notre dernier arrêt est d'intérêt architectural, pour le plaisir des yeux.

Orford

Orford mérite que l'on s'y arrête un moment en raison des **Ridge Houses**, une rangée de sept magnifiques maisons construites entre 1773 et 1839, qui trônent élégamment du côté est de la route 10.

Parcs et plages

Les White Mountains
★★★

Une gorge spectaculaire de 10 km avec des haltes surplombant la vallée du **Crawford Notch State Park** ★★★ *(☎603-374-2272)* s'offre à vous en descendant la route 302, où vous trouverez des aires pour pêcher, des sentiers de randonnée et des emplacements de camping, de même qu'un centre d'accueil des visiteurs avec un casse-croûte où est relaté le glissement de terrain qui a emporté la famille Willey au tournant du XXᵉ siècle.

La **White Mountain National Forest** ★★ se découvre avec des pique-niques à l'improviste le long de la rivière Swift. Des sentiers de randonnée (voir p 404) et des terrains de camping (voir p 407) époustouflants et facilement accessibles sont bien indiqués à partir de la route.Vous y trouverez un centre d'information.

Le **Franconia Notch State Park** ★★★ *(sortie 1-3, Franconia Notch Pkwy.,* ☎*603-823-8800, www.nhparks.state.nh.us)* s'étend sur 2 400 ha et offre de nombreuses possibilités de camping, pêche à la mouche, baignade, ski alpin, ski de fond, escalade et randonnées de toute sorte, à pied, en vélo ou en skis. La petite plage d'**Echo Lake** se trouve à l'entrée nord du parc et est idéale pour un petit arrêt impromptu, voire une trempette (de pieds ou complète) dans le joli lac pour oublier la longue route.

À 2,5 km de Gorham, le **Moose Brook State Park** *(route 2,* ☎*603-466-3860)* compte un lac, plusieurs étangs et rivières pour pêcheurs de même qu'un réseau de sentiers de randonnée et de voies cyclables.

Aux abords de lacs magnifiques, la **Connecticut Lakes State Forest** ★ *(route 3,* ☎*603-538-6965)* a tout pour elle: camping, pêche, canot, sentiers de randonnée pédestre et de ski de fond.

Les lacs et la côte

Au nord de Laconia, par la route 106, les enfants s'amuseront sur la plage de l'**Opechee Park** *(fin juin à fin août tlj 9h à 17h)*, qui comprend des jeux, un terrain de baseball et un pavillon avec vestiaires et installations sanitaires.

En descendant la route 3, juste avant d'arriver à Lochmere, vous verrez **Bartlett Beach** *(fin juin à fin août tlj 9h à 17h)*, une petite plage avec un terrain de jeu, bercée par le ressac des vagues et gardée par un maître nageur. On y accède en prenant Bay Street vers le nord.

En bordure du lac Winnipesauke à Gilford, la plage de 200 m de l'**Ellacoya State Park** ★ *(3$; fin mai à fin juin sam-dim, juil à début sept tlj; route 11,* ☎*603-293-7821)* offre une bonne perspective de la chaîne de montagnes Ossipee et de Sandwich. Des tables de pique-nique et des cabines de bain sont à la disposition des visiteurs.

En arrivant à **Alton Bay** par la route 11, vous rejoindrez la plage publique, gardée pendant le jour par des maîtres nageurs en été.

La **Four Tree Island** *(été 9h à 19h)*, au sud-est de Portsmouth, permet de faire une pause pique-nique en observant l'activité grouillante du port de Portsmouth.

Le **Great Island Common** ★★ de New Castle *(3$/16 ans et plus; mi-mai à mi-sept; route 1B et suivre les indications)* est un ancien site militaire qui comprend un parc ombragé de grands arbres donnant sur la mer avec une aire de pique-nique, une petite plage, un belvédère, un terrain de volley-ball, des jeux pour enfants et un stationnement.

Un des premiers repères sur la côte est l'**Odiorne Point State Park** ★★ *(3$; mai à oct tlj, nov à avr sam-dim; route 1A,* ☎*603-436-8043)*, où se trouve le **Seacoast Science Center** (voir p 390). Le parc comprend un *board-walk*, 10 km de sentiers de randonnée et de voies cyclables, une foison de tables de pique-nique et un endroit pour la mise à l'eau des kayaks et des canots. Au sud, à marée basse, vous pourriez voir les souches d'arbres de la forêt submergée il y a 3 000 à 7 000 ans! Vous y verrez aussi des relents de bunkers que l'Armée américaine avait fait construire lors de la Seconde Guerre mondiale.

La **Wallis Sands State Beach** *(10$; route 1A,* ☎*603-436-9404)* est une plage familiale sablonneuse avec un pavillon et des douches chaudes et amplement de stationnement.

Directement sur la route 1A, plus au sud, la sablonneuse **Pirate's Cove Beach** ★ offre un stationnement limité.

La petite et sablonneuse **Hampton North Beach** *(angle route 1A et route 27,* ☎*603-436-1552)* offre du stationnement limité avec parcomètres.

Le **Hampton Beach State Park** ★ *(10$; route 1A,* ☎*603-926-8717)* offre, en plus d'une grande plage sablonneuse, des activités en tous genres comme l'aérobic le matin et des fauteuils roulants adaptés.

Le Sud-Ouest
★ ★

Newbury se distingue avec la **Sunapee State Park Beach** ★ *(3$; route 103, ☎603-763-5561)*, facilement accessible de la route 103, sur laquelle vous n'avez qu'à suivre les indications.

Au nord de Warner, sur Kearsarge Mountain Road, la guérite du **Rollins State Park** *(3$; fin mai à oct tlj de clarté)* marque la sinueuse route de 5,5 km d'où émerge petit à petit le spectacle époustouflant de la vallée; là-haut, une section de 0,5 km se fait à pied jusqu'au sommet du **Mount Kearsarge** ★ ★ ★ pour une perspective de 360°. Certains font l'ascension de Kearsarge Mountain Road en joggant!

Depuis la route 101 à l'ouest de Peterborough, tournez à droite dans Union Street, puis à gauche dans Windy Row. L'**Edward MacDowell Lake** ★ *(entrée libre; tlj 8h à 20h; ☎877-444-6777)* est un des sites de barrage servant à la prévention des inondations que le US Army Corps of Engineers met à la disposition du public: les 80 ha de terrain comprennent un petit lac, des installations sanitaires et une aire de pique-nique avec gril et patio abrités; on y pratique la marche, le ski de fond, l'équitation, la chasse et la pêche.

Sur la route 101 Est, à 6 km de la jonction des routes 202 et 101, le sommet de Pack Monadnock du **Miller State Park** ★ peut être gravi en voiture ou à pied pour une perspective de la région jusqu'à Boston. Vous y trouverez des aires de pique-nique.

À la mi-juillet, le **Rhododendron State Park** ★ ★ ★ *(3$; mi-mai à mi-juin sam dim, mi juin à début sept tlj; Rhododendron Rd., route 119, à 4 km à l'ouest de Fitzwilliam, ☎603-532-8862)* dévoile la splendeur de ses 6,5 ha de rhododendrons roses en fleurs. Deux boucles de 2 km dont une qui permet d'admirer le mont Monadnock s'ajoutent à un sentier bordé de fleurs sauvages.

En bordure de la route, il est difficile d'outrepasser le **Chesterfield Gorge State Park** ★ *(3$; route 9, ☎603-239-8153)*, lequel comprend un sentier de 1 km qui descend le long du ruisseau glaciaire qu'est le Wilde Brook. L'aire de pique-nique avoisine le **Visitor Center** *(sam-dim)*, qui recèle des animaux empaillés et des outils pour la coupe de bois.

Au nord de Hanover par la route 10, en tournant à droite dans Reservoir Road puis à gauche dans Forked Road, vous rejoindrez la **Storrs Pond Recreation Area** ★ *(5$; ☎603-643-2134)*, entourée de conifères majestueux en bordure du lac, qui comporte une plage avec maîtres nageurs, un terrain de volley-ball, un court de basket-ball, des emplacements de camping de même que des installations publiques.

Activités de plein air

■ Bases de plein air quatre-saisons

Les White Mountains

Bénéficiez de l'entrée libre pour la marche et le jogging au **Great Glen Trails Outdoor Center** *(route 16, Pinkham Notch, ☎603-466-2333, www.greatglentrails.com)*, où vous trouverez un réseau de 40 km de sentiers pour le ski de fond et la randonnée en raquettes. Participez aux ateliers de kayak et de canot en eau vive, aux cliniques de vélo tout-terrain et de pêche à la mouche. On y fait la location d'équipement de sport. Vous pourrez vous sustenter aux casse-croûte ou au pub.

L'**Attitash Bear Peak** de Bartlett *(15$; fin mai à mi-juin et sept et oct sam-dim, mi-juin à début sept tlj; route 302, ☎603-374-2368, www.attitash.com)* plaît avec ses glissades d'eau, ses randonnées à cheval ou en vélo tout-terrain et ses pistes de ski alpin.

La **Loon Mountain** *(route 112, ☎603-745-8111, www.loonmtn.com)* offre ski, école de ski, surf des neiges, descente en chambre à air, location de scooters de neige, patinage, équitation, vélos tout-terrains et garderie. La gondole **Skyride** *(12$; fin mai à mi oct tlj 9h à 17h)* mène au sommet (terrain de jeu, programme découverte de la nature et grotte glaciaire).

À 2,5 km de Gorham, le **Moose Brook State Park** *(3$; route 2, ☎603-466-3860)* offre plusieurs étangs et rivières qui font le bonheur des pêcheurs, un lac de même qu'un ré-

Le New Hampshire - Activités de plein air

seau de sentiers pour la randonnée et le vélo tout-terrain.

Les lacs et la côte

Gunstock *(20$; fin mai à fin nov et déc à mar; route 11A, ☎603-293-4341 ou 800-GUNSTOCK, www.gunstock.com)*, à Gilford, est un paradis pour les sportifs. En été: natation, pêche, équitation, randonnée pédestre, sentiers et courses de vélos tout-terrains, patin à roues alignées et planches à deux ou quatre roulettes. En hiver: 46 pistes de ski alpin et sept remonte-pentes, ski de fond, raquette et descente en chambre à air.

Le Sud-Ouest

Le **Mount Sunapee** *(62$; route 103, ☎603-763-2356 ou 877-MtSUNAPEE, info ski ☎603-763-4020, www.mtsunapee.com)* offre, en hiver, 57 pistes sur 460 m de dénivelé, une école de ski, la location de skis paraboliques et de télémark, de mini-skis et de planches à neige; en été, le vélo tout-terrain est un charme avec la remontée en télésiège.

■ Canot et kayak

Les White Mountains

À Center Conway, **Saco Bound** *(route 302, ☎603-447-2177, www.sacobound.com)* se spécialise dans les excursions en canot et en kayak avec pique-nique, natation et camping sur la rivière Saco, effectue la location de canots et offre un service de navette.

Le pourvoyeur de plein air **OBK Outback Kayak** *(Main St., ☎603-745-2002, www.outbackkayak.net)*, à North Woodstock, propose des forfaits camping sur la rivière, la location de kayaks et des randonnées en lama!

À Errol, le pourvoyeur **Northern Waters** *(☎603-482-3817, www.beoutside.com)* organise des descentes de rivière avec équipement de même qu'un service de navette.

Les lacs et la côte

Le service de guide **Woods-n-Water** *(13 Brewster Heights, Wolfeboro, ☎603-569-3881, www.woodsnwaternh.com)* propose des randonnées en canot.

Portsmouth Kayak Adventures *(185 Wentworth Rd., ☎603-559-1000, www.portsmouthkayak.com)* organise différents forfaits sur la rivière Piscataqua, à New Castle, aux Isles of Shoals et ailleurs.

Le Sud-Ouest

En plein cœur de Manchester, l'**Arm's Park** comporte une rampe de mise à l'eau pour déposer les kayaks à la rivière de même qu'un parcours de compétition avec tiges suspendues. D'Elm Street, dirigez-vous vers l'ouest dans Spring Street, à droite dans Commercial Street, puis à gauche dans Arm's Park Street jusqu'au stationnement. Les amateurs de patin à roues alignées apprécient aussi la rampe d'escalier!

Le magasin **All Outdoors** *(lun-mar 10h à 17h, mer-ven 10h à 19h, sam 9h30 à 17h, dim 10h à 15h; 321 Elm St., ☎603-624-1468, www.aogear.com)* de Manchester fait la location de kayaks, vélos, raquettes et équipement de plein air.

Situé en bordure du fleuve Connecticut, à 3,9 km au nord de la route 12, **North Star Canoe Rentals** *(mi-mai à mi-oct; route 12A, ☎603-542-6929, www.kayak-canoe.com)* est un pourvoyeur d'équipement pour pêche et randonnée en canot sur le fleuve Connecticut, de jour ou en camping, fait la planification d'itinéraires libres et offre un service de guide et de navette.

■ Croisières

Les lacs et la côte

Science Center Lake Cruises *(20$; route 3, au pont du village de Holderness, ☎603-968-7194, www.nhnature.org)* propose des croisières sur le Big Squam, soit le fameux lac du film *On Golden Pond*.

L'entreprise de Portsmouth **Isles of Shoals Steamboat Co.** *(24$; Ceres St.Dock, ☎603-431-5500)* propose des excursions en bateau, le jour et le soir, dont celle qui fait le tour du port historique ou des Isles of Shoals et celle organisée pour l'observation des baleines.

Le Sud-Ouest

Les croisières de jour ou le soir avec dîner du *MV Kearsarge* *(juin à août tlj; Lake Ave., ☎603-763-4030 ou 603-938-6465, www.mv-kearsarge.com)* permettent d'être témoin de couchers de soleil romantiques sur le lac Sunapee.

■ Deltaplane

Le Sud-Ouest

Le **Morningside Flight Park** *(357 Morningside Lane, ☎603-542-4416, www.flymorningside. com)* de Charlestown offre des leçons de deltaplane.

■ Golf

Les White Mountains

Le premier golf de neuf trous du **Bethlehem Country Club** *(1901 Main St., ☎603-869-5745, www.bethlehemccnhgolf.com)* a été élaboré en 1898. On y trouve aussi un parcours à 18 trous.

Le terrain du **Mount Washington Resort at Bretton Woods** *(route 302, ☎603-278-GOLF, www. mtwashington.com)*, à Bretton Woods, offre 27 trous de golf dessinés en partie par le légendaire architecte paysagiste écossais Donald Ross.

À Jackson Village, en 1895, l'inauguration du premier terrain de golf des White Mountains, le **Wentworth Golf Club** *(route 16A, ☎603-383-9641, www.wentworthgolf.com)*, un parcours à 18 trous, déclencha une passion si forte que ce sport fit rage en quatre ans, rapportait le journal *Among the Clouds*.

Chacun des 18 trous de golf du **Jack O'Lantern Resort Golf Club** *(route 3, ☎603-745-3636, www.jackolanternresort.com)*, à Woodstock, épouse les méandres de la rivière Pemigewasset. Ski de fond en hiver.

Sur la route 3, au nord de l'Inn at White-field, tournez à droite dans Mountain View Road, où les neuf trous du **Mountain View Grand Resort & Spa** *(☎603-837-2100, www. mountainviewgrand.com)* surplombent la Presidential Range. Accès à la piscine extérieure olympique, aux bains à remous,

au sauna et aux courts de tennis. Vous y trouverez un grand terrain de jeu pour les enfants et un restaurant.

Les lacs et la côte

Le parcours à 18 trous du **Waukewan Golf Club** *(Waukeman Rd., 5 km sur la route 3 au nord de Meredith, ☎603-279-6661, www.waukewan. com)*, situé dans une réserve naturelle, est la propriété d'un ex-vétérinaire qui, avec ses fils, a aménagé le premier trou après l'achat d'un manuel au coût de 2$!

À Greenland, les golfeurs apprécient le terrain de pratique gratuit du parcours à neuf trous du **Bramber Valley Golf Course** *(sortie 3A de la route I-95, à gauche dans la route 33, à gauche dans la route 151, à gauche dans la Bramber Valley Dr., ☎603-436-288, www. brambervalley.com)*.

Depuis 1933, le **Rockingham Country Club** *(200 Exeter Rd., route 108, à la limite sud de Newmarket, ☎603-659-9956, www.rockinghamgolf.com)* offre neuf trous entourés de magnifiques saules qui cohabitent avec de majestueux conifères.

Le Sud-Ouest

Du haut d'une jolie vallée à New London, le terrain de neuf trous qu'est le **Twin Lake Village Par 3 Golf Course** *(Twin Lake Village Rd., ☎603-526-6140, www.twinlakevillage.com)* offre une perspective édifiante du lac Sunapee.

Vous trouverez, à l'ouest de Peterborough, le charmant terrain de neuf trous du **Monadnock Country Club** *(route 101, Elm St. vers le nord, à gauche au 49 High St., ☎603-924-7769, www.monadnockcc.com)*.

■ Observation des baleines

Avec **Eastman's Docks** *(fin juin à début sept tlj; River St. et route 1A, ☎603-474-3461, www. eastmansdocks.com)*, à Seabrook Beach, l'observation des baleines est accompagnée d'une narration avec biologistes.

■ Observation des oiseaux

Les White Mountains

Les **Nature Trails** de Littleton comprennent **The Dells** *(2ᵉ entrée sur Dells Rd., 2 km sur la route 18)*, qui côtoient un étang entouré de fleurs sauvages, et les **Kilburn Crags** *(2,5 km sur la route 18 et 1,7 km sur la route 135)* qui offrent, sur 1 km, une vue spectaculaire sur la vallée.

Les lacs et la côte

Le **Loon Center** *(entrée libre; fin oct à fin juin lun-sam 9h à 17h, début juil à fin oct tlj 9h à 17h; accès par la route 25, 2 km sur Blake Rd., puis à droite dans Lee's Mills Rd.,* ☎*603-476-5666, www.loon.org)*, à Moultonborough, offre un environnement naturel de 80 ha de sentiers, ouverts de l'aurore à la pénombre.

■ Observation des orignaux

Les White Mountains

Observez ces bêtes fascinantes en toute sécurité dans un minibus climatisé avec **Pemi Valley Excursions** *(20$; juin à oct tlj; route 112,* ☎*603-745-2744, www.i93.com/pvsr)* à Lincoln.

Avec **Gorham Parks and Recreation** *(20$; fin mai à début oct; jonction des routes 2 et 16,* ☎*603-466-3103)* de Berlin, vous êtes assuré à 97% de voir un orignal lors des excursions de trois heures à bord d'un minibus spacieux de 24 sièges en plus de visionner une vidéo sur la coupe de bois dans la région.

■ Pêche

Les White Mountains

La pêche à la mouche se pratique sur le petit **Profile Lake**, le long de **Franconia Notch Parkway** (voir p 382).

À Errol, voyez les aigles et la vie sauvage et attrapez truite et saumon avec le pourvoyeur **Northern Waters** *(*☎*603-482-3817, www.beoutside.com)*.

Les lacs et la côte

Le service de guide **Woods-n-Water** *(*☎*603-569-3881, www.woodsnwaternh.com)*, avec bateau à moteur, offre de la pêche à la mouche (saumon de l'Atlantique) et de la pêche sous la glace.

Les pêcheurs reviennent rarement bredouilles de la pêche en haute mer, riche en morues, aiglefins et maquereaux, avec **Eastman's Docks** *(fin juin à début sept tlj; accès par la route 1A, puis River St.,* ☎*603-474-3461, www.eastmansdocks.com)*, situé à Seabrook Beach.

Le Sud-Ouest

L'excitante pêche au saumon se pratique à plusieurs endroits que la boutique (et pourvoyeur) **Hanover Outdoors** *(18 S. Main St., Hanover,* ☎*603-643-1263, www.hanoveroutdoors. com)* est prête à vous divulguer!

■ Randonnée pédestre

Les White Mountains

Découvrez le domaine dénommé **The Rocks Estate** *(entrée libre; 113 Glessner Rd., 0,3 km de la route 302,* ☎*603-444-6228 ou 800-639-5373, www.therocks.org)* de Bethlehem, à travers 8 km de sentiers pour la marche, le ski de fond et la randonnée en raquettes; une plus courte boucle s'effectue à partir de South Road.

Le réseau de l'**Appalachian Trail**, du Maine jusqu'à la Géorgie, traverse la **White Mountain National Forest** (voir p 399) à partir de l'est de Berlin et se rend jusqu'à Hanover, permettant ainsi une panoplie de combinaisons d'excursions.

Sur la route 302 au sud de Crawford Depot, pour un minimum d'effort et un maximum de perspective, la boucle du **Willard Trail** se complète facilement en trois heures. Au sud du Dry River Campground, l'aller-retour à **Ripley Falls** s'effectue en 20 min, et la boucle de l'**Arethusa Falls Trail** se marche aisément en moins d'une heure.

En été, la gondole **Sky Rides** du centre de ski **Wildcat** *(12$; fin mai à mi-juin sam dim, mi-juin à mi-oct tlj; route 16,* ☎*603-466-3326, www.skiwildcat.com)* mène à l'observatoire du sommet en 15 min. Vous pouvez y faire un pique-nique et rejoindre l'Appalachian Trail. La descente peut se faire avec un guide.

À Franconia, le **Lafayette Campground** est le point de départ de plusieurs trajets. Une boucle de niveau facile de trois à quatre heures longe un barrage de castors, contourne le lac Lonesome et rejoint le Cascade Brook Trail jusqu'au camping. La boucle Hi-Cannon Trail de 8 km, de niveau élevé, mène, par des murets de roches dans une forêt majestueuse, jusqu'au sommet de la Cannon Mountain en 4h30. La conquête de la montagne est enivrante et le spectacle de la vallée est époustouflant. La descente sur le Kinsman Trail contourne le lac Lonesome et un tronçon plat de l'Appalachian Trail. D'autres circuits sont proposés au **Flume Gorge Visitor Center** (voir p 382).

Les randonnées à partir du **Pinkham Notch Visitor Center and Lodge** *(route 16, ☎603-466-2727, www.outdoors.org)* sont possibles dans toutes les directions et pour toutes les distances. L'une des plus fameuses est celle qui mène au **Tuckerman Ravine** et au sommet du **Mount Washington**. Le sentier de 6,7 km gravit une pente régulière sauf pour la dernière portion, à même le cône de la montagne et sur des petites roches instables. Cette dernière section, exposée aux vents violents, est souvent fermée en hiver et au printemps.

De la route 18, à partir du stationnement situé devant le Peabody Base Lodge, le circuit de 3 km de **Bald Mountain** et d'**Artist Bluff** (une à deux heures) offre une vue magnifique sur Franconia Notch et la Cannon Mountain.

Le **Heritage Trail** à **The Balsams** *(mai à oct; route 26, ☎603-255-4255)* fait une boucle de 5 km autour du **Dixville Notch State Park** avec un choix de cinq parcours.

Les lacs et la côte

Tamworth Conservation Commission Properties and Trails *(angle des routes 16 et 25, ☎603-539-6201)* offre, avec cartes à l'appui, 10 sentiers de 0,5 km à 2 km, d'une durée de 10 min à 1h5 de marche.

Le Sud-Ouest

L'accès au spectaculaire **Mount Monadnock** du **Mount Monadnock State Park** *(3$; tlj; Poole Rd., accès par Dublin Rd., ☎603-532-8862)* se fait de plusieurs façons, notamment à partir de la route 124, à l'ouest de Jaffrey Center. Cette magnifique montagne offre 70 km de sentiers, entre autres le **White Dot Trail**, d'une longueur de 3 km, qui représente un beau défi avec sa paroi de grosses pierres; la descente est moins escarpée avec le **White Cross Trail**. Comptez de trois à quatre heures pour l'aller-retour ou deux heures si vous êtes en excellente forme! Malgré l'identification obligatoire auprès des guides, la montagne fait des victimes chaque année.

Une carte de sentiers de randonnée pédestre et de ski de fond de **Fitzwilliam**, dont font partie un sentier dominant la ville et un autre menant au **Rhododendron State Park** (voir p 401), est disponible au **Fitzwilliam Inn** (voir p 414).

■ Ski de fond et ski alpin

Les White Mountains

Au nord du Mount Washington Hotel, le **Bretton Woods Mountain Resort** *(route 302, ☎603-278-3320 ou 800-258-0330, www.brettonwoods.com)* offre 500 m de dénivelé avec 62 pistes de ski alpin, une rampe pour le surf des neiges et du ski de soirée. Les skieurs de fond ne sont pas laissés pour compte: visites quotidiennes guidées sur 100 km de sentiers en plus de l'Ammonoosuc Trail System, où la yourte permet une halte intéressante pour un pique-nique au chaud. Plusieurs de ces sentiers sont accessibles aux chiens. Location de raquettes.

En prenant la route 16 Nord vers le **Mount Washington**, vous verrez la montagne au grand vent dénommée **Wildcat** *(route 16, ☎603-466-3326, www.skiwildcat.com)*, qui domine la vallée avec 1 238 m d'élévation et 640 m de pente verticale. En été, la gondole **Sky Rides** *(12$; fin mai à mi-juin sam-dim; mi-juin à mi-oct tlj)* se rend à l'observatoire du sommet en 15 min pour un pique-nique et permet de rejoindre, ne serait-ce que de façon symbolique, l'Appalachian Trail. La descente peut se faire avec un guide.

Le New Hampshire - Activités de plein air

La **Cannon Mountain** *(Franconia Notch Parkway, ☎603-823-8800, info ski ☎603-823-7771, www.cannonmt.com)* est gérée par l'État du New Hampshire. On y trouve une école de ski et de planche à neige, 16 km de sentiers de ski de fond et un service de location d'équipement de ski alpin haute performance et de garderie.

Le **Franconia Village X-C Ski Center** *(8$; route 116 S., ☎603-823-5542)*, situé à 6 km du village, offre un dépliant avec le tracé du réseau de 65 km de sentiers de la vallée; vous pourrez louer sur place skis de fond, raquettes et patins.

Le Sud-Ouest

À Jaffrey, on peut enfiler raquettes ou skis de fond sur les 16 km de sentiers du **Mount Monadnock** *(Poole Rd., accès par Dublin Rd., ☎603-532-8862)*.

■ Vélo

Les White Mountains

L'accès sud du **Franconia Notch Bicycle Path** se fait à partir du Visitor Center; l'accès nord, de la sortie 35 de la route I-93 (faites 0,4 km à l'est dans le stationnement du Skookumchuk Trail Head). Cette piste asphaltée fait 15 km de long sur 3 m de large, se trouve en retrait de la route 3 le long de la rivière Pemigewasset et passe par tous les centres d'intérêt, même jusqu'à la section ouest de la Kancamagus Highway.

Rendez-vous au **Franconia Sport Shop** *(tlj; Main St., ☎603-823-5241, www.franconiasports.com)* pour la location de vélos *(19$/jour)*. On offre un service de navette et de livraison de bicyclettes.

Le Sud-Ouest

À Keene, bien situé devant la Market Mill Place, à l'angle de Gilbo Street, **Summers's Backcountry Outfitters** *(16 Ashuelot St., ☎603-357-5107, www.summersbc.com)* fait la location de kayaks, de canots et de vélos tout-terrains.

■ Vol libre

Les White Mountains

Vous aurez la «piqûre» si vous conversez avec un des pilotes du club de planeurs qu'est la **Franconia Soaring Association** *(100-150; juin à fin oct; route 116 S., Franconia Airport, réservations ☎603-823-5034, www.franconiasoaring.org)*, ouverte au public pendant la belle saison.

Hébergement

Le New Hampshire recèle une variété de styles d'hébergement, allant de la rusticité des emplacements dans la splendeur de la nature des White Mountains jusqu'au confort des auberges de grand raffinement et à la fine gastronomie. À partir de Littleton, l'itinéraire qui commence sur la route 302 offre, outre les suggestions ci-dessous, une quantité de motels raisonnables et de *bed and breakfasts* invitants.

Les White Mountains

Littleton

Beal House Inn
$$$ pdj
❀ ⌂ ≡ 🍽 @ ↝

2 W. Main St.
☎603-444-2661 ou 888-616-BEAL
www.bealhouseinn.com
L'accueil de cette charmante auberge se trouve sur une véranda intimiste grillagée avec des fauteuils de rotin, des coussins moelleux et des tables agrémentées de fleurs et de revues. Les chambres à l'étage comportent de beaux détails architecturaux et de confortables duvets.

Bethlehem

Adair Country Inn
$$$$ pdj
≡ ⌂ ◎ 🍽 @

80 Guider Lane, route 302
☎603-444-2600 ou 800-444-2600

📠 603-444-4823
www.adairinn.com
Cet élégant établissement d'une dizaine de chambres et suites permet une halte dans tout le confort et le charme de la région. Les frères Olmsted, dont le père a aménagé le Central Park de New York, y ont dessiné d'immenses jardins. Le thé est servi dans un grand salon avec foyer. Au sous-sol, parsemé de fauteuils invitants, vous pourrez jeter votre dévolu sur le billard ou les jeux de société. Le matin, vous trouverez sur la table des fruits frais, du yogourt et des céréales.

Bretton Woods

Bretton Arms Country Inn
$$$$
≡ ⌂ ≋ ❋

route 302
☎603-278-1000 ou 800-258-0330
📠 603-278-8828
www.mtwashington.com
L'intimité des 34 chambres et suites de ce lieu d'hébergement construit en 1869 en fait un jalon dans la région. L'établissement fait partie du Mount Washington Resort at Bretton Woods et donne accès à ses installations.

Mount Washington Hotel
$$$$$
≡ ◎ ↝ ⌂ ≋ ❋ 🍽

route 302
☎603-278-1000 ou 800-258-0330
📠 603-278-8828
www.mtwashington.com
Niché dans la vallée au pied du mont Washington, comme un joyau dans son écrin, le majestueux Mount Washington Hotel agit comme un aimant sur les voyageurs. Chacune des

grandes 200 chambres et suites porte le nom d'une personnalité qui y a demeuré. Le décor, avec ses hauts plafonds, ses moulures, ses couleurs foncées et ses meubles imposants, possède un charme certain.

Jackson

Inn at Thorn Hill
$$$$ pdj
≡ ◎ ⌂ ≋ ↝

Thorn Hill Rd.
☎603-383-4242 ou 800-289-8990
www.innatthornhill.com
Cette auberge a été construite en 1895 par le réputé architecte de New York Stanford White. En plus de son décor campagnard élégant, elle compte 16 chambres dans l'édifice principal, six chambres dans le Carriage House et trois chalets individuels. Thé l'après-midi.

Pinkham Notch

Joe Dodge Lodge
$$ ½p
bc/bp
Renseignements: Pinkham Notch Visitor Center, route 16
☎603-466-2727
www.outdoors.org
Pour épater les copains, une nuitée dans une des huit huttes de montagne de la Presidential Range devrait faire l'affaire! Les randonnées de durée variable se terminent dans un de ces gîtes qui offrent de bonnes chambres privées, certaines modernes, avec une douche chaude, un repas chaud maison, un matelas, des couvertures de laine et des oreillers.

North Conway

Stonehurst Manor
$$$ ½p

route 16
☎603-356-3113 ou 800-525-9100
www.stonehurstmanor.com
La porte cochère en pierres des champs donne le ton à ce manoir de style victorien aux boiseries foncées en surplomb sur la route. On y trouve sept chambres et quelques suites de trois chambres. Court de tennis. Service de planification de randonnées guidées.

The 1785 Inn
$$$ pdj
route 16, au sud d'Intervale Cross Rd.
☎603-356-9025 ou 800-866-3334
www.the1785inn.com
Cette auberge invitante allie le charme et le raffinement avec 17 jolies chambres sans extravagance dotées de couvre-lits en patchwork, d'agréables tapisseries, de belles fenêtres et d'une odeur de fraîcheur omniprésente. Le bar agréable se remplit allègrement à l'heure de l'apéro!

Lincoln

Comfort Inn & Suites
$$$ pdj
Hobo Railroad, route 112
☎603-745-6700 ou 888-589-8112
www.comfortinnloon.com
À deux pas de la route I-93, le Comfort Inn dispose de 82 chambres et suites modernes, d'une piscine d'eau salée et d'une salle de jeux électroniques.

Woodward's Resort
$$$
route 3
☎603-745-8141 ou 800-635-8968
www.woodwardsresort.com
De grandes chambres claires et propres convergent vers l'étang de canards et de truites, la piscine, les courts de tennis et de badminton, de beaux arbres et la rivière. Vous y aurez accès à des salles de racquetball, à une salle de jeux électroniques, à des laveuses et sécheuses.

Franconia

Lafayette Campground
$
mi-mai à mi-oct
bc
Franconia Notch Pkwy.
☎603-271-3628
www.nhparks.state.nh.us
Entourés de montagnes, les 97 emplacements boisés comportent des grils; les amateurs privilégient le lac Echo, où se pratique la natation. Le pavillon affiche diligemment les prévisions météo. Vous y trouverez aussi un présentoir avec dépliants de même qu'un casse-croûte avec les incontournables bois, charbons de bois et glace.

Sunset Hill House
$$$$$ pdj
231 Sunset Hill Rd.
☎603-823-5522 ou 800-SUN-HILL
🖷603-823-5738
www.sunsethillhouse.com
Cette auberge est une annexe de l'hôtel du XIXe siècle qui a été détruit. En plus de deux suites élaborées, 28 chambres au décor simple renferment de petites salles de bain avec des douches traditionnelles mais offrent une vue splendide sur les White Mountains. Le thé est servi dans

les salons informels avec foyer. Les sympathiques propriétaires proposent des randonnées en carriole et de l'observation d'étoiles avec télescope.

Gorham

Moose Brook State Park
$
route 2
☎603-466-3860
Ce parc avec lac compte 59 emplacements de camping et des douches.

Shelburne

Philbrook Farm Inn
$$-$$$ ½p
26 déc à fin mars et mai à fin oct
bc/bp
881 North Rd., route 2
☎603-466-3831
www.philbrookfarminn.com
La cinquième génération d'hôtes, trois chats et un chien assurent l'accueil dans cette auberge ouverte depuis 1861. Cette grande maison de ferme confortable, au décor suspendu dans le temps, avec ses antiquités amusantes, propose 18 chambres avec des couvre-lits en patchwork, des oreillers de plumes et de petites douches d'époque. Elle abrite de grands salons et un sous-sol avec un piano et des tables de billard et de ping-pong. Les activités sont à la porte: terrain de badminton, sentiers de randonnée, de ski de fond et de raquette. La délicieuse cuisine maison gagne la faveur de plusieurs, et, de plus, vous pouvez même apporter votre vin. Au petit déjeuner, le café est bien tassé, et l'on offre de délicieux beignets avec gelée de pommettes

maison en plus d'un menu complet.

Dixville Notch

The Balsams
$$$$-$$$$$ ½p

route 26
☎603-255-3400 ou 800-255-0600
🖷603-255-4221
www.thebalsams.com
The Balsams compte 205 chambres spacieuses et charmantes avec un choix de perspectives sur le golf, les courts de tennis, les jardins, le lac ou la montagne. Le forfait comprend le petit déjeuner et un dîner gastronomique, les activités sportives comme la pêche, ainsi que l'utilisation des bateaux et des vélos de montagne, de même que du cinéma et des spectacles en soirée.

Pittsburg

Lopstick Lodge & Cabins
$$$
route 3, Stewart Young Rd.,
13 km au nord de Pittsburg
☎800-538-6659
www.lopstick.com
Les 35 chalets adorables de une à trois chambres, dont plusieurs de bois rond, offrent une vue spectaculaire sur le First Connecticut Lake. Lisa et Tim Savard, respectivement guide de chasse et guide de pêche, combinent plusieurs années d'expérience dans les Great North Woods. Un incontournable!

North Country Lodge and Cabins
$$$
51 Beach Rd., 6,6 km au nord de Pittsburg sur la route 3
☎603-538-6521
www.northcountrylodgenh.com
Cette petite oasis en retrait de la route propose des chalets de bois rond de taille variable, situés directement sur le lac.

Les lacs et la côte

Holderness

Strathaven Bed & Breakfast
$$ pdj
bp/bc
route 113
☎603-284-7785
www.strathaveninn.com
La bucolique route 113 donne le ton à ce *bed and breakfast* de quatre chambres à dominante bleue et tenu par un couple à la retraite. Le grand salon invitant au toit cathédrale avec fenêtre panoramique s'ouvre sur le jardin et l'étang, et le foyer trône sagement dans la belle salle à manger.

Manor on Golden Pond
$$$$-$$$$$ pdj
route 3
☎603-968-3348 ou 800-545-2141
🖷603-968-2116
www.manorongoldenpond.com
Légèrement en retrait de la route 3, vous trouverez en haut d'une colline cette élégante auberge de 23 chambres et deux chalets à la décoration soignée avec des meubles de style et des camaïeux aux teintes invitantes. On peut marcher jusqu'à la plage (privée) pour se baigner, faire du canot ou pêcher.

Tamworth

Tamworth Inn
$$$$-$$$$$ pdj
Main St.
☎603-323-7721
www.tamworth.com
Le style de cette auberge qui date de 1833 a été préservé avec goût. On y trouve 16 chambres ravissantes dans un décor raffiné et intimiste, un bar et une biliothèque, tous deux invitants. À l'arrière, le belvédère offre une vue sur la rivière Swift. Pêche, tennis, randonnée et ski de fond se pratiquent sur la propriété.

Moultonborough

Olde Orchard Inn
$$-$$$$$ pdj
108 Lee Rd.
☎603-476-5004 ou 800-598-5845
🖷603-476-5419
www.oldeorchardinn.com
Cette belle maison de campagne en briques datant de 1790 porte bien son nom, car effectivement elle trône au milieu d'un verger (*orchard*). Il ne vous reste plus qu'à choisir l'une des neuf chambres romantiques éclectiquement décorées avec goût. Vous pourrez vous en donner à cœur joie en ski de fond sur la propriété de 5 ha.

Meredith

The Inns & Spa at Mill Falls
$$$$-$$$$$ pdj
≡ @ ▲ ≋ ♨ Ψ

312 Daniel Webster Hwy., route 3
☎ 800-622-6455
www.millfalls.com
Ce complexe comprend quatre établissements d'hébergement (The Inn at Mill Falls, Bay Point, Chase House et Church Landing) totalisant quelque 150 chambres et suites. Il est tenu avec efficacité et attire une clientèle d'affaires.

Gilford

B'Mae's Resort Inn & Suites
$$$$
≡ @ ⇔ ● ≋

17 Harris Shore Rd., route 11/11B
☎ 603-293-7526 ou 800-458-3877
www.bmaesresort.com
Vous comprendrez la popularité des 35 chambres et 24 suites de ce motel en notant la proximité de la plage, à moins de 5 min de marche, et l'hébergement gratuit pour les enfants de moins de 12 ans.

Glendale

Inn at Smith Cove
$$$ pdj
@ ▲

19 Roberts Rd., en retrait du quai de Glendale
☎ 603-293-1111
www.innatsmithcove.com
Niché dans une baie du lac, ce bijou d'établissement propose de jolies chambres rénovées, dont une dans un ancien phare adorable, ainsi qu'un quai et une plage privée; l'après-midi, on sert le thé dans le pavillon de jardin.

Wolfeboro

Wolfeboro Inn
$$$$ pdj
≡ ▲ ♨ @

90 N. Main St.
☎ 603-569-3016 ou 800-451-2389
www.wolfeboroinn.com
Cette grande auberge rénovée date de 1812. Certaines des 44 chambres ont vue sur le lac Winnipesaukee. Jardin, belvédère et plage privée.

Portsmouth

Inn at Christian Shore
$$$ pdj
bc/bp ≡

355 Maplewood
☎ 603-431-6770
🖷 603-431-7743
www.innatchristianshore.com
Vous pourrez prendre le thé l'après-midi dans cet établissement au plafond bas et aux poutres d'origine (env. 1800); la décoration de la propriétaire argentine se remarque dans les cinq chambres aménagées avec goût. Le petit déjeuner se prend dans une chaleureuse salle à manger au foyer original: fruits frais, yogourt, gruau au whiskey, *tortillas* avec œufs frais et *bagels* avec fromage à la crème et saumon fumé.

Inn at Strawbery Banke
$$$ pdj
≡

314 Court St., à l'est de Pleasant St.
☎ 603-436-7242 ou 800-428-3933
www.innatstrawberybanke.com
Les sept chambres adorables de ce ravissant et paisible établissement d'architecture coloniale datant du XIXe siècle avoisinent de confortables boudoirs

d'appoint. Le matin, le petit déjeuner est servi dans l'invitante salle à manger qui donne sur un jardin visité par de nombreux oiseaux.

New Castle

Wentworth by the Sea
$$$$$
≡ @ ▲ ≋ Ψ ♨ ⟩⟩⟩

588 Wentworth Rd.
☎ 603-422-7322 ou 860-240-6313
🖷 603-422-7329
www.wentworth.com
L'historique hôtel Wentworth by the Sea (1874) a rouvert ses portes en 2003 après avoir été laissé à l'abandon depuis 1982. En 1905, il servit de toile de fond à la signature d'un important traité de paix orchestré par Theodore Roosevelt, qui mit fin à la guerre russo-japonaise, et le centenaire de l'événement fut célébré en grande pompe en 2005. Ce somptueux établissement est situé en bord de mer, face à la marina de New Castle, et compte aujourd'hui 161 chambres et suites spacieuses et confortables, deux restaurants (Latitudes et la **Wentworth Dining Room**, voir p 418), le Roosevelt's Lounge, un centre de congrès et un agréable jardin aménagé avec soin. Service impeccable.

Rye

Victoria Inn
$$-$$$ pdj
≡

430 High St., route 27
☎ 603-929-1437
www.thevictoriainn.com
Vous serez à 0,5 km de North Beach et entouré de calme dans cet élégant établissement de six cham-

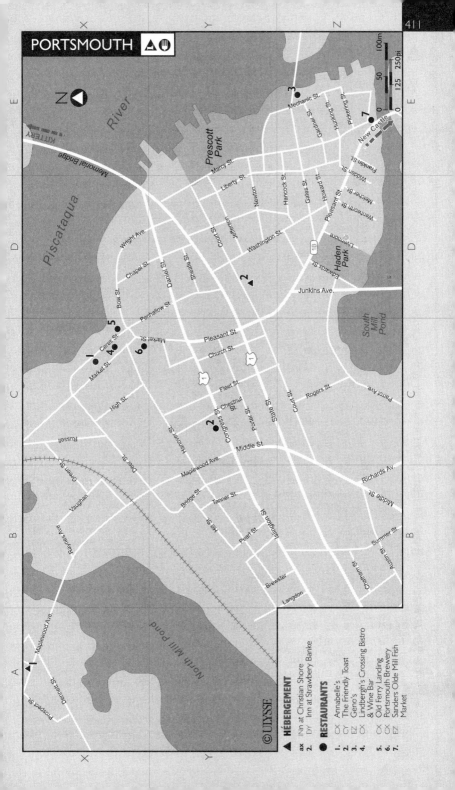

PORTSMOUTH ▲⏵

N

Piscataqua River

KITTERY

Memorial Bridge

Prescott Park

North Mill Pond

South Mill Pond

Haden Park

New Castle

Mechanic St.
Gardner St.
Hunking St.
Pickering St.
Franklin St.
Pleasant St.
Howard St.
Gates St.
Hancock St.
Wibird St.
Wentworth St.
Melcher St.
Marcy St.
Liberty St.
Newton
Washington St.
Jefferson
Court St.
Sheafe St.
Daniel St.
Chapel St.
Bow St.
Wright Ave.
Penhallow St.
Ceres St.
Market St.
Pleasant St.
Church St.
Fleet St.
Chestnut St.
Porter St.
State St.
Court St.
Rogers St.
Parrot Ave.
Junkins Ave.
Edwards St.
Livermore
Hanover St.
Congress St.
Middle St.
Maplewood Ave.
High St.
Russell
Deer St.
Vaughan
Green St.
Raynes Ave.
Bridge St.
Hill St.
Pearl St.
Islington St.
Tanner St.
Brewster
Langdon
Richards Av.
Middle St.
Summer St.
Chatham St.
Austin St.
Prospect St.
Daniel St.
Maplewood Ave.

© ULYSSE

bres. Les invités peuvent prendre le petit déjeuner dans la jolie salle à manger ou sur l'élégante véranda.

Rock Ledge Manor
$$$-$$$$ pdj
≡

1413 Ocean Blvd.
☎603-431-1413
www.rockledgemanor.com
À 5 min de Portsmouth en voiture, et séparé de la mer par la route 1A, ce lieu d'hébergement offre un point de vue splendide sur l'océan et le lever du soleil. Ses trois chambres adorables, dotées de petits balcons, vous accueillent avec de moelleuses sorties de bain!

Hampton Beach

Ashworth By The Sea
$$$-$$$$
≡ ≋ ✳

295 Ocean Blvd.
☎603-926-6762 ou 800-345-6736
www.ashworthhotel.com
La piscine à toit rétractable et véranda avec vue sur la mer abonde d'enfants dans cet hôtel de 105 chambres, dont chacune donne accès à un balcon privé.

Oceanside Inn
$$$$ pdj
≡

mi-mai à mi-oct
365 Ocean Blvd.
☎603-926-3542
▤603-926-3549
www.oceansideinn.com
L'Oceanside Inn se distingue par son emplacement discret et appréciable, de même que par ses élégantes chambres au paisible décor du XIXᵉ siècle. Un chalet est disponible pour trois nuitées et plus.

Durham

Three Chimneys Inn
$$$-$$$$ pdj
≡ ⌂ ◎ ♨ @

17 Newmarket St.
☎603-868-7800 ou 888-399-9777
▤603-868-2964
www.threechimneysinn.com
Le cadre de détente au sommet de Valentine Hill est contagieux dans cette élégante auberge de 1649 qui offre 23 chambres très ornées, entre autres de lits à baldaquin et de tabourets de lit. Chaque chambre comprend une table de travail avec branchement pour modem et un boudoir intimiste. Le petit déjeuner consiste en une généreuse assiette de fruits puis en un plat du jour servi dans l'opulente salle à manger Maples, bordée d'une véranda grillagée. Le jardin élaboré donne sur la rivière Oyster, site d'une bataille historique.

Le Sud-Ouest

New London

New London Inn
$$ pdj
≡ ⌂ ♨ @ ◎

353 Main St.
☎603-526-2791 ou 800-526-2791
www.newlondoninn.net
Tenu par un couple new-yorkais dont le mari a fréquenté le «High School» voisin du New London Inn dans sa jeunesse, cet établissement sombrait dans la décrépitude quand il a été repris par ce couple en 2004. Admirablement bien décorée, l'auberge construite en 1792 reprend vie depuis, avec ses 23 chambres tantôt modernes, tantôt plus traditionnelles. Une taverne et un restau-

rant font partie des installations.

Colonial Inn Farm
$$$ pdj
≡ ♨

route 11, à l'est de la route 114
☎603-526-6121 ou 800-805-8504
www.colonialfarminn.com
Cette auberge georgienne (1836) de style champêtre chic compte six chambres élégantes et confortables avec chintz de fleurs rayés, cadres délicats et poutres de bois en saillie. Pour vous séduire, même l'étage est doté d'une grande salle de séjour avec tables de billard et jeux d'échecs.

Sunapee Harbor

Inn at Sunapee
$$ pdj
♨

Burkehaven Hill Rd.
☎603-763-4444
www.innatsunapee.com
À partir du parc du village, la route se divise et fait une boucle menant à cette auberge. Le cachet original de cette charmante maison de ferme laitière datant de 1875 et offrant une jolie vue sur la montagne se retrouve dans les 16 chambres agréables au décor simple et dans le magnifique salon avec foyer.

Newbury

Best Western Sunapee Lake Lodge
$$$-$$$$ pdj
≡ ≋ Y @ ✿

1403 route 103
☎603-763-2010 ou 800-606-5263
www.sunapeelakelodge.com
Cet hôtel situé à deux pas du mont Sunapee offre 55 chambres en location. Vous y apprécierez l'eau salée de la piscine intérieure et l'ac-

cueil agréable souligné par le petit déjeuner (brioches, jus et café). Vous avez de plus accès au spa de l'hôtel voisin, opéré par la même administration.

Concord

Centennial Inn
$$$$ pdj
≡ ♨ @

96 Pleasant St.
☎603-227-9000 ou 800-360-4389
www.thecentennialinn.com
À moins de 2 km de Main Street, ce manoir victorien propose une trentaine de chambres ainsi que cinq suites situées dans les tourelles. Rénové en 2006, ses chambres ont été complètement transformées, avec du mobilier neuf et une décoration contemporaine, mais le cachet antique de l'imposante demeure victorienne demeure intact.

Henniker

Colby Hill Inn
$$$$ pdj
≡ ▲ ♨ @

3 The Oaks, à moins de 1 km du village
☎603-428-3281 ou 800-531-0330
🖷603-428-9218
www.colbyhillinn.com
Depuis 1790, cette charmante et élégante auberge de style Tudor raconte son histoire avec ses murs de chaux, ses beaux planchers de bois inégaux recouverts de tapis persans et ses salons au décor invitant avec de fascinants livres. Vous y trouverez 14 agréables chambres dont certaines avec foyer naturel et décorées avec goût. Le matin, vous pouvez combiner le sympathique buffet de pains aux noix et pâtisseries et le service aux tables qui propose un mets du jour chaud. On y sert un excellent café.

Peterborough

Jack Daniels Motor Inn
$$
❄ @ ≡

route 202, au nord de la route 101
☎603-924-7548
www.jackdanielsmotorinn.com
À deux pas du village, ce motel agréable offre des chambres invitantes et aérées.

Temple

Birchwood Inn
$-$$ pdj
bc/bp ♨

route 45
☎603-878-3285
www.thebirchwoodinn.com
Dans un village où le temps s'est arrêté et à quelques minutes de Peterborough, cette maison de ferme bien ancrée depuis 1775 a conservé son charme avec ses sept chambres au plancher de bois et à la salle de bain vieillotte. Vous pourrez admirer dans la salle à manger la magnifique murale de Rufus Porter, un artiste itinérant du XIXe siècle. Le matin, on vous servira des œufs frais de la ferme.

Bedford

Bedford Village Inn
$$$$$ pdj
≡ ≋ @ ♨ @

2 Village Inn Lane, route 101
☎603-472-2001 ou 800-852-1166
www.bedfordvillageinn.com
De magnifiques portes rouges de grange avec gonds authentiques s'ouvrent pour dévoiler une auberge d'un grand raffinement qui dispose de salles de réunion et de 14 suites aux riches teintes printanières à motifs fleuris, mobiliers du XVIIIe siècle, lits à baldaquin, tapis orientaux, boudoirs et secrétaires. L'endroit est situé à deux pas de Manchester.

Manchester

Voir carte page 419.

Ash Street Inn
$$$ pdj
≡ @

118 Ash St.
☎603-668-9908
www.ashstreetinn.com
Orienté vers une clientèle d'affaires, cet élégant lieu d'hébergement comptant cinq chambres offre des draps de coton égyptien et oreillers en duvet ou en sarrasin, des prises pour modem et fax ainsi qu'une table de travail. Le matin, fruits frais, pains maison et mets chaud sauront vous sustenter.

Jaffrey

Mount Monadnock, Monadnock State Park
$

Poole Rd., accès par Dublin Rd.
☎603-532-8862
Les 28 emplacements du terrain de camping de ce parc comprennent grils et tables de pique-nique.

Le New Hampshire - Hébergement - Le Sud-Ouest

Inn at Jaffrey Center
$$$ pdj

379 Main St.
☎ 603-532-7800
www.innatjaffreycenter.com

Le grand porche de bois aux tons pastel avec chaises berçantes donne le ton à cette auberge de campagne confortable et raffinée où chaque chambre est un camaïeu de couleurs avec antiquités et mobilier ravissants. Un bijou d'auberge!

Fitzwilliam

Fitzwilliam Inn
$$$ pdj

angle route 119 et route 12
☎ 603-585-9000
🖷 603-585-3495
www.thefitzwilliaminn.com

Cette auberge romantique, élégante et confortable, comporte de hauts plafonds ainsi que des meubles et tableaux de style. Les escaliers et les planchers de bois inégaux avec tapis persans rappellent sa riche histoire. Les six chambres sont décorées simplement et avec goût. Vous y trouverez un adorable pub.

Keene

Carriage Barn Bed and Breakfast
$$ pdj

358 Main St.
☎ 603-357-3812
www.carriagebarn.com

L'accueil sincère et les arbres majestueux de la petite ferme adjacente constituent quelques-uns des atouts de cette maison de cocher de quatre chambres au décor simple avec antiquités, couvre-lits en patchwork et anciennes salles de bain avec douche. Le petit salon intimiste donne sur la jolie salle où l'on sert le petit déjeuner.

Swanzey

Inn of the Tartan Fox
$$-$$$ pdj

350 Old Homestead Hwy.
☎ 603-357-9308
www.tartanfox.com

À quelques minutes de Keene, à 3 km de la route 101, sur la route 32, ce lieu d'hébergement vous séduira avec sa ravissante pièce d'été aux murs de briques et son porche grillagé avec table de ping-pong. Quatre chambres au décor à dominante tartan avec plancher de salle de bain chauffant sont le prélude à un petit déjeuner fin à quatre services.

Claremont

Goddard Mansion
$$-$$$ pdj
bc/bp

25 Hillstead Rd.
☎ 603-543-0603
🖷 603-543-0001
www.goddardmansion.com

Cet impressionnant manoir surplombant une vallée et des montagnes offre calme et confort avec un accueil authentique ainsi qu'un grand salon élégant avec foyer. Au petit déjeuner, on sert des fruits, des pains aux fruits et aux noix de même qu'un remarquable soufflé au fromage.

Plainfield

Home Hill Inn
$$$$$ pdj

703 Ferry Hill Rd., 5 km de la route 12A
☎ 603-675-6165
www.homehillinn.com

Cette auberge champêtre de grand raffinement datant de 1818 est une oasis de paix. Stéphane et Victoria du Roure, le couple co-propriétaire, l'ont dotée d'un élégant décor d'inspiration provençale avec antiquités. Les six chambres et les deux suites du Carriage House portent le nom de célébrités de la région telles que l'actrice Ethel Barrymore, qui venait séjourner à Plainfield. Vous pourrez vous envelopper des belles sorties de bain ou vous lover au fond d'un fauteuil dans l'accueillant *lounge* au foyer crépitant. Tennis, randonnée pédestre et ski de fond se pratiquent sur la propriété.

Hanover

Trumbull House Bed & Breakfast
$$$-$$$$ pdj

40 Etna Rd.
☎ 603-643-2370 ou 800-651-5141
www.trumbullhouse.com

De la route 120, empruntez à droite Greensboro Road pour atteindre cette ravissante maison dont les lits disposent d'oreillers en duvet. L'invitant salon avec foyer où trône le chat fait écho à la salle manger où est servi un petit déjeuner raffiné. Bénéficiez des 6 ha de la propriété en pratiquant la natation dans l'étang, la randonnée pédestre ou le ski de fond.

Hanover Inn
$$$$$

angle Main St. et Wheelock St.
☎603-643-4300
www.hanoverinn.com
Ce vieil hôtel rénové propose 92 chambres modernes, certaines devant le Dartmouth College Green, où le vrombissement des autobus postés à l'arrêt commence tôt le matin.

Lyme

Alden Country Inn
$$$-$$$$ pdj
≡ ⚍ @
Common
☎603-795-2222 ou 800-794-2296
www.aldencountryinn.com
Cette ravissante et intimiste auberge, construite en 1809 au nord du Common, propose 15 chambres décorées de façon à conserver l'héritage du passé. Accueil avec joli salon au foyer crépitant à l'entrée.

Restaurants

Les White Mountains

Littleton

Bishop's Homemade Ice Cream
$
mi-avr à oct
78 Cottage St., route 302, à 0,5 km au sud des routes 16 et 118
☎603-444-6039
Vous pourrez reprendre vos forces dans cette crémerie

avec entre autres le parfum Bishop's Bash, obtenu par un mélange de noix de Grenoble, de brownie et de pépites de chocolat noir.

Miller's Cafe & Bakery
$
16 Mill St.
☎603-444-2146
Situé à côté du **Littleton Grist Mill** (voir p 379), le charmant Miller's Cafe & Bakery favorise l'utilisation de produits frais de la région dans la préparation de ses sandwichs, soupes et pâtisseries. Sa terrasse arrière offre une belle vue sur la rivière Ammonoosuc et le pont couvert qui la traverse.

Beal House Inn Restaurant
$$-$$$
fin mai à nov dîner mer-dim
2 W. Main St.
☎603-444-2661 ou 888-616-BEAL
Ce restaurant aux tables recouvertes de nappes blanches possède l'un des bars les plus complets de la région ainsi qu'une cave à vin des plus respectables. Il présente notamment une sélection de 252 sortes de martinis! Escargots, fromage de chèvre, calmars, champignons sauvages, poulet aux cerises, linguines aux crevettes, etc., le menu est éclectique et savoureux.

Grand Depot Café
$-$$
route 302, à 0,2 km au sud du carrefour des routes 16 et 118
☎603-444-5303
D'emblée, cet endroit possède le charme fou des gares ferroviaires. Le propriétaire inspiré propose, entre autres plats, le carpaccio d'agneau, les huîtres Rockefeller, le poulet *ouabo* aux épices nord-africaines

et, au bar, un menu végétarien tout aussi éclectique.

Bethlehem

Rosa Flamingo's
$
Main St., angle Turner St.
☎603-869-3111
Ce restaurant est le lieu de rencontre des gens branchés de la région. Le menu comprend viande, poisson et poulet, et les pâtes *al dente* avec légumes de saison sont accompagnées d'une miche de pain frais.

Bretton Woods

Bretton Arms Country Inn
$$$$
route 302
☎603-278-1000 ou 800-258-0330
Un décor à la fois élégant et intimiste avec foyer sert de cadre à cette vieille auberge dont la table a bonne réputation.

Jackson

Thompson House Eatery
$$$
route 16A
☎603-383-9341
En activité depuis 30 ans, ce restaurant saura convaincre les palais les plus exigeants, et ce, à prix raisonnable compte tenu de la qualité des plats. Les fruits de mer sautés à la mode Outer Banks sont un pur délice. L'ambiance sans prétention, particulièrement au bar, rend l'expérience encore plus agréable.

Inn at Thorn Hill
$$$-$$$$
☎603-383-4242
Ce restaurant a acquis une excellente réputation grâce aux présentations

audacieuses de son chef. Le sommelier suggère un vin différent pour chaque mets. Les légumes sont à la carte.

North Conway

Horsefeathers
$$
Main St.
☎603-356-6862
Pour manger là où l'action se passe, rendez-vous au populaire Horsefeathers. Le menu standard est malgré tout inventif avec le hamburger au fromage bleu et les raviolis au poulet fumé avec pistou de haricots noires.

Moat Mountain Smoke House & Brewing Co.
$$$
3378 White Mountain Hwy., route 16
☎603-356-6381
Les amateurs de bière apprécieront cette microbrasserie où le fumoir boucane du saumon et des côtes levées avec du bois de pommier. Des *yams* frites et des frites cajuns figurent aussi au menu.

The 1785 Inn
$$$-$$$$
tlj dîner
route 16
☎603-356-9025
On vient y manger pour l'impressionnante vue des montagnes et pour la cuisine classique, comme les crêpes au homard, le lapin au sherry et l'agneau mariné dans le vin blanc. Les desserts sont faits sur place.

Lincoln

Kimber Lee's Deli
$
tlj 8h à 19h
route 112, Depot Mall
☎603-745-DELI
Comptoir de mets à emporter et quelques tables. Ici on apprête de copieux sandwichs comme ceux au *prosciutto*, au *bocconcini*, aux aubergines et aux poivrons grillés, avec choix de baguettes, pain multigrains, seigle ou *wrap*.

Sunny Day Diner
$
jeu-lun 7h à 14h, ven-sam aussi 18h30 à 20h
route 3, angle Connector Rd.
☎603-745-4833
On apporte son vin dans ce car de train datant de 1958, fort sympathique avec les tabourets, les banquettes et le menu complet: omelette au saumon fumé et fromage à la crème, chili végétarien, poulet marsala...

Franconia

Franconia Inn
$$$
tlj, fermé avr à mi-mai
4 km au sud du village par la route 116 Sud
☎603-823-5542 ou 800-473-5299
Cette auberge bien établie vous offre le choix entre une pièce intimiste avec foyer et une grande salle à manger élégante à l'éclairage indirect. Le menu saisonnier propose des spécialités régionales préparées à partir d'ingrédients frais, comme ce canard rôti et ce filet mignon accompagné de beignets de crabe.

Sugar Hill

Sunset Hill House
$$$$$
mar-dim en été, jeu-dim reste de l'année
Sunset Hill Rd.
☎603-823-5522 ou 800-SUN-HILL
Joe Peterson, le chef de cette auberge centenaire, a reçu des éloges dithyrambiques pour son créatif menu gastronomique. La carte comprend une belle sélection de portos et de cognacs. De belles tables surdimensionnées pour deux personnes avec des lampes de chevet intimistes sont orientées vers les montagnes. Au bar, vous pouvez manger plus simplement un hamburger, des côtes levées ou du poulet *chipotle*.

Gorham

La Bottega Saladino's Italian Market
$-$$
mar-sam
152 Main St.
☎603-466-2520
En plus du restaurant tenu par une famille italienne, vous trouverez un comptoir pour emporter pâtes maison, sauces raffinées et confiserie.

Pittsburg

Back Lake Tavern & Restaurant
$-$$
déjeuner et dîner, fermé fin oct et avr
North Country Lodge and Cabins 51 Beach Rd, 6,6 km au nord de Pittsburg sur la route 3, puis 0,4 km sur Beach Rd.
☎603-538-6521
Le charmant décor rustique en bois rond de ce restaurant est une excellente mise

en scène pour un nourissant repas campagnard.

Les lacs et la côte

Plymouth

Café Monte Alto
$
tlj 7h à 17h
83 Main St.
☎ 603-536-6323
Le propriétaire importe et torréfie son délicieux café de ses plantations au Porto Rico. Vous pourrez le savourer dans le patio ou aux quelques tables de l'établissement, en plus de déguster des sandwichs, muffins, *biscottis* maison ou croissants.

Italian Farmhouse
$$
route 3
☎ 603-536-4536
Au sud du village de Plymouth sur la jolie route 3, comment résister à ce restaurant et son foyer invitant à l'entrée, ses vieilles poutres de bois et son décor chaleureux, sans parler du fumet enivrant de ses classiques de la cuisine italienne?

Holderness

Walter's Basin
$$-$$$
route 3
☎ 603-968-4412
Dans une baie du lac Squam, le soir on peut voir scintiller les jolies lumières de la salle à manger informelle du Walter's Basin. On y sert une variété de plats de poisson et de fruits de mer, ainsi qu'un brunch nourrissant le dimanche matin.

Center Sandwich

Corner House Inn
$$-$$$
route 113
☎ 603-284-6219
Vous serez envoûté par le charme de cette auberge du XIXe siècle et ses petites salles intimistes. Au grenier, à l'étage, vous trouverez un confortable pub avec causeuses où certains jouent aux dames. Le menu affiche une bisque de homard, du veau au citron et aux champignons, et du poisson frais tous les jours.

Tamworth

Tamworth Inn
$$$
Main St.
☎ 603-323-7721
La vue bucolique du jardin qu'on a de la salle à manger au décor simple est un prélude à l'intéressant menu du Tamworth Inn, qui réserve une place d'honneur aux plats de poisson et de fruits de mer frais.

Moultonborough

The Woodshed
$$-$$$
mar-dim dîner
Lees Rd.
☎ 603-476-2311
Cette grange accueillante vous imprégnera un peu de son âme avec ses murs de bois authentique et une odeur de bonne table où vous pourrez vous offrir du crabe de l'Alaska ou une longe de porc cajun. Au dessert, la *Key lime pie* rivalise avec la mousse au chocolat!

Meredith

Lago
$$-$$$
The Inn at Bay Point
route 25
☎ 603-279-2253
Impossible d'être plus près de l'eau!... Le Lago («lac» en italien) se spécialise dans les mets (et les vins) italiens tels que pâtes et pizzas. S'il n'ouvre qu'à 17h, il vous est en revanche possible d'arriver dès 16h pour prendre l'apéro en savourant la fin d'après-midi, le regard fixé sur l'horizon du grand lac Winnipesauke.

Canterbury

The Shaker Table
$$-$$$
288 Shaker Rd.
☎ 603-783-9511
Vous ne trouverez ici que des produits frais du jardin et des fermes avoisinantes dans votre assiette. Le décor est simple et agréable.

Wolfeboro

Wolfe's Tavern
$-$$$
90 N. Main St.
☎ 603-569-3016
Vous serez séduit par l'intimité qu'offrent le plafond bas et la cheminée de briques de cet édifice qui date de 1812. Le menu de style pub comprend la chaudrée de homard, les pâtes de poulet cajun, les côtes levées et un nombre impressionnant de types de bières.

The Farm at Frost Corner
$$-$$$
44 Stoddard Rd.
☎ 603-569-1773
Vous vivrez une expérience unique en dînant dans la maison que la famille de Virginia Taylor habita

à l'ère de la simplicité du XIXᵉ siècle.

Wolfetrap
$$$
19 Bay St.
☎603-569-1047

Derrière la rue principale, caché dans la baie, ce restaurant se spécialise dans les plats de fruits de mer et de poissons (palourdes, huîtres et brochette d'espadon).

Farmington

Ristorante La Contadina
$$
9 N. Main St.
☎603-755-2688

Le propriétaire italien d'origine new-yorkaise a surpris tout le monde lorsqu'il s'est établi dans ce village désert. Il s'y trouve tous les soirs, alors que les clients apprécient le service sympathique, le décor aéré de ce bel édifice de briques et la table typiquement italienne et savoureuse avec spaghettis carbonara et prosciutto italien, linguines aux palourdes sauce au vin blanc et tiramisu maison.

Portsmouth

Annabelle's
$
mars à nov
49 Ceres St.
☎603-436-3400

Le rite de passage dans l'intimiste Ceres Street est un arrêt dans cette crémerie qui n'utilise que des ingrédients naturels.

The Friendly Toast
$
121 Congress St.
☎603-430-2154

Le Friendly Toast est l'endroit idéal pour commencer sa journée du bon pied et se plonger dans l'atmosphère décontractée et bohème de Portsmouth. Une clientèle hétéroclite y vient le matin pour déguster des petits déjeuners copieux et originaux dans un décor à la fois branché et bric-à-brac de *diner* des années 1950. Hamburgers, sandwichs et quelques plats végétariens complètent le menu le midi. On peut aussi s'y rendre en soirée pour déguster une bière locale ou un lait frappé au parfum de *mojito*.

Sanders Olde Mill Fish Market
$
367 Marcy St.
☎603-436-4568

Chemin faisant vers la route 1A, prédestinée pour les pique-niques, ce marchand de poissosn vend entre autres des *lobster rolls* pour emporter.

Geno's
$-$$
lun-sam 8h30 à 15h
177 Mechanic St.
☎603-427-2070

Sur la baie de Portsmouth depuis 1965, cette entreprise familiale propose des sandwichs, de la chaudrée et une assiette de homard dans un décor accueillant avec en plus un patio.

Old Ferry Landing
$$
mi-avr à sept
10 Ceres St.
☎603-431-5510

Vous apprécierez cette terrasse informelle donnant directement sur le port, avec un menu qui propose entre autres du homard

bouilli, de l'aiglefin farci et des hamburgers; le riche gâteau au chocolat noir et la tarte à la lime des Keys sont savoureux.

Portsmouth Brewery
$$
56 Market St.
☎603-431-1115

Cette microbrasserie permet aussi de vous sustenter dans son espace aéré sur deux étages.

Lindbergh's Crossing Bistro & Wine Bar
$$$-$$$$$
29 Ceres St.
☎603-431-0887

Dans la petite Ceres Street, qui longe le port, les murs de ce vieil édifice de pierres vibrent encore des conversations animées du début de la colonie. Le décor aux chandelles, l'odeur de bonne table et le pub à l'étage ont tout pour charmer. Le menu saisonnier propose quelques classiques de la cuisine française de bistro (escargots, moules et frites) ainsi que les plats créatifs d'inspiration méditerranéenne du chef Evan Mallett. La carte des vins a déjà été louangée dans le *Wine Spectator*.

New Castle

Wentworth Dining Room
$$$$-$$$$$
Wentworth by the Sea
588 Wentworth Rd.
☎603-422-7322

Sous la houlette du chef Daniel Dumont, la Wentworth Dining Room se targue de servir de la *new New England cuisine*, soit une interprétation personnelle et tout à fait créative de la cuisine classique de la Nouvelle-Angleterre. Poissons et fruits de mer sont évidemment à l'honneur (gnocchis aux langoustines et à l'estragon, thon jaune au fenouil servi avec tapenade et tomates confites), mais vous y trouverez également un bon choix de plats de viande (filet mignon au gorgonzola). Comme un peu partout aux États-Unis, les portions plus que généreuses semblent destinées à nourrir une famille de quatre, et nous vous conseillons de vous en tenir au plat principal afin de vous garder de l'appétit pour les divins desserts du chef. Le décor élégant et feutré de la salle à manger comprend quelques éléments qui datent de la construction originale de l'hôtel (1874), dont la magnifique peinture qui couvre son plafond en coupole. Service empressé et belle carte des vins, dont plusieurs crus vendus au verre.

Rye Harbor

Saunders at Rye Harbor
$$
route 1A
☎603-964-6466
Devant le port de Rye, ce restaurant possède l'une des rares terrasses de la côte donnant directement sur la mer. Le menu propose des plats de poissons et de viandes.

Hampton

Petey's Summertime Seafood & Bar
$$
fermé mi-jan à mi-mar
route 1A
On s'arrête chez Petey's pour manger sur le pouce une chaudrée de fruits de mer, une salade et un *lobster roll*.

Exeter

The Loaf & Ladle
$
tlj déjeuner
9 Water St.
☎603-778-8955
Le ravissant patio à deux étages qui donne sur la rivière vaut à lui seul une halte. L'excellente qualité de la cuisine se reconnaît aux bons potages, aux pains et aux desserts maison.

Newfields

Ship to Shore
$$$-$$$$
mar-sam, dîner
70 route 108, angle New Rd.
☎603-778-7898
Cette grange du XVIIIe siècle compte deux étages avec une multitude d'objets de ferme amusants. Le menu témoigne d'une cuisine assurée avec la salade d'endives, les fruits de mer sauce au homard et la longe de porc enveloppée de pacanes sur un lit de poireaux caramélisés.

Durham

UNH Dairy Bar
$
fermé pendant les congés scolaires
3 Depot Rd.
☎603-862-1006
La gare ferroviaire s'est transformée en une crémerie qui fait partie du campus de l'University of New Hampshire.

Frost Sawyer Tavern
$$-$$$
17 Newmarket St.
☎603-868-7800
La Frost Sawyer Tavern, aménagée dans le sous-sol en pierres des champs datant de 1649 du Three Chimneys Inn, possède un charme incomparable pour savourer un repas décontracté de chaudrée de palourdes, de poulet «à la Jefferson» ou de canard rôti.

Le Sud-Ouest

Wilmot

La Meridiana
$$-$$$
angle route 11 et Winslow Rd.
☎603-526-2033
Un arrêt s'impose pour s'offrir une authentique cuisine italienne servie dans un bel espace. Savourez des antipasti, des *agnolotti* aux champignons et d'autres spécialités comme les côtelettes de veau aux champignons et fromage fontina. Le tiramisu moelleux et le café bien tassé vous convaincront d'y revenir!

New London

Peter Christian's Tavern
$
186 Main St.
☎603-526-4042
La jolie rue principale de New London est agrémentée de cet adorable pub au plafond bas, aux poutres de bois et à l'activité fourmillante. On y sert des soupes maison, du bouilli, des salades fraîches, des sandwichs appétissants et une belle sélection de bières pression.

New London Inn Tavern & Restaurant
$$-$$$
353 Main St.
☎603-526-2791 ou 800-526-2791

Vous mangerez très bien au New London Inn, qui compte deux siècles d'histoire. Dans un décor champêtre avec vue sur la paisible rue principale, on vous y servira des plats variés de pâtes, de poulet ou de fruits de mer, notamment.

Sunapee

Inn at Sunapee
$$-$$$
Burkehaven Hill Rd.
☎603-763-4444

Vous apprécierez, loin de tout bruit, la vue sur le mont Sunapee à partir de cette charmante ancienne ferme laitière datant de 1875. Lors de notre passage, son menu proposait un saumon poêlé au poivre et de délicieuses crevettes sauce citron et thym. Les desserts exquis sont faits sur place.

Contoocook

Country Village
$
lun-sam 7h à 14h30
Maple St.
☎603-746-6041

Situé à la fontaine du village, le Country Village sert des soupes, des salades, des *wraps* et des sandwichs.

Henniker

Mandi's Eats & Sweets
$
lun-sam
Pleasant Place Mall
15 Rush Rd.
☎603-428-8031

Ce sympathique café sert des *bagels*, des soupes, des salades et des sandwichs pour le petit déjeuner et le déjeuner.

Colby Hill Inn
$$$-$$$$
3 The Oaks
☎603-428-3281

L'élégante et intimiste salle à manger de style Tudor de cette auberge raffinée est l'environnement idéal pour un repas mémorable. Le menu gastronomique comprend entre autres un délicieux filet de porc servi avec une sauce aux canneberges, aux abricots et au porto. La carte des vins est tout à fait à la hauteur de la cuisine.

Peterborough

Aesop's
$
lun-sam
12 Depot Square
☎603-924-1612

Ce café décontracté est aménagé à l'intérieur d'une librairie avec quelques tables et un menu sur ardoise; on y retrouve plusieurs produits biologiques dans les soupes, les sandwichs, les desserts, ainsi que des cafés de plusieurs pays pour le petit déjeuner et le déjeuner.

Harlow's
$
3 School St.
☎603-924-6365

Ce pub intimiste sans fumée propose un décor vieillot avec une poignée de tables en bois encadrées de rideaux charmants. Au service attentif s'ajoute un menu rustique santé, avec soupes maison, chili, sandwichs, salades et bières de microbrasseries.

Twelve Pine
$
12 Depot Square
☎603-924-6140

Dès le matin, vous trouverez ici une atmosphère affriolante de marché champêtre avec un comptoir au menu contemporain (sandwichs gourmet, soupes, mets préparés et desserts). Quelques tables à l'intérieur et un patio font l'affaire pour un repas santé rapide! L'endroit est central, paisible et idéal pour une pause-café. On y sert de vrais cappuccinos, de la crème glacée maison et des produits du terroir.

Acqua Bistro
$$-$$$
mar-dim
18 Depot Square
☎603-924-9905

Invitant, branché et délicieux, l'Acqua Bistro propose un menu raffiné et varié. Une sélection de pizzas à croûte mince cuites au four à bois, ainsi que des plats de saumon, de bœuf, de poulet, de canard et même de tofu, y sont servis.

Bedford

Bedford Village Inn
$$$$-$$$$$
2 Village Inn Lane, accès par la route 101
☎603-472-2001

Pour vous installer, vous avez l'embarras du choix avec huit salles à manger intimistes et rivalisantes de charme, du style campagnard à élégant. Vous y

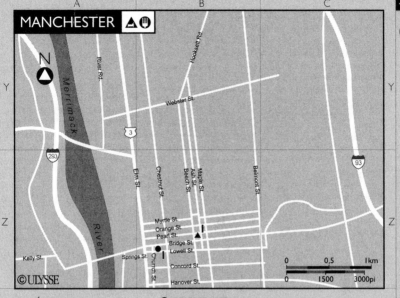

MANCHESTER

▲ **HÉBERGEMENT**

1. BZ Ash Street Inn

● **RESTAURANTS**

bz Richard's Bistro

trouverez un menu électrisant où les poissons, fruits de mer et viandes (dont un divin trio de magret, de cuisse confite et de foie gras de canard!) sont à l'honneur.

Manchester

Richard's Bistro
$$$-$$$$$
36 Lowell St.
☎603-644-1180

Le décor épuré et les angles décoratifs à la Frank Lloyd Wright se marient bien à la clientèle branchée du Richard's Bistro. Le menu recherché propose une nouvelle cuisine américaine créative et éclectique qui ne manquera pas de plaire aux plus carnivores d'entre vous.

Jaffrey

Inn at Jaffrey Center
$$-$$$
379 Main St.
☎603-532-7800

Cette charmante salle à manger stylée mais sans prétention offre un menu élaboré par un ex-traiteur de fine cuisine de Boston. On y déguste une cuisine de bistro classique ainsi que quelques plats qui sortent de l'ordinaire, telles ces saucisses de poulet et de figues accompagnées de raviolis à la courge musquée.

Keene

Prime Roast Coffee
$
16 Main St.
☎603-352-7874

Cette populaire brûlerie torréfie son propre café.

Nicola's Trattoria
$$
mar-dim
39 Central Square
☎603-355-5242

L'odeur d'authentique cuisine italienne suffit à séduire au-delà de la pièce de camaïeu beige entrelacée de plantes et de petites lumières scintillantes. Le menu est à ravir avec le veau marsala, les fettuccinis aux œufs avec épinards, pois et prosciutto, et l'osso bucco.

Walpole

The Restaurant at L.A. Burdick Chocolate
$-$$
47 Main St.
☎603-756-2882

La chocolaterie L.A. Burdick est la Mecque des chocolats fins, préparés et coupés à la main par le maître chocolatier suisse Larry Burdick. Son restaurant propose une expérience sensorielle à tous les niveaux, à commencer par un arôme ensorcelant. Cafés, chocolat chaud et limonade fraîche accompagnent les chocolats, pâtisseries maison, croissants et pain frais. À ne pas manquer!

Plainfield

Home Hill Inn
$$$$$
mer-dim
703 River Rd., accès par la route 12A
☎603-675-6165
La lumineuse et élégante salle à manger du Home Hill crée un climat enchanteur. Dès la première bouchée, vous reconnaîtrez la formation culinaire de Ritz-Escoffier et la touche raffinée de la co-propriétaire Victoria du Roure. Vous pourrez choisir parmi les classiques de la cuisine française au menu gourmand à cinq services ou encore opter pour le menu bistro pour un repas plus simple mais tout aussi délicieux. La carte des vins est éclectique. Service très attentif.

Hanover

Dirt Cowboy Café
$
7 S. Main St.
☎603-643-1323
C'est l'endroit pour un repas rapide avec un sandwich, comme la baguette avec *prosciutto*, fromage et moutarde Dijon. Les cafés, thés, *smoothies* et desserts y sont populaires.

Lyme

Lyme Country Store
$
route 10
☎603-795-2213
Ce charmant magasin général, paré de sa galerie de bois avec ses chaises berçantes traditionnelles, présente un comptoir *deli* santé fort intéressant pour casser la croûte.

Alden Country Inn
$$$-$$$$
du côté nord du Common
☎603-795-2222
Dans cet établissement au décor raffiné, tout de boiseries, un jeune chef prépare des mets imaginatifs qui changent selon les saisons. Le restaurant comporte une section pub (avec un long bar en bois) où l'on peut facilement sentir la présence des deux siècles d'histoire de cette auberge qui est en exploitation depuis 1809. Les plats de fruits de mer se laissent facilement apprécier.

Sorties

■ Activités culturelles

North Conway

Eastern Slope Inn Playhouse
16 Main St.
☎603-356-5776
Dans cette charmante salle de théâtre de 200 places, la Mt. Washington Valley Theatre Company présente depuis 1970 des pièces telles *Cabaret* et *The Wizard of Oz*. La saison se compose de quatre comédies musi-

cales présentées pendant deux semaines chacune.

Lincoln

Papermill Theatre
route 112, Mill Mall
☎603-745-2141 ou 603-745-6032
www.papermilltheatre.org
Ce vieux moulin du XIXe siècle rénové a défié le temps pour le plus grand plaisir des amateurs de théâtre.

Tamworth

Barnstormers
Main St.
☎603-323-8500
www.barnstormerstheatre.com
La saison de théâtre d'été est applaudie chaque année dans ce site historique (voir p 386).

Gilford

Meadowbrook Musical Arts and Conference Center
10-40
mi-juin à début sept
☎603-293-4700
Cette ferme a été transformée en amphithéâtre en plein air où des artistes tels que Bonnie Raitt, Willie Nelson et Kenny Rogers se sont déjà produits.

Portsmouth

Music Hall
28 Chestnut St.
☎603-436-2400
www.themusichall.org
Cette magnifique salle à l'acoustique louangée qui date de 1877 a été sauvée des mains d'entrepreneurs puis rénovée. Marcel Marceau, Mel Torme et Dizzy Gillespie y ont déjà présenté leur spectacle. À la programmation musicale étoffée s'ajoute celle de

cinéma, de théâtre et de danse.

Hampton Beach

Casino Ballroom
avr à oct
169 Ocean Blvd.
☎603-929-4100
www.casinoballroom.com
Cette grande salle de spectacle offre un calendrier de spectacles de musique populaire.

Manchester

Palace Theatre
80 Hanover St.
☎603-668-5588
www.palacetheatre.org
Cette magnifique salle de spectacle, avec d'imposants lustres, des planchers de bois et des moulures dorées, affiche un programme éclectique, allant du New Hampshire Symphony Orchestra aux opéras, en passant par les solistes de musique contemporaine, les comédies musicales et les films.

Keene

Colonial Theatre
95 Main St.
☎603-352-2033
www.thecolonial.org
Cette magnifique salle de spectacle construite en 1924, qui a connu ses moments de gloire avec le vaudeville, a été rénovée avec les détails d'origine, comme les lustres ornés de glands et les riches moulures. Productions de Broadway, danse, musique, spectacles pour enfants, films et festival de films gays.

Claremont

Claremont Opera House
Claremont Square
☎603-542-0064
www.claremontoperahouse.com
À même l'hôtel de ville, cette salle rénovée est un bijou architectural et d'ingénierie qui date de 1897. On y offre une programmation annuelle de musique et de comédies musicales de Broadway.

Hanover

Hopkins Center
Spalding Auditorium et Rollins Chapel, Dartmouth College
☎603-646-2422
www.hop.dartmouth.edu
Cet amphithéâtre prisé a servi de prototype à l'architecte Wallace Harrison pour la construction du Metropolitan Opera House de New York. Un bouillon culturel de plus de 200 spectacles annuels de théâtre, musique, danse et cinéma y est présenté.

■ Bars et discothèques

Littleton

Italian Oasis
à l'étage du 106 Main St.
☎603-444-6995
Le sympathique Italian Oasis propose plusieurs types de bières de microbrasseries.

Lincoln

Black Diamond Bar & Grill
route 112
☎800-229-STAY
Sympathique pour l'après-ski, près du foyer de pierres surmonté d'un toit cathédral, ce bar offre un solarium et un patio adja-

cents. Vous pouvez aussi y prendre une bouchée.

North Woodstock

Woodstock Inn Station & Brewery
route 3
☎603-745-3951
Ce bar s'anime de surcroît les fins de semaine avec des musiciens de rock et de blues que quelques clients accompagneront de quelques pas de danse! On y sert d'intéressantes bières de la microbrasserie adjacente, la Woodstock Inn Brewery.

Gorham

Mr. Pizza
Main St.
☎603-466-5573
Ne soyez pas dérouté par ce restaurant qui se double d'un grand pub animé en soirée, et qui offre un menu typique de hamburgers, pizzas et salades.

Portsmouth

Portsmouth Gas Light Co.
lun-sam
64 Market St.
☎603-430-9122
www.portsmouthgaslight.com
La terrasse bondée s'anime autour de musiciens les soirs d'été.

The Press Room
77 Daniel St.
☎603-431-5186
Ce bar branché reçoit des orchestres de musique rock, jazz, blues et folk.

Manchester

Stage Door Café
96 Hanover St.
☎603-625-0810
À deux pas du Palace Theatre, ce resto-bar pro-

Le New Hampshire - Sorties

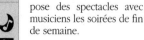

pose des spectacles avec musiciens les soirées de fin de semaine.

Keene

Elm City Brewing Co.
222 West St., Colony Mill Marketplace
☎ 603-355-3335
Cette microbrasserie aux riches murs de briques fabrique 23 sortes de bières.

176 Main
176 Main St.
☎ 603-357-3100
Ce joli pub traditionnel offre un bon menu et sert 18 bières pression de microbrasseries.

■ Festivals

Bretton Woods

Mount Washington Hotel
4 juil
☎ 603-278-1000
Les célébrations de la fête de l'Indépendance américaine se déroulent ici dans un cadre enchanteur.

North Conway

Art in the Park
entrée libre
juil
Schouler Park
☎ 603-356-9393
Quelques spectacles *al fresco* où l'on apporte son siège et expositions d'art.

Franconia

Annual Fields of Lupine Fest
juin
☎ 603-823-5561
Visites de jardins et d'auberges, expositions d'art.

Frost Day
juil
Frost Place
☎ 603-823-5510
www.frostplace.org
Tous les ans, des activités et des spectacles commémorent le grand poète Robert Frost.

Wolfeboro

Great Waters Music Festival
mi-juil à début sept
Brewster Academy
☎ 603-569-7710
www.greatwaters.org
Ce festival présente des concerts en tous genres au bord du lac Winnipesauke.

Portsmouth

Prescott Park Arts Festival
3$
juin à sept
Prescott Park
☎ 603-436-2848
www.prescottpark.org
Ce festival présente des pièces de théâtre, un festival de jazz et de musique folklorique, des concerts le midi et des expositions en bordure de la rivière Piscataqua.

Keene

Pumpkin Festival
fin oct
Main St.
☎ 603-358-5344
Des échafaudages de cinq étages de citrouilles décorent Main Street. Plusieurs activités familiales sont au programme.

■ Achats

North Conway

Settlers' Green OVP Outlet Center
13 Settlers' Green, du côté est de la route 16
☎ 603-356-7031
Cet *outlet store* (magasin d'usine) est situé sur la route 16 au sud du village. Les heures d'ouverture varient selon les saisons. On y retrouve la plupart des marques connues.

Sugar Hill

Harman's Cheese and Country Store
route 117
☎ 603-823-8000
www.harmanscheese.com
Cette boutique a fait sa réputation avec son cheddar non pasteurisé qu'elle fait vieillir pendant deux ans. On y garantit la qualité de l'herbe dont s'alimentent les vaches. Vos pique-niques n'auront plus jamais le même goût avec les tartines au cheddar au rhum, au porto ou au cognac!

Concord

Antique Alley
route 4
Cette longue avenue compte une cinquantaine d'antiquaires logés tantôt dans des garages, tantôt dans de somptueuses granges rénovées. Demandez les détails de la foire annuelle qui a lieu à la mi-août depuis 1957 et dont l'emplacement varie.

Le New Hampshire - Sorties

Peterborough

Sharon Arts Center
Depot Square
☎603-924-2787
La structure moderne dotée de grands panneaux vitrés abrite des œuvres d'artistes de la région.

Manchester

La Librairie Populaire
18 Orange St.
☎603-669-3788
Disques, cartes de vœux, livres et cassettes sont ici en français!

Keene

Colony Mill Marketplace
222 W. Keene St.
☎603-357-1240
Cette très belle usine textile rénovée abrite quantité de magasins et de restaurants.

Plainfield

Riverview Farm
fin août à fin oct tlj 10h à 17h
141 River Rd.
☎603-298-8519
On y vend des citrouilles, des pommes, des fromages fermiers et d'autres produits campagnards.

Meriden

Garfield's Smokehouse
163 Main St., entre la route 12A et la route 120
☎603-469-3225
Cette charmante entreprise familiale exploite un fumoir qui prépare du fromage, du jambon et du bacon.

Le New Hampshire - Achats

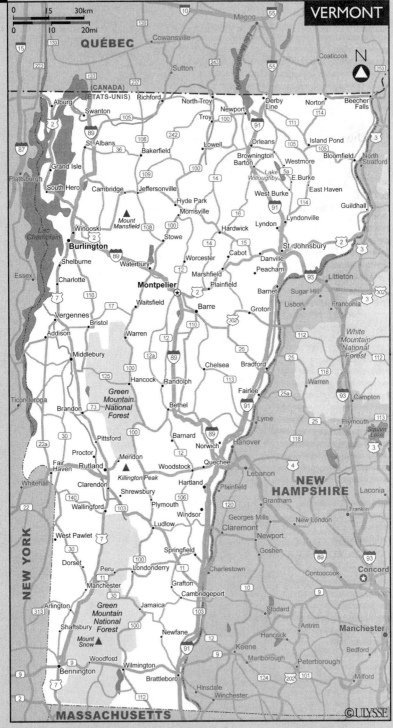

VERMONT

0 15 30km
0 10 20mi

QUÉBEC

Magog
Cowansville
Sutton
Coaticook

N

(CANADA)
(ÉTATS-UNIS)

Alburg
Swanton
Richford
North Troy
Troy
Newport
Derby Line
Norton
Beecher Falls

St. Albans
Bakerfield
Lowell
Orleans
Island Pond
Bloomfield
North Stratford

Grand Isle
Jeffersonville
Brownington
Barton
Westmore
E. Burke

South Hero
Cambridge
Hyde Park
Lake Willoughby
West Burke
East Haven
Guildhall

Winooski
Mount Mansfield
Morrisville
Lyndon
Lyndonville

Burlington
Stowe
Hardwick
St. Johnsbury

Shelburne
Waterbury
Worcester
Cabot
Danville
Peacham
Littleton

Charlotte
Montpelier
Marshfield
Plainfield
Barnet
Sugar Hill
Lisbon
Franconia

Essex
Waitsfield
Barre
Groton

Vergennes
Bristol
Warren
White Mountain National Forest
Warren

Addison
Middlebury
Hancock
Chelsea
Bradford
Fairlee
Campton

Ticonderoga
Brandon
Bethel
Lyme
Plymouth
Squam Lake

Pittsford
Barnard
Norwich
Hanover
Lebanon

Fair Haven
Proctor
Mendon
Woodstock
Quechee

Whitehall
Rutland
Killington Peak
Hartland
Plainfield
NEW HAMPSHIRE
Laconia

Clarendon
Shrewsbury
Plymouth
Grantham
Franklin

Wallingford
Windsor
Georges Mills
Claremont
New London

Ludlow
Newport
Goshen

West Pawlet
Springfield
Charlestown

Dorset
Peru
Londonderry
Concord

Manchester
Grafton
Cambridgeport
Stodard

Arlington
Jamaica
Hancock
Manchester

Shaftsbury
Green Mountain National Forest
Newfane
Keene
Bedford

Mount Snow
Woodford
Wilmington
Marlborough
Peterborough
Milford

Bennington
Brattleboro
Hinsdale
Winchester

NEW YORK

Green Mountain National Forest

MASSACHUSETTS

©ULYSSE

Le Vermont

Le Northeast Kingdom

De Stowe à Woodstock

La Champlain Valley

Le sud du Vermont

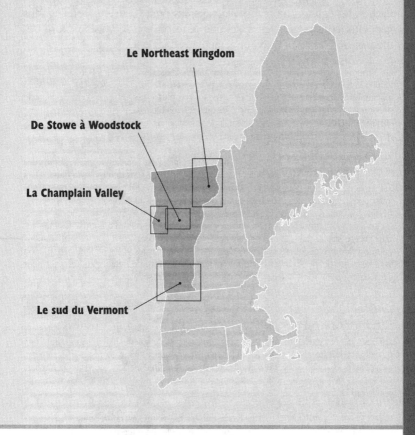

Il faut bien se rendre à l'évidence: tout le monde adore le Vermont. D'ailleurs, comment résister à ce coin de pays qui ravive spontanément la nostalgie latente au cœur même des citadins les plus endurcis? Pour plusieurs, le Vermont, c'est une sorte d'Arcadie au sein d'un pays qui souffre de la dégradation urbaine, d'un développement débridé, du dépérissement de l'environnement, d'une criminalité rampante et de l'impersonnalité des rapports humains. Entre les paysages bucoliques ponctués de collines ondulantes sur lesquelles paissent paisiblement les vaches, les églises aux blancs clochers, les ponts couverts, les magasins généraux et les érablières, voici une terre où l'on se voisine courtoisement et où l'on traite l'environnement avec sagesse.

Le Vermont est bel et bien différent des autres États de la nation. Son territoire de 25 000 km² accueille une population d'à peine 623 000 habitants, soit l'avant-dernière en nombre parmi tous les États américains. Et, qui plus est, il s'impose comme l'État le plus rural du pays, puisque moins de 30% de ses habitants vivent en zone métropolitaine contre 80% dans le reste du pays. Enfin, le Vermont se classe au deuxième rang des États qui affichent le taux de criminalité le plus bas.

Ce sont, entre autres, de tels facteurs qui attirent nombre de gens au Vermont depuis des années. D'ailleurs, en parcourant cet État, vous remarquerez sans doute que la plupart des habitants de la région sont devenus Vermontois par choix plutôt que par naissance. Après avoir connu un taux de croissance fort modeste au début du XXᵉ siècle, voire un franc déclin au cours des années 1950, la population du Vermont a crû de près de 15% dans les années 1960, puis de nouveau dans les années 1970, ce qui en a fait un des États les plus progressifs du pays. Et une grande partie de cette croissance est due à des migrations internes, nombre de jeunes habitants des villes aliénés par les effets de l'industrialisation sur leur cadre de vie social et environnemental ayant choisi de s'établir au Vermont pour y effectuer un «retour à la terre», comme cela continue de se faire.

Ces mêmes facteurs ont de plus suscité un attrait quasi irrésistible sur les touristes. De fait, le tourisme représente la deuxième industrie en importance de l'État, derrière l'industrie manufacturière. Le ski a lui-même gagné de nombreux adeptes au Vermont dans les années 1950 et 1960, quoique, depuis les années 1950, ce soient les feuillages d'automne qui attirent le plus de monde, les établissements hôteliers, les restaurants et les routes s'emplissant chaque année, de la fin de septembre à la fin d'octobre, de visiteurs fascinés par le passage du vert à l'orangé, au rouge flamboyant et au doré de tous ces arbres qui couvrent l'État.

Ce phénomène est d'autant plus ironique que les forêts aujourd'hui si attirantes pour les touristes n'existaient même pas il y a environ un siècle. En effet, de la fin du XVIIIᵉ à la fin du XIXᵉ siècles, les forêts du Vermont avaient pour ainsi dire disparu, coupées pour en faire du bois d'œuvre et de chauffage ou rasées pour faire place à des terres cultivées et à des mines de potasse. Ainsi, alors qu'on estime à 95% la surface boisée de cet État montagneux à l'époque où les Français s'y sont installés au XVIIᵉ siècle (d'où le nom de «vert mont» donné à ce coin de pays), ce pourcentage avait chuté à moins de 40% dans les années 1870, et l'État souffrait gravement du déboisement effréné dont il faisait l'objet. La situation était telle qu'elle influença lourdement les écrits du Vermontois George Perkins Marsh, aujourd'hui considéré comme le père du mouvement écologiste moderne.

Marsh serait certes fier de savoir que, de nos jours, l'État est de nouveau boisé à quelque 75% et que les résidants du «Green Mountain State» (l'État des montagnes vertes) sont réputés pour leur sens peu commun de l'éthique environnementale. En adoptant son Bill 250 en 1971, le Vermont est devenu le premier État de l'Union à contrôler l'affectation et le développement des terres pour des raisons d'ordre environnemental, et les panneaux-réclame y sont bannis depuis 1968 du fait de leur effet indésirable sur l'environnement visuel.

Le Vermont est depuis longtemps reconnu comme un État voué à l'industrie laitière, et, bien que son animal-emblème soit le cheval Morgan, l'imagination populaire l'associe plus volontiers à cette vache noire et blanche qu'est l'Holstein. Cela dit, même si les fortunes agricoles ne sont plus ce qu'elles étaient, l'industrie laitière génère encore 75% des revenus agricoles de l'État (soit un pourcentage plus élevé que dans tout autre État), et, pour beaucoup de gens, le Vermont s'impose d'abord et avant tout comme la terre d'élection de Ben and Jerry's, qui y fabrique «les meilleures glaces qui soient». Rares sont ceux qui songent aux minerais qui reposent sous son tapis de vert, et pourtant le Vermont est bel et bien le siège de la plus grande carrière de granit au monde, de même que d'une des plus grandes carrières de marbre.

Unions civiles: une autre première vermontoise

Déjà considéré comme un des États les plus libéraux de l'Union, le Vermont a été le premier à reconnaître de plein droit les unions homosexuelles. Son projet de loi sur les unions civiles a en effet été adopté le 1er juillet 2000. En dépit de nombreuses contestations et oppositions, plus de 8 000 unions civiles ont été reconnues depuis l'adoption de la loi, dont beaucoup entre personnes vivant à l'extérieur de l'État. Cela dit, les Green Mountains du Vermont constituent, du moins pour l'instant, une destination plus populaire que jamais auprès des gays et lesbiennes!

Curieusement, malgré l'image solidement ancrée de leur État, les Vermontois semblent perpétuellement en proie à une crise d'identité. À l'instar des Canadiens, dont le voisin américain s'avère plus grand, plus fort et peut-être même plus fougueux, les résidants de l'avant-dernier État en population et du plus rural de tous les États américains semblent en effet plus soucieux que les autres de leur identité profonde. Plus que toute autre caractéristique, c'est leur esprit d'indépendance que les Vermontois mettent de l'avant, l'exemple le plus souvent cité tenant au fait que le Vermont a été une république indépendante pendant 14 ans (de 1777 à 1791), après s'être dissocié de New York et du New Hampshire, qui revendiquaient tous deux son territoire. Puis, en 1791, le Vermont est devenu le premier État à se joindre aux 13 États originaux de l'Union.

Il est aussi intéressant de noter que la constitution de 1777 du Vermont fut la première à proscrire l'esclavage et à abolir la nécessité, pour les électeurs, d'être propriétaires fonciers. Plus récemment, le Vermont a de nouveau affirmé son esprit d'indépendance en devenant le premier État américain à légaliser les unions entre homosexuels, dites «unions civiles», une loi qui n'a toutefois pas été adoptée sans opposition. Quoi qu'il en soit, au fil des ans, le Vermont est toujours resté fidèle à sa devise: *Liberté et unité*.

Le Vermont se prépare à célébrer, en 2009, le 400e anniversaire de la découverte du majestueux lac Bitawbagok par Samuel de Champlain, qui lui donna aussitôt son nom.

Le présent chapitre est divisé en quatre circuits, soit **La Champlain Valley ★ ★ ★**, **De Stowe à Woodstock ★ ★ ★**, **Le Northeast Kingdom ★ ★** et **Le sud du Vermont ★ ★ ★**.

Le Vermont

Accès et déplacements

■ Orientation

Le Vermont, le seul État sans littoral de la Nouvelle-Angleterre, avoisine le Québec (Canada) au nord, l'État de New York à l'ouest, le Massachusetts au sud et le New Hampshire à l'est.

Ce chapitre est divisé en quatre circuits de manière à vous aider à organiser votre visite par régions géographiques. Les circuits «La Champlain Valley» et «Le Northeast Kingdom» couvrent les distances les plus courtes et peuvent sans doute s'effectuer en une journée ou deux chacun. Les circuits «De Stowe à Woodstock» et «Le sud du Vermont», beaucoup plus longs, ne peuvent, pour leur part, être appréciés pleinement que si on leur accorde plusieurs jours. De toute façon, il convient de se rappeler que le Vermont ne se visite pas à la bourre...

Le circuit «La Champlain Valley» débute à Burlington, la plus grande ville de l'État, et longe les contours de la Champlain Valley jusqu'à la ville universitaire de Middlebury, 22 mi (35 km) plus au sud. Au terme du trajet effectué, vous aurez le loisir d'enchaîner avec le circuit suivant.

Le circuit «De Stowe à Woodstock» épouse essentiellement une trajectoire nord-sud depuis la région de Stowe, au nord de Montpelier (la capitale du Vermont), et emprunte la route 100 en direction sud jusqu'à Sugarbush, Killington et, plus à l'est, Woodstock, à 90 mi (145 km) de Stowe.

Le circuit «Le Northeast Kingdom» vous entraîne vers le Northeast Kingdom (royaume du Nord-Est). Il débute à St. Johnsbury et décrit une première boucle en direction sud-ouest, puis une seconde en direction nord-ouest.

Le circuit «Le sud du Vermont», le plus long des quatre, emprunte un tracé circulaire de 125 mi (200 km) de Brattleboro à Manchester puis à Bennington, croisant au passage les minuscules villages de Newfane, Grafton et Arlington.

■ En avion

Le **Burlington International Airport** *(1200 Airport Dr., Burlington,* ☎*802-863-1889, www. btv.aero)* est desservi par Continental Express, United Airlines, US Airways, Delta Connection et Jet Blue.

■ En voiture

Le Vermont est desservi par deux grandes autoroutes: l'Interstate 89, qui relie au nord le Vermont au Québec, au sud de Montréal, et à Boston à l'est, et l'Interstate 91, qui suit une trajectoire nord-sud le long du pan est de l'État et relie le Vermont au Massachusetts, au Connecticut, à New York et au Québec, dans la région de Sherbrooke. La route 7 fait pendant à cette dernière du côté ouest de l'État entre le Massachusetts et le Québec, tandis que la route 2 file d'est en ouest de l'État de New York au New Hampshire et au Maine.

■ En autocar

Vermont Transit Lines *(*☎*800-451-3292, www. vermonttransit.com)*, qui a son siège à Burlington, offre un service d'autocar entre les principales villes du Vermont, notamment Burlington, Bennington, Manchester et Brattleboro, de même que vers Montréal, New York, Hartford et Boston.

■ En train

Le Vermont est desservi par deux lignes d'Amtrak. Le *Vermonter* relie quotidiennement St. Albans (qu'un service de car relie à Montréal, plus au nord) à Washington, D.C. (via New York, le Massachusetts et le Connecticut), tandis que l'*Ethan Allen Express* relie Killington, Rutland et Fair Haven à New York en effectuant plusieurs arrêts dans l'État de New York.

Amtrak
☎800-USA-RAIL
www.amtrak.com

■ En traversier

Lake Champlain Ferries *(*☎*802-864-9804, www. ferries.com)* exploite trois embarcadères différents sur le lac Champlain et relie ainsi le Vermont à l'État de New York.

De Grand Isle (Lake Champlain Islands) à Plattsburgh (NY)

Coût: 15,50$ aller-retour, voiture et passagers; 5,25$ sans voiture.

Horaire: toute l'année, 24 heures sur 24, aux 20 à 40 min.

Durée de la traversée: 12 min.

De Burlington à Port Kent (NY)

Coût: 27,50$ aller-retour, voiture et passagers; 7,75$ sans voiture.

Horaire: fin mai à mi-oct tlj; de 5 à 9 départs quotidiens.

Durée de la traversée: une heure.

De Charlotte à Essex (NY)

Coût: 15,50$ aller-retour, voiture et passagers; 5,25$ sans voiture.

Horaire: toute l'année, aux 30 à 60 min.

Durée de la traversée: 20 min.

Renseignements utiles

■ Renseignements touristiques

On peut obtenir des renseignements touristiques sur le Vermont à trois niveaux différents.

Pour des renseignements d'ordre général, communiquez avec le **Vermont Department of Tourism and Marketing** (☎*800-VERMONT, www. vermontvacation.com).*

Pour des renseignements plus précis sur une région particulière, adressez-vous plutôt à l'office de tourisme de la région concernée. On en dénombre 11 à travers l'État, dont vous trouverez les coordonnées dans le site Web mentionné ci-dessus.

Enfin, pour des renseignements touristiques strictement locaux, faites appel à la **chambre de commerce** de la ville ou du village qui vous intéresse. Vous en trouverez les coordonnées dans les sites Web de chaque région touristique. Nous vous présentons ci-après les plus susceptibles de vous être utiles, tout en vous précisant que la plupart exploitent un bureau de tourisme ou à tout le moins un kiosque d'information touristique.

La Champlain Valley

Lake Champlain Regional Chamber of Commerce
60 Main St., Suite 100
Burlington
☎802-863-3489 ou 877-686-5253
▤802-863-1538
www.vermont.org

De Stowe à Woodstock

Stowe Area Association
51 Main St.
Stowe
☎802-253-7321 ou 877-GO-STOWE
www.gostowe.com

Montpelier Visitors Center
lun-ven 6h30 à 18h, sam-dim 10h à 18h
134 State St.
Montpelier
☎802-828-5981

Mad River Valley Chamber of Commerce
lun-ven 9h à 17h, sam 9h à 12h
General Wait House, route 100
Waitsfield
☎802-496-3409 ou 800-828-4748
www.madrivervalley.com

Killington Chamber of Commerce
lun-ven 10h à 16h
route 4, dans l'édifice du bureau de poste, près de l'intersection avec Killington Rd.
Killington
☎802-773-4181 ou 800-337-1928
www.killingtonchamber.com

Woodstock Area Chamber of Commerce
lun-ven 10h à 17h
18 Central St.
Woodstock
☎802-457-3555 ou 888-4-WOODST
www.woodstockvt.com

Le Vermont - Renseignements utiles

Kiosque d'information du parc municipal de Woodstock
fin mai à mi-juin sam 9h30 à 17h30, dim 9h30 à 16h
mi-juin à mi-oct lun-sam 9h30 à 17h30, dim 10h à 16h
Woodstock
☎ 802-457-1042

Le Northeast Kingdom

Northeast Kingdom Chamber of Commerce
lun-ven 9h à 17h (le comptoir d'information est aussi ouvert le soir et la fin de semaine au cours de l'été et de l'automne)
51 Depot Square, Suite 3
St. Johnsbury
☎ 802-748-3678 ou 800-639-6379
www.nekchamber.com

Le sud du Vermont

Brattleboro Area Chamber of Commerce
180 Main St.
Brattleboro
☎ 802-254-4565 ou 877-254-4565
www.brattleborochamber.org

Kiosques d'information touristique de Brattleboro
mai à oct ven 13h à 18h, sam 9h à 17h, dim 12h à 17h
route 9, à l'ouest de la ville juste avant le Creamery Covered Bridge
route 5, parc municipal
Brattleboro

Bennington Area Chamber of Commerce
lun-ven 8h30 à 16h30, mi-mai à mi-oct aussi sam-dim 9h à 16
100 Veterans Memorial Dr.
Bennington
☎ 802-447-3311 ou 800-229-0252
www.bennington.com

Manchester and the Mountains Chamber of Commerce
fin mai à fin oct dim-jeu 9h30 à 17h, ven-sam 9h30 à 19h; début nov à fin mai lun-sam 9h30 à 17h
5046 Main St. (ou le centre de services aux visiteurs qui se trouve de l'autre côté de la rue)
Manchester Center
☎ 802-362-2100 ou 800-362-4144
www.manchestervermont.net

Attraits touristiques

La Champlain Valley
★★★

Ce circuit longe la Champlain Valley de Burlington à Middlebury, 30 mi (48 km) plus au sud par la route 7. La Champlain Valley est encadrée à l'ouest par le lac Champlain, qui forme une frontière naturelle entre le Vermont et la chaîne des Adirondacks de l'État de New York, et s'impose comme le plus grand lac des États-Unis après les Grands Lacs eux-mêmes. Il a toujours été au cœur du développement industriel et commercial du Vermont, et regorge aujourd'hui de possibilités récréatives. Il exerce en outre un rôle modérateur sur le climat local et fait de la vallée du même nom la partie la plus douce de l'État. Son importance est d'ailleurs telle qu'on qualifie parfois la région de «côte ouest de la Nouvelle-Angleterre», et ce, même s'il n'est plus qu'un pâle reflet de ce qu'il a déjà été.

Le lac Champlain

Long de 200 km et d'une superficie de près de 1 140 km², le lac Champlain compte parmi les plus grands des États-Unis. Après la fonte des glaces qui recouvraient le nord du Vermont, il y a quelque 12 500 ans, puis de celles de la vallée du Saint-Laurent, le niveau de la mer s'est élevé, et l'océan Atlantique a entièrement inondé la vallée pour donner naissance à la mer de Champlain, qui a dû exister pendant environ 2 500 ans. Puis, lorsque la croûte terrestre se cambra, l'eau salée s'écoula peu à peu de la région pour n'y laisser que de l'eau douce, et c'est ainsi que naquirent le lac Champlain et ses îles. L'héritage géologique de la région révèle aujourd'hui, entre autres choses, les restes fossilisés de mammifères marins, notamment de la fameuse baleine de Charlotte, trouvée légèrement au sud de Shelburne. Et, tandis que vous êtes dans la région, gardez l'œil ouvert pour repérer *Champ*, le monstre à demeure du lac!

Les **Champlain Islands** comprennent trois îles principales dans le lac Champlain, auxquelles s'ajoutent beaucoup d'autres plus petites: **Grand Isle / South Hero**, **North Hero** et **Isle La Motte**. Il convient de préciser qu'Al-

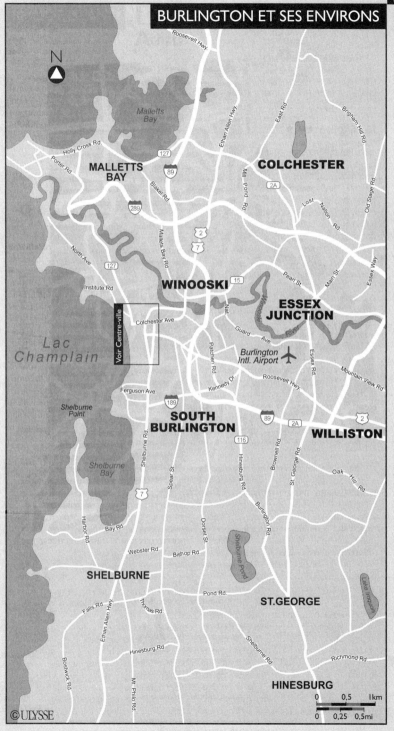

N

Roosevelt Hwy.

Mallets Bay

Holly Cross Rd.

Porter Rd.

MALLETTS BAY

127

89

East Rd.

Brigham Hill Rd.

COLCHESTER

2A

Ethan Allen Hwy.

Mill Pond Rd.

Lost Nation Rd.

Old Stage Rd.

Essex Way

Blakei Rd.

289

North Ave.

127

Mallets Bay Rd.

2

7

Institute Rd.

Pearl St.

Main St.

WINOOSKI 15

Nat.

Guard Ave.

ESSEX JUNCTION

Winooski River

Colchester Ave.

Voir Centre-ville

Lac Champlain

Patchen Rd.

Burlington Intl. Airport ✈

Essex Rd.

Mountain View Rd.

Ferguson Ave.

Kennedy Dr.

Roosevelt Hwy.

189

SOUTH BURLINGTON

Shelburne Point

Shelburne Rd.

Spear St.

89

2A

WILLISTON

2

116

Hinesburg Rd.

Brownell Rd.

St. George Rd.

Oak Hill Rd.

Shelburne Bay

7

Burlington Rd.

Harbor Rd.

Bay Rd.

Webster Rd.

Dorset St.

Bishop Rd.

Shelburne Pond

Lake Iroquois

SHELBURNE

Pond Rd.

ST.GEORGE

Falls Rd.

Ethan Allen Hwy.

Thomas Rd.

Hinesburg Rd.

Bostwick Rd.

Mt. Philo Rd.

Shelburne Rd.

Richmond Rd.

HINESBURG

0   0,5   1km
0   0,25   0,5mi

©ULYSSE

burg est aussi tenue pour une île, mais qu'il s'agit en fait d'une péninsule qui s'étend au sud de la frontière canadienne. Isle La Motte a accueilli la première colonie européenne du Vermont, Fort St. Anne, fondée en 1666 sur les lieux de l'actuel **St. Anne's Shrine** *(mi-mai à mi-oct tlj 9h à 19h; ☎802-928-3362)* et abandonnée peu de temps après.

Burlington ★★★

Aussi invraisemblable que cela puisse paraître avec une population d'à peine 40 000 habitants, Burlington est la ville la plus populeuse du Vermont et l'a d'ailleurs toujours été depuis 1840. Cela dit, l'agglomération de Burlington, qui englobe quelques localités avoisinantes, constitue une sorte de métropole vermontoise de quelque 140 000 habitants.

Burlington, qu'on surnomme *Queen City* (Ville reine), comptait parmi les plus importantes villes productrices de bois d'œuvre des États-Unis au XIXᵉ siècle. Et l'on ne débitait pas ici que le bois de la région, mais aussi une grande partie du bois coupé au Canada, acheminé jusqu'aux scieries locales par le canal Champlain, inauguré en 1822, puis envoyé à New York par le fleuve Hudson. Plus tard, le chemin de fer permit de relier Burlington aux différents centres d'envergure du nord-est des États-Unis. La ville a par ailleurs joué un rôle important à titre de port intérieur, du fait de sa situation sur la côte est du lac Champlain.

L'abondante énergie hydroélectrique de la région a de plus attiré de nombreuses usines textiles qui ont grandement contribué à la prospérité de Burlington vers la fin du XIXᵉ siècle. Puis, au début du XXᵉ siècle, trois filatures de laine établies à Winooski, une banlieue de Burlington, virent bientôt affluer nombre d'ouvriers québécois, si bien que la ville conserve à ce jour une présence marqué du français.

L'heure de gloire industrielle de Burlington appartient en grande partie au passé (même si des industries telles qu'IBM ont depuis élu domicile dans la région), un passé prospère dont témoignent encore nombre de belles résidences, surtout dans le quartier Hill de la ville. Plusieurs de ces bâtiments logent désormais la demi-douzaine d'institutions d'enseignement supérieur de Burlington, lesquelles lui confèrent

d'ailleurs une aura de jeunesse et de dynamisme. La plus prestigieuse de toutes est sans conteste l'**University of Vermont**, fondée en 1791 par Ira Allen qui, avec son frère Ethan (voir encadré p 436) et d'autres de ses frères et sœurs, a obtenu de grandes concessions foncières dans la région au moment où la ville a obtenu sa charte, en 1763. Au cinquième rang des plus vieilles universités de la Nouvelle-Angleterre, elle accueille bon an mal an quelque 12 000 étudiants.

Burlington a récolté une douzaine de récompenses en autant d'années pour la qualité de vie qu'elle offre à ses résidants; entre autres honneurs, elle a été désignée comme l'une des villes les plus habitables des États-Unis, l'une des villes artistiques les plus branchées du pays, l'un des meilleurs endroits où élever une famille et l'un des meilleurs endroits où prendre sa retraite. Et c'est sans compter qu'il s'agit également d'une ville fascinante à visiter!

Le **Church Street Marketplace** ★★ *(☎802-863-1648, www.churchstmarketplace.com)*, qui se trouve dans Church Street entre les rues Main et Pearl, est un mail piétonnier agrémenté de restaurants (dont la plupart disposent d'une terrasse), de bars, de cafés, de boutiques spécialisées, de vendeurs ambulants, de spectacles de rue au cours de la saison estivale, de kiosques d'information touristique et, dans l'ensemble, d'une atmosphère animée et inspirante. On y retrouve un mélange de styles architecturaux qui atteignent leur apogée dans une fontaine fantaisiste et, à l'extrémité nord du mail, dans une église unitarienne de style Federal datant de 1816. Au cœur même du centre-ville de Burlington depuis 1981, il s'agit de l'endroit par excellence pour prendre le pouls de la ville, observer les passants et flâner à son aise par les chaudes soirées d'été.

Il n'y a pas si longtemps, le bord de l'eau de Burlington n'était encore qu'un secteur post-industriel mal en point n'ayant guère d'attrait à offrir aux visiteurs. Sa transformation complète a toutefois donné naissance au **Waterfront Park** ★★ *(tout au bout de College St.)*, où l'on peut aujourd'hui tranquillement s'asseoir sur un banc de la promenade, promener son chien, faire une balade à vélo ou en patins à roues alignées, faire une croisière, assister à un festival ou simplement admirer le soleil se

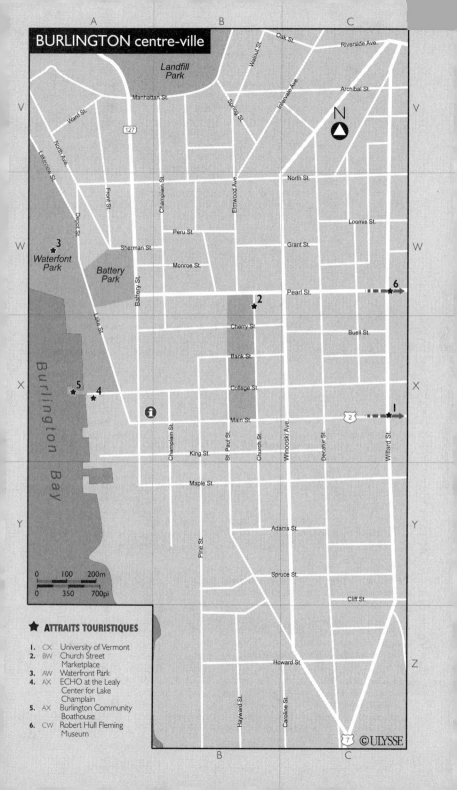

BURLINGTON centre-ville

Landfill Park

Oak St.
Riverside Ave.
Walnut St.
Archibal St.
Manhattan St.
Ward St.
Spring St.
Intervale Ave.
127
North Ave.
Lakeview St.
North St.
Front St.
Depot St.
Champlain St.
Elmwood Ave.
Loomis St.
3
Waterfont Park
Sherman St.
Peru St.
Grant St.
Monroe St.
Battery Park
Battery St.
Pearl St.
6
2
Lake St.
Cherry St.
Buell St.
Bank St.
5 4
College St.
Burlington Bay
Main St.
2
1
Champlain St.
King St.
St. Paul St.
Church St.
Winooski Ave.
Decatur St.
Willard St.
Maple St.
Adams St.
Pine St.
Spruce St.
Cliff St.
0 100 200m
0 350 700pi
Howard St.
Hayward St.
Caroline St.
7 ©ULYSSE

★ ATTRAITS TOURISTIQUES

1. CX University of Vermont
2. BW Church Street
        Marketplace
3. AW Waterfront Park
4. AX ECHO at the Lealy
        Center for Lake
        Champlain
5. AX Burlington Community
        Boathouse
6. CW Robert Hull Fleming
        Museum

Ethan Allen: un héros populaire

En parcourant le Vermont, vous ne manquerez pas de voir le nom d'Ethan Allen faire partie intégrante de quelques raisons sociales ou enseignes commerciales. Inutile de vous dire que ce personnage a été influent dans l'histoire du Vermont et dans la psyché même des Vermontois.

Cet homme énigmatique et controversé est né à Litchfield, Connecticut, en 1738. Après son premier mariage, en 1762, Allen a vécu dans plusieurs régions du Connecticut avant de s'établir au Massachusetts. Puis il a commencé à faire de fréquents voyages vers le futur Vermont, où il a d'ailleurs acheté une première terre en 1770. En 1772, lui-même, ses frères et d'autres parents y avaient déjà acquis plus de 26 000 ha, devenant ainsi de vrais spéculateurs immobiliers œuvrant sous le nom d'Onion River Land Company. Révolutionnaire, Ethan Allen est mieux connu pour avoir formé, avec les membres de sa famille et d'autres miliciens, les Green Mountain Boys et ravi, avec les troupes de Benedict Arnold, le fort Ticonderoga (lac Champlain) aux Anglais en 1775. Le 10 mai 1775, contre toute attente, les forces continentales d'Allen et d'Arnold parviennent à stopper une invasion britannique venue du Canada.

Également philosophe et écrivain (il a publié *Reason, the Only Oracle of Man*), Allen s'est enfin fait construire une maison sur une ferme située légèrement au nord de Burlington en 1785 (qui abrite aujourd'hui l'**Ethan Allen Homestead**, voir ci-dessous), et il y est mort en 1789. Il est inhumé, avec d'autres membres de sa famille, au Greenmount Cemetery, un cimetière historique qui se trouve sur Colchester Avenue à Burlington.

coucher derrière les Adirondacks. N'êtes-vous pas, après tout, sur la «côte ouest» de la Nouvelle-Angleterre? Vous trouverez également sur place l'**ECHO at the Lealy Center for Lake Champlain ★** *(9$; mi-juin à début sept tlj 10h à 17h, début sept à mi-juin mar-dim 10h à 17h; 1 College St.,* ☎*802-864-1848, www.echovermont.org),* un bon endroit pour en apprendre davantage sur la faune et la flore du lac Champlain, sans oublier son labyrinthe éducatif conçu à l'intention des enfants. Vous pourrez enfin prendre part à une croisière, louer un voilier (voir p 459), prendre une bouchée ou contempler le paysage depuis le **Burlington Community Boathouse**, un hangar à bateaux construit en 1989.

Du bord de l'eau, prenez vers le nord par Battery Street, qui devient plus loin la route 127, et suivez les indications vers l'Ethan Allen Homestead.

L'**Ethan Allen Homestead ★** *(en bordure de la route 127 N.,* ☎*802-865-4556, www. ethanallenhomestead.org)* a été la demeure du célèbre Vermontois des premiers jours de la colonie qui lui a légué son nom pendant les deux dernières années de sa vie

(de 1787 à 1789). Une balade parmi les bâtiments de ce site historique est très agréable. Le jardin de la maison Allen, en surplomb sur la rivière Winooski, se prête fort bien à un pique-nique.

Revenez vers la ville par la route 127 jusqu'à Pearl Street, que vous prendrez à gauche (vers l'est); Pearl Street devient alors Colchester Avenue et vous conduit au Robert Hull Fleming Museum, sur le campus de l'University of Vermont; l'endroit est clairement indiqué.

Le **Robert Hull Fleming Museum ★** *(5$; début sept à fin avr mar-ven 9h à 16h, sam-dim 13h à 17h, début mai à début sept mar-ven 12h à 16h, sam-dim 13h à 17h; 61 Colchester Ave.,* ☎*802-656-2090, www.uvm.edu/~fleming),* installé sur le campus de l'University of Vermont au nord du centre-ville de Burlington, accueille des expositions temporaires d'œuvres d'artistes du Vermont et d'ailleurs, de même qu'une exposition permanente variée qui comprend notamment des masques africains, des broderies perlées du continent noir, une momie et un sarcophage égyptiens, des céramiques du monde islamique et des toiles d'artistes vermontois du XXᵉ siècle.

Prenez la route 7 (Shelburne Road) en direction sud sur environ 5,5 mi (8,9 km) jusqu'à Shelburne.

Shelburne ★ ★

On vous excuserait sans doute de croire que Shelburne n'est qu'une banlieue comme tant d'autres de la plus grande ville du Vermont, sans rien d'autre à offrir qu'une succession de galeries marchandes et de motels appartenant aux grandes chaînes, mais vous n'en seriez pas moins profondément dans l'erreur. Car non seulement cette communauté de quelque 6 000 âmes s'enorgueillit-elle de beaux bâtiments historiques ainsi que d'une baie paisible et retirée, tout à fait propre à la navigation, mais elle recèle en outre certaines des meilleures auberges de la région, un ou deux restaurants de classe supérieure, le plus beau musée de l'État et une ferme vouée à la gestion durable des terres et à l'éducation environnementale.

Les **Shelburne Farms ★ ★** *(mi-mai à mi-oct; 1611 Harbor Rd., ☎802-985-8686, www. shelburnefarms.org)*, un complexe de plus de 1 500 ha créé grâce à la fortune et à la vision du Dr. W. Seward Webb et de son épouse héritière Eliza Vanderbilt Webb, ont vu le jour entre la fin des années 1880 et le début des années 1890. À l'origine une ferme modèle où l'on démontrait les techniques de pointe en matière agricole, elle regroupe aujourd'hui une ferme laitière de près de 600 ha et les locaux d'un organisme sans but lucratif qui se spécialise dans les programmes d'éducation environnementale à l'intention des écoliers et des familles. Son troupeau de vaches suisses produit annuellement quelque 50 000 kg de fromage cheddar; on y cultive des légumes biologiques et on y élève par ailleurs des moutons de façon également biologique. Pour sa part, l'ancienne maison des Webb abrite désormais une élégante auberge (voir p 468). L'aménagement de la propriété a été confié à nul autre que Frederick Law Olmsted, celui-là même qui a conçu le Central Park de New York et le parc du Mont-Royal de Montréal. On y présente chaque année un festival de Mozart dans un cadre des plus charmants: le

Vermont Mozart Festival *(mi-juil à début août; ☎802-362-7357, www.vtmozart.com)*.

Pour une vue d'ensemble de la ferme et de l'auberge, prenez part à une visite guidée de la propriété *(9$; mi-mai à mi-oct tlj 9h30, 11h30, 13h30 et 15h30; durée: 90 min)*, qui vous fera voir une partie de l'auberge, le domaine qui l'entoure ainsi que la fromagerie et le magasin de la ferme (où vous aurez même droit à une dégustation de fromage). Si vous préférez arpenter les lieux à votre guise et à votre rythme, acquittez simplement le droit d'entrée de 6$ et munissez-vous d'un plan des sentiers. Notez par ailleurs qu'on présente aux 30 min une projection de diapositives gratuite de 15 min dans le centre d'accueil des visiteurs. Les enfants apprécieront également la basse-cour aménagée à leur intention. Enfin, outre le fromage produit sur place, le magasin de la ferme tient des livres, des cartes postales et divers cadeaux.

Une excellente façon d'admirer de plus près l'auberge et son jardin consiste à y prendre un thé langoureux et on ne peut plus britannique, que ce soit dans le salon de thé ou sous le porche *(15$; mi-juin à mi-oct mar et jeu 14h30)*.

Visiter le **Shelburne Museum ★ ★ ★** *(18$, valable pour deux jours; mai à mi-oct tlj 10h à 17h; mi-oct à fin déc et fin mars à fin mai tlj 13h à 16h; fermé début jan à fin mai; route 7, ☎802-985-3346, www.shelburnemuseum.org)*, c'est comme visiter plusieurs musées en un seul et même endroit, puisque ses expositions variées sont réparties dans différents bâtiments thématiques à la fois originaux et conçus pour accueillir les collections qu'on y présente. Ce qu'il y a de plus fascinant dans ce musée, c'est que, plutôt que d'y présenter une exposition «sur» les bateaux à vapeur ou les ponts couverts, on y expose carrément le bateau ou le pont en question! L'idée en revient à Electra Havemeyer Webb (qui avait épousé un membre de la famille Webb des Shelburne Farms), une fervente collectionneuse d'anciennes œuvres d'art, d'art populaire et d'arts décoratifs qui l'a fondé en 1947. La collection du musée lui est d'ailleurs due en grande partie.

Certains des éléments d'exposition les plus appréciés sont le Stagecoach Inn (une auberge construite en 1783 à Charlotte, juste au sud de Shelburne), surtout consa-

Le Vermont - Attraits touristiques - La Champlain Valley

cré à l'art populaire des États-Unis; l'Electra Havemeyer Webb Memorial Building, une magnifique structure néoclassique flanquée de colossales colonnes ioniques en marbre du Vermont et garnie de meubles et objets variés provenant de l'appartement de New York de la bienfaitrice (y compris des peintures de Monet, Manet, Degas et Cassatt); la Webb Gallery, qui abrite une collection de peintures américaines (entre autres un gigantesque Andrew Wyeth et quelques œuvres de Grandma Moses); et le *Ticonderoga*, un bateau à vapeur construit à Shelburne en 1906 (il s'agit d'un authentique monument historique national qui a sillonné les eaux du lac Champlain pendant un demi-siècle avant de jeter l'ancre une fois pour toutes en 1955).

Si vous visitez le musée en été, munissez-vous d'un bon écran solaire, d'une réserve d'eau potable et d'un chapeau de soleil, car une grande partie de la visite se fait à l'extérieur sans une goutte d'ombre à l'horizon. Un trolley circule par ailleurs aux 15 min et s'arrête en divers points, ce qui rend la visite accessible aux personnes dont les capacités motrices sont réduites.

Poursuivez par la route 7 jusqu'à Middlebury, à 34 mi (55 km) au sud de Burlington.

Middlebury ★

S'il est vrai que l'identité de Burlington est façonnée par son université, force est de reconnaître que Middlebury ne vit et respire que pour son **Middlebury College** (☎802-443-5000, *www.middlebury.edu*). Ainsi, alors que de nombreuses villes du Vermont se tournent vers l'extérieur, c'est-à-dire vers le tourisme, Middlebury se tourne entièrement vers son centre vital, incarné par son établissement d'enseignement supérieur.

Ce réputé collège classique libéral, qui a célébré son bicentenaire en l'an 2000, accueille 2 000 étudiants et porte la population de Middlebury à 8 500 âmes. Son campus principal se trouve immédiatement au sud-ouest de la ville, tandis que son complément, le campus de 728 ha de Bread Loaf Mountain, siège de l'éponyme School of English and Writers' Conference (jadis fréquentée par le poète Robert Frost, qui vivait tout près), se trouve 20 min de route plus loin.

Fondée en 1761, l'attrayante ville montagneuse de Middlebury arbore de beaux bâtiments en briques du XIXe siècle, un parc ponctué de feuillus en son centre et une imposante église congrégationaliste de 1809. Elle se voit coupée en deux par l'Otter Creek, un cours d'eau d'un côté duquel, en face du centre-ville, se dressent les installations vouées à l'exploitation d'une veine de marbre découverte en 1802 près des chutes de Middlebury. De nos jours, elles abritent des boutiques à la mode, de petits restaurants et diverses autres entreprises. Sinon, la ville possède quelques bons restaurants, auberges et *bed and breakfasts*, de même que quelques attraits dignes d'intérêt.

Le **Vermont Folklife Center** ★★ *(dons appréciés; mai à déc mar-sam 11h à 16h, déc à mai sam 11h à 16h; 88 Main St., ☎802-388-4964, www.vermontfolklifecenter.org)* présente quelques expositions portant sur les arts populaires et traditionnels. Sa salle d'archives renferme entre autres des bandes sonores sur lesquelles des Vermontois racontent leurs histoires et parlent de leurs activités.

Le **Henry Sheldon Museum of Vermont History** ★ *(5$; lun-sam 10h à 17h, dim 13h à 17h; 1 Park St., ☎802-388-2117, www.henrysheldonmuseum.org)* a élu domicile dans un joli bâtiment en briques de trois étages qui arbore un style Federal rehaussé d'accents néoclassiques et dont la construction date de 1829. La maison et son contenu témoignent des réalisations de deux hommes, Eben Judd et Henry Sheldon. Judd, un magnat local du marbre, se servait en effet de sa demeure comme salle d'exposition pour ses produits, si bien qu'on y trouve entre autres six cheminées en marbre noir de la région, fort rare. Dans les années 1850, plusieurs années après la mort de Judd, Sheldon emménagea à son tour dans la maison et passa les 30 années qui suivirent à collectionner les meubles, les tableaux, les articles domestiques, les vêtements et les outils qui composent aujourd'hui la collection du musée.

Otter Creek Brewing *(entrée libre; lun-sam 10h à 18h, dim 10h à 16h; visites guidées lun-sam à 13h, 15h et 17h; 793 Exchange St., ☎802-388-0727 ou 800-473-0727, www.wolavers.com)*, une des microbrasseries les plus populaires du Vermont, propose des visites de ses installations et, mieux encore, des dégustations gratuites. La visite de 13h fournit la meilleure occasion de voir tous les appareils en marche.

Du centre de la ville, prenez Main Street (route 30) en direction sud et suivez les indications vers le Middlebury College.

Le **Middlebury College Museum of Art ★** *(entrée libre; mar-ven 10h à 17h et sam-dim 12h à 17h, fermé mi-déc à début jan et les deux dernières semaines d'août; ☎802-443-5007, www.middlebury.edu/arts/museum)* possède une collection variée qui comprend notamment des vases grecs, des œuvres chinoises et des toiles européennes, dont certaines signées par des préraphaélites moins connus. On présente par ailleurs à l'étage des expositions temporaires très diverses.

Prenez vers le sud la route 7, qui traverse le centre de la ville avant de devenir la route 125 West; empruntez ensuite la route 23 North sur 0,75 mi (1,2 km) en suivant les indications vers l'University of Vermont.

L'**University of Vermont Morgan Horse Farm ★** *(5$; 74 Battell Dr., Weybridge, à 2,5 mi ou 4 km de Middlebury; début mai à fin oct visites aux heures tlj 9h à 16h; ☎802-388-2011, www.uvm.edu/morgan)* plaira tout particulièrement aux amateurs de chevaux, mais n'en intéressera pas moins ceux qui désirent en apprendre davantage sur l'animal-emblème de l'État du Vermont (qui, vous l'aurez deviné, n'est pas la vache Holstein). Le Morgan est unique en ce qu'il descend d'un seul étalon ayant appartenu à un certain Justin Morgan, un enseignant, compositeur et éleveur de chevaux qui a ramené le jeune animal avec lui lors d'un voyage au Massachusetts en 1791. Le cheval Morgan est considéré comme la première race équine à avoir été développée aux États-Unis, et ses représentants ont été utilisés à diverses fins, sur la ferme et ailleurs, pour leur force, leur résistance et leur capacité à ménager leurs efforts, ce qui leur a d'ailleurs valu de devenir l'emblème de l'État. La ferme d'élevage et ses écuries victoriennes richement ornées datent de 1870 et font partie du patrimoine de l'université depuis 1951.

De Middlebury, suivez la route 7 en direction sud jusqu'à East Middlebury, puis empruntez la route 125 Est.

Charmant hommage au poète Robert Frost, qui a passé ses étés dans une petite maisonnette de Ripton pendant 23 ans, le **Robert Frost Interpretive Trail ★★** *(entrée libre; 2 mi ou 3,2 km à l'est de Ripton)* est un sentier d'interprétation circulaire de 1 mi (1,6 km) en terrain essentiellement plat qui croise des forêts, des prés, un étang aux castors et un ruisseau. Des extraits des poèmes de Frost sont affichés en divers points du sentier, ce qui confère un caractère méditatif à la promenade. Le premier segment de 0,3 mi (0,5 km) s'effectue sur un trottoir en bois accessible aux fauteuils roulants. Comptez de 30 à 45 min pour boucler la boucle.

Poursuivez par la route 125, qui franchit la Green Mountain National Forest et croise le Middlebury Gap, coupé par le Long Trail, jusqu'à Hancock, sur la route 100. Vous serez alors à mi-chemin du circuit «Le Northeast Kingdom» (voir p 445). Vous avez le choix de piquer vers le nord par la route 100 jusqu'à la route 89, que vous prendrez vers l'ouest pour retourner à Burlington, ou d'entamer la deuxième portion du circuit «Le Northeast Kingdom» jusqu'à Woodstock. En guise d'alternative, vous pouvez revenir à la route 7 et filer au sud de Middlebury jusqu'au Branbury State Park (voir p 456).

De Stowe à Woodstock ★★★

Ce circuit varié part de la station touristique de Stowe, dans le nord du Vermont, vous entraîne vers le sud sur la panoramique route 100, qui longe les limites septentrionales de la Green Mountain National Forest, et fait un détour par Montpelier, la capitale du Vermont, avant de reprendre la route 100 jusqu'aux villes de la Mad River Valley que sont Waitsfield et Warren, de piquer vers le sud jusqu'au centre de ski de Killington, puis vers l'est sur la route 4 jusqu'à Woodstock et Quechee. Chemin faisant, vous aurez ainsi l'occasion de visiter certains des endroits les plus courus du Vermont, à savoir les centres de ski de Stowe, Sugarbush et Killington, ainsi que le village de Woodstock.

Stowe et Smugglers' Notch ★★

Selon l'adage local: *There's always snow in Stowe* (Il y a toujours de la neige à Stowe). Mais il n'y a pas que de la neige, puisqu'on y dénombre un nombre impressionnant de restaurants, d'établissements hôteliers et de boutiques pour un village dont la population permanente n'est que de 4 300 habitants. Et le grand responsable en est tout naturellement le ski. Stowe est en effet un centre réputé de sports d'hiver depuis les années 1920, et l'on y a installé, sur le mont Mansfield, le tout premier câble remonte-pente mécanisé en 1937.

Même si l'atmosphère manifestement commerciale de Stowe en rebute plus d'un, nul ne peut nier son charme irrésistible. Après tout, le village est truffé de beaux bâtiments du XIXe siècle, dépourvu de tout établissement à succursales multiples, et riche d'une abondance de restaurants, de boutiques, d'événements et d'activités à même de combler à peu près n'importe qui. Par contre, et l'on ne s'en étonnera pas, le coût de l'hébergement y est élevé et la circulation on ne peut plus dense.

Le village de Stowe borde essentiellement la route 100, quoique les hôtels et les restaurants se succèdent plutôt sur la route 108 (aussi connue sous le nom de «Mountain Road»), à l'extrémité sud du village et sur plusieurs kilomètres en direction de Smugglers' Notch.

Stowe est le siège du **Trapp Family Lodge** ★ ★ *(700 Trapp Hill Rd.,* ☎*802-253-8511 ou 800-826-7000, www.trappfamily.com),* soit la demeure de la famille von Trapp, dont l'épopée chantante se trouve relatée dans le célèbre film *La Mélodie du bonheur.* Et, puisque vous êtes dans le coin, pourquoi ne pas gravir Trapp Hill Road pour jeter un coup d'œil aux jardins de la maison (en été) ou simplement admirer le spectaculaire panorama de montagne (toute l'année)? Ceux qui n'y logent pas peuvent tout de même prendre part à une visite guidée des jardins *(entrée libre; mi-juin à fin août mar et jeu 9h à 10h30)* ou encore faire un tour de carriole d'une vingtaine de minutes *(10$; ven-lun aux demi-heures entre 10h et 17h).*

Vers l'extrémité de l'artère commerciale qu'est Mountain Road, la **Mount Mansfield Auto Toll Road** ★ *(19$; tlj 10h à 17h; Mountain Rd.),* achevée en 1870, grimpe de 1 339 m en seulement 4,5 mi (7,2 km) jusqu'au sommet du plus haut pic du Vermont. La vue y est incomparable, mais quelle épreuve pour ceux qui gravissent la montagne à pied!

Poursuivez vers le nord par Mountain Road jusqu'à **Smugglers' Notch** ★ ★, ce couloir pa-

noramique de 661 m sur la route 108 entre le mont Mansfield et le Sterling Peak, qui se dressent respectivement à l'ouest et à l'est. Ce col a ainsi été nommé en raison du rôle qu'il jouait au début du XIXe siècle lorsque, du fait d'un embargo commercial entre le Canada et les États-Unis, il était emprunté par nombre de contrebandiers, après quoi ce furent des esclaves fuyant les États du sud, puis une nouvelle vague de contrebandiers, cette fois au temps de la Prohibition des années 1920. Ses falaises rocheuses servent d'habitat à plusieurs espèces végétales rares, et il y a un kiosque d'information touristique sur la route. La route qui traverse le col est fermée aux automobiles entre novembre et avril, mais accueille les motoneigistes.

De retour à Stowe, prenez vers le sud, en direction de Waterbury, et suivez les autres voitures jusqu'à l'attrait le plus populaire du Vermont.

Chez **Ben and Jerry's** ★ *(3$; visite de 30 min toutes les 10 à 30 min; nov à mai tlj 10h à 18h, juin tlj 9h à 18h, juil et août tlj 9h à 21h, sept et oct tlj 9h à 19h; boutique de souvenirs et comptoir de glaces ouverts une heure plus tard; route 100, au sud de Stowe près de Waterbury,* ☎*802-244-8687, www.benjerry.com),* l'usine où l'on fabrique les meilleures glaces du Vermont, une équipe de guides accompagnateurs on ne peut plus enthousiastes et souriants vous attend joyeusement. La visite comprend un film sur l'histoire de l'entreprise, un tour de la chaîne de fabrication et, bien sûr, une dégustation gratuite. On organise aussi des activités pour les enfants, et vous trouverez sur place de très nombreuses tables de pique-nique. Bref, attendez-vous à une divertissante célébration du principal produit d'exportation du Vermont.

De l'usine de Ben and Jerry's, prenez vers le sud en direction de la route 89 Sud, que vous suivrez sur 10 mi (16 km) jusqu'à Montpelier.

Montpelier ★ ★

Montpelier, qui compte à peine 8 000 habitants, est la plus petite capitale américaine, et la seule à ne posséder aucun McDonald! De nombreuses compagnies d'assurances y ont cependant leur siège, et il semble qu'on y trouve le plus grand nombre d'avocats par habitant de toutes les villes américaines, ce qui pourrait donner l'impression qu'il s'agit d'une petite ville plutôt

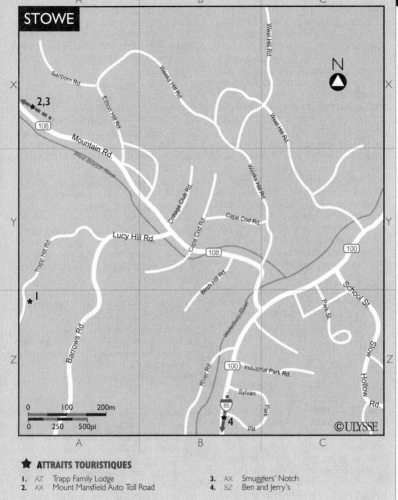

★ **ATTRAITS TOURISTIQUES**

1. AZ Trapp Family Lodge
2. AX Mount Mansfield Auto Toll Road
3. AX Smugglers' Notch
4. BZ Ben and Jerry's

terne et collet monté (mille excuses aux bureaucrates, aux politiciens, aux avocats et aux agents d'assurances), alors qu'il n'en est rien. Pour saisir au mieux l'atmosphère réelle des lieux, arpentez les rues par un beau samedi matin d'été, alors que se tient le marché des producteurs offrant à qui mieux mieux des fleurs, des viandes et des primeurs biologiques ainsi que de l'artisanat. Ville d'élection de l'institut culinaire de la Nouvelle-Angleterre (NECI) – et de deux autres campus universitaires –, Montpelier possède d'excellents restaurants (dont deux exploités par le NECI), exsude une atmosphère dynamique, communautaire et chaleureuse, et s'enorgueillit d'un centre-ville où les piétons sont rois, sans oublier les nombreux espaces verts des collines avoisinantes.

L'actuel capitole du Vermont, ou **State House** ★★ *(entrée libre; visite guidée de 30 min; fin juin à fin oct lun-ven 10h à 15h30, sam 11h à 14h30;* ☎*802-828-2228, www.vtstatehouse. org)*, est en fait le troisième en titre. Le premier, une structure en bois de 1808 érigée à l'emplacement de l'actuel palais de justice, a d'abord été remplacé, en 1838 et sur le présent site, par une construction néoclassique beaucoup plus imposante qu'un incendie détruisit en 1857, faisant ainsi place au bâtiment d'aujourd'hui, qui n'en conserve que le portique grec. Son dôme recouvert de feuilles d'or est surmonté

Le Vermont - Attraits touristiques - De Stowe à Woodstock

d'une version art populaire de Céres, la déesse de l'Agriculture. Notez au passage les fossiles de la mer de Champlain incrustés dans le carrelage de marbre en damier du hall d'entrée (le marbre noir provient de l'Isle La Motte). En 1980, les Friends of the Vermont State House ont entrepris de redonner à l'intérieur son aspect de 1859 et ainsi débarrassé les lieux de nombreuses années de modernisation.

La **Vermont Historical Society** *(5$; mar-sam 10h à 16h, dim 12h à 16h; 109 State St.,* ☎*802-828-2291)* semble peut-être occuper un bâtiment historique, mais il s'agit en fait d'une reconstruction de 1971 du Pavilion Hotel, conçu en 1875 dans le style Steamboat Gothic. À l'intérieur des murs, la société entretient sa collection de vestiges et de documents provenant de tout l'État, et présente des expositions aussi bien permanentes que temporaires.

De Montpelier, prenez la route 2 en direction nord-ouest jusqu'à Middlesex, puis la route 100B vers le sud jusqu'à la route 100, que vous suivrez sur 15 mi (25 km) jusqu'à Waitsfield.

Mad River Valley ★★

Les villages de la Mad River Valley (vallée de la rivière Mad), plus notamment **Waitsfield** au nord et **Warren** au sud, sont reliés par la route 100, qui longe la rivière s'écoulant vers le nord. Cette région se trouve enserrée entre la Green Mountain National Forest et les monts Northfield. On la désigne aussi du nom de Sugarbush, en référence au Sugarbush Ski Resort, qui, de concert avec la Mad River Glen Ski Area, constitue le principal attrait du coin. On accède à ces deux centres de ski par la Sugarbush Access Road, qui se détache de la route 100 en direction ouest, le long de laquelle se succèdent bon nombre de restaurants, bars et auberges.

En dépit de sa popularité auprès des skieurs et de l'inévitable embourgeoisement qu'elle a engendré, la région de la Mad River Valley a tout de même réussi à conserver un caractère terre à terre. Waitsfield accueille une prospère communauté d'artistes qui exposent leurs œuvres dans plusieurs galeries raffinées; le village a en outre su préserver son architecture et arbore de beaux bâtiments du XIXe siècle, surtout aux abords de l'intersection de la route 100 et de Bridge Street, où galeries, boutiques et bons petits restaurants convergent vers le remarquable **Great Eddy Covered Bridge** (1833), le plus vieux pont couvert du Vermont encore en usage.

De Waitsfield, vous pouvez atteindre Warren en poursuivant par la route 100, mais aussi en empruntant un trajet beaucoup plus joli, c'est-à-dire en traversant le pont couvert pour prendre l'East Warren Road, qui, passé East Warren, décrit une courbe vers la droite en direction de Warren. En suivant ce tracé, vous croiserez l'attrait suivant.

Le **Green Mountain Cultural Center ★** *(Joslyn Round Barn, Inn at the Round Barn Farm, E. Warren Rd.,* ☎*802-496-7722, www. theroundbarn.com)* présente des expositions d'art *(sept et oct tlj 10h à 17h)* et de photographies ainsi que des concerts dans une superbe grange ronde qui fait partie de l'incomparable **Inn at the Round Barn Farm** (voir p 472).

*De Warren, suivez la route 100 en direction sud. À 9 mi (14 km) au sud de Warren, sur le côté droit de la route, vous verrez un parc de stationnement. Un petit trottoir de bois facile à parcourir mène aux **Warren Falls**. D'ici, reprenez la route 100 vers le sud. À 37 mi (60 km) au sud de Warren se trouve Killington.*

Killington

Si vous aimez skier et fêter, vous ne serez pas déçu par Killington, le plus grand centre de ski du Vermont. Mais si vous vous attendez à retrouver l'atmosphère de Sugarbush ou de Stowe, vous aurez tôt fait de déchanter. Pour tout dire, on échappe difficilement à l'impression que Killington est à peu près tout ce que le Vermont n'est pas, c'est-à-dire criard, on ne peut plus commercial et surdéveloppé. Restaurants, bars et hôtels bordent Killington Road, qui serpente vers le sud sur 5 mi (8 km) depuis la jonction des routes 4 et 100.

De Killington, continuez vers le sud par la route 100 jusqu'à l'embranchement avec la route 100A, sur votre gauche; suivez ensuite les indications vers le President Calvin Coolidge State Historic Site, à Plymouth.

George Perkins Marsh:
le premier écologiste américain

De nos jours, il est couramment admis que les êtres humains exercent une influence marquante sur l'environnement – que ce soit en épuisant les ressources naturelles, en polluant l'atmosphère ou en contribuant au réchauffement de la planète.

Mais, au milieu du XIXᵉ siècle, à l'époque où les vastes forêts d'Amérique du Nord, encore vierges pour la plupart, alimentaient la flamme de l'industrialisation, ce concept était pour le moins révolutionnaire. Les géographes croyaient alors que l'état physique de la Terre dépendait uniquement de processus naturels, et le Vermontois George Perkins Marsh (1801-1882) est considéré comme le premier à avoir attiré l'attention du monde sur le fait que les êtres humains sont des agents actifs, et souvent délétères, de changement.

Marsh prônait une utilisation rationnelle des ressources de la terre, et on le tient aujourd'hui pour un pionnier du mouvement de conservation de la planète avec Henry David Thoreau (1817-1862) et John Muir (1838-1914), et son ouvrage *Man and Nature* (1864) apparaît d'ailleurs toujours sur la liste des lectures que doivent faire les géographes en devenir. On attribue en outre à cet homme le mérite d'avoir stimulé l'opposition de ses concitoyens à la politique d'aménagement du territoire du gouvernement des États-Unis, d'avoir suscité la création des réserves forestières et des parcs nationaux, et d'avoir contribué à l'établissement du réseau forestier national.

La maison d'enfance de Marsh, à Woodstock, est le point de mire du seul parc national du Vermont, le **Marsh-Billings-Rockefeller National Historical Park** (voir p 444), qui est consacré à l'histoire de la défense de l'environnement aux États-Unis. La première maison de sa famille au Vermont, la Marshland Farm, est en outre devenue une auberge connue sous le nom de «Quechee Inn at Marshland Farm» et se trouve à l'est de Woodstock.

Plymouth

Le **President Calvin Coolidge State Historic Site** ★★★ *(7,50$; fin mai à mi-oct tlj 9h30 à 17h30;* ☎*802-672-3773, www.historicvermont. org/coolidge)* rend hommage au 30ᵉ président des États-Unis, Calvin Coolidge dit «le silencieux» (1872-1933), soit un des deux présidents américains à avoir vu le jour au Vermont (l'autre est Chester A. Arthur, président de 1881 à 1885).

Ce village se compose d'une douzaine de bâtiments, dont une école à salle de classe unique, une église, un magasin général, la Plymouth Cheese Factory (fromagerie) et une grange de trois étages renfermant une collection d'instruments aratoires. Les lieux ont été admirablement conservés par l'État, et les guides présents sur place se feront un plaisir de répondre à vos questions concernant chacun des bâtiments. Le plus remarquable est sans doute la demeure familiale des Coolidge, où Calvin, alors vice-président et en vacances dans son village natal, est devenu président des États-Unis après avoir été assermenté par son père, notaire de son état, à 2h47 le 3 août 1923, à l'annonce de la mort soudaine du président Warren Harding.

Même ceux qui ne s'intéressent nullement à l'histoire des présidents américains ne pourront qu'être charmés par ce site qui livre une image ponctuelle de la fin du XIXᵉ et du début du XXᵉ siècle. Habillez-vous en conséquence, car vous devrez marcher à l'extérieur pour vous rendre d'un bâtiment à l'autre. Puis faites un saut au Wilder House Restaurant, qui occupe l'ancienne maison de la mère de Coolidge, pour y prendre le déjeuner.

De Plymouth, filez vers le nord par la route 100A jusqu'à la route 4, que vous prendrez en direction est jusqu'à Woodstock.

Woodstock ★★

Chef-lieu du comté de Windsor, Woodstock est sans contredit un village imposant, dont beaucoup de bâtiments sont d'ailleurs inscrits au registre national des lieux historiques. Son terrain communal de forme elliptique s'entoure de multiples structures de style Federal et néoclassique qui témoignent de la prospérité de ses citoyens au cours des deux derniers siècles. Au XIXᵉ siècle, Woodstock accueillait de fait plus d'avocats et de politiciens en vue que toute autre ville du Vermont. Y vivent en outre, depuis plusieurs générations, des écologistes de premier plan dont l'héritage a servi de fondement aux principaux attraits du village (voir ci-dessous).

Woodstock est un centre touristique réputé depuis maintenant un siècle. Le tout premier remonte-pente à câble des États-Unis, actionné par un moteur de Ford modèle T, a même été installé au centre de ski Suicide Six, tout juste au nord du village, en 1934. Et, aujourd'hui, son architecture, ses galeries d'art, ses boutiques et ses attraits invitants en font un endroit propice aux balades. Procurez-vous un exemplaire de la brochure *Woodstock, A Walking Guide* à la **Woodstock Historical Society** *(4,25$; 26 Elm St., ☎802-457-1822, www.woodstockhistorical.org)*, car la marche demeure indéniablement le meilleur moyen de locomotion dans les rues du village compte tenu du fait que ses charmes attirent beaucoup de monde et que la circulation y est particulièrement dense.

Du centre de Woodstock, prenez la route 12 en direction nord, traversez le pont en fer et tournez à droite dans River Road, que vous suivrez sur 0,5 mi (0,8 km). Garez-vous à la Billings Farm and Museum dans la première rue à droite et traversez la route pour vous rendre au centre d'accueil des visiteurs du Marsh-Billings-Rockefeller National Historic Park.

Le **Marsh-Billings-Rockefeller National Historical Park** ★★ *(6$; visites guidées seulement, durée 90 min; fin mai à fin juin aux heures entre 10h et 17h, début juil à fin oct aux demi-heures; ☎802-457-3368, poste 22, www.nps. gov/mabi)* est le seul parc national du Vermont. La visite gravite autour d'un manoir Queen Anne victorien qui a servi de résidence à trois générations d'éminents environnementalistes. Construit en 1806, il a d'abord été la maison d'enfance de George

Perkins Marsh, considéré comme le père du mouvement écologiste moderne (voir encadré). Puis, influencé par le livre marquant de Marsh *Man and Nature*, Frederick Billings, un avocat et entrepreneur de chemin de fer natif de Woodstock, a racheté sa maison en 1869, l'a rénovée, a reboisé la propriété (quelque 70% de l'État ayant à l'époque été déboisé) et y a établi une laiterie à la fine pointe (voir ci-dessous). Sa petite-fille, Mary French, s'installa à son tour dans le manoir en 1954 avec son mari, Laurance S. Rockefeller, et ils poursuivirent ensemble les aspirations de ses occupants précédents. La décoration du rez-de-chaussée est somptueuse et contraste nettement avec celle des quartiers privés des étages supérieurs; curieusement, les Rockefeller y ont même laissé leurs biens personnels, y compris des photos de famille. Quant à la forêt environnante de 223 ha, elle est sillonnée par 32 km de sentiers de randonnée ouverts au public *(entrée libre)*.

Terminez la visite du parc à la **Billings Farm and Museum** ★★ *(10$; mai à oct tlj 10h à 17h; fin de semaine du Thanksgiving, fins de semaine de déc et du 26 au 31 déc tlj 10h à 16h; ☎802-457-2355, www.billingsfarm.org)*, exploitée en partenariat avec le parc national. Cette ferme laitière en activité a été créée en 1871 par Frederick Billings (voir ci-dessus), et vous y verrez des vaches Jersey, des chevaux, des moutons et des bœufs que ne manqueront pas d'apprécier les enfants. Quant au musée, il renferme quelques merveilleuses vitrines d'exposition consacrées à divers aspects de la vie sur la ferme. S'y tient par ailleurs, en août de chaque année, une exposition de courtepointes à ne pas manquer.

Du village, prenez la route 4 en direction est sur 7 mi (11 km) jusqu'à Quechee.

Quechee ★

Avant d'arriver à Quechee même, vous croiserez le **Vermont Raptor Center** ★★ *(8$; mai à oct tlj 10h à 17h; route 4, ☎802-457-2779)*, géré par le Vermont Institute of Natural Science (VINS). Le centre présente une collection de rapaces dans des volières extérieures qui ne manqueront pas d'impressionner aussi bien les ornithologues amateurs que les profanes. Du hibou souffrant d'une déficience visuelle au pygargue à tête blanche incapable de voler, tous les rapaces que vous pourrez admirer sur les lieux sont nés avec une anomalie ou ont subi des blessures telles qu'ils ne peuvent être relâchés dans la nature. C'est là une occasion unique d'observer des oiseaux remarquables, à moins, bien sûr, qu'ils ne mettent à profit leurs aptitudes au camouflage pour se dissimuler à votre vue.

Un peu plus à l'est se trouve la gorge de Quechee, en quelque sorte le pendant vermontois des chutes du Niagara. Tout comme ces dernières, elle offre en effet un spectacle grandiose, que vous pourrez contempler à votre aise du haut d'un pont faisant bon accueil aux piétons à 50 m au-dessus de la tourbillonnante rivière Ottauquechee (un mot d'origine abénaquise qui signifie «rapide cours d'eau de montagne»). La seule ombre au tableau tient au fait que le tronçon de la route 4 qui relie Woodstock à la gorge est envahi par des boutiques de souvenirs déprimantes.

Pour voir la gorge de plus près, garez votre voiture à côté de Quechee Gifts, où un escalier donne accès à un **sentier** de 0,8 km qui descend tout au fond de la gorge; comptez 25 min pour l'aller-retour. Il y a aussi des tables de pique-nique à courte distance de marche de l'escalier, sur la droite.

Alternative à la zone commerciale de Quechee, le minuscule **Quechee Village ★ ★** gravite autour du **Simon Pearce Restaurant and Mill** (voir p 484), que vous atteindrez en suivant les indications depuis la route 4 *(tourner à gauche aux feux qui suivent immédiatement Waterman Place, à l'ouest de la gorge)*. Le charme des lieux se fait évident dès l'instant où vous apercevez le pont couvert de Waterman Hill Road. Le terrain communal de Quechee accueille par ailleurs le **Hot Air Balloon Festival**, un festival annuel de montgolfières qui se tient au cours de la fin de semaine de la fête des Pères. Du parc de stationnement de Simon Pearce, tournez à gauche dans Main Street et prenez ensuite à droite Quechee/West Hartford Road pour une balade parmi les plus jolies qui soient. De plus, en suivant cette route jusqu'au bout, vous atteindrez la route 89 et pourrez ainsi boucler ce circuit.

Le Northeast Kingdom
★ ★

Le Northeast Kingdom a ainsi été nommé par le gouverneur George Aiken du Vermont, qui devint par la suite sénateur. Il avait en effet déclaré, en 1949: *Vous savez, ce coin de pays est tellement joli qu'on devrait le baptiser «royaume du nord-est» du Vermont.*

Les collines boisées à perte de vue et les larges vallées, sans oublier de nombreux lacs et étangs, témoignent du passé glaciaire du Northeast Kingdom et donnent l'impression au visiteur d'être vraiment tout petit, une sensation qu'on ne retrouve nulle part à ce point dans quelque autre région de l'État que ce soit. On enregistre ici de fortes baisses de température et d'importantes chutes de neige, si bien qu'y poussent des forêts de sapins et d'épinettes et qu'on y retrouve une faune et une flore normalement associées à de plus hautes latitudes.

Cela dit, le Northeast Kingdom ne se distingue pas du reste de l'État que par son climat et ses paysages. Il s'agit en outre d'une région insulaire imprégnée d'un vigoureux sens communautaire, d'autant plus que les niveaux de revenu et d'instruction y sont inférieurs aux moyennes vermontoises. Ses résidants de longue date se sentent d'ailleurs nettement étrangers au reste de l'État, dont ils sont séparés par les Green Mountains, ce qui les rattache davantage à la vallée du fleuve Connecticut. Quant aux visiteurs, ils ne manqueront pas de remarquer que, contrairement à beaucoup d'autres régions de l'État, on ne se préoccupe nullement ici d'attirer les touristes.

St. Johnsbury ★

Bien qu'à peu près à mi-chemin du circuit, St. Johnsbury, qui se trouve au croisement des routes inter-États 91 et 93 ainsi que des routes 2 et 5, constitue un point de départ opportun.

Chef-lieu du Royaume, «St. J.», ainsi qu'on le désigne par ici, compte environ 7 500 habitants. En 1815, la famille Fairbanks, venue du Massachusetts, s'y installait. Après avoir tenté de commercialiser d'autres de ses inventions, Thaddeus Fairbanks a finalement assuré son avenir dans les années 1830 en inventant la balance à plateau, par la suite

Le Vermont - Attraits touristiques - Le Northeast Kingdom

adoptée dans le monde entier. Au sommet de sa gloire, dans les années 1880, quelque 500 ou 600 hommes de la région étaient employés à l'usine de balances de *St. J.* Les Fairbanks dotèrent la ville d'une splendide architecture victorienne et de quelques attraits qui vous sembleront sans doute déplacés à l'époque où nous vivons.

Le **Fairbanks Museum and Planetarium** ★★ *(5$; lun-sam 9h à 17h et dim 13h à 17h; planétarium toute l'année sam-dim 13h30, juil et août tlj 13h30; 1302 Main St.,* ☎*802-748-2372, www. fairbanksmuseum.org)* a été fondé en 1889 par Franklin Fairbanks, le neveu de Thaddeus et l'héritier de la fortune familiale. L'intérieur de ce charmant bâtiment en grès de style dit Richardsonian Romanesque arbore un plafond à voûte en tonnelle peu commun, et il se voit, en fait, entièrement habillé de chêne. Témoin vibrant de la fascination victorienne pour le naturalisme et les cultures du monde, il renferme une incroyable collection vouée à l'histoire naturelle de même que quelques trouvailles pour le moins étonnantes. Ainsi, outre une vaste collection d'oiseaux et d'autres espèces sauvages du Vermont et d'ailleurs, ce musée possède une collection éclectique de jouets du XIXe siècle et de souvenirs de la guerre de Sécession.

Le **St. Johnsbury Athenaeum** ★ *(dons appréciés; lun-ven 10h à 17h30, lun et mer jusqu'à 20h, sam 9h30 à 16h; 1171 Main St.,* ☎*802-748- 8291, www.stjathenaeum.org)* est un autre héritage de la dynastie Fairbanks. Construit pour accueillir une bibliothèque de style Second Empire en 1871 par Horace Fairbanks, neveu de Thaddeus et à une certaine époque gouverneur du Vermont, il s'adjoignit une galerie d'art deux ans plus tard. La bibliothèque est réellement impressionnante et comporte des escaliers en colimaçon rehaussés de balustrades toupillées en bois richement ouvragé. La galerie d'art abrite pour sa part des reproductions de tableaux européens classiques et des originaux américains du XIXe siècle.

Prenez la route 2 vers l'est sur 1,5 mi (2,4 km), puis tournez à gauche dans Spaulding Road au monument érigé à la gloire des balances de Fairbanks, et encore à gauche 0,5 mi (0,8 km) plus loin.

Des colonnes ioniques en plâtre surmontées de bustes représentant différentes races de chiens accueillent les visiteurs à

la **Stephen Huneck's Dog Mountain** ★★ *(juin à oct lun-sam 10h à 17h et dim 11h à 16h, ou sur rendez-vous;* ☎*802-748-2700 ou 800-449- 2580, www.dogmt.com).* L'endroit est connu pour ses fantaisistes gravures sur bois, sculptures et meubles aux formes animales, et plus particulièrement canines. Unique en son genre, et sans doute quelque peu excentrique, cette galerie d'art pourrait très bien être la seule du monde où les visiteurs peuvent se présenter avec leur chien. On a ajouté à la structure une chapelle vermontoise de 1820 (également ouverte aux hommes et aux bêtes de toute nature), pourvue de planchers de bois, de vitraux et d'un clocher surmonté d'un ange aux traits d'un labrador; un endroit calme et digne où vous pourrez vous recueillir en compagnie ou non de votre animal favori. À ne pas manquer pour les amis du meilleur ami de l'homme.

De Dog Mountain, suivez la route 2 en direction ouest sur 8 mi (13 km) jusqu'à Danville. De là, prenez vers l'est la route 2 jusqu'à East Cabot, puis à droite Danville Hill Road jusqu'à Cabot.

Cabot

La prétention à la renommée de cette ville repose sur la **Cabot Creamery** ★ *(2$; juin à oct tlj 9h à 17h, nov à mai lun-sam 10h à 16h;* ☎*800-837-4261, www.cabotcheese.com),* une laiterie exploitée de façon coopérative qui compte parmi les mieux connues du Vermont et où l'on fabrique également de très savoureux cheddars. On propose d'ailleurs une visite des installations de même qu'une dégustation des produits fabriqués sur place (que vous preniez part à la visite ou non).

De Cabot, retournez à Danville et suivez les indications vers Peacham en prenant en direction sud Peacham Road.

Peacham ★

Peacham est un tout petit village d'environ 600 habitants qui possède suffisamment d'églises aux blancs clochers et de maisons du XVIIIe et du début du XIXe siècle pour mériter le sobriquet de *Kodak corner* (le paradis des amateurs de prises pittoresques). Il a d'ailleurs servi de toile de fond à plusieurs films tels que *Ethan Frome, The Spitfire Grill* et *Salem's Lot*. Fondé en 1778, Peacham était à l'origine une communauté agricole doublée d'un centre de commerce florissant et diversifié. Aujourd'hui, son musée historique, sa forge, ses boutiques d'artisanat ainsi que ses rues coquettes et paisibles attirent des visiteurs de partout.

*De Peacham, filez vers le sud jusqu'à Groton le long d'une route particulièrement panoramique, après quoi vous suivrez les indications vers la **Groton State Forest ★★** (voir p 457), à 6 mi (10 km) au nord-ouest de la ville par la route 232. De la Groton State Forest, poursuivez vers le nord par la route 232 jusqu'à la route 2, où vous prendrez la direction est pour retourner à St. Johnsbury, où vous emprunterez la route 5 vers le nord; tout juste après Lyndonville, filez en direction nord-est par la route 114 jusqu'au village d'East Burke.*

East Burke ★★

East Burke est une petite ville à la fois grouillante et attrayante. S'y trouvent un centre de ski populaire (quoiqu'en difficulté financière), plusieurs sentiers de ski de fond, de motoneige, de randonnée et de vélo, quelques magnifiques auberges et *bed and breakfasts*, d'excellents restaurants et même une boîte de nuit digne de ce nom. East Burke constitue ainsi une bonne base de départ vers le reste du Northeast Kingdom.

D'East Burke, filez vers le nord jusqu'à West Burke, où vous prendrez la route 5A en direction de Westmore.

Lake Willoughby et Westmore ★★

Les cartes géographiques indiquent que le village de Westmore se trouve à l'extrémité nord-est du lac Willoughby. Dans la réalité, par contre, il n'a pas vraiment d'existence propre, dans la mesure où toutes ses installations – un magasin ou deux, de petits cottages offerts en location, un hôtel, un terrain de camping, une église, deux plages et des sentiers de randonnée – s'égrènent le long de la route 5A en bordure des rives orientales du lac. Quant à la partie méridionale du lac, elle repose à l'intérieur des limites de la Willoughby State Forest.

Le lac Willoughby est sans contredit le joyau de la couronne du Northeast Kingdom. Il

s'agit d'un lac glaciaire long et étroit faisant plus de 90 m de profondeur, et son eau est incroyablement claire. Il s'impose comme un rendez-vous récréatif fort apprécié depuis le milieu du XIXe siècle, à l'époque où les hôtels établis à ses deux extrémités proposaient moult divertissements tandis qu'un bateau à vapeur offrait des balades d'agrément. Encadrés par le **Mount Pisgah** et le **Mount Hor**, hauts de quelque 900 m, le lac et la forêt qui l'encercle fournissent suffisamment de possibilités récréatives pour compenser le manque vie nocturne et d'autres attraits.

De Westmore, continuez vers le nord par la route 5A jusqu'à la route 58, que vous emprunterez en direction ouest jusqu'à Orleans. Puis, d'Orleans, suivez les indications vers l'Old Stone House Museum de Brownington, 2,5 mi (4 km) plus loin.

Brownington ★

Le principal attrait de Brownington est l'**Old Stone House Museum ★★** *(5$; mi-mai à mi-oct mer-dim 11h à 17h; ☎802-754-2022, www.oldstonehousemuseum.org)*, une structure en granit de quatre étages qui semble aujourd'hui quelque peu hors contexte dans cette petite ville panoramique perchée au sommet d'une colline, tout comme ce devait d'ailleurs être le cas au moment de sa construction en 1836. À l'époque, Brownington Village était une colonie prospère sur la route des diligences entre Boston et le Québec, et l'endroit pouvait se targuer de posséder la seule école secondaire de tout le comté d'Orleans. Le bâtiment en question, une pension qui pouvait loger jusqu'à 50 élèves, a été érigé à l'instigation du principal de l'école, le révérend Alexander Twilight (1795-1857), réputé pour avoir été le premier Afro-Américain diplômé d'un établissement d'enseignement supérieur de même que le premier Afro-Américain élu à une législature d'État. Quant à la pension, il s'agirait du premier bâtiment d'envergure en granit construit au Vermont, tout juste avant le deuxième capitole de l'État à Montpelier (voir p 441). Transformé en musée depuis 1917, il présente une collection éclectique qui comprend plusieurs orgues Estey fabriqués à Brattleboro (voir p 450), des outils et des jouets du XIXe siècle, des vestiges de la guerre de Sécession, quelques effets personnels de Twilight et des objets provenant de l'école, sans oublier 11 salles renfermant des objets historiques qui viennent d'autant de villes et villages du comté ainsi que certaines curiosités qui ne manqueront pas de piquer votre imagination.

De l'autre côté de la route principale qui mène au musée se dresse le **Prospect Hill Observatory**, qui offre une vue panoramique sur les lacs et montagnes avoisinants. Apportez un pique-nique et profitez pleinement du paysage.

Du musée, prenez la direction de la route 5 Sud à Orleans; puis, à Barton (siège du Crystal Lake State Park), tournez à droite dans la route 16 Sud en direction de Glover. Quelques kilomètres après la ville, tournez à gauche au cimetière pour emprunter la route 122; environ 0,5 mi (0,8 km) plus loin, vous apercevrez un autobus peint sur lequel on a écrit les mots «Cheap art» (art bon marché). Le musée de Glover se trouve alors sur votre gauche.

Glover

Glover est surtout connue pour son **Bread and Puppet Museum** ★★ *(dons appréciés; juin à oct tlj 10h à 18h; route 122, ☎802-525-3031)*, aménagé dans une ancienne étable à vaches laitières de 1863 en périphérie immédiate de la ville depuis maintenant un quart de siècle. Ce musée abrite de fantastiques créations en papier mâché utilisées pour les productions du **Bread and Puppet Theater** (voir p 487) depuis les années 1960, et il se veut une sorte de livre ouvert sur l'histoire de cette troupe de réputation internationale.

Les grandes marionnettes, dont certaines atteignent plus de 5 m de hauteur, sont exposées à l'étage, tandis que des versions réduites vous attendent au rez-de-chaussée derrière les étalages de publications, d'affiches et de gravures sur bois mises en vente sur place. Qui plus est, vous ne trouverez pas ici que de la nourriture pour l'âme, puisqu'on sert à l'occasion du pain frais. À ne pas manquer!

*De Glover, vous pouvez boucler le circuit en prenant vers le nord la route 16 pour retourner à la route 91 et à St. Johnsbury. En guise d'alternative, vous pouvez faire quelques autres visites en reprenant la route 16 Sud et en tournant à droite à Greensboro Bend pour atteindre **Greensboro**, une paisible communauté où vous attend une plage publique sur les bords du lac Caspian. En poursuivant par East Craftsbury Road au-*

delà du Highland Lodge, vous entrerez dans East Craftsbury et n'aurez plus qu'à suivre les indications vers Craftsbury Common.

Craftsbury Common ★

Craftsbury Common fut l'une des premières colonies du nord-est du Vermont (elle date de 1789). Dominée par un grand terrain communal de forme rectangulaire ceinturé d'une simple clôture en bois, cette petite ville au charme indéniable, isolée de façon plutôt mystérieuse au sommet d'une colline, a retenu l'attention d'Alfred Hitchcock, qui y a tourné sa comédie noire *The Trouble with Harry* en 1954.

Le sud du Vermont
★ ★ ★

Ce circuit vous entraîne de Brattleboro vers l'angle sud-est de l'État, puis vers Bennington au sud-ouest, par un trajet contraire au sens des aiguilles d'une montre qui croise quelques petits villages aux attrayantes maisons revêtues de clins blancs et découpées de persiennes vertes. La portion sud de la Green Mountain National Forest couvre une grande partie de cette région, si bien qu'on y trouve maintes montagnes boisées, des paysages spectaculaires et des possibilités récréatives de tout premier ordre.

Brattleboro ★ ★

Depuis Burlington, notre visite du Vermont ne nous a conduits vers aucune ville aussi branchée, aussi haute en couleur et aussi mondaine que Brattleboro, dont artistes, musiciens, danseurs et éducateurs de tout horizon représentent une importante tranche de ses 12 000 habitants. Vous n'y trouverez pas le pittoresque des villages de carte postale que vous avez pu croiser jusqu'ici, mais bien plutôt une communauté dynamique et effervescente, quelques excellents restaurants et lieux d'hébergement, plusieurs galeries d'art et salles de spectacle, et même des boîtes de nuit.

Située au croisement de la route 9 (qui file vers l'ouest), de la route 5 (dans l'axe nord-sud) et de la route 30 (qui donne accès aux régions plus au nord), Main Street (la rue principale) tend à devenir beaucoup plus encombrée qu'on ne l'ima-

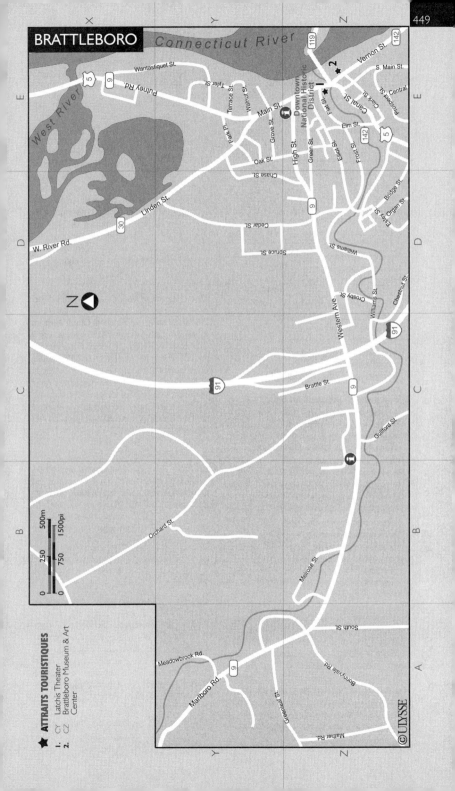

449

BRATTLEBORO

Connecticut River

★ **ATTRAITS TOURISTIQUES**
1. CY Latchis Theater
2. CZ Brattleboro Museum & Art Center

© ULYSSE

ginerait dans une ville de cette taille. Garez donc votre voiture et laissez vos pas vous guider au gré de votre inspiration.

Le **Downtown National Historic District ★** (quartier historique), qui regroupe plus de 50 bâtiments le long de Main Street ou dans ses environs immédiats entre Bridge Street et Walnut Street, est inscrit au registre national des lieux historiques. La plupart de ces attrayantes structures en briques datent du XIXᵉ siècle et arborent une variété de styles, entre autres le néogothique traditionnel, le néogothique de l'apogée victorienne, le néoclassique et le Second Empire.

Un élément particulièrement frappant du quartier historique est le **Latchis Theater ★★** *(50 Main St., ☎802-254-6300, www.latchis. com)*, bâti en 1936 dans le style Art déco. Peu importe ce qu'on y présente, assurez-vous de jeter un coup d'œil à l'intérieur de la grande salle de ce théâtre, qui n'est accessible qu'à l'heure des représentations. Athéna, Bacchus et Apollon, sans oublier les constellations du zodiaque, y créent une atmosphère éthérée à des lieues du décor des cinémas contemporains.

Le **Brattleboro Museum & Art Center ★★** *(4$; mai à nov mer-lun 11h à 17h; 10 Vernon St., ☎802-257-0124, www.brattleboromuseum. org)* présente des expositions temporaires réellement novatrices d'envergure aussi bien régionale que nationale, de même qu'une exposition permanente d'orgues de l'Estey Organ Company, qui fabriqua plus de 300 000 harmoniums et orgues à Brattleboro entre 1850 et 1950. Le musée occupe les locaux de l'historique et fort belle gare ferroviaire de la ville, l'Union Railroad Station (1915), dont on peut encore admirer les guichets de la billetterie, les omniprésents parements de marbre et l'immense verrière baignant les lieux de lumière naturelle.

Si vous avez la chance de vous trouver à Brattleboro le premier vendredi du mois, prenez part à la **Gallery Walk ★** *(17h30 à 20h30; ☎802-257-2616, www.gallerywalk.org)*, une balade autoguidée qui couvre une quarantaine de galeries d'art, des ateliers d'artistes et divers autres points d'intérêt. Il s'agit là d'une excellente façon d'apprécier le riche héritage artistique de cette ville. La soirée se termine le plus souvent dans un restaurant local.

De Brattleboro, prenez la route 30 en direction nord jusqu'à Newfane.

Newfane ★

Vous vous en voudriez sûrement de ne pas faire un saut à Newfane, un village de carte postale comme il ne s'en fait plus, à 12 mi (19 km) au nord de Brattleboro sur la route 30. Inscrit au registre national des quartiers historiques, son **National Historic District ★** vous donnera l'impression de vous retrouver au début du XIXᵉ siècle, avec ses auberges à l'ancienne, son palais de justice, son hall d'assemblée et sa bibliothèque, tous peints en blanc et découpés de persiennes vert foncé à la mode de l'époque. Un véritable conte de fées, témoin vivant du passé vermontois, que les nostalgiques ne voudront pas manquer.

Et, tandis que vous êtes à Newfane, pourquoi ne pas en profiter pour parcourir l'**Historical Society of Windham County Museum** *(dons appréciés; fin mai à oct mer-dim 12h à 17h; Main St., ☎802-365-4148)*, qui expose sa collection de vestiges du XIXᵉ siècle, entre autres plusieurs vestes et épées de la milice du Vermont, des courtepointes, de la verrerie et des pièces de mobilier, dans un bâtiment en briques construit sur mesure du côté est de la route 30, tout juste au sud du terrain communal.

De Newfane, reprenez la route 30 en direction nord sur 17 mi (27 km) jusqu'à Townshend. Au-delà, toujours par la route 30, vous attend la **Townshend Lake Recreation Area ★***; sinon prenez la route 35 en direction nord sur 3 mi (5 km), et, à la fourche, empruntez la voie de gauche pour vous rendre à Grafton, 7 mi (11 km) plus loin.*

Grafton ★★

Grafton est souvent associé à Newfane au chapitre des villages pittoresques et bucoliques caractéristiques du Vermont dans l'imagination populaire. Magasin général, musée et bâtiments à clins blancs du XIXᵉ siècle... tout y est. À la différence de Newfane, cependant, Grafton n'est pas que joli à souhait, puisqu'on y trouve plusieurs attraits dignes de mention.

Fondé en 1763, Grafton a bénéficié, au XIXᵉ siècle, de l'essor de l'agriculture, de l'industrie manufacturière et de l'exploitation des carrières. Sa population a atteint son plus haut niveau, à un peu moins de 1 500 habitants, en 1830, époque à laquelle on y dénombrait quelque 10 000 moutons. Situé sur la route qui reliait Boston et Montréal, et pourvu d'un hôtel réputé, Grafton attira en son temps de nombreux notables.

Au début du XIXᵉ siècle, la population de Grafton a diminué, et beaucoup de ses bâtiments se sont détériorés. En 1963, la fondation Windham, un organisme local sans but lucratif, a toutefois entrepris de redonner au village son lustre d'antan, et elle possède désormais l'**Old Tavern** *(92 Main St.,* ☎*800-843-1801, www.old-tavern.com)*, la **Grafton Village Cheese Company** et près de la moitié des bâtiments du centre du village, sans compter 600 ha de terres dans la région. De nos jours, le hameau n'a plus que 600 habitants.

La meilleure chose à faire à Grafton, pour peu que la température le permette, consiste à en effectuer la **visite à pied autoguidée** ★★ d'une heure. Vous trouverez des brochures descriptives, dont celle qui s'intitule *Walking Tour of Historic Grafton*, à la **Daniels House** *(tlj 10h à 16h;* ☎*802-843-2255)*, une boutique de souvenirs doublée d'un centre d'information touristique qui se trouve tout juste derrière l'Old Tavern. La visite englobe d'intéressants bâtiments du XIXᵉ siècle de même que la forge du village, ou **Blacksmith Shop** ★ *(juin à oct mer-dim 10h à 17h; démonstrations à 11h et 14h)*, et la **Windham Foundation Sheep Exhibit** ★ *(derrière le bureau de la Windham Foundation, sur le chemin de la Grafton Village Cheese Company)*, une exposition consacrée aux moutons dans le cadre de laquelle vous pourrez même admirer les bêtes en train de brouter.

Songez également à visiter le **Grafton Historical Society Museum** ★ *(3$; fin mai à mi-oct sam-dim et jours fériés 10h à 12h et 14h à 16h, ou sur rendez-vous; Main St.,* ☎*802-843-1010)* et le **Nature Museum at Grafton** ★ *(4$; début mai à fin oct sam-dim et jours fériés 10h à 16h, tlj pendant la période des feuillages d'automne, ou sur rendez-vous; 186 Townshend Rd.,* ☎*802-843-2111, www.nature-museum.org)*, qui propose des expositions et des activités visant à stimuler l'intérêt du public à l'égard de l'environnement vermontois.

Quittez Grafton par la route 121 (en partie non revêtue, quoiqu'elle permette d'admirer de splen- *dides paysages de montagne), qui passe près de l'église toute blanche. Continuez vers l'ouest jusqu'à Baker Hill Road, que vous prendrez à gauche en suivant les indications vers Windham. Cela vous ramènera à la route 30/100, que vous emprunterez à droite en direction du village de Jamaica et du* ***Jamaica State Park*** ★★ *(voir p 457). Continuez ensuite par la route 30/100 jusqu'à Manchester Center.*

Manchester ★

Manchester se compose en fait de deux villages: Manchester Village au sud et Manchester Center au nord. Le premier se distingue par ses trottoirs en marbre, ses constructions à clins blancs et son imposant complexe de villégiature du nom d'Equinox, tandis que Manchester Center revêt l'aspect d'un immense centre commercial, façon vermontoise s'entend. Pour tout dire, le commerce est la raison d'être de cette localité où les plus grands noms de la mode ont pignon sur rue et exploitent un «centre de liquidation» ou un magasin d'usine. Néanmoins, puisque nous sommes au Vermont, il importe de préciser que le développement de la ville a été soigneusement contrôlé et qu'on s'est efforcé d'y appliquer avec un certain succès le style Nouvelle-Angleterre du XIXᵉ siècle à des structures on ne peut plus contemporaines. À vous de voir si vous y trouverez des aubaines ou non. Quoi qu'il en soit, si vous parvenez à vous éloigner des magasins, sachez qu'il y a d'autres choses à voir et à faire en ville.

Le **Southern Vermont Arts Center** ★★ *(8$; mar-sam 10h à 17h, dim 12h à 17h; West Rd.,* ☎*802-362-1405, www.svac.org)* réunit un jardin de sculptures, un manoir historique qui accueille des expositions (entre autres d'artistes paysagistes tels que Petria Mitchell, un des artistes les plus en vue du Vermont), une salle de spectacle de 400 places et l'**Elizabeth C. Wilson Museum**, un espace magnifique et bien aéré où l'on présente des expositions temporaires.

Hildene ★ *(10$ pour la visite du manoir, 5$ pour accéder à la seule propriété; mi-mai à fin oct tlj 9h30 à 16h; route 7A S., tout juste au sud de Manchester Village,* ☎*802-362-1788, www. hildene.org)* exige un droit d'entrée passablement élevé pour permettre aux visiteurs d'admirer le manoir néogeorgien, joli certes mais sans pour autant être extraordi-

Le Vermont - Attraits touristiques - Le sud du Vermont

naire, qui servit à une époque de résidence d'été au seul fils survivant du président Abraham Lincoln, Robert Todd. Un des éléments saillants en exposition est un des rares chapeaux haut de forme du président à avoir subsisté jusqu'à ce jour. Les jardins valent également un coup d'œil.

L'**Equinox Skyline Drive** *(8$; début mai à début nov 10h à 20h; à 4 mi ou 6,4 km au sud de Manchester Village sur la route 7A, ☎802-362-1114, www.equinoxmountain.com)* est une route de 5,2 mi (8,4 km) qui mène au sommet du mont Equinox (1 169 m). Vous y attendent naturellement de très beaux points de vue, mais aussi plusieurs courts sentiers de randonnée. En cours de route, vous apercevrez un monastère chartreux sur votre gauche; construit en 1960, il est le seul du genre aux États-Unis, et la communauté détient les titres fonciers d'une grande partie de la montagne, qu'elle protège contre toute forme de développement.

De Manchester, prenez la route 7A en direction sud sur 9 mi (15 km) jusqu'à Arlington.

Arlington ★★

Arlington, un merveilleux petit village hors des sentiers battus, se trouve suffisamment près de Manchester et de Bennington pour que vous n'ayez pas à renoncer à vos instincts de consommateur, d'une part, ni à votre passion pour l'art et l'histoire, d'autre part. Cela dit, Arlington possède lui-même un riche passé historique. Fondé en 1764, il est devenu la capitale de la république du Vermont en 1778, soit l'année où le premier gouverneur élu du Vermont, Thomas Chittenden, y a installé son bureau. Puis, tout au long du XXe siècle, Arlington a accueilli une importante communauté artistique, y compris le célèbre Norman Rockwell.

Installée dans une ancienne église catholique, l'**Arlington Gallery** ★ *(3$; tlj 9h à 17h; route 7A, ☎802-375-6423)* est entièrement consacrée à l'œuvre de Norman Rockwell, bien-aimé dépositaire des valeurs familiales américaines dont les peintures ont fait la une du *Saturday Evening Post*. Rockwell a vécu dans les environs de 1939 à 1953, et nombre d'habitants du coin lui ont servi de modèles. Ce musée attachant met d'ailleurs l'accent sur ces modèles, aussi bien représentés dans ses peintures que sur des photographies plus récentes, et la plupart

des guides du musée ont eux-mêmes été du nombre.

Ceux qui affectionnent les ponts couverts et les paysages bucoliques adoreront sans nul doute la région d'Arlington. Soyez fin prêt à déclencher l'obturateur de votre appareil photo à l'approche du **pont couvert de West Arlington** *(de la route 7A, tournez à gauche dans la route 313 et faites encore 4,4 mi ou 7,1 km)*. Ce pont, qui date de 1852, compte en effet parmi les trois monuments les plus photographiés du coin, les deux autres étant la jolie église de 1804 qui se dresse en bordure du terrain communal (Church on the Green) et, derrière elle, l'ancienne résidence de l'illustrateur Norman Rockwell, aujourd'hui reconvertie en une charmante auberge, l'**Inn on Covered Bridge Green** (voir p 478). L'ensemble figure sur des cartes postales et des couvertures de magazines depuis nombre d'années déjà, et il s'agit d'un endroit on ne peut mieux choisi pour faire un pique-nique sur le bord de la rivière Battenkill.

Une autre merveille est le **pont de Chiselville** *(d'Arlington, tournez à droite dans East Arlington Road, que vous suivrez sur 2 mi ou 3,2 km)*, érigé en 1870. Et, tandis que vous y êtes, assurez-vous de faire halte au minuscule village d'**East Arlington**, où vous attend une autre aire de pique-nique à faire rêver, derrière le Candle Mill Village (un regroupement de boutiques), le long de la tumultueuse rivière proprement baptisée du nom de «Roaring Branch».

D'Arlington, prenez la route 7A en direction sud jusqu'à Bennington. Vous croiserez en route le **Lake Shaftsbury State Park** ★ *(voir p 458).*

Bennington ★★

Bennington possède suffisamment d'attraits historiques pour en faire un incontournable du sud du Vermont. Néanmoins, vous ne voudrez sans doute pas vous y attarder plus longtemps qu'il ne le faut, dans la mesure où cette ville de près de 16 000 habitants n'a vraiment pas le charme indéfinissable de Brattleboro. Il s'agit plutôt d'une ville ouvrière fortement axée sur l'industrie manufacturière, qui accueille trois établissements d'enseignement supérieur (dont le Bennington College, un collège d'arts libéraux novateur entièrement réservé aux femmes à l'époque de sa

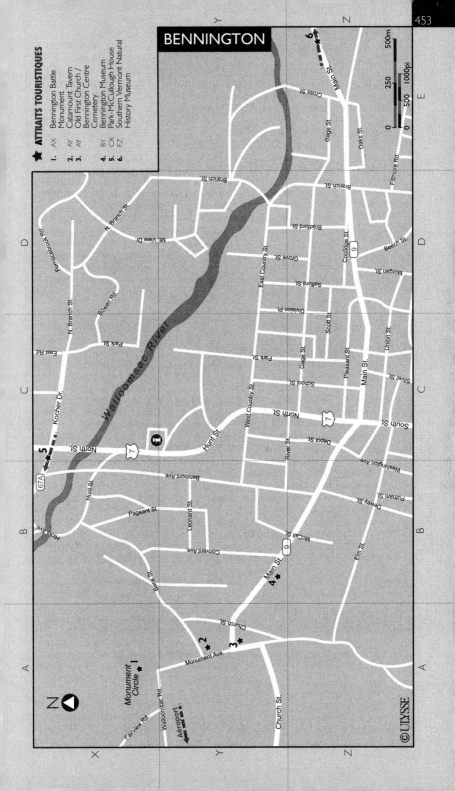

BENNINGTON

ATTRAITS TOURISTIQUES

★
1. AX   Bennington Battle
             Monument
2. AY   Catamount Tavern
3. AY   Old First Church /
             Bennington Centre
             Cemetery
4. BY   Bennington Museum
5. CX   Park-McCullough House
6. EZ   Southern Vermont Natural
             History Museum

N

Monument
Circle

Fairview Rd.

Walloomsac Rd.

Aéroport

Church St.

Monument Ave.

Bank St.

Pageant St.

Hunt St.

Convent Ave.

Leonard St.

Main St.

Church St.

McCall St.

Elm St.

Bennont Ave.

Putnam St.

Dewey St.

Washington Ave.

Depot St.

River St.

Park St.

School St.

Gage St.

West County St.

North St.

Hunt St.

Pleasant St.

Main St.

Silver St.

South St.

Union St.

Division Pl.

Scott St.

Safford St.

East County St.

Grove St.

Coolidge St.

Morgan St.

Beech St.

Bradford St.

Branch St.

Cross St.

Gage St.

Oaks St.

Fillmore Rd.

Main St.

Branch St.

Mt. View Dr.

N. Branch St.

N. Branch St.

Bowen Rd.

East Rd.

Kocher Dr.

North St.

Pannacapook Rd.

Hicks Ave.

Walloomsac River

67A

7

9

500m

0   250

0   500   1000pi

© ULYSSE

fondation, en 1932) et où l'on a du mal à trouver de bons restaurants de même que des boîtes de nuit.

Il y a environ 200 ans, toutefois, Bennington bouillonnait de ferveur révolutionnaire. Fondée en 1749 par des congrégationalistes du Connecticut et du Massachusetts, Bennington est devenue la première ville du futur État du Vermont. Elle s'est en outre imposée comme le lieu de naissance de l'État en question après avoir accueilli, en 1791, une convention appelée à ratifier la Constitution des États-Unis, et à la suite de laquelle le Vermont devint le premier État à pouvoir se joindre aux 13 États originaux de l'Union.

Au cours de la guerre de l'Indépendance, Bennington était le siège d'un dépôt d'approvisionnement militaire qui retint l'attention des forces britanniques, et quelque 2 000 patriotes du Vermont, du New Hampshire et du Massachusetts, sous le commandement du général de brigade John Stark, repoussèrent les Anglais à environ 5 mi (8 km) au nord-ouest de Bennington dans ce qui est aujourd'hui devenu l'État de New York, au lieu propre de ce qu'on appelle à tort la bataille de Bennington, le 16 août 1777. Quoi qu'il en soit, cette victoire des Américains est considérée comme le point tournant de la guerre de l'Indépendance américaine.

Érigé en 1891 sur les lieux mêmes de l'entrepôt militaire qu'avaient ciblé les Britanniques, le **Bennington Battle Monument ★** *(2$, billets en vente à la boutique de souvenirs; avr à fin oct tlj 9h à 17h; Old Bennington, ☎802-447-0550)* domine Monument Avenue et attire environ 50 000 visiteurs par année. Il s'agit d'une structure monolithique de calcaire magnésien bleu-gris de 93 m de hauteur, et un ascenseur permet d'accéder à une plate-forme d'observation (61 m) d'où l'on aperçoit très bien les sommets voisins du Vermont, et des États de New York et du Massachusetts. À sa base ont été disposés quelques panneaux expliquant la conception et la construction du monument, tout en fournissant diverses données concernant la célèbre bataille.

Garez-vous à côté du monument et descendez à pied Monument Avenue.

C'est le long de Monument Avenue que le contraste entre le vieux Bennington et son centre moderne se fait le plus frappant. Cette majestueuse avenue bordée d'arbres, soit l'artère principale de Bennington vers la fin de XVIIIᵉ siècle, autour de laquelle s'était développée la colonie originale, est flanquée de nombreuses demeures de style Federal et néoclassique du XVIIIᵉ et du début du XIXᵉ siècle qui rivalisent d'élégance.

Du côté est de la rue, vous remarquerez au passage une statue en bronze représentant un couguar; elle a été érigée en 1897 à l'emplacement de la **Catamount Tavern**, qui eut ici pignon sur rue de 1767 à 1871, date à laquelle elle fut détruite par un incendie. Cette taverne incarnait pour ainsi dire la capitale du Vermont à l'époque où il s'agissait d'une république indépendante (1777-1791). Et, au temps de la guerre de l'Indépendance, Ethan Allen et les Green Mountain Boys s'y réunissaient pour planifier leurs attaques contre les Anglais dans l'État de New York. Le Bennington Museum (voir ci-dessous) renferme quelques vestiges de la taverne.

Un peu plus au sud se dresse l'**Old First Church ★★** *(lun-sam 10h à 12h et 13h à 16h, dim 13h à 16h; angle route 9 et Monument Ave., ☎802-447-1223, www.oldfirstchurchbenn.org)*, élégante à souhait. Bâtie en 1806 pour remplacer le temple original de 1762, elle devint la première église protestante du Vermont tel que nous le connaissons aujourd'hui. L'État l'a désigné comme «sanctuaire colonial du Vermont» en 1935, et son magnifique intérieur, restauré en 1937, s'enorgueillit de colonnes géantes faites de troncs de pin d'un seul tenant; remarquez au passage la coupole peu élevée au milieu du plafond; inscrite dans un ensemble cruciforme, elle semble vouloir représenter le monde dans les bras de la croix.

Le **Bennington Centre Cemetery ★★**, dont la création précède celle de l'église, est entourée d'une gracieuse clôture festonnée qui inspire nombre de photographes. Y sont enterrés beaucoup de soldats de la guerre de l'Indépendance de même que le poète **Robert Frost** et sa famille, dont la tombe est marquée par des flèches le long d'un sentier visiblement très fréquenté.

Du vieux Bennington, foncez tout droit vers le splendide **Bennington Museum ★★★** *(8$; tlj 10h à 17h; W. Main St., ☎802-447-1571, www.benningtonmuseum.com)*, surtout connu pour sa collection d'œuvres de Grandma Moses. Sans doute l'artiste populaire la plus réputée d'Amérique du Nord, Moses peignait des scènes de la vie quotidienne mettant en vedette des gens tout à fait ordinaires, qu'il s'agisse de travaux des champs ou de mariages champêtres sur fond de collines en patchwork, le tout dans des couleurs vives et sur les supports les plus variés qui pouvaient lui tomber sous la main. Épouse de cultivateur, Moses n'a commencé à peindre qu'à l'âge de 78 ans, ce qui ne l'a pas empêchée de produire plus de 1 500 tableaux avant de mourir en 1961, à l'âge de 101 ans.

Vous verrez ici beaucoup des peintures de Moses de même que ses tables de travail, ses pinceaux et divers objets lui ayant appartenu, sans oublier l'école à salle de classe unique que Moses a fréquentée à Eagle Bridge et qu'on a transportée sur les lieux en 1972. La «galerie de l'église» (*church gallery*), qui avoisine le bâtiment principal, a été aménagée dans la première église catholique d'une quelconque importance au Vermont (1855) et renferme des outils ainsi que de l'équipement industriel. Il faut aussi voir à tout prix la belle collection de poteries du XIXᵉ siècle et la volumineuse collection de verreries de la Nouvelle-Angleterre. Le musée renferme même le **drapeau de Bennington**; il s'agit d'un des plus vieux et des plus fameux drapeaux américains en existence, et l'on prétend qu'il flottait près du dépôt militaire, à l'emplacement de l'actuel monument de la bataille de Bennington; vous en verrez d'ailleurs plusieurs copies fièrement mises en évidence un peu partout dans la ville.

De Bennington, prenez la route 7A North, qui devient par la suite la route 67A, jusqu'à North Bennington.

La **Park-McCullough House** ★ *(8$; visites guidées seulement, mi-mai à mi-oct aux heures de 10h à 15h; 1 Park St., North Bennington, ☎802-442-5441, www.parkmccullough.org)* a été construite en 1865 pour Trenor Park, un avocat de la région, dans un style essentiellement Second Empire. Elle était sans nul doute très grandiose pour l'époque et le demeure même aujourd'hui malgré les effets du temps sur certaines des pièces. Tout le mobilier est d'origine, ainsi que les papiers peints, qui datent des années 1890. Portez une attention particulière aux colonnes corinthiennes en chêne et à la specta-culaire verrière en vitrail qui surplombe le palier de l'étage supérieur.

De Bennington, prenez vers l'est la route 9 pour retourner à Brattleboro.

À 12 mi (19 km) à l'ouest de Brattleboro niche un des secrets les mieux gardés de la région, soit le **Southern Vermont Natural History Museum** ★★ *(5$; mi-mai à fin oct tlj 10h à 17h, fin oct à mi-mai fins de semaine seulement; route 9, ☎802-464-0048, www.vermontmuseum.org)*. Sa collection, répartie sur trois étages à l'intérieur d'une ancienne auberge rénovée qui offre de superbes vues sur les montagnes, comporte plus de 600 oiseaux de rivage, oiseaux aquatiques et mammifères empaillés, pour la plupart victimes d'accidents de la route. On y garde aussi des rapaces blessés dans un enclos extérieur, et l'aquarium du musée pullule de poissons de la région.

Parcs et plages

Le Vermont est tout spécialement réputé pour sa **Green Mountain National Forest** ★★★, une forêt de 142 ha en très grande partie montagneuse où l'on ne trouve que très peu de services. Bien qu'elle ait fait l'objet d'un certain développement, les fervents du grand air y trouveront six zones complètement sauvages (dépourvues de toute installation et parcourues de sentiers qui ne sont pas toujours balisés) ainsi que plusieurs aires de loisirs (dotées de quelques installations). Les possibilités d'activités de plein air y sont à proprement parler ahurissantes, la randonnée pédestre, le camping, le vélo et le ski de fond n'en étant que quelques exemples. Le Long Trail et l'Appalachian Trail passent également par ici, et les trois zones de conservation de la forêt relèvent respectivement, à peu de chose près, de nos circuits «La Champlain Valley», «De Stowe à Woodstock» et «Le sud du Vermont»; vous en trouverez les coordonnées dans la description des circuits concernés, mais pouvez aussi obtenir de plus amples renseignements en vous adressant au **Green Mountain National Forest, Supervisor's Office** *(231 N. Main St., Rutland, VT 05701, ☎802-747-6700)*.

Le Vermont possède plus de 50 **parcs d'État**, dont certains ne sont que des plages fréquentées dans le cadre d'excursions d'un jour, tandis que d'autres disposent d'installations de camping. Les services varient d'un parc à l'autre. La plupart des parcs sont ouverts de la mi-mai à la fête du Travail, quoique certains restent ouverts jusqu'à la mi-octobre. Il est possible de réserver une place d'hébergement dès janvier, et ce, quelle que soit la saison au cours de laquelle vous comptez visiter l'un ou l'autre des parcs, en composant le ☎888-409-7579 ou en visitant le site Internet *www.vtstateparks.com*.

La Champlain Valley

Les **Champlain Islands** renferment sept parcs d'État pourvus de terrains de camping et de plages sur les rives du lac Champlain. Le deuxième parc d'État en importance du Vermont, le **Grand Isle State Park** *(route 2, Grande Isle, ☎802-372-4300)*, est aussi l'un des plus fréquentés; vous y trouverez 120 emplacements pour tentes et véhicules récréatifs de même que 36 appentis. Il est également possible de camper au **North Hero State Park** *(3803 Lakeview Dr., North Hero, ☎802-372-8727)*. Quant au **Knight Island State Park**, au **Woods Island State Park** et au **Burton Island State Park** *(☎802-524-6353)*, ils ne sont accessibles qu'en bateau ou en traversier, mais aucun d'eux ne se trouve à plus de 2 ou 3 km du rivage. Le dernier des trois offre de nombreuses installations, alors que les deux autres se sont beaucoup moins développés. Vous trouverez des plages accueillant les visiteurs d'un jour au **Knight Point State Park** *(route 2, North Hero, ☎802-372-8389)* et à l'**Alburg Dunes State Park** *(tout au bout de Coon Point Rd., South Alburg, ☎802-796-4170)*, un des nouveaux parcs d'État du Vermont dont une grande partie se compose de terres humides servant d'habitat à une foule d'espèces sauvages.

Si vous souhaitez vous balader sur le lac Champlain, sachez que les parcs d'État louent des embarcations à l'heure ou à la journée, tout comme **Hero's Welcome** *(route 2, North Hero, ☎802-372-4161)*, où vous pourrez en outre vous restaurer car on y prépare des sandwichs nourrissants baptisés en mémoire de sommités historiques des États-Unis. Si vous projetez de vous attarder plus longuement sur les lieux, vous pouvez également loger et manger au charmant **North Hero House Inn & Restaurant** *($$-$$$ pdj; North Hero, ☎802-372-*

4732 ou 888-525-3644, ▤802-372-3218, www.northherohouse.com).

Le **Sand Bar State Park** ★ *(2,50$ en semaine, 3,50$ la fin de semaine; mi-mai à début sept; route 2, à 14 mi ou 23 km au nord de Burlington, ☎802-893-2825, www.vtstateparks.com)* est une plage lacustre et sablonneuse longue de plus de 600 m qui compte parmi les plus prisées (et fréquentées) de l'État. Ses eaux peu profondes en font un endroit particulièrement propice à la baignade en compagnie de jeunes enfants.

La région de Burlington s'enorgueillit de plusieurs plages municipales. **North Beach** *(6$/voiture; prenez Battery St. en direction nord jusqu'à North Ave., puis tournez à gauche dans Institute Rd., ☎802-862-0942 ou 800-571-1198)*, au nord de Burlington, borde une large baie sablonneuse et met à votre disposition un terrain de camping (voir p 465), des vestiaires et des barbecues publics.

Quant à **Red Rocks Beach** ★ *(5$/jour; mi-juin à mi-août lun-ven 12h à 19h, sam-dim 11h à 19h; de Burlington, prenez la route 7 en direction sud, puis tournez à droite dans Queen City Park Rd. et enfin à gauche dans Central Ave.; l'entrée du parc est accessible par la première voie qui se présente sur la droite)*, au sud de Burlington, c'est une plage de plus de 200 m avoisinant un terrain essentiellement boisé de 40 ha.

Le secteur nord-ouest de la **Green Mountain National Forest** relève du **Middlebury District Ranger** *(1007 route 7 S., Middlebury, ☎802-388-4362)*.

Le **Branbury State Park** *(de Middlebury, prenez la route 7 en direction sud sur 7 mi ou 11 km, puis la route 53 en direction sud sur 4 mi ou 6 km, ☎802-247-5925, www.vtstateparks.com)* compte parmi les parcs d'État les plus populaires du Vermont. Situé en bordure du lac Dunmore, il offre une plage sablonneuse et des sentiers de randonnée.

De Stowe à Woodstock

Le secteur nord-est de la **Green Mountain National Forest** relève du **Rochester District Ranger** *(route 100, Rochester, ☎802-767-4261)*.

Le **Smugglers' Notch State Park** ★★ *(7248 Mountain Rd., Stowe, ☎802-253-4014 ou 800-658-6934, www.vtstateparks.com)*, voisin du panoramique Smugglers' Notch et de la station touristique affairée de Stowe, dispose d'emplacements de camping et de sentiers de randonnée.

Les **Bingham Falls** ★ ★, des chutes spectaculaires hautes de 12 m et prolongées d'une gorge non moins impressionnante, ne sont pas indiquées de la route. En prenant vers le sud en direction de Stowe, passé le parc d'État et l'ancien dortoir pour skieurs, vous verrez un stationnement en gravier du côté droit de la route; après vous être garé, traversez la route et empruntez le sentier qui mène aux chutes tumultueuses et assourdissantes. Vous vous y sentirez à mille lieues des complexes touristiques des environs. L'endroit se prête par ailleurs fort bien aux piques-niques et à la baignade.

Le **Coolidge State Park** ★ *(mi-mai à oct; Plymouth, à 13 mi ou 21 km de Woodstock, ☎802-672-3612, www.vtstateparks.com)* se trouve à l'intérieur de la Coolidge State Forest et offre de nombreuses occasions de randonnée de même que des emplacements de camping. Une plage vous attend un peu plus au sud, au **Camp Plymouth State Park** *(route 100, ☎802-228-2025).*

Le Northeast Kingdom

La **Groton State Forest** ★ ★ *(route 232, ☎802-584-3823),* d'une superficie de plus de 10 500 ha, renferme plusieurs parcs d'État pourvus d'installations de camping (voir p 473) ainsi que de plages. Bien que ses pentes boisées n'en laissent rien paraître, la coupe du bois y fut une activité importante dès 1873, au point qu'on y construisit un chemin de fer en pleine forêt et que ses ressources furent entièrement épuisées avant la fin des années 1920. Aussi trouvet-on aujourd'hui divers sites historiques au sein du parc, notamment plusieurs scieries et les installations du Montpelier and Wells River Railroad, aujourd'hui désaffectées.

Vous trouverez plusieurs aires de pique-nique (entre autres à l'**Osmore Pond** et à **Owl's Head**) de même qu'une plage accessible aux non-campeurs au **Boulder Beach State Park** *(prenez la route 232 en direction nord-ouest, puis faites 2 mi ou 3 km vers le sud sur Boulder Beach Rd.).*

Que vous arriviez au **Lake Willoughby** (voir p 447) par le sud ou par le nord, vous y verrez, au cours de la saison estivale, une multitude de baigneurs et d'amateurs de bronzage apparemment indifférents au va-et-vient des voitures. Si vous préférez les plages plus isolées, garez-vous dans le parc de stationnement qui se trouve à l'extrémité sud du lac, immédiatement après la plage qui s'étire en bordure de la route, et empruntez le court sentier boisé qui s'en détache, prolongé d'un escalier en rondins abrupt et négligé. Vous serez alors récompensé par une fabuleuse petite **plage sablonneuse** ★ ★ ponctuée de quelques rochers qui se prêtent on ne peut mieux aux bains de soleil. L'endroit n'est pas surveillé, et vous pourrez en outre y laisser batifoler votre chien à son aise. Plus loin sur la gauche se cache en outre un des secrets les mieux gardés de la région: une plage nudiste.

Le sud du Vermont

La moitié sud de la **Green Mountain National Forest** relève du **Manchester District Ranger** *(2538 Depot St., Manchester Center, VT 05255, ☎802-362-2307).*

Le **Jamaica State Park** ★ ★ *(2,50$; route 30/100, Jamaica, ☎802-874-4600, www.vtstateparks.com)* s'étend le long des berges de la rivière West, qui recèle un endroit tout à fait propice à la baignade, pour ne pas dire magique: le Salmon Hole. Ce parc fera par ailleurs le bonheur des enfants, car il leur réserve un terrain de jeu et des activités quotidiennes telles qu'artisanat, contes autour du feu et randonnées. Leurs parents sauront d'ailleurs eux-mêmes apprécier les possibilités de randonnée qu'offrent les lieux.

L'**Emerald Lake State Park** ★ *(2,50$; à 12 mi ou 19 km au nord de Manchester sur la route 7, East Dorset, ☎802-362-1655, www.vtstateparks.com)* repose entre le Dorset Peak, qui fait partie de la chaîne des Taconic, et le Baker Peak, qui appartient pour sa part aux Green Mountains. D'une superficie de quelque 175 ha, il côtoie les rives du joli lac Emerald, où vous pourrez vous baigner ou louer une embarcation *(20$/demi-journée).* Malheureusement, la route 7 passe assez près du lac pour gâcher votre plaisir. Vous trouverez au centre d'accueil du parc plusieurs brochures d'interprétation instructives, dont une qui porte sur l'histoire du parc, et un guide des sentiers pédestres.

Le **Lake Shaftsbury State Park** ★ *(2,50$; route 7A, ☎802-375-9978, www.vtstateparks.com)* est un parc aménagé autour du lac Shaftsbury où l'on va passer la journée en famille, à 3 mi (4,8 km) au sud d'Arlington. Sa belle plage sablonneuse s'agrémente d'une aire de pique-nique gazonnée et permet d'admirer les montagnes avoisinantes. Très affairé par les fins de semaine chaudes d'été.

Le **Woodford State Park** *(2,50$; route 9, à 6 mi ou 10 km à l'est de Bennington, ☎802-447-7169, www.vtstateparks.com)* se trouve à quelque 730 m d'altitude et s'impose comme le plus haut perché des parcs d'État vermontois. Vous y trouverez plusieurs sentiers de randonnée, une petite aire de pique-nique ainsi qu'une plage sur l'Adams Reservoir, où il est possible de louer une embarcation.

Le **Molly Stark State Park** *(2,50$; mi-mai à mi-oct; route 9 E., à 15 mi ou 24 km à l'ouest de Brattleboro, Wilmington, ☎802-464-5460, www.vtstateparks.com)* est un petit parc tranquille doté d'un sentier de randonnée de 2,7 km menant au mont Olga (736 m), où vous attend une vieille tour d'incendie offrant une belle vue sur les environs. Comptez une heure et demie pour la balade.

Activités de plein air

■ Canot, kayak et navigation de plaisance

La Champlain Valley

Les navigateurs d'expérience peuvent louer un voilier au **Lake Champlain Community Sailing Center** *(25-50/h, 175-300/jour; Lake St., Burlington, ☎802-864-2499, www.communitysailingcenter.org)*. Toujours à Burlington, **Waterfront Boat Rentals** *(10-15/h pour les canots et kayaks, 50-320/jour pour toutes les embarcations; Perkins Pier, au bout de Maple St., ☎802-864-4858)* loue des canots, des kayaks et des bateaux à moteur.

De Stowe à Woodstock

La rivière White, dont le cours est parallèle à celui de la route 100, est tout particulièrement prisée des amateurs de canot au printemps. Pour de plus amples renseignements, adressez-vous au **Rochester District Ranger** *(route 100, Rochester, VT 05767, ☎802-767-4261)*.

Umiak Outfitters *(849 S. Main St., Stowe, ☎802-253-2317, www.umiak.com)* offre un service de location *(35-47/jour)* de même que des excursions guidées *(40$/pers.)*.

Les guides affables et compétents de **Clearwater Sports** *(4147 Main St., Waitsfield, ☎802-496-2708, www.clearwatersports.com)* loue des canots et des kayaks. Ils organisent en outre des excursions d'un jour *(68$)* et au clair de lune *(85$/pers., dîner compris)*.

Le Northeast Kingdom

East Burke Sports *(route 114, East Burke, ☎802-626-3215, www.eastburkesports.com)* loue des canots et des kayaks *(30$/jour)*.

Le sud du Vermont

BattenKill Canoe *(6328 route 7A, Arlington, ☎802-362-2800 ou 800-421-5268, www.battenkill.com)* loue des canots *(55-65/jour)* et saura vous indiquer les endroits les plus propices à la pratique de ce sport le long de la rivière Battenkill. On y organise par ailleurs des excursions guidées d'une journée *(55$/pers.)* ou de deux à six jours (hébergement dans différentes auberges à chaque étape).

Le **Jamaica State Park** *(Jamaica, ☎802-874-4600, www.vtstateparks.com)*, qui borde la rivière West, attire de nombreux amateurs de kayak et de rafting. À la fin des mois d'avril et de septembre, on ouvre les vannes du barrage voisin de Ball Mountain le temps d'une fin de semaine, ce qui donne lieu à un événement très couru des kayakistes et des canoteurs.

■ Croisières

La Champlain Valley

Si vous désirez sillonner les eaux du lac Champlain mais préférez vous laisser conduire plutôt que de prendre vous même la barre, sachez que **Winds of Ireland** *(20$; mi-mai à mi-oct;* ☎*802-863-5090, www.windsofireland.net)* et la **Whistling Man Schooner Company** *(30$; mi-mai à mi-oct;* ☎*802-862-7245, www.whistlingman.com)* proposent l'une comme l'autre des croisières de deux heures depuis le Burlington Community Boathouse.

Vous découvrirez le lac Champlain sous un autre jour à bord du ***Spirit of Ethan Allen III*** *(348 Flynn Ave., Burlington,* ☎*802-862-8300, www.soea.com)*, un bateau de croisière de 500 passagers. Vous aurez le choix entre la croisière régulière d'une heure et demie avec commentaire *(13$; mi-mai à mi-oct tlj 10h, 12h, 14h et 16h)*, la croisière «coucher de soleil» de deux heures et demie *(18$; mi-juin à début sept tlj 18h30)* et diverses croisières thématiques avec repas, animation et tout le tralala. Les croisières partent du hangar à bateaux.

■ Équitation

De Stowe à Woodstock

Les **Kedron Valley Stables** *(S. Woodstock,* ☎*802-457-1480 ou 800-225-6301, www.kedron.com)* proposent des balades accompagnées sur les sentiers *(45$/h; 200$/jour)* ainsi que des leçons. Réservez une journée à l'avance.

La **Vermont Icelandic Horse Farm** *(40$/75 min, 60$/2h, 80$/demi-journée, 150$/jour; départs à 10h et 13h; 3061 N. Fayston Rd., Waitsfield,* ☎*802-496-7141, www.icelandichorses.com)* offre à longueur d'année des randonnées à dos de cheval islandais. Vous devez réserver à l'avance.

■ Golf

La Champlain Valley

Le **Vermont National Country Club** *(1227 Dorset St., S. Burlington,* ☎*802-864-7770, www.vnccgolf.com)* s'enorgueillit d'un 18 trous de championnat récemment conçu par Jack Nicklaus et son fils.

De Stowe à Woodstock

Le **Sugarbush Golf Course** *(Warren,* ☎*802-583-6725, www.sugarbush.com)* est un 18 trous à normale 71 conçu par Robert Trent Jones.

Le **Woodstock Country Club** *(Woodstock,* ☎*802-457-6674, www.woodstockinn.com)* vous réserve un 18 trous à normale 70 conçu par Robert Trent Jones et exploité par le Woodstock Inn & Resort.

Le sud du Vermont

Le **Gleneagles Golf Course** *(Manchester,* ☎*802-362-3223, www.equinox.rockresorts.com)* de l'Equinox est un 18 trous à normale 71 remodelé par Reds Jones en 1992.

Le **Stratton Mountain Country Club** *(Stratton Mountain Resort, Stratton Mountain,* ☎*802-297-4114, www.stratton.com)* dispose au total de 27 trous et d'une école de golf.

■ Motoneige

La **Vermont Association of Snow Travelers (VAST)** entretient un réseau de plus de 7 200 km de sentiers de motoneige au Vermont, pour la plupart sur des terres privées. Les intéressés doivent se joindre à une association locale de motoneigistes pour pouvoir accéder aux pistes *(95-110; 26 Vast Lane, Barre,* ☎*802-229-0005, www.vtvast.org)*.

■ Pêche

Les adultes doivent se munir d'un permis pour pêcher dans les lacs et les cours d'eau de l'État *(15$/jour, 41$/année)*. Pour de plus amples renseignements sur la pêche au Vermont, adressez-vous au **Vermont Fish & Wildlife Department** *(103 S. Main St., Waterbury, VT 05671-0501,* ☎*802-241-3700, www.vtfishandwildlife.com)*.

La Champlain Valley

Le lac Champlain, où évoluent plus de 80 espèces de poissons, y compris la ouananiche et plusieurs variétés de truites, attire de nombreux amateurs.

Le Northeast Kingdom

Riche de plus de 16 000 ha de lacs, d'étangs, de rivières et de cours d'eau secondaires, le Northeast Kingdom regorge de possibilités, surtout pour les amateurs de pêche à la truite et au saumon. Le **lac Willoughby** et le **lac Caspian** de Greensboro attirent tout particulièrement ceux qui aiment taquiner la truite. La pêche sous la glace (pêche blanche) se pratique également au lac Willoughby, qui, l'hiver venu, accueille un véritable petit village de cabanes temporaires. La truite, la perche et l'achigan attendent les pêcheurs au **lac Crystal**, tandis que le **Seyon Ranch State Park** *(Groton State Forest,* ☎*802-584-3829)* est surtout réputé pour la pêche à la mouche. On loue des embarcations à tous ces endroits.

Le sud du Vermont

La **rivière Battenkill** est renommée pour la pêche à la mouche (truite de ruisseau et truite brune).

■ Plongée sous-marine

La Champlain Valley

Le lac Champlain recèle nombre d'épaves du XIXe siècle. De concert avec l'État de New York, la Vermont Division for Historic Preservation a créé l'**Underwater Historic Preserve** *(Vermont Division for Historic Preservation, National Life Building, Drawer 20, Montpelier, VT 05620-0501,* ☎*802-828-3051)* pour protéger sept d'entre elles. Les plongeurs peuvent les explorer à leur guise à condition de s'inscrire au préalable auprès de l'organisme. Si vous avez besoin d'équipement, adressez-vous au **Waterfront Diving Center** *(214 Battery St., Burlington,* ☎*802-865-2771, www.waterfrontdiving.com).*

■ Randonnée pédestre

Le sentier de randonnée le plus réputé du Vermont est le **Long Trail**, qui serpente sur 435 km à travers les plus hauts sommets des Green Mountains, de la frontière du Massachusetts à la frontière canadienne. Ses nombreux embranchements secondaires le rendent également accessible aux randonneurs d'une journée. Pour de plus amples renseignements, adressez-vous au **Green Mountain Club** *(4711 Waterbury-Stowe Rd., Waterbury Center,* ☎*802-244-7037, www.greenmountainclub.org)*, un organisme sans but lucratif qui recrute des membres et se voue à l'entretien et à la protection du sentier.

Les parcs d'État énumérés sous la rubrique «Parcs et plages» sont généralement parcourus par des sentiers de randonnée. Leur personnel peut vous fournir tous les plans et les renseignements voulus.

La Champlain Valley

La Green Mountain National Forest recèle de merveilleuses occasions de randonnée. Parmi les meilleures options, retenez le **Breadloaf Wilderness**, une région sauvage de quelque 8 700 ha boisés. Le **Long Trail** le parcourt sur plus de 27 km et y croise 11 sommets à plus de 915 m d'altitude, sans parler des nombreuses possibilités d'excursions d'un jour. Un des points d'accès à cette région sauvage se trouve au Middlebury Gap, sur la route 125, que vous devez prendre en direction est au départ d'East Middlebury. Pour prendre connaissance des possibilités de randonnées d'un jour dans la région, contactez le **Middlebury District Ranger** *(1007 route 7 S., Middlebury,* ☎*802-388-4362).*

Robert Frost Interpretive Trail ★★ (voir p 439).

De Stowe à Woodstock

Ce circuit traverse la moitié nord de la **Green Mountain National Forest**, qui offre de nombreuses occasions de randonnée. Pour de plus amples renseignements, adressez-vous au **Rochester District Ranger** *(route 100, Rochester,* ☎*802-767-4261).* En ce qui concerne le Long Trail, qui passe dans la partie nord du présent circuit, le **Green Mountain Club** (voir ci-dessus) constitue sans doute votre meilleure source d'information. Suivent quelques autres suggestions.

La ville de Stowe niche à l'ombre du **Mount Mansfield**, le plus haut sommet de l'État (1 339 m), et de plusieurs autres pics de plus de 915 m, de sorte que vous trouverez dans les environs des sentiers exigeants. Une randonnée populaire d'une journée se fait le long du **Stowe Pinnacle Trail** (4,5 km; 3h), qui offre de splendides vues d'une hauteur de 808 m.

Le **Mount Abraham Trail** (alt. 1 221 m; 4h) et le **Sunset Rock Trail** (alt. 739 m; 1h), qui rejoignent tous deux le Long Trail, permettent de jouir de panoramas spectaculaires; le début des sentiers se trouve au sommet de Lincoln Gap Road, près de Warren.

À Woodstock, vous trouverez un sentier sur le versant sud du **Mount Tom** (alt. 381 m), lequel part du Faulkner Park sur Mountain Avenue. Ce sommet et son pendant nord, légèrement plus élevé, sont aussi accessibles par les sentiers du parc national. Pour une randonnée plus sérieuse, sachez que l'**Appalachian Trail** passe tout juste au nord de la petite ville.

Le Northeast Kingdom

Les **Kingdom Trails** *(East Burke; www. kingdomtrails.org)*, soit plus de 120 km de sentiers de tout niveau, gravitent autour du village d'East Burke. Renseignements et plans vous attendent chez **East Burke Sports** *(route 114, East Burke, ☎802-626-3215)*.

Le **Mount Pisgah** (alt. 839 m) et le **Mount Hor** (alt. 807 m), qui se trouvent à l'intérieur de la Willoughby State Forest (d'une superficie de près de 3 000 ha), se dressent respectivement à l'est et à l'ouest du lac Willoughby. L'un et l'autre parcours comportent une ascension de 5,6 km jusqu'au sommet de l'une ou l'autre des montagnes et offrent des vues splendides. Le sentier du mont Pisgah est le plus difficile des deux, mais, en période estivale, il permet d'admirer les faucons pèlerins revenus hanter ses falaises en 1985 après une absence de 30 ans; le Pisgah South Trail part d'une aire de stationnement située du côté est de la route 5A, tout juste au-delà de l'extrémité sud du lac. Quant au sentier du mont Hor, il s'avère relativement facile; on y accède par la CCC Road, qui part de l'aire de stationnement du Pisgah Trail à l'extrémité sud du lac; prenez la voie d'embranchement de droite sur la CCC Road et poursuivez votre chemin jusqu'au petit terrain de stationnement qui vous attend sur la droite, à quelque 4,8 km de la route 5A.

Le sud du Vermont

Le sud du Vermont semble conçu pour la randonnée pédestre. La moitié sud de la **Green Mountain National Forest**, qui couvre la majeure partie du sud-ouest de l'État, regorge de possibilités en ce sens et pourra vous tenir occupé pendant des jours, pour peu que ce soit là ce que vous recherchez.

L'**Appalachian Trail** (un sentier qui franchit 14 États entre la Géorgie et le Maine) et le **Long Trail** ne font qu'un dans le sud-ouest du Vermont, où ils traversent la Green Mountain National Forest sur toute sa longueur jusqu'à Sherburne Pass (près de Killington), un col au-delà duquel le premier continue vers l'est tandis que le second bifurque vers le nord. Plusieurs sentiers secondaires les croisent en cours de route. Pour de plus amples renseignements, adressez-vous au **Manchester District Ranger** *(2538 Depot St., Manchester Center, ☎802-362-2307)*.

■ Ski alpin et planche à neige

De Stowe à Woodstock

Le **Stowe Mountain Resort** *(76$; 5781 Mountain Rd., ☎802-253-3000, www.stowe.com)*, sans conteste un des centres de ski les plus à la mode du Vermont, met à votre disposition 48 pistes sur les pentes du mont Mansfield et du Spruce Peak, y compris une descente verticale de 719 m.

Le **Smugglers' Notch Resort** *(58$; route 108, Smugglers' Notch, ☎800-253-2754, www. smuggs.com)* s'enorgueillit d'une descente verticale de 796 m et de pistes de toutes catégories, pour tous les âges, sur trois montagnes.

Le **Sugarbush Resort** *(66$; 2405 Sugarbush Access Rd., Warren, ☎802-583-6310, www. sugarbush.com)* vous réserve une descente verticale de 808 m, 111 pistes et 16 remonte-pentes sur six montagnes.

Mad River Glen *(54$; Waitsfield, ☎802-496-3551, www.madriverglen.com)* exploite 44 pistes dans un cadre discret.

Le **Killington Resort** *(72$; 4763 Killington Rd., Killington, ☎802-422-6200 ou 800-621-6867, www.killington.com)* s'impose comme le plus grand centre de ski du Vermont. Réparti sur sept montagnes, il offre 200 pistes et 33 remonte-pentes.

Suicide Six *(52$; Woodstock, ☎802-457-6661, www.woodstockinn.com)*, qui a ouvert ses

Le Vermont   -   Activités de plein air

portes en 1934, a bénéficié du tout premier câble remonte-pente du pays. Fort apprécié des familles, il entretient 23 pistes et possède une descente verticale de 198 m.

Le Northeast Kingdom

La **Burke Mountain Ski Area** *(54$; 223 Sherburne Lodge Rd., East Burke, ☎802-626-7300 ou 888-287-5388, www.ski burke.com)* a servi de centre d'entraînement aux membres de l'équipe de ski olympique des États-Unis. Elle présente un dénivelé de 610 m et exploite 45 pistes.

Jay Peak *(59$; route 242, ☎802-988-2611 ou 800-451-4449, www.jaypeakresort.com)* a acquis depuis longtemps une grande popularité auprès des Québécois, d'une part parce que la station se trouve à proximité de la frontière canadienne et, d'autre part, parce qu'elle accepte le dollar canadien au pair. Jay Peak possède une descente verticale de 656 m, 76 pistes de ski alpin, de même que des installations de ski de randonnée, de planche à neige et de ski de fond. Les options d'hébergement y sont en outre nombreuses.

Le sud du Vermont

Mount Snow *(72$; 12 Pisgah Rd., West Dover, ☎800-245-SNOW, www.mountsnow.com)* entretient 106 pistes sur quatre montagnes.

Stratton Mountain Resort *(64-75; ☎802-297-4000 ou 800-STRATTON, www.stratton.com)* propose une descente verticale de 701 m, 92 pistes et une assurance d'enneigement artificiel à 90%.

Bromley Mountain *(61$; route 11, à l'est de Manchester Center, ☎802-824-5522, www.bromley.com)* possède une descente verticale de 407 m, 43 pistes et neuf remonte-pentes.

■ Ski de fond et raquette

Le Vermont possède le plus long sentier de ski de fond en Amérique du Nord, le **Catamount Trail** *(1 Main St., Suite 308A, Burlington, VT 05401-5291, ☎802-864-5794)*, qui traverse l'État sur toute sa longueur sur 300 mi (483 km) entre la frontière du Massachusetts et la frontière canadienne. Plans et guides du tracé sont disponibles en divers endroits.

La Champlain Valley

Blueberry Hill *(16$, soupe comprise entre 12h et 14h; Forest Rd. 32, Goshen, ☎802-247-6735 ou 800-448-0707, www.blueberryhillinn.com)* vous réserve des sentiers de différents niveaux de difficulté de même qu'un service de location. Pour vous y rendre au départ de Middlebury, prenez la route 7 en direction sud jusqu'à East Middlebury, puis la route 125 en direction est jusqu'à la Forest Road 32, que vous suivrez sur 8 km.

De Stowe à Woodstock

Le **Trapp Family Lodge** *(20$; ☎802-253-5719, www.trappfamily.com)*, autour duquel ont été aménagés les premiers sentiers de ski de fond de la région de Stowe, vous réserve quelque 145 km de tracés dans un cadre magnifique.

L'**Ole's Cross Country Ski Center** *(15$; Sugarbush-Warren Airport, Warren, ☎802-496-3430, www.olesxc.com)* propose 50 km de sentiers damés.

Le **Woodstock Ski Touring Center** *(14$; ☎802-457-6674, www.woodstockinn.com)*, exploité par le **Woodstock Inn & Resort** (voir p 473), entretient des sentiers sur le terrain de golf de l'auberge et sur les chemins forestiers du parc national.

Le Northeast Kingdom

Les **Kingdom Trails** *(10$; East Burke, www.kingdomtrails.org)* forment un réseau d'environ 80 km de sentiers de ski de fond et de raquette. Renseignements et plans sont offerts chez **East Burke Sports** *(route 114, East Burke, ☎802-626-3215, www.eastburkesports.com)*, où vous pourrez louer des skis de fond *(15$/jour)*, des raquettes *(15$/jour)* et des planches à neige *(25$/jour)*.

Le **Burke Mountain Cross Country Ski Center** *(14$; East Burke, ☎802-535-7722, www.burkexc.com)* exploite 80 km de sentiers offrant des vues splendides.

Le **Craftsbury Outdoor Center** *(14$; 535 Lost Nation Rd., Craftsbury Common, ☎802-586-7767, www.craftsbury.com)* vous promet 100 km de sentiers damés en terrain modérément vallonné qui conviennent aussi bien aux débutants qu'aux skieurs de niveau intermédiaire.

Le Vermont - Activités de plein air

Le sud du Vermont

Grafton Ponds *(16$/jour; au sud de Grafton sur Townshend Rd.,* ☎*802-843-2400)* propose 19 mi (31 km) de pistes damées et 60 km de sentiers de ski de randonnée.

La propriété de l'historique **Hildene** *(10$; mi-déc à mi-mars; route 7A S., Manchester,* ☎*802-362-1788, www.hildene.org)* recèle 14 km de pistes damées pour débutants et skieurs intermédiaires, la plupart des sentiers étant boisés. Service de location et rafraîchissements vous attendent dans le centre d'accueil des visiteurs.

■ Traîneau à chiens

Le Northeast Kingdom

Hardscrabble Mountain Sled Dog Tours *(jan à mars; Sheffield,* ☎*802-626-9895)* vous offre différentes options, des balades d'initiation *(25$/pers.; 15 à 20 min)* aux excursions plus poussées, au cours desquelles vous pouvez vous-même conduire l'attelage *(90$/pers.; de 2h à 2h30).*

■ Vélo

La Champlain Valley

Les **Champlain Islands** se prêtent fort bien aux activités de plein air au cours de la saison estivale. Étonnamment planes (compte tenu du relief vermontois), elles semblent entre autres conçues pour le vélo de détente. Les **Lake Champlain Bikeways** sont un réseau de sentiers cyclables qui parcourent la vallée du lac Champlain, et dont le plus long contourne le lac sur 563 km avant de remonter vers le Québec. Les moins ambitieux pourront toutefois se rabattre sur une des cinq boucles plus courtes décrites dans la brochure d'interprétation *Lake Champlain Islands Bikeways (Lake Champlain Bikeways Clearinghouse, c/o Local Motion Trailside Center, 1 Steele St., Suite 103, Burlington, VT 05401,* ☎*802-652-BIKE, www.champlainbikeways.org).*

Le **Burlington Bike Path** s'étire sur environ 13 km. Il part de l'Oakledge Park de South Burlington, pique vers le nord en bordure du lac Champlain, croise le Waterfront Park and Promenade et aboutit à la rivière Winooski après une succession de plages

invitantes. Il s'agit d'un tracé populaire auprès de ceux qui désirent faire une balade nonchalante tout en profitant des magnifiques couchers de soleil sur le lac.

Les chemins de campagne sinueux de la **Green Mountain National Forest** donnent de belles occasions de randonnée, si ce n'est que leurs dénivelés plutôt marqués ont tôt fait de séparer les débutants des cyclistes chevronnés. Le **Middlebury District Ranger** *(1007 route 7 S., Middlebury,* ☎*802-388-4362)* se fera un plaisir de vous recommander un itinéraire.

De Stowe à Woodstock

Ce circuit regorge de possibilités pour les amateurs de vélo. La route 100, entre autres, se prête fort bien aux randonnées, surtout lorsqu'on prévoit un détour par la route 125 jusqu'à l'aire de pique-nique des Texas Falls. Pour d'autres suggestions, adressez-vous au **Rochester District Ranger** *(route 100, Rochester,* ☎*802-767-4261).*

Le **Stowe Recreation Path**, un sentier de 8,9 km prisé des cyclistes, des adeptes du patin à roues alignées et des marcheurs, part de la Stowe Community Church, à l'angle des rues Main et School, où vous trouverez en outre une place de stationnement. Le tracé serpente autour de la West Branch River et de la Mountain Road (route 108), où sont situés beaucoup de bons restaurants, et se trouve ainsi ponctué de nombreux points d'accès intermédiaires.

Vous trouverez des vélos à louer chez **AJ's Ski & Sports** *(350 Mountain Rd., Stowe,* ☎*802-253-4593),* au **Mountain Bike Shop** *(580 Mountain Rd., Stowe,* ☎*802-253-7919)* et chez **Clearwater Sports** *(route 100, Waitsfield,* ☎*802-496-2708),* qui se spécialise dans les vélos tout-terrains.

Bike Vermont *(Woodstock,* ☎*800-257-2226, www.bikevermont.com)* organise des excursions d'auberge en auberge depuis maintenant un quart de siècle.

Le Northeast Kingdom

East Burke Sports *(route 114, East Burke,* ☎*802-626-3215, www.eastburkesports.com)* loue des vélos à raison de 30$/jour. Vous y trouverez par ailleurs des cartes des sentiers du Northeast Kingdom de même que des renseignements sur les possibilités de randonnée dans la région.

Le sud du Vermont

Stratton Mountain *(10$; fin juin à début oct* ☎*800-STRATTON, www.stratton.com)* possède un réseau de sentiers auxquels on accède en télécabine.

Le **mont Snow** *(West Dover,* ☎*800-245-7669, www.mountsnow.com)* exploite un réseau de sentiers de plus de 70 km de même qu'une école de vélo de montagne.

■ Vol libre

Si vous rêvez de fendre l'air en silence à plus de 1 000 m au-dessus des montagnes et des vallées, rendez-vous directement à la **Sugarbush Soaring Association** pour y vivre une expérience inoubliable *(110$ pour un vol de 20 min; mi-mai à fin oct tlj dès 9h; 2155 Airport Rd., Warren,* ☎*802-496-2290, www. sugarbush.org).* Allez-y tôt pour ne pas avoir à attendre trop longtemps.

▲ Hébergement

- - - - - - - - - - - - - -
La Champlain Valley
- - - - - - - - - - - - - -

Burlington

Mount Philo State Park
$
🐾

5425 Mount Philo Rd., Charlotte de Burlington, prenez la route 7 en direction sud, après quoi vous ferez 1 mi (1,6 km) sur une route secondaire se détachant en direction est

☎802-425-2390

www.vtstateparks.com

Ce parc d'État est non seulement le plus ancien, mais sans doute aussi le plus original du Vermont, en ce qu'il n'offre que 10 emplacements de camping perchés au sommet du mont Philo (alt. 295 m) ou sur ses hauts flancs, de sorte qu'on y a une vue incroyable sur le lac Champlain et les paysages qui dominent la rive opposée. Le chemin d'accès est cependant trop escarpé pour les caravanes.

Hartwell House Bed and Breakfast
$ pdj
bc ≡ ▲ ≋

170 Ferguson Ave.

☎802-658-9242 ou 888-658-9242

www.vermontbedandbreakfast.com

Linda Hartwell fait bon accueil aux hôtes de son *bed and breakfast* de deux chambres, aménagé dans une maison à clins de bois aux abords immédiats de la route 2, à quelques minutes de route au sud de Burlington. Il s'agit d'un établissement accueillant dont le décor est réduit à sa plus simple expression, et vous aurez accès au réfrigérateur pour conserver

vos denrées au frais. Des rabais sont consentis aux visiteurs canadiens, et le petit déjeuner est de type continental.

North Beach Campground
$

prenez Battery St. en direction nord jusqu'à North Ave., puis tournez à gauche dans Institute Rd.

☎802-862-0942 ou 800-571-1198

🖷802-865-7087

Bien que ses emplacements de camping ouverts à proximité des autres campeurs ne fassent pas le bonheur de tous, le North Beach Campground ne s'en trouve pas moins à courte distance de route de Burlington et plus près encore de la plage.

Sunset House Bed and Breakfast
$$-$$$ pdj
bc ≡

78 Main St.

☎802-864-3790

www.sunsethousebb.com

La confortable maison à clins de bois jaune et verte de Nancy et Paul Boileau est une ancienne pension doublée d'une auberge dont la construction remonte à 1854. Elle renferme quatre chambres avec salle de bain commune et mobilier tout simple.

Smart Suites
$$-$$$ pdj
≋ ≋ @ ≡ ☎ 🐾 @

1700 Shelburne Rd. (route 7)
South Burlington

☎/🖷802-860-9900
ou 877-862-6800

www.innvermont.com

Ce lieu d'hébergement se spécialise dans les séjours prolongés et s'adresse surtout aux gens d'affaires et aux contractuels, mais on peut également y louer des chambres à la journée. Vous y trouverez aussi bien des studios que des suites de une ou deux chambres

à coucher avec cuisine entièrement équipée. Chambres confortables et service à la fois professionnel et courtois.

Willard Street Inn Bed & Breakfast
$$-$$$$ pdj
≡ ▲ @ @

349 S. Willard St.

☎802-651-8710 ou 800-577-8712

🖷802-651-8714

www.willardstreetinn.com

Le Willard Street Inn est installé dans un manoir victorien couvert de lierre qui a été bâti vers la fin des années 1880 pour un homme d'affaires en vue du Vermont et sénateur. Situé dans l'historique quartier Hill de la ville, cet élégant gîte touristique de 14 chambres au décor irréprochable est entouré d'autres manoirs tout aussi imposants de cette époque. Un grand escalier permet d'accéder aux chambres du premier étage, dont plusieurs sont hardiment tendues de riches couleurs foncées; quant à celles du deuxième étage, elles sont généralement plus petites et plus simplement décorées. Les délicieux petits déjeuners créatifs servis dans le solarium lumineux, rehaussé d'un sol carrelé de marbre en damier et offrant une vue splendide sur le lac, risquent de vous laisser un souvenir indélébile de cet établissement.

Inn at Essex
$$$-$$$$$
🍴 ♿ ▲ ☎ @ 🏊 🐾 ≋ @

70 Essex Way
Essex Junction

☎802-878-1100 ou 800-727-4295

🖷802-878-0063

www.innatessex.com

Inauguré en 1989, l'Inn at Essex s'impose comme un établissement hôte-

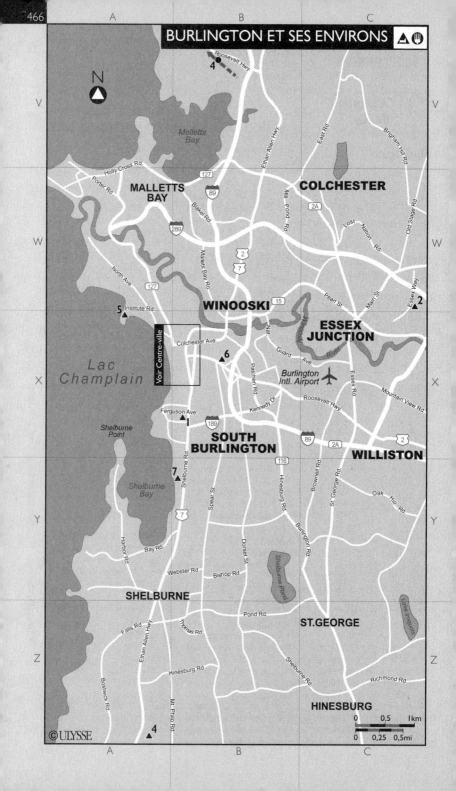

BURLINGTON centre-ville ▲ ◍

▲ HÉBERGEMENT

1.	BX	Hartwell House Bed and Breakfast
2.	CW	Inn at Essex
3.		Lang House
4.	AZ	Mount Philo State Park
5.	AX	North Beach Campground
6.	BX	Sheraton Burlington Hotel & Conference Center
7.	BY	Smart Suites
8.		Sunset House Bed and Breakfast
9.		Willard Street Inn

● RESTAURANTS

1.		American Flatbread
2.		Ice House
3.		Leunig's Bistro & Café
4.	BV	Libby's Blue Line Diner
5.		Muddy Waters
6.		Penny Cluse
7.		Shanty on the Shore
8.		Smokejack's
9.		Sneakers Bistro & Cafe
10.		Sweet Tomatoes Trattoria

Note: les établissements sans coordonnées sont positionnés sur l'agrandissement ci-dessus.

lier résolument moderne et distingué à l'intérieur duquel règne une atmosphère champêtre qui n'est pas sans rappeler le Vieux Continent. Ses trois bâtiments (deux à clins de bois et un en briques) bordent une grande pelouse et s'entourent d'une piscine extérieure, d'un jardin à l'anglaise et de 7 ha boisés. Les 92 chambres et 28 suites de l'auberge sont décorées dans le style colonial et s'agrémentent de copies de meubles d'époque. Les gens d'affaires y trouveront pour leur part un centre de congrès, de nombreuses salles de réunion et un centre d'affaires. Quant aux trois restaurants

de l'auberge, ils sont tenus par l'institut culinaire de la Nouvelle-Angleterre (NECI). Notez toutefois que cet établissement se trouve à quelque 13 km de Burlington, ce qui peut être un inconvénient si vous avez l'intention de profiter de l'animation du centre-ville.

Lang House
$$$$ pdj
≡

360 Main St.
☎ 802-652-2500 ou 877-919-9799
🖷 802-651-8717
www.langhouse.com
Le Lang House est membre du groupe hôtelier Histo-

ric Inns of Burlington, qui comprend aussi le **Willard Street Inn Bed & Breakfast** (voir ci-dessus). Comme on pouvait s'y attendre, le décor en est tout aussi exquis que celui de son homologue, et les petits déjeuners s'y révèlent imaginatifs, délicieux et agréablement présentés. Chaque chambre est dotée d'un téléviseur, d'un téléphone et d'une salle de bain privée, autant de commodités qu'on ne trouve pas toujours dans les lieux d'hébergement vermontois. Accueil cordial, ambiance chaleureuse et excellent emplacement, à distance de marche de Church Street.

Sheraton Burlington Hotel & Conference Center
$$$$

≡ ⲏ ⲙ ⲣ ● ◎ ⳾ @

870 Williston Rd.
☎ 802-865-8600
▤ 802-865-6670
www.starwoodhotels.com

Le Sheraton Burlington, haut de quatre étages, s'est installé sur la route 2 près de l'embranchement avec la route 89. Son hall, décoré avec goût, est bien aéré et laisse amplement entrer la lumière du jour. Il renferme une cheminée décorative et des fauteuils, offre une vue sur le jardin et se voit dominé par la mezzanine du premier étage. Les 309 chambres confortables arborent quant à elles des meubles en bois foncé et des fauteuils.

Shelburne

Shelburne Camping Area
$

🏕 ≋ ⲏ

4385 Shelburne Rd.
☎ 802-985-2540
▤ 802-985-8132
www.shelburnecamping.com

Il s'agit là d'un terrain de camping d'exploitation familiale flanqué d'un motel et d'un restaurant, non loin de Burlington et de la route 7.

Heart of the Village Inn
$$$-$$$$ pdj

⳾ ◎ ≡ @

5347 Shelburne Rd.
☎ 802-985-2800 ou 877-808-1834
▤ 802-985-2870
www.heartofthevillage.com

Pat Button a décoré son établissement avec un soin inouï en s'attardant aux moindres détails, qu'il s'agisse des piles de coussins moelleux recouverts de tissus aux motifs variés, des meubles antiques ou des lavabos sur pied. La remise à calèches qui se trouve derrière la maison principale renferme quatre chambres supplémentaires, et le délicieux petit déjeuner ne vous laissera pas sur votre faim.

Inn at Shelburne Farms
$$$-$$$$
début mai à fin oct
bc/bp ⲣ ⲏ
1611 Harbor Rd.
☎ 802-985-8686
▤ 802-985-8123
www.shelburnefarms.org

L'Inn at Shelburne Farms repose dans un cadre absolument enchanteur à des lieues des galeries marchandes et des motels en série de la route 7, pourtant toute près. L'accès à l'auberge est d'ailleurs lui-même à faire rêver, puisqu'on se rend sur les lieux par un chemin de terre qui n'en finit plus de serpenter sur 3,2 km à travers des hectares de collines ondulantes, créant une expectative à la hauteur des aspirations de Frederick Law Olmsted. Construite entre 1887 et 1900 dans le style Queen Anne sur le modèle des manoirs anglais du XVIIIᵉ siècle, cette auberge, devenue telle en 1987, renferme 24 chambres au décor unique qui s'agrémentent le plus souvent de meubles et d'accessoires d'origine. Les commodités ne sont pas aussi nombreuses qu'on pourrait le souhaiter, et les installations ne se comparent en rien à celles des établissements plus modernes, mais force est de reconnaître que le décor d'époque tout à fait exquis et la chaleur inhérente aux lieux compensent largement ces inconvénients. Qui plus est, vous aurez l'occasion de vous faire choyer tout en contribuant à une bonne cause (voir p 437). Mémorable.

Middlebury et ses environs

Moosalamoo Campground
$

🏕

de Ripton, faites 1 mi (1,6 km) en direction est sur la route 125, puis 3,2 mi (5,1 km) en direction sud sur la Forest Rd. 32 jusqu'à la Forest Rd. 24
☎ 802-388-4362

Le Moosalamoo Campground, qui relève de la Green Mountain National Forest, propose 19 emplacements de camping dans un cadre serein avec latrines mais aucune douche. Il se trouve à environ 16 km au sud de Middlebury.

Branbury State Park
$

🏕

de Middlebury, faites 7 mi (11 km) en direction sud sur la route 7, puis 4 mi (6 km) en direction sud sur la route 53
☎ 802-247-5925
www.vtstateparks.com

Les 39 emplacements pour tentes et les six appentis de ce parc d'État feront le bonheur de quiconque désire loger à proximité d'une plage sablonneuse et d'un éventail varié de sentiers de randonnée. Emplacements boisés et ouverts.

Fairhill Bed and Breakfast
$$ pdj
bc/bp ≡ 🏕
724 E. Munger St.
Middlebury
☎ 802-388-3044

Le Fairhill ne se trouve qu'à 10 min du centre-ville et bénéficie d'un cadre bucolique sur une crête qui offre une vue splendide sur les collines et les champs avoisinants. Ses trois petites chambres (une avec salle de bain privée et deux avec salle de bain partagée) sont décorées avec goût et renferment aussi bien des antiquités que des tapis d'Orient et des courtepointes. Accueil chaleureux.

Waybury Inn
$$-$$$$ pdj
≡ ⚞ ⚟ ⚓ ♨

route 125
East Middlebury
☎ 802-388-4015
🖷 802-388-1248
www.wayburyinn.com

Les amateurs de la série télévisée des années 1980 *Newhart*, dans laquelle le comédien Bob Newhart jouait le rôle d'aubergiste et de faire-valoir auprès d'une foule de personnages colorés du Vermont, seront heureux d'apprendre que l'extérieur du fictif Stratford Inn n'était autre que celui du Waybury Inn. Cela dit, la nostalgie du feuilleton compte sans doute parmi les moindres raisons pour lesquelles on choisit de loger ici. Construite en 1810, cette auberge propose des chambres décorées avec goût et rehaussées d'antiquités de même que de copies de meubles d'époque. Les chambres les moins chères offrent un bon rapport qualité/prix, et le pub de la maison se révèle accueillant. Vous ne serez en outre qu'à 5 mi (8 km) de Middlebury et pourrez même partager votre chambre avec votre chien si tel est votre désir.

Middlebury Inn
$$-$$$$ pdj
♨ ⚟ ≡

Court House Square
Middlebury
☎ 802-388-4961 ou 800-842-4666
🖷 802-388-4563

www.middleburyinn.com

Le Middlebury Inn, sans contredit le lieu d'hébergement le plus connu de Middlebury, se distingue par son auvent jaune et blanc. Les 75 chambres du bâtiment principal, son annexe et le motel aménagé à l'arrière renferment tous des copies de meubles anciens. Il faut passer par la boutique de souvenirs de l'auberge pour accéder au hall, ce qui ne fait toujours le bonheur de ceux qui ont du mal à supporter l'odeur des pots-pourris. Les animaux de compagnie ne sont admis qu'au motel.

Blueberry Hill Inn
$$$/pers. ½p
)))

Ripten Rd.
Goshen
☎ 802-247-6735 ou 800-448-0707
🖷 802-247-3983
www.blueberryhillinn.com

Imaginez un étang assez grand pour accueillir les baigneurs, des rangées sans fin de bleuetiers, un accès pratique aux sentiers de randonnée et aux pistes de ski de fond de la Green Mountain National Forest, une promenade intérieure bordée de briques et de fleurs, un ciel nocturne éclairé par les seules étoiles et une atmosphère chaleureuse créée en grande partie par une cuisine centrale des plus invitantes, le tout dans une charmante auberge de 1813 merveilleusement bien située au sommet d'une colline et à des kilomètres de chemin de terre des grands axes routiers de la région. Les planchers de bois sont inclinés, les murs sont cambrés, le mobilier est on ne peut plus simple, les lits grincent, et l'eau chaude vient parfois à manquer. Quoi qu'il en soit, les nom-

breuses petites attentions et l'affabilité remarquable du personnel en font un endroit très spécial. Les repas gastronomiques se prennent ici autour de tables communautaires dans une salle à manger intime rehaussée d'une imposante cheminée en pierres. L'établissement se trouve à environ 16 km de Middlebury.

- - - - - - - - - - - - - - - - -

De Stowe à Woodstock

Stowe et Smugglers' Notch

Smugglers' Notch State Park
$
⚟

6443 Mountain Rd.
Stowe
☎ 802-253-4014

Ce terrain de camping boisé, qui se trouve à 7 mi (11 km) au nord de Stowe, a été créé dans les années 1930. Il comprend 34 emplacements pour les tentes et les caravanes, dont 15 rustiques.

Brewster River Campground
$

du côté est de la route 108, à 12 mi (19 km) au nord de Stowe
☎ 802-644-2126
www.brewsterrivercampground.com

Ce terrain de camping paisible de 20 emplacements pour tentes, répartis sur 8 ha, est pourvu d'un bassin propre à la baignade.

Commodores Inn
$$-$$$
≡ ⚟ ♒ ⚓ ❋)))

route 100
Stowe
☎ 802-253-7131 ou 800-447-8693
www.commodoresinn.com

Le Commodores est un confortable complexe motelier au thème résolument nautique qui propose entre autres des forfaits de ski.

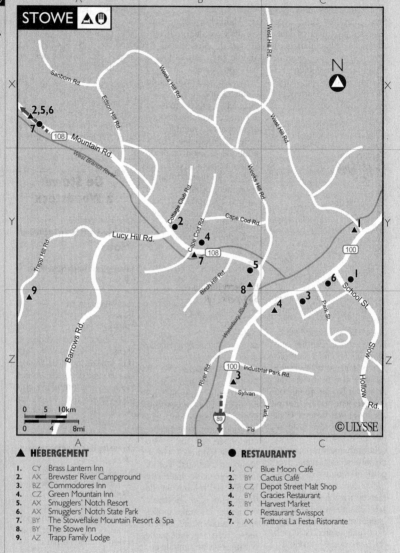

▲ HÉBERGEMENT

1.	CY	Brass Lantern Inn
2.	AX	Brewster River Campground
3.	BZ	Commodores Inn
4.	CZ	Green Mountain Inn
5.	AX	Smugglers' Notch Resort
6.	AX	Smugglers' Notch State Park
7.	BY	The Stoweflake Mountain Resort & Spa
8.	BY	The Stowe Inn
9.	AZ	Trapp Family Lodge

● RESTAURANTS

1.	CY	Blue Moon Café
2.	BY	Cactus Café
3.	CZ	Depot Street Malt Shop
4.	BY	Gracies Restaurant
5.	BY	Harvest Market
6.	CY	Restaurant Swisspot
7.	AX	Trattoria La Festa Ristorante

Brass Lantern Inn
$$-$$$$ pdj
≡ ▲ ◎ @ ♨

717 Maple St.
Stowe
☎ 802-253-2229 ou 800-729-2980
🖹 802-253-7425
www.brasslanterninn.com

Cette auberge de neuf chambres, établie tout juste à la périphérie du village de Stowe, s'avère un endroit confortable et chaleureux où il fait bon se détendre.

Stowe Inn
$$$-$$$$ pdj
░ ◎ ≡ ♨ ⅙ ☕ ⛟

123 Mountain Rd.
Stowe
☎ 802-253-4030 ou 800-546-4030
🖹 802-253-4031
www.stoweinn.com

Le Stowe Inn possède 16 chambres réparties entre un bâtiment principal datant de 1825 et une remise à calèches attenante. Les chambres de la remise à calèches arborent un décor plus contemporain que celles du bâtiment principal, pour leur part plus petites mais aussi plus agréablement aménagées, et entre autres pourvues de courtepointes et de vieux planchers en pin. Petit déjeuner continental.

Smugglers' Notch Resort
$$$-$$$$
♨ ⚠ ≡ ◎ & ⬤ ≋
4323 route 108 S.
Smugglers' Notch
☎ 802-644-8851 ou 800-451-8752
🖨 802-644-2713
www.smuggs.com
Ouvert à longueur d'année, ce complexe d'hébergement se spécialise dans les forfaits de ski en famille. Leçons de ski (alpin et de fond), raquette, planche à neige, location d'équipement, service de gardienne, programmes d'animation pour enfants et adolescents, restaurants, salles de bar, commerce d'alimentation, cours d'artisanat et activités en famille..., tout y est, de sorte que vous n'aurez pas à quitter les lieux pendant toute la durée de votre séjour. Diverses options d'hébergement sont proposées.

Green Mountain Inn
$$$-$$$$
& ≋ ≡ ♨ ⬤ ◎ ✳ ⚠))) ⬛ @
18 Main St.
Stowe
☎ 802-253-7301 ou 800-253-7302
🖨 802-253-5096
www.greenmountaininn.com
Cette auberge apparemment modeste sous ses airs rappelant le Vieux Continent dispose de 100 chambres dispersées entre le bâtiment principal et ses différentes dépendances. Construite à titre de maison privée en 1833, elle a trouvé sa vocation actuelle au milieu du XIXᵉ siècle et s'impose aujourd'hui comme le plus vieil établissement hôtelier de Stowe; elle figure d'ailleurs au registre national des lieux historiques. Chacune des chambres se veut unique

et bénéficie d'atouts variés tels que papiers peints au pochoir, courtepointes faites à la main, meubles anciens d'origine ou copiés, planchers et boiseries de pin. Parmi les nombreuses installations, il convient de mentionner la piscine extérieure chauffée, ouverte à longueur d'année.

The Stoweflake Mountain Resort & Spa
$$$$
♨ ≡ ◎ ✳ ≋ ✱
1746 Mountain Rd.
Stowe
☎ 802-253-7355 ou 800-253-2232
www.stoweflake.com
Situé aux abords du splendide mont Mansfield, le Stoweflake Mountain Resort & Spa offre à sa clientèle toutes les infrastructures de confort et de détente, bien utiles après une longue journée en plein air. Des chambres et des suites luxueuses de dimensions différentes y ont été aménagées, pour vous assurer des vacances alliant santé et plaisir durant les quatre saisons.

Trapp Family Lodge
$$$$-$$$$$ ½p
♨ ⬛ ⬤))) & ⚠ ≋
700 Trapp Hill Rd.
Stowe
☎ 802-253-8511 ou 800-826-7000
🖨 802-253-5740
www.trappfamily.com
La famille chantante du baron von Trapp, immortalisée par le film *La Mélodie du bonheur*, a fait l'acquisition d'une ferme perchée au sommet d'une colline en arrivant à Stowe après avoir quitté l'Autriche en 1942. Le chalet original a été détruit par un incendie en 1980, puis reconstruit en 1983. Il propose désormais une centaine de chambres dans deux bâtiments qui semblent sortis tout droit

des Alpes, chacune d'elles étant dotée d'une terrasse ou d'un balcon. Sentiers de ski de fond (voir p 462) et courts de tennis sur place. Bien que le battage publicitaire entourant le chalet, son côté un peu kitsch et ses prix élevés (considérablement réduits hors des périodes de grand achalandage) ne manqueront pas d'en rebuter plus d'un, le décor n'en demeure pas moins époustouflant.

Montpelier

Il est notoirement difficile de trouver à se loger à Montpelier, ce qui rend les réservations impératives.

Betsy's Bed and Breakfast
$-$$ pdj
≡ ⬤
74 E. State St.
☎ 802-229-0466
Le Betsy's Bed and Breakfast propose 12 chambres dans deux maisons victoriennes voisines l'une de l'autre et pourvues d'installations culinaires et de salles de séjour. Les chambres sont décorées de meubles en bois anciens, tantôt originaux tantôt copiés, et affichent un thème floral.

Inn at Montpelier
$$-$$$ pdj
≡ ⚠
147 Main St.
☎ 802-223-2727
🖨 802-223-0722
www.innatmontpelier.com
Les deux bâtiments à clins de bois de cette auberge de style Federal des années 1880 renferment un total de 19 chambres. En été, le point de mire en est la merveilleuse véranda enveloppante, qui se prête on ne peut mieux à l'observation des passants dans ce secteur tranquille de Main

Street. En hiver, ce sont plutôt les cheminées des salles communes qui ne manqueront pas de vous réchauffer le cœur.

Capitol Plaza Hotel & Conference Center
$$-$$$$
≡ ⚐ ♨ @
100 State St.
☎ 802-223-5252
www.capitolplaza.com

Chacune des 56 chambres confortables du Capitol Plaza est dotée d'un sèche-cheveux, d'une cafetière ainsi que d'un fer et d'une planche à repasser. Vous trouverez sur place un populaire resto-bar.

Mad River Valley

Waitsfield

1824 House Inn
$$$ pdj
≡ ♨ @
2150 Main St. (route 100)
☎ 802-496-7555 ou 800-426-3986
www.1824house.com

Installé dans une charmante maison de ferme à pignons à 4 km au nord de Waitsfield, le 1824 House Inn affiche un décor à la fois simple et soigné, rehaussé d'antiquités, de lits de plume et de tapis d'Orient. Vous ne serez pas déçu par les savoureux petits déjeuners et dîners préparés par le copropriétaire et chef cuisiner John Lumbra. D'ailleurs, des forfaits comprenant le petit déjeuner et le dîner sont également proposés.

Inn at the Round Barn Farm
$$$-$$$$$ pdj
≡ ⚐ @ ♨
East Warren Rd.
☎ 802-496-2276

🖵 802-496-8832
www.innattheroundbarn.com

L'Inn at the Round Barn Farm vous assure d'une des expériences les plus mémorables qui soient au Vermont en matière d'hébergement. Toute terre à terre que puisse être l'atmosphère régnant à l'intérieur du bâtiment lui-même, le décor environnant est on ne peut plus éthéré. Les 12 chambres de cette ancienne maison de ferme, entourée d'un étang et de magnifiques jardins, bénéficient d'un décor unique et fabuleux, poutres apparentes à la clé. Ajoutez à cela 30 km de sentiers de ski de fond et la piscine de 18 m, conçue pour la nage en longueur, puis la superbe grange circulaire transformée en centre culturel, et vous aurez sans doute du mal à résister à l'attrait des lieux..., à moins que vos moyens ne vous l'interdisent.

Warren

Sugar Lodge
$$$-$$$$ pdj
≡ ❄ ♨
Sugarbush Access Rd.
☎ 802-583-3300 ou 800-982-3465
www.sugarlodge.com

Le Sugar Lodge offre un hébergement confortable dans un chalet de ski, à des prix susceptibles de convenir à toutes les bourses. Les chambres de l'étage supérieur revêtent un cachet particulier du fait des poutres apparentes qu'arborent leurs plafonds; celles du rez-de-chaussée se révèlent plus ordinaires. Informez-vous des forfaits de ski de la maison, qui présente sans doute le meilleur rapport qualité/prix en ville.

Pitcher Inn
$$$$$ pdj
≡ ⚐ ♨ @ ⚐ @ ⅄
275 Main St.
☎ 802-496-6350
🖵 802-496-6354
www.pitcherinn.com

Bien que la façade de cet établissement faisant désormais partie des Relais & Châteaux soit identique à celle de la modeste auberge du XIXᵉ siècle qu'il a depuis remplacée, la ressemblance s'arrête là, car le Pitcher Inn propose le nec plus ultra en matière d'hébergement postmoderne. On a demandé à des artisans de la région de créer neuf chambres à thème pour le moins fabuleuses, qu'il s'agisse de la «Ski Lodge», décorée d'objets authentiques provenant du chalet de ski du Mad River Glen, ou de la «School Room», dotée d'un tableau noir et de pupitres ayant servi dans une ancienne école vermontoise. Aucun luxe n'a été épargné, des douches vapeur carrelées de marbre aux baignoires à remous, aux téléviseurs encastrés, aux lecteurs de disques compacts et aux foyers. Un véritable paradis de rêve pour adultes, *Vermont-Style*... avec prix correspondants.

Killington

Inn at Long Trail
$$
⚐ ♨ @ ⚐ ⚐
709 route 4
☎ 802-775-7181 ou 800-325-2540
🖵 802-747-7034
www.innatlongtrail.com

Cette chaleureuse auberge familiale pourvue d'un pub est installée sur une saillie rocheuse qui donne sur le Long Trail, ce qui a pour effet d'attirer les randonneurs en été et les skieurs en hiver. Les «chambres champêtres» (*country bedrooms*) se révèlent plutôt petites, mais n'en sont pas moins aussi confortables que les «suites avec foyer» (*fireplace suites*), plus chères mais dotées d'une entrée privée.

Woodstock

Grist Mill House
$$ pdj
bc @
route 106
South Woodstock
☎802-457-3326 ou 888-815-4855
www.gristmillhouse.com

Cet ancien moulin à broyer le grain des années 1750 a été amoureusement transformé en un gîte touristique des plus chaleureux par deux Vermontois accueillants à souhait. Les trois chambres douillettes qu'il renferme, dont une qui peut loger jusqu'à six personnes, sont aménagées au-dessus d'une merveilleuse salle de séjour aux poutres apparentes dans laquelle trônent nombre d'antiquités. Tout l'été, vous savourerez votre petit déjeuner maison à la terrasse construite en surplomb sur un ruisseau au doux murmure. Une vraie trouvaille!

Applebutter Inn
Bed & Breakfast
$$-$$$ pdj
≡
Happy Valley Rd.
Taftsville
☎802-457-4158
www.applebutterinn.com

Ce charmant gîte de six chambres décorées avec goût a élu domicile dans une petite rue tranquille au cadre rural, à environ 5 km du brouhaha de Woodstock. Le seul inconvénient tient au fait que les chambres sont passablement rapprochées les unes des autres, ce qui risque de compromettre votre intimité.

Jackson House Inn
$$$$-$$$$$
≡ ⊌ & @ ▲
114-3 Senior Lane
☎802-457-2065 ou 800-448-1890
▤802-457-9290
www.jacksonhouse.com

Cette auberge victorienne, plantée tout juste en retrait de la route 4, est charmante à souhait. Inscrit au registre national des lieux historiques, le Jackson House Inn renferme neuf chambres et six suites, dont chacune bénéficie d'un décor unique tout à fait élégant, le plus souvent inspiré du Vieux Continent. Aucun détail n'a été épargné, y compris la climatisation à contrôle manuel. La maison s'entoure d'un superbe jardin traversé par un ruisseau et pourvu d'un étang propre à la baignade. Vous trouverez même sur place un bon restaurant.

Woodstock Inn & Resort
$$$$$
≡ ⇌ ⊌ ✳ ▲ ≋ @ ⅄
14 The Green
☎802-457-1100 ou 800-448-7900
▤802-457-6699
www.woodstockinn.com

Construit en 1969 par Laurance S. Rockefeller à l'emplacement d'une taverne de 1792, le Woodstock Inn & Resort s'impose comme le plus majestueux et le plus important établissement hôtelier de la ville. Ses 142 chambres sont modernes et confortables, et vous voudrez sans doute tirer pleinement parti de tout ce que le complexe a à offrir, soit un centre de conditionnement physique, un terrain de golf, des sentiers de ski de fond et le ski alpin à **Suicide Six** (voir p 461). Particulièrement prisé des familles.

Quechee

Quechee State Park
$
☞
route 4
L'invitant terrain de camping boisé de ce parc d'État vous fera sentir à des kilomètres des boutiques de souvenirs qui bordent la route 4 aux abords de la gorge de Quechee.

Le Northeast Kingdom

Le Northeast Kingdom offre assurément l'hébergement le moins coûteux de l'État tout entier. S'il est vrai qu'on trouve à St. Johnsbury une poignée de motels et de *bed and breakfasts*, la plupart des visiteurs de la région préféreront sans doute loger dans les villages de moindre envergure.

La **Groton State Forest** (*5 mi ou 8 km au nord de Groton sur la route 232*) renferme des emplacements rustiques à l'intention des randonneurs et accueille par ailleurs les campeurs dans trois parcs d'État: le **Ricker Pond State Park** (*$; ☞; 526 State Forest Rd., Groton,* ☎*802-584-3821*), le **Stillwater State Park** (*$; ☞; 126 Boulder Beach Rd., Groton,* ☎*802-584-3822*) et le **New Discovery State Park** (*$; ☞; 4239 route 232, Marshfield,* ☎*802-584-3820*). Le premier et le second disposent d'emplacements lacustres, tandis que le dernier est le seul parc d'État qui

Le Vermont - **Hébergement** - **Le Northeast Kingdom**

accueille les randonneurs-campeurs à cheval.

East Burke

Inn at Mountain View Farm
$$$-$$$$ pdj
▲ ◎ & ◆ ♥ ⚥ ≡
Darling Hill Rd.
☎ 802-626-9924 ou 800-572-4509
www.innmtnview.com

Cette charmante auberge, construite en 1883 pour un cultivateur du nom d'El-mer A. Darling, propose 10 chambres dans l'ancienne crémerie, un joli bâtiment colonial georgien en briques, et 4 autres dans une maison de ferme voisine. Les fenêtres sont toutefois menues et basses, de sorte que les chambres peuvent s'avérer quelque peu sombres. Cela dit, le décor, la paisible route de corniche et la vue sur les montagnes et les vallées sont imbattables.

Lyndonville

Wildflower Inn
$$$ pdj
◆ ≋ ◎ ⫸ ⚥ ⚥ ♥
2059 Darling Hill Rd.
☎ 802-626-8310 ou 800-627-8310
www.wildflowerinn.com

Le Wildflower Inn est une rareté, soit une authentique auberge champêtre spécialisée dans les vacances en famille. Ses chambres et suites sont réparties dans quatre bâtiments, parmi lesquels figure une ancienne école. Si vous et les membres de votre famille aimez l'arôme des biscuits qu'on fait cuire au four, les jardins somptueux, les fermes, les activités pour tous, les ambiances chaleureuses à souhait et les panoramas à faire rêver, vous ne pouvez vous tromper.

Westmore

WilloughVale Inn & Restaurant
$$$-$$$$$ pdj
≡ ♥ ⚥ ◎ ▲
793 route 5A
☎ 802-525-4123 ou 800-594-9102
▤ 802-525-4514
www.willoughvale.com

Le WilloughVale compte parmi les établissements les plus raffinés du Northeast Kingdom. La plupart de ses 10 chambres ont vue sur le lac Willoughby, qui s'étend de l'autre côté de la route 5A, et arborent un décor à la fois simple et soigné sur un thème floral ou plus rustique. Quant aux quatre cottages également offerts en location, ils reposent en bordure immédiate du lac et ont leur propre quai et leur propre terrasse.

Le sud du Vermont

Brattleboro

Townshend State Park
$
☈
de la jonction de la route 30 et de la Town Rd., faites 3 mi (4,8 km) en direction nord sur Town Rd.
☎ 802-365-7500
www.vtstateparks.com

Ce petit parc de la Townshend State Forest compte 30 emplacements pour tentes et véhicules récréatifs, de même que quatre appentis.

Dalem's Chalet
$-$$
◆ ♥ ≡
78 South St.
West Brattleboro
☎ 802-254-4323 ou 800-462-5009
▤ 802-254-3883
www.dalemschalet.com

Ce motel se targue, à fort juste titre, d'offrir une «touche des Alpes». Vous sentirez même le parfum du *wienerschnitzel* qu'on prépare dans les cuisines dès que vous pénétrerez dans le hall. Chambres confortables et accueil chaleureux.

Colonial Motel & Spa
$-$$
⚥ ≡ ≋ ≫ ♥ ◎ ◆ ⟡
889 Putney Rd. (route 5)
☎ 802-257-7733 ou 800-239-0032
www.colonialmotelspa.com

Les 68 chambres de cet attrayant motel tournent

Note: les établissements sans coordonnées sont positionnés sur l'agrandissement.

Le Vermont - Hébergement - Le Northeast Kingdom

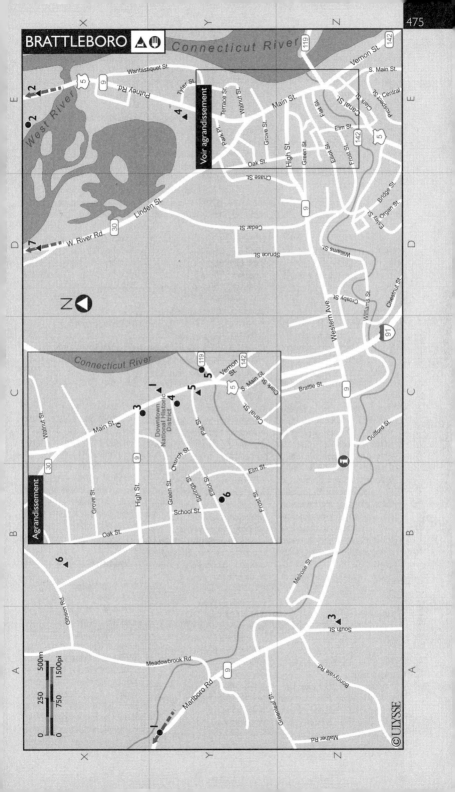

le dos à la route, et elles sont toutes propres, ordonnées et étonnamment bien décorées. La piscine intérieure chauffée de 23 m est en outre une vraie bénédiction pour peu que vous projetiez de vous garder en forme pendant votre séjour. Une valeur sûre pour le prix.

The Artist's Loft
$$-$$$ pdj
≡ ❃

103 Main St.
☎802-257-5181
www.theartistsloft.com

Installé au premier étage d'un bâtiment commercial, à côté du studio et de la demeure de vos hôtes, Patricia et William, The Artist's Loft est davantage un appartement qu'une chambre à proprement parler. Il ne peut accueillir qu'un groupe à la fois, mais offre suffisamment d'espace pour loger jusqu'à six personnes. La chambre à coucher renferme un grand lit, et la pièce aménagée en mezzanine est également dotée d'un lit et prolongée d'une grande terrasse dominant le fleuve Connecticut. La salle de séjour est percée d'une énorme baie vitrée qui permet d'admirer le fleuve à loisir et se voit rehaussée d'œuvres d'art originales et de tout le confort voulu. Prenez le soin de réserver à l'avance.

Latchis Hotel
$$-$$$ pdj
❃ @

50 Main St.
☎802-254-6300 ou 800-798-6301
www.latchis.com

Construit en 1938, le Latchis Hotel est inscrit au registre national des lieux historiques et compte parmi les très rares bâtiments

Art déco du Vermont. Il est commodément situé au centre de la ville et loue ses chambres à des prix raisonnables. Le hall s'enorgueillit d'un remarquable sol en granito, de brisures de marbre pigmentées et d'un ascenseur datant des années 1930 (avec porte coulissante à l'ancienne). Les chambres arborent un décor plutôt conventionnel. Quant au **Latchis Theater** (voir p 450) voisin, il vaut décidément un coup d'œil.

Meadowlark Inn
$$$-$$$$ pdj
≡ ▲ ❃ @

Orchard St.
West Brattleboro
☎802-257-4582 ou 800-616-6359
🖥802-257-2530
www.meadowlarkinnvt.com

Cette auberge de huit chambres bénéficie d'une situation idyllique sur un chemin de campagne tranquille à seulement quelques minutes de Brattleboro, dans un décor de collines ondulantes. Le porche grillagé constitue un endroit de choix pour prendre le petit déjeuner ou pour apprécier les environs. Les chambres climatisées de la maison de ferme principale sont décorées simplement mais avec goût et se révèlent plus chaleureuses que les chambres aux tons pastel de la remise à calèches.

Forty Putney Road
$$$-$$$$ pdj
▲ ❃ ≡ @

40 Putney Rd.
☎802-254-6268 ou 800-941-2413

Les quatre chambres attrayantes du 40 Putney Road affichent un décor traditionnel avec motifs floraux, planchers de bois et accessoires de salle de bain originaux datant des

années 1930. Sur place se trouve un petit pub où prendre l'apéro.

Jamaica

Jamaica State Park
$
🐾

285 Salmon Hole Lane
☎802-874-4600
www.vtstateparks.com

Vous trouverez dans ce parc on ne peut plus panoramique 43 emplacements pour tentes et véhicules récréatifs, 18 appentis, des douches à l'eau chaude et un abri de pique-nique, le tout à 42 km au nord de Brattleboro.

Wilmington

Molly Stark State Park
$
🐾

705 route 9 E.
☎802-464-5460
www.vtstateparks.com

Le Molly Stark State Park, qu'on rejoint par la route 9 immédiatement à l'est de Wilmington, dispose de 23 emplacements de camping répartis entre deux sections, l'une boisée pour les tentes et l'autre en terrain découvert pour petits véhicules récréatifs.

Newfane

Four Columns Inn
$$$-$$$$ pdj
@ ≡ ▲ ♨ ≋ 🐾 @

route 30
☎802-365-7713 ou 800-787-6633
www.fourcolumnsinn.com

L'élégant Four Columns Inn, une véritable institution à Newfane, offre une atmosphère décontractée et chaleureuse. Entourée d'une propriété boisée de 61 ha sillonnée de sentiers de randonnée, traversée par un ruisseau et pourvue d'un étang, cette auberge néoclassique propose 15 chambres décorées avec goût. Les suites de luxe sont dotées de baignoires à remous, de foyers à gaz et de balcons privés, de quoi combler n'importe quel hédoniste. De plus, le restaurant de la maison a une excellente réputation.

Grafton

Inn at Woodchuck Hill Farm
$$-$$$
bc/bp △ ● ≡
Middletown Rd.
☎ 802-843-2398
www.woodchuckhill.com

Perché tout en haut de la Woodchuck Hill Road, complètement à l'extrémité de Grafton Village, l'Inn at Woodchuck Hill Farm ne voit visiblement pas passer beaucoup de monde, ce qui semble d'ailleurs convenir parfaitement à ses propriétaires. Le cadre de la propriété de 80 ha avec vue sur les montagnes ne s'en laisse sans doute que mieux apprécier. Quant au décor de la maison principale, il se révèle quelque peu hétéroclite. Les salles communes sont chaleureuses à souhait et remplies d'antiquités plus merveilleuses les unes que les autres. On loue également un cottage de construction récente de même que deux suites intimes aménagées dans la grange.

Old Tavern at Grafton
$$-$$$$ pdj
₩ ≡ @
92 Main St.
☎ 800-843-1801
▤ 802-843-2245
www.old-tavern.com

Cet établissement distingué datant de 1801 a hébergé des voyageurs tels que Ulysses S. Grant, Oliver Wendell Holmes, Henry David Thoreau, Rudyard Kipling, Nathaniel Hawthorne et Ralph Waldo Emerson. Son restaurant (voir p 486) et ses salles communes se veulent élégants, attrayants et confortables. Quant aux chambres, réparties entre deux bâtiments, elles sont parées d'antiquités, de lits à colonnes et de planchers de bois.

Manchester

Emerald Lake State Park
$
☞
65 Emerald Lake Ln.
East Dorset
☎ 802-362-1655
www.vtstateparks.com

Ce parc de 174 ha dispose de 105 emplacements de camping, dont 36 appentis, dans les bois qui flanquent le mont Dorset. Vous trouverez sur place des sentiers de randonnée et un lac où il est possible de louer une embarcation.

Stamford Motel
$$
▒ ≡ ✳ ☞
6458 Main St.
☎ 802-362-2342
www.stamfordmotel.com

Un hall invitant, un accueil chaleureux, des panoramas de montagne et une situation en retrait de la route font de ce motel de 15 chambres un excellent choix petit budget. Les unités d'hébergement sont décorées de façon individuelle et équipées de cafetières. Choisissez de préférence une des quatre chambres à l'étage, dont deux possèdent une terrasse; elles offrent toutes de belles vues et se louent au même prix que celles du rez-de-chaussée. Bon rapport qualité/prix.

Manchester Highlands Inn
$$$-$$$$
▒ △ ₩
216 Highland Ave.
☎ 802-362-4565 ou 800-743-4565
www.highlandsinn.com

En logeant ici, vous aurez l'impression de passer la nuit chez grand-mère. En effet, les papiers peints fleuris des salles communes composent une atmosphère résolument chaleureuse. Vous y trouverez 15 chambres décorées de façon individuelle avec lits à colonnes, antiquités et fauteuils, aussi bien dans la maison principale de 1898 que dans la remise à calèches. Celles de l'étage arborent de riches boiseries, la vue qu'on a du porche est à faire rêver et, agréable surprise, il y a même une piscine!

The Equinox Resort & Spa
$$$$$
₩ ⅋ ≡ ☞ ☞ ☒
3567 Main St.
Manchester Village
☎ 802-362-4700
▤ 802-362-4861
www.equinoxresort.com

Qui dit Manchester dit généralement The Equinox, un complexe d'hébergement à service complet et au riche passé historique. Tout a commencé avec la Marsh Tavern, fondée à cet emplacement même en 1769, et l'un des plus célèbres personnages à y avoir presque mis les pieds est nul autre qu'Abraham Lincoln, qui y avait bel et bien réservé une chambre en 1865, si ce n'est qu'il fut tué entre-temps. Aujourd'hui, après l'adjonction d'un véritable dédale d'extensions et de bâtiments secondaires, il est devenu nécessaire de remettre un plan détaillé des lieux aux visiteurs, et ce, dès leur arrivée, sans quoi ils risqueraient de ne pas s'y retrouver. Comme c'est souvent le cas dans les complexes hôteliers de cette taille (183 chambres, suites et maisons en rangée), les chambres régulières, quoique confortables, s'avèrent passablement ordinaires pour le prix. Néanmoins, vous ne risquez pas de vous ennuyer, puisque le tennis, le golf, la randonnée pédestre et la pêche à la mouche s'offrent ici sur le pas de votre porte, sans parler de la British School of Falconry (école de fauconnerie) et de la Off-Road Driving School (école de conduite de véhicules tout-terrains)! Notez que divers forfaits permettent de réaliser des économies de taille par rapport au simple hébergement à la nuitée. Service courtois et professionnel. Et... prenez garde aux esprits qu'on dit hanter l'aile sud!

Arlington

Inn on Covered Bridge Green
$$$$-$$$$$ pdj
≡ ▲ ◎ ⊭

3587 River Rd.
☎802-375-9489 ou 800-726-9480
www.coveredbridgegreen.com

L'Inn on Covered Bridge Green, qui a servi de résidence au peintre Norman Rockwell de 1943 à 1954, est apparue sur des cartes postales et des couvertures de magazine nombre de fois au cours des années, et à juste titre. Une image vaut mille mots, dit-on. Eh bien, peut-on imaginer tableau plus idyllique que cette maison à clins blancs découpée de persiennes vertes et posée tout au bout d'un chemin paisible, non loin d'une minuscule église tout aussi blanche qu'elle,

d'une aire de pique-nique invitante à souhait et d'un pont couvert sur la rivière Battenkill (où l'on peut d'ailleurs se baigner)? La maison principale, qui date de 1792, renferme quatre chambres joliment décorées d'antiquités originales ou copiées, et le studio de Rockwell de même qu'un intime cottage «lune de miel» sont également offerts en location. Que ce soit au chapitre du décor, de l'ambiance ou de l'accueil, il ne se fait pas mieux.

West Mountain Inn
$$$$$-$$$$$ pdj
& ≡ ▲ ⊎

River Rd.
☎802-375-6516
▤802-375-6553
www.westmountaininn.com

Perchée au sommet d'une colline immédiatement à l'ouest d'Arlington, cette auberge décontractée s'auréole d'une atmosphère chaleureuse et «terre à terre». Installée sur une propriété de 60 ha, elle bénéficie de sentiers de randonnée et de pistes de ski de fond. Ses chambres et ses trois maisons en rangée sont toutes décorées de façon individuelle. À titre d'exemple, l'intime «Ethan and Ira Allen Room» (la plus petite de toutes) présente un grand lit en chêne drapé d'une courtepointe, des antiquités et un porche d'ensoleillement grillagé. La salle à manger et le bar, tout aussi décontractés que l'auberge elle-même, sont ouvertes au public.

Bennington et ses environs

Woodford State Park
$
⊭

142 State Park Rd.
Woodford
☎802-447-7169

www.vtstateparks.com

Le Woodford State Park propose 103 emplacements, y compris 20 appentis, autour d'un réservoir. Location d'embarcations, terrain de jeu et sentiers de randonnée.

Henry House
$$-$$$ pdj
bc/bp ⊰ ▲ &
fermé fév

214 Murphy Rd.
North Bennington
☎802-442-7045 ou 888-442-7045
▤802-442-3045
www.henryhouseinn.com

Cette accueillante auberge de six chambres, dont la construction remonte à 1769, repose sur une paisible propriété de 10 ha à côté d'un pont couvert. Sols à larges planches de pin, carpettes tressées, antiquités et cheminées y créent une atmosphère chaleureuse. La chambre «Burt Henry» constitue un bon choix, ses poutres apparentes la rendant particulièrement intime.

Paradise Inn
$$-$$$
≡ ≋ ♨ ⫸ ◎ ⊶

141 W. Main St.
Bennington
☎802-442-8351 ou 800-575-5784
www.theparadisemotorinn.com

Sans être le paradis à proprement parler, le Paradise Inn est un des meilleurs motels de Bennington. Situé quelque peu en retrait de la route, il offre un hébergement plus paisible que d'autres, et certaines de ses 78 chambres possèdent une terrasse arrière avec vue sur la nature, tandis que d'autres font simplement face au terrain de stationnement. Le hall se révèle sympathique, le personnel se veut courtois, et des courts de tennis s'y trouvent.

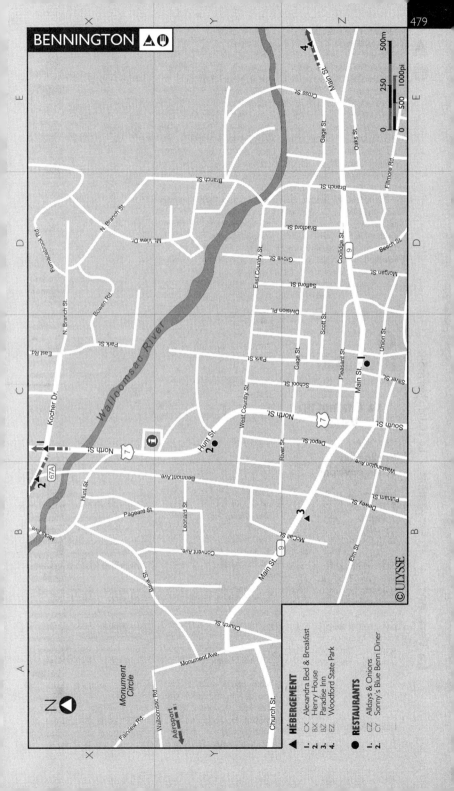

BENNINGTON

Monument Circle

Fairview Rd.

Aéroport

Walloomsac Rd.

Church St.

Monument Ave.

Church St.

Bank St.

Pageant St.

Leonard St.

Convent Ave.

McCall St.

Main St.

Elm St.

Hunt St.

Bermont Ave.

Hicks Ave.

Kocher Dr.

North St.

Hunt St.

Park St.

East Rd.

N. Branch St.

Bower Rd.

Fumacebrook Rd.

N. Branch St.

Mt. View Dr.

Branch St.

Walloomsac River

West County St.

North St.

River St.

Depot St.

Washington Ave.

Putnam St.

Dewey St.

South St.

School St.

Gage St.

Park St.

Pleasant St.

Main St.

Silver St.

Union St.

East County St.

Safford St.

Division Pl.

Scott St.

Grove St.

Bradford St.

Branch St.

Coolidge St.

Morgan St.

Beech St.

Fillmore Rd.

Gage St.

Cross St.

Oaks St.

Main St.

67A

7

7

9

9

500m

250

1000pi

500

0

0

© ULYSSE

Alexandra Bed & Breakfast
$$$-$$$$ pdj

à la jonction de la route 7A et d'Orchard Rd.
Bennington
☎802-442-5619 ou 888-207-9386
☐802-442-5592
www.alexandrainn.com

À courte distance de route au nord du centre de la ville, l'Alexandra bénéficie d'une situation paisible, de la vue du mont Anthony et d'un fort joli jardin. Ses 12 chambres attrayantes, réparties entre la maison principale (1859) et un bâtiment secondaire, se révèlent spacieuses, tenues de façon irréprochable et décorées de copies d'antiquités.

Restaurants

La Champlain Valley

Burlington et ses environs

Sneakers Bistro & Cafe
$
36 Main St.
Winooski
☎802-655-9081

Les amateurs d'œufs Bénédicte voudront faire un détour par Winooski, où est situé l'un des restaurants de petits déjeuners les plus réputés de la région. Pour ne pas avoir à faire la queue trop longtemps la fin de semaine, prévoyez vous rendre au Sneakers le plus tôt possible.

Libby's Blue Line Diner
$

1 Roosevelt Hwy.
Colchester
☎802-655-0343

Les gens du coin s'entendent pour dire que l'on ne doit pas hésiter une seconde à faire la queue pour manger au Blue Line, un authentique *diner* à l'ancienne avec un long comptoir, des tabourets chromés et des banquettes usées en vinyle rouge. Très apprécié à l'heure du petit déjeuner, son menu propose des classiques de ce genre d'établissement de même que quelques surprises intéressantes.

Muddy Waters
$
184 Main St.
Burlington
☎802-658-0466

Un populaire rendez-vous auprès de la jeunesse locale, l'original Muddy Waters propose une alléchante sélection de produits de boulangerie, de cafés express, de laits frappés au yogourt et aux fruits, ainsi que de simples plats végétariens. Décor chaleureux.

Penny Cluse
$
lun-ven 6h45 à 15h, sam-dim dès 8h
169 Cherry St.
Burlington
☎802-651-8834

Le Penny Cluse propose une véritable fête pour le palais avec ses petits déjeuners de *burritos* ou «zydeco», pour le moins inspirés, et ses déjeuners non moins savoureux, qu'il s'agisse d'une *quesadilla* aux poivrons rôtis, d'un *taco* aux œufs et à la saucisse *chorizo*, ou de quelque autre festin inventif. Accordez-vous le plaisir de manger au moins une fois ici.

Shanty on the Shore
$$
181 Battery St.
Burlington
☎802-864-0238

Cette institution locale en matière de poissons et de fruits de mer s'imprègne d'une atmosphère familiale on ne peut plus décontractée, offre une vue sur le lac, sert la prise du jour, étale un buffet de crudités et propose plusieurs bières de microbrasseries de la région. L'endroit devient vite encombré les soirs d'été, mais le seul souvenir de l'onctueuse bisque de homard de la maison (pour peu que vous ayez eu la chance d'y goûter) vous aidera sans nul doute à patienter jusqu'à ce qu'une table se libère.

Sweet Tomatoes Trattoria
$$-$$$
83 Church St.
Burlington
☎802-660-9533

Ce petit restaurant italien follement populaire sert des pizzas cuites au four à bois et de généreuses portions de plats de pâtes inspirés. Dînez à l'extérieur, en bordure de Church Street (lorsque la température le permet), ou dans la salle à manger du sous-sol aux murs de pierres et aux arches de briques. Bières pression locales et carte des vins respectable.

Ice House
$$-$$$
171 Battery St.
Burlington
☎802-864-1800

L'Ice House, qui possède la terrasse la plus près du lac, est une valeur sûre à Burlington depuis le début des années 1980. Installé dans un entrepôt de glace du XIXe siècle, il offre une atmosphère sans prétention;

au sous-sol vous attend une salle à manger classique dominée par d'imposants murs de pierres, tandis qu'on sert au rez-de-chaussée des repas plus légers (notamment des hamburgers) dans un décor sans attrait particulier ponctué de nombreuses plantes. Le menu est fortement axé sur les fruits de mer, préparés avec imagination et servis avec efficacité et courtoisie.

American Flatbread
$$-$$$
115 St. Paul St.
Burlington
☎ 802-861-2999
L'American Flatbread sert, dans une ambiance décontractée, de délicieuses pizzas cuites au four à bois traditionnel et composées d'ingrédients biologiques de première qualité en provenance des fermes environnantes.

Smokejack's
$$-$$$
156 Church St.
Burlington
☎ 802-658-1119
Dans un décor à la fois simple et élégant où règne une atmosphère décontractée, le Smokejack sert des plats inventifs et délectables, sans parler de la carte de fromages (dont beaucoup de vermontois) qui l'a rendu célèbre, et pour cause. Quant à la carte des vins, elle s'avère complète.

Leunig's Bistro & Cafe
$$$
Church St.
Burlington
☎ 802-863-3759
Grand favori des gens du coin, Leunig's affiche un menu inspiré à même de satisfaire tous les goûts, de la soupe à l'oignon gratinée

aux escargots maison comme entrée, et de l'assiette de thon à la coriandre au classique steak frites en guise de plat de résistance, sans oublier quelques propositions végétariennes.

Shelburne

Café Shelburne
$$$-$$$$
route 7
☎ 802-985-3939
À l'intérieur de cette blanche structure revêtue de bardeaux, coiffée de pignons et parée d'auvents bleu foncé, on vous sert les classiques de la cuisine française dans une chaleureuse ambiance de cottage. Le menu vous réserve par ailleurs quelques surprises, comme le gaspacho aux crevettes. Réservations recommandées.

Inn at Shelburne Farms
$$$-$$$$
mi-mai à mi-oct
petit déjeuner, dîner et brunch du dim
102 Harbor Rd.
☎ 802-985-8498
Vous aurez du mal à trouver un cadre plus chic et plus ravissant dans lequel vous offrir un dîner, et ce, où que ce soit au Vermont. S'il est vrai que la salle à manger très classique de ce manoir néo-Queen Anne conserve son riche papier peint cramoisi du XIXᵉ siècle, reste qu'au cours de la belle saison vous préférerez sans nul doute dîner sur la terrasse bordant les fabuleux jardins à l'anglaise rehaussés par la vue du lac Champlain. Le menu change quotidiennement, mais porte essentiellement sur la cuisine «champêtre à l'américaine». Les offrandes du jour dépendent de la

disponibilité des produits frais de culture durable de la région, dont une bonne partie provient de la ferme laitière et du jardin maraîcher de l'établissement. Si vous n'avez pas les moyens de vous payer le dîner, allez-y tout de même, par beau temps, pour prendre le petit déjeuner ou le thé de l'après-midi de manière à profiter de la terrasse unique que. Réservations requises.

Middlebury

Otter Creek Bakery
$
14 College St.
☎ 802-388-3371
Salades, potages et sandwichs succulents, aussi bien végétariens que carnés et à manger sur place (à un petit comptoir ou sur les tables disposées à l'extérieur) ou pour emporter, sont ici servis à une clientèle en grande partie composée d'universitaires. Et il ne faudrait surtout pas oublier les gâteaux et les pâtisseries sublimes de la maison.

Storm Café
$$-$$$
3 Mill St.
☎ 802-388-1063
Installé dans un ancien moulin, le Storm Café se distingue par sa structure en pierres, ses murs jaunes et ses poutres en bois rehaussées d'un sol carrelé en damier noir et blanc. Sa terrasse couverte en bordure de l'Otter Creek est en outre fort appréciée au cours de la saison estivale. Service attentionné et menu inspiré de tendance contemporaine. Salades et sandwichs sont aussi servis le midi.

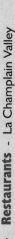

Le Vermont - Restaurants - La Champlain Valley

De Stowe à Woodstock

Stowe

Harvest Market
$
1031 Mountain Rd.
☎802-253-3800
Ce marché d'alimentation gastronomique fait tout à fait l'affaire lorsqu'il s'agit d'improviser un pique-nique mémorable ou simplement d'acheter un déjeuner à emporter qui sort de l'ordinaire. Salades, fromages, potages maison et comptoir à jus. Bonne sélection de bières et de vins.

Depot Street Malt Shop
$
angle Depot St. et Pond St.
☎802-253-4269
Le Malt Shop est l'endroit tout indiqué pour manger en famille, qu'il s'agisse d'un sandwich au fromage fondant, d'un hamburger (traditionnel ou végétarien), d'un bifteck sur rôties au fromage à la crème ou d'un soda à la crème glacée (flotteur) à l'ancienne.

Cactus Café
$$
Mountain Rd.
☎802-253-7770
Le sympathique Cactus Café sert tous les classiques de la cuisine mexicaine, mais aussi quelques surprises maison et des plats de fruits de mer différents tous les soirs, le tout à des prix raisonnables. En été, assurez-vous de réserver à l'avance si vous voulez dîner parmi les fleurs du magnifique jardin à l'anglaise. Dîner seulement.

Gracies Restaurant
$$-$$$
1652 Mountain St.
☎802-253-8741

Un thème canin définit aussi bien le décor que le menu de ce restaurant accueillant et décontracté. Le menu se veut végétarien pour une bonne part, mais n'en comporte pas moins beaucoup de hamburgers, de fruits de mer et de salades, souvent d'inspiration mexicaine.

Trattoria La Festa Ristorante
$$-$$$
lun-sam dès 17h
4080 Mountain Rd.
☎802-253-8480
Dans un cadre résolument italien (murs de bois foncé, nappes rouges et rideaux à carreaux rouges et blancs), le charmant chef et propriétaire toscan, Tony De Vito, élabore des plats de pâtes régionaux, ainsi que d'autres spécialités italiennes. La carte des vins, très longue et primée, se veut scrupuleusement italienne, et, si d'aventure il vous arrive d'en abuser un peu trop, sachez qu'on loue également des chambres.

Restaurant Swisspot
$$$
128 Main St.
☎802-253-4622
Aménagé dans une maison qui servit de modèle d'habitation lors de l'Exposition universelle de Montréal en 1967 et qui fut déménagée à Stowe en novembre 1968, le Restaurant Swisspot propose un menu typiquement helvétique, avec des fondues suisses classiques ou revisitées comme celles à la tomate et fines herbes, aux champignons ou au roquefort. La plupart des produits utilisés, tels les fromages, les viandes séchées et le chocolat, proviennent de Suisse.

Blue Moon Café
$$$-$$$$
35 School St.
☎802-253-7006
La population locale ne tarit plus d'éloges sur le Blue Moon Café, qui occupe une maison à clins bleus et blancs quelque peu en retrait de la rue principale. Son intime et chaleureuse salle à manger est décorée avec goût et rehaussée de poutres en chêne. Quant au menu, qui se renouvelle chaque semaine, il jette un regard inventif sur tous les principaux groupes d'aliments. Dîner seulement. Réservations recommandées.

Montpelier

Coffee Corner
$
83 Main St.
☎802-229-9060
Chaque ville a son restaurant favori à l'heure du petit déjeuner, et, à Montpelier, c'est à n'en point douter le Coffee Corner. Ce long *diner* étroit, décoré d'œuvres d'artistes de la région, élabore des petits déjeuners à petits prix (les rôties sont de pain maison) à l'intention d'une clientèle affamée, soucieuse de son budget et souvent végétarienne, qui se laissent par ailleurs envoûter par le Vermont Club à l'heure du déjeuner, soit un sandwich club au cheddar de Cabot et au tofu grillé.

Capital Grounds Cafe and Roastery
$
27 State St.
☎802-223-7800
Cet établissement torréfie son café et boulange sur place. S'en dégagent ainsi des arômes de grains frais moulus et de pain encore tout chaud, idéal pour ac-

compagner la bonne soupe maison qu'on y sert.

La Brioche Bakery & Café
$
89 Main St.
☎ 802-229-0443
Les apprentis cuisiniers de ce restaurant géré par le **NECI** (voir p 441) créent avec amour des délices terriblement appétissants ainsi que des sandwichs et des potages à partir d'ingrédients frais. N'hésitez pas à y commander un «Express Bag Lunch», un déjeuner à emporter composé du sandwich du jour, d'une salade et d'un biscuit.

Sarducci's
$$
3 Main St.
☎ 802-223-0229
Un favori de longue date des gens du coin, Sarducci's sert d'inventifs plats de pâtes et des pizzas cuites au four à bois, et ce, à des prix tout à fait raisonnables. En été, réservez une place avec vue sur la rivière.

Main Street Bar and Grill
$$
en semaine midi et soir, aussi samedi et dimanche matins
118 Main St.
☎ 802-223-3188
Les étudiants en cuisine de deuxième année qui officient dans ce restaurant au décor à la fois vif et simple du **NECI** (voir p 441) élaborent un éventail varié de plats créatifs à des prix abordables. Les végétariens n'auront ici que l'embarras du choix. Et, agréable surprise, il y a même un menu pour enfants!

Chef's Table
$$-$$$
mar-sam
118 Main St.

☎ 802-229-9202
Installé au-dessus du Main Street Bar and Grill, le Chef's Table est le restaurant le plus chic du **NECI** (voir p 441). Le menu à prix fixe en est un de dégustation à trois services, et peut être jumelé à deux verres d'un «vin intéressant et peu connu» moyennant un supplément. La carte, hautement inspirée, change tous les jours. Service rigoureux et professionnel.

Mad River Valley

Waitsfield

American Flatbread Company
$$
ven-sam 17h30 à 21h30
Lareau Farm Country Inn
46 Lareau Rd., au sud de Waitsfield par la route 100, après l'embranchement avec la route 17
☎ 802-496-8856
L'American Flatbread Company élabore avec amour, à partir de produits biologiques, de délicieuses pizzas sur pain craquelin qu'elle fait cuire dans un four d'argile traditionnel et qu'elle vend ensuite congelées à des épiceries réparties un peu partout sur le territoire américain. Les vendredis et samedis soirs, cependant, sa salle de cuisson, aménagée dans une grange du XIXe siècle, se transforme en un restaurant rehaussé de poutres équarries à la main et d'œuvres d'art originales. Bières pression du Vermont et dîner à la belle étoile au cours de la belle saison. Un vrai festin!

1854 House Inn and Restaurant
$$$-$$$$
2150 Main St.
☎ 802-496-7555 ou 800-426-3986

Cette élégante maison de ferme, érigée en 1854, abrite aujourd'hui une auberge et une table au menu raffiné. Alliant le savoir-faire des cuisines française et italienne, les mets sont apprêtés à partir des produits frais de la région.

Warren

Warren Store
$
284 Main St.
☎ 802-496-3864
Arrêtez-vous au Warren Store pour un petit déjeuner (omelettes, *burritos*, muffins) ou d'incroyables sandwichs sur pain baguette et des délices maison on ne peut plus alléchants qui se laissent dévorer sur un rocher en bordure du ruisseau qui coule à côté du magasin.

Common Man
$$$$
3209 German Flats Rd.
☎ 802-583-2800
Si vous êtes en quête d'un lieu intime pour un dîner destiné à couronner une journée de ski, rendez-vous au Common Man. Cette institution locale depuis 1972 loge dans une grange du XIXe siècle transportée ici après que la structure originale eut été détruite par un incendie en 1987, et le décor en est caractérisé par un mélange de poutres grossièrement équarries, de tapis fleuris on ne peut plus britanniques (suspendus aux murs!) et de lustres, sans oublier l'imposante cheminée. Le service est soigné et attentionné.

Killington

Choices Restaurant
$$$
fermé lun
2820 Killington Rd.
☎802-422-4030

Au Choices Restaurant, c'est le chef Claude Blais qui conçoit le menu de cuisine américaine contemporaine, principalement composé de pâtes fraîches, de poissons ou de fruits de mer et de steaks. Vous pouvez également déguster de la volaille, de l'agneau et du porc en grillades. Si le cœur vous en dit, gardez une place pour le dessert car le restaurant propose une bonne carte de gâteaux, de tartes et de pâtisseries.

Hemingway
$$$$-$$$$$
route 4, à la jonction des routes 100 N. et 100 S.
☎802-422-3886

D'aucuns considèrent ce restaurant primé comme un des meilleurs du Vermont. Situé sur un tronçon tout à fait quelconque de la route 4, il renferme plusieurs salles à manger à la fois élégantes et confortables, y compris une cave à vin pour les événements spéciaux. Le menu inspiré, qui dépend des produits disponibles en saison, ne cesse de valoir au chef des critiques dithyrambiques, et les végétariens ne sont surtout pas laissés pour compte.

Woodstock

Woodstock Farmers' Market
$
mar-dim
route 4, à 0,5 mi (1 km) à l'ouest de Woodstock
☎802-457-3658

Le Woodstock Farmers' Market prépare 38 sandwichs différents, et, si ce n'est pas encore assez, vous pouvez toujours en inventer un de votre cru. À emporter seulement.

EastEnder Restaurant
$$-$$$
fermé dim-lun
Gallery Place
route 4
☎802-457-9800

Dans un décor typiquement Nouvelle-Angleterre, l'EastEnder, un sympathique restaurant familial, sert une cuisine nord-américaine au goût du jour. Pâtes, poissons, viandes, salades et desserts, autant de suggestions pour satisfaire toutes les papilles. En été, une charmante terrasse couverte permet de déjeuner ou de dîner en profitant de la brise.

Skunk Hollow Tavern
$$-$$$
dîner mer-dim, sur réservation seulement
route 12
Hartland Four Corners, à 10 mi (16 km) de Woodstock
☎802-436-2139

Si vous recherchez un endroit quelque peu hors des sentiers battus, foncez tout droit vers la Skunk Hollow Tavern. Son excellente cuisine variée est servie sur deux étages: la salle du rez-de-chaussée revêt une allure d'authentique maison de ferme rustique, avec plafonds bas aux poutres apparentes, planchers de bois usés et tables en bois, alors que celle du premier se veut intime et romantique, avec nappes en tissu, chandelles et poutres en bois. Dans un cas comme dans l'autre, l'atmosphère est imbattable.

The Prince and the Pauper
$$$-$$$$

24 Elm St.
☎802-457-1818

The Prince and the Pauper propose aussi bien un menu à prix fixe de trois services qu'un menu de bistro moins coûteux. Dans un cas comme dans l'autre, vous pourrez prendre votre repas dans la salle à manger principale ou dans la petite salle de bistro-bar, appréciée pour son jazz doux, ses poutres en bois et ses carreaux de verre plombé. Dans l'ensemble, retenez toutefois que l'endroit penche davantage du côté «Prince» que du côté «Pauper» (indigent), et que le service s'avère aimable et honnête.

Quechee

Dana's by the Gorge
$
mai à oct
route 4
☎802-295-6066

Favori des gens du coin le matin et le midi, ce petit établissement fort joyeux établi tout juste à l'ouest de la gorge possède une terrasse et un porche frontal grillagé.

Simon Pearce
$$$
The Mill
☎802-295-1470

On se doit de déjeuner ou de dîner au moins une fois dans ce restaurant-boutique qui constitue une attraction en soi. Non seulement les plats créatifs sont-ils artistiquement présentés dans des assiettes et de la verrerie fabriquées sur place (voir p 490), mais les immenses baies vitrées de la salle à manger rehaussée de briques et de bois dominent la rivière Ottauquechee, tout comme la terrasse couverte, d'ailleurs. Carte des vins complète. Un véritable festin pour tous les sens.

Le Northeast Kingdom

St. Johnsbury

Elements
$$$
98 Mill St.
☎ 802-748-8400

Cet ancien moulin, qui s'élève en bordure de la rivière Passumpsic, abrite désormais le restaurant Elements, qui privilégie les produits frais et la créativité. Son cadre charmant et rustique vous entraîne au pays des classiques français, italiens et américains revisités.

East Burke

River Garden Café
$$$
mer-dim
route 114 (Main St.)
☎ 802-626-3514

Cette véritable trouvaille, décontractée et intime à souhait, s'enorgueillit d'une importante clientèle locale, ce qui n'a d'ailleurs rien d'étonnant dans la mesure où son menu éclectique en a pour tous les goûts et où les plats du soir accordent une place de choix aux poissons apprêtés avec une touche d'inventivité. L'accueillante salle principale s'égaie de belles boiseries et de miroirs, tandis que son annexe arrière est entourée de fenêtres.

Westmore

WilloughVale Inn & Restaurant
$$-$$$

793 route 5A
☎ 802-525-4123

Une cuisine américaine classique vous est ici servie dans une salle à manger confortable. Mur entièrement fenêtré donnant sur le lac Willoughby. Réservations recommandées.

Le sud du Vermont

Brattleboro

Mole's Eye Café
$
lun-sam
angle Corner High St. et Main St.
☎ 802-257-0771

Le Mole's Eye sert des potages, des salades, des sandwichs et des plats d'inspiration mexicaine dans une salle en sous-sol. Populaire à l'heure du déjeuner.

Riverview Café
$-$$
36 Bridge St.
☎ 802-254-9841

Pour un agréable repas sans prétention en bordure de la rivière Connecticut, rendez-vous au Riverview Café. Les incontournables de la cuisine américaine y sont servis, tous préparés à partir d'ingrédients frais de qualité. De la terrasse, la vue sur la rivière est splendide.

Chelsea Royal Diner
$-$$
route 9, du côté droit, à l'ouest de Brattleboro
☎ 802-254-8399

Installé dans une ancienne voiture de chemin de fer, le Chelsea Royal s'imprègne d'une authentique atmosphère de *diner* et sert des repas aussi économiques qu'il se peut. Petits déjeuners servis toute la journée.

Marina on the Water
$$-$$$
West River Marina
28 Springtree Rd. (route 5)
☎ 802-257-7563

Bien que la situation même de ce restaurant, au confluent du fleuve Connecticut et de la rivière West, constitue l'attrait principal des lieux, la nourriture de la Marina on the Water n'est pas non plus à dédaigner. Elle couvre d'ailleurs un large éventail, des hamburgers aux salades, en passant par les plats de résistance les plus variés. En été, dînez à la belle étoile sur la grande terrasse.

Peter Havens
$$$
32 Elliot St.
☎ 802-257-3333

La spécialité de ce favori des gens du coin: les fruits de mer frais apprêtés avec imagination. Ceux qui préfèrent les aliments plus terre à terre pourront entre autres se régaler de canard et de filets, mais les végétariens resteront sans doute sur leur faim. Bières pression de la brasserie McNeill's et vins au verre.

T.J. Buckley's
$$$-$$$$
mer-dim
132 Elliot St.
☎ 802-257-4922

Depuis 1983, le propriétaire et chef Michael E. Fuller enchante ses hôtes au T.J. Buckley's. Installé dans un ancien *diner* de Worcester conçu pour ressembler à une voiture-restaurant telle qu'on en trouve dans les trains, cet établissement se révèle charmant et intime avec ses quelques tables. Quant à son menu inventif, qui fait appel aux produits les plus frais, il change régulièrement. Il est impératif de réserver, car on ne peut accueillir que six personnes par demi-heure entre 18h et 21h.

Grafton

Old Tavern at Grafton
$$$-$$$$
92 Main St.
☎802-843-2231

La salle à manger de l'Old Tavern est décorée de lustres en étain, de lampes à huile en laiton et de reproductions de tableaux de Sir Joshua Reynolds, le tout souligné par des planchers de bois usés et des murs recouverts de papiers peints à motifs floraux discrets. Il y a aussi une salle aménagée en jardin où se prennent les petits déjeuners et les déjeuners. Lors de notre passage, le menu saisonnier du soir comportait un faisan poêlé du Vermont et un flétan sauté aux champignons sauvages du Vermont. Le midi, on sert des salades et des sandwichs gastronomiques. Tenue de ville exigée.

Manchester

Up for Breakfast
$
lun-ven 7h à 12h, sam-dim jusqu'à 13h
4935 Main St.
☎802-362-4204

Crêpes, gaufres et omelettes, aussi bien conventionnelles qu'un tant soit peu audacieuses, comptent parmi les plats servis dans ce populaire quoique minuscule restaurant (à l'étage) qu'égaient des murs jaunes. Les crêpes et les muffins à l'ipomée sont vraiment délicieux.

Ye Olde Tavern
$$$
Main St.
Manchester Center
☎802-362-0611

Vous n'aurez aucun mal à repérer cette structure de 1790, revêtue de clins jaunes et flanquée de grandes colonnes blanches. À l'intérieur, vous trouverez quatre petites salles intimes aux planchers de bois inclinés, aux murs peints au pochoir et aux nombreuses antiquités. Le vaste menu met fortement l'accent sur les viandes et les fruits de mer, mais les végétariens s'en tireront tout de même fort bien. Cuisine américaine classique comprenant entre autres un bœuf braisé à la bière, toujours très apprécié, et une alléchante soupe à l'oignon, à la bière et au cheddar. Allez-y doucement avec les beignets à la canneberge servis en abondance avec chaque plat. Bon rapport qualité/prix.

The Perfect Wife Restaurant & Tavern
$$$
2594 Depot St.
☎802-362-2817

Les saveurs du monde se retrouvent dans votre assiette au Perfect Wife Restaurant. La chef propriétaire, Amy Chamberlain, concocte différents plats souvent inspirés du continent asiatique. À l'étage, la Tavern sert une cuisine plus classique, accompagnée d'un concert rock, blues ou country... À vous de choisir votre soirée.

Bennington

Sonny's Blue Benn Diner
$-$$
petit déjeuner et déjeuner tlj, dîner mer-ven jusqu'à 20h
route 7 N.
☎802-442-5140

Ce petit bijou constitue sans doute votre meilleur choix à Bennington. Cela dit, il ne s'agit vraiment pas d'un *diner* ordinaire, puisque le menu, écrit à la main sur des feuilles collées ici et là sur les murs en acier inoxydable de la salle, comporte des plats inattendus tels qu'un hachis Parmentier (pâté chinois) végétarien et des *enchiladas* aux haricots noirs et à la dinde. Les repas complets du jour offerts le soir sont très peu chers et comprennent un potage ou une salade ainsi qu'un dessert.

Alldays & Onions
$$-$$$
519 Main St.
☎802-447-0043

Alldays & Onions sert le dîner du jeudi au samedi, de même que le petit déjeuner et le déjeuner sept jours sur sept. Son gentil chef et propriétaire élabore une variété de plats originaux, et accuse un penchant manifeste pour le poisson. Les petits déjeuners vous réservent quelques surprises, comme le pain doré (pain perdu) garni de fromage à la crème aux bleuets, tandis que le menu du midi comporte une longue liste de sandwichs – si jamais vous n'y trouvez pas votre bonheur, vous pourrez même en composer un à votre guise.

♪ Sorties

■ Activités culturelles

Burlington

**Flynn Center
for the Performing Arts**
153 Main St.
☎802-863-5966
www.flynncenter.org
Théâtre et concerts sont au menu de cette majestueuse salle de spectacle Art déco du centre de Burlington.

Stowe

Stowe Performing Arts
1250 Waterbury Rd.
☎802-253-7792
www.stowearts.com
Pour un divertissement d'un tout autre calibre, sachez que Stowe Performing Arts présente des concerts de musique classique dans le pré du Trapp Family Lodge, à la Stowe Community Church et en divers autres endroits. Téléphonez pour connaître le programme.

St. Johnsbury

Catamount Arts
60 Eastern Ave.
☎802-748-2600
www.catamountarts.org
Catamount Arts, le centre culturel du nord-est de l'État, renferme une scène de spectacle, une galerie d'art, un centre éducatif et une salle de cinéma où l'on présente des créations en marge d'Hollywood.

Glover

Bread and Puppet Theater
route 122
☎802-525-3031
www.theaterofmemory.com

Pendant 23 ans, le Bread and Puppet Theater, une troupe vermontoise de réputation internationale, a organisé une fin de semaine annuelle baptisée *Domestic Resurrection Circus and Pageant*, un événement qui parvenait à causer des embouteillages dans le village somnolent de Glover. À la suite d'un événement tragique survenu en 1998, le Bread and Puppet a modifié son orientation pour se concentrer sur de petits spectacles de marionnettes extérieurs ainsi que des concerts d'été présentés les dimanches après-midi. Les positions gauchistes de la troupe n'ont toutefois pas changé, mais, même si les thèmes abordés sont d'ordre politique, la couleur, la grandeur et l'immense plaisir associés aux représentations fascinent aussi les enfants, d'autant plus qu'on distribue du pain maison après les spectacles.

Brattleboro

Latchis Theater
50 Main St.
☎802-246-1500
www.latchis.com
Ce cinéma historique est aussi attrayant en soi que les films projetés sur ses trois écrans (voir p 450).

Hooker-Dunham Theater and Gallery
139 Main St.
☎802-254-9276
www.hookerdunham.org
Le Hooker-Dunham, installé en sous-sol quelque peu en retrait de la rue principale, est un lieu d'une facture postindustrielle tout à fait charmante où trônent la brique et les poutres en bois. Cela dit, vous ne le trouveriez sans doute jamais à moins de le chercher.

Manchester

Southern Vermont Arts Center (SVAC)
West Rd.
☎802-362-1405
www.svac.org
Le SVAC présente des concerts, des spectacles de danse, des films et des pièces de théâtre à longueur d'année.

Bennington

Oldcastle Theater Company
mai à déc
☎802-447-0564
www.oldcastletheaterco.org
L'Oldcastle Theater Company, la troupe de théâtre à demeure de Bennington, a élu domicile à l'intérieur du **Bennington Center for the Arts** *(fermé lun; Gypsy Ln., près de la route 9,* ☎*802-442-7158, www. benningtoncenterforthearts. org)*, une galerie d'art qui présente une exposition permanente et des expositions temporaires.

■ Bars et discothèques

Burlington

Ri Ra's
123 Church St.
☎802-860-9401
www.rira.com
Ri Ra's fait jaser tout le monde en ville depuis son ouverture, en 1999, dans les anciens locaux de la chic Chittenden County Bank (1931). Son décor intérieur façon Vieux Continent – si caractéristique des pubs irlandais du Nouveau Monde – est de fait parfaitement authentique, beaucoup de ses boiseries provenant de pièces récupérées en Irlande. Atmosphère conviviale, clientèle de tout âge et musiciens ir-

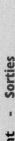

Le Vermont – Sorties

landais. On peut également manger sur place.

Halvorson's Upstreet Cafe
16 Church St.
☎802-658-0278

Ce bar-grilladerie à l'américaine recèle un des secrets les mieux gardés de Burlington, soit une cour arrière tout à fait accueillante où se produit une formation de jazz les lundi et jeudi soirs d'été. Par ailleurs, les amoureux ne voudront pas rater l'occasion de s'embrasser devant le mur entièrement recouvert de lierres entrelacés que borde une plantureuse plate-bande de roses roses. Bières de microbrasseries de la région et vins californiens.

Red Square
droit d'entrée ven-sam
136 Church St.
☎802-859-8909
www.redsquarevt.com

Vous reconnaîtrez le Red Square au carré rouge en plexiglas suspendu à son entrée et, les samedis soir d'été, à la foule dans la vingtaine qui envahit l'allée longeant sa longue et étroite structure aux murs de cuivre pour entendre les groupes qui s'y produisent. Bref, c'est ici le Vermont dans tout ce qu'il a de plus pittoresque. Musique tous les soirs sauf le dimanche *(entrée libre)* et cuisine ouverte jusqu'à 22h – hamburgers, sandwichs, salades et bouchées variées.

Vermont Pub and Brewery
144 College St.
☎802-865-0500
www.vermontbrewery.com

Le Vermont Pub and Brewery est le doyen des pubs-brasseries du Vermont, et l'on y brasse des bières costaudes (comme la Burly Irish Ale et la Vermont Smoked Porter) de-

puis 1988. Savourez votre élixir sur la terrasse élevée en été ou encore dans le bar animé.

Stowe

Il ne manque vraiment pas d'établissements «après-ski» à Stowe. Pour de la bonne bière maison, essayez le bar **Shed** *(Mountain Rd., ☎802-253-4364)*, qui est doublé d'un restaurant pourvu de plusieurs salles à manger. Pour danser et assister aux prestations de différentes formations la fin de semaine, foncez tout droit au **Rusty Nail** *(☎802-253-6245, www.rustynailbar.com)*.

Montpelier

McGillicudy's Irish Pub
14 Langdon St.
☎802-223-2721

Une foule de jeunes dans la vingtaine et la trentaine envahit ce pub irlandais pour s'offrir une bière avec un hamburger.

Charlio's
Main St.
☎802-223-6820

Charlio's n'est peut-être pas aussi «mondialement connu» qu'il le prétend, mais force est de reconnaître que sa réputation n'est plus à faire dans la région. On y prend un verre et on y joue au billard, et il présente des groupes sur scène certains soirs.

Killington

Le **Pickle Barrel** *(Killington Rd., ☎802-422-3035, www.picklebarrelnightclub.com)*, aménagé dans un bâtiment revêtu de clins à l'intérieur victorien rehaussé de vitraux, attire des formations de renom. La **Wobbly Barn** *(☎802-422-3392, www.*

wobblybarn.com) est une boîte de nuit toute aussi populaire, tout comme le **Grist Mill** *(côté sud, Killington Rd., ☎802-422-3970, www.gristmillkillington.com)*, qui attire une clientèle plus âgée.

McGrath's Irish Pub
Inn at Long Trail
709 route 4
☎802-775-7181
www.innatlongtrail.com

Pour des spectacles sur scène à tendance celtique, rendez-vous au McGrath's Irish Pub de l'Inn at Long Trail. Atmosphère intime et décontractée, menu de pub et musique *live* les fins de semaine.

Woodstock

Bentley's
3 Elm St.
☎802-457-3232
www.bentleysrestaurant.com

Pour danser au son de formations sur scène à Woodstock, c'est au Bentley's, un resto-bar de trois étages et de style victorien, qu'il faut aller. Musique acoustique le vendredi soir, danse le samedi dès 22h. Entrée libre.

East Burke

Pub Outback
route 114
☎802-626-1188

Le Pub Outback ne dérougit pas depuis son ouverture en mai 2000. Il loge dans une ancienne grange rehaussée de poutres en bois et d'un bar en cuivre, et, même s'il ne paie pas vraiment de mine, il n'en attire pas moins une foule de tout âge qui s'y présente sans se formaliser de sa tenue pour y prendre un verre.

Brattleboro

Moles Eye Café
4 High St., angle Main St.
☎ 802-257-0771
www.moleseyecafe.net
Il semble que, la fin de semaine venue, la ville tout entière vient danser avec une frénésie peu commune au Moles Eye, qui présente des musiciens sur scène. Le cadre est on ne peut plus décontracté et jovial, et la foule se compose de gens de tout âge dans cet établissement en sous-sol aux banquettes en simili-cuir. Allez-y comme vous êtes.

McNeill's Brewery
90 Elliot St.
☎ 802-254-2553
Installé dans une ancienne caserne de pompiers, le McNeill's est un pub-brasserie où l'ambiance est davantage créée par les clients eux-mêmes que par le décor minimaliste, composé de plusieurs longues tables communales en bois, d'un bar en chêne, d'une cible de fléchettes et de quelques lampes en verre teinté. Il y a même des jouets pour les enfants! Les bières aux noms évocateurs, qu'il s'agisse de la Duck's Breath Bitter ou de la Big Nose Blond Ale, sont tout à fait délicieuses et offertes à un prix imbattable.

Manchester

Perfect Wife
2594 Depot St. (route 11/30)
☎ 802-362-2817
www.perfectwife.com
Établie au-dessus du restaurant du même nom, cette populaire taverne attire une foule mixte en quête de musique *live* les fins de semaine, mais aussi d'une bonne bière et de quelques bouchées.

Achats

Si vous désirez vous procurer des produits régionaux, la **Vermont Alliance of Independent Country Stores** *(www.vaics.org)*, une association à but non lucratif, fait la promotion des nombreux Country Stores indépendants qui parsèment l'État. Cette association vise également à préserver le caractère unique de ces magasins qui sont au cœur des communautés du Vermont depuis toujours. En plus d'y offrir des souvenirs et des produits régionaux, certains marchands peuvent vous aider à planifier une visite de la région.

Burlington

La **Church Street Marketplace** (voir p 434) est bordée de commerces de toutes sortes, aussi bien des boutiques de mode haut de gamme que des magasins de souvenirs miteux, des librairies d'occasion et de merveilleux comptoirs d'artisanat. Un endroit charmant et animé où faire des achats.

Frog Hollow
85 Church St.
☎ 802-863-6458
www.froghollow.org
Également présent à Middlebury (voir ci-dessous), Frog Hollow s'est vu décerner le titre honorifique de «centre d'artisanat par excellence du Vermont» en 1975. Il s'agit du premier centre d'artisanat commandité par un État au pays, et vous y trouverez les plus belles créations des artisans du Vermont. À ne pas manquer si vous cherchez un cadeau unique pour vous-même ou une personne qui vous est chère..., et même si vous n'êtes pas acheteur.

Lake Champlain Chocolates and Café
61 Church St.
☎ 802-862-5185
www.lakechamplainchocolates.com
Vous avez une envie soudaine de bretzels enrobés de caramel, de massepain en forme d'orignal, de délicieuses truffes ou d'autres douceurs? Foncez tout droit au comptoir de vente au détail de Lake Champlain Chocolates, dans Church Street, à moins que vous ne préfériez vous rendre à son magasin d'usine *(lun-ven 9h à 14h; 750 Pine St., ☎802-864-1807)*, où l'on vous proposera une visite gratuite de 20 min des installations et un assortiment de bouchées.

Middlebury

Frog Hollow
1 Mill St.
☎ 802-388-3177
(Voir la description de l'établissement de Burlington ci-dessus.)

Danforth Pewterers
52 Seymour St.
☎ 802-388-0098
www.danforthpewter.com
Les artisans de l'étain de Danforth conçoivent et fabriquent des lampes à huile classiques, des chandeliers et divers autres objets traditionnels.

Vermont Soapworks
616 Exchange St.
☎ 802-388-4302
www.vermontsoap.com
Vermont Soapworks fabrique des savons naturels à la lavande, à la citronnelle, au miel, au romarin et à base de divers autres ingré-

dients aromatiques. Visite possible de l'usine.

Woody Jackson's Hoky Cow
44 Main St.
☎802-388-6737
www.woodyjackson.com
Woody Jackson's Holy Cow propose des objets d'art et divers autres produits ayant pour thème la vache, celle-là même qui a été popularisée par la crème glacée Ben and Jerry's.

Stowe

Stowe Gems
70 Pond St.
Stowe Village
☎802-253-7000
www.stowegems.com
Si l'atmosphère romantique du village vous donne envie d'offrir un bijou, songez à Stowe Gems, qui tient à peu près tout ce qui brille, de l'améthyste à la tourmaline. La maison est réputée pour son vaste choix et ses prix raisonnables.

Cold Hollow Cider Mill
route 100, Waterbury Center
au sud de Stowe
☎802-244-8771
www.coldhollow.com
Au Cold Hollow Cider Mill, vous pourrez obtenir des échantillons gratuits et faire provision de pots et de bouteilles, non seulement des dérivés de la pomme, mais aussi de sirop d'érable, de miel, de moutarde...

Montpelier

Artisans' Hand Craft Gallery
89 Main St.
☎802-229-9492
www.artisanshand.com
Artisans' Hand est une galerie d'artisanat coopérative qui présente des bijoux, de la verrerie, des bols en bois et de la poterie fabriqués au Vermont.

Bear Pond Books
77 Main St.
☎802-229-0774
www.bearpondbooks.com
Bear Pond Books est une librairie indépendante de deux étages reconnue pour sa vaste sélection d'ouvrages de poésie et d'histoire.

Mad River Valley

Waitsfield

All Things Bright and Beautiful
Bridge St.
☎802-496-3997
www.allthingsbright.com
All Things Bright and Beautiful est le royaume des animaux en peluche: ours, cochons, moutons, orignaux, dinosaures, phoques et autres.

Artisans' Gallery
Bridge St.
☎802-496-6256
www.vtartisansgallery.com
L'Artisans' Gallery est une coopérative d'artisanat qui expose les œuvres de plus de 175 artistes vermontois: photographies, vitraux, poteries, peintures et bien d'autres choses encore.

Warren

Warren Store
284 Main St.
☎802-496-3864
www.warrenstore.com
Le Warren Store a su conserver l'allure d'un simple magasin général tout en offrant des produits gastronomiques du monde entier. Il renferme par ailleurs une boulangerie et un café (voir p 483).

Woodstock

FH Gillingham & Sons General Store
16 Elm St.

☎800-344-6668
www.gillinghams.com
FH Gillingham & Sons, un authentique magasin général qui a pignon sur rue depuis 1886, offre vraiment de tout, des spécialités vermontoises aux bières locales et internationales, à l'argenterie et aux bols en bois.

Stephen Huneck Gallery
49 Central St.
☎888-457-3206
www.huneck.com
Woodstock est le siège de la Stephen Huneck Gallery originale, qui propose ici une collection aussi disparate d'objets d'art populaire ayant la gent animale pour thème que sa succursale des abords immédiats de St. Johnsbury (voir p 446).

Quechee

Simon Pearce
The Mill
1760 Main St.
☎802-295-2711
www.simonpearce.com
Simon Pearce est l'endroit tout indiqué pour se procurer des objets en verre, de la poterie artisanale et des lainages de qualité importés d'Irlande. On peut aussi y observer le travail des potiers et des souffleurs, de même que dîner sur place (voir p 484).

St. Johnsbury

Northeast Kingdom Artisans Guild
430 Railroad St.
☎802-748-0158
Cette boutique de coopérative vend un monceau de créations artisanales plus merveilleuses les unes que les autres, qu'il s'agisse de poteries, de paniers, de gravures ou de peintures, tous fabriqués dans les collines

et les vallées du Northeast Kingdom.

East Burke

Bailey's and Burke
route 114
☎ 802-626-9250
www.baileysandburke.com
Bailey's and Burke est un magasin général qui possède un comptoir de mets à emporter et un étalage complet de sucreries, tout en proposant différents délices du Vermont, des poteries, des paniers, des courtepointes, des bijoux, des savons faits main et d'autres produits artisanaux.

Lyndonville

Trout River Brewing Company
ven-sam 11h à 21h
route 5
☎ 802-626-9396
www.troutriverbrewing.com
À la Trout River Brewing Company, vous pourrez goûter les bières avant d'arrêter votre choix et de ressortir joyeusement avec un *growler* de 1,9 l sous le bras.

Peacham

Peacham Corner Guild
juin à oct lun-sam 10h à 17h, dim 11h à 17h
☎ 802-592-3332
Cette charmante petite boutique présente une variété de créations artisanales, entre autres de fabuleuses poteries, des courtepointes en patchwork et, cela va de soi, du sirop d'érable.

Brattleboro

Farmers' Market
mai à oct sam 9h à 14h
route 9, immédiatement à l'ouest de la station-service Mobil, du côté sud
West Brattleboro
également mi-juin à sept mer 10h à 14h
Main St., Brattleboro
Le Farmers' Market de la région de Brattleboro fait honneur à tout ce qu'on cultive, élève et fabrique à la main dans ce coin de pays, qu'il s'agisse de viandes, de fruits et légumes biologiques, de mets ethniques, de poteries, de produits de boulangerie fraîchement sortis du four ou de fleurs coupées. Vous trouverez sur place des tables de pique-nique, sans parler d'une atmosphère haute en couleur.

Tom and Sally's
55 Elliot St.
☎ 802-258-3065
www.tomandsallys.com
Si Waterbury bénéficie de la présence de Ben and Jerry's, Brattleboro n'en est pas moins fière de Tom and Sally's, un couple de cadres haut placés venus de New York qui s'est reconverti avec brio dans la production et la commercialisation de délices chocolatés et autres friandises aux noms plus intrigants les uns que les autres. On propose des visites des installations *(5$, dégustation comprise; tlj 10h et 14h)* et vous trouverez des produits de second choix à prix raisonnable au magasin d'usine de l'entreprise *(485 W. River Rd., ☎ 802-254-4200 ou 800-827-0800).*

Book Cellar
120 Main St.
☎ 802-254-6810

www.bookcellarvt.com
Le Book Cellar renferme une des meilleures collections de guides de voyage dans la région, mais aussi des livres pour enfants, des œuvres de fiction récentes et nombre de canapés sur lesquels vous pourrez confortablement vous installer pour mieux apprécier la marchandise.

Vermont Artisan Designs
106 Main St.
☎ 802-257-7044
www.vtartisans.com
Vermont Artisan Designs possède de magnifiques objets d'art et d'artisanat, entre autres du verre, des gravures sur bois, des poteries uniques et des bijoux. Cet établissement fait partie du circuit couvert par la **Gallery Walk** (voir p 450).

Save the Corporations from Themselves
169 Main St.
☎ 802-254-4847
www.savethecorporations.com
Ce commerce au nom pour le moins suggestif (Sauvez les grandes entreprises d'elles-mêmes) propose des articles «respectueux de la Terre», notamment des vêtements de chanvre et divers autres produits à base de chanvre.

Grafton

Grafton Village Store
Gallery North Star
151 Townshend Rd.
☎ 802-843-2465
www.gnsgrafton.com
Cette attrayante galerie expose les œuvres de plus de 30 artistes, y compris les populaires aquarelles de Woody Jackson (dont le thème central est la vache).

Le Vermont - Achats

Bennington

Bennington Potters
324 County St.
☎ 800-205-8033
www.benningtonpotters.com

Depuis 1948, Bennington Potters garde bien vivante l'histoire de cette ville traditionnellement vouée à la poterie. Surtout réputée pour ses attrayants grès céames au bleu si riche, la maison produit également des pièces d'autres couleurs dans une variété de formes et de styles.

Hawkins House
262 North St.
☎ 802-447-0488
www.hawkinshouse.net

La Hawkins House présente des créations artisa-nales peu communes du Vermont et d'ailleurs, notamment des bijoux, des poteries, des courtepointes et des carpettes.

Fiddlehead at Four Corners
fermé mer
338 Main St.
☎ 802-447-1000

Depuis son ouverture en mai 2000, Fiddlehead at Four Corners continue d'accueillir des citoyens désireux d'effectuer quelque opération bancaire. L'ancienne vocation de l'élégant bâtiment de 1929 où s'est installée cette entreprise demeure d'ailleurs on ne peut plus évidente avec son horloge incrustée dans le marbre de sa façade et l'énorme porte de la voûte qu'on aperçoit encore près de l'entrée. Cela dit, Fiddlehead se spécialise plutôt dans l'artisanat exclusif sous toutes ses formes, depuis les œuvres d'art jusqu'aux créations populaires, en passant par les objets fonctionnels et les pièces fantaisistes.

Le Connecticut

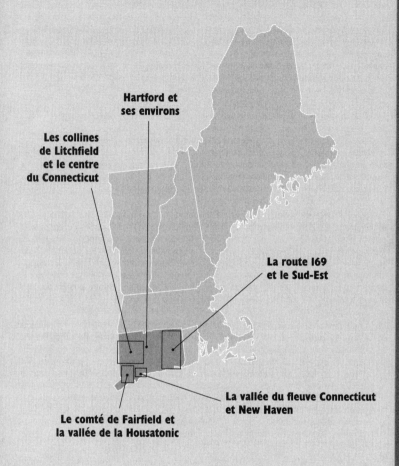

**Hartford et
ses environs**

**Les collines
de Litchfield
et le centre
du Connecticut**

**La route 169
et le Sud-Est**

**La vallée du fleuve Connecticut
et New Haven**

**Le comté de Fairfield et
la vallée de la Housatonic**

L e Connecticut n'a pas fini de surprendre. Rien de ce que vous lisez, entendez ou imaginez à propos de ce petit État de la Nouvelle-Angleterre ne peut vraiment vous préparer à toutes les découvertes inattendues que vous ferez dans ses villes riveraines, dans ses paysages ahurissants et dans ses centres de culture prospères.

Au cours de vos déplacements à travers l'État, vous croiserez de minuscules villages immobilisés dans le temps où la vie semble toujours s'écouler au rythme de l'eau qui alimente un vieux moulin en bois... autant de communautés quasi oubliées et perchées dans des collines où aucun étranger ne passe inaperçu. En contrepartie, il vous suffira d'une heure de route pour atteindre une métropole grouillante aux boutiques de niveau international et aux cafés et bistros dignes de New York: Hartford.

L'État est devenu une destination de vacances convoitée dont les villes et villages, les collines, les rivières et le splendide littoral offrent une irrésistible palette de couleurs et d'expériences. Les douces eaux protégées du détroit de Long Island ainsi que les nombreuses et idylliques rivières qui s'y jettent font des côtes du Connecticut un lieu de villégiature rêvé au cours de la belle saison. Puis, à l'automne, c'est de tous les coins du monde qu'on vient contempler les spectaculaires feuillages qui tapissent alors l'État tout entier telle une myriade d'éclaboussures colorées sur une toile expressionniste.

Ces terres situées «près de la longue rivière à marées» (*Quinnehtukqut* dans la langue des Mohegans) étaient habitées par des Amérindiens longtemps avant que les Européens n'y posent pied. Pour tout dire, des Autochtones ont occupé sans interruption la région de Mashantucket, dans le sud-est de l'État, pendant plus de 10 000 ans. Au début du XVIIe siècle, tout juste avant l'arrivée des premiers Européens, la tribu des Pequots comptait environ 8 000 membres et habitait un territoire d'une superficie de quelque 650 km^2; ils ne parvinrent toutefois pas à conserver ces terres, et la plupart d'entre eux disparurent avec le temps.

Le Connecticut a été découvert par les Européens au début du XVIIe siècle. Le navigateur hollandais Adriaen Block, qui remonta le fleuve Connecticut en 1614, fut officiellement le premier à explorer la région. Des colons hollandais érigèrent par la suite, en 1633, un petit fort et un poste de traite près de l'actuelle Hartford, mais ils en perdirent bientôt le contrôle aux mains de puritains anglais en migration vers le sud depuis la colonie de la baie du Massachusetts. Ces nouveaux venus apportaient avec eux leur religion, leur mode de vie et leurs traditions propres, autant d'éléments qui ont exercé une influence marquante sur l'évolution du Connecticut à titre d'État. De fait, la devise du Connecticut, *Qui transtulit sustinet* (les déracinés qui s'y sont implantés prévalent toujours), se rapporte à ces premiers colons anglais, dont les descendants vivent ici à ce jour.

La guerre des Pequots, qui a eu lieu entre 1636 et 1638, a été le premier conflit majeur entre colons et Autochtones de la Nouvelle-Angleterre, et elle a eu des conséquences désastreuses pour les Pequots. En effet, au terme de cette guerre, beaucoup d'entre eux avaient péri, tandis que d'autres s'étaient vus réduits à l'esclavage ou placés sous le contrôle d'autres peuples amérindiens.

Des colonies anglaises voient le jour, dans les années 1630, à Windsor, à Wethersfield et à Hartford, et elles se regroupent en 1639 pour former la colonie du Connecticut. New Haven, une autre colonie puritaine, n'est toutefois pas immédiatement reliée à la colonie du Connecticut, et ce n'est qu'en 1643 que les deux entités s'associent pour ensuite obtenir une charte royale en 1662.

De 1750 à 1776, la colonie est secouée par des désaccords entre radicaux et conservateurs. Mais bien que le Connecticut soit alors le principal lieu d'approvisionnement de l'armée continentale (nous sommes à l'époque de la guerre de l'Indépendance américaine), il n'est le théâtre que de peu de combats, hormis quelques escarmouches à Stonington

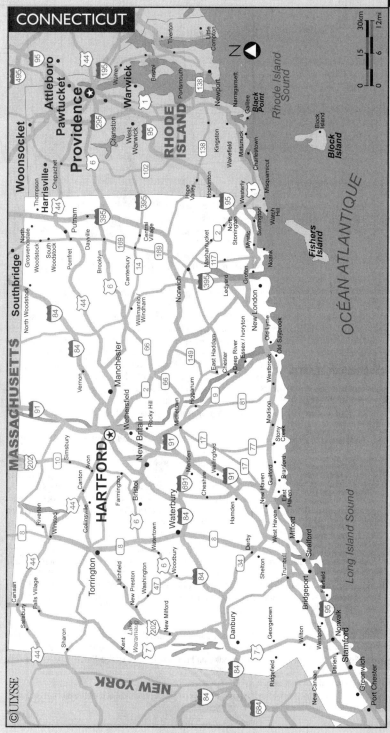

CONNECTICUT

MASSACHUSETTS

NEW YORK

RHODE ISLAND

Woonsocket
Attleboro
Pawtucket
Providence
Harrisville
Chepachet
Cranston
West Warwick
Warwick
Bristol
Portsmouth
Newport
Narragansett
Galilee
Black Point
Block Island
Rhode Island Sound

Thompson
Southbridge
Harrisville
North Woodstock
Grosvenordale
Woodstock
South Woodstock
Pomfret
Putnam
Danielson
Brooklyn
Central Village
Canterbury
Willimantic/Windham
Norwich
Mashantucket
North Stonington
Mystic
Noank
Groton
New London
Westerly
Watch Hill
Misquamicut
Stonington
Charlestown
Matunuck
Wakefield
Kingston
Hope Valley
Hopkinton

OCÉAN ATLANTIQUE

Fishers Island

Manchester
Vernon
Wethersfield
Rocky Hill
New Britain
HARTFORD
Simsbury
Avon
Canton
Farmington
Bristol
Collinsville
Winsted
Riverton
Litchfield
New Preston
Washington
Torrington
Woodbury
Watertown
Waterbury
Cheshire
Meriden
Wallingford
Middletown
Higganum
East Haddam
Chester
Deep River
Essex / Ivoryton
Old Lyme
Westbrook
Old Saybrook
Madison
Guilford
Stony Creek
Branford
East Haven
New Haven
West Haven
Milford
Hamden
Derby
Shelton
Trumbull
Stratford
Bridgeport
Fairfield
Norwalk
Stamford
Darien
Greenwich
Port Chester
Danbury
Georgetown
Wilton
Westport
New Canaan
Ridgefield
New Milford
Kent
Lake Waramaug
Sharon
Salisbury
Canaan
Falls Village

Long Island Sound

Block Island

Tiverton
Little Compton
Warren

© ULYSSE

N

30km
15
0

12mi
6
0

L'Underground Railroad

Tout comme dans le reste du pays, une part non négligeable de l'histoire du Connecticut est liée aux expériences et aux récits de ses citoyens afro-américains. En 1793, le gouvernement des États-Unis vota sa loi sur les esclaves fugitifs, en vertu de laquelle il pouvait désormais traquer, capturer et asservir de nouveau tout esclave échappé vivant dans un État libre.

C'est pourquoi l'Underground Railroad, littéralement le «chemin de fer souterrain», fut créé par des antiesclavagistes.

Ce réseau fournissait une série de relais sûrs aux esclaves en fuite qui cherchaient à rejoindre le nord du pays. Arrivés à l'un des relais du réseau, les esclaves étaient alors conduits à une maison privée, dans une grange ou une église, pour qu'ils se cachent jusqu'à ce qu'il leur soit possible de se diriger vers la destination suivante. Les esclaves en fuite entraient au Connecticut par divers points, de sorte que plusieurs relais de l'Underground Railroad étaient éparpillés sur le territoire de l'État.

(1775), Danbury (1777), New Haven (1779) et New London (1781). Après la guerre, le Connecticut renonce à ses terres occidentales au profit des États-Unis, et il devient l'un des premiers États à approuver la constitution fédérale.

Après la chute de l'industrie des transports maritimes au Connecticut, dans le sillage de l'embargo de 1807 et de la guerre américano-britannique de 1812, l'État se tourne vers la fabrication. La production de masse telle que nous la connaissons y débute en 1798, lorsqu'Eli Whitney, un des inventeurs les mieux connus du Connecticut (il a notamment inventé l'égreneuse à coton en 1793), fonde à New Haven une usine d'armes à feu où l'on commence à produire des pistolets aux pièces standardisées et interchangeables. La fabrication d'articles conceptuels (boutons, épingles, aiguilles, objets en métal et horloges) ouvre par ailleurs la voie aux fameux «Yankee Pedlars», d'entreprenants voyageurs de commerce qui sillonnaient le pays en chariot hippomobile pour vendre leurs produits.

Le Connecticut restreint l'esclavage dès 1784 et l'abolit complètement en 1848, après quoi il soutient l'Union tout au long de la guerre de Sécession en mettant près de 60 000 hommes à son service. Pendant et après la guerre, l'industrie connaît un essor foudroyant, d'autant plus que l'immigration fournit une main-d'œuvre bon marché; aux immigrants irlandais, anglais et écossais arrivés en grand nombre avant la guerre se joignent en effet des Canadiens français et, vers la fin du XIXe siècle et le début du XXe siècle, des Italiens, des Polonais et d'autres étrangers. Les descendants de tous ces ouvriers immigrés vivent d'ailleurs toujours au Connecticut et en enrichissent la société par leurs cultures et leurs traditions variées.

L'architecture à la fois variée et intéressante des différentes régions du Connecticut incarne à peu près tous les styles en vigueur depuis 400 ans, du colonial au néocolonial et du victorien à l'Art déco. Cette diversité esthétique confère d'ailleurs à l'État un attrait qui déborde des cadres de ses splendides paysages ruraux et de son littoral apparemment sans fin, tout en témoignant de l'histoire sous-jacente de ce coin de pays.

Afin de faciliter votre visite de l'État, nous avons divisé le Connecticut en cinq circuits: **Hartford et ses environs** ★★ couvre la capitale et ses abords immédiats; **La route 169 et le Sud-Est** ★ couvre l'est de l'État; **La vallée du fleuve Connecticut et New Haven** ★★ englobe la région touristique de la River Valley et la ville de New Haven; **Le comté de Fairfield et la vallée de la Housatonic** ★ parcourt le territoire côtier du Fairfield Country, au sud-ouest de l'État, et remonte ensuite vers le centre-ouest; et **Les collines de Litchfield et le centre du Connecticut** ★ couvre le nord-ouest et le centre de l'État.

Accès et déplacements

■ En avion

Hartford et ses environs

À 15 mi (24 km) de la capitale de l'État, le **Bradley International Airport** *(Windsor Locks,* ☎ *860-292-2000, www.bradleyairport.com)* est quotidiennement desservi par de nombreuses compagnies aériennes, aussi bien nationales qu'internationales.

La route 169 et le Sud-Est

Le **Groton–New London Airport** *(☎860-445-8549, www.grotonnewlondonairport.com)* répond aux besoins de la côte sud-est et est desservi par divers transporteurs locaux.

■ En voiture

Hartford et ses environs

L'Interstate 91 (I-91) part de la frontière du Québec, et file vers le sud jusqu'au Connecticut, qu'elle rejoint à sa frontière avec le Massachusetts pour ensuite continuer jusqu'à Hartford, où il est relativement facile de s'orienter. L'Interstate 84 (I-84) croise pour sa part l'Interstate 91 suivant un axe sud-ouest nord-est depuis la région de Hartford. Quant à la route 2, elle se détache de l'Interstate 84 en direction sud.

La route 169 et le Sud-Est

La panoramique route 169, soit l'axe principal de la première partie de ce circuit, file vers le sud depuis la frontière du Massachusetts jusqu'à l'angle nord-est de l'État, et s'arrête tout juste avant la région de Norwich. La route 44 traverse pour sa part cette région d'est en ouest. Le secteur nord-est est quant à lui sillonné de nombreuses petites routes en lacets, de sorte qu'il vaut mieux se procurer une bonne carte pour ne pas s'y perdre. Toujours dans l'axe nord-sud, mais cette fois plus près de la frontière du Rhode Island, l'Interstate 395 (I-395) continue vers le sud depuis le nord-est de l'État et passe par Norwich avant de rejoindre l'Interstate 95 à Waterford. Enfin l'Interstate 95 parcourt commodément la côte du sud-est du Connecticut.

La vallée du fleuve Connecticut et New Haven

Dans la région de la vallée fluviale et du littoral, l'Interstate 95 poursuit sa course le long de la côte tandis que la route 9 pique vers le nord sur les berges du fleuve Connecticut. L'Interstate 95 va de l'est à New Haven, et l'Interstate 91 la rejoint depuis le sud.

Le comté de Fairfield et la vallée de la Housatonic

Une fois de plus, l'Interstate 95 longe la côte d'est en ouest. Une autre option, peut-être même plus intéressante, consiste à emprunter la Merritt Parkway (route 15), une route historique dont le tracé est également parallèle à la côte, quoiqu'un peu plus à l'intérieur des terres que celui de l'Interstate 95. Dans la vallée de la Housatonic, la route 7 traverse la région en direction nord jusqu'à ce qu'elle rencontre la route 202 aux abords de New Milford. L'Interstate 84 traverse pour sa part la vallée d'est en ouest.

Les collines de Litchfield et le centre du Connecticut

Tout comme le nord-est du Connecticut, le très rural nord-ouest de l'État (les collines de Litchfield) est parcouru par de nombreuses petites routes en lacets qui peuvent finir par vous confondre si vous n'y faites pas très attention. La route 202 file vers le nord, puis vers l'est pour rejoindre les collines, alors que la route 7 bifurque vers l'ouest depuis l'intersection entre ces deux axes. Autour de Waterbury et du centre du Connecticut, la route 8 adopte un tracé nord-sud, tandis que l'Interstate 84 vous conduit à l'est puis au nord sur une courte distance en direction de Hartford.

■ En autocar

Le Connecticut est bien desservi par le réseau de **Greyhound Bus Lines** *(☎800-231-2222, www.greyhound.com)*.

■ En train

Au Canada et aux États-Unis, contactez **Amtrak** *(☎800-USA-RAIL, www.amtrak.com)*.

Renseignements utiles

■ Renseignements touristiques

Connecticut Tourism Industry Services
One Financial Plaza
755 Main St.
Hartford, CT 06103
☎899-CT-VISIT
www.ctvisit.com

Hartford et ses environs

Greater Hartford Tourism District
31 Pratt St.
Hartford, CT 06114
☎800-446-7811
www.enjoyhartford.com

Farmington Valley Visitors Association
33 E. Main St.
Avon, CT 06001
☎800-676-8878
www.farmingtonvalleyvisit.com

La route 169 et le Sud-Est

**Mystic Coast & Country Travel
Industry Association**
101 Water St., Suite 102
Norwich, CT 06360
☎860-204-0310 ou 877-286-9784
www.mysticmore.com

La vallée du fleuve Connecticut
et New Haven

Greater New Haven Convention & Visitors Bureau
169 Orange St.
New Haven, CT 06510
☎203-777-8550 ou 800-332-STAY
www.newhavencvb.org

Le comté de Fairfield et la vallée
de la Housatonic

Convention & Visitors Bureau
297 West Ave.
Gate Lodge at Mathews Park
Norwalk, CT 06850
☎203-853-7770 ou 800-866-7925
www.coastalct.com

**Northwest Connecticut Convention
& Visitors Bureau**
P.O. Box 968
Litchfield, CT 06759-0968
☎860-567-4506
www.litchfieldhills.com

Les collines de Litchfield et le centre
du Connecticut

**Northwest Connecticut Convention
& Visitors Bureau**
P.O. Box 968
Litchfield, CT 06759-0968
☎860-567-4506
www.litchfieldhills.com

**Waterbury Region Convention
and Visitors Bureau**
21 Church St.
Waterbury, CT 06702
☎203-597-9527 ou 888-588-7880
www.wrcvb.org

Attraits touristiques

Hartford et ses environs
★ ★

Ce circuit vous entraîne de la capitale de l'État vers la panoramique vallée de Farmington, tout juste à l'ouest de Hartford, puis vers la ville de Wethersfield, plus au sud. Au cours de ce périple à riche teneur historique, vous visiterez deux des trois premières villes du Connecticut. Votre exploration de Hartford et de ses environs vous comblera par la variété et la vitalité des attraits culturels qui s'y trouvent, surtout dans la capitale.

Hartford ★ ★ ★

Située à l'extrémité ultime de la portion navigable du fleuve Connecticut, Hartford est la «capitale mondiale de l'assurance», la capitale officielle de l'État du Connecticut et une ville que caractérise une vie artistique et nocturne des plus vivantes. Il s'agit d'un endroit où se conjuguent et se fondent harmonieusement aussi bien affaires et culture qu'histoire et modernité.

Après avoir d'abord connu une économie agricole, Hartford devint peu à peu une importante plaque tournante du commerce sur le fleuve Connecticut, et les bateaux

Mark Twain, écrivain américain

Premier grand écrivain de l'ouest des États-Unis et l'un des humoristes les plus acclamés au pays, Samuel Langhorne Clemens, dit Mark Twain, est né à Florida, Missouri, en 1835. C'est en 1863 qu'il utilisa pour la première fois le pseudonyme «Mark Twain», inspiré d'une formule employée par les membres d'équipage des vapeurs du fleuve Mississippi et signifiant plus ou moins *«tout va bien»*.

En 1865, un des récits de Twain, *Jim Smiley and His Jumping Frog*, se vit publié dans un journal de New York et créa une véritable sensation à l'échelle du pays. Puis, en 1867, parut son premier livre, soit un recueil de nouvelles intitulé *The Celebrated Jumping Frog of Calaveros County*. L'auteur, désormais populaire, épouse l'amour de sa vie, la New-Yorkaise Olivia Langdon, en 1870.

Twain, sa femme et leurs trois filles (leur seul et unique fils est mort très jeune) vivent ensuite à Hartford, Connecticut, de 1874 à 1891. Au cours de cette période incroyablement prolifique, Twain signe des classiques tels que *Les Aventures de Tom Sawyer*, *Les Aventures de Huckleberry Finn* et *Un Yankee du Connecticut à la Cour du roi Arthur*.

Bien que Samuel Langhorne Clemens ait connu de nombreuses tragédies au cours des dernières années de sa vie, son souvenir est celui d'un homme vif et charismatique, toujours prêt à raconter une histoire monstrueuse ou à faire une blague, et d'une verve à faire pâlir d'envie. Il est mort à Redding, Connecticut, en 1910.

qui mouillaient dans son port voguaient aussi bien vers l'Angleterre que vers les Antilles et l'Extrême-Orient. Les négociants avaient toutefois conscience des risques liés à ce commerce prospère, qu'il s'agisse des pirates, des incendies, des tempêtes ou des accidents susceptibles de nuire à leurs activités, et c'est lorsque certains d'entre eux commencèrent à se regrouper pour partager ces risques que naquit l'industrie de l'assurance. La plus vieille compagnie d'assurances des États-Unis, la Hartford Insurance Company, a d'ailleurs toujours pignon sur rue en ville. Divers industriels ont également choisi de s'établir dans cette ville prospère, notamment Samuel Colt, qui le premier a eu l'idée de pièces interchangeables, jetant ainsi les bases des méthodes de fabrication en chaîne que nous connaissons aujourd'hui.

Façonnée par les forces sociales et économiques qui ont stimulé la croissance industrielle aux États-Unis, Hartford n'a cessé de grandir et de prospérer au fil des vagues successives d'immigrants venus y travailler, y construire et y vivre. Il en a résulté une diversité ethnique et culturelle qui continue à ce jour de jouer un rôle de premier plan dans le développement de Hartford,

tant et si bien que des auteurs comme Mark Twain et Harriet Beecher Stowe y ont été attirés. Twain a même dit un jour: *De toutes les belles villes que j'ai eu la chance de voir, celle-ci fait figure de reine.*

Justement décrite comme *«à la fois maison à dentelle de bois, bateau à vapeur et coucou»*, la **Mark Twain House & Museum** ★★★ *(13$, comprend la visite guidée; lun-sam 9h30 à 17h30, dim 12h à 17h30, jan à avr fermé mar; 351 Farmington Ave., ☎860-247-0998, www. marktwainhouse.org)* est une véritable demeure de rêve. Si vous ne devez visiter qu'un seul musée dans le Connecticut, que ce soit celui-ci! C'est dans cette maison de Hartford que Samuel Clemens (alias Mark Twain) a vécu avec sa famille de 1874 à 1891 et écrit huit de ses œuvres maîtresses, entre autres *Les Aventures de Tom Sawyer* (1876) et *Les Aventures de Huckleberry Finn* (1885). La visite de la résidence est ponctuée d'anecdotes et de pointes d'humour à la Twain, et vous entendrez des histoires qui vous inciteront à en apprendre davantage sur cet homme excentrique et inspirant. Pour tout dire, plus vous découvrirez les étranges et fascinantes particularités de cette maison décorée par Tiffany et de la famille qui y a vécu, plus vous souhaiterez que la visite ne

Le Connecticut - Attraits touristiques - Hartford et ses environs

prenne jamais fin. Vous verrez la salle de billard où Clemens écrivait ainsi que son magnifique lit richement orné, entre autres objets de famille. En dire plus gâcherait votre plaisir, aussi nous contenterons-nous de citer Mark Twain lui-même sur cette attraction unique: *«Notre maison n'était pas que matière inerte; elle avait un cœur et une âme..., nous étions dans ses confidences et vivions dans ses bonnes grâces...»*

Après avoir visité la Mark Twain House, assurez-vous de faire une halte à la maison de la voisine et amie auteure du célèbre humoriste. Le **Harriet Beecher Stowe Center** ★★ *(8$; visites guidées; mar-dim 9h30 à 16h30, dim 12h à 16h30; 77 Forest St., ☎860-522-9258, www.harrietbeecherstowecenter.org)* est installé dans la dernière résidence de Beecher Stowe, dont l'ouvrage antiesclavagiste *La Case de l'oncle Tom*, pour le moins controversé à l'époque, en a fait un des écrivains du XIXᵉ siècle les plus en vue des États-Unis. Sa demeure est le fruit d'un des tout premiers exemples, et des plus réussis, de restauration victorienne à l'échelle du pays, soit un projet amorcé en 1968. Des tapis aux papiers peints, tout a été entièrement refait à partir de photos d'époque de manière à restituer aux lieux leur gloire d'antan dans les moindres détails. Certaines des peintures et des porcelaines réalisées par Stowe elle-même sont exposées au fil des pièces, de même que des collections provenant du monde entier. Vous aurez d'ailleurs la chance de visiter toutes les pièces et pourrez poser toutes les questions que vous voulez. Par ailleurs, à l'extérieur de la maison, les plates-bandes à perte de vue ont été recréées telles que Beecher Stowe les avait elle-même conçues, suivant un schéma atypique des jardins victoriens qui témoigne bien de son esprit individualiste.

Fondé en 1842, le **Wadsworth Atheneum Museum of Art** ★★★ *(10$; mer-ven 11h à 17h, sam-dim 10h à 17h; 600 Main St., ☎860-278-2670, www.wadsworthatheneum.org)* est un des musées d'art publics les plus vieux et les plus respectés des États-Unis. Son tout premier bâtiment, conçu dans le style néogothique, a ouvert ses portes en 1844, et sa collection, qui couvre plus de 5 000 ans d'histoire, comporte au-dessus de 45 000 œuvres d'art, bronzes et vestiges d'origine aussi bien égyptienne que grecque, romaine et afro-américaine. Certaines des peintures baroques et de la Renaissance qui y

sont exposées s'avèrent tout simplement fabuleuses. Outre sa collection permanente, ce musée présente aussi quelques expositions temporaires à caractère exceptionnel. Réservez un temps suffisant à cette visite pour en profiter pleinement.

Le **State Capitol and Legislative Office Building** ★★ *(entrée libre; lun-ven 9h15 à 14h15; 210 Capitol Ave., ☎860-240-0222, www.cga.ct.gov)* est absolument spectaculaire – il vous sera d'ailleurs impossible de le manquer compte tenu du dôme doré qui couronne la structure. Pour le visiter, il vous suffit de vous présenter à la réception, où des guides (reconnaissables à leur veste rouge) vous attendent. Mais vous pouvez également, si vous le préférez, demander une brochure qui vous permettra de visiter les lieux par vous-même, ainsi qu'une autre décrivant les statues qui ornent les quatre faces du bâtiment. L'extérieur est en soi renversant avec son dôme à feuille d'or, son marbre du Connecticut et son granit du Rhode Island. Et l'intérieur de ce monument gothique de la grande époque victorienne se révèle encore plus exquis avec ses marqueteries incrustées de marbre blanc et d'ardoise rouge du Connecticut, de même que de marbre coloré d'Italie. Prenez le temps de vous émerveiller devant la complexité des peintures au pochoir qui garnissent les murs, et d'aller vous placer sous la coupole pour regarder jusqu'en haut. Le fauteuil du lieutenant gouverneur, qui se trouve dans la salle du Sénat, a été construit à même le bois du fameux **Charter Oak**, et vous verrez dans la Chambre des représentants les pupitres en bois d'origine, en usage jusqu'à ce jour. Remarquez en outre au passage les charnières de porte des différentes salles du bâtiment: elles sont toutes frappées du sceau de l'État!

Au pied de la colline sur laquelle se dresse le capitole de l'État s'étend un vaste espace de verdure, le **Bushnell Park** ★ *(entrée libre; angle Trinity St. et Jewell St., ☎860-232-6710, www.bushnellpark.org)*, qui se trouve être le tout premier parc public des États-Unis. Dessiné en 1861 par l'architecte-paysagiste d'origine suisse Jacob Weidenmann, il s'agit là d'un arboretum unique en son genre dans la mesure où l'on y trouve quelque 750 arbres rares et indigènes, notamment des essences fort inusitées telles que le sophora du Japon, l'acajou de Chine et le ginkgo.

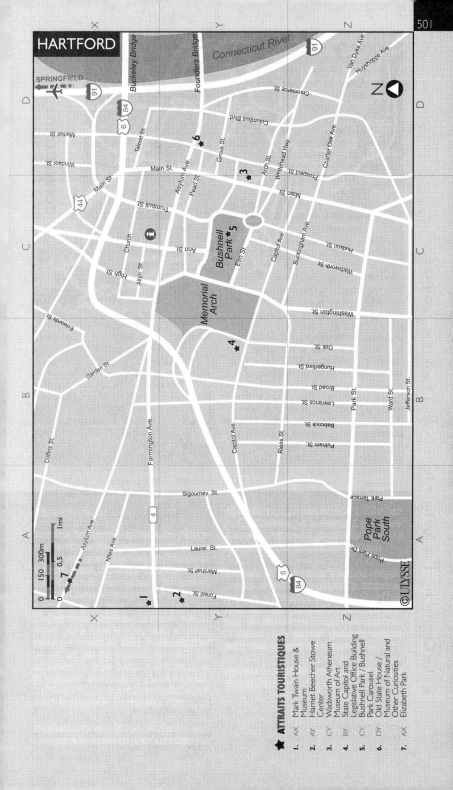

HARTFORD

SPRINGFIELD

Connecticut River

Pope Park South

★ **ATTRAITS TOURISTIQUES**

1. AX Mark Twain House & Museum
2. AY Harriet Beecher Stowe Center
3. CY Wadsworth Atheneum Museum of Art
4. BY State Capitol and Legislative Office Building
5. CY Bushnell Park / Bushnell Park Carousel
6. DY Old State House / Museum of Natural and Other Curiosities
7. AX Elizabeth Park

© ULYSSE

Le parc accueille par ailleurs le splendide **Bushnell Park Carousel ★★** *(1$/tour; début mai à mi-oct mar-dim 11h à 17h, fermé les jours de pluie;* ☎*860-585-5411)*. Logé à l'intérieur d'un pavillon à 24 faces, ce carrousel de 1914 compte 48 chevaux de bois sculptés à la main et deux chariots. Il s'agit d'un des trois seuls manèges encore existants de Stein & Goldstein, dont les chevaux hauts en couleur sont caractérisés par de grandes dents, des yeux protubérants, une robe tachetée d'énormes roses et une queue en crin véritable.

L'**Old State House ★★** *(entrée libre; mar-ven 11h à 15h, sam 10h à 15h; 800 Main St.,* ☎*860-522-6766, www.ctosh.org)*, le plus vieux palais législatif des États-Unis, dévoile certains aspects intéressants de l'histoire du Connecticut. Inauguré en 1796, il a d'abord servi de capitole jusqu'en 1878, puis d'hôtel de ville jusqu'en 1915. Des guides en costumes d'époque vous attendent au rez-de-chaussée, tandis que des acteurs jouant le rôle de différents personnages historiques prennent position en divers points de l'édifice. Voyez la fameuse salle du Sénat, où a débuté le procès des rebelles de *La Amistad* en 1839, de même que la Chambre des représentants, où la loi accordant le droit de vote aux Afro-Américains a été adoptée. Mais la meilleure partie de la visite, et de loin, tient au **Museum of Natural and Other Curiosities**, où sont exposés des objets à la fois variés et étranges, tels qu'un (authentique!) cochon-veau à deux têtes, une corne de licorne et d'autres curiosités – papillons, coquillages et ossements –, dont certains peuvent être manipulés par les enfants.

L'**Elizabeth Park ★** *(entrée libre; tlj de l'aube au crépuscule, serres lun-ven 8h à 15h; angle Prospect Ave. et Asylum Ave., aux limites de Hartford et de West Hartford; prenez la sortie 44 de l'I-84 et dirigez-vous vers le nord;* ☎*860-231-9443, www.elizabethpark.org)*, un parc inscrit au registre national des lieux historiques et connu du monde entier, abrite un jardin de roses de 1 ha réunissant 800 variétés différentes pour un total d'environ 15 000 rosiers. Les doux et invitants parfums qui en émanent atteindront vos narines avant même que vous ne sortiez de votre voiture. Quant aux serres centenaires du parc, elles renferment une collection de plantes tropicales.

Trois choix s'offrent à vous pour atteindre la vallée de Farmington depuis la capitale. Pour vous rendre à Farmington, empruntez l'Interstate 84 en direction sud-ouest jusqu'à la route 4, que vous suivrez jusqu'à la ville. Pour vous rendre à Avon, prenez directement la route 44 vers l'ouest jusqu'à la ville. Pour vous rendre à Simsbury, prenez la route 44 vers l'ouest jusqu'à la route 202, que vous suivrez en direction nord pour atteindre la ville.

La vallée de Farmington ★

La région dite de la vallée de Farmington (qui comprend **Simsbury**, **Avon** et **Farmington**) permet de prendre un répit de la capitale sans trop s'en éloigner. Bien qu'il s'agisse d'abord et avant tout d'une région où il fait bon loger, on y trouve également quelques attraits dignes de mention (maisons historiques et autres) et, entre tous, un excellent et fascinant musée.

Pour vivre une expérience absolument unique à la limite de l'insolite, offrez-vous le délice d'une visite au **Hill-Stead Museum ★★** *(9$; mai à oct mar-dim 10h à 17h, nov à avr mar-dim 11h à 16h; 35 Mountain Rd., par la route 10, Farmington,* ☎*860-677-4787, www.hillstead.org)*. Ce manoir néocolonial de 1901 inscrit au registre national des monuments historiques trône sur une propriété boisée de 62 ha, et c'est à l'une des toutes premières femmes officiellement reçues architectes, Theodate Pope, que l'on doit sa conception. Il s'agit là d'une résidence dessinée pour ses parents, et préservée en l'état suivant son désir, où vous pourrez admirer une collection de tableaux impressionnistes réunie grâce à la passion de ses occupants originels. Il est d'ailleurs pour le moins sidérant de voir des Monet (deux de ses *Meules*), des Degas (dont *Danseuses roses*), des Manet et des Cassatt dans une maison privée! Comme si ce n'était pas assez, le manoir renferme aussi des collections d'objets anciens d'origine grecque et chinoise (dynastie Ming). Quant au jardin encaissé qui s'étend à l'extérieur, on y présente des lectures de poésie au cours de la saison estivale, sans oublier les sentiers pédestres qui parcourent la propriété.

Pour atteindre Wethersfield, reprenez l'Interstate 84 jusqu'à l'Interstate 91, que vous emprunterez en direction sud jusqu'à la sortie de la ville.

Wethersfield ★

Nichée au détour d'un coude accentué du fleuve Connecticut, Wethersfield est l'une des trois villes fondatrices du Connecticut (les deux autres étant Hartford et Windsor).

Le principal attrait de Wethersfield aux yeux des touristes tient à son histoire. Le **Historic Village of Old Wethersfield ★ ★** s'impose en effet comme le plus grand quartier historique du Connecticut, et il regorge de maisons coloniales dont beaucoup arborent des plaques commémoratives mentionnant la date de leur construction et le nom de leur premier propriétaire. Arrêtez-vous au **Wethersfield Visitor's Center** *(200 Main St., angle Keeney Memorial,* ☎*860-529-7161)* pour obtenir tous les renseignements voulus ainsi que des brochures descriptives. Pour visiter certaines des vieilles demeures de Wethersfield, adressez-vous simplement à la **Historical Society** *(*☎*860-529-7656, www.wethhist.org)*; garnies de meubles d'époque, ces maisons (notamment le **Webb-Deane Stevens Museum** et la **Hurlbut-Dunham House**) vous donneront l'occasion d'explorer le passé coloré de la ville.

La route 169 et le Sud-Est
★

Ce circuit couvre tout l'est du Connecticut en vous faisant emprunter la Scenic Byway (route 169) à travers le nord-est de l'État jusqu'au littoral et à la région on ne peut plus touristique de Mystic. Vous passerez ainsi des communautés ultra-rurales et presque complètement isolées qui bordent la route 169 aux villages du détroit de Long Island, retapés et parfois entièrement remodelés à l'intention des hordes de visiteurs y affluant toute l'année.

Le «Quiet Corner» (le coin tranquille) est à juste titre l'incarnation même de la vie rustique et de l'isolement serein. Le principal attrait en est sans doute la **Scenic Byway** (**route 169**) en soi et ses paysages d'étroites routes en lacets entourées de champs à perte de vue et de vieilles maisons au-dessus desquelles flotte fièrement la bannière étoilée. Vous pouvez d'ailleurs très bien y loger pour profiter de la paix qu'offrent ses collines ondulantes tout en demeurant à courte distance de la côte.

Windham/Willimantic

Le canton de Windham englobe la ville de Willimantic, surnommée *Thread City* du fait que toute l'histoire de la région est dominée par l'industrie du fil et du textile. Il faut d'ailleurs jeter un coup d'œil sur les **usines textiles** du centre-ville, qui ont subi d'importants et remarquables travaux de réfection destinés à préserver leur important statut dans l'histoire de la ville. À leurs heures de gloire, beaucoup d'immigrants européens (surtout des Irlandais) sont venus y travailler, conjointement à un nombre important de Canadiens français. C'est également ici que se trouve l'**Eastern Connecticut State University**, et ne manquez surtout pas d'admirer le pont du centre-ville, flanqué d'une énorme bobine de fil!

Apprenez-en davantage sur la trame même du passé de cette région au **Windham Textile and History Museum** *(5$; ven-sam 13h à 16h; 157 Union St., angle Main St., Willimantic,* ☎*860-456-2178, www.millmuseum.org)*, aménagé dans le magasin, la bibliothèque et l'entrepôt d'une usine textile au cœur même du nouveau complexe des Windham Mills.

De Windham/Willimantic, prenez la route 14 en direction est jusqu'à la route 169, que vous suivrez jusqu'à Canterbury.

Canterbury

Le **Prudence Crandall Museum ★** *(3$; mer-dim 10h à 16h30; à la jonction des routes 14 et 169,* ☎*860-546-9916)* a jadis abrité la première académie pour femmes afro-américaines de la Nouvelle-Angleterre, dirigée par nulle autre que Prudence Crandall, véritable héroïne de l'État du Connecticut. Classé monument historique national, ce musée renferme des salles d'époque, des expositions temporaires et une bibliothèque. Il s'agit là d'un arrêt important si vous souhaitez approfondir l'héritage afro-américain de la Nouvelle-Angleterre.

Plus au nord, toujours sur la route 169, se succèdent les villages de Pomfret et Woodstock, tandis que Putnam se trouve un peu plus à l'est, sur la route 44, au sud de Woodstock. Ces trois localités recèlent quelques bons endroits où se loger, manger et faire des achats.

Le **Sud-Est** ★★ de l'État, extrêmement prisé des touristes du monde entier, est on ne peut plus panoramique, et le littoral du détroit de Long Island vous assure de fraîches brises marines, de somptueux couchers de soleil et de journées relaxantes à souhait, sans compter les merveilleux attraits culturels et historiques du coin.

Norwich ★

Avec son port au confluent des rivières Thames, Shetucket et Yantic, Norwich a été affectueusement surnommée «la rose de la Nouvelle-Angleterre», et ce, depuis le XIXe siècle, à l'époque où les collines de son centre-ville faisaient penser à des pétales de rose. Norwich est en outre réputée pour être la patrie de Benedict Arnold, l'infâme traître et brillant stratège de la guerre de l'Indépendance américaine.

À vous de vous balader dans **Chelsea**, le quartier du centre-ville, pour découvrir des bâtiments soigneusement préservés correspondant à plusieurs périodes de l'histoire des États-Unis, qu'il s'agisse de la guerre de l'Indépendance américaine, de l'époque qui a précédé la guerre de Sécession ou de l'ère victorienne.

L'attrait le plus mémorable et le plus frappant de Norwich (et peut-être même le plus intéressant de l'État tout entier) est le **Slater Memorial Museum** ★★★ *(3$; mer-ven 9h à 16h, sam-dim 13h à 16h; 108 Crescent St., sur le campus de la Norwich Free Academy, ☎860-887-2506, www.norwichfreeacademy. com/museum)*. Ce musée loge dans un splendide bâtiment néoroman dessiné par l'architecte américain Stephen Earle et orné de vitraux, de mosaïques en marbre ainsi que de sculptures complexes en bois de chêne et de châtaigne. L'intérieur est d'ailleurs lui-même tout aussi époustouflant, et ses vastes galeries bien aérées regorgent de lumière naturelle et semblent presque auréolées. L'effet produit par l'ensemble vous incitera à prendre le temps nécessaire pour en contempler tous les trésors, soit des reproductions moulées d'anciennes sculptures de la Grèce et de la Rome antiques ainsi que de la Renaissance. Le musée accueille aussi des expositions temporaires.

Pour atteindre North Stonington depuis Norwich, empruntez la route 2 en direction sud-est. Vous

rejoindrez ensuite Stonington en prenant vers l'ouest la route 1.

Stonington ★

Fondée au milieu du XVIIe siècle par des colons de Plymouth, sur les rives mêmes du détroit de Long Island, Stonington est une petite ville pittoresque qu'agrémentent le frais parfum de l'air marin et les cris des mouettes qui voltigent au-dessus de l'eau. S'y sont développés de prospères chantiers navals de même qu'une vigoureuse industrie de pêche à la baleine, quoique la ville ait aussi essuyé de violentes attaques par voie de mer aux mains des Britanniques à l'époque de la guerre de l'Indépendance américaine et de la guerre américano-britannique de 1812.

L'**Old Lighthouse Museum** ★ *(5$; mai à oct tlj 10h à 17h; 7 Water St., ☎860-535-1440)* a été créé dans le premier phare gouvernemental du Connecticut (1823), déplacé à l'endroit où il se trouve actuellement en 1840. Il se compose de six salles d'exposition consacrées au passé de Stonington, et vous pourrez aussi bien y admirer des vestiges maritimes que des objets relatifs à la pêche à la baleine, des jouets anciens et des souvenirs d'Orient rapportés par des capitaines de la marine marchande. Sans doute la pièce la plus intéressante est-elle cette immense maison de poupée à l'ancienne, «habitée depuis environ 1880» et admirablement décorée avec force détails (véritables papiers peints, batterie de cuisine, etc.). Terminez votre visite en gravissant le vieil escalier en pierres qui mène au sommet du phare pour profiter d'une vue splendide sur le détroit.

Pour atteindre Mystic, continuez simplement vers l'ouest par la route 1.

Mystic ★★

La région de Mystic fascine autant par son histoire que par sa beauté. Longtemps habitée par les Amérindiens de la nation Pequot, elle vit naître entre ces derniers et les colons récemment débarqués de graves conflits qui donnèrent lieu à un massacre sanglant au XVIIe siècle. Au cours d'une guerre brève mais brutale, livrée avec l'aide des Mohegans et des Narragansets, le principal bastion pequot de Mystic fut en effet l'objet d'une attaque-surprise qui

1. Une scène automnale dans les environs du charmant petit village de Peacham, au Vermont. (page 446)
   © Chee-onn Leong | Dreamstime.com

2. Le superbe pont couvert de West Arlington (1852), l'un des sites les plus photographiés du Vermont. (page 452)
   © iStockphoto.com / Graham Prentice

3. Long de 200 km et d'une superficie de près de 1 140 km^2, le lac Champlain compte parmi les plus grands lacs des États-Unis et serait, selon la légende, la demeure d'un monstre aquatique surnommé «Champ». (page 432)
   © iStockphoto.com / Jan Tyler

4. La State House du Vermont, avec son dôme recouvert de feuilles d'or surmonté d'une version art populaire de Cérès, la déesse de l'Agriculture. (page 441)
   © Sarah Mchattie | Dreamstime.com

1.   La capitale du Rhode Island, Providence, possède une riche histoire maritime et architecturale, laquelle s'allie à une vie culturelle trépidante. (page 549)
Douglas Hockman | Dreamstime.com"

2.   Malgré son statut plutôt terne de «capitale mondiale de l'assurance», Hartford profite d'une vie artistique des plus vivantes et est un endroit où se conjuguent aussi bien affaires et culture qu'histoire et modernité. (page 498)
© Laura Stone | Dreamstime.com

3.   Le spectaculaire monument gothique qu'est le State Capitol du Connecticut. (page 500)
© iStockphoto.com / Dean Bergmann

4.   La cour intérieure de l'un des collèges résidentiels du campus de la prestigieuse Yale University, à New Haven. (page 510)
© iStockphoto.com / Jyeshern Cheng

mit à feu et à sang les lieux, si bien que les 500 ou 600 personnes qui y vivaient ont toutes été brûlées vives ou massacrées. Après cette défaite, certains Pequots choisirent de se regrouper en petites bandes et de quitter la région, mais beaucoup de ces fuyards furent tués ou capturés par d'autres tribus amérindiennes ou par les Britanniques, et beaucoup d'autres furent vendus comme esclaves en Nouvelle-Angleterre ou dans les Antilles, tandis que les Mohegans prenaient le contrôle des terres ancestrales de cette nation décimée. Quant à ceux qui s'étaient rendus, ils furent dispersés parmi d'autres tribus, mais les traitements qu'on leur infligea par la suite étaient si cruels qu'en 1655 ils furent placés sous le contrôle direct du gouvernement colonial et relogés sur la rivière Mystic. Leur nombre diminua toutefois rapidement, et, à la fin du XXe siècle, on ne comptait plus qu'environ 200 survivants de la tribu.

Délicieuse petite ville aux airs de vacances, Mystic possède un trait remarquable qui la distingue entre toutes: le **Mystic River Bascule Bridge** (pont à bascule). Pour tout dire, la vie même de la localité gravite autour de cette structure colossale, dans la mesure où les voitures doivent périodiquement s'y arrêter et attendre qu'on l'abaisse de nouveau. Les citoyens de Mystic planifient d'ailleurs leurs déplacements et leurs journées en fonction des horaires d'ouverture du pont! Quoi qu'il en soit, il s'agit d'un ouvrage pour le moins impressionnant, et le fonctionnement de son mécanisme semble presque irréel.

Un des endroits les plus courus de la région est le **Mystic Aquarium & Institute for Exploration** ★ *(19,75$; tlj 9h à 18h; 55 Coogan Blvd., sortie 90 de l'I-95,* ☎*860-572-5955, www.mysticaquarium.org)*, qui héberge plus de 4 500 créatures marines au fil de 40 vitrines d'exposition. Vous y verrez de tout, notamment des méduses et des poissons tropicaux aux couleurs vives, mais aussi des requins et des phoques. Dans l'ensemble, il s'agit là d'une façon divertissante d'en apprendre davantage sur la vie marine pendant vos vacances sur la côte.

Sans contredit unique en son genre à la grandeur de l'État, l'**Olde Mistick Village** ★ *(entrée libre; Coogan Blvd., angle route 27, sortie 90 de l'I-95; pour le calendrier des événements, composez le* ☎*860-536-4941, www. oldemistickvillage.com)* représente un village

du XVIIIe siècle fabriqué de toutes pièces à l'intérieur duquel vous trouverez un vaste assortiment de boutiques alléchantes. Bien qu'il s'agisse d'abord et avant tout d'une destination commerciale (voir p 541), ce village demeure un endroit intéressant à visiter, ne serait-ce que du fait de son unicité.

Que diriez-vous d'un voyage dans le temps au gré des brises marines? Si l'idée vous sourit, rendez-vous au **Mystic Seaport** ★ ★ *(17,50$; tlj 9h à 17h; 75 Greenmanville Ave., route 27,* ☎*860-572-5315 ou 888-9SEAPORT, www. mysticseaport.org)*, un port de mer campé sur les bords invitants du détroit de Long Island, qui présente des eaux calmes émaillées de bateaux à voiles. Il s'agit en fait d'un village des années 1850 entièrement reconstitué où s'alignent des bâtiments historiques disposés de façon à recréer une bourgade maritime de l'époque. Étant donné que les lieux sont relativement vastes, vous feriez bien de prévoir une journée entière pour parcourir l'ensemble des mini-musées qui s'y trouvent, aménagés dans diverses structures telles qu'une forge, un chantier naval (où vous pourrez observer la construction d'un bateau), une horlogerie, une imprimerie, un poste de sauvetage et même une taverne (où vous pourrez en profiter pour prendre une bière anglaise ou un bol de cidre). Tous les bâtiments sont soigneusement entretenus et admirablement peints. Qui plus est, le village est peuplé d'acteurs en costumes d'époque qui jouent différents personnages (leur préparation les amène même à lire les journaux intimes d'habitants de Mystic au XIXe siècle!).

Nous vous proposons de faire un crochet par la réserve pequot de Mashantucket, au nord de Mystic. Pour vous y rendre, prenez la route 27 en direction nord jusqu'à la route 184, que vous emprunterez vers l'est jusqu'à la route 2; en suivant celle-ci vers le nord, vous atteindrez directement la réserve. Une autre option consiste à reprendre l'Interstate 95 ou la route 1 vers l'est jusqu'à la route 2.

Mashantucket Pequot Reservation

Lorsque vous aurez mis les pieds au **Mashantucket Pequot Museum and Research Center** ★ ★ ★ *(15$; mer-lun 10h à 16h, on ne laisse plus entrer personne après 15h; 110 Pequot Trail,* ☎*800-411-9671, www.pequotmuseum.org)*, vous ne voudrez plus en repartir. À l'instar du Foxwoods Casino (également exploité par les Pequots), ce musée semble perdu au beau milieu de nulle part. Mais quelle agréable surprise que de le trouver au cœur d'une vaste région sauvage! D'autant plus qu'après l'avoir visité vous aurez du mal à comprendre comment qui que ce soit pourrait lui préférer le casino. Le musée vous réserve en effet une expérience comparable à nulle autre, avec ses nombreuses vitrines d'exposition interactives sur l'histoire et la communauté pequot de Mashantucket, sans oublier d'inestimables données sur tous les autres peuples amérindiens du pays.

En entrant dans le musée, vous vous retrouverez aux origines mêmes de l'expérience amérindienne en terre d'Amérique, alors que vous devrez longer une crevasse de glacier reconstituée (et il y fait froid!). Et vous n'avez encore rien vu. L'ensemble vous conquerra d'emblée avec ses personnages, animaux et dioramas grandeur nature, et si réels que c'en est presque épeurant. La pièce maîtresse des lieux est un fabuleux village pequot du XVIe siècle entièrement reconstitué où vous pourrez vous promener à votre aise, et où tout est parfaitement conforme jusque dans les moindres détails. Grâce à un audioguide, vous pourrez même entendre de la bouche des personnages en présence, et ce, à chaque station, des récits concernant divers aspects de la vie quotidienne, les traditions et les rituels pequots. Et ne manquez surtout pas le puissant film *Witness* sur le massacre de Mystic, car il est très touchant et instructif. À l'extérieur du musée, vous pourrez vous promener dans un jardin consacré aux plantes médicinales jadis utilisées par les Pequots, et individuellement identifiées pour votre gouverne. Au terme de la visite, vous traverserez une salle garnie de photos des membres actuels de la communauté qu'accompagnent des bandes sonores racontant leur histoire à chacun. Vous remarquerez sans doute que chacun de ces individus semble afficher les traits de plusieurs ethnies, ce qui témoigne bien du fait que les Pequots de Mashantucket ont été à ce point dispersés qu'ils trahissent aujourd'hui des origines multiples. Finalement, vu du haut (notamment du sommet de la tour d'observation), le bâtiment même qui abrite le musée est manifestement conçu de manière à représenter la disposition des soldats et des Pequots lors du massacre de Mystic.

Pour vous rendre de Mystic à Groton, vous n'aurez à franchir qu'une courte distance vers l'ouest sur l'Interstate 95, parallèle (au nord) à la route 1 et à la côte.

Groton

Située sur la rive est du Thames, en face de New London, Groton est le berceau du premier sous-marin à moteur diesel (1912) et du premier sous-marin à propulsion nucléaire, le *Nautilus* (1955). Quant à la base de sous-marins de la Marine américaine de New London, elle se trouve au nord de la ville.

Le **Fort Griswold Battlefield State Park** ★ *(entrée libre; toute l'année; angle Monument St. et Park Ave., sortie 87 de l'I-95, ☎860-444-7591 ou 860-449-6877)* a été créé autour des ruines d'un fort de la Révolution américaine où les Britanniques ont massacré un détachement de l'armée américaine en 1781. La vue sur le littoral y est splendide.

Même si vous n'avez pas la chance d'apercevoir un des intimidants monstres métalliques qui fendent les eaux du détroit, vous pouvez toujours explorer les entrailles d'un sous-marin au **Historic Ship Nautilus & Submarine Force Museum** ★★ *(entrée libre; mi-mai à fin oct mer-lun 9h à 17h, mar 13h à 17h, début nov à mi-mai mer-lun 9h à 16h; 1 Crystal Lake Rd., U.S. Sub Base, ☎860-694-3174 ou 800-343-0079, www.ussnautilus.org)*. Ce musée géré et financé par la Marine renferme de nombreuses vitrines d'exposition consacrées à l'histoire des sous-marins américains et de leurs équipages. Vous y verrez des objets historiques de même que des photographies, des présentations audiovisuelles et des films d'archives, mais aussi le tout premier «sous-marin» jamais construit, soit un étrange véhicule baptisé *American Turtle* et inventé en 1776. Le clou de la visite tient sans conteste à l'exploration du *U.S.S. Nautilus*, le premier sous-marin à propulsion nucléaire du monde, entièrement réaménagé à l'intention des visiteurs. Sachez toutefois que l'expérience risque de vous donner quelques frissons, et que les personnes souffrant de claustrophobie feraient sans doute mieux de s'abstenir.

Pour vous rendre à New London, continuez vers l'ouest par l'Interstate 95.

New London ★ ★

New London accueille une communauté artistique et une dynamique (quoique modeste) population gay. La culture s'y porte fort bien, la vie nocturne y est trépidante et le front de mer, invitant à souhait avec sa jetée municipale, le **City Pier**.

Le **Connecticut College et son Arboretum** ★ ★ *(entrée libre; 270 Mohegan Ave., ☎860-439-5020)*. L'université se trouve en fait dans l'arboretum, qui sert de salle de cours extérieure aux étudiants en conservation de cette institution réputée pour son programme d'arts libéraux. L'arboretum en question, créé en 1931 sur un terrain d'à peine 24 ha, couvre aujourd'hui plus de 300 ha sur les berges de la rivière Thames, et l'ensemble comprend le campus paysagé de l'université ainsi que les collections de plantes et des zones laissées à l'état naturel. La visite de la propriété, qui se fait à l'aide d'une brochure et d'un plan qu'on vous remettra à l'entrée, se veut autant rafraîchissante qu'instructive, et vous aurez ici l'occasion de découvrir différents habitats abritant une multitude d'espèces végétales fascinantes – aussi bien des plantes que des arbres – dans leur environnement naturel (ou simulé).

Le **Lyman Allyn Art Museum** ★ ★ ★ *(5$; mar-sam 10h à 17h, dim 13h à 17h; 625 Williams St., ☎860-443-2545, www.lymanallyn.org)* est un superbe musée installé à l'intérieur d'un imposant bâtiment d'architecture néogrecque. Les visites en sont extrêmement animées et dirigées par des guides compétents qui nourrissent une passion évidente pour les arts. Les différentes galeries du musée juxtaposent de brillantes expositions temporaires d'art contemporain (fascinantes et parfois même très osées) et une collection d'œuvres des XVIIIᵉ et XIXᵉ siècles regroupant de nombreuses toiles impressionnistes et marines d'artistes du Connecticut. Une section est en outre consacrée aux arts décoratifs de la région (notamment au mobilier du XVIIIᵉ siècle), tandis qu'une autre présente une collection de modèles réduits de bateaux fort élaborés.

Ceux qui portent un intérêt particulier à l'histoire de la Nouvelle-Angleterre devraient faire un saut à la **Joshua Hempsted House** et à la **Nathaniel Hempsted House** ★ *(4$; au croisement des rues Hepstead, Jay et Truman, ☎860-443-7949)*, à savoir deux maisons historiques transformées en musées. La première s'impose comme l'une des plus vieilles demeures de la Nouvelle-Angleterre (on la dit dater de 1678), tandis que la seconde est une rare construction en pierres locales de 1759 dans le style des anciennes maisons huguenotes.

Le **Monte Cristo Cottage** ★ ★ *(7$; fin mai à début sept jeu-sam 12h à 16h, dim 13h à 15h, reste de l'année sur rendez-vous; 325 Pequot Ave., ☎860-443-5378)* est la maison d'enfance du dramaturge et Prix Nobel Eugene O'Neill, qui a signé des bijoux de pièces d'une grande force telles que *Long Day's Journey into Night* et *Ah Wilderness*. Classée monument historique national, la demeure est restée dans le même état que lorsque les O'Neill y vivaient. On l'a baptisée ainsi en mémoire du fameux rôle du comte de Monte Cristo joué au théâtre par le père d'Eugene, James O'Neill, et ses murs ont vu se dénouer le drame de cette famille, notamment dû à une consommation prolongée de morphine par la mère d'Eugene. Vous verrez le salon qui a inspiré l'écriture et la mise en scène de *Long Day's Journey into Night*, qui se déroule tout entière dans une seule et même pièce, de même que de nombreuses reliques et photos. Les responsables des lieux sont des spécialistes de O'Neill, et ils ne demandent pas mieux que de partager des anecdotes avec les visiteurs. O'Neill n'a jamais écrit sur aucune autre des maisons qu'il a habitées, et ce, bien qu'il n'y soit ni né ni mort (de fait, ses derniers mots ont été: *Né dans un hôtel et mort dans un hôtel, bon sang!*).

Tout juste à l'est de New London sur l'Interstate 95 se trouve le pittoresque village d'Old Lyme, qui abrite un merveilleux musée et une sympathique auberge (voir p 525).

Old Lyme

Le **Florence Griswold Museum** ★ ★ *(8$; mar-sam 10h à 17h, dim 13h à 17h; 96 Lyme St., sortie 70 de l'I-95, ☎860-434-5542, www.flogris.org)* fait figure d'incontournable aux yeux des mordus d'art (et surtout d'impressionnisme). Classé monument historique national, ce musée englobe la Griswold House de 1817 et la propriété de 4,5 ha qui l'entoure sur les berges de la rivière Lieutenant. Vous y trouverez la Lyme Art Colony, soit le centre voué à l'étude de l'impressionnisme le plus connu des États-Unis. Florence

Griswold a elle-même ouvert cette maison en 1899 pour qu'elle serve de lieu de rencontre et de résidence à différents artistes américains, et, bien que les premiers peintres à s'y installer et à y travailler n'aient pas été des impressionnistes, le passage des ans en a fait un endroit reconnu comme un haut lieu de l'impressionnisme.

La vallée du fleuve Connecticut et New Haven
★ ★

Ce circuit permet d'explorer la région qui s'étend de la vallée du fleuve Connecticut au vigoureux centre de culture qu'est New Haven, siège de la prestigieuse université Yale. Nous remonterons d'abord le magnifique fleuve Connecticut, visiterons en cours de route de nombreuses petites villes riveraines plus charmantes les unes que les autres, et longerons finalement le détroit de Long Island en direction est jusqu'à New Haven.

Old Saybrook ★

Fort Saybrook compte parmi les plus anciens établissements de l'État, et en a été la toute première place forte à vocation militaire. D'abord connue sous le nom de Pashbeshauke («le lieu situé à l'embouchure de la grande rivière»), Old Saybrook a réussi à préserver son charme de village du Vieux Continent. De nombreuses maisons historiques bordent sa jolie Main Street, qui débouche sur la **Saybrook Point** et la mer. Vous y trouverez deux **phares**, dont l'un marque l'extrémité sud du fleuve Connecticut.

Pour vous rendre à Essex/Ivoryton depuis Old Saybrook, empruntez l'Interstate 95 en direction est jusqu'à la route 9, que vous suivrez vers le nord jusqu'à la sortie de ces deux villes.

Essex ★ ★

Essex s'explore on ne peut mieux à pied et a même été élue la «plus belle petite ville d'Amérique», une distinction que vous estimerez bien méritée en parcourant ses rues pittoresques et en admirant les eaux scintillantes de sa petite baie. Un charmant village commercial aménagé dans le cen-

tre-ville d'Essex fait en outre bon usage des ravissants bâtiments anciens de cette localité.

Installé à l'intérieur d'un hangar de bateau à vapeur de 1878 inscrit au registre national des monuments historiques, le **Connecticut River Museum** ★ ★ *(7$; mar-dim 10h à 17h; 67 Main St., ☎860-767-8269, www. ctrivermuseum.org)* se trouve tout juste au bord du fleuve, à seulement 5 mi (8 km) de son embouchure. Il abrite une collection permanente et des expositions temporaires qui mettent en valeur l'histoire maritime, économique et culturelle de la région de la vallée fluviale entre le Canada et le détroit de Long Island. L'étage supérieur du musée accueille sa collection permanente, notamment composée d'objets en ivoire (pièces de jeu d'échecs, dés, défenses, etc.) et de portraits de familles autrefois influentes de la région, tandis que l'étage inférieur est réservé à diverses expositions temporaires. Vous pourrez également admirer, dans une galerie distincte, une réplique grandeur nature et fonctionnelle de l'***American Turtle*** de David Bushnell (voir p 506), le tout premier sous-marin jamais construit.

L'**Essex Steam Train & Riverboat Ride** ★ ★ *(26$; début mai à mi-juin sam-dim, mi-juin à début sept tlj, début sept à début oct ven-dim, début oct à fin oct mer-dim; départs à 11h, 12h30, 14h et 15h30; Valley Railroad Company, 1 Railroad Ave., ☎860-767-0103, www.essexsteamtrain. com)* est l'occasion d'une expérience fascinante et vraiment unique en son genre qui réjouira à n'en point douter les familles, les mordus d'histoire et les romantiques. La première partie de l'excursion proposée se fait à bord d'un vieux train à vapeur (départ à la gare d'Essex, inscrite au registre national des lieux historiques), parcourt les paysages idylliques de la vallée du fleuve Connecticut et met l'accent sur l'histoire, le folklore, la faune et la flore de la région. Puis, à Deep River Landing, vous quitterez le train pour une croisière en bateau sur le fleuve Connecticut. Il est même possible de prendre un repas complet au cours de la première partie du voyage, pour peu que vous preniez le **Dinner Train** *(65$; réservations fortement recommandées, ☎860-767-0103 ou 800-377-3987).*

Au départ d'Essex, vous atteindrez Chester en reprenant la route 9 en direction nord.

Chester ★

Blottie dans la vallée inférieure du fleuve Connecticut, à seulement 15 mi (24 km) du détroit de Long Island, Chester est une autre localité à visiter à pied, sa pittoresque Main Street étant bordée de vieux bâtiments attrayants à l'intérieur desquels ont emménagé de magnifiques boutiques.

Le **Chester-Hadlyme Ferry ★** *(3$/voiture et conducteur, 1$/passager; début avr à fin nov lun-ven 7h à 18h45, sam-dim 10h30 à 17h; route 148, ☎860-443-3856)* a vu le jour comme entreprise privée en 1769 et compte parmi les plus vieux traversiers en service continu aux États-Unis. Il traverse le fleuve Connecticut en provenance et à destination du **Gillette Castle State Park** (voir p 519) et se veut l'occasion d'une balade extrêmement panoramique, d'autant plus qu'il offre une vue superbe sur le Gillette Castle, perché au sommet d'un promontoire – vous aurez presque l'impression d'avoir été transporté en Écosse!

Pour atteindre East Haddam depuis Chester, continuez vers le nord par la route 9 jusqu'à la route 82, que vous prendrez vers l'est pour traverser le fleuve et entrer dans la ville à proprement parler.

East Haddam ★

Les terres appelées à accueillir la localité d'East Haddam faisaient partie d'un lot troqué en 1662 aux Autochtones de la région contre 30 fourrures (c'est-à-dire environ la somme ridicule de 100$)! Un service de traversier sur le fleuve Connecticut a été offert dès 1695, pour se voir remplacé par un pont tournant en 1913.

Issu de l'imagination fertile de l'acteur, dramaturge et producteur primesautier qu'était William Gillette, celui-là même qui a donné vie sur scène au fameux Sherlock Holmes, le fabuleux **Gillette Castle ★ ★** *(5$; tlj 10h à 16h30; 67 River Rd., ☎860-526-2336)* est à ne pas manquer dans cette région. Ce joyau architectural pour le moins excentrique est situé dans le parc d'État du même nom. Gillette a même fait construire un petit chemin de fer pour permettre à ses amis de mieux apprécier sa propriété et les abords de son château, d'où l'on a d'ailleurs une vue à couper le souffle sur le fleuve.

Érigée en 1876 par le magnat du commerce maritime William Goodspeed, la victorienne **Goodspeed Opera House ★ ★** *(5$; juin à oct sam 11h à 13h30; 6 Main St., ☎860-873-8668, www.goodspeed.org)* s'impose comme une salle d'une élégance peu commune. Sa grandiose façade blanche ne peut d'ailleurs que vous inciter à franchir son seuil... À l'intérieur, vous découvrirez un théâtre d'un grand chic, mais pourtant très intime et victorien à souhait – on a même reproduit son papier peint d'origine pour ne pas trahir son apparence de jadis. La visite est très complète et vous entraîne aussi bien dans les couloirs tapissés d'affiches que dans l'atelier de costumes et les loges, sans oublier la Victorian Green Room réservée aux membres, entièrement tendue de vert et d'or, et pourvue en son centre d'une intéressante causeuse.

Pour vous rendre à Middletown, reprenez la route 9 en direction nord.

Middletown ★

Middletown occupe le site de l'ancien village amérindien de Mattabesec et a jadis été l'un des grands ports maritimes au centre du commerce triangulaire rhum-esclaves-mélasse avec l'Afrique et les Antilles. Elle est aujourd'hui le siège de la **Wesleyan University** *(www.wesleyan.edu)*, et sa large Main Street, fréquentée par une foule bigarrée, est flanquée de restaurants intéressants.

Kidcity Children's Museum ★ ★ *(7$; dim-mar 11h à 17h, mer-sam 9h à 17h; 119 Washington St., ☎860-347-0495, www.kidcitymuseum.com)* est un excellent musée interactif pour enfants de un à huit ans. Aménagé à l'intérieur d'une maison ancienne, il renferme même une salle transformée en clipper où les enfants peuvent hisser les voiles et laisser courir leur imagination. Et, parmi les autres atouts de ce musée haut en couleur, que dire de ce cinéma vidéo où les enfants peuvent devenir les vedettes de leur propre film, de cette ville miniature où l'on trouve jusqu'à un cabinet de médecin et un *diner* doté de vraies banquettes, ou encore du salon de musique et du loft de lecture? Des heures de plaisir!

Pour atteindre Stony Creek/Branford, reprenez la route 9 en direction sud jusqu'à l'Interstate 95, que vous emprunterez vers l'ouest le long de la côte.

Le Connecticut – Attraits touristiques – La vallée du fleuve Connecticut et New Haven

Branford et les Thimble Islands ★

Sur le détroit de Long Island, à l'embouchure de la rivière Branford, **Branford** est d'abord et avant tout connue et vantée pour son granit rose d'une qualité exceptionnelle, d'ailleurs abondant dans toute la région et utilisé dans la construction de la statue de la Liberté. L'endroit n'a vraiment rien de chic en soi, mais n'en demeure pas moins charmant à souhait avec son sol marbré et la vue des eaux miroitantes du détroit.

Les **Thimble Islands ★★** – un regroupement d'îles ponctuées de résidences – sont visibles depuis les berges de Stony Creek. Il ne s'agit en fait que d'affleurements rocheux dont la hauteur hors de l'eau varie entre 1 m et 40 m, et l'on en dénombre au total environ 150. Des croisières permettent de les admirer de plus près (voir p 520).

Pour atteindre New Haven, continuez vers l'ouest par l'Interstate 95, qui vous mènera directement en ville.

New Haven ★★★

Sans doute mieux connue comme le siège de la prestigieuse université Yale, New Haven est une petite ville dont la réputation n'est plus à faire, que ce soit pour son patrimoine culturel ou sa vitalité actuelle, d'ailleurs en grande partie attribuables à la présence de l'université. De ce fait, ceux qui chérissent le rythme trépidant de la vie urbaine pourront ici échapper à ce sentiment de réclusion si caractéristique de la Nouvelle-Angleterre. Mais ne vous y trompez pas! New Haven n'a rien d'une ville en béton et en acier, bien au contraire; son aura quasi magique tient en effet à son histoire et à ses traditions, deux éléments qui font le plus grande fierté de ses citoyens.

En 1638, quelque 500 puritains anglais accostent dans un port naturel autour duquel vivent des Quinnipiacks. Ces Autochtones, constamment victimes des raids de leurs voisins pequots et mohawks, décident d'emblée de vendre leurs terres aux puritains en échange de leur protection.

En 1700, un petit collège puritain, le Collegiate School, voit le jour à Old Saybrook pour ensuite être déplacé, en 1718, à New

Haven, où il prend le nom de «Yale College» après avoir bénéficié d'un généreux don d'Elihu Yale. Cette institution devait par la suite devenir une université de renommée mondiale, de même qu'un important moteur économique pour la ville.

Quel meilleur endroit pour entamer la visite des lieux que la **Yale University ★★★** *(Visitor Information Center: lun-ven 9h à 16h30, sam-dim 11h à 16h; 149 Elm St., en face du New Haven Green,* ☎*203-432-2300, www.yale. edu/visitors)*! Depuis ses modestes débuts à titre d'école collégiale, Yale a su devenir un haut lieu du savoir convoité de tous, et elle offre aujourd'hui de nombreux attraits dignes de mention, sans parler de son campus verdoyant de 105 ha merveilleusement paysagés et de ses innombrables bâtiments anciens à l'architecture frappante.

La **visite du campus** *(gratuit; lun-ven 10h30 et 14h, sam-dim 13h30; toutes les visites partent du Visitor Information Center – voir ci-dessus)*, guidée par des étudiants, se veut des plus intéressantes et vous donnera un bon aperçu de l'histoire et de l'architecture de l'université, le tout ponctué d'anecdotes humoristiques. En parcourant l'**Old Campus**, vous ne manquerez pas de remarquer les mystérieux *Green Men* (hommes verts) qui émaillent le paysage. Il s'agit en fait de statues érigées en l'honneur de divers *Yalees* influents au fil des ans, et l'une d'entre elles mérite une attention toute spéciale dans la mesure où elle représente le grand héros du Connecticut qu'était Nathan Hale. Comme il est mort jeune (au début de la vingtaine) et que personne ne sait trop de quoi il pouvait avoir l'air, la statue de ce fameux espion reprend tout simplement les traits du plus beau jeune homme de la classe de 1901, qui a bien voulu servir de modèle pour sa réalisation.

La plus grande bibliothèque de Yale, la majestueuse **Sterling Memorial Library**, vous laissera complètement pantois. Cette «cathédrale du savoir» renferme un autel sur lequel trône une glorieuse représentation de *l'alma mater*, Yale personnifiée, assortie de la devise *lumière et vérité* – une inscription en hébreu issue d'un rêve de John William Sterling lui-même (n'oubliez surtout pas de demander à votre guide d'élaborer sur la question!).

Au terme de la visite, votre guide vous fera remarquer une structure blanchâtre de

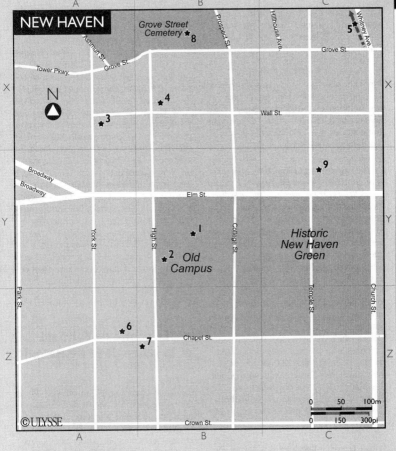

NEW HAVEN

Grove Street Cemetery ★ 8

★ 4

★ 3

★ 9

★ 1

★ 2 Old Campus

Historic New Haven Green

★ 6
★ 7

★ 5

Tower Pkwy. / Grove St. / Ashmun St. / Prospect St. / Hillhouse Ave. / Whitney Ave. / Grove St. / Wall St. / Broadway / Elm St. / York St. / High St. / College St. / Park St. / Temple St. / Church St. / Chapel St. / Crown St.

N

0   50   100m
0   150   300pi

©ULYSSE

A   B   C   X   Y   Z

★ ATTRAITS TOURISTIQUES

1. BY Yale University
2. BY Old Campus
3. AX Sterling Memorial Library
4. BX Beinecke Rare Book and Manuscript Library
5. CX Peabody Museum of Natural History
6. AZ Yale University Art Gallery
7. BZ Yale Center for British Art
8. BX Grove Street Cemetery
9. CY Center Church on the Green

Le Connecticut - Attraits touristiques - La vallée du fleuve Connecticut et New Haven

forme plutôt étrange. Il s'agit de la **Beinecke Rare Book and Manuscript Library** ★★★ *(entrée libre; lun-jeu 8h30 à 20h, ven 8h30 à 17h, sam 10h à 17h; 121 Wall St., ☎203-432-2977, www.library.yale.edu/beinecke)*, soit une des plus grandes bibliothèques consacrées aux livres rares dans le monde. Ainsi y trouverez-vous un original de la bible de Gutenberg parmi quelque 500 000 volumes et plusieurs millions de manuscrits. Afin de protéger tous ces documents des effets dégradants de la lumière du soleil tout en maintenant l'intérieur constamment éclairé, cette bibliothèque a été entièrement construite de panneaux de marbre blanc

et translucide qui y créent une atmosphère pour le moins magique. La lumière filtrée par le marbre produit en effet des arabesques surréalistes qui vous laisseront sans voix, chacun des panneaux qui composent les murs rappelant une représentation expressionniste d'un orage, tel un ciel obscurci par la pluie et strié d'éclairs.

Construit en 1866 pour faire partie de Yale, le **Peabody Museum of Natural History** ★★ *(7$; lun-sam 10h à 17h, dim 12h à 17h; 170 Whitney Ave., ☎203-432-5050, www.yale.edu/peabody)* est un des plus grands et des plus vieux musées d'histoire naturelle des États-Unis.

À la fois divertissant et instructif, il arbore notamment la murale *The Age of Reptiles*, qui a valu un prix Pulitzer à son auteur Rudolph Zallinger en 1949. Ce captivant tableau de 33,5 m sur 5 m dépeint l'évolution des dinosaures, et vous risquez fort de le reconnaître pour l'avoir vu dans un manuel scolaire ou une encyclopédie. Et que dire des nombreux et magnifiques squelettes de dinosaures, tous constitués d'ossements authentiques, ou de l'incroyable variété des fossiles exposés ici!

La **Yale University Art Gallery** ★★ *(entrée libre; mar-sam 10h à 17h, dim 13h à 18h; 1111 Chapel St., ☎203-432-0600, www.yale.edu/artgallery)* s'impose comme le plus vieux musée d'art universitaire de la nation, et quel musée! Aménagée à l'intérieur d'un bâtiment unique dont les lignes jouent avec lumière et une utilisation peu commune du métal, cette galerie expose une imposante collection d'objets d'art de l'Égypte ancienne à nos jours, y compris des vestiges précolombiens, des sculptures africaines, des tableaux et des œuvres décoratives d'origine américaine, des créations asiatiques et des chefs-d'œuvre de la Renaissance italienne. Vous pourrez également y admirer des peintures des XIX\ :sup:`e` et XX\ :sup:`e` siècles, entre autres des Kandinsky, des Van Gogh, des Manet, des Degas, des Cézanne, des Picasso, des Liechtenstein, des Warhol et des Pollock. Pour le prix, on ne trouve pas mieux!

Le **Yale Center for British Art** ★★ *(entrée libre; mar-sam 10h à 17h, dim 12h à 17h; 1080 Chapel St., ☎203-432-2800, www.yale.edu/ycba)* révèle un intérieur ahurissant qui s'harmonise on ne peut mieux aux œuvres d'art exposées sur ses murs. La mise à profit de la lumière naturelle relève ici du pur génie et produit un effet apaisant à souhait, sans parler de la conception à aire ouverte du musée qui permet d'embrasser l'ensemble des salles de n'importe quel point, ce qui contribue à une sorte de fusion des thèmes, des genres et des époques. Comme l'indique son nom, ce centre d'art porte exclusivement sur des œuvres britanniques, dont il renferme d'ailleurs la plus importante collection à l'extérieur du Royaume-Uni.

Pour voir le tout premier cimetière conçu sur plan du pays, rendez-vous au **Grove Street Cemetery** ★ *(angle Grove St. et High St., www.grovestreetcemetery.org)*, sillonné d'allées et d'avenues, et même doté de plaques de rue!

Avez-vous jamais pensé voir un pistolet dans un vitrail d'église? C'est pourtant ce qui vous attend à la **Center Church on the Green** ★★ *(entrée libre; 311 Temple St., ☎203-787-0121, www.newhavencenterchurch.org)* de New Haven! Cette œuvre de Tiffany est d'ailleurs une des deux seules du pays à présenter cette caractéristique. Reste que le principal attrait de ce temple du début du XIX\ :sup:`e` siècle (l'église originale, la plus vieille de New Haven, date en fait de 1638) tient à sa **crypte historique** *(visites avr à oct jeu et sam 11h et 13h)* tout à fait inusitée, située sous le bâtiment. Froide, humide et quelque peu inquiétante, cette crypte n'en est pas moins fascinante avec ses 137 pierres tombales et leurs inscriptions parfois quasi illisibles; enfouies pendant quelque 200 ans, la plupart d'entre elles demeurent cependant en excellent état, et la plus vieille date de 1687.

Le comté de Fairfield et la vallée de la Housatonic ★

Ce circuit couvre la région qui s'étend de l'ouest de l'État à la vallée de la Housatonic, laquelle s'étire vers le nord le long de la rivière du même nom. Les deux volets en sont extrêmement pittoresques et parcourent à tour de rôle des villes prospères et affairées, un littoral somptueux et des zones plus rurales et montagneuses.

La région du **comté de Fairfield** ★★ s'avère la plus cossue de l'État du Connecticut. Le comté, qui réunit un joli chapelet de villes côtières, n'offre pas seulement la nature à son meilleur, mais aussi une pléthore d'attraits culturels et une atmosphère qui n'est pas sans rappeler l'aisance caractéristique du nord de l'État de New York, voire de la Grosse Pomme elle-même. Nombre de vedettes de Hollywood et autres célébrités y ont d'ailleurs élu domicile, et beaucoup d'autres y passent des vacances. Cela dit, toute aura de prétention que vous pourriez déceler dans cette région se dissipera rapidement devant la majesté de l'océan, la qualité des musées et la richesse de la vie nocturne.

Bridgeport ★

Campée sur les rives du détroit de Long Island, Bridgeport, qu'on surnomme «la ville bâtie par Barnum», s'impose comme la plus grande agglomération de l'État. L'homme de spectacle et maire local P.T. Barnum a en effet transformé cette ville portuaire en un centre industriel de premier plan dès le début du XIXe siècle, tout en la dotant de parcs, d'axes routiers et même d'un cimetière, le **Mountain Grove Cemetery**, où il repose d'ailleurs en paix. Bridgeport est en outre le lieu d'origine de la tarte Frisbee, dont les étudiants de Yale se lançaient le moule, donnant ainsi naissance au fameux jeu que nous connaissons.

Le **Barnum Museum** ★★ *(5$; mar-sam 10h à 16h30, dim 12h à 16h30; 820 Main St.,* ☎*203-331-1104, www.barnum-museum.org)* ne manquera pas de réjouir tous ceux qui attendaient impatiemment l'arrivée du cirque dans la ville de leur enfance. Installé dans les attrayants locaux du Barnum Museum des premiers jours (1893), ce musée éclectique présente un mélange aussi intéressant que divertissant de vitrines insolites et théâtrales. Il s'agit là du seul musée consacré à la vie de l'excentrique Barnum, sa son influence sur les États-Unis du XIXe siècle ainsi qu'à la création et à l'évolution de son cirque à trois pistes, demeuré populaire jusqu'à nos jours.

Si vous ne pouvez pas résister à l'appel des ocelots, des toucans, des loutres et des tigres (pour ne nommer que ceux-là), dirigez-vous sans attendre vers le **Beardsley Zoo** ★ *(9$; tlj 9h à 16h; 1875 Noble Ave.,* ☎*203-394-6565, www.beardsleyzoo.org).* D'une superficie de 13 ha, ce jardin zoologique est sillonné de sentiers reliant les unes aux autres les différentes aires animalières, dont la plupart sont consacrées à des espèces aussi rares que fascinantes d'Amérique du Nord et d'Amérique du Sud.

*De Bridgeport, filez vers l'ouest sur l'Interstate 95 ou la **Merritt Parkway**, une route historique qui lui est parallèle (au nord), pour atteindre **Fairfield**, **Westbrook** et enfin Norwalk.*

Norwalk ★★

Deux des attraits les plus remarquables de Norwalk se trouvent sur une même propriété du nom de «Mathews». Le premier

et le plus important, soit le magnifique monument historique national qui abrite le **Lockwood-Mathews Mansion Museum** ★★★ *(8$; mars à déc mer-dim 12h à 16h; 295 West Ave.,* ☎*203-838-9799, www.lockwoodmathewsmansion.org),* a été dessiné par l'architecte européen Detlef Lienau et achevé en 1868. Tenu pour un des plus beaux exemples d'architecture Second Empire encore debout au pays, ce manoir vous éblouira du premier coup d'œil au moment où vous en ressortirez, d'ailleurs bien à regret. Vraiment spectaculaire à tout point de vue, cette résidence de 62 pièces construite pour le magnat des chemins de fer et banquier LeGrand Lockwood surpassait tous les manoirs de l'époque, aussi bien par sa taille que par sa qualité d'exécution et ses innovations technologiques (notamment sa plomberie intérieure, son chauffage central, son éclairage au gaz et son système d'alarme antivol à piles). Soumis à une restauration constante et approfondie, ce musée s'avère un véritable festin pour les yeux, des panneaux de verre à fleur de lys de sa verrière à cette œuvre de Pierre-Victor Galland peinte au plafond et intitulée *Venus at Play with her Cupids* (Vénus s'amuse en compagnie de ses Cupidons).

L'autre fleuron du Mathews Park est un musée pour enfants comparable à nul autre. Le très moderne **Stepping Stones Museum for Children** ★★ *(8$; mar 13h à 17h, mer-dim 10h à 17h; 303 West Ave.,* ☎*203-899-0606, www.steppingstonesmuseum.org)* se targue d'offrir tout ce qu'il y a de mieux à ses jeunes visiteurs... et à leurs parents. De la salle consacrée aux enfants en bas âge aux installations aquatiques et aux différents éléments d'exposition interactifs permettant aux bambins d'explorer les arts, la vidéo et la musique, tout y est absolument merveilleux.

Fort prisé des touristes comme des habitants fortunés de la région, le quartier historique de **SoNo** ★★ (pour «South Norwalk») regorge de restaurants huppés et de boîtes de nuit branchées tout en offrant un paysage culturel des plus dynamiques. Cela dit, on y dénombre aussi quelques attraits intéressants à visiter le jour.

L'un d'eux est le **Maritime Aquarium** ★★ *(10,50$; tlj 10h à 17h, juil et août jusqu'à 18h; 10 N. Water St.,* ☎*203-852-0700, www.maritimeaquarium.org),* qui prétend offrir «presque autant de choses à voir et à

faire qu'il y a de poissons dans l'océan»...
Outre les habituelles vitrines d'aquarium,
on trouve notamment ici plusieurs bassins
de manipulation qui feront le plus grand
bonheur des enfants. Dans l'ensemble,
l'aquarium vous propose un moyen instructif et divertissant de vous familiariser
avec la faune marine pendant votre séjour
sur la côte.

Le **Norwalk Museum** ★★ *(entrée libre; mer-dim
13h à 17h; 41 N. Main St.,* ☎*203-866-0202)*
loge dans l'ancien hôtel de ville, un bâtiment de 1912 restauré et inscrit au registre
national des lieux historiques. Il renferme
un impressionnant assortiment d'œuvres
d'art, de meubles, de vestiges et d'objets
de collection provenant de la région, de
même qu'une intéressante section baptisée
«Merchant's Court», qui recrée le quartier
des affaires de Norwalk au tournant du
XXᵉ siècle et dont les «devantures de magasins» présentent des céramiques, des grès,
des poteries et de l'argenterie de l'époque.
Vous apprendrez par ailleurs que Norwalk
est le lieu de naissance de ces adorables
personnages de livre de contes que sont
Raggedy Ann et Andy.

*Pour vous rendre à Stamford, continuez vers
l'ouest par l'Interstate 95.*

Stamford ★

Stamford a été fondée en 1641 lorsque
des familles de Wethersfield ont décidé de
s'installer en bordure de la rivière Rippo-
wam sur des terres achetées aux Autochtones de la région. Le chemin de fer a
contribué à son essor dès son arrivée en
1848, et de nos jours, tout en préservant
ses racines historiques, Stamford fait figure
de ville culturelle prospère où les arts se
portent très bien.

Le **Bartlett Arboretum & Gardens** ★ *(don sugg é-
ré de 5$; tlj 8h30 au coucher du soleil; University
of Connecticut, 151 Brookdale Rd.,* ☎*203-322-
6971, www.bartlettarboretum.org)* est un véritable havre de tranquillité, tout indiqué
pour un moment de répit en pleine nature.
Il comprend une forêt de feuillus mixtes,
un marais planté d'érables rouges, un cours
d'eau et un étang de 0,8 ha, le tout sur des
terres boisées et humides d'une superficie
totale de 20 ha. Plus de 8 km de sentiers
pédestres soigneusement entretenus et
bien balisés en parcourent les massifs d'ar-

bres et d'arbustes, sans oublier une serre
qui accueille de nombreuses plantes des
zones tropicales et tempérées.

*Pour atteindre Greenwich, poursuivez vers l'ouest
par l'Interstate 95.*

Greenwich ★

En tant que ville de garnison au cours de
la Révolution américaine, Greenwich a
connu de nombreux raids et occupations.
L'arrivée du chemin de fer vers le milieu
des années 1880 a fait grossir la population
de Greenwich, et, au cours des années qui
suivirent, l'endroit devint à son tour un lieu
de villégiature pour de riches New-Yorkais
désireux d'échapper momentanément à la
ville, si bien que son littoral se vit bientôt
constellé d'hôtels. Aujourd'hui, l'attrayante
rue principale de Greenwich est bordée
d'excellents restaurants et bars.

Le **Bush-Holley Historic Site** ★★ *(6$; mar-dim
12h à 16h; 39 Strickland Rd., Cos Cob,* ☎*203-
869-6899, www.hstg.org)* gravite autour du
monument historique national des environs
de 1730 qu'est la Bush-Holley House, au
cœur même de la toute première colonie
artistique du Connecticut. Ce sont en effet
plus de 200 étudiants en arts qui, de 1890
à 1920, ont fréquenté cette pension sous la
gouverne des impressionnistes américains
bien connus que sont John Henry Twatch-
man, J. Alden Weir, Theodore Robinson et
Childe Hassam. La visite des lieux donne
l'occasion d'admirer de remarquables meubles du Connecticut datant du XVIIIᵉ siècle
et du début du XIXᵉ siècle, de même que
d'authentiques tableaux impressionnistes.
Toutes les peintures que vous verrez ici
ont d'ailleurs été réalisées sur la propriété
même ou dans ses environs immédiats, et
représentent donc des scènes locales. Une
formidable boutique de cadeaux complète
le tout.

La région touristique de la **vallée de la Housatonic** ★ tient son nom de la rivière Housatonic et s'étire vers le nord le long de
ses berges.

*Pour atteindre Ridgefield depuis Greenwich, re-
prenez l'Interstate 95 ou la Merritt Parkway en
direction est jusqu'à la route 7, que vous emprunterez vers le nord jusqu'à la route 33, laquelle
vous conduira à Ridgefield.*

Ridgefield

Reconnu pour ses expositions avant-gardistes, l'**Aldrich Contemporary Art Museum ★★** *(7$; mar-dim 12h à 17h; 258 Main St.,* ☎*203-438-4519, www.aldrichart.org)* tire pleinement parti d'une magnifique maison du XVIIIᵉ siècle admirablement transformée pour offrir des espaces bien aérés et lumineux propres à mettre en valeur les intéressantes œuvres contemporaines qu'on y expose.

Sur une note plus historique, le **Keeler Tavern Museum** *(5$; fév à déc mer, sam-dim 13h à 16h; 132 Main St.,* ☎*203-438-5485, www. keelertavernmuseum.org)* de 1720 mérite une mention pour le boulet de canon enchâssé dans un de ses murs extérieurs (il a été tiré par les Britanniques au cours de la Révolution américaine).

Pour atteindre Danbury, prenez la route 35 en direction nord jusqu'à ce qu'elle rejoigne la route 7, après quoi vous poursuivrez jusqu'à l'Interstate 84, que vous suivrez vers l'est jusqu'à Danbury.

Danbury

Le **Danbury Railway Museum ★** *(6$; nov à mars mer-sam 10h à 16h, dim 12h à 16h, avr à oct mar-sam 10h à 17h, dim 12h à 17h; 120 White St.,* ☎*203-778-8337, www.danbury.org/drm)*, installé à l'intérieur d'une gare de 1903 remise en état, ne manquera pas de plaire aux amateurs de trains. Outre ses vitrines intérieures sur les trains et les chemins de fer, sa cour de triage de 2 ha permet d'admirer de nombreuses pièces d'équipement ainsi que des fourgons de queue, des voitures Pullman et des voitures Budd. Le musée renferme également une locomotive à vapeur Boston & Maine ainsi qu'un élégant wagon panoramique.

Les collines de Litchfield et le centre du Connecticut ★

Ce circuit vous entraîne d'abord vers la région des collines de Litchfield, une campagne peu peuplée et naturellement montagneuse cousue de lacs et profondément paisible. Puis, vous vous rapprocherez de Hartford, au cœur même de l'État, là où quelques petites villes recèlent certains attraits propices à des excursions d'une journée.

Les **Litchfield Hills ★★**, ces collines dont les paysages se comparent à ceux du nord-est du Connecticut, en diffèrent par la richesse manifeste qui y règne, ainsi qu'en témoignent les grandioses demeures et les chics résidences secondaires que vous croiserez au passage. Caractérisée par bon nombre de villages minuscules dont l'attrait unique tient à leur charme naturel, cette région est fort agréable à parcourir en voiture, pour peu que vous preniez la peine de vous arrêter de temps à autre pour vous dégourdir les jambes.

New Preston

Cette petite ville se trouve sur les rives du sublime lac Waramaug, un somptueux plan d'eau de 275 ha bordé d'arbres. Il n'y a guère plus à voir ici – outre la nature, bien entendu – que quelques cottages privés et auberges champêtres. Cela dit, il s'agit d'un endroit on ne peut mieux choisi où se loger dans la région (voir p 529).

Pour atteindre Litchfield, prenez la route 202 en direction du nord-est.

Litchfield ★

L'histoire de Litchfield révèle un riche passé en matière de droit américain, et la ville a accueilli l'une des premières institutions d'enseignement pour femmes du pays, la Sarah Pierce Litchfield Female Academy, fondée en 1792 tout juste à côté de la Tapping Reeve Law School (école de droit).

Pour avoir un aperçu de l'histoire de Litchfield, rendez-vous au **Litchfield History Museum** *(5$; avr à nov mar-sam 11h à 17h, dim 13h à 17h; 7 South St., angle East St.,* ☎*860-567-4501, www.litchfieldhistoricalsociety.org)*, un musée très complet qui présente une exposition permanente et des expositions temporaires à partir de l'impressionnante collection de meubles, d'objets décoratifs, de peintures, de textiles, de photographies et de vêtements de la Historical Society.

Un attrait encore plus fascinant, aussi géré par la Historical Society, est la **Tapping Reeve House and Law School ★** *(entrée libre avec le billet du History Museum; même horaire que le* musée; *82 South St.*, ☎*860-567-4501)*, la toute première école de droit de la nation. En 1773, Tapping Reeve s'établit à Litchfield et reçoit son premier étudiant en droit, auquel des centaines de dirigeants américains emboîtent le pas au cours des 60 années qui suivent. Le musée renferme de superbes vitrines interactives et multimédias qui vous feront découvrir la vie des prestigieux étudiants qui ont fréquenté cette institution pionnière, à partir de leurs lettres, journaux intimes et autres traces laissées derrière eux.

Pour atteindre Torrington, poursuivez en direction du nord-est par la route 202.

Torrington ★

Cette ville nichée au fond d'une vallée sur les berges de la rivière Naugatuck mérite un détour pour ses deux attraits exceptionnels.

C'est un vrai plaisir que de découvrir un trésor Art déco dans une localité telle que Torrington. Le **Warner Theatre ★★** *(68 Main St., billetterie:* ☎*860-489-7180, www.warnertheatre. org)* a été commandé par les studios Warner Bros. eux-mêmes en 1931, pour la somme alors faramineuse de 750 000$. C'est qu'au beau milieu de la Crise on estimait qu'un cinéma prestigieux contribuerait à distraire les foules et attirerait forcément beaucoup de gens, si bien qu'on confia sa conception à l'un des architectes les plus en vue de l'époque, Thomas Lamb, déjà connu, entre autres réalisations, pour son cinéma Paramount, en Californie, ainsi que le Roxy de New York. Il en a résulté un intérieur splendide rehaussé de fresques richement ornées au plafond, de paons dorés peints au pochoir, de peinture scintillante et d'un lustre étoilé en argent massif autour duquel apparaissent les signes du zodiaque. Si vous en avez l'occasion, profitez-en pour aller y voir un film le soir.

D'une tout autre époque et dans une veine complètement différente, le **Hotchkiss-Fyler House Museum ★** *(5$; mi-avr à fin oct mar-ven 10b à 16b, sam-dim 12b à 16b; 192 Main St.,* ☎*860-482-8260)* loge dans un somptueux manoir victorien construit pour Orsamus Fyler, un homme d'affaires prospère devenu politicien. Sa maison fut par la suite habitée par sa fille Gertrude et son époux, Edward Hotchkiss, après quoi, à la mort de Gertrude en 1956, elle fut léguée avec la propriété qui l'entoure à la Torrington Historical Society, qui a fini par en faire son siège social. Outre les particularités architecturales pour le moins saisissantes du manoir, vous aurez l'occasion d'admirer l'imposante collection de meubles et d'objets décoratifs de madame Hotchkiss, notamment d'exquises verreries et porcelaines.

Reprenez la route 202 en direction du nord-est sur une courte distance, soit jusqu'à l'embranchement avec la route 8, que vous emprunterez vers le sud jusqu'à la route 6 Est pour rejoindre Bristol.

Bristol

Installé dans un manoir de 1801, l'**American Clock & Watch Museum ★** *(5$; avr à nov tlj 10b à 17b; 100 Maple St., par la route 6, sortie 38W/31E de l'I-84,* ☎*860-583-6070, www.clockmuseum.org)* raconte l'histoire de l'horlogerie au Connecticut et de la révolution industrielle dans son ensemble. Vous y verrez la plus riche collection d'horloges fabriquées aux États-Unis, dont beaucoup sonnent encore les heures. Quelle impression étrange que de se trouver dans n'importe quelle pièce de ce musée et d'y entendre le bruit constant des mécanismes, rappel incontournable du pouvoir implacable du temps sur nos vies!

Le **New England Carousel Museum ★** *(5$; avr à nov lun-sam 10b à 17b, dim 12b à 17b, déc à mar jeu-sam 10b à 17b, dim 12b à 17b; 95 Riverside Ave., route 72, prenez la sortie 31 – route 229/West St. – de l'I-84E jusqu'à la route 72;* ☎*860-585-5411, www.thecarouselmuseum.org)* est un de ces lieux enchantés empreints de toute la magie de l'enfance. Vous y trouverez l'une des plus grandes collections d'art relatives aux carrousels qui soient et aurez l'occasion d'y admirer de près de véritables joyaux.

Le **Lake Compounce Theme Park ★** *(33,95$; mi-mai à début sept, horaire variable; 822 Lake Ave., sortie 3 de l'I-84,* ☎*860-583-3300, www. lakecompounce.com)* est un parc familial qui compte de nombreux manèges de même que des attractions nautiques et des montagnes russes à flanc de colline.

Vous atteindrez Woodbury en empruntant la route 6 en direction du sud-ouest.

Woodbury

Le **Glebe House Museum & Gertrude Jekyll Garden** ★ *(5$; mai à oct mer-dim 13h à 16h, nov sam-dim 13h à 16h; Hollow Rd.,* ☎*203-263-2855, www.theglebehouse.org)* est aménagé dans une élégante maison de ferme datant des années 1750. Une de ses particularités les plus intéressantes tient au fait qu'en 1926 la célèbre horticultrice et auteure anglaise Gertrude Jekyll s'est vu confier la tâche de concevoir un jardin «à l'ancienne» destiné à rehausser l'image du musée nouvellement créé. Quoique modeste par rapport aux travaux plus élaborés qu'elle a réalisés en Grande-Bretagne, le Glebe House Garden n'en comporte pas moins plus de 180 m de plates-bandes classiques, de bordures herbacées vivaces et de plantations «cache-fondations», sans oublier une terrasse en pierres et une intime roseraie traversée d'une promenade. De plus, il s'agit du seul jardin conçu par Jekyll aux États-Unis!

La région du **centre du Connecticut** comprend la très urbaine Waterbury et ses environs, composés de villes riveraines et rurales ainsi que de vastes terres cultivées.

Middlebury

Tout juste à l'ouest de Waterbury, le **Quassy Amusement Park** *(19,95$ laissez-passer d'une journée; avr à oct horaire variable; sortie 17 de l'I-84, route 64,* ☎*800-FOR-PARK ou 203-758-2913, www.quassy.com)* n'était à l'origine qu'un simple comptoir de rafraîchissements familial au bout d'une ligne de trolleybus. Son emplacement rêvé sur les rives du lac Quassy en fait aujourd'hui un lieu des plus propices à la baignade et à la navigation de plaisance, d'autant plus que ses manèges n'ont rien d'extraordinaires, sauf peut-être aux yeux des enfants. Assurez-vous tout de même de jeter un coup d'œil sur le splendide carrousel qui trône en son centre, car il s'agit d'une réplique exacte du carrousel d'origine en bois.

Pour atteindre Waterbury au départ de Middlebury, prenez la route 64 vers l'est jusqu'à l'Interstate 84 et poursuivez jusqu'à la ville.

Waterbury ★

Considérée comme la «capitale» de l'ouest du Connecticut, et réputée depuis près de deux siècles pour être un centre industriel de niveau international et la capitale mondiale du laiton, Waterbury s'enorgueillit d'une architecture intéressante. Vous remarquerez tout particulièrement Grand Street, qui regroupe des structures signées Cass Gilvert, et la gare ferroviaire (semblable à la Penn Station de New York) surmontée d'une tour à horloge italianisante.

Pour un cours intensif sur l'histoire de Waterbury, entremêlé d'expositions d'art, faites une halte au vaste **Mattatuck Museum** ★★ *(4$; mar-sam 10h à 17h, dim 12h à 17h; 144 W. Main St.,* ☎*203-753-0381, www.mattatuckmuseum.org)*, qui livre un compte-rendu détaillé des origines du laiton tout à fait contemporain de par sa conception et grâce auquel vous découvrirez la vie des premiers colons de la région et de leurs descendants. Vous y verrez aussi bien des outils des premiers temps de la colonie que des meubles du XVIIIe siècle, des horloges en bois, de l'équipement d'usine, d'anciens appareils photo, de ravissants articles de table Art déco, et même un bureau en caoutchouc (oui, en caoutchouc!) fabriqué par Charles Goodyear, qui a vu le jour à Waterbury. Sur le plan artistique, le musée renferme de spacieuses galeries où sont exposées des collections d'œuvres d'art signées par des maîtres américains reliés de près ou de loin au Connecticut et datant des XVIIIe, XIXe et XXe siècles.

Vous connaissez sans doute le slogan «... *et elle fonctionne encore»*, longtemps répété par Timex dans ses messages publicitaires où l'on faisait subir les traitements les plus incroyables à ses montres, d'ailleurs parmi les plus connues en Amérique du Nord et dans le reste du monde. Or, cette vénérable société qui a son siège dans la région de Waterbury a ouvert le captivant **Timexpo Museum** ★ *(6$; mar-sam 10h à 17h; 175 Union St., Brass Mill Commons Mall, route 184, sortie 22,* ☎*800-225-7742, www.timexpo.com)*. Loin de n'être qu'un musée de la montre ou du temps, Timexpo conjugue l'histoire de l'horlogerie à celle de l'archéologie en consacrant une section pour le moins spectaculaire aux idées de Thor Heyerdahl, cet aventurier du *Kon-Tiki* qui soutenait la possibilité d'une tout autre forme de migration préhistorique à travers le Pacifique. En plus de la reproduction de 12 m d'une statue de l'île de Pâques qui orne sa façade, le musée vous réserve une kyrielle d'expériences interactives et multimédias qui vous inciteront à y retourner encore et encore. Bref, un musée sensationnel et vraiment pas comme les autres.

Pour atteindre Cheshire, dans le centre du Connecticut, prenez l'Interstate 84 vers l'est jusqu'à l'Interstate 691, que vous suivrez jusqu'à la route 10, laquelle conduit à la ville même, plus au sud.

Cheshire

Cheshire mérite une visite pour son merveilleux **Barker Character Comic & Cartoon Museum** ★★★ *(entrée libre; mer-sam 11h à 17h; 1188 Highland Ave., sortie 27 de l'I-84E, puis sortie 3 de l'I-691; au bout de la bretelle, prenez à droite la route 10, faites encore 1,7 mi ou 2,7 km et surveillez le panneau «Barker Animation», ☎203-699-3822, www.barkermuseum.com).* Il s'agit en effet d'un endroit incroyable, plein à craquer de tous les jouets et objets de collection imaginables en rapport avec la culture pop, de l'époque de Mickey et de *Steamboat Willie* à celle des *Dukes of Hazard* et des Pokémons, de quoi raviver en tout un chacun des souvenirs d'enfance mémorables! Cet étalage à faire perdre la boule est attribuable aux efforts personnels de Herb et Gloria Barker, et, bien que chaque article porte une étiquette indiquant sa valeur actuelle sur le marché (parfois étonnamment élevée), aucun d'eux n'est à vendre. Vous ne cesserez de vous émerveiller, que ce soit devant les anciennes boîtes à lunch ou les distributeurs de bonbons Pez. Qui plus est, le personnel se révèle on ne peut mieux informé et en mesure de répondre aux questions les plus inusitées. Vous attend également sur les lieux la **Barker Animation Art Gallery** (voir p 542), qui expose d'authentiques «cellulos» d'animation de Disney (et d'autres), ceux-là bel et bien à vendre; quel plus beau cadeau pour un mordu?

Pour rejoindre New Britain, reprenez l'Interstate 84 en direction nord jusqu'à la route 72 Est, qui vous mènera directement à la ville.

New Britain

Tout au long des XIXe et XXe siècles, New Britain s'est avérée un lieu d'inventivité et d'industrialisation par excellence. De fait, dès la Première Guerre mondiale, on la surnommait «la capitale mondiale de la quincaillerie». Cela dit, il ne s'agit plus vraiment d'une ville particulièrement at-

trayante, mais elle mérite tout de même un arrêt rapide.

Le **New Britain Museum of American Art** ★★ *(9$; mar, mer et ven 11h à 17h, jeu 11h à 20h, sam 10h à 17h, dim 12h à 17h; 56 Lexington St., ☎860-229-0257, www.nbmaa.org)* a été fondé en 1903, et son impressionnante collection regroupe quelque 5 000 œuvres datant du début du XVIIIe siècle à nos jours. Un des grands atouts du musée demeure toutefois la collection de murales de Thomas Hart Benton, intitulée *Arts of Life in America*. Il s'agit d'œuvres gigantesques, vibrantes et colorées qui dépeignent divers aspects de la vie culturelle américaine, des traditions de jazz afro-américaines à la musique des immigrants irlandais. La boutique du musée s'impose comme un arrêt obligatoire avant de quitter les lieux.

Parcs et plages

Le Connecticut possède de vastes étendues sauvages protégées sous forme de parcs et de réserves. Et comme une partie de l'État borde le détroit de Long Island, on y trouve aussi de belles plages, quoique la plupart soient privées. Pour tout renseignement d'ordre général sur les parcs d'État et les plages publiques, adressez-vous au:

Connecticut Department of Environmental Protection, Bureau of Outdoor Recreation State Parks Division
79 Elm St.
Hartford, CT 06106-5127
☎860-424-3200
http://dep.state.ct.us/stateparks

Hartford et ses environs

Le fascinant **Dinosaur State Park** ★★★ *(5$; mar-dim 9h à 16h30; 1 mi ou 1,6 km à l'est de la sortie 23/West St. de l'I-91, Rocky Hill, ☎860-529-8423, www.dinosaurstatepark.org)* ne doit être manqué à aucun prix! En 1966, un homme occupé à niveler une terre tout juste au sud de Hartford y découvre ce qu'il reconnaît d'emblée comme étant des traces de dinosaure. Se dresse aujourd'hui sur les lieux un dôme géodésique, l'Exhibit Center du parc, qui renferme un incroyable étalage de ces traces du début de l'ère jurassique (dont les trois quarts demeurent enfouies dans le sol faute de fonds suffisants pour les conserver adéquatement). Et comme si le spectacle de ces vestiges préhistoriques n'était pas suffisamment impressionnant en soi, le tout s'accompagne d'un fabuleux spectacle son et lumière rehaussé d'éclairs et de hurlements monstrueux. À l'extérieur, les sentiers pédestres du parc vous conduiront ensuite vers différents habitats, par le biais notamment d'une promenade de 90 m au-dessus d'un marais. La propriété a en outre été dotée de plantes et d'arbres dont les ancêtres étaient contemporains des dinosaures. Vous trouverez enfin sur les lieux une petite boutique de souvenirs.

La route 169 et le Sud-Est

L'**Ocean Beach Park** ★ *(5$/pers ou 16$/voiture; fin mai à début sept tlj 9h à 23h; 1225 Ocean Ave., sortie 75N/83S de l'I-95, New London, ☎860-447-3031 ou 800-510-SAND, www.ocean-beach-park. com)* est un parc public doté d'une plage immaculée et d'une immense piscine. Vous y trouverez des vestiaires et des douches, de même qu'une aire de pique-nique. Pour ceux qui préfèrent la marche à la baignade, une promenade parcourt en outre la plage sur toute sa longueur. La plage en question avoisine un secteur résidentiel pittoresque, parsemé de vieilles maisons construites en bordure de l'eau.

Le **Harkness Memorial State Park** ★ *(7$/véhicule immatriculé au Connecticut, 10$ pour les autres; toute l'année tlj 8h au coucher du soleil; 275 Greangle Neck Rd., route 213, Waterford, ☎860-443-5725)*, une ancienne propriété de villégiature sur le détroit de Long Island, s'enorgueillit d'un manoir entouré de somptueux jardins, d'une plage et d'aires de pique-nique. L'endroit est tout indiqué pour une agréable promenade dans les jardins odorants et demeure très prisé pour les cérémonies de mariage et les séances de photo.

La vallée du fleuve Connecticut et New Haven

Mis à part sa pièce maîtresse, soit un château d'une architecture remarquable (voir p 509), le **Gillette Castle State Park** ★★ *(entrée libre; tlj 10h67 River Rd., sortie 6 ou 7 de la route 9, East Haddam, ☎860-526-2336)* vous offre 75 ha de terres boisées et vallonnées que sillonnent de nombreux sentiers pédestres, sans oublier les allées qui mènent au château et qui en font le tour.

Le **Hammonasset Beach State Park** ★★★ *(7$/véhicule immatriculé au Connecticut, 10$ pour les autres; tlj 8h au coucher du soleil; route 62 de l'I-95, Madison, ☎203-245-2785)* est le plus grand des parcs côtiers du Connecticut, et il offre une foule de possibilités récréatives au grand air, notamment grâce à une plage ravissante.

Traversé par la rivière Mill, qu'on approvisionne régulièrement en truites, le **Sleeping Giant State Park** ★★★ *(7$/véhicule immatriculé au Connecticut, 10$ pour les autres; toute l'année; 200 Mount Carmel Ave., Hamden, ☎203-789-7498)* arbore une étrange formation rocheuse longue de 3 km qui fait penser à un géant au repos lorsqu'on l'observe de loin. Le parc bénéficie en outre d'un remarquable réseau de sentiers totalisant 48 km et tenu pour l'un des meilleurs du genre dans tout l'est des États-Unis (voir p 521).

Le comté de Fairfield et la vallée de la Housatonic

Le **Weir Farm National Historic Site** ★ *(entrée libre; tlj de l'aube au crépuscule; 735 Nod Hill Rd., route 7 à la jonction avec la route 102, Wilton, ☎203-834-1896, www.nps.gov/wefa)*, qui couvre 24 ha, a jadis été le lieu de résidence du célèbre peintre impressionniste américain J. Alden Weir. Hormis les sentiers pédestres qui le parcourent, ce site historique s'avère un endroit rafraîchissant où passer un après-midi tranquille.

Les collines de Litchfield et le centre du Connecticut

Le sommet qui a donné son nom au **Mount Tom State Park** *(7$/véhicule immatriculé au Connecticut, 10$ pour les autres; tlj 8h au coucher du soleil; route 202, Litchfield, ☎860-567-8870 ou 860-868-2592)* atteint 404 m au-dessus du niveau de la mer et se voit couronné d'une tour en pierres. Vous y trouverez entre autres des sentiers de randonnée et un lac propice à la baignade.

Le **Housatonic Meadows State Park** *(entrée libre; toute l'année 8h au coucher du soleil; route 7, Sharon, ☎860-424-3200)* propose une randonnée le long du Pineknob Coop Trail, qui rejoint l'Appalachian Trail. Aires de pique-nique et canot sur la rivière Housatonic.

Le Connecticut - Parcs et plages

Activités de plein air

■ Canot

Hartford et ses environs

Huck Finn Adventures *(Charter Oak Landing, Collinsville, ☎860-693-0385, www.huckfinnadventures.com)* loue des canots sur les berges de la rivière Farmington, tout juste à l'extérieur de Hartford. On y propose des excursions qui vous permettront de remonter et de descendre la rivière, et ce, sans aucune restriction de temps. Pour une expérience de canotage vraiment unique, informez-vous du Lost Park River Trip, une aventure guidée qui vous entraîne le long d'une rivière souterraine qui coule en fait sous la ville à travers d'amples tunnels en béton (on fournit une lampe frontale à chaque participant).

■ Croisières

La route 169 et le Sud-Est

Windjammer Mystic Whaler *(mai à fin oct, voyages de un à cinq jours; City Pier, New London, ☎800-697-8420, www.mysticwhaler.com)* vous offre la chance de naviguer à bord d'une réplique de goélette de la Nouvelle-Angleterre.

Le **SeaPony** *(mi-mai à oct; City Pier, New London, ☎860-440-2734, www.seapony.com)* est un homardier qui visite différents ports du détroit de Long Island, celui de New London étant couvert en détail.

La vallée du fleuve Connecticut et New Haven

Plusieurs possibilités de croisières autour des **Thimble Islands** s'offrent à vous à **Stony Creek** et **Branford**:

Sea Mist Thimble Island Cruise
mai à oct tlj
Branford
☎203-488-8905
www.seamistcruises.com

Captain Bob's Thimble Island Cruise
mai à oct
Stony Creek
☎203-481-3345
www.thimbleislands.com

Schooner Inc. *(fin mai à sept; départs au Long Wharf Pier; 60 South Water St., New Haven, ☎203-865-1737)* organise de fascinantes excursions instructives dans le détroit de Long Island à bord du *Quinnipiack*, une goélette en bois.

Le comté de Fairfield et la vallée de la Housatonic

Le bateau à aubes **Island Princess** *(mai à oct, observation des phoques oct à mai; Cove Marina, Norwalk, ☎203-852-7241, www.islandprincess.com)* propose des croisières quotidiennes dans le port.

■ Golf

Hartford et ses environs

Goodwin Golf Course
27 trous
1130 Maple Ave.
Hartford
☎860-956-3601

La route 169 et le Sud-Est

Putnam Country Club
18 trous
136 Chase Rd.
Putnam
☎860-928-7748
www.putnamcountryclub.com

La vallée du fleuve Connecticut et New Haven

River Ridge Golf Course
18 trous
route 364
Griswold
☎860-376-3268
www.riverridgegolf.com

Le comté de Fairfield et la vallée de la Housatonic

Oak Hills Park Golf Course
18 trous
165 Fillow St.
Norwalk
☎203-838-0303
www.oakhillsgc.com

■ Pêche

Le Service des pêcheries du Connecticut Department of Environmental Protection publie annuellement l'*Angler's Guide*, qui répertorie les lacs et les étangs de l'État tout en mentionnant, pour chacun, les espèces qu'on y pêche. Pour en obtenir un exemplaire, composez le ☎860-424-FISH.

■ Randonnée pédestre

La route 169 et le Sud-Est

Le **Connecticut Audubon Bafflin Sanctuary** *(entrée libre; de l'aube au crépuscule; 220 Day Rd., route 169, Pomfret, ☎860-928-4041)* se compose de quelque 280 ha d'anciens champs cultivés que parcourent des kilomètres de sentiers, dont un qui longe une voie ferrée.

La **James L. Goodwin State Forest** *(entrée libre; de l'aube au crépuscule; 23 Potter Rd., route 6, Hampton, ☎860-424-3200)*, qui réunit 809 ha de forêt et un étang de 40 ha, est cousue de sentiers pédestres qui vous promettent de belles randonnées.

La vallée du fleuve Connecticut et New Haven

Le **Gillette Castle State Park** vous offre 75 ha de forêts vallonnées et entrecoupées de sentiers pédestres.

Le **Sleeping Giant State Park**, que traverse la rivière Mill, possède un excellent réseau de sentiers totalisant 48 km. Les randonneurs pourront y explorer le «géant endormi», soit une formation rocheuse longue de 3 km qui fait penser à une personne au repos. Les différents sentiers donnent accès à une tour d'observation en pierres de quatre étages, à des étangs, à des gorges ainsi qu'à des massifs boisés, et tous offrent des vues mémorables.

Les collines de Litchfield

Le **Mount Tom State Park**, dont le sommet éponyme atteint plus de 400 m au-dessus du niveau de la mer, offre d'agréables occasions de randonnée.

Le **Housatonic Meadows State Park** vous permet d'emprunter le Pineknob Coop Trail, qui rejoint l'Appalachian Trail.

■ Ski alpin

La vallée du fleuve Connecticut et New Haven

La **Powder Ridge Ski Area** *(99 Powder Hill Rd., par la route 147, Middlefield, sortie 17S/18N de l'I-91, ☎860-754-7434, www.powderridgect. com)* offre d'excellentes conditions de ski alpin, mais aussi de surf des neiges et de descente en chambre à air. On peut en outre y skier le soir.

■ Ski de fond

Hartford et ses environs

Le **Winding Trails Cross Country Ski Center** *(mi-déc à mi-mar; Interstate 84, sortie 39, puis route 4 vers l'ouest sur 3,5 km ou 2,2 mi; enfin, Devonwood Dr. à droite et Winding Trails Dr. à gauche; 50 Winding Trails Dr., Farmington, ☎860-677-8458, www.windingtrails.com)* vous réserve 20 km de pistes de ski de fond bien entretenues sur 142 ha de terres boisées ponctuées de ruisseaux et d'étangs. Les sentiers ondulent tout doucement et sont clairement balisés, les panneaux de signalisation indiquant également leur niveau de difficulté respectif.

■ Vélo

Hartford et ses environs

La **Winding Trails Recreation Area** *(mai à oct; 50 Winding Trails Dr., Farmington, ☎860-677-8458, www.windingtrails.com)* propose 20 km de sentiers bien balisés.

Le Connecticut - Activités de plein air

Hébergement

Hartford et ses environs

Hartford

Mark Twain Hostel
$
bc
131 Tremont St.
☎860-523-7255
www.hihostels.com

La Mark Twain Hostel offre un hébergement confortable dans des dortoirs à ceux qui doivent surveiller leur budget de près ou aux jeunes voyageurs désireux de faire des rencontres intéressantes. Laverie.

Crowne Plaza
$$$$
≡ ⚒ ⚓ @ ⚐ ≈
50 Morgan St.
☎860-549-2400
▤860-549-7844
www.ichotelsgroup.com

Le Crowne Plaza de Hartford fera le bonheur des voyageurs qui ne peuvent tout simplement pas se passer de luxes tels qu'un service voiturier. Aussi chic que confortable, cet hôtel est situé près des musées, des restaurants et des trépidantes boîtes de nuit de la ville, et est davantage axé sur les loisirs que certains autres établissements de Hartford.

Hilton Hartford Hotel
$$$$
≈ ⚒ ≡ ♨))) ⚓ @
315 Trumbull St.
☎860-728-5151
▤860-240-7247
www.hilton.com

Ce Hilton de 392 chambres et 11 suites offre toutes les commodités nécessaires pour vous assurer d'un séjour sans souci dans la ville. Relié au Hartford Civic Center, il conviendra tout particulièrement aux visiteurs qui projettent d'y assister à un concert ou à quelque autre spectacle. Et comme l'hôtel se trouve en plein centre-ville, vous vous trouverez à courte distance d'à peu près tous les points où vous pourriez avoir à vous rendre.

Weatogue

The Linden House
$$$ pdj
⚐ ≡
288/290 Hopmeadow St.
☎860-408-1321
▤860-408-9072
www.lindenhousebb.com

The Linden House, une maison victorienne complètement restaurée tapie dans la campagne ondulante de la vallée de Farmington près de Simsbury, vous promet un séjour paisible à souhait hors de la capitale. Ses cinq chambres immaculées arborent un décor champêtre tout à fait classique, et la pelouse bien entretenue qui s'étire derrière la maison convient parfaitement aux balades tranquilles, à moins que vous ne préfériez vous y installer pour lire un bon livre. Le petit déjeuner se compose de fruits frais et de divers petits délices maison.

Avon

Avon Old Farms Hotel
$$$-$$$$
⚒))) ≈ ♨
279 Avon Mountain Rd. (à la jonction des routes 10 et 44)
☎860-677-1651
▤860-677-0364
www.avonoldfarmshotel.com

À seulement quelques minutes de Hartford se trouve l'Avon Old Farms, un chic hôtel colonial georgien qui s'adresse aux voyageurs en quête du confort et de l'élégance ultimes. Du majestueux hall, qu'honorent un grand escalier et un splendide lustre, aux 8 ha de jardins et de sentiers, tout respire ici le luxe. Les chambres se veulent simples, mais tout de même décorées avec goût de lits à colonnes et d'antiquités.

La route 169 et le Sud-Est

Mansfield

The Fitch House
$$ pdj
≡ ⚐ @
563 Storrs Rd.
☎860-456-0922
www.fitchhouse.com

Ce manoir néogrec de 1836 est tout simplement exquis avec ses innombrables pièces d'époque et antiquités de famille. Ses chaleureux propriétaires se partagent les tâches, de sorte que monsieur cuisine les somptueux petits déjeuners gastronomiques servis chaque matin tandis que madame prépare de savants plateaux de fruits et fabrique son propre pain tous les soirs. La salle à petit déjeuner est entièrement vitrée et donne sur les jardins comme sur le reste de la propriété de 16 ha. Tout est propre et poli à souhait, et le décor de chaque chambre reflète un siècle différent. Il y a une cheminée dans le petit salon commun, et l'on tient à votre disposition des casse-croûte, des rafraîchissements et du thé. Pour dire les choses telles qu'elles sont, la Fitch

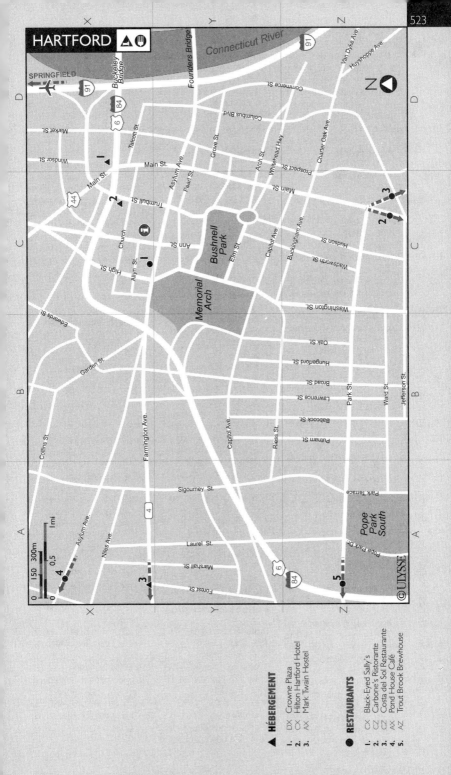

HARTFORD

SPRINGFIELD

Connecticut River

Buckeley Bridge

Founders Bridge

N

Market St.
Windsor St.
Main St.
Talcott St.
Columbus Blvd
Grove St.
Commerce St.
Van Dyke Ave.
Huyshoppe Ave.
Charter Oak Ave.

Main St.
Asylum Ave.
Pearl St.
Arch St.
Whitehead Hwy
Prospect St.

Trumbull St.
Main St.

Church St.
Ann St.
Bushnell Park
Elm St.
Capitol Ave.
Buckingham Ave.
Hudson St.
Wadsworth St.

High St.
Allyn St.

Memorial Arch

Washington St.

Edwards St.
Garden St.

Oak St.
Hungerford St.
Broad St.
Lawrence St.
Park St.
Ward St.
Jefferson St.

Farmington Ave.
Capitol Ave.
Babcock St.
Putnam St.
Riess St.

Sigourney St.

Collins St.

Asylum Ave.
Niles Ave.

Laurel St.
Marshall St.
Forest St.

Pope Park South
Park Terrace
Pope Park Dr.

© ULYSSE

0   150   300m
0   0.5   1mi

House incarne le nec plus ultra de l'hébergement, et ce, jusque dans les moindres détails – vous trouverez même près de la porte des parapluies pour le cas où vous auriez à sortir par mauvais temps!

Woodstock

Elias Child House
$$ pdj
≋ ▲ ≡

50 Perrin Rd.
☎860-974-9836 ou 877-974-9836
🖨860-974-1541
www.eliaschildhouse.com

Cette maison coloniale de 1714 regorge d'antiquités et de souvenirs de famille, notamment un vieux banc d'église, des certificats de mariage encadrés, des boîtes à cheveux victoriennes et une étrange table de salon faite d'un vieux siège de latrines! La demeure compte au total neuf cheminées, dont une dans chacune des chambres, offrant une chaleureuse intimité qu'on ne manque pas d'apprécier par temps froid. La piscine extérieure s'entoure de la vaste propriété sillonnée de sentiers cyclables. Quant à la terrasse et à la véranda grillagée, elles conviennent on ne peut mieux pour lire ou siroter un thé.

Bed & Breakfast at Taylor's Corner
$$-$$$ pdj
≡ ▲ @

880 route 171
☎860-974-0490 ou 888-974-0790
www.taylorsbb.com

Cette maison coloniale de 1795 (on ne connaît la date de sa construction que grâce à une mystérieuse note qui fut découverte entre les briques de sa cheminée) exsude tout le charme du Vieux Continent. Deux vaches écossaises domestiquées, *Jessie-Brown* et *Earlene*, se promènent à leur gré autour de la propriété rehaussée d'un jardin d'herbes aromatiques. Si vous en avez la possibilité, optez pour la suite, car elle est plus grande que les chambres et bénéficie d'une entrée privée.

Norwich

The Spa at Norwich Inn
$$$$-$$$$$
🛇 ≋ ⇀ ⅄ ⅃ ≡ ◉ ⇌ ▲ @

607 W. Thames St. (route 32)
☎860-886-2401 ou 800 ASK-4SPA
www.thespaatnorwichinn.com

Installée en pleine campagne sur une propriété de 17 ha, cette auberge de 1929 se révèle être un endroit des plus raffinés et reposants. La propriété elle-même est paysagée et agrémentée de jardins et d'étangs, tandis que les chambres ont franchement beaucoup de classe. Comme vous êtes en droit de vous y attendre pour le prix, on vous réserve ici divers luxes tels que lecteur de disques compacts, peignoirs et pantoufles, chocolats sur l'oreiller et journal du matin. Pour peu que vous souhaitiez vous évader de tout et vous faire dorloter, n'hésitez pas à profiter du centre de remise en forme et de ses forfaits variés. Il y a en outre deux excellents restaurants sur les lieux (voir p 532).

Mashantucket Pequot Reservation

Foxwoods Resort & Casino
$$$-$$$$
🛇 ≋ ≡ ⇀ ⅃ ⅏ ◉

Grand Pequot Tower et Great Cedar: route 2; Two Trees Inn: 240 Indian Town Rd.
☎800-FOXWOODS
www.foxwoods.com

Le Foxwoods Resort loue plus de 1 000 chambres et vous assure d'un service de tout premier ordre de même que de toutes les commodités dont vous espérez bénéficier dans un établissement de luxe de construction récente. Vous ne serez pas étonné d'apprendre que l'établissement est fréquenté par des amateurs de casino, soit des gens riches ou en mal de le devenir, et par le fait même empreint d'une bonne dose de prétention. Néanmoins, les chambres sont immaculées, et celles qui se trouvent dans l'élégante tour Pequot donnent sur la forêt à perte de vue. Les salles de bain sont très spacieuses.

North Stonington

Randall's Ordinary
$$$ pdj
🛇 ◉

route 2
☎877-599-4540
🖨860-599-3308
www.randallsordinary.com

Le Randall's Ordinary, qui se trouve sur l'ancienne Boston Post Road, est un pur joyau. Établie dans une splendide région boisée et peuplée d'animaux de ferme, cette auberge date de 1685 et a été construite par John Randall II. Le plus beau, outre le fait qu'il s'agit d'un monument historique, c'est que le temps s'est ici complètement arrêté et que tout y est demeuré comme au XVIIᵉ siècle – l'ambiance, le décor et l'excellent restaurant (voir p 533). On dit même que la chambre 12 est hantée par un fantôme de l'époque, et nombreux sont ceux qui prétendent l'avoir vu de près! La suite du silo est très convoitée avec son bain à remous perché au sommet de la structure.

Mystic

Old Mystic Inn
$$$-$$$$ pdj
🛆 @ @
52 Main St.
Old Mystic
☎ 860-572-9422
www.oldmysticinn.com

Ce charmant établissement s'entoure d'un attrayant jardin et de pelouses où se trouvent des chaises, un hamac et un belvédère – de quoi vous offrir de bons moments de détente. Plusieurs chambres du bâtiment principal arborent un thème précis, comme la chambre «Emily Dickinson» et la suite «Herman Melville» (prolongée d'une terrasse), tandis que celles de la remise à calèches adjacente bénéficient de lits à baldaquin.

Whaler's Inn
$$$-$$$$
≡ 🐚

20 E. Main St.
☎ 860-536-1506 ou 800-243-2588
🖷 860-572-1250
www.whalersinnmystic.com

En plein cœur du centre-ville de Mystic, à quelques pas à peine du pont à bascule et des exceptionnels restaurants et boutiques du quartier, le Whaler's Inn s'impose comme un lieu d'hébergement pratique et confortable. Bien que la plupart des chambres soient pourvues d'un porche, optez de préférence pour une des suites spacieuses du deuxième bâtiment, lesquelles sont décorées de riches tissus colorés.

Steamboat Inn
$$$$-$$$$$
🛆 @ ≡ @

73 Steamboat Wharf
☎ 860-536-8300
www.steamboatinnmystic.com

Du fait qu'il se trouve directement sur la promenade, cet établissement offre une vue incomparable sur l'eau et les bateaux qui passent quotidiennement sous le pont à bascule. Le décor n'a d'ailleurs rien d'exceptionnel, car on loge surtout ici pour cette vue unique. Il n'en reste pas moins que les petites chambres sont plutôt intimes, que chacune d'elles porte le nom d'une célèbre goélette de Mystic et qu'elles bénéficient toutes d'une baignoire à remous. Le tout, à quelques pas seulement de tout ce que le centre-ville de Mystic a à offrir.

New London

Lighthouse Inn
$$$-$$$$
🐚 ≡ @

6 Guthrie Pl.
☎ 860-443-8411 ou 888-443-8411
www.lighthouseinn-ct.com

Cet établissement faisant partie des Historic Hotels of America se trouve dans un secteur résidentiel éloigné du centre-ville. Il s'agit d'un manoir tout à fait chic qui possède une plage privée et dont les chambres attrayantes ont une vue imprenable sur l'océan. Idéal pour les couples en quête de solitude et de luxe à l'ancienne.

Old Lyme

Bee & Thistle Inn
$$$-$$$$
🐚

100 Lyme St.
☎ 860-434-1667 ou 800-622-4946
www.beeandthistleinn.com

Nichée dans une ravissante propriété ombragée par des noyers, cette auberge de 1756 incarne le romantisme à son meilleur. Il y a même des bancs entourés de roseaux de la Passion (quenouilles) au bord de l'eau pour les tête-à-tête entre amoureux! Les propriétaires des lieux se montrent fort enthousiastes et désireux de rendre votre séjour aussi agréable que reposant. Les chambres sont quant à elles caractéristiques de la Nouvelle-Angleterre et rehaussées de lits à baldaquin richement ornés.

La vallée du fleuve Connecticut et New Haven

Old Saybrook

Saybrook Point Inn & Spa
$$$$$
🐚 Y 🛥 ≋ ✱ ≡ 🛆 @

Two Bridge St. (route 154)
☎ 860-395-2000 ou 800-243-0212
www.saybrook.com

Sans doute le principal atout de cette auberge de luxe «quatre diamants» tient-il à son emplacement sur les rives du détroit de Long Island, la plupart de ses chambres bénéficiant d'une vue à couper le souffle sur l'océan. Quoique minimalistes, celles-ci se révèlent par ailleurs attrayantes, bien tenues et garnies de reproductions de meubles d'époque, sans parler des salles de bain rehaussées de chics carreaux italiens. Vous trouverez ici tout ce que vous êtes en droit d'attendre d'un établissement de premier ordre.

Essex

Griswold Inn
$$-$$$$
≡ ♨ ▲

36 Main St.
☎ 860-767-1776
🖷 860-767-0481
www.griswoldinn.com

Affectueusement surnommée *The Gris* par les habitants de la région, cette auberge enchanteresse de 1776 est une véritable institution d'Essex. Commodément située dans la rue principale, elle propose des chambres et des suites réparties entre le bâtiment principal, où se trouve d'ailleurs son chaleureux restaurant (voir p 534), et au-dessus de certaines boutiques du village. Toutes se révèlent intimes à souhait, richement décorées à tous égards – des papiers peints aux tentures – et équipées d'une chaîne diffusant de la musique classique à l'intention des romantiques. La plupart bénéficient de meubles d'époque en bois foncé, et certaines se voient même pourvues d'une cheminée. L'accueil est on ne peut plus chaleureux, et vous ne risquez pas d'oublier votre séjour en ces lieux.

Ivoryton

Copper Beech Inn
$$$-$$$$$
♨ ◎ ≡ @

46 Main St.
☎ 860-767-0330 ou 888-809-2056
www.copperbeechinn.com

Située à Ivoryton près d'Essex, cette charmante maison victorienne peinte en blanc trône sur une propriété soignée de 3 ha qu'ombragent de nombreux arbres. Elle arbore un joli style provincial

français, et ses chambres bénéficient de lits à colonnes et d'accessoires de salle de bain à l'ancienne. Elles se trouvent réparties entre la maison principale et la remise à calèches, celles de cette dernière étant équipées de baignoires à remous et prolongées de terrasses. Il y a aussi un excellent restaurant sur place (voir p 534).

Chester

The Inn & Vineyard at Chester
$$$
≡ 🍴 ♿ ♨ 🍽 ▲ @

318 W. Main St.
☎ 860-526-9541
🖷 860-526-1607
www.innatchester.com

Cette auberge champêtre des plus raffinées repose sur une luxuriante propriété boisée. Spacieuse, percée de nombreuses fenêtres et rehaussée de briques nues et de poutres apparentes, elle renferme des chambres minimalistes garnies d'antiquités ou de reproductions d'époque, de boiseries foncées et d'attrayants papiers peints à motifs floraux. Certaines d'entre elles renferment même des lits à baldaquin. Vous pourrez aller faire un tour au sympathique bar établi à l'intérieur même de l'auberge. Et que dire de l'excellent restaurant de la maison, le **Vineyard Restaurant** (voir p 534)!

Madison

Madison Beach Hotel
$$$ pdj
≡ ❄ ◎

94 W. Wharf Rd.
☎ 203-245-1404
🖷 203-245-0410
www.madisonbeachhotel.com

Impossible de loger plus près de l'océan! Cet hôtel

se dresse en effet sur une pointe là où le détroit de Long Island est à son plus large, ce qui vous assure d'une vue sans limite, et quelle vue! Il s'agit d'un établissement construit en 1800 pour servir de pension aux constructeurs de navires de la glorieuse époque de la pêche à la baleine. L'établissement n'est certes pas décoré au goût du jour, mais rien ne bat son emplacement, d'autant plus que chaque chambre et chaque suite se prolongent d'un balcon privé qui donne directement sur l'océan. Le chêne et le rotin sont omniprésents, et plutôt usés, mais vous ne risquez guère de passer beaucoup de temps dans votre chambre car les hôtes ont aussi accès à la plage!

New Haven

Inn at Oyster Point
$$-$$$ pdj
bp/bc ≡ ▲ ◎ @

104 Howard Ave.
☎ 86-OYSTERPT
🖷 203-777-4150
www.oysterpointinn.com

Maison centenaire de pêcheurs d'huîtres, cette coquette victorienne recèle un magnifique décor qui a sans conteste beaucoup de cachet. La chambre «Provençal» se révèle tout particulièrement invitante avec ses tons de bleu et de jaune, sans compter qu'elle est rehaussée de coussins et d'une literie aux couleurs vives; la salle de bain, ornée d'un vitrail, est à elle seule éblouissante. Quant à la suite italienne, méditerranéenne à souhait, elle est tout simplement sublime; tendue d'ocre et de terre de Sienne, on la dirait embra-

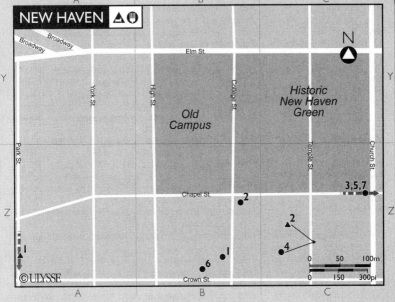

NEW HAVEN ▲⊕

©ULYSSE

▲ HÉBERGEMENT

1. AZ Inn at Oyster Point
2. CZ Omni New Haven Hotel at Yale

● RESTAURANTS

1. BZ Caffe Adulis
2. BZ Claire's Corner Copia
3. CZ Frank Pepe Pizzeria Napoletana
4. CZ John Davenport's
5. CZ Libby's Italian Pastry Shop
6. BZ Louis' Lunch
7. CZ Sally's Apizza

sée à l'heure où le soleil se couche. Vous trouverez en outre sur place une cuisine commune et un bar. Établi dans un village historique de marins, ce lieu d'hébergement repose en bordure de l'eau, tout près d'une promenade où il fait bon prendre l'air tout en admirant les nombreux bateaux amarrés à la marina.

Omni New Haven Hotel at Yale
$$$$-$$$$$
♨ ⚍ ≡ ⚫ @
155 Temple St.
☎ 203-772-6664
🖷 203-974-6777
www.omnihotels.com
Cet opulent établissement quatre étoiles propose le fin du fin à ceux qui recherchent le confort total en plein centre-ville. Ses 306 chambres et suites bénéficient de vues stupéfiantes sur le détroit de Long Island ou le campus historique de l'université Yale, et son décor à la fois élégant et feutré convient parfaitement aux nantis et aux universitaires qui choisissent d'y séjourner lorsqu'ils sont de passage en ville. À l'étage supérieur se trouve le restaurant **John Davenport's** (voir p 536), un endroit incomparable où prendre un somptueux petit déjeuner tout en admirant la ville en contrebas.

Le comté de Fairfield et la vallée de la Housatonic

Bridgeport

Holiday Inn Bridgeport
$$$
♨ ⚍ ≋ ⚫ &
1070 Main St.
☎ 203-334-1234 ou 888-465-4329
www.ichotelsgroup.com
Le Holiday Inn de Bridgeport est particulièrement attrayant pour un hôtel de cette chaîne. Situé en plein cœur de la plus grande ville du Connecticut, il se révèle impeccablement propre, et

son personnel fait preuve d'un grand professionnalisme. Il s'agit là d'un choix sûr pour les gens d'affaires et les familles, car, tout en offrant la fiabilité d'un établissement bien connu, il se fait plus invitant qu'on ne pourrait s'y attendre.

Westport

Inn at Longshore
$$$-$$$$
♨ ≡ ≋

260 Compo Rd.
☎ 203-226-3316
www.innatlongshore.com

Cette magnifique propriété de 21 ha plantée d'érables en bordure immédiate du littoral procure un sentiment d'évasion fort apprécié. Il s'agit là d'un ancien domaine privé qui a par la suite servi de club champêtre exclusif à des notables de la trempe du célèbre écrivain F. Scott Fitzgerald, avant de devenir la chic auberge pour gens d'affaires qu'elle est aujourd'hui. Toutes les chambres sont élégantes et lumineuses.

Inn at National Hall
$$$$$
△ ♨ ☛

2 Post Rd.
☎ 203-221-1351 ou 800-628-4255
🖨 203-221-0276
www.innatnationalhall.com

Les mots ne suffisent pas à traduire le caractère ô combien exceptionnel de cet établissement inscrit au registre des monuments nationaux. Il s'agit d'un manoir italianisant en briques rouges érigé sur les berges de la rivière Saugatuck en 1873; il s'inspire en outre des plus grandes demeures européennes et témoigne d'un raffinement qui ne souffre aucune négligence. Vous y verrez partout d'incroyables peintures en trompe-l'œil, comme ces cartes géographiques à l'ancienne et aux toponymes fictifs de la salle de réception et de la salle de conférences. Des riches tissus, des édredons en duvet et de la literie fine aux salles de bain en calcaire et en marbre, aux porte-serviettes chauffants et aux peignoirs en coton turc, tout vous promet ici un séjour de grand luxe. Un dernier détail digne de mention: l'intérieur de l'ascenseur qui conduit à la réception est peint à la main et donne l'impression de se trouver dans une bibliothèque aux rayons garnis de livres! Et pour peu que vous preniez la peine d'en lire les titres, vous aurez le bonheur de constater qu'ils sont tous inventés et fort créatifs.

Norwalk

The Silvermine Tavern
$$$
♨

194 Perry Ave.
☎ 203-847-4558 ou 888-693-9967
www.silverminetavern.com

D'abord et avant tout connue pour son restaurant (voir p 536), cette auberge repose en bordure immédiate de la rivière Silvermine, blottie contre la chute d'un bassin de retenue. L'endroit est plein à craquer de souvenirs de famille, d'antiquités, d'objets de collection et d'art populaire faisant partie de l'héritage américain, ainsi que de vieux tableaux dépeignant des paysages. Tout compte fait, l'ambiance coloniale est à ce point authentique que vous aurez l'impression de faire un voyage dans le temps. Cela dit, ce n'est pas le raffinement qui manque, ainsi qu'en témoignent les riches tapisseries d'ameublement et les tapis persans qui égaient l'auberge. Et n'oubliez surtout pas d'essayer les fameuses brioches au miel de la maison, servies dans le cadre du petit déjeuner continental.

Stamford

Marriott Hotel & Spa
$$$-$$$$
♨ ≋ Y ☺ ⫸ ≡ ♿ @

2 Stamford Forum
☎ 203-357-9555
🖨 203-358-0157
www.marriottstamford.com

Cet hôtel à la fois chic et moderne s'adresse surtout à une clientèle d'affaires. Son vaste hall est doté de hauts plafonds, agrémenté de colonnes et rehaussé d'une mini-tour d'horloge qui en constitue d'ailleurs la pièce maîtresse. Quant aux chambres, elles se révèlent minimalistes et agréablement décorées. Vous trouverez également trois restaurants sur place.

Sheraton Stamford
$$$$
≋ Y ⫸ ⛵ ♨ ≡ ♿ @

2701 Summer St.
☎ 203-359-1300
www.starwoodhotels.com

Bien que le Sheraton ne paie guère de mine de l'extérieur, vous ne pourrez que vous émerveiller devant son magnifique hall abondamment garni de marbre, agrémenté de plantes verdoyantes et ponctué de saisissants luminaires Art déco. Les chambres se veulent grandes et confortables, si ce n'est que leur décoration n'a rien de remarquable. Comme vous pouvez vous en douter, cet hôtel du centre-ville s'adresse principalement à une clientèle d'affaires.

Greenwich

Hyatt Regency Greenwich
$$$$
≋))) ⚊ ⊌ ≡ & @
1800 E. Putnam Ave.
☎ 203-637-1234
🖷 203-637-2940
www.greenwich.hyatt.com

L'architecture classico-moderne pour le moins unique du Hyatt vous donnera envie d'y réserver une chambre. Les arches, les colonnes et les pelouses irréprochables qui en caractérisent l'extérieur ne donnent qu'un avant-goût de ce qui vous attend à l'intérieur. Ainsi le hall intègre-t-il un atrium de quatre étages à couper le souffle, éclairé par une verrière, envahi par les plantes, traversé par un ruisseau rocailleux et ponctué de passerelles. Les chambres s'avèrent pour leur part spacieuses, percées de grandes fenêtres et tendues de couleurs claires et apaisantes. Bref, vous êtes assuré d'un séjour agréable, d'autant plus que les prix ne sont pas aussi élevés que dans beaucoup d'autres hôtels de luxe de la région.

Homestead Inn
$$$$$
⊌ ≡
420 Fieldpoint Rd.
☎ 203-869-7500
www.homesteadinn.com

Construite en 1799 et transformée en auberge dès 1859, cette exquise maison victorienne de style gothique italianisant ceinturée de vérandas enveloppantes est membre de la prestigieuse association Relais & Châteaux. La propriété s'enorgueillit de pelouses soignées, de magnifiques jardins fleuris ainsi que d'une terrasse dallée. Il s'en dégage une atmosphère champêtre distinctement bourgeoise, et la décoration des lieux harmonise bien la modernité au passé historique de l'auberge.

Ridgefield

Elms Inn
$$$-$$$$ pdj
≡ ⊌ @ ❄
500 Main St.
☎ 203-438-2541
www.elmsinn.com

Conçue par un ébéniste du XVIIIᵉ siècle, cette auberge rustique est tout ce qu'il y a de plus coloniale, et son histoire est par ailleurs fort intéressante, de sorte que vous ne devez pas manquer de demander à vos hôtes de vous la raconter. Peut-être même vous raconteront-ils aussi celle de ce boulet de canon logé entre deux branches d'un grand arbre de la propriété qui a mystérieusement disparu un beau jour! Les chambres, invitantes, arborent des papiers peints à motifs floraux très élaborés et ne sont pas inutilement chargées de bibelots et d'antiquités; certaines d'entre elles bénéficient de lits à colonnes, et vous pourrez même vous y faire monter le petit déjeuner.

Les collines de Litchfield et le centre du Connecticut

New Preston

Hopkins Inn
$$
bp/bc ≡ ⊌ ⬤
22 Hopkins Rd.
☎ 860-868-7295
🖷 860-868-7464
www.thehopkinsinn.com

Cette auberge, qui réserve un bon accueil à ses clients depuis 1847, offre un excellent rapport qualité/prix. Ses tarifs sont en effet étonnamment raisonnables, et ce, en dépit de son cadre enchanteur. Même si elles ne sont pas aussi chics que celles des deux autres auberges du lac Waramaug, ses chambres n'en demeurent pas moins lumineuses et douillettes, sinon un tantinet exiguës. L'établissement exploite par ailleurs un excellent restaurant autrichien (voir p 537).

Boulders Inn
$$$$$ pdj
≡ ❄ ⊌ ⚠ @ Υ ⬤
route 45
☎ 860-868-0541 ou 800-455-1565
🖷 860-868-1925
www.bouldersinn.com

Juchée sur une colline boisée qui domine le lac Waramaug, cette auberge est installée dans une superbe maison en pierres entourée d'un terrain paysager. Même si toutes les chambres rustiques de cet établissement s'avèrent agréablement meublées d'antiquités et rehaussées d'abondantes boiseries, optez de préférence pour celles de la pension car elles bénéficient d'une terrasse privée donnant sur le lac de même que d'un foyer, et nombre d'entre elles renferment une baignoire à remous pour deux. Vous remarquerez partout des touches particulières, telles ces adorables lampes aux abat-jour de papier découpés de scènes et d'images variées. Quant au restaurant installé sous un belvédère offrant une belle vue sur le lac (voir p 537), il ne fait qu'ajouter à la magie du séjour dans cet établissement unique en son genre.

Litchfield

Litchfield Inn
$$$-$$$$
♨ ≡ ▲

route 202
☎ 860-567-4503 ou 800-499-3444
🖷 860-567-5358
www.litchfieldinnct.com

Vous pouvez être sûr que vous serez bien accueilli dans ce majestueux manoir à l'ancienne. Les chambres en sont tout simplement adorables avec leurs gravures florales, leurs boiseries foncées et leurs lits à colonnes. Et que dire des chambres à thème, sinon qu'elles suscitent les rêves les plus fous, qu'il s'agisse de la «Sherlock Holmes», de la «Lady Agnew», de la «Queen Victoria» ou de l'«Irish Room». La maison renferme aussi un sympathique salon que réchauffe une cheminée – un lieu tout indiqué pour siroter un cocktail – de même qu'un restaurant primé, le **Bistro East** (voir p 537), qui ne propose que des délices.

Torrington

Yankee Pedlar Inn
$-$$
♨ ≡

93 Main St.
☎ 860-489-9226 ou 866-484-8247
www.pedlarinn.com

Établi tout juste en face de l'attrayant Warner Theatre Art déco du centre-ville de Torrington, le vaste Yankee Pedlar Inn est une chaleureuse auberge séculaire remplie de meubles Hitchcock et rehaussée de murs peints au pochoir ainsi que de vitraux. Compte tenu de ses magnifiques chambres à l'ancienne, avec courtepointes assorties aux rideaux (s'il vous plaît!), ses prix s'avèrent extrêmement raisonnables. Un endroit

on ne peut mieux choisi pour vous loger si vous projetez d'aller voir un film au Warner.

Bristol

Chimney Crest Manor
$$$-$$$$ pdj
≡

5 Founders Dr.
☎ 860-582-4219

Pour peu que vous soyez sensible aux merveilles architecturales, ce manoir Tudor comblera tous vos désirs. Tout en vous offrant une vue sur les Farmington Hills, le Chimney Crest Manor vous convie à un séjour sur sa majestueuse propriété à l'anglaise. Outre son salon de dimensions incroyables et sa salle à manger raffinée, l'établissement s'enorgueillit de moulures de plâtre richement ornées, de poutres apparentes et de nobles cheminées. Vous pourrez même prendre votre petit déjeuner chaud et nourrissant sur la terrasse.

Waterbury

Courtyard by Marriott
$$$
♨ ≡ ≋ ☎ ◎))) ㄓ @ ☞

63 Grand St.
☎ 203-596-1000
🖷 203-753-6276
www.marriott.com

Il s'agit là d'un typique Courtyard Marriott en plein centre-ville de la capitale du laiton, offrant commodités et tranquillité d'esprit à un prix raisonnable. Toutes les installations voulues s'y trouvent, de même que le journal du matin livré à votre porte, un centre d'affaires et un bar. Bien qu'attrayant dans l'ensemble, et fort bien tenu, cet hôtel n'a toutefois aucun charme particulier.

House on the Hill
Bed & Breakfast
$$$-$$$$ pdj
≡ ☞ ☞ ▲

92 Woodlawn Terr., angle Pine St.
☎ 757-9901
www.houseonthehillbedandbreakfast.com

Ce *bed and breakfast* a emménagé dans un ravissant manoir Queen Anne perché bien haut sur une colline escarpée au beau milieu d'un quartier résidentiel, et il vous assure d'une atmosphère de détente totale qui vous fera sentir comme chez vous. En fait, vous ne voudrez sans doute plus en repartir, car l'endroit regorge d'antiquités intéressantes, d'escaliers sinueux et de charmants recoins. Une des chambres situées à l'étage supérieur bénéficie même d'un petit coin intime éclairé par une verrière et rendu plus confortable encore par des coussins et un matelas, si bien que vous pourriez facilement y plonger dans un bon livre pendant des heures, voire même dans le sommeil si le cœur vous en dit. Le porche ensoleillé et les jardins tentaculaires qui s'étendent derrière la maison se prêtent quant à eux à de douces contemplations. Marianne, une cuisinière professionnelle qui élabore de divins petits déjeuners, vit sur les lieux et se révèle être d'excellente compagnie pour peu que vous appréciez les conversations soutenues.

🍴 Restaurants

Hartford et ses environs

Hartford

Pond House Café
$$
1555 Asylum Ave.
☎860-231-8823
Installé parmi les rosiers odorants de l'**Elizabeth Park** (voir p 502), le Pond House Café propose un menu léger de salades rafraîchissantes, de potages et de sandwichs. Vous aimerez sans nul doute prendre une bouchée sur son invitante terrasse entourée des verts paysages du parc, où l'on se sent à des années-lumière de la ville.

Black-Eyed Sally's
$$
350 Asylum St.
☎860-278-7427
Ce restaurant haut en couleur vous promet de la cuisine cajun, des barbecues et du blues, et l'on prétend qu'il sert le meilleur «jambalaya» de tout l'État. Sally's crée même ses propres sauces, dont certaines piquantes, et vous pourrez notamment y déguster comme entrée des doigts de poisson-chat frits à la sauce tartare du Tennessee, de même que, au chapitre des plats de résistance, une assiette de côtes levées de porc *Memphis-style* ou un sandwich à la longe de porc (*pulled pork*). Et pourquoi ne pas essayer les savoureuses patates douces pilées de la maison en guise d'accompagnement,

ou encore un flotteur à la racinette (*root beer float*) à l'ancienne en guise de dessert? L'atmosphère est animée et le service cordial.

Trout Brook Brewhouse
$$
55 Bartholomew Ave.
☎860-951-BREW
Ce pub installé à l'intérieur d'une ancienne usine sert de délicieuses côtes levées. Ses hauts plafonds et ses poutres apparentes lui donnent d'ailleurs des airs de fumoir à l'ancienne. Quant aux bières, elles sont toutes brassées sur place et compléteront merveilleusement bien votre repas.

Carbone's Ristorante
$$
588 Franklin Ave.
☎860-296-9646
Le Carbone's Ristorante sert d'excellents mets italiens depuis quatre générations. Que ce soit dans l'une ou l'autre de ses trois salles à manger, laissez-vous tenter par de succulents plats tels que le veau marsala ou le poulet Saltimbocca. Cela dit, le menu comporte aussi nombre de classiques familiaux dont on ne se lasse pas. Bref, une expérience culinaire des plus agréables.

Costa del Sol Restaurante
$$-$$$
901 Wethersfield Ave.
☎860-296-1714
Le Costa del Sol est un restaurant espagnol qui bénéficie à Wethersfield d'une réputation enviable pour son menu authentique et son service aussi chaleureux qu'efficace. Allez-y pour savourer une paella ou quelque autre spécialité méditerranéenne arrosée d'un pichet de sangria, d'ailleurs excellente. Il est également possible

de manger à l'extérieur lorsque la température le permet.

Simsbury

Pettibone's Tavern
$$$-$$$$
4 Hartford Rd.
☎860-658-1118
Installé dans une taverne historique et éponyme datant de 1788, ce restaurant sert une cuisine typiquement américaine de qualité (biftecks, rôti de bœuf, fruits de mer...). Mais ce n'est pas tant la nourriture qu'on y sert que les lieux mêmes qu'il occupe qui distinguent cet établissement, apparemment hanté par une femme brutalement assassinée dans la taverne il y a de cela plus de 200 ans! Le décor se veut agréablement rustique, et ses murs bleu cendré s'harmonisent fort bien aux boiseries, sans compter que la cheminée est fort appréciée par temps froid.

Wethersfield

Mainly Tea
$
221 Main St.
Old Wethersfield
☎860-529-9517
Prenez le temps de vous détendre devant un bon thé fraîchement infusé et quelques savoureuses douceurs dans ce charmant salon de thé dont l'ambiance toute britannique cadre parfaitement avec l'allure Vieux Continent de cette ville. Le thé du midi se compose d'une mouture de votre choix à partir d'une vaste sélection, d'un assortiment de sandwichs à thé, de fruits saisonniers, de mini scones et d'une variété de desserts maison – tout ce

qu'il faut pour partager un bon moment entre amis.

Sadler's Ordinary
$-$$

dans le village commercial Marlborough Barn

Cet endroit on ne peut plus accueillant propose des tables d'hôte mettant en vedette des plats santé essentiellement végétariens et savoureux à souhait, notamment une foule de salades intéressantes et des plats de pâtes hauts en couleur. La boulangerie-pâtisserie de la maison vous réserve en outre des délices irrésistibles pour clore votre repas. L'endroit rêvé où déjeuner après avoir admiré la marchandise de la **Marlborough Barn** (voir p 541).

La route 169 et le Sud-Est

Pomfret

Vanilla Bean Cafe
$-$$

à la jonction des routes 44, 169 et 97

☎860-928-1562

Ce restaurant d'exploitation familiale, aménagé dans une grange du début du XIXᵉ siècle entièrement restaurée, sert des sandwichs de viande grillée (poulet mariné, bison, etc.) – mais aussi des sandwichs combinés selon vos préférences –, de même que divers plats du jour, salades et potages maison tels que gaspacho et chaudrée. La charmante terrasse est ombragée par des parasols, tandis que la salle à manger se révèle décontractée et décorée d'œuvres d'art. Musiciens sur scène le soir (consultez le programme).

The Harvest
$$-$$$

37 Putnam Rd. (route 44)

☎860-928-0008

Ce restaurant niché dans une maison historique complètement remise à neuf qu'on dit être hantée vous assure d'une atmosphère détendue et d'un service courtois. Le décor en est attrayant, et ses différentes salles se montrent spacieuses, abondamment garnies de boiseries et parsemées de tables éclairées à la chandelle. Le menu porte sur les traditionnels plats grillés et les fruits de mer, tout en mettant l'accent sur la fraîcheur et l'heureux mariage des ingrédients. Et gardez-vous de la place pour un dessert, car on vous en promet d'excellents en portions tout à fait raisonnables.

Willimantic

Willimantic Brewing Co./Main Street Café
$$

967 Main St.

☎860-423-6777

Installée dans un bureau de poste de 1909, la Willimantic Brewing Co. vous convie à un dîner décontracté dans une immense salle aux plafonds très élevés. Les cuves servant à la fabrication des différentes bières brassées sur place sont parfaitement visibles, de sorte que vous n'aurez aucun doute sur la provenance des petites mousses qu'on vous sert. Menu complet où figurent notamment des plats de pâtes, mais aussi des repas plus légers, façon pub.

Norwich

The Spa at Norwich Inn
$$-$$$$$

607 W. Thames St. (route 32)

☎800-ASK-4SPA

Le Spa at Norwich Inn (voir p 524) exploite deux excellents restaurants. Le premier, **Ascot's Pub** (*$$-$$$*), est situé aux abords immédiats du hall, et sa cheminée de même que son attrayant bar en pin vous assurent d'une atmosphère décontractée on ne peut plus propice à la détente. Mais n'allez pas croire pour autant qu'on y affiche un banal menu de pub, car vous y trouverez entre autres délices de merveilleux sandwichs au homard et au crabe.

Quant au second, le **Kensington's** (*$$$$$*), il vous réserve un service attentif et irréprochable qui cadre on ne peut mieux avec l'élégance feutrée de sa salle à manger. Son menu propose un pur festin préparé à partir des ingrédients les plus frais (et les plus sains – on vous indique même la teneur en calories, en matières grasses, en protéines et en hydrates de carbone de chaque plat!). Après une dure journée passée à vous faire dorloter au centre de remise en forme, pourquoi ne pas vous régaler d'un carré d'agneau d'Australie aux baies de sumac accompagné d'un sauté de bette à carde, d'oignons et de couscous. Vous devez déjà en avoir l'eau à la bouche...

Uncasville

Pompeii & Caesar's
$$$$-$$$$$
Mohegan Sun Casino
1 Mohegan Sun Blvd.
☎ 888-226-7711
Parmi les nombreux restaurants des casinos Mohegan Sun et Foxwoods, Pompeii & Caesar's se distingue immanquablement, tant par son décor raffiné, ses confortables banquettes et ses éclairages tamisés que par son service des plus attentionnés. Qui plus est, la nourriture y est succulente et admirablement présentée. Les plats ne manquent pas d'originalité, et les entrées comme les desserts se révèlent tout aussi alléchants que les plats de résistance.

North Stonington

Randall's Ordinary
$$$$
route 2
☎ 877-599-4540
Partie intégrante de l'excellente auberge du même nom, ce restaurant est réellement unique en son genre en ce qu'il reprend des recettes proprement coloniales en les adaptant au goût du jour. Toute la cuisine se fait d'ailleurs sur un feu de foyer dans des casseroles vieilles de deux à trois cents ans! La maison se spécialise dans les pétoncles, très prisés des gens du coin comme des touristes, et vivement recommandés. Et les petits déjeuners se révèlent tout aussi agréables avec leur «pâté matinal» à l'ancienne (semblable à une quiche) et leurs délices aux noix et à la cannelle accompa-

gnés de pommes au four. L'ambiance romantique du Randall's vous enchantera à coup sûr, d'autant plus que le service y est exceptionnel.

Stonington

Skipper's Dock
$-$$
66 Water St.
☎ 860-535-0111
Le Skipper's Dock vous accueille directement au bord de l'eau, et sa terrasse fort invitante (quoique venteuse) s'ouvre sur le détroit, ce qui en fait un endroit tout indiqué pour un nourrissant déjeuner de fruits de mer. Même si la plupart des plats (poisson frites pané à la Guinness, salades, coquille Saint-Jacques et autres classiques) n'ont rien d'extraordinaire, il convient de savoir que tous les poissons qu'on vous sert ici ont été pêchés sur la jetée même de Stonington. Et rappelez-vous que l'endroit devient facilement bondé lorsqu'il fait beau et chaud.

Mystic

Kitchen Little
$
135 Greenmanville Ave.
☎ 860-536-2122
Les habitants de la région ne jurent que par ce minuscule (nous avons bien dit «minuscule») restaurant de petit déjeuner qui propose de nourrissants repas matinaux dans une atmosphère enjouée de *diner*. Pour peu que la température le permette, vous pourrez même manger à l'extérieur. L'imposant menu comprend des plats uniques tels que les œufs brouillés au fro-

mage et aux *jalapeños* sur fricassée de corned-beef, le tout servi avec du pain de seigle grillé à l'aneth, de même qu'une variété d'omelettes.

Mystic Pizza
$
56 W. Main St.
☎ 860-536-3700
Les mordus de cinéma seront heureux d'apprendre qu'ils ont la possibilité, au cours de leur séjour dans le sud-est du Connecticut, de manger à la fameuse pizzeria où a été tourné le film des années 1980 *Mystic Pizza*, mettant en vedette Julia Roberts. Davantage une attraction qu'un restaurant de qualité, cet établissement n'en est pas moins tout à fait charmant avec ses murs tapissés de photos et de souvenirs du film. Quant aux pizzas, offertes avec une variété de garnitures, elles sont savoureuses et nourrissantes, et vous pourrez arroser votre repas d'une bonne bière brassée dans la région, comme la délicieuse Mystic Seaport Ale. Le service se veut cordial et l'atmosphère conviviale.

New London

Bangkok City
$$
123 State St.
☎ 860-442-6970
Dans cet excellent restaurant thaïlandais du centre-ville de New London, vous aurez le loisir de personnaliser votre plat en fonction de votre goût pour les épices sur une échelle de «lâche» (doux) à «Thaïlandais dans l'âme» (brûlant). Comme entrée, pourquoi ne pas opter pour les «crevettes sautillantes» (*jumping shrimps*) – grillées au jus de limette, à la citronnelle, à

l'oignon et aux piments forts, et servies sur un lit de salade verte –, avant de passer à un délicieux plat de résistance débordant de saveur, qu'il s'agisse de fruits de mer, de bœuf ou de poulet? La décoration des lieux est somme toute modeste, mais le service y est toujours chaleureux.

La vallée du fleuve Connecticut et New Haven

Old Saybrook

Pat's Kountry Kitchen
$$
70 Mill Rock Rd. (à la jonction avec la route 154)
☎860-388-4784
Ce restaurant d'exploitation familiale déborde d'antiquités variées et d'objets de cuisine typiquement campagnards qui feront le bonheur des enfants comme de ceux qu'un peu de kitsch ne fait pas tourner de l'œil. Vous y trouverez un vaste assortiment de potages et de tartes maison, mais aussi divers plats de viande et de fruits de mer. Rien de spectaculaire, si ce n'est que les portions sont généreuses et satisfaisantes.

Dock & Dine
$$$
Saybrook Point (par la route 154)
☎860-388-4665
Ce populaire restaurant situé sur les berges du fleuve Connecticut aux abords du détroit de Long Island est on ne peut mieux choisi pour déguster de bonnes et grosses assiettes de poisson et de fruits mer. Il s'agit d'un établissement chaleureux qui vous promet une expérience culinaire fort agréable tout en vous don-

nant l'occasion d'observer le va-et-vient incessant des bateaux sur l'eau.

Essex

Griswold Inn
$$$-$$$$
36 Main St.
☎860-767-1776
Louangé à souhait depuis 1776, le *Gris* vous offre la cuisine champêtre à son meilleur, et surtout d'excellents fruits de mer on ne peut plus frais, dans l'une ou l'autre de ses fabuleuses salles à manger. Retenez tout particulièrement la «Covered Bridge», construite à même les matériaux d'un pont couvert abandonné du New Hampshire avant d'être transportée à Essex. Elle renferme une énorme cheminée, moult lanternes et une impressionnante collection de gravures de bateaux à vapeur qui couvre entièrement les murs jusqu'au plafond! Il en résulte une atmosphère hautement maritime qui ne manque d'ailleurs pas d'attirer beaucoup de marins de la région.

Ivoryton

Copper Beech Inn
$$$$
46 Main St.
☎860-767-0330
Le restaurant très fréquenté de cette auberge victorienne dispose de trois salles à manger décorées de façon individuelle, quoique toutes soient garnies d'antiquités et rehaussées d'œuvres d'art. La cuisine provinciale française vole ici la vedette, et tous les mets proposés se révèlent aussi fascinants qu'exclusifs. Quant aux desserts, ils ne manque-

ront pas de combler les plus fins palais. Et comme si ce n'était pas assez, la carte des vins propose un nombre impressionnant de crus pour arroser votre succulent repas!

Chester

Vineyard Restaurant
$$$$
Inn & Vineyard at Chester
318 W. Main St.
☎860-526-9541
La salle à manger à la fois rustique et raffinée de l'Inn & Vineyard at Chester est un endroit rêvé pour apprécier la nouvelle cuisine américaine. Le restaurant se trouve dans une vieille grange en bois foncé entièrement éclairée à la chandelle, et vous pourrez entre autres y déguster un délicieux thon jaune en croûte de sésame et gingembre. Les entrées sont tout aussi alléchantes, et les desserts sont sublimes.

Restaurant du Village
$$$$
59 Main St.
☎860-526-5301
Un minuscule bâtiment bleu aux fenêtres garnies de boîtes à fleurs abrite ce minuscule restaurant français que beaucoup considèrent comme le meilleur de l'État. Ne vous étonnez surtout pas d'y être accueilli en français, et encore moins d'être à proprement parler envoûté par les plats qu'on vous servira, qu'il s'agisse du jarret d'agneau au vin rouge, ou du poussin rôti à la marocaine. Nombre de desserts divins s'offrent en outre pour couronner votre repas. L'endroit se veut tout à fait charmant et intime, et les fleurs sauvages posées sur les tables ajoutent une touche de couleur intéressante.

Middletown

It's Only Natural
$$
386 Main St.
☎ 860-346-9210
www.ionrestaurant.com

Cet extraordinaire restaurant végétarien est un joyeux endroit où prendre un bon repas dans un cadre original. Il possède même une terrasse caressée par la brise dont les tables sont abritées, pour ceux qui préfèrent manger à l'extérieur. On y sert des mets végétariens fort variés qui peuvent aussi bien intégrer des influences asiatiques que mexicaines. Les sandwichs s'accompagnent de délectables frites de patates douces (à essayer sans faute!). Vous pourrez clore votre repas par une délicieuse tranche de gâteau végétalien et une tasse de café équitable.

New Haven

De passage à New Haven, pourquoi ne pas faire un détour par son quartier de **Little Italy**, concentré autour de Wooster Street *(suivez Chapel St. jusqu'aux limites du centre-ville, passez le pont de Chapel St., continuez jusqu'à Olive St., que vous prendrez à droite, et prenez enfin la première à gauche pour emprunter Wooster)*? Il s'agit en effet d'une petite enclave résidentielle d'allure résolument européenne qui vous changera agréablement des quartiers plus conventionnels.

Libby's Italian Pastry Shop
$
139 Wooster St.
☎ 203-772-0380

Quelle meilleure façon de terminer une soirée dans la Petite Italie que de savourer une glace italienne tout en déambulant dans les rues à la tombée du jour! N'hésitez donc pas à vous rendre chez Libby's, sur lequel on ne tarit plus d'éloges par ici.

Claire's Corner Copia
$
1000 Chapel St.
☎ 203-562-3888

À quelques pas seulement du campus de Yale, ce restaurant végétarien très apprécié fait plus ou moins figure d'institution à New Haven. Surtout fréquenté par des étudiants et des marginaux plutôt bohèmes, Claire's se révèle être une véritable corne d'abondance chargée de merveilleux sandwichs, salades et potages végétariens. On y sert même de délicieux mets mexicains tels que *quesadillas*, *burritos* et *enchiladas*, sans parler d'un choix remarquable de gâteaux, tartes et autres desserts somptueux à l'intention de ceux qui ont une dent sucrée.

Louis' Lunch
$
261-263 Crown St.
☎ 203-562-5507

Ah, le hamburger! Qui oserait dire du mal de ce pilier de l'alimentation américaine? Et comment ne pas en renouveler l'expérience au Louis' Lunch, le lieu de naissance même du tout premier hamburger aux États-Unis? Fondé en 1895, ce petit restaurant d'exploitation familiale en est à sa troisième génération, et l'on y utilise toujours les mêmes grils qu'à l'époque! Vous n'y trouverez qu'une table communale, un comptoir flanqué de tabourets et quelques chaises pourvues d'une minable intégrée. Quant aux lampes de verre teinté et aux fenêtres plombées, elles ne pourront que vous replonger dans le passé. Et ne songez même pas à demander du ketchup, de la moutarde ou des frites, car on ne sert ici que l'authentique hamburger des premiers jours (au dire des propriétaires), soit un savoureux morceau de bœuf grillé sur feu de bois entre deux tranches de pain grillé!

Frank Pepe Pizzeria Napoletana
$-$$
157 Wooster St.
☎ 203-865-5762

C'est un fait avéré dans cette ville que vous ne pouvez jurer fidélité qu'à Frank Pepe ou Sally's (voir ci-dessous), et, si vous n'arrivez pas à vous décider entre les deux, c'est tout simplement que vous ne connaissez rien à la pizza! Cela dit, Pepe's a ceci d'unique qu'il s'agirait du lieu d'origine de la pâte à pizza telle que nous la connaissons, ce qui lui attire un flot constant d'habitués (et ne manque pas de créer des files d'attente). Le local en soi est très modeste, et le service n'a rien de très chaleureux, mais c'est bien la pizza qui vous intéresse, non? De toute façon, attendez-vous à repartir comblé, sinon complètement envoûté.

Sally's Apizza
$-$$
237 Wooster St.
☎ 203-624-5271

À l'instar de son voisin précité, cet établissement – un des favoris de l'ancien président Bill Clinton – sert de la pizza et rien que de la pizza, authentique et nourrissante, sans fantaisie aucune et dans un cadre

qui n'offre aucun charme particulier.

Caffe Adulis
$$-$$$
228 College St.
☎203-777-5081

Pour une cuisine éryhtréenne des plus alléchantes, rendez-vous au Caffe Adulis. Le décor est minimaliste, quoique rehaussé d'attrayants luminaires et d'objets d'art africains. Si vous n'êtes pas familier avec ce genre de cuisine, sachez qu'elle est absolument délicieuse et qu'elle se mange avec plaisir. Vous pourrez y partager de grandes *tsebhes* (crêpes de pâte au levain) dont vous déchirerez des morceaux pour saisir votre nourriture (il n'y a pas d'ustensiles). Qu'il s'agisse du poulet, de l'agneau ou des préparations végétariennes, tout regorge de goût. Le couscous figure également en bonne place au menu. Une expérience qui ne manquera pas de vous en mettre plein les doigts, mais dont vos papilles gustatives vous remercieront sans nul doute!

John Davenport's
$$$-$$$$
Omni New Haven Hotel at Yale
155 Temple St.
☎203-772-6664

L'attrait du restaurant John Davenport's, perché au 19e étage de l'Omni, en plein centre-ville, ne tient ni à son décor, qui n'a vraiment rien de remarquable, ni à son menu plutôt conventionnel. Non, la magie d'un dîner en ces lieux tient essentiellement à la vue à couper le souffle sur la ville qu'offrent ses fenêtres panoramiques, scintillantes de mille feux le soir et inondées de soleil le jour.

Le comté de Fairfield et la vallée de la Housatonic

Norwalk

Barcelona Restaurant & Wine Bar
$$$$
63-65 N. Main St.
☎203-899-0088

Installé dans le quartier branché de SoNo, le Barcelona Restaurant & Wine Bar fait très moderne avec sa porte de garage vitrée en façade et sa longue salle étroite éclairée avec goût. Comme vous pouvez vous en douter, la cuisine espagnole est ici à l'honneur, et la longue liste de tapas qu'on vous propose vous mettra d'emblée en appétit. Et comme on exploite également un bar à vins sur les lieux, ce n'est pas le choix de bons crus qui manque pour arroser le tout!

The Silvermine Tavern
$$$$
194 Perry Ave.
☎203-847-4558

Le restaurant de la Silvermine Tavern bénéficie d'un emplacement spectaculaire sur les berges mêmes de la rivière Silvermine, et sa terrasse se perd dans les arbres qui bordent un bassin de retenue alimenté par une jolie cascade. On y sert de nourrissants mets campagnards tels que le pâté chaud de poulet ou les beignets de crabe et de saumon.

Stamford

Il Falco Ristorante
$$$-$$$$
59 Broad St.
☎203-327-0002

S'il vous prend une envie folle de célébration culinaire à l'italienne, foncez tout droit au Il Falco du centre-ville de Stamford, dont les plats aussi colorés que savoureux des différentes régions de l'Italie vous transporteront au septième ciel. Vous y serez accueilli dans une confortable salle à manger décorée dans les tons terreux et ornée de murales représentant des paysages de la campagne italienne. Qu'il s'agisse des pâtes, des volailles ou des poissons, tout est préparé selon la plus pure tradition.

Ocean 211
$$$$$
fermé dim
211 Summer St.
☎203-973-0494

Ce restaurant de fruits de mer est très couru, et il a su se tailler une réputation aussi enviable que durable. On y sert des plats de poisson frais et inventifs aux accents internationaux dans un décor attrayant, chic et feutré.

Greenwich

Méli-Mélo
$-$$
362 Greenwich Ave.
☎203-629-6153

Ce petit établissement tout à fait mignon s'auréole d'une atmosphère cordiale et détendue, et sert des crêpes aussi bien salées que sucrées de même que des jus frais et des sorbets, ce qui en fait une destination rêvée pour un dessert ou un repas léger après avoir pris quelques verres. Le propriétaire étant Français d'origine, vous aurez en outre l'occasion de renouer avec vos racines.

Ridgefield

Elms Restaurant and Tavern
$$-$$$
Elms Inn
500 Main St.
☎ 203-438-9206

Le resto-bar de l'Elms Inn sert aussi bien de la nourriture de pub du côté taverne (saucisses et purée de pommes de terre, sandwichs au bifteck, etc.) que des repas complets dans sa salle à manger d'inspiration coloniale, dont le menu propose une cuisine de la Nouvelle-Angleterre réinventée de façon originale par le chef Brendan Walsh. Informez-vous également des spécialités saisonnières.

Danbury

Bangkok Restaurant
$$-$$$
72 Newton Rd.
☎ 203-791-0640

Le Bangkok Restaurant, qui a été le premier restaurant thaïlandais à s'établir au Connecticut, élabore une cuisine délectable qui comporte beaucoup de fruits de mer, de noix de coco, de cari et d'arachides. Son chef et propriétaire, Taew, est né en Thaïlande et y a reçu sa formation culinaire, de sorte que vous pouvez être assuré de l'authenticité de chaque plat. Les serveurs, qui portent le costume national, ajoutent beaucoup à l'atmosphère générale des lieux.

Les collines de Litchfield et le centre du Connecticut

New Preston

Hopkins Inn
$$$-$$$$
fermé jan à fin mars, fermé lun
22 Hopkins Rd.
☎ 860-868-7295

Ce restaurant autrichien s'enorgueillit d'un splendide patio en pierres donnant sur le lac Waramaug. Le personnel en costumes autrichiens vous installera à une jolie table en carreaux peints et vous proposera ensuite des plats tous plus alléchants les uns que les autres, y compris un poulet Cordon Bleu des plus savoureux. Certains jours plus affairés, le service peut laisser à désirer, mais l'emplacement et la cuisine compensent facilement cette lacune. Le restaurant possède en outre une cave bien garnie, notamment grâce à la proximité du vignoble Hopkins.

Boulders Inn
$$$$
fermé lun-mar
route 45
☎ 860-868-0541

Le restaurant du Boulders Inn bénéficie d'un cadre somptueux aux abords du lac Waramaug. Pour un dîner tout ce qu'il y a de plus romantique, laissez-vous tenter par la nouvelle cuisine américaine servie dans la salle à manger entièrement vitrée, ou encore sur la terrasse en période estivale.

Litchfield

Bistro East
$$$-$$$$
Litchfield Inn
route 202
☎ 860-567-9040

Le populaire restaurant du Litchfield Inn élabore une cuisine contemporaine dans une ambiance de bistro. Les plats de résistance proposent des combinaisons uniques, et les biftecks de qualité sont offerts à d'excellents prix.

Woodbury

Good News Café
$$$-$$$$
fermé mar
694 Main St. S. (route 6)
☎ 203-266-4663

Ce restaurant est tenu et exploité par le chef de réputation nationale Carole Peck, une femme passionnée qui compose des mets santé tout à fait délicieux inspirés des cuisines du monde entier. La salle à manger se trouve dans une vieille maison au décor vivant, coloré et lumineux qui fait aussi office de galerie d'art, si bien que les murs sont couverts d'œuvres avant-gardistes signées par des artistes de la région. Si vous voulez goûter quelque chose de vraiment unique, commandez comme entrée le «paquet d'oignons croustillants» de Carole avec son ketchup maison. Vous trouverez même sur place un comptoir de pains et pâtisseries à emporter (fraîchement sortis du four, il va sans dire) ainsi qu'un bar à cocktails offrant un vaste choix de bières et de vins.

Waterbury

Mattatuck Museum Café
$

mar-ven
144 W. Main St.
☎203-753-0381, ext. 24

Après la visite du superbe **Mattatuck Museum** (voir p 517), pourquoi ne pas vous arrêter au restaurant du musée pour un agréable déjeuner? Son décor minimaliste s'avère plutôt attrayant, et vous pourrez même manger à l'extérieur par beau temps. Et que dire du formidable bar à café, sinon qu'il ravira tous les amateurs du divin élixir.

Carmen Anthony Steakhouse
$$$
496 Chase Ave.
☎203-757-3040

Un incontournable pour peu qu'il vous faille absolument un bon gros steak juteux. Dans une grande salle aux boiseries foncées parsemée de banquettes, on vous propose ici une variété de coupes de bœuf Angus. Vous pourrez aussi, si le cœur vous en dit, vous choisir un homard du Maine dans le réservoir prévu à cette fin. Un bon choix pour les familles et les gros appétits.

Sorties

■ Activités culturelles

Hartford

Bushnell Center for the Performing Arts
166 Capitol Ave.
☎860-987-5900
www.bushnell.org

Le Bushnell loge dans un splendide bâtiment néo-georgien à colonnes et à fenêtres en arc, tandis que son intérieur épouse le style Art déco. On y présente de tout, des concerts de musique classique et de jazz à l'opéra, en passant par les comédies musicales de Broadway, les spectacles de danse et les pièces de théâtre pour enfants.

Hartford Civic Center
One Civic Center Plaza
☎860-249-6333
www.hartfordciviccenter.com

Ce stade géré par les administrateurs du Madison Square Garden accueille aussi bien des événements sportifs que des expositions, des concerts et des spectacles pour la famille.

Hartford Stage Company
50 Church St.
☎860-527-5151
www.hartfordstage.org

La Hartford Stage Company se spécialise dans les drames contemporains, mais elle reprend aussi des classiques qu'elle modernise de façon novatrice.

New London

Eastern Connecticut Symphony Orchestra
289 State St.
☎860-443-2876
www.ectsymphony.com

Salle de concerts de l'orchestre symphonique de l'est du Connecticut.

Garde Theatre
Garde Arts Center
325 State St.
☎860-444-7373 (billetterie)
www.gardearts.org

Partie intégrante du Garde Arts Center, l'historique Garde Theatre, le dernier à présenter du vaudeville dans la région, accueille en outre des comédies musicales de Broadway, des pièces de théâtre pour toute la famille, des spectacles de cabaret, des spectacles de danse, de grands artistes acclamés dans tout le pays ainsi que des productions d'avant-garde.

East Haddam

Goodspeed Opera House
☎860-873-8668
www.goodspeed.org

D'abord construit pour servir de théâtre d'été, le grandiose Victorian Goodspeed a été le berceau de la célèbre comédie musicale *Annie*. Il s'est également taillé une excellente réputation pour ses productions de classiques tels que *Man of La Mancha* et *Red, Hot and Blue* de Cole Porter.

New Haven

New Haven Symphony Orchestra
247 College St.
☎203-562-5666 ou 800-228-6622
www.newhavensymphony.com

Salle de concerts de l'orchestre symphonique de New Haven.

Shubert Performing Arts Center
247 College St.
☎203-624-1825
www.shubert.com

Réputé être «le berceau des plus grands succès de la nation», ce théâtre de 1914 a produit plusieurs spectacles qui ont éventuellement été repris à Broadway. Son intérieur a été restauré de merveilleuse façon, et il présente désormais les meilleures pièces de Broadway, des opéras dansants, des spectacles de cabaret et des divertissements pour toute la famille.

Yale Repertory Theatre
oct à mai
angle York St. et Chapel St.
☎ 203-432-1234
www.yale.edu/yalerep
Parmi les chefs de file incontestés du théâtre professionnel au pays, le Yale Rep est reconnu pour ses interprétations actualisées de grands classiques de même que pour ses créations d'œuvres d'avant-garde signées par des dramaturges contemporains.

Westport

Westport Country Playhouse
☎ 203-227-4177
www.westportplayhouse.org
Il s'agit là d'un excellent théâtre d'été historique qui met aussi bien en scène des classiques que des pièces plus récentes. Tous les murs en sont tapissés d'anciennes affiches entrecoupées de photos d'acteurs et d'actrices, parmi lesquelles figurent les incomparables Gloria Swanson, Ethel Barrymore et Jane Fonda, qui ont toutes joué ici.

Stamford

Stamford Center for the Arts
Rich Forum: 307 Atlantic St.
Palace Theatre: 61 Atlantic St.
☎ 203-325-4466
www.stamfordcenterforthearts.org
Ce centre d'art multidisciplinaire présente vraiment de tout, des concerts aux comédies musicales, des classiques de Shakespeare aux grands ballets, et des spectacles de danse internationaux aux perles du théâtre contemporain. Qui plus est, le vieux Palace Theatre (1927) offre en soi un spectacle unique!

Stamford Theatre Works
200 Strawberry Hill Ave.
☎ 203-359-4414
www.stamfordtheatreworks.org

On produit ici diverses pièces contemporaines de haut calibre.

Torrington

Warner Theatre
68 Main St.
☎ 860-489-7180
www.warnertheatre.org
Offrez-vous un spectacle de qualité (comédies musicales, opéras, spectacles de danse et autres) au chef-d'œuvre Art déco qu'est le splendide **Warner Theatre** (voir p 516).

■ Bars et discothèques

Hartford

The Brickyard Café
113-115 Allyn St.
☎ 860-249-2112
Ce bar dansant de trois étages attire surtout une clientèle d'étudiants. Reconnu comme lieu de rencontre (ce qui lui vaut d'ailleurs le surnom peu flatteur de «Chickyard»), c'est l'endroit tout indiqué pour danser toute la nuit ou simplement pour prendre un verre en jouant au billard. Au cours de la belle saison, il est possible d'échapper à la foule en s'installant sur la terrasse.

Pig's Eye Pub
356 Asylum St.
Le Pig's Eye est un bar accueillant qui n'exige jamais le moindre droit d'entrée! On y a par ailleurs accès au toit, d'où l'on peut admirer le Bushnell Park et le capitole.

Standing Stone
111 Allyn St.
☎ 860-246-4400
Le Standing Stone est un petit pub irlandais fort

couru où coule une grande variété de bières locales et importées. Des musiciens s'y produisent en arrière-salle certains soirs, et, comme il se trouve à côté du Brickyard Café (voir ci-dessus), vous pourrez les visiter tous les deux si vous avez l'intention d'éterniser votre soirée.

Middletown

Eli Cannon's Tap Room
695 Main St.
☎ 860-347-ELIS
Eli Cannon's est reconnu pour son choix de bières microbrassées, de scotchs, de bourbons et de tequilas. Décoré d'antiquités intéressantes, c'est un endroit décontracté où il fait bon savourer une pinte tout en prenant une bouchée.

New Haven

Bar
254 Crown St.
☎ 203-495-8924
Spacieux et un tant soit peu «alternatif», le Bar se distingue par son atmosphère on ne peut plus urbaine et son décor industriel. Le fréquentent surtout des jeunes dans la vingtaine, qui aiment y prendre un verre ou simplement tâter le pouls de la scène locale. On y sert notamment de la pizza cuite dans un four en briques, et les lieux abritent un pub où l'on sert de bonnes bières microbrassées, sans parler du bar en terrasse aménagé à l'arrière.

Gotham Citi
128 Crown St., angle Church St.
☎ 203-498-CITI
Le Gotham Citi est une vaste et populaire boîte de nuit gay où l'on vient draguer et danser, et danser, et encore danser. On y trouve

même une scène surélevée pour ceux qui aiment afficher leurs talents, ainsi que des tables de billard.

Toad's Place
300 York St.
☎ 203-624-TOAD
On ne visite pas New Haven sans faire un saut chez Toad's, que ce soit pour assister à un spectacle ou simplement prendre une bière. L'endroit est légendaire et a même été désigné comme la «meilleure boîte de nuit en Amérique du Nord».

Norwalk

The Brewhouse
13 Marshall St., quartier SoNo
☎ 203-853-9110
Ce resto-bar, qui se trouve à l'intérieur de la New England Brewing Company, propose d'extraordinaires bières microbrassées, notamment des ambrées, des blondes à une consistante bière de malt à la farine d'avoine. Le tout est aménagé dans un attrayant bâtiment du début du XXᵉ siècle surmonté d'une tour d'horloge.

The Loft
97 Washington St.
South Norwalk
☎ 203-838-6555
Ce bar de deux étages fort animé bénéficie d'une grande popularité, et vous y entendrez de tout, du Motown au rock-and-roll. Bien qu'il s'agisse plus ou moins d'un lieu de rencontre, il fait bon y prendre un verre entre amis.

Stamford

Thirsty Turtle
84 W. Park Pl.
☎ 203-973-0300
Le Thirsty Turtle est un lieu de rencontre à la mode où vous pourrez danser tout votre soûl sur une immense piste.

Danbury

Triangles Cafe
66 Sugar Hollow Rd.
☎ 203-798-6996
Le Triangles est un bar gay fort apprécié où l'on se rend aussi bien pour danser que pour prendre un verre.

■ Casinos

Uncasville

Mogehan Sun Casino
Mohegan Sun Blvd.
☎ 888-226-7711
www.mohegansun.com
Le Mohegan Sun Casino, le plus petit des deux fameux casinos du sud-est du Connecticut, s'impose sans conteste comme le plus attrayant des deux, notamment grâce à son décor entièrement axé sur les traditions et l'histoire des Mohegans. On y présente en outre des spectacles dans le Wolf Den Theater, au centre même du casino, où se sont entre autres produits des artistes de la trempe de Joan Jett, Blondie, Duran Duran, Kiss et Alice Cooper.

Mashantucket Pequot Reservation

Foxwoods Casino
☎ 800-200-2882
Le Foxwoods est à ce point immense qu'il s'agit pour ainsi dire d'une ville en soi. Vous vous y sentirez comme dans un autre monde, une sorte de mini-métropole cousue de boutiques, de restaurants, de bars et de salles de jeu reliés entre eux de façon inextricable.

D'aucuns y verront toutefois davantage une attraction qu'un établissement de jeu ou de spectacle, dans la mesure où l'on peut y côtoyer sous un même toit l'insolite, le commercial, le pathétique et le ridicule.

■ Festivals

Hartford

Festival of Lights
fin nov à début jan
☎ 860-525-8629
Dans le centre-ville de Hartford, sur la Constitution Plaza, on utilise des ampoules blanches pour créer des sculptures fantastiques qui peuvent aussi bien représenter des anges que des cloches ou des fontaines.

First Night Hartford
31 déc 14h à 24h
☎ 860-525-8629
www.firstnighthartford.com
Les célébrations du Nouvel An se déroulent simultanément en plus de 120 points du centre-ville de Hartford et sont l'occasion de spectacles variés ainsi que d'un feu d'artifice.

Mystic

A Taste of Mystic
mi-sept
centre-ville
Cette fête de rue d'inspiration gastronomique met en vedette les plats de divers restaurants et chefs de la région. On érige par ailleurs un populaire chapiteau sous lequel bière et musique coulent à flots.

New Haven

International Festival of Arts & Ideas
mi-juin
☎ 203-498-1212 ou 888 ART-IDEA
www.artidea.org
Une célébration des beaux-arts, de la musique et de la culture en général qui comporte notamment du théâtre, des concerts et des conférences.

Bridgeport

Barnum Festival
juin
☎ 203-367-8495
www.barnumfestival.com
Une fantaisie sans borne inspirée de l'œuvre de P.T. Barnum, à qui elle est d'ailleurs dédiée. Très familial.

Norwalk

SoNo Arts Celebration
août
SoNo
☎ 203-866-7916
www.sonoarts.org
Célébration des arts dans le quartier branché de SoNo.

Achats

Hartford

La capitale du Connecticut possède de nombreux commerces et boutiques répartis dans tous les quartiers de la ville. Si vous êtes de ces inconditionnels du magasinage, songez simplement à passer un après-midi entier à errer dans le centre-ville et à franchir toutes les portes qui retiennent votre attention.

La boutique de la **Mark Twain House & Museum** (voir p 499) propose tout ce dont vous pouvez rêver en relation avec Mark Twain et son œuvre, aussi bien des signets et des objets aimantés qu'un superbe assortiment de livres. Après avoir visité la maison, vous ne pourrez d'ailleurs repartir sans au moins un souvenir!

Manchester

The Shoppes at Buckland Hills
194 Buckland Hill Dr.
☎ 860-644-6369
www.theshoppesatbucklandhills.com
Ce gigantesque centre commercial, qui se trouve tout juste hors des limites du centre de Hartford, est de ceux où l'on trouve de tout sous un même toit. Vous y verrez notamment des grands noms tels que Disney Store, JCPenny et Sears, de même que plusieurs belles bijouteries.

Farmington

La boutique de cadeaux du **Hill-Stead Museum** (voir p 502) offre une foule d'articles d'inspiration impressionniste, mais aussi des objets uniques, des cartes et de la papeterie.

Wethersfield

Marlborough Barn
fermé lun
45 N. Main St.
Old Wethersfield
☎ 800-852-8893
www.marlboroughbarn.com
La Marlborough Barn est en fait un petit village commercial en soi situé au beau milieu d'Old Wethersfield. Vous y trouverez de tout, des meubles aux rideaux et de la literie à la vaisselle exclusive, sans oublier les

souvenirs champêtres les plus variés, de quoi vous faire vivre une expérience unique.

Putnam

Cette petite ville est une véritable Mecque des antiquités qui attire des collectionneurs de partout. Ainsi trouverez-vous le long de la rue principale une myriade d'antiquaires proposant aussi bien des statues haut de gamme importées d'Irlande que des meubles, des bijoux et des curiosités variées.

Norwich

Vous trouverez un éventail intéressant de boutiques dans le **quartier Chelsea** du centre-ville de Norwich.

Mystic

L'**Olde Mistick Village** (voir p 505) est un lieu fabuleux où passer un après-midi à faire du lèche-vitrine (et des achats!). Ce village à l'ancienne renferme plusieurs petites boutiques qui vendent à peu près tout ce que vous pouvez imaginer. Chaque commerce est unique en soi et propose des cadeaux et des objets de collection que vous ne trouverez sans doute nulle part ailleurs. Il en est un que vous voudrez tout particulièrement retenir, soit **Scrimshander's** (*☎860-536-4827*), dont le slogan est «Deux cents ans en arrière»; il s'agit en effet d'une boutique fascinante qui renferme des objets en ivoire sculpté et gravé (anciens et plus récents) de même que d'autres articles d'inspiration nautique, et certaines

Le Connecticut - Achats

pièces s'avèrent tout simplement incroyables.

New Haven

Le quartier de **Chapel Street** se prête très bien au lèche-vitrine avec ses petites boutiques indépendantes et exclusives offrant des articles que vous aurez beaucoup de mal à trouver ailleurs. En voici quelques-unes que vous ne voudrez pas manquer au passage. Le quartier de **York Street** est un autre endroit prisé des consommateurs, et surtout des étudiants de Yale.

La **Yale Art Gallery** et le **Yale Center for British Art** abritent tous deux de magnifiques boutiques de musée chargées de livres d'art et de cadeaux variés.

Atticus Bookstore Cafe
1082 Chapel St.
☎ 203-776-4040
L'Atticus Bookstore Cafe est un favori de longue date dans cette ville. Il s'agit d'une librairie indépendante qui dispose d'un assortiment impressionnant de livres, de cartes et de calendriers. Y règne une ambiance sympathique, et le café intégré au commerce ne fait qu'ajouter au plaisir de l'expérience.

Norwalk

Le quartier branché de **SoNo** à Norwalk est réputé pour ses magasins et boutiques. Il vous suffira d'y déambuler sans but précis pour découvrir des vitrines à même

de piquer votre curiosité et de vous inciter à faire des achats uniques.

Stamford

United House Wrecking
535 Hope St.
☎ 203-348-5371
www.unitedhousewrecking.com
United House Wrecking, le plus grand marché d'antiquités de l'État, vous propose de tout sous un même toit: des meubles d'époque, des réclames d'autrefois, des horloges, des lustres, des vitraux, des curiosités uniques, des objets bizarres et bien plus encore. Même si vous n'avez pas l'intention d'acheter quoi que ce soit, vous ne regretterez pas d'avoir simplement pu admirer tout ce qu'on expose ici.

Woodbury

Woodbury Pewter Factory Outlet
860 Main St. S. (route 6)
☎ 800-648-2014
Le Woodbury Pewter Factory Outlet est un grand magasin qui se spécialise dans les beaux objets en étain (porte-clés, chandeliers, chopes à bière, vaisselle, etc.), tous fabriqués au Connecticut.

Waterbury

The Connecticut Store
120-140 Bank St.
☎ 800-474-6728
www.ctstore.com
Point de repère incontournable du centre-ville de

Waterbury pendant plus de 100 ans, le Howland-Hughes Store de 1890 est devenu, en 1995, The Connecticut Store. Il s'agit du seul magasin entièrement consacré à l'excellence créatrice de l'État, et vous y trouverez des milliers d'articles provenant de manufacturiers, d'artisans, d'artistes, d'écrivains et d'auteurs-compositeurs du Connecticut. Tout à fait unique!

Cheshire

La **Barker Animation Art Gallery** (voir p 518) propose une sélection fantaisiste d'authentiques «cellulos» d'animation de Disney et d'autres grandes maisons, dont certains sont à proprement parler animés! Bien que ces chefs-d'œuvre soient très coûteux, on propose également d'autres articles en rapport avec les dessins animés (jouets, vêtements, etc.), et à des prix plus abordables. Les vrais mordus d'animation ne trouveront nulle part pareil étalage!

Le Rhode Island

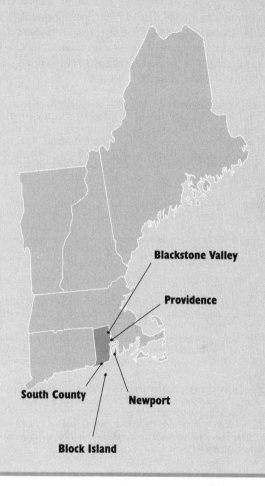

Blackstone Valley

Providence

South County

Newport

Block Island

F ondé sur les rêves d'un idéaliste, le Rhode Island étale aujourd'hui sa riche histoire maritime et industrielle, sur fond de plages idylliques et de charmantes villas coloniales. Découvert en 1524 par le navigateur italien Giovanni da Verrazzano (il y trouva une ressemblance avec l'île méditerranéenne de Rhodes), le territoire n'allait voir s'établir la première colonie qu'en 1636. C'est à cette époque que Roger Williams fut banni de la Massachusetts Bay Colony pour ses idées religieuses. Il acheta des terres aux Narragansetts à l'emplacement actuel de Providence, et, suivant les principes de liberté religieuse et politique de Williams, une cohabitation paisible et amicale s'instaura.

Ce pionnier fut bientôt suivi d'individus qui fuyèrent le puritanisme du Massachusetts pour venir fonder de petites communautés autour de la baie de Narragansett. Williams réussit à unifier ces communautés, et elles se virent attribuer une charte royale par Charles II en 1663. C'est ainsi que, tout au long du XVIIe siècle, la Colony of Rhode Island and Providence Plantations allait accueillir des gens d'origines culturelles diverses, venus pratiquer leur culte dans ce havre de tolérance. Providence vit la construction de la première église baptiste en 1639, et Newport celle de la première synagogue en sol américain en 1759.

Cette soif de liberté et cet esprit de tolérance allaient continuer de se refléter dans l'histoire de l'État; la jeune colonie fut la première à se déclarer indépendante de la Couronne britannique en mai 1776. À la fin de la guerre de l'Indépendance (4 juillet 1776), le Rhode Island fut le dernier à ratifier la Constitution, exigeant qu'une charte des droits et libertés y soit annexée.

L'avènement de l'ère industrielle, vers 1790, allait changer quelque peu le visage de la Blackstone Valley, dans le nord de l'État; Samuel Slater y construisit le Slater Mill, qui constitue le premier exemple d'une industrie utilisant l'énergie hydraulique, celle de la rivière Blackstone. La région connut de belles années, mais les années 1930 apportèrent avec elles le déclin de l'industrie textile en Nouvelle-Angleterre au profit des filatures du Sud. Ce coin du nord du Rhode Island porte aujourd'hui le nom de «Blackstone Valley National Heritage Corridor». Il fait bon s'y promener en voiture sur ses petites routes bordées de fermes, ou encore revivre, par la visite de musées, les débuts de l'industrialisation en Amérique.

Pendant que la main-d'œuvre se précipitait dans les usines de la Blackstone Valley, les riches familles de Newport commençaient une bataille qui allait marquer à jamais l'atmosphère de la ville: la construction de manoirs grandioses qui rivalisaient d'élégance et de magnificence. Newport, fondée en 1639, sert de toile de fond à presque trois siècles d'histoire architecturale qui reflètent le faste et l'extravagance d'une époque révolue, mais dans laquelle les visiteurs aiment bien plonger.

Providence, quant à elle, disputa à Newport le titre de capitale jusqu'en 1854. La ville est passée avec le temps de plaque tournante du commerce d'esclaves à un important centre maritime qui enrichit la bourgeoisie de la fin du XIXe siècle. La revitalisation de Providence souligne le caractère maritime et historique de la ville, en mettant en relief ses rivières et son *Mile of History*.

Même s'il faut moins de deux heures en voiture pour traverser le Rhode Island, le plus petit État de la Nouvelle-Angleterre cache une surprenante diversité de paysages et d'activités. Ce n'est pas par hasard qu'on surnomme le Rhode Island l'*Ocean State*: 640 km d'une côte sablonneuse dont les plus belles plages se trouvent dans le South County, un amalgame de villes paisibles, établies depuis les années 1660. Block Island, à 15 km de la côte, est une véritable oasis de tranquillité pour qui veut pratiquer des activités de plein air.

Le présent chapitre est divisé en cinq circuits: **Providence ★★**, **Blackstone Valley**, **South County**, **Block Island ★★** et **Newport ★★★**.

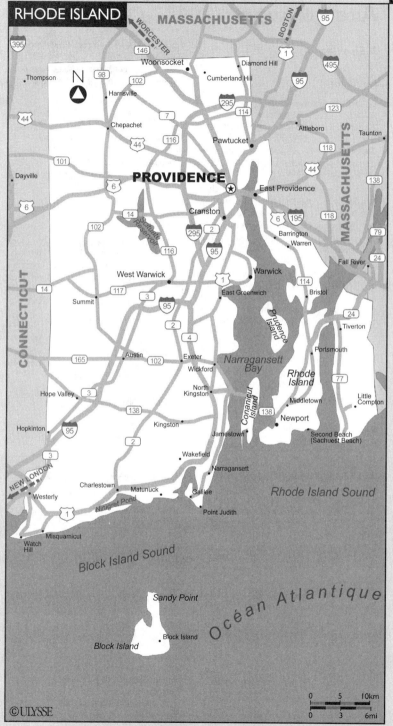

RHODE ISLAND

MASSACHUSETTS

WORCESTER

BOSTON

95

395

146

1

Thompson

N

98

102

Woonsocket

Diamond Hill

Cumberland Hill

495

Harrisville

7

295

114

95

123

Chepachet

116

Pawtucket

Attleboro

Taunton

44

44

118

MASSACHUSETTS

138

Dayville

101

6

6

14

PROVIDENCE

★

East Providence

44

Cranston

6

195

118

79

102

295

2

Barrington

Warren

24

Fall River

116

95

West Warwick

1

Warwick

114

24

CONNECTICUT

14

117

3

East Greenwich

Bristol

Summit

95

Prudence Island

Tiverton

2

Portsmouth

4

77

165

Austin

102

Exeter

Narragansett Bay

Rhode Island

Little Compton

Hope Valley

3

Wickford

Conanicut Island

Middletown

North Kingston

138

Newport

Hopkinton

138

Kingston

Second Beach (Sachuest Beach)

95

Jamestown

3

2

Wakefield

Narragansett

New London

Charlestown

Matunuck

Galilee

Rhode Island Sound

Westerly

1

Ninigret Pond

Point Judith

Misquamicut

Watch Hill

Block Island Sound

Sandy Point

Océan Atlantique

Block Island

Block Island

©ULYSSE

0   5   10km

0   3   6mi

Accès et déplacements

■ En avion

Providence

Le **T.F. Green Airport** (☎*401-737-4000 ou 888-268-7222, www.pvdairport.com*) est situé à 20 min du centre-ville de Providence, dans la municipalité de Warwick. L'aéroport est desservi par les principales compagnies d'aviation régionales et nationales.

Si vous désirez louer une voiture, sachez que les principales entreprises de location possèdent un comptoir de service à l'aéroport. Sinon, des navettes relient l'aéroport à Providence ou à Newport. L'**Airport Taxi & Limousine Service** (☎*401-737-2868*) dessert le centre-ville de Providence ainsi que les centres d'intérêt, tandis que **Cozy Cab** *(20$ aller simple; durée 45 min;* ☎*401-846-1500 ou 800-846-1502)* se rend à Newport. **Peter Pan Bus Lines** (voir plus loin) propose également un service de transport à partir du T.F. Green Airport.

L'aéroport abrite un comptoir d'information touristique (☎*888-268-7222*) tenu par les étudiants de l'option tourisme de la Johnson & Wales University.

Block Island

Pour de l'information sur les vols vers Block Island, vous pouvez vous adresser au **Block Island Airport** (☎*401-466-5511*). De l'aéroport de Westerly, la compagnie **New England Airlines** (☎*800-243-2460, de Westerly* ☎*401-596-2460, de Block Island* ☎*401-466-5881, www.block-island.com/nea)* permet d'atteindre Block Island en seulement 12 min *(48$ aller simple; vols tlj aux heures).*

■ En voiture

De Boston, il faut emprunter la route 95, qui traverse Providence du nord au sud, tandis que, de Cape Cod, la route 195 donne accès à la capitale.

Avertissement: la route 295 contourne Providence pour permettre de rejoindre, entre autres, la Blackstone Valley. La route US 1 permet d'atteindre les villes du South County qui bordent l'océan Atlantique; elle

court le long de la côte ouest de Narragansett Bay.

Plusieurs routes relient Providence et Newport; mentionnons les routes US 1 South et 138. Du Massachusetts, vous pouvez suivre la route 24 puis la route 114.

Providence

S'il peut parfois être difficile de trouver du stationnement dans le centre-ville, on peut cependant se garer pour seulement 1$ et pendant trois heures (ou 10$ pour toute la journée) au Providence Place Mall.

Block Island

Le nombre de mobylettes disponibles pour la location demeure modeste sur l'île. Rappelez-vous qu'il est interdit de conduire ce type de véhicule après la tombée de la nuit ainsi que d'emprunter des sentiers non pavés. Prix de location: entre 30$ et 60$ par jour.

La plupart des entreprises de location de vélos proposent également des voitures. Pendant la saison estivale, il est recommandé de réserver son véhicule à l'avance.

Block Island Bike & Car Rental
Ocean Ave.
☎401-466-2297 ou 401-466-2028
Comptoir de location de voitures et de vélos à l'aéroport.

Old Harbor Bike Shop
sur la gauche, en arrivant au traversier
☎401-466-2029
Location de voitures, de tout-terrains et de mobylettes.

Island Moped & Bike Rental
Chapel St., à l'arrière du Harborside Inn
☎401-466-2700
Location de mobylettes.

Newport

Le stationnement peut être un véritable cauchemar à Newport. Sachez toutefois qu'on y trouve deux grands parcs de stationnement publics à proximité de tout, le plus pratique se trouvant au **Newport Gateway Transportation and Visitors Center** *(23 America's Cup Ave.,* ☎*401-849-8048 ou 800-976-5122).*

L'autre, qui compte 120 places, est le **Mary Street Lot**, situé entre Touro Street et Church Street, tout juste en retrait de la trépidante Thames Street.

■ En autocar

Providence

Greyhound *(102 Fountain St.,* ☎*401-454-0790 ou 800-231-2222; www.greyhound.com)* propose plusieurs départs quotidiens à destination de Boston et de New York.

Peter Pan Bus Lines *(One Bonanza Way,* ☎*800-343-9999, www.peterpanbus.com)* dessert le Massachusetts, le Connecticut, New York, le New Hampshire et le Maine.

Les autocars quittent le T.F. Green Airport et Providence à la demie de l'heure vers Boston, un trajet de 45 min. De même, le trajet inverse s'effectue à l'heure depuis Boston.

Newport

La ligne 60 de la **Rhode Island Public Transit Authority (RIPTA)** *(tlj aux heures;* ☎*401-781-9400 ou 800-244-0444)* relie Newport à Providence depuis le **Newport Gateway Transportation and Visitors Center** *(23 America's Cup Ave.,* ☎*401-849-8048)* ou la **Kennedy Plaza** de **Providence**. La **RIPTA** assure également la liaison entre Newport et la gare ferroviaire d'Amtrak à Kingston (Rhode Island).

Peter Pan Bus Lines *(23 American's Cup Ave.,* ☎*800-343-9999, www.peterpanbus.com)* exploite une ligne vers Boston, avec un arrêt à Fall River (Massachusetts). Les autocars de cette ligne partent aussi du centre d'accueil des visiteurs.

■ En train

Providence

Les rails d'**Amtrak** *(gare ferroviaire: 100 Gaspee St.,* ☎*401-727-7379 ou 800-USA-RAIL, www.amtrak.com)* traversent le Rhode Island du nord au sud en passant par Providence. Au départ de la capitale, vous pourrez faire une liaison vers Boston, New York et Hyannis.

ACELA Express Northeast relie les villes de Boston, Providence, New Haven, New York, Philadelphie, Baltimore et Washington dans un temps record. Le trajet entre New York et Providence est d'une durée de 2h30, tandis que celui entre Providence et Boston est de 30 min. Pour de plus amples renseignements, contactez la **Massachusetts Bay Transportation Authority (MBTA)** *(*☎*800-392-6100, www.mbta.com)*.

■ En traversier

Block Island

The Interstate Navigation Company *(durée de la traversée 1h10; 31,35$/pers. aller-retour, 78,80$ avec voiture;* ☎*866-783-7996, www.blockislandferry.com)* propose des traversées à destination de Block Island pendant toute l'année, dont huit départs quotidiens pendant la saison estivale au départ de Point Judith (Galilee). Ceux qui désirent se rendre sur Block Island avec leur véhicule doivent prendre note que The Interstate Navigation Company est la seule entreprise offrant le transport de voitures vers Block Island et qu'il faut réserver sa place plusieurs mois à l'avance. Vous pouvez utiliser les places de stationnement disponibles près du quai pendant votre séjour dans l'île.

Cette entreprise propose également des traversées à destination de Block Island au départ de New London, Connecticut *(durée de la traversée environ 2h; 37$/pers. aller-retour; un départ quotidien de juin à sept;* ☎*401-860-444-4624, www.goblockisland.com)*.

Newport

Le **Providence-Newport Ferry** de la RIPTA *(16$ aller-retour, tlj en été, lun-ven hors saison)* est un traversier qui relie le Point Street Landing de Providence au Perrotti Park de Newport.

Il y a aussi un traversier entre Jamestown et Newport, en service les fins de semaine de mai à octobre et tous les jours du 29 juin au début de septembre. À Newport, vous pourrez le prendre au **Bowen's Wharf**, tout près de l'America's Cup Avenue.

■ En transport en commun

Providence

La **Rhode Island Public Transit Authority (RIPTA)** *(265 Melrose St., ☎401-781-9400 ou 800-244-0444, www.ripta.com)* base sa publicité sur son tarif unique «à l'intérieur des frontières de l'*Ocean State*». Ce tarif *(1,50$; Providence/Newport, 24 voyages quotidiens)* s'applique donc sur n'importe quelle route de l'État.

Les trolleys de la **RIPTA** proposent également un service reliant le T.F. Green Airport à Providence, sur la route 66.

Newport

La **RIPTA** *(tlj mai à oct)* offre un excellent service depuis le centre d'accueil des visiteurs, ses autobus et trolleys formant un réseau complet qui donne accès à tous les attraits importants de la ville.

Renseignements utiles

■ Renseignements touristiques

Providence

Providence Warwick Convention and Visitors Bureau
One West Exchange St.
Providence
☎800-233-1636
www.pwcvb.com

Blackstone Valley

Blackstone Valley Tourism Council
175 Main St.
Pawtucket
☎800-454-2882
www.tourblackstone.com

South County

South County Tourism Council
4808 Tower Hill Rd.
Wakefield
☎800-548-4662
www.southcountyri.com

Block Island

Block Island Tourism Council
☎800-383-2474
www.blockislandinfo.com

Block Island Chamber of Commerce
☎800-383-2474
www.blockislandchamber.com

Newport

Newport County Convention & Visitor's Bureau
Visitor Information Center
23 America's Cup Ave.
☎800-976-5122
www.gonewport.com

■ Visites guidées

Providence

La Gondola
79$/2 personnes, 15$/personne additionnelle
mai à oct; réservations entre 10h et 16h
Waterplace Park
☎401-421-8877 du Rhode Island
☎508-984-8264 du Massachussetts
www.gondolari.com
Providence se donne des airs d'Italie avec les excursions originales proposées par La Gondola. De véritables gondoles, avec musique italienne, glissent doucement sur les eaux des rivières Woonasquatucket et Providence durant environ 40 min, une expérience chaudement recommandée, et d'un romantisme fou. Il faut réserver sa gondole à l'avance, surtout lors des soirées de *Waterfire* (voir l'encadré p 552).

Rhode Island Historical Society
12$
début juil à mi-oct
☎401-331-8575, poste 27
www.rihs.org
La Rhode Island Historical Society organise trois visites thématiques, les *Summer Walks*, qui vous feront découvrir différents aspects de la ville: les styles architecturaux de Benefit Street, les sculptures de Providence ou les berges de ses rivières.

Providence Preservation Society
21 Meeting St.
☎401-831-7440
www.ppsri.org
La société de préservation de Providence propose différentes visites, disponibles sur

demande, à pied ou en autobus. Chaque année, au cours de la première ou de la deuxième semaine de juin, quelques propriétaires de maisons historiques le long de Benefit Street ouvrent leurs portes aux curieux durant le Festival of Historic Houses, un événement à ne pas manquer si vous êtes dans la capitale.

Blackstone Valley

Blackstone Valley Tourism Council
avr à nov
175 Main St.
Pawtucket
☎800-454-2882
www.tourblackstone.com
Une des meilleures façons d'apprécier la vallée de la rivière Blackstone consiste à s'inscrire à l'une ou l'autre des visites guidées offertes à bord de ce bateau à aubes et à baldaquin de 49 passagers. Les différentes excursions proposées partent de divers points de la vallée.

Block Island

Block Island Walking Tours
5$
☎401-466-2481
Block Island Walking Tours vous entraîne à la découverte de l'artère historique d'Old Harbor.

Newport

Viking Tours
23-48 sur terre, 12,50-17 sur mer
23 America's Cup Ave.
☎401-847-6921
www.vikingtoursnewport.com
Viking Tours organise quatre excursions différentes en autocar (certaines sur terre seulement, d'autres sur terre et sur mer) qui couvrent beaucoup des attraits de la ville.

Attraits touristiques

Providence
★ ★

À Providence, le passé et le présent se côtoient dans une harmonie architecturale remarquable. Un plan de revitalisation amorcé dans les années 1980 a redonné à la doyenne de l'État une touche de jeunesse pour célébrer l'héritage portuaire de la capitale, sans pourtant rompre le charme centenaire de son *Mile of History* qui court le long de Benefit Street. Des spécialistes prétendent que Providence renferme la plus grande concentration de demeures historiques en sol américain, et la variété des styles architecturaux des remarquables maisons et bâtiments dispersés sur son territoire est à la hauteur de cette réputation.

La capitale a tout pour séduire: à l'est, trônant sur College Hill, la Brown University figure parmi les plus anciens établissements d'enseignement aux États-Unis, et à l'ouest, Federal Hill, enclave issue de la forte immigration italienne, offre d'excellents restaurants. Les délicieuses promenades en bordure des rivières Woonasquatucket et Moshassuck, qui rejoignent la rivière Providence, rappellent que la ville possède une riche histoire maritime et architecturale, laquelle s'allie à une vie culturelle trépidante.

Vous n'aurez aucune difficulté à parcourir Providence à pied. Ceux pour qui la marche est plus difficile pourront tenter l'amusante et efficace expérience des trolleys de la **RIPTA** (voir p 548) qui quittent régulièrement la Kennedy Plaza.

Le centre-ville ★

L'imposante **Rhode Island State House ★★** *(entrée libre; lun-ven 9h à 15h, visites guidées aux heures entre 9h et 13h; 82 Smith St.,* ☎*401-222-2357, www.state.ri.us)* domine dans toute sa blancheur le centre-ville de Providence. Conçue par la firme new-yorkaise McKim, Mead and White en 1891-1892, cette structure possède le quatrième dôme autoportant en importance au monde, juste après le Taj Mahal, en Inde. L'intérieur en est aussi impressionnant que l'extérieur, et vous pouvez le visiter de façon autonome, ou avec un guide sur rendez-vous.

En descendant Francis Street, empruntez l'American Express Plaza, qui vous conduira au **Waterplace Park and Riverwalk**, symbole de la renaissance de Providence, un parc où il fait bon se détendre.

PROVIDENCE

BOSTON

Jewett St.

Holden St.

Park St.

Francis St.

Smith St.

1

Gaspee St.

Moshassuck River

12

N. Main St.

So

95

Park Row

Promenade St.

Woonasquatucket River

Kinsley St.

Exchange St.

Canal St.

Steeple St.

2

Memorial Blvd.

5

4

95

Exchange Terrace

3

6

W. Exchange St.

Custom Ho

Washington St.

Fulton St.

Westminster St.

Delta St.

Dorrance St.

9

Sabin St.

Eddy St.

Pine St.

Peck St.

Fountain St.

Union St.

Orange St.

25

Mathewson St.

Clemence St.

Friendship St.

Alwells St.

J & W
University's
Gaebe
Commons

Snow St.

Westminster Mall

Garnet St.

7

Empire St.

Abom St.

Chapel St.

Weybosset St.

8

Page St.

Clifford St.

Washington St.

Richmond St.

Green St.

Pine St.

Z

95

Chestnut St.

27

Franklin St.

©ULYSSE

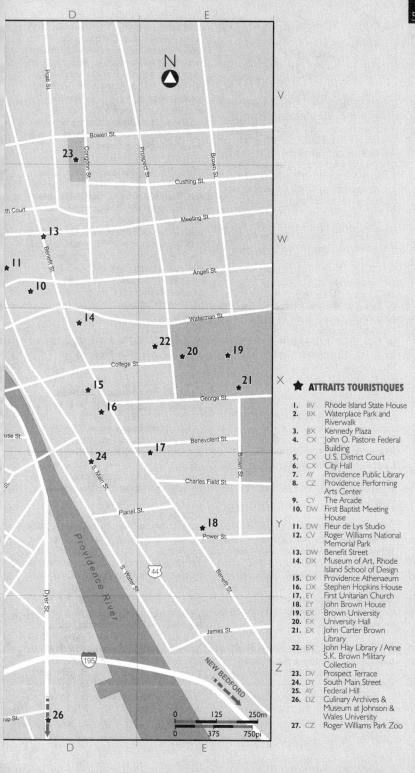

N

Waterfire

À Providence, rien de mieux que de flâner sur la promenade aménagée le long de la rivière Providence et de profiter du spectacle des «feux de joie» éclairant de leurs flammes ces eaux tranquilles. Cet événement, appelé **Waterfire** *(www.waterfire.org)*, a lieu une vingtaine de soirs entre la mi-mai et la fin d'octobre. Au coucher du soleil, on allume les uns après les autres la centaine de bûchers qui brûleront jusqu'à minuit. Des milliers de personnes viennent assister à ce spectacle auquel s'ajoute de la musique.

Retournez à Francis Street et longez le centre commercial qu'est le **Providence Place Mall** (voir p 586), puis suivez Dorrance Street; vous arriverez ainsi au centre névralgique de Providence, la **Kennedy Plaza**. Il y règne un va-et-vient constant, à toute heure du jour, puisque les gares des autobus et des trolleys de la RIPTA y sont regroupées.

La Plaza est délimitée aux extrémités par le **John O. Pastore Federal Building**, qui abrite aujourd'hui le principal bureau de poste de la ville, et le **U.S. District Court**, un beau bâtiment ceinturé d'arcades. Tous deux font face au **City Hall** *(lun-ven 8h30 à 16h30)*, une belle structure de style Second Empire, ainsi qu'au célèbre hôtel **Providence Biltmore** (voir p 573).

Le quartier délimité par Washington Street, qui se faufile entre le City Hall et l'hôtel Biltmore, Empire Street et Weybosset Street, demeure la zone commerciale et culturelle de Providence. Théâtres, boutiques, galeries et restaurants se côtoient dans une atmosphère animée, dominée par les étudiants de la Johnson & Wales University et les gens d'affaires.

À l'angle de Washington Street et d'Empire Street, la **Providence Public Library** *(150 Empire St.,* ☎*401-455-8000, www.provlib.org)* attirera certainement votre attention avec son imposant style de la Renaissance américaine.

Empruntez Empire Street jusqu'à Weybosset Street, qui suit le tracé d'un ancien sentier amérindien qui reliait jadis la rivière Providence au Connecticut. Il faut jeter un coup d'œil sur la façade très *music hall* du **Providence Performing Arts Center** *(220 Weybosset St.,* ☎*401-421-2787, www.ppacri.org)*, si ce n'est pour assister à l'une de ses productions venant directement de Broadway (voir p 584). Le campus de la Johnson & Wales University se trouve tout près.

Empruntez une rue transversale, Clemence Street ou Union Street, pour remonter vers Westminster Street, une artère vivante aux trottoirs pavés de briques. Les gratte-ciel côtoient d'anciens bâtiments, dont le plus célèbre est certainement **The Arcade** ★ *(130 Westminster St. / 65 Weybosset St.,* ☎*401-598-1199)*, le premier centre commercial intérieur en Amérique du Nord, construit en 1828. Sa magnifique structure de style néogrec abrite trois étages de comptoirs de restauration rapide et de boutiques (voir p 586).

Continuez jusqu'au bout de Westminster Street, en direction de la rivière Providence.

L'est de Providence: Benefit Street et College Hill ★ ★ ★

La **First Baptist Meeting House** *(75 N. Main St.,* ☎*401-454-3418, www.fbeia.org)*, fondée par Roger Williams en 1638, demeure la plus ancienne église baptiste au pays. Sa structure actuelle a été construite en 1775. Visites autonomes ou guidées sur demande.

Peut-être votre regard sera-t-il attiré par la curieuse architecture du **Fleur de Lys Studio** *(7 Thomas St.)*, situé juste à côté de la Meeting House. Le studio créé pour l'artiste Sydney Richmond Burleigh commémore la naissance de l'American Arts and Crafts Movement.

Continuez par North Main Street jusqu'au **Roger Williams National Memorial Park** *(tlj 9h30 à 16h30; 282 N. Main St.,* ☎*401-521-7266)*, qui rend hommage au fondateur du Rhode Island. Le 1,6 ha du parc est parsemé de sculptures et de panneaux d'interprétation, et le centre d'information touristique abrite un centre d'interprétation qui retrace les débuts de l'État.

H.P. Lovecraft, précurseur de la science-fiction

Howard Phillips Lovecraft (1890-1937) est né à Providence, et il y résida presque toute sa vie. Si Lovecraft est aujourd'hui reconnu comme l'un des écrivains majeurs du XXᵉ siècle, il n'en fut pas toujours ainsi puisqu'il mourut pauvre et dans la plus totale obscurité. Ce n'est que 10 ans après sa mort que l'on commença à reconnaître dans l'écriture de Lovecraft l'originalité de son style.

Lovecraft met en scène un univers fantastique et macabre dans lequel baignent des mondes mythiques peuplés d'êtres oubliés et de divinités figées dans le temps. Ses œuvres les plus marquantes ont été rédigées durant les 10 années qui précédèrent son décès, alors qu'il habitait au 66 College Street, à Providence: *The Call of Cthulhu* (1926), *At the Mountains of Madness* (1931), *The Shadow out of Time* (1934-1935).

Lovecraft, profondément misanthrope malgré un cercle d'amis fidèles, hanta le Providence de son époque. Il s'en inspira également comme toile de fond de nombreux romans. Ceux qui voudraient en savoir un peu plus sur le désormais célèbre auteur ont tout simplement à errer sur Prospect Terrace ou au Providence Athenaeum.

Revenez sur vos pas jusqu'à Meeting Street, où vous trouverez les bureaux de la **Providence Preservation Society** (voir p 548). Principalement vouée à l'éducation et à la conservation des édifices de Providence, la société de préservation est un incontournable pour les amateurs d'architecture, ainsi que le point de départ idéal pour une visite de Benefit Street. Vous y trouverez un comptoir d'information ainsi que des brochures pour une visite autonome du *Mile of History*.

Benefit Street ★★, la rue la plus célèbre de Providence, le *Mile of History*, témoin privilégié d'une grandeur passée et des errances des auteurs Edgar Allan Poe et H.P. Lovecraft, qui habitèrent la ville, a vu le jour en 1758. Artère tranquille de la capitale, Benefit Street est un amalgame de demeures appartenant à différentes époques et classes sociales. Les styles coloniaux et Early Federal, côtoient l'architecture des XIXᵉ et XXᵉ siècles dans un heureux mélange de résidences privées et d'institutions publiques.

Maisons de riches marchands ou, plus tard, de simples ouvriers, ces bijoux architecturaux doivent leur sauvetage à la campagne de sensibilisation et de conscientisation réalisée par la Providence Preservation Society. Toute la rue constitue une agréable promenade, mais souvenez-vous que les demeures qui la bordent sont privées et qu'il n'est pas possible d'en visiter l'inté-

rieur, sauf pendant le **Festival of Historic Houses** (voir p 585).

Le **Museum of Art, Rhode Island School of Design ★★** *(8$; mar-dim 10h à 17h; 224 Benefit St., ☎401-454-6500, www.risd.edu)* est un des plus intéressants musées du Rhode Island. Vous y trouverez plusieurs expositions permanentes; par exemple, il y a une galerie d'art ancien égyptien avec un sarcophage et une momie, une collection d'art du XXᵉ siècle qui compte des œuvres de Braque, Matisse, Picasso, Kokoshka et Rousseau, ainsi qu'une collection de figures de porcelaine. Le point saillant de toutes les expositions est un immense bouddha provenant du premier temple bouddhiste japonais, installé dans la galerie d'art asiatique. Prévoyez quelques heures pour bien en faire le tour.

Le **Providence Athenaeum ★** *(entrée libre; lun-jeu 9h à 19h, ven-sam 9h à 17h, dim 13h à 17h; 251 Benefit St., angle College St., ☎401-421-6970)* abrite l'une des plus anciennes bibliothèques des États-Unis. L'intérieur du bâtiment de style néogrec, complété en 1838, a servi de cadre aux amours naissants d'Edgar Allan Poe et de Sarah Helen Whitman. H.P. Lovecraft était également un habitué des lieux, de même que Bronson Alcott, Ralph Waldo Emerson et Henry Wadsworth Longfellow. Le Providence Athenaeum compte une collection de livres rares.

Le Rhode Island - Attraits touristiques - Providence

À l'angle de Benefit Street et de Hopkins Street, la charmante **Stephen Hopkins House** *(15 Hopkins St.,* ☎*401-421-0694)* ne manquera pas d'attirer votre attention avec sa couleur framboise. Signataire de la Déclaration d'indépendance, 10 fois gouverneur du Rhode Island, Stephen Hopkins a marqué son époque. L'intérieur de sa demeure date de 1707, même si Hopkins n'acheta la propriété qu'en 1743. Depuis, elle a été restaurée dans le respect de ses origines.

En continuant dans Benefit Street, vous remarquerez la **First Unitarian Church** *(1 Belevolent St., angle Benefit St.,* ☎*401-421-7970)*, une belle église blanche dont on a bien conservé l'intérieur.

À l'angle de Benefit Street et de Power Street, la **John Brown House** ★ ★ ★ *(12$; visites guidées seulement; mar-sam 10h à 16h30; 52 Power St.,* ☎*401-331-8575, www.rihs.org)* est un arrêt incontournable à Providence. Un des plus riches marchands de Providence et le premier à se lancer dans le commerce avec la Chine, John Brown (1736-1803) donna à son frère Joseph le mandat de dessiner les plans d'une demeure reflétant sa richesse et son statut social. L'intérieur est marqué par le commerce avec la Chine qu'entretenait John Brown, ainsi que par les tendances européennes et le talent des meilleurs menuisiers de Providence qui sculptèrent les boiseries.

La Rhode Island Historical Society hérita de la demeure en 1941 et entreprit un méticuleux travail de restauration en remettant les couleurs et le papier peint d'origine. Chaque pièce est un musée en soi, renfermant meubles et objets décoratifs de valeur, ainsi qu'une impressionnante collection d'argenterie. Les guides sont extrêmement bien documentés.

Le campus de la **Brown University** ★ *(visites guidées;* ☎*401-863-1000, www.brown.edu)*, composé de différents pavillons datant des XVIIIe, XIXe et XXe siècles, occupe le territoire délimité par les rues Prospect et Thayer, Waterman et George. La Brown University figure au troisième rang des plus anciens établissements d'enseignement en Nouvelle-Angleterre.

L'**University Hall** *(angle Prospect St. et College St.)* est le doyen de ce lieu d'éducation créé en 1770 sous le nom de «Rhode Island College». Il fut baptisé sous son nom actuel en 1804, pour souligner l'apport financier constant de la famille Brown.

Parmi les nombreuses bibliothèques du campus, deux se distinguent particulièrement. La **John Carter Brown Library** ★ *(lun-ven 8h30 à 17h, sam 9h à 12h; angle George St. et Brown St.,* ☎*401-863-2725, www.jcbl.org)* loge dans un élégant bâtiment inauguré en 1904 et financé par John Nicholas Brown, dans le but de rendre publique la collection de livres anciens de son père, John Carter Brown. Les manuscrits précieux gardés à la bibliothèque (datés entre les XVe et XIXe siècles) sont réunis plus particulièrement sous le thème de la découverte des Amériques, et l'on y trouve les écrits que Christophe Colomb adressa à la couronne d'Espagne pour lui faire part de ses découvertes.

La **John Hay Library** ★ *(lun-ven 9h à 16h30; 20 Prospect St., angle College St.,* ☎*401-863-2146)* abrite plusieurs collections uniques, dont la grande majorité des livres et manuscrits rares de l'université Brown. Répartis entre différentes collections, le travail et les papiers personnels de H.P. Lovecraft, de même que les travaux d'Horace, Dante, Blake, Thoreau, H.G. Wells et une des plus grandes collections de la correspondance d'Émile Zola, s'y trouvent.

La très originale **Anne S.K. Brown Military Collection** ★ ★ *(lun-ven 9h à 17h; John Hay Library,* ☎*401-863-2414)* présente plus de 13 000 pièces et 5 000 soldats miniatures illustrant l'histoire militaire mondiale entre les XVIIe et XXe siècles. On peut y voir par exemple les soldats de fer que positionnait Napoléon sur ses cartes avant ses campagnes.

En continuant dans Prospect Street, tournez à gauche dans Cushing Street pour rejoindre **Prospect Terrace** ★ *(Congdon St.)*. Endroit idéal où flâner en fin de journée, ce parc offre une vue magnifique sur le centre-ville de Providence.

Redescendez Benefit Street pour emprunter une rue transversale qui mène vers **South Main Street** et ses restaurants animés, ou vers Water Street pour profiter de la **promenade** ★ ★ agréable qui longe la rivière Providence.

Autour du centre-ville

Prenez Dorrance Street, puis Sabin Street et Atwells Avenue, qui vous mèneront au cœur du quartier italien de Federal Hill.

Federal Hill n'est en fait composée principalement que de l'artère située entre Atwells Avenue et Broadway Avenue. À l'angle d'Atwells Avenue et de Bradford Street, une arche signale l'arrivée dans la «Petite Italie» de Providence, fondée par les immigrants italiens à la fin du XIXᵉ siècle. Ce groupe a façonné le visage culturel de Providence. L'héritage italien y est encore palpable, surtout du côté culinaire; Federal Hill regorge d'épiceries et de boulangeries typiquement italiennes, ainsi que de restaurants très animés pour les repas du soir et du midi.

Les amateurs de cuisine et les curieux ne manqueront pas de visiter l'original **Culinary Archives & Museum at Johnson & Wales University** ★ *(visites guidées mar-dim 10h à 17h; 315 Harborside Blvd.,* ☎*401-598-2805, www.culinary.org).* Le chef Louis Szathmary amassa cette collection de plus d'un demi-million d'objets réunis sous la thématique des arts culinaires.

Le beau **Roger Williams Park Zoo** ★ *(12$; parc tlj; zoo mai à oct tlj 9h à 17h, nov à avr tlj 9h à 16h; de la Hwy. 95 N., sortie 16, 1000 Elmwood Ave.,* ☎*401-785-3510, www.rwpzoo.org)* étale ses charmes sur 174 ha. C'est sur ce terrain qu'est aménagé le plus grand zoo de la Nouvelle-Angleterre, qui compte plus de 155 espèces différentes. On y trouve aussi un musée d'histoire naturelle, un planétarium, d'agréables aires de promenade et de magnifiques jardins.

Blackstone Valley

La Blackstone Valley réunit villages, fermes, villes et voies d'eau entre Providence et Worcester (Massachusetts) plus au nord. Elle fut un des berceaux de la révolution industrielle aux États-Unis, la rivière Blackstone ayant dès le XVIIIᵉ siècle servi à alimenter des usines, des forges et d'autres entreprises rurales de petite envergure vouées à la transformation du cuir, du bois et des métaux. Puis, au XIXᵉ siècle, les filatures se multiplièrent dans toute la vallée et transformèrent la rivière Blackstone en l'une des voies d'eau les plus exploitées et les plus polluées du pays.

D'anciennes usines et diverses autres structures émaillent le paysage de la région, témoins d'un passé prospère. Tout comme dans le cas de la vallée du fleuve Connecticut, au Massachusetts, la seconde moitié du XIXᵉ siècle vit l'industrie du coton migrer vers les États du Sud, où la main-d'œuvre s'avérait moins coûteuse, ce qui fit s'effondrer l'économie du nord du Rhode Island. Aujourd'hui, cependant, la vallée de la rivière Blackstone fait l'objet d'une importante revitalisation, et certaines villes industrielles d'antan dont Pawtucket et Woonsocket ont une histoire intéressante à raconter et méritent indéniablement une visite. La région en soi se prête d'ailleurs on ne peut mieux à une excursion d'un jour au départ de Providence et le long de la rivière Blackstone.

De Providence, empruntez la route 95 vers le nord jusqu'à la sortie 29, qui donne accès au centre-ville de Pawtucket.

Pawtucket

La ville de Pawtucket occupe une place toute particulière dans l'histoire industrielle des États-Unis pour avoir été le siège d'une des premières filatures de coton fructueuses du pays, construite en 1793 par Samuel Slater. Ce dernier est en effet parvenu à reproduire avec succès les métiers à filer, les effilocheuses, les cardeuses et les bancs à broches d'origine britannique, et son usine hydraulique a contribué à l'avènement de la révolution industrielle aux États-Unis.

De nos jours, les installations d'origine sont regroupées à l'intérieur du **Slater Mill Historic Site** ★ *(9$; mai et juin tlj 11h à 15h, juil à sept tlj 10h à 17h; 67 Roosevelt Ave.,* ☎*401-725-8638, www.slatermill.org),* un complexe muséal comprenant l'Old Slater Mill à clins jaunes, le Wilkinson Mill, un atelier d'usinage, la maison de Slater et la Sylvanus Brown House de 1758. Le site en question sert de centre éducatif régional sur les arts textiles, l'histoire de l'industrialisme et la façon dont la technologie a influé sur la culture de la région. Il constitue par ailleurs une excellente introduction à l'histoire de la Blackstone Valley.

Prenez la route 114 en direction nord, traversez Pawtucket, tournez à gauche dans la route 123 puis à droite dans la route 126, que vous suivrez vers le nord jusqu'à Woonsocket le long de la ri-

vière Blackstone en passant par de nombreuses petites communautés rurales.

Woonsocket

Woonsocket est apparue sur les cartes dès le début du XIXᵉ siècle en tant que carrefour de la route Boston-Hartford, et l'activité commerciale n'a fait qu'y augmenter avec l'inauguration du Worcester-Providence Blackstone Canal en 1829. En 1850, la ville était parsemée d'usines et de filatures qui ne cessaient d'attirer des ouvriers canadiens-français en provenance du Québec – en 1930, 70% de la population de Woonsocket était déjà d'origine québécoise, et cette localité eut un quotidien de langue française jusqu'en 1942 de même qu'une radio d'expression partiellement francophone jusque dans les années 1960. Certains descendants de deuxième, troisième et quatrième générations de ces ouvriers immigrés parlent toujours la langue.

L'histoire de la culture unique de cette ville, qu'elle doit à la révolution industrielle, vous est racontée au formidable **Museum of Work and Culture** ★★ *(7$; tlj lun-ven 9h30 à 16h, sam 10h à 17h, dim 13h à 16h; Market Sq., 42 S. Main St., ☎401-769-9675, www.rihs. org)*, qui constitue un véritable hommage aux Québécois qui ont quitté leur foyer pour travailler dans les usines de la Nouvelle-Angleterre. Il s'agit là d'une structure de deux étages fort bien aménagée qui incarne on ne peut mieux ce que devrait être tout petit musée régional. On y pénètre en franchissant le seuil d'une maison de ferme typiquement québécoise, pour ensuite parcourir l'atelier d'une filature, une église, une école et un hall d'assemblée.

South County

Le South County, qui s'étend de Narragansett à Watch Hill, est parsemé de villages au caractère bien distinct. Ceux qui ont été érigés le long des 160 km de cette bande sablonneuse qui forme le sud de l'*Ocean State* constituent des lieux de villégiature paisibles.

Les bureaux d'information touristique de la région sont difficiles d'accès ou ouverts selon un horaire irrégulier. Un conseil: faites le plein d'information avant de pénétrer dans le South County.

En quittant Providence, empruntez la route US 1.

Smith's Castle *(5$; juin à août jeu-lun, mai, sept et oct ven-dim; 55 Richard Smith Dr., North Kingstown, ☎401-294-3521, www.smithscastle. org)* est le nom donné au poste de traite établi par Roger Williams, fondateur du Rhode Island, et qu'il vendit à son collègue Richard Smith avant que le fils de celui-ci ne le transforme en plantation. Des visites guidées sont offertes par des guides en costumes d'époque sur ce site qui a reçu plusieurs prix prestigieux pour sa restauration.

Continuez par la route US 1.

Le **Gilbert Stuart Birthplace and Museum** *(6$; mai à oct jeu-lun 11h à 16h; 815 Gilbert Stuart Rd., Saunderstown, ☎401-294-3001, www. gilbertstuartmuseum.com)* offre aux visiteurs un aperçu de la vie au XVIIIᵉ siècle. Jusqu'à l'âge de sept ans, le peintre Gilbert Stuart, rendu célèbre grâce à ses portraits, notamment celui de George Washington qui orne le billet d'un dollar, habita cette charmante demeure de couleur rouge. La roue de ce premier *snuff mill* (moulinet à tabac) en Nouvelle-Angleterre fonctionne toujours.

Prenez la route US 1 et suivez les indications vers le South County Museum. Si vous choisissez d'emprunter la route 1A, soyez vigilant car les panneaux indicateurs se font rares.

Les enfants raffoleront du **South County Museum** ★ *(5$; mai, juin, sept et oct ven-sam 10h à 16h, dim 12h à 16h, juil et août mer-sam 10h à 16h, dim 12h à 16h; Strathmore St., ☎401-783-5400, www.southcountymuseum. org)*. Construits sur le terrain d'une ferme dénommée *Canochet*, les bâtiments du South County Museum retracent l'histoire du South County. On y trouve une exposition principale avec artefacts, ainsi qu'un atelier de menuiserie et une forge pouvant encore être utilisée, mais surtout des animaux domestiques qui raviront les tout-petits. Le dynamisme du personnel en fait l'un des attraits à ne pas manquer dans le South County.

Prenez la route 1A pour longer la Narragansett Bay.

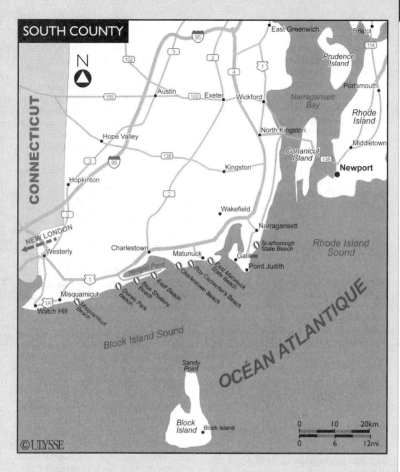

SOUTH COUNTY

Narragansett

Autrefois un centre important de villégiature, la ville de Narragansett n'attire plus en été les vacanciers de la Côte Est. Témoin du faste du passé, **The Towers** (autrefois connu sous le nom de «Narragansett Pier Casino»), une imposante structure de pierres arquée au-dessus de la route, ne manquera pas d'attirer votre attention. Cet ancien casino, conçu par la firme McKim, Mead & White, ouvrit ses portes en 1884, et son intérieur fut détruit par un incendie en 1900. Les amateurs de sable blanc y trouveront la **Narragansett Town Beach ★** (Boston Neck Rd., ☎401-783-6430), en forme de croissant, qui court le long de la Narragansett Bay.

En reprenant la route US 1 en direction sud, vous ne manquerez aucune des sorties conduisant aux différentes plages qui bordent le sud de l'État (voir p 567). Continuez par la route US 1, qui devient la route 1A, et tournez à gauche dans Weekapaug Road, ensuite à droite dans Atlantic Avenue.

Avec ses 11 km de sable blanc qui longent l'océan et ses 3 000 places de stationnement, la **Misquamicut State Beach ★** (257 Atlantic Ave., ☎401-322-1026, www.misquamicut. org) est certainement digne de mention. N'hésitez pas à marcher quelques minutes pour vous éloigner de la masse.

Reprenez la route 1A et tournez dans l'Ocean View Highway.

Le Rhode Island - Attraits touristiques - South County

Watch Hill

L'Ocean View Highway, bordée de luxueuses résidences, conduit à Watch Hill, un ancien lieu de villégiature. Au bout de Bay Street se dresse fièrement le **Watch Hill Flying Horse Carousel** *(1$; juin à début sept tlj 11h à 21h; Bay St.,* ☎*401-596-7761)*, le plus ancien carrousel en fonction au pays. Juste à côté s'étend la **Watch Hill Town Beach**. La facilité de son accès, au cœur de Watch Hill, en a fait un rendez-vous populaire pour la baignade.

Napatree Point, qui sépare la Narragansett Bay de l'océan Atlantique, accueille les amoureux de la nature ainsi que quelques baigneurs sur sa plage. On y trouve plusieurs espèces protégées, dont le pluvier siffleur.

Si vous tournez à gauche au carrousel, soyez attentif car, au milieu d'une petite côte, se trouve l'étroit chemin qui mène à la **Watch Hill Lighthouse Point**, le seul endroit vraiment charmant de Watch Hill, où il fait bon se retrouver pour profiter de l'air marin.

Block Island
###

Située à 20 km de la côte du Rhode Island, Block Island est certainement l'un des secrets les mieux gardés de la Nouvelle-Angleterre. Ce joyau maintes fois comparé à l'Irlande était autrefois surnommé «petite île de Manitou» par les Amérindiens qui l'habitaient. À la suite de la visite de l'explorateur hollandais Adriaen Block en 1614, l'île fut baptisée «Block Island».

Il faut ici oublier tout ce qui est visite effrénée et se concentrer sur ce que cette douce et mystérieuse île a de mieux à offrir: des balades à vélo sur des routes idylliques, des randonnées dans de nombreux sentiers et la possibilité d'observer une très grande variété d'oiseaux, ou encore de profiter des plages magnifiques qui la ceinturent.

Il est à noter que l'accès aux plages de Block Island ainsi qu'à ses 40 km de sentiers demeure gratuit en tout temps. En raison de la fragilité des écosystèmes, les vélos sont interdits dans les sentiers.

À la sortie du traversier (voir p 547), vous trouverez les bureaux de la **Block Island Chamber of Commerce** (voir p 548), où vous pourrez vous procurer une carte de l'île.

À l'arrivée, les passagers du traversier se retrouvent dans **Old Harbor** ★. Vous trouverez dans ce «village» la plupart des hôtels et restaurants, la majorité des services de location de vélos, de voitures et de mobylettes, ainsi que plusieurs boutiques.

Le circuit que nous vous proposons peut s'effectuer en voiture ou à vélo, et les piétons pourront en parcourir des sections. Il ne faut pas hésiter à emprunter les sentiers en retrait de la voie principale, ceux-là mêmes qui promettent les plus belles surprises.

Dans Dodge Street, prenez à droite pour découvrir **Crescent Beach** ★★, la grande favorite de Block Island. Cette plage est située à proximité d'Old Harbor, et la beauté de son site a su conquérir les baigneurs.

Pour rejoindre la pointe nord de l'île, il faut emprunter Corn Neck Road, une jolie route bordée de murets de pierres qui rappellent les campagnes de la belle Irlande. Le trajet en vélo dure environ 15 min.

Corn Neck Road se rétrécit juste avant la **Settler's Rock**, que viennent éclabousser les vagues. Cette pierre commémorative fut placée par les habitants en 1911 pour souligner l'anniversaire de l'établissement des premiers colons à Block Island en 1661.

Vous pouvez garer votre voiture sur une toute petite aire de stationnement et continuer à pied dans un sentier sablonneux longeant la mer qui mène au **North Light** *(tlj 10h à 17h)*. Derrière ce phare en granit s'étendent des **dunes** ★ magnifiques. Attention, des aires de nidification de certaines espèces sont protégées, surtout au printemps.

Revenez à Corn Neck Road, puis tournez à droite dans Beach Avenue et suivez les indications vers **New Harbor**. Le calme de New Harbor contraste avec l'agitation d'Old Harbor. Il est possible de louer kayaks ou canots et de profiter des eaux tranquilles du Great Salt Pond.

De New Harbor, empruntez West Side Road, une route plus paisible qui couvre

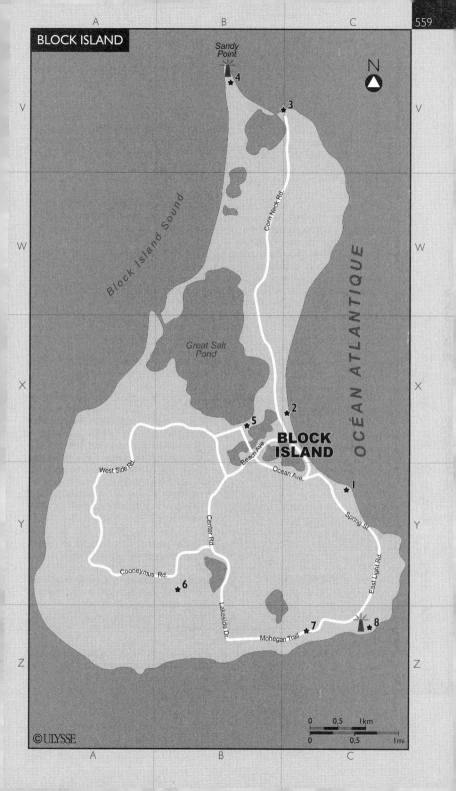

BLOCK ISLAND

Sandy Point

★ **4**

★ **3**

Corn Neck Rd.

Block Island Sound

N

OCÉAN ATLANTIQUE

Great Salt Pond

★ **2**

★ **5**

BLOCK ISLAND

Beach Ave.

Ocean Ave.

★ **1**

West Side Rd.

Spring St.

Center Rd.

Cooneymus Rd.

★ **6**

Lakeside Dr.

East Light Rd.

★ **7**

★ **8**

Mohegan Trail

0   0,5   1km
0   0,5   1mi

©ULYSSE

une partie du sud-ouest de l'île. Ce secteur est tout simplement magnifique, et il vaut beaucoup mieux en savourer les beautés en vélo qu'à l'intérieur d'une voiture.

En prenant à gauche Cooneymus Road, le **Rodman's Hollow** attire l'attention. Il s'agit d'un immense bassin sec formé pendant l'ère glaciaire. Pour découvrir cet habitat unique, plusieurs **sentiers pédestres** ★ ★ ont été aménagés. Le Rodman's Hollow fut le premier morceau de terre acheté par les résidants dans leurs efforts pour préserver les beautés de l'île.

À Isaac's Corner, tournez dans Lakeside Drive, puis dans le **Mohegan Trail** ★ ★ ★, qui donne accès à l'un des plus spectaculaires paysages de l'île. Vous pourrez emprunter à pied des sentiers qui descendent le long d'une falaise jusqu'à une magnifique plage. L'histoire raconte que les Amérindiens insulaires, les Manisses, acculèrent leurs ennemis mohegans au bout de la terre ferme; ces derniers n'eurent d'autre choix que de se laisser tomber du haut des 45 m de la falaise, désormais connue sous le nom de «Mohegan Bluffs».

Si la plage située en contrebas des Mohegan Bluffs vous attire, il est plus prudent de vous y rendre par la série de marches située près du **Southeast Light** (☎401-466-5009). Le plus haut phare de la Nouvelle-Angleterre abrite un centre d'interprétation ainsi qu'un petit magasin de souvenirs vendus pour financer la restauration de la structure de briques datant de 1873.

Pour retourner à Old Harbor, continuez par South East Light Road, qui devient Spring Street à l'approche du «village».

- -

Newport
★ ★ ★

De Providence, empruntez la route 95 en direction sud jusqu'à la sortie 9, et suivez la route 4 jusqu'à ce qu'elle devienne la route US 1 South. Prenez ensuite la route 138, qui franchit le pont de Jamestown, puis le pont de Newport (péage 2$). Tournez enfin à droite après le pont pour atteindre le Newport touristique.

À l'instar de beaucoup d'autres centres de la Nouvelle-Angleterre, la belle et trépidante Newport a été fondée en 1639 par des colons européens en quête d'un endroit pour exercer librement leur religion. Des protestants (désireux de «purifier les excès de l'Église d'Angleterre») et des familles juives comptèrent ainsi parmi les premiers habitants de cette ville portuaire qui ne tarda pas à se faire reconnaître pour son potentiel commercial. Située à la pointe sud de l'île Aquidneck, elle était dès lors appelée à devenir un des ports maritimes les plus importants de la Nouvelle-Angleterre et de la Côte Est.

Newport fut un des centres névralgiques de l'infâme «commerce triangulaire», par lequel des esclaves africains étaient échangés contre du sucre et de la mélasse des Antilles qui servaient à leur tour à faire le rhum de Newport destiné à être lui-même échangé contre de nouveaux esclaves. Le port grouillait de capitaines de la marine marchande revenant de voyages exotiques, et les goélettes comme les bateaux des négociants emplissaient le port du fait de cette entreprise plutôt douteuse.

L'importance de Newport à titre de plaque tournante commerciale commença à décliner sous l'occupation britannique en 1776, puis sous l'occupation française en 1780 et 1781, lors de la guerre de l'Indépendance américaine. La ville redora toutefois son blason à la fin du XIXe siècle, lorsque l'élite économique du pays en fit l'endroit rêvé où passer la saison estivale. Tout comme dans les Berkshires de l'ouest du Massachusetts, les nantis s'y précipitèrent alors pour construire de grands manoirs et donner lieu à une ère de prospérité qui perdura jusqu'à la fin de l'âge d'or que connut le pays.

De nos jours, la ville demeure un centre de tourisme et de plaisance prospère, et ses attraits apparemment innombrables attirent chaque été quelque trois millions de visiteurs. Des manoirs de l'âge d'or aux installations portuaires affairées, il faut bien compter un minimum de deux à trois jours pour bien explorer Newport.

Entamez votre visite au **Newport Gateway Transportation and Visitor Center** *(tlj 9h à 17h; 23 America's Cup Ave.,* ☎800-976-5122, *www.goneport.com)*, dont la configuration rappelle celle du Pentagone. Il ne s'agit pas là d'un banal stand d'information, mais bien d'un centre de renseignements de tout premier ordre, aux murs garnis de cartes

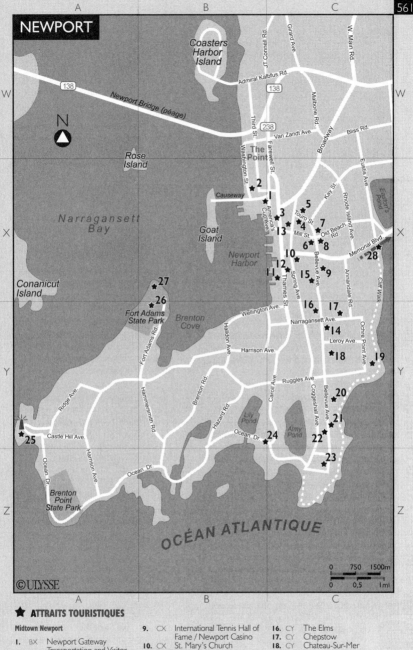

NEWPORT

Coasters Harbor Island

138 Newport Bridge (péage)

Rose Island

N

Narragansett Bay

Conanicut Island

Goat Island

Newport Harbor

Brenton Cove

Fort Adams State Park

The Point

Easton's Pond

Cliff Walk

Lily Pond

Almy Pond

Brenton Point State Park

OCÉAN ATLANTIQUE

0   750   1500m
0   0,5   1mi

©ULYSSE

★ **ATTRAITS TOURISTIQUES**

Midtown Newport

1.	BX	Newport Gateway Transportation and Visitor Center
2.	BX	Hunter House
3.	CX	Museum of Newport History
4.	CX	Touro Synagogue
5.	CX	Newport Historical Society
6.	CX	Touro Park / Old Stone Mill
7.	CX	Redwood Library and Athenaeum
8.	CX	Newport Art Museum
9.	CX	International Tennis Hall of Fame / Newport Casino
10.	CX	St. Mary's Church
11.	CX	International Yacht Restoration School
12.	CX	Samuel Whitehorne House Museum
13.	CX	Trinity Episcopal Church

Outer Bellevue Avenue et Ocean Drive

14.	CY	Preservation Society of Newport County
15.	CX	Kingscote
16.	CY	The Elms
17.	CY	Chepstow
18.	CY	Chateau-Sur-Mer
19.	CY	The Breakers
20.	CY	Rosecliff
21.	CY	The Astors' Beechwood
22.	CY	The Marble House
23.	CZ	Belcourt Castle
24.	BY	Ocean Drive
25.	AY	Castle Hill Lighthouse
26.	BY	Fort Adams
27.	BX	Museum of Yachting
28.	CX	Easton's Beach

rétroéclairées et où vous trouverez des milliers de brochures, une armée d'employés serviables et même une billetterie pour un large éventail d'attraits de Newport.

C'est en outre l'endroit tout indiqué pour garer son véhicule. Newport souffre en effet d'un problème de stationnement, et beaucoup de ses attraits sont accessibles à pied depuis ce point, tandis que les autres sont desservis par un réseau de transport en commun fort bien conçu. En été, le service s'avère tout particulièrement excellent. Par ailleurs, Newport se parcourt aussi très bien à vélo.

Ce circuit se subdivise en trois sections, à savoir «Midtown Newport» (le quartier le plus près de l'eau, facilement accessible à pied), «Outer Bellevue Avenue et Ocean Drive» (légèrement en retrait du centre de Newport) et «Les environs de Newport».

Midtown Newport ★★

Du centre d'accueil des visiteurs, empruntez à pied America's Cup Avenue en direction nord, tournez à gauche dans Bridge Street, puis à droite dans Washington Street.

Vous vous retrouverez alors dans le quartier **The Point** de Newport, qui regroupe certaines des plus belles maisons coloniales du pays. Les fervents d'architecture voudront sans doute passer un long moment dans ce secteur, autour duquel la **Newport Historical Society** (voir plus loin) organise par ailleurs des visites guidées à pied.

Vous découvrirez entre autres dans ce secteur de la ville un des 11 manoirs historiques sous les auspices de la **Preservation Society of Newport County** (voir p 564), soit la **Hunter House** ★ *(10$; mai à oct tlj 10h à 17h; 54 Washington St.)*, une construction coloniale érigée autour de 1748 et classée monument historique national. Jadis la demeure de Jonathan Nichols, un marchand fort prospère, cette maison regorge de meubles et d'accessoires d'époque.

Au moment de quitter The Point, retournez au centre d'accueil des visiteurs, poursuivez vers l'est dans Marlborough Street et tournez à droite dans la ravissante Thames Street pour atteindre le **Museum of Newport History** ★ *(4$; jeu-sam 10h à 16h, dim 13h à 16h; 127 Thames St., ☎401-841-8770, www.*

newporthistorical.org). Ce musée plutôt petit, quoique de deux étages, fournit une introduction de choix à l'histoire de Newport et constitue un bon point de départ pour toute visite ultérieure. Vous y verrez des modèles réduits de bateaux, des tableaux, de l'argenterie coloniale ainsi que beaucoup d'autres vestiges et objets d'art décoratifs, sans oublier une projection vidéographique de 10 min sur Bellevue Avenue telle qu'elle se présentait à l'époque de l'âge d'or, et ce, dans un vieil omnibus (une voiture hippomobile du XIXe siècle).

En sortant du musée, foncez tout droit vers Touro Street, plus à l'est; remontez la colline et dépassez Washington Square d'une rue pour atteindre la **Touro Synagogue** *(juin à sept dim-ven 10h à 17h; 85 Touro St., ☎401-847-4794)*. Il s'agit là de la plus vieille synagogue des États-Unis, et d'un magnifique exemple d'architecture coloniale. En 1658, 15 familles juives débarquaient en effet à Newport après avoir fui l'Inquisition portugaise et espagnole, et formaient ainsi l'une des premières congrégations juives du pays. La synagogue, construite en 1759, est encore utilisée, si bien qu'elle n'est pas accessible aux visiteurs le samedi (jour du sabbat) ou à l'occasion des fêtes juives.

Tout juste à côté de la Touro Synagogue se dresse le siège de la **Newport Historical Society** *(entrée libre; lun-ven 9h30 à 16h30, sam 9h30 à 12h; 82 Touro St., ☎401-846-0813, www.newporthistorical.org)*. Celle-ci organise la visite d'autres bâtiments historiques en ville, ainsi que des visites guidées à pied de la **Historic Hill** *(12$; juin à sept lun, mer et jeu-sam 10h)* et du quartier **The Point** *(25$; juin à sept jeu-sam 10h à 14h)*, de même que la **Cliff Walk**. Les billets pour ces visites se vendent aussi bien au centre d'accueil des visiteurs qu'au Museum of Newport History.

De la Historical Society, poursuivez vers l'est par Touro Street jusqu'à ce qu'elle devienne Bellevue Avenue, après quoi vous apercevrez le **Touro Park** sur votre droite. Ce parc abrite une structure pour le moins étrange, soit l'**Old Stone Mill**, une tour en pierres à huit «pattes» dont les origines demeurent un mystère à ce jour. D'aucuns prétendent qu'elle aurait été construite il y a plus de 1 000 ans par les Vikings ou les Celtes, mais les experts croient plus vraisemblablement qu'elle a été érigée vers la fin du XVIIe siècle par Benedict Arnold, le premier gouverneur du Rhode Island, et qu'il s'agissait d'un moulin à vent colonial ou encore d'une sorte d'hommage aux Scandinaves.

Directement en face du parc se dresse la **Redwood Library and Athenaeum** *(entrée libre; 50 Bellevue Ave., ☎401-847-0292, www. redwoodlibrary.org)*, soit la plus vieille bibliothèque de prêts en Amérique du Nord, Il s'agit par ailleurs d'un chef-d'œuvre architectural, d'autant plus qu'elle semble faite de pierres alors qu'elle est entièrement construite de bois teint en rouge. L'établissement renferme une collection d'ouvrages originaux du XVIIIe siècle, et la statue qui s'élève devant sa façade représente nul autre que George Washington.

Près de la bibliothèque apparaît le **Newport Art Museum** *(6$; lun-sam 10h à 17h, dim 12h à 17h; 76 Bellevue Ave., ☎401-848-8200)*, qui présente une collection d'œuvres locales de même que des expositions temporaires. La Cushing Gallery est celle où vous trouverez la collection permanente du musée, avec des tableaux d'artistes tels que William Trust Richards, Benjamin Parker et Gilbert Stuart. Le musée renferme également l'United States Croquet Hall of Fame (temple de la renommée du croquet).

Franchissez trois quadrilatères en direction sud sur Bellevue Avenue, passé de nombreux commerces, pour atteindre l'**International Tennis Hall of Fame ★** *(9$; tlj 9h30 à 17h; 194 Bellevue Ave., ☎401-849-3990)*. Newport était d'ailleurs toute désignée pour l'établissement de ce temple de la renommée, car l'Âge d'or de la région a vraiment marqué les débuts du tennis moderne tel que nous le connaissons. L'«aristocratie» américaine a en effet adopté avec empressement ce jeu breveté en Angleterre en 1873, et il s'agit ici du plus grand musée du genre dans le monde, riche d'éléments d'exposition interactifs, de nombreux souvenirs, d'objets anciens variés et de présentations multimédias. Les mordus de tennis apprécieront sans nul doute les rangées de plaques commémorant les exploits des membres aussi bien professionnels qu'amateurs du temple de la renommée, sans parler des 13 courts gazonnés qu'on trouve sur place.

Le temple de la renommée du tennis a été aménagé à l'intérieur du **Newport Casino**, une élégante structure rehaussée d'arches et de pignons. En 1879, James Gordon Bennet Jr., le riche éditeur du *New York Herald*, par

La Cliff Walk

La **Cliff Walk** *(www.cliffwalk.com)* part du Memorial Boulevard et longe l'océan Atlantique. La vue splendide qui s'offre ici au regard n'a pas manqué d'attirer, vers la fin du XIXe siècle, de riches New-Yorkais qui s'empressèrent d'y construire leurs résidences d'été: ces fabuleux manoirs de Bellevue Avenue qu'on croise encore aujourd'hui sur la «promenade des falaises». Originellement une simple piste en bordure du littoral, la Cliff Walk est devenue peu à peu un des grands attraits de Newport.

ailleurs résidant estival de Newport, l'a construit pour se venger du club pour hommes qui faisait à l'époque la pluie et le beau temps en ville, et qui avait aboli les privilèges d'un de ses amis pour avoir parcouru la propriété du club à cheval. Outré, Bennet résolut de construire son propre pavillon sportif, et son casino en fer à cheval ponctué de porches à tourelles et de vérandas bien aérées eut tôt fait de devenir l'endroit par excellence où s'afficher parmi les nantis de Newport.

Du casino, revenez sur vos pas de quelques mètres en direction nord jusqu'au Memorial Boulevard, que vous prendrez à gauche pour retourner vers le front de mer. Dans Spring Street, vous verrez la **St. Mary's Church** *(lun-ven 7h30 à 11h30)*, dont la date d'érection (1892) en fait la plus vieille église catholique du Rhode Island. Il s'agit d'un bel exemple d'architecture gothique anglaise à flèches, mais la plupart des visiteurs s'y rendent généralement pour une tout autre raison; c'est en effet ici que le futur président américain John F. Kennedy Jr. a épousé Jacqueline Bouvier en 1953.

Poursuivez en direction sud par Spring Street et tournez à droite dans Howard Street pour retrouver Thames Street. Vous serez alors dans le quartier affairé des quais de Newport, dont les innombrables magasins, boutiques et cafés attirent des nuées de touristes.

Le Rhode Island - Attraits touristiques - Newport

Au moment de déboucher sur Thames Street, vous verrez, directement devant vous, l'**International Yacht Restoration School** *(dons appréciés; tlj 9h à 17h; 449 Thames. St.,* ☎ *401-848-5777)*. Cette école, qui offre un apprentissage de deux ans en réfection de yacht, est l'occasion d'une agréable et intéressante digression. Vous y verrez en effet des coques de yachts plus ou moins abîmées, tandis qu'à l'extérieur, sur le front de mer, vous pourrez monter à bord du seul et unique grand yacht victorien qui subsiste encore dans le monde, à savoir le *Coronet*, construit en 1885. Une fois restauré, il deviendra d'ailleurs le porte-drapeau de l'école. Ainsi que le directeur de l'école aime bien le souligner, son établissement est sans doute le seul qui permette de côtoyer les eaux du port de Newport sans avoir à acheter quoi que ce soit.

De biais avec l'école se trouve le **Samuel Whitehorne House Museum** *(10$; lun, jeu et ven 11h à 16h, sam-dim 10h à 16h ou sur rendez-vous; 416 Thames St.,* ☎ *401-847-2448)*, un manoir restauré de Newport sous les auspices de la Newport Restoration Foundation. Samuel Whitehorne Jr. avait fait fortune dans les banques, dans la distillation du rhum et sans doute aussi dans la traite des esclaves. Il fut l'un des derniers grands magnats du négoce dans la région, et sa maison de 1811 a ceci de particulier qu'il s'agit d'un des rares exemples d'architecture de style Federal à Newport. Construite face à l'eau dans Thames Street, elle devait témoigner des vastes richesses de Whitehorne, mais il fit faillite peu de temps après, si bien qu'elle ne fut jamais complétée de son vivant. La voici néanmoins remarquablement restaurée, et vous y découvrirez une importante collection de meubles américains des débuts de la colonie.

Continuez votre balade en remontant Thames Street vers le nord, un parcours incroyablement bondé les fins de semaine d'été. Sur votre gauche s'étire le front de mer historique pavé en cailloutis et aujourd'hui transformé en zone commerciale le long du **Bowen's Wharf** et du **Bannister's Wharf** *(voir p 587)*, sans oublier de nombreuses possibilités de navigation et de croisière dans le port de Newport *(voir p 568)*.

Tournez ensuite à droite dans Church Street pour atteindre la **Trinity Episcopal Church** *(Queen Anne Square,* ☎ *401-846-0660,* *www.trinitynewport.org)*, qui date de 1726. Ses hautes flèches en sont venues, au fil des ans, à caractériser la silhouette urbaine de Newport, et, à l'intérieur comme à l'extérieur, le lieu de culte offre un magnifique exemple d'architecture inspirée du modèle des églises londoniennes dessinées par Sir Christopher Wren.

Outer Bellevue Avenue et Ocean Drive ★★★

Un peu plus loin du centre en bord de mer de Newport, ce secteur constitue à n'en point douter le clou de la visite de la ville, et il se parcourt préférablement à bicyclette, en voiture ou par le biais des transports en commun, à quoi vous ajouterez un peu de marche.

Votre premier arrêt devrait être au siège social de la **Preservation Society of Newport County** *(tlj 10h à 17h, 424 Bellevue Ave.,* ☎ *401-847-1000, www.newportmansions.org)*. Cette société régit les 11 manoirs de Newport ouverts au public, et d'ailleurs superbement entretenus, que vous pouvez atteindre sauf pour deux d'entre eux, par Bellevue Avenue. Nous ne saurions trop vous recommander de visiter au moins trois de ces grandioses demeures. De nombreuses excursions sont organisées.

Les résidences énumérées ci-dessous le sont du nord au sud. Elles se trouvent toutes sur Bellevue Avenue ou à ses abords immédiats, et chacune d'elles est clairement identifiée par un panneau. La plupart proposent des visites guidées.

Le premier manoir, **Kingscote** ★ *(10$; mai à oct tlj 10h à 17h; Bellevue Ave.)*, se trouve à quelques rues seulement au nord du siège social de la Preservation Society. Achevé en 1841, il fut le premier «cottage» exclusivement conçu pour servir de résidence d'été. Dotée d'un style néogothique saisissant, la maison fut acquise en 1864 par un éminent négociant voué au commerce avec la Chine, William Henry King, qui a laissé un véritable trésor de meubles et accessoires, entre autres d'exquises peintures et porcelaines orientales.

Vient ensuite l'époustouflant **The Elms** ★★★ *(10$; tlj 10h à 17h; Bellevue Ave.)*, un des manoirs à ne manquer pour rien au monde. Ce chef-d'œuvre à colonnades est un joyau de l'âge d'or construit en 1901 par Edward J. Berwind sur le modèle du château français d'Asnières, qui date du milieu du XVIIIᵉ siècle, et sa réalisation a coûté environ 1,4 million de dollars – une véritable fortune à l'époque. Le manoir arbore un sublime escalier en marbre, d'immenses peintures murales et des accents qui trahissent le goût indéniable de l'élite américaine d'alors pour les éléments décoratifs du temps des rois français Louis XV et Louis XVI. Un autre attrait de cette demeure tient au fait qu'elle est la seule à offrir une visite audioguidée avec casque d'écoute, d'autant que la bande sonore qui vous entraîne de pièce en pièce reproduit admirablement les sons et les atmosphères caractéristiques des lieux. Cela dit, d'autres manoirs songent à offrir bientôt le même service.

Tout juste en retrait de Bellevue Avenue, en descendant Narragansett Avenue au départ du siège de la Preservation Society, apparaît **Chepstow** ★ *(10$; mai à oct sur rendez-vous seulement; Narragansett Ave.,* ☎*401-847-1000, poste 165)*, une villa italianisante ayant servi de cottage d'été à l'ère victorienne et ayant notamment appartenu à Emily Morris Gallatin. Vous y verrez une importante collection d'objets de la famille Morris.

En continuant vers le sud sur Bellevue Avenue, vous atteindrez **Chateau-Sur-Mer** ★★ *(10$; mai à oct tlj 10h à 17h; Bellevue Ave.)*, un manoir en granit à la grande époque victorienne tant par son architecture que par son mobilier, ses céramiques et ses motifs au pochoir. L'intérieur en est très, très chic, et intègre même de somptueux vitraux. Cette maison a été construite en 1852 pour William S. Wetmore, un banquier new-yorkais à la retraite qui avait fait fortune dans le commerce avec l'Orient.

Franchissez encore deux quadrilatères sur Bellevue Avenue et tournez à gauche dans Victoria Avenue, en direction de l'océan et du manoir **The Breakers** ★★★ *(15$; mars à déc tlj 10h à 17h; Ochre Point Ave.)*. Sans doute la plus impressionnante de toutes les propriétés qu'il vous sera donné de visiter, cette demeure de style Renaissance italienne de 70 pièces a été construite pour Cornelius Vanderbilt II, ancien président du New York Central Railroad et détenteur d'un des noms les plus illustres de la riche aristocratie économique de l'âge d'or. La maison a été bâtie dans le seul et unique but d'afficher la puissance sociale et finan-

cière des Vanderbilt au XIXᵉ siècle. Entre autres pièces dignes de mention, retenons un majestueux grand hall et un salon de musique décoré de marbre, d'albâtre et d'or. Quant aux pelouses qui entourent la maison, elles donnent directement sur les brisants de l'Atlantique.

Plus au sud sur Bellevue Avenue se dresse **Rosecliff** ★★★ *(10$; mai à oct tlj 10h à 17h; Bellevue Ave.)*, la plus romantique des propriétés de Newport. Ce manoir à colonnes en terracotta blanche a d'ailleurs servi de décor à des films hollywoodiens tels que *Gatsby le magnifique*, et il repose sur 8 ha de jardins sculptés en surplomb sur l'océan. L'intérieur est en outre incroyable, avec son salon Renaissance française, ses énormes lustres en cristal français et son imposante salle de bal. La maison a été construite en 1902 pour l'héritière des mines d'argent du Nevada, Theresa Fair Oelrichs, et l'on y a célébré nombre d'événements et fêtes spectaculaires pour l'élite sociale et économique de Newport.

La propriété suivante sur Bellevue Avenue n'est pas gérée par la Preservation Society, mais elle est également ouverte au public. **The Astors' Beechwood** ★ *(visite guidée 18$; horaire variable; 580 Bellevue Ave.,* ☎*401-846-3772,* www.astorsbeechwood.com*)* est différente des autres car elle revêt l'aspect d'un musée d'histoire vivant peuplé d'acteurs qui font revivre les personnalités de Newport en 1891. Cette demeure présente une excellente introduction aux rouages de la vie sociale de Newport à la fin du XIXᵉ siècle, lorsque Caroline Astor est devenue l'une des principales organisatrices de l'aristocratie locale en créant la «Liste des 400», qui regroupait les membres de 213 familles riches dont les antécédents de prospérité pouvaient être retracés sur au moins trois générations. Inutile de dire qu'il n'était pas facile de se faire inviter aux réceptions données chez les Astor!

Pour voir un autre manoir témoin de la puissance des Vanderbilt, visitez la plus «méridionale» des propriétés de la Preservation Society, **The Marble House** ★★★ *(10$; mars à jan tlj 10h à 17h; Bellevue Ave.)*. Sa construction, en 1892, aurait coûté la faramineuse somme de 11 millions de dollars et intègre 150 000 m³ des marbres les plus fins du monde. La salle dorée, pour le moins éblouissante, s'inspire des palais royaux de Versailles, tandis que la salle go-

Le Rhode Island ⁃ Attraits touristiques ⁃ Newport

thique révèle de splendides vitraux. La propriété accueille également une maison de thé chinoise du côté de l'océan. L'ensemble a été construit pour William K. Vanderbilt, cadet de Cornelius, après qu'il eut exigé «*la meilleure résidence qui se puisse acheter*».

La dernière propriété de Bellevue Avenue, le **Belcourt Castle ★** *(12$; mai à oct tlj 9h à 17h, fév à mai et oct à nov sam-dim 10h à 17h; 657 Bellevue Ave., ☎401-846-0669, www.belcourtcastle.com)*, en est une autre qui échappe à la gestion de la Preservation Society. Oliver Hazard Perry Belmont était un célibataire qui vécut comme un roi il y a de cela plus d'un siècle, 30 domestiques veillant constamment à satisfaire ses moindres caprices. Il vivait seul dans ce cottage estival de 60 pièces, de style Louis XIII, jusqu'à ce qu'il épouse Alva, l'ex-femme de William K. Vanderbilt, qui était pratiquement son voisin.

Continuez vers l'ouest sur **Ocean Drive ★★** une fois parvenu au bout de Bellevue Avenue. La route serpente alors parmi les corniches et les falaises escarpées tout en offrant de splendides vues sur l'océan, et elle se parcourt à vélo ou en voiture.

Ce chemin croise le **Brenton Point State Park** (voir p 568) avant de piquer au nord pour atteindre le **Castle Hill Lighthouse** (phare). Ocean Drive prend ensuite le nom de «Harrison Road» avant l'embranchement vers le **Fort Adams State Park**, une étendue de verdure idyllique qui s'avance dans la baie de Narragansett. C'est également là l'emplacement du **Fort Adams** *(8$; mai à oct tlj 10h à 16h; Eisenhower House, 1 Lincoln Dr., ☎401-841-0707, www.fortadams.org)*, la plus grande fortification côtière jamais érigée aux États-Unis. Construit entre 1824 et 1857, ce fort servait à protéger l'entrée du port de Newport et de la baie de Narragansett. Les visites proposées sont intéressantes, mais le point culminant demeure l'ascension vers un belvédère offrant une incroyable vue panoramique du port et de la baie. Le parc d'État accueille en outre le **Museum of Yachting** *(5$; mai à oct tlj 10h à 17h; ☎401-847-1018, www.moy.org)*, dont les vitrines et les salles d'exposition font revivre la riche histoire de la navigation de plaisance de Newport.

Du Fort Adams State Park, poussez vers l'est sur Harrison Avenue, qui débouche en courbe sur Carroll Avenue, et retournez vers la ville par Spring Street. Tournez ensuite à droite dans le Memorial Boulevard pour emprunter la route d'**Easton's Beach ★★** *(mai à sept tlj 9h à 18h; stationnement 8$ en semaine, 10-15 les fins de semaine)*. Cette longue bande sablonneuse est l'occasion de nombreuses activités familiales au son et à la vue des brisants, qu'il s'agisse du carrousel, du golf miniature ou des spectacles pour enfants. Des maîtres nageurs sont en service entre 9h et 18h.

Les environs de Newport

Le comté de Newport englobe plusieurs autres localités aux abords de la ville portuaire. À l'ouest, passé le pont de Newport, s'étend Jamestown; au nord se trouvent la limitrophe Middletown puis Portsmouth; à l'est, au-delà de la rivière Sakonnet, viennent enfin Tiverton et Little Compton. Pour ceux qui en ont le temps, chacune de ces localités recèle quelques attraits dignes d'intérêt.

De Newport, prenez vers l'ouest, franchissez le Newport Bridge (péage 2$) et empruntez la sortie de Jamestown.

Jamestown ★★ attire les curieux grâce à son mélange de front de mer et de nature sauvage. Pour tout dire, le village de Jamestown compte parmi les plus charmants du Rhode Island.

Le point de repère le plus notable en est le **Beavertail Lighthouse Park and Museum** *(juin à sept tlj 10h à 16h; à l'extrémité sud de Jamestown, ☎401-423-3270, www.beavertaillight.org)*, soit le plus vieux phare du littoral atlantique. La visite de la structure permet de bénéficier d'une vue spectaculaire sur les côtes du Rhode Island.

De Newport, suivez le Memorial Boulevard en direction nord jusqu'à Middletown.

Middletown et Portsmouth se trouvent toutes deux sur l'île Aquidneck, vraiment tout près de Newport. À **Middletown**, le **Norman Bird Sanctuary** (voir p 569) et le **Sachuset Point Wildlife Refuge** (voir p 570) vous réservent des espaces d'une grande tranquillité parcourus d'agréables sentiers de difficultés diverses.

Un peu plus au nord, à **Portsmouth**, se trouve la toute dernière des propriétés gérées par la Preservation Society du Newport County, **Green Animals** ★ *(9$; mai à nov tlj 10h à 17h; Cory's Ln.,* ☎*401-847-1000, www.newportmansions.org)*. Très différente des manoirs de Newport, cette résidence champêtre historique révèle un superbe jardin victorien de plus de 100 ans composé de massifs fleuris et de plus de 80 arbres et arbustes sculptés, tantôt en forme d'animaux, tantôt de forme géométrique. Le terrain et son cottage campagnard de facture classique ont été achetés en 1872 par un résidant de Fall River du nom de Thomas E. Brayton, après quoi il a chargé le jardinier portugais de renom Joseph Carreiro de concevoir le paysage enchanteur que l'on peut aujourd'hui admirer.

De Portsmouth, prenez la route 114 en direction nord et traversez la rivière Sakonnet pour rejoindre le continent, Tiverton et Little Compton.

À l'origine habitée par les Pocassets, une sous-tribu wampanoag, la région s'est vue colonisée par les Européens au terme des hostilités engendrées par la guerre du Roi Philippe. **Tiverton**, qui faisait au départ partie de la colonie de Plymouth, s'est jointe à la colonie de la baie du Massachusetts en 1692 et a reçu sa charte de township en 1694. Elle a enfin été intégrée au Rhode Island en 1746.

À la jonction des routes 77 et 179, **Tiverton Four Corners** attire les visiteurs avec ses pittoresques boutiques d'antiquités, échoppes d'artisans, galeries d'art et cafés. Non loin se trouve également la Chase-Cory House, où loge la **Tiverton Historical Society**; on y présente des expositions spéciales tout au long de la saison.

En suivant la route 77 vers le sud, vous atteindrez **Little Compton**, une communauté rurale de bord de mer que les gens du coin surnomment «le pays du Bon Dieu». Charmante et paisible à souhait, la West Main Road du village est flanquée de chênes majestueux.

Le **Gray's Store** *(mai à sept tlj; 4 Main St.,* ☎*401-635-4566)* s'impose comme l'un des plus vieux commerces en activité continue du pays. Véritable classique du genre, il renferme un bureau de poste à l'ancienne, une distributrice de boissons d'origine, des compartiments de friandises et un comptoir de tabac.

Les **Sakonnet Vineyards** *(oct à mai tlj 11h à 17h, juin à sept tlj 10h à 18h; 162 W. Main Rd.,* ☎*401-635-8486, www.sakonnetwine.com)* ont été créés en 1975, et, depuis maintenant plus de deux décennies, on y produit certains des meilleurs vins de la Nouvelle-Angleterre. Visites des installations et dégustations sont offertes sur place, pour vous donner l'occasion de goûter le produit des raisins cultivés sur la propriété (Estate Grown).

Parcs et plages

Newport

Middletown et Portsmouth se trouvent toutes deux sur l'île Aquidneck, tout près de Newport. À Middletown, le **Norman Bird Sanctuary** est sillonné de sentiers (voir p 569).

Le **Sachuset Point Wildlife Refuge** vous réserve des espaces d'une grande tranquillité parcourus par d'agréables sentiers (voir p 570).

South County

La **Narragansett Town Beach** ★ *(route 1A, Narragansett)* est idéale pour les familles puisqu'elle est bien située et dispose d'un grand parc de stationnement et de toilettes.

La **Blue Shutters Town Beach** *(route US 1, prendre East Beach Rd., Charlestown)* demeure la favorite des familles. Propre et claire, cette plage dispose d'un grand parc de stationnement (payant), de douches et de comptoirs de restauration rapide.

Très populaire, la **Misquamicut State Beach** *(257 Atlantic Ave., Westerly)* attire les familles et les vacanciers en tous genres. Avec ses 11 km de sable, ses toilettes et vestiaires, son immense stationnement et ses comptoirs de restauration rapide, cette plage prend quelquefois des allures de cirque sur fond idyllique.

La **Watch Hill Beach** *(Watch Hill, Westerly,* ☎*401-348-6007)* est facile d'accès. Elle renferme un carrousel, et des boutiques s'étalent à proximité.

Le Rhode Island - Parcs et plages

Block Island

Avec sa douzaine de plages propres, Block Island est une destination où la baignade demeure agréable. Les plages situées près d'Old Harbor sont populaires, mais la plage qui se trouve en contrebas des Mohegan Bluffs est magnifique.

Newport

La plage la plus fréquentée de Newport est sans contredit **Easton's Beach** ★★ (voir p 566), mais elle n'est pas la seule. Ainsi le **Fort Adams State Park** (voir p 566) possède une aire de baignade ceinturée de câbles et accessible de l'aube au crépuscule. Le **King Park** (*Wellington Ave.*) vous propose également une petite plage avec différents services et aires de jeux. Pour sa part, le **Brenton Point State Park** (*Ocean Dr.*) n'a pas de plage à proprement parler, mais son imposant relief rocheux offre un panorama magnifique de la Côte Est.

Activités de plein air

■ Canot et kayak

Providence

Paddle Providence
Gardener Jackson Park, Providence River Walk
☎401-453-1633
www.paddleprovidence.org
Cette entreprise propose une gamme complète de services, depuis l'excursion avec guide jusqu'à la navigation autonome. Le coût des excursions guidées sur la rivière Providence comprend les services d'un guide, l'embarcation, les rames et le gilet de sauvetage *(à partir de 15$/pers.)*. Il est également possible d'explorer les cours d'eau environnants *(25$/pers.)*. Sur présentation d'un permis de conduire valide, vous pouvez louer des embarcations *(kayak simple 10$/h ou 30$/jour; canot/kayak double, 12$/h ou 35$/jour)*.

Block Island

Les eaux tranquilles du Great Salt Pond, à New Harbor, sont parfaites pour tenter l'expérience du kayak. Pour des tours guidés, adressez-vous à:

Pond and Beyond
☎401-752-5460
www.blockisland.com/kayakbi

Newport

Les vagues ondulantes du port de Newport et de la baie de Narragansett se prêtent tout à fait à la pratique du canot et du kayak. L'entreprise suivante sera à même de vous fournir renseignements, services et location de matériel.

Adventure Sports Rentals and Tours
142 Long Wharf
☎401-849-4820

■ Croisières et navigation de plaisance

Newport

En Nouvelle-Angleterre, Newport est le maître incontesté en matière de navigation de plaisance et de croisières. En vous promenant le long de Thames Street et du quartier du bord de mer, vous trouverez d'ailleurs d'innombrables occasions de prendre le large.

Newport Sailing School and Tours
25$/h
Goat Island Marina, Dock A5
☎401-848-2266
www.newportsailing.com
Sailing Tours hisse les voiles pour des balades autour de Newport. Croisières d'une heure, de deux heures ou d'une demi-journée.

Adirondack II
27-35
Newport Yachting Center
America's Cup Ave.
☎401-846-1600
www.newportyachtingcenter.com
Des excursions de deux heures dans le port de Newport et dans la baie voisine sont proposées à bord de cette goélette classique.

Flyer Catamaran
30-35
Long Wharf
☎401-848-2100 ou 800-863-5937
www.flyercatamaran.com

Des croisières de deux heures se font à bord du catamaran *Flyer*, qui peut accueillir jusqu'à 65 personnes.

Rum Runner II
18-28
Classic Cruises of Newport
Bannister's Wharf
☎401-847-0298
www.cruisenewport.com
Revivez l'époque de la Prohibition, alors que les contrebandiers d'alcool sillonnaient les eaux de la région. Une expérience pour le moins originale sur un bateau qui l'est tout autant.

Madeleine
27-35
Classic Cruises of Newport
Bannister's Wharf
☎401-847-0298
www.cruisenewport.com
Une croisière d'une heure et demie est offerte dans le port de Newport et la baie de Narragansett à bord de cette goélette de 24 m.

Sightsailing
30$-32,50$
32 Bowen's Wharf
☎401-849-3333 ou 800-709-SAIL
www.sightsailing.com
On organise ici des croisières d'environ 1h15 sur trois yachts différents.

■ Équitation

Block Island

Rustic Rides Farm
West Side Rd.
☎401-466-5060
Rustic Rides propose une variété d'excursions équestres guidées, comprenant, entre autres, des promenades sur les plages.

Newport

Newport Equestrian Academy
287 Third Beach Rd.
Middletown
☎401-848-5440
www.newportequestrian.com
Tout près de Newport, à Middletown, ce centre d'équitation donne des cours pour cavaliers de niveau débutant, intermédiaire et avancé, et organise des randonnées de plage de même que dans les sentiers.

■ Golf

Providence

Triggs Memorial Golf Course
18 trous
1533 Chalkstone Ave.
☎401-521-8460
www.rigolf.com/triggs

South County

North Kingstown Municipal Golf Course
18 trous
615 Callahan Rd.
North Kingstown
☎401-294-4051

Winnapaug Golf Course
18 trous
184 Shore Rd.
Westerly
☎401-596-9164

Newport

Newport National Golf Course
18 trous
324 Mitchell's Lane
Middletown
☎401-848-9690

■ Observation des oiseaux

Block Island

Paradis pour les amateurs d'ornithologie, Block Island compte quelque 40 espèces rares ou protégées ainsi que des milliers d'oiseaux qui s'y arrêtent durant la période migratoire.

Les sentiers pédestres maintenus par **The Nature Conservancy** (*☎401-466-2129, www. nature.org*) sont les endroits tout désignés pour s'installer avec des jumelles ou un appareil photo.

Newport

Norman Bird Sanctuary
4$
tlj 9h à 17h, fermé lun en hiver
583 Third Beach Rd.
Middletown
☎401-846-2577
www.normanbirdsanctuary.org
Cette réserve faunique de 180 ha qui se trouve dans les environs immédiats de

Newport, à Middletown, est sillonnée de sentiers à travers champs, boisés et arêtes rocheuses. Différentes activités y sont organisées pour les petits et les grands amateurs de plein air.

■ Patin à glace

Providence

Bank of America City Center
6$
lun-ven 10h à 22h, sam-dim 11h à 22h
2 Kennedy Plaza
☎401-331-5544
www.providenceskating.com
Le Bank of America City Center de Providence est l'endroit idéal pour faire du patin à glace pendant votre séjour dans la capitale. Il est possible d'y louer des patins à glace *(4$)*.

■ Pêche

Newport

Nombre d'entreprises spécialisées proposent des excursions de pêche en mer à partir de Newport, et il vous suffira de vous balader sur le front de mer pour découvrir les différentes possibilités qui s'offrent à vous.

The Saltwater Edge
195-525
1077 Aquidneck Ave.
☎401-842-0062 ou 866-793-6733
www.saltwateredge.com
Toutes les expéditions se font à bord d'un bateau affrété et comprennent tout le matériel nécessaire. Il ne vous reste plus qu'à taquiner le bar rayé, la goberge, la bonite, la thonine et l'albacore.

■ Plongée sous-marine

Newport

Découvrez un tout autre visage de Newport sous l'eau. Épaves, saillies côtières et récifs accueillent les plongeurs qui choisissent d'explorer «l'autre moitié» de la ville. Pour de plus amples renseignements, des cours ou de la location d'équipement, adressez-vous à:

Newport Diving Center
550 Thames St.
☎401-847-9293
www.newportdivingcenter.com

■ Randonnée pédestre

Block Island

Block Island compte environ 40 km de sentiers faciles d'accès et gratuits. Le réseau de sentiers est sous la responsabilité du **Nature Conservancy** *(☎401-466-2129, www.nature.org)*, qui, en plus de répondre à vos questions, publie une brochure descriptive et propose différentes activités.

Parmi les neuf sentiers recensés, les plus populaires sont le **Clay Head Nature Trail** et **The Greenway**. Le premier longe la côte de l'île et permet d'observer plusieurs espèces migratoires. Certains sentiers qui mènent à l'océan offrent une vue magnifique.

The Greenway étend ses charmes sur près de 20 km. Le Nathan Mott Park, l'Enchanted Forest et la Turnip Farm sont accessibles à partir de ce sentier.

Même les routes pavées constituent d'agréables endroits pour la promenade.

Newport

La **Cliff Walk** (promenade des falaises) emprunte un tracé rêvé qui part du Memorial Boulevard et serpente sur 5,25 km entre l'océan Atlantique et les manoirs historiques de Newport. Les panoramas sont tout à fait spectaculaires, et nous vous recommandons chaleureusement cette randonnée. Les sentiers du **Norman Bird Sanctuary** *(Third Beach Rd., Middletown)* sont également très pittoresques, la vue sur le Hanging Rock (rocher suspendu) en étant le clou. Toujours à **Middletown**, le **Sachuset Point Wildlife Refuge** *(Sachuset Point Dr., Middletown, ☎401-364-9124)*, vous réserve 92 ha de marais d'eau douce et d'eau salée, une plage en barrière, un littoral rocheux, des prairies et des zones côtières plantées d'arbustes.

■ Surf

South County

La **Narragansett Town Beach** *(route 1A, Narragansett)* propose une gamme d'activités liées à la pratique du surf. S'y tiennent même des compétitions *(☎401-782-0658)*.

Block Island

Crescent Beach *(Corn Neck Rd.)* est certainement la plus populaire de Block Island pour le surf.

Newport

Easton's Beach *(stationnement 10$ en semaine, 15$ les fins de semaine; Memorial Blvd.)* est un endroit très prisé des surfeurs, ses eaux peu profondes et sa pente graduelle créant de longues vagues en rouleaux. S'il vous faut louer l'équipement nécessaire, adressez-vous à:

Water Brothers Surf and Skate
38 Broadway
☎401-849-4990

■ Vélo

Les amateurs de vélo ne manqueront pas de se procurer l'excellente brochure *A Guide to Cycling in the Ocean State* *(☎401-222-4203, poste 4042, www.dot.state.ri.us)*, qui contient une carte ainsi que la description des pistes cyclables du Rhode Island.

Providence

L'**East Bay Bicycle Path** *(www.eastbaybikepath. com)* relie l'est de Providence à la municipalité de Bristol, un parcours revêtu totalisant 23 km. Une aire de stationnement est disponible sur le Veterans Memorial Parkway, point de départ de la piste cyclable. Vous pourrez louer un vélo auprès de l'une des entreprises suivantes:

East Providence Cycle
111 Crescent View Ave.
Riverside
☎401-437-2453
www.eastprovidencecycle.com

Esta's Too
257 Thayer St.
Providence
☎401-831-2651

Providence Bicycle Service
725 Branch Ave.
Providence
☎401-331-6610

Your Bike Shop
459 Willett Ave.
Riverside
☎401-433-4491

Block Island

Il est bon de découvrir les charmes de Block Island à vélo. La **Block Island Chamber of Commerce** *(au quai du traversier, Old Harbor, ☎401-466-2982 ou 800-383-2474)* publie une carte des voies cyclables et propose également des circuits.

En fait, toutes les routes qui sillonnent l'île se prêtent merveilleusement bien au vélo. Les sentiers recèlent des surprises, mais souvenez-vous que The Greenway est réservé à l'usage exclusif des marcheurs. Vous pouvez également faire à vélo le circuit de visite suggéré dans la section «Attraits touristiques» de ce chapitre (voir p 558).

Les entreprises suivantes louent des vélos. En général, le coût de la location varie entre 10$ et 15$ par jour.

Block Island Bike & Car Rental
Ocean Ave.
☎401-466-2297
Vélos de montagne.

Old Harbor Bike Shop
sur la gauche en arrivant au traversier
☎401-466-2029
www.oldharborbikeshop.com
Vélos de montagne performants et sièges pour enfants.

Island Bike & Moped
Chapel St., à l'arrière du Harborside Inn
☎401-466-2700
Vaste sélection de vélos de montagne, de tandems et d'équipement (sièges pour enfants, casques et autres accessoires).

Newport

Les vues panoramiques de l'océan Atlantique font grandement apprécier la pratique du vélo à Newport, à tout le moins hors de la zone du front de mer. Nous vous recommandons tout particulièrement les 21 km de pistes qui longent Bellevue Avenue et Ocean Drive. Pour louer une monture, adressez-vous à:

Ten Speed Spokes
5$/h, 25$/jour
18 Elm St.
☎ 401-847-5609
www.tenspeedspokes.com

Cette entreprise bénéficie d'un emplacement idéal à côté du centre d'accueil des visiteurs, doublé d'un terrain de stationnement.

Adventure Sports
142 Long Wharf
☎ 401-849-4820

Adventure Sports loue aussi bien des vélos que des vélomoteurs.

Island Sports
86 Aquidneck Ave.
Middletown
☎ 401-846-4421

⚓
Hébergement

Providence

Pour une capitale de taille relativement grande, Providence n'offre qu'un nombre restreint de grands hôtels répartis dans le centre-ville et ses abords immédiats. Il y a bien une poignée de *bed and breakfasts*, mais ils exigent des réservations longtemps à l'avance.

State House Inn
$$$ pdj
≡ ⚓
43 Jewett St.
☎ 401-351-6111
www.providence-inn.com

Le State House Inn a pignon sur rue au cœur d'un quartier paisible à une certaine distance du centre-ville de Providence, mais elle constitue une alternative intéressante aux hôtels tout en hauteur plus commodément situés. Il s'agit d'une maison néocoloniale centenaire peinte en brun et blanc. Quant aux chambres, elles sont remplies de meubles et d'accessoires shakers et coloniaux, et elles renferment de grands ou très grands lits, la plupart s'enorgueillissant de planchers de bois d'origine.

Radisson Airport Hotel
$$$ pdj
≡ ⇌ ≋ ♨ ♿ @
2081 Post Rd.
Warwick
☎ 401-739-3000 ou 800-333-3333
🖷 401-732-9309
www.radisson.com

Cet hôtel de 111 chambres à service complet vous accueille presque en face du T.F. Green Airport. La piscine et le gymnase ne se trouvent pas dans l'hôtel même, mais dans un centre situé à une rue de là où les clients de l'établissement sont gratuitement admis. Service de navette gratuit entre l'hôtel et l'aéroport, et ce, malgré sa proximité immédiate.

The Old Court
Bed and Breakfast
$$$ pdj
≡
144 Benefit St.
☎ 401-751-2002 ou 401-351-0747
🖷 401-272-4830
www.oldcourt.com

L'Old Court, installé dans un bâtiment de briques rouges, s'harmonise parfaitement aux autres vieilles maisons charmantes de Benefit Street. Sa construction date de 1863, et il remplit les fonctions de *bed and breakfast* depuis 1986. Ses 11 chambres sont immaculées, garnies de meubles et objets victoriens, et certaines d'entre elles bénéficient de vues imprenables sur le centre-ville de Providence.

Providence Biltmore
$$$
≡ ♨ ⇌ ♿ @
11 Dorrance St.
☎ 401-421-0700 ou 800-294-7709
🖷 401-455-3050
www.providencebiltmore.com

La «Grande Dame de Providence» est aménagée dans un majestueux bâtiment de briques rouges percé de fenêtres encadrées de blanc, bâti en 1922, et l'on y dénombre 291 chambres spacieuses. Il s'agit là d'un hôtel chic du centre-ville où le service est à l'honneur, et son ascenseur en verre offre de somptueuses vues sur la ville.

Radisson Hotel Providence
Harbor
$$$$
≡ ♨ ⇌ ♿
220 India St.
☎ 401-272-5577 ou 800-333-3333
www.radisson.com

Ce luxeux hôtel de la chaîne Radisson a été remis à neuf à grands frais. Il est situé à l'écart de la ville, entre une autoroute et le bord de mer, et est surtout fréquenté par une clientèle de gens d'affaires.

Providence Marriott
$$$$
≡ ≋ ⇌ ♨ ⫸ ♿ ✈ @
1 Orms St.
☎ 401-272-2400 ou 866-807-2171
www.marriott.com

Caché derrière le capitole d'État, le Marriott propose 345 chambres et six suites. Vous y trouverez tous les services normalement offerts par les grands hôtels modernes, et son restaurant s'avère remarquablement bon (voir p 581).

Crowne Plaza at the Crossings
$$$$
≡ ⇌ ≋ ♨ ♿
801 Greenwich Ave.
Warwick
☎ 401-732-6000
🖷 401-732-4939

Cet hôtel est passablement éloigné de Providence, quoique très près de l'aéroport de Warwick. Il s'agit là d'un imposant établissement moderne qui accueille une importante clientèle de gens d'affaires, et ses chambres sont grandes et confortables. Un des principaux atouts du Crowne Plaza tient à son personnel émérite, d'un commerce tout à fait agréable et en mesure de vous aider à trouver à peu près n'importe quoi. Service de navette entre l'hôtel et l'aéroport.

Le Rhode Island - Hébergement - Providence

PROVIDENCE ▲⊘

7 ▲

Jewett St.

BOSTON

Park St.

Holden St.

Smith St.

Francis St.

Gaspee St.

Moshassuck River

4 ▲
3 ▲

N. Main St.

V

Roger
Williams
Nat. Mem.
Park

Sou

Park Row

Promenade St.

W

Woonasquatucket River

Kinsley St.

Canal St.

Francis St.

Exchange St.

5 ●

10 ●
Steeple St.

Waterplace
Park

Memorial Blvd.

95

Exchange Terrace

X

11 ●

W. Exchange St.

8 ▲ **4** ●

13 ●

Kennedy
Plaza

3 ▲

Washington St.

Fulton St.

Custom Hou

Westminster St.

12 ●

Della St.

2 ●

Sabin St.

8 ●

Durance St.

Erddy St.

Peck St.

Pine St.

1,7 ●

Atwells St.

Fountain St.

Clemence St.

Union St.

Orange St.

Y

9 ●

Mathewson St.

Snow St.

Westminster Mall

J & W
University's
Gaebe
Commons

Friendship St.

Abom St.

Chapel St.

Weybosset St.

Garnet St.

Clifford St.

Empire St.

Washington St.

Green St.

Pine St.

Richmond St.

Page St.

Z

95

1,5 ▲

Franklin St.

Chestnut St.

Sh

©ULYSSE

A   B   C

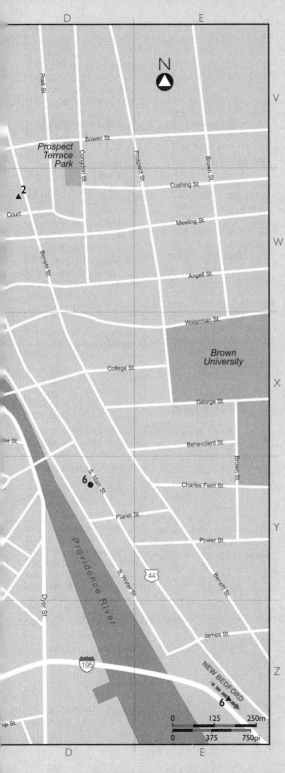

The Westin Providence
$$$$$

≡ ≈ ♨ ⚓

1 W. Exchange St.
☎ 401-598-8000
🖨 401-598-8200
www.westin.com

Le Westin, un établissement primé, rivalise avec le Biltmore dans le ciel de Providence. Vous y trouverez une foule de services à l'intention des gens d'affaires, nombreux à y descendre, et le décor de ses 364 chambres se veut à la fois moderne et chaleureux.

South County

Narragansett

Long Cove Marina Family Campsites
$

325 Point Judith Rd. (route 108), Long Cove Marina
☎ 401-783-4902

Quelque 180 emplacements sont disponibles sur ce site, dont 25 réservés pour les tentes. Il a l'avantage de permettre plusieurs activités liées à la mer.

Westerly

Atlantic Avenue, qui longe la Misquimicut State Beach, est bordée d'hôtels qui accueillent les amateurs de plages et leurs familles. Dans la plupart de ces établissements, qui proposent un confort similaire, il est possible de louer une chambre pour quelques semaines.

Sandy Shore Motel
$$$

≡ ☕

149 Atlantic Ave.
Westerly
☎ 401-596-5616
🖨 401-596-5674

www.sandyshore.com

Le Sandy Shore est situé directement sur la plage, et la qualité des chambres et des appartements demeure acceptable. Avec le bruit des vagues et les chaises disposées sur ses galeries, les vacanciers seront ravis.

Watch Hill

Watch Hill Inn
$$$$ pdj

≡ ❄ ♨

38 Bay St.
☎ 401-348-6300 ou 800-356-9314
www.watchhillinn.com

Bien situé sur un promontoire au cœur de Watch Hill, le Watch Hill Inn est installé dans une magnifique demeure blanche datant de 1845. Décorées dans la plus pure tradition de la Nouvelle-Angleterre, les chambres sont confortables et agréables.

Block Island

Il est à noter que le camping est strictement interdit sur Block Island et que l'endroit ne dispose d'aucun espace réservé à cet effet.

Bien que Block Island compte plus d'une quarantaine d'établissements hôteliers, les prix sont élevés, et il faut réserver longtemps à l'avance pour un séjour durant les fins de semaine, surtout en été.

Surf Hotel
$$ pdj

bc/bp ⚁

Dodge St.
☎ 401-466-2241

L'impressionnant Surf Hotel abrite un hall du goût le plus étrange dans lequel se mêlent antiquités et sofas de cuir, un aigle empaillé

et d'anciennes peintures, sur fond de papier peint bleu avec fleurs. Les chambres sont de meilleur ton. Le patio mène directement à Crescent Beach, et la vue sur la mer est magnifique. C'est ce qui attire vraisemblablement les vacanciers dans cet établissement.

Harborside Inn
$$$$ pdj

♨ ⚁

Water St.
☎ 401-466-5504 ou 800-825-6254
🖨 401-466-5460

Le Harborside Inn ressemble à son voisin, The National Hotel (voir plus loin). Les chambres sont petites et simples; louez-en une avec vue sur la mer. Restaurant agréable (voir p 582).

Atlantic Inn
$$$$ pdj

♨ ⚁

High St.
☎ 401-466-5883 ou 800-224-7422
🖨 401-466-5678
www.atlanticinn.com

Restauré en 1994 par les propriétaires Brad et Anne Marthens, l'Atlantic Inn possède un charme tranquille et discret. La large véranda invite les hôtes à partager le confort des meubles de rotin aux coussins moelleux. Les chambres douillettes et spacieuses, dont les murs sont recouverts de papier peint, sont décorées avec goût. Le restaurant a bonne réputation, surtout depuis que l'ex-président Bill Clinton lui a rendu visite (voir p 582).

Rose Farm Inn
$$$$ pdj

⚁ ⊚ ♿

1005 Roslyn Rd.
☎ 401-466-2034
🖨 401-466-2053
www.rosefarminn.com

En retrait de l'activité de Water Street, le Rose Farm

Inn propose des chambres propres d'un romantisme fou. Meublées d'antiquités, certaines chambres disposent de lits à baldaquin et de baignoires à remous. On peut également y louer des vélos.

Blue Dory Inn
$$$$ pdj
Dodge St.
☎ 401-466-5891 ou 800-992-7290
🖷 401-466-9910
www.blockislandinns.com
Le Blue Dory Inn est l'endroit idéal pour un séjour romantique. La demeure est exquise, tout comme le salon est coquet et la salle à manger intime. Les chambres victoriennes, chaleureuses, complètent le tableau.

The Hygeia House
$$$$ pdj
Beach Ave.
☎ 401-466-9616
On se sent chez soi à la Hygeia House. Peut-être est-ce parce qu'elle appartient à la même famille depuis cinq générations. Plusieurs meubles sont aussi vieux que la demeure jaune de style victorien qui a vu le jour en 1880. Le propriétaire, Champlin Starr, et sa femme Lisa sont tout sauf ennuyeux, comme les chambres qu'ils proposent à leurs hôtes. Localisation idéale dominant le Great Salt Pond.

The National Hotel
$$$$
Water St.
☎ 401-466-2901 ou 800-225-2449
🖷 401-466-5948
www.blockislandhotels.com
Vous verrez le National Hotel dès votre arrivée sur Block Island. Son opulence extérieure ne se reflète pas dans ses chambres qui sont petites mais propres; certaines ont vue sur la mer. Le hall et le restaurant sont animés.

Newport et ses environs

Newport demeure sans contredit une destination fort prisée des visiteurs les weekends et les jours fériés. Or, durant ces périodes, un séjour de deux et même de trois nuitées est requis dans certains établissements. Les petits budgets regarderont plutôt du côté du camping ou des chaînes d'hôtels, à Middletown ou Jamestown par exemple, pour trouver de l'hébergement à bas prix.

Newport

Best Western Mainstay Inn
$$
151 Admiral Kalbfus Rd.
☎ 401-849-9880 ou 800-528-1234
🖷 401-849-4391
www.bestwestern.com
Cet hôtel est l'une des options «abordables» de Newport, parfait pour les familles avec enfants puisque les moins de 12 ans sont logés sans frais avec leurs parents.

The Clarkeston
$$$ pdj
28 Clarke St.
☎ 401-849-7397 ou 800-524-1386
www.innsofnewport.com
Considéré comme l'un des plus vieux établissements de Newport, The Clarkeston a tout conservé de son charme d'antan. Les lits à baldaquin donnent le ton à l'atmosphère romanti-que et tranquille des neuf chambres, parfois rehaussées d'un foyer et d'une baignoire à remous.

Yankee Peddler Inn
$$$ pdj
113 Touro St.
☎ 401-846-1323 ou 800-427-9444
🖷 401-849-0426
www.yankeepeddlerinn.com
Le Yankee Peddler Inn est sans prétention et sans faste, avec ses meubles d'un autre âge dans les chambres et ses dentelles aux fenêtres. Le petit déjeuner et le thé sont servis au sous-sol, une pièce fort chaleureuse. Chaudement recommandé.

Marshall Slocum Guest House
$$$$ pdj
29 Kay St.
☎ 401-841-5120 ou 800-372-5120
Longtemps utilisée comme résidence du clergé, cette demeure construite en 1855 plonge ceux qui y logent dans une autre époque, tout en étant des plus confortables et juste assez éloignée du centre qui est tout de même facilement accessible à pied. On y déguste de délicieux petits déjeuners sur la terrasse au milieu du jardin.

Mill Street Inn
$$$$ pdj
75 Mill St.
☎ 401-849-9500 ou 800-392-1316
🖷 401-848-5131
www.millstreetinn.com
Au Mill Street Inn, l'ancien et le moderne se marient à merveille. Petit bijou restauré de façon originale, il propose trois types de chambres: les *junior suites*,

avec salon et chambre à coucher; les *deluxe suites*, avec salon et chambres à coucher séparées; et les *townhouses*, des suites de deux étages avec balcon privé.

Harborside Inn
$$$$$ pdj
≡ ❋

Christie's Landing
☎ 401-846-6600 ou 800-427-9444
🖷 401-849-8510
www.newportharborsideinn.com
Merveilleusement situé sur un quai, à proximité de la plupart des restaurants, le Harborside Inn propose un confort moderne et standard. Les chambres avec vue sur la mer le distinguent d'autres établissements.

Jailhouse Inn
$$$$$ pdj
≡ ❋ ⍟

13 Marlborough St.
☎ 401-847-4638 ou 800-427-9444
🖷 401-849-0605
www.historicinnsofnewport.com
Le Jailhouse Inn est situé tout près du Visitor Information Center. L'intérieur rappelle à peine que le bâtiment fut une prison en 1772, si ce n'est des portes avec verrou aux extrémités du couloir. Les 22 chambres sont propres et modernes.

The Francis Malbone House
$$$$$ pdj
≡ ▲ ◉ ⍟

392 Thames St.
☎ 401-846-0392 ou 800-846-0392
www.malbone.com
Cet ancien manoir colonial vit le jour en 1760 pour le bon plaisir du colonel Francis Malbone. The Francis Malbone House n'a rien perdu de sa grandeur passée, comme en témoignent le prix d'une nuitée et l'extrême confort de ses 18 chambres spacieuses, meublées d'antiquités, chaleureuses et accueillantes. Plusieurs chambres comprennent d'ailleurs un foyer et une baignoire à remous. Les jardins de l'établissement sont magnifiques.

Marriott Newport
$$$$$
≡ ⛵ ♨ ⍟ ⑃

25 America's Cup Ave.
☎ 401-849-1000 ou 800-228-9290
🖷 401-849-3422
www.marriotthotels.com
Ce réputé établissement met à la disposition des visiteurs 319 chambres modernes qui conviennent autant aux gens d'affaires qu'aux familles. Le personnel, multilingue, est accueillant. Les frais de stationnement sont de 17$ par jour durant la haute saison.

The Hotel Viking
$$$$$
≡ ⛵ ♨ ⑃ ⍟ ⍟

1 Bellevue Ave.
☎ 401-847-3300 ou 800-556-7126
🖷 401-848-4864
www.hotelviking.com
The Hotel Viking fut érigé en 1926. Son imposante façade de briques rouges cache des chambres au mobilier de style Queen Anne et georgien. Il est convenablement situé sur l'avenue qui conduit aux manoirs de Newport.

Jamestown

Fort Getty Recreation Area
$
⍟ ⍤

1re sortie après le Jamestown Bridge, Fort Getty Rd.
☎ 401-423-7211
🖷 401-423-2960
Le magnifique camping de la Fort Getty Recreation Area compte 120 emplacements dont seulement 15 pour les tentes. Il est situé à proximité de la mer.

Middletown

Second Beach Campground
$
474 Sachuset Point Rd.
☎ 401-846-6273
Ce camping populaire compte 44 emplacements pouvant recevoir des auto-

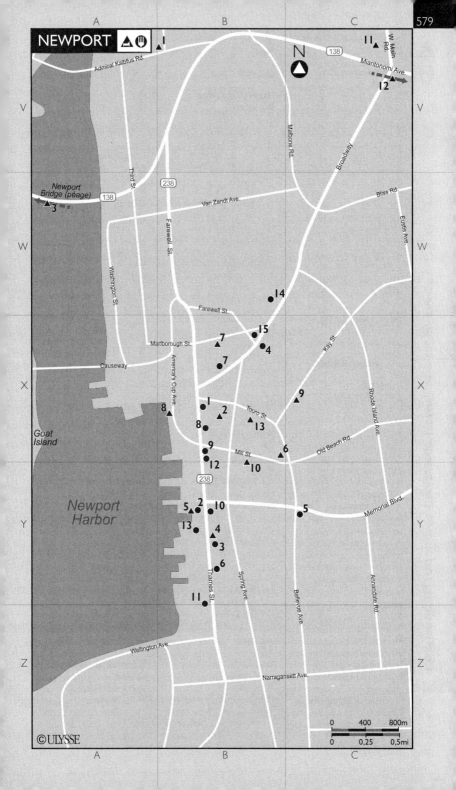

caravanes. Accès direct à la plage.

Newport Gateway Hotel
$$$ pdj
≡ ⊷

31 W. Main Rd., angle routes 138 et 114
☎ 401-847-2735 ou 800-427-9444
www.newportgatewayhotel.com
Les chambres du Newport Gateway Hotel n'ont certes pas le charme de celles des *bed and breakfasts* de Newport, mais elles n'en demeurent pas moins confortables, et surtout abordables. Idéal pour les familles avec enfants.

Restaurants

Providence

Au Bon Pain
$
100 Westminster St.
☎ 401-521-9092
Au Bon Pain est un endroit prisé des citadins de Providence en quête de café et de viennoiseries de bon matin. L'établissement fait partie d'une chaîne bostonnienne qui compte maintenant plus de 250 succursales aux États-Unis, et qui vend de bons croissants, *bagels*, sandwichs et salades, sans oublier un excellent café.

Pastiche
$
92 Spruce St.
☎ 401-861-5190
Tout indiqué pour une viennoiserie et un café matinal, ou encore un dessert en soirée (comme une tartelette à la mousse de limette fraîche), le Pastiche est un charmant petit café

blotti derrière la DePasquale Plaza.

Angelo's Civita Farnese Restaurant
$
141 Atwells Ave.
☎ 401-621-8171
La visite du quartier italien de Federal Hill à Providence ne saurait être complète sans une halte dans ce restaurant décontracté le midi ou le soir. On y sert des pâtes fraîches, des salades et un assortiment de viandes. Vous partagerez votre table avec d'autres convives, et le menu se limite à un panneau en noir et blanc fixé au mur. La cuisine italienne maison est tout ce qu'il y a de plus authentique, et les assiettes de délicieux spaghettis s'envolent à aussi peu que 5,50$. Sans conteste la meilleure affaire qui soit à Providence, et peut-être même dans tout le Rhode Island.

Murphy's Deli and Bar
$$
55 Union St.
☎ 401-621-8467
Au Murphy's Deli and Bar, on a voulu faire preuve d'originalité en fusionnant un pub irlandais (voir p 585) et un *deli* à la new-yorkaise. Résultat: de la nourriture de pub et des sandwichs gastronomiques, le tout à d'excellents prix. Le sandwich «City Hall», à l'éminçé de bifteck, est particulièrement recommandé.

New Japan
$$
fermé lun
145 Washington St.
☎ 401-351-0300
Pour des fruits de mer de la Nouvelle-Angleterre apprêtés de manière différente, essayez ce petit restaurant

retiré de tout dans Washington Street. D'authentiques mets japonais intégrant des ingrédients importés figurent au menu, entre autres des sushis, des tempuras et des *sukiyakis*. Et pour arroser le tout, pourquoi ne pas commander un bon saké?

Union Station Brewery
$$
36 Exchange Terrace
☎ 401-274-BREW
L'Union Station a été la première brasserie à ouvrir ses portes au Rhode Island après la Prohibition. Elle propose une vaste sélection de bières. Son menu met à l'honneur une cuisine américaine revisitée, composée de plats de bœuf ou d'agneau, mais propose aussi des mets plus traditionnels, notamment la tourte au poulet. Le midi, on propose des pizzas et des sandwichs à très bon prix.

Mediterraneo
$$-$$$
134 Atwells Ave.
☎ 401-331-7760
Ce chic restaurant méditerranéen arbore de traditionnels sols et tables carrelés, sans oublier les incontournables verres à vin d'un bleu éclatant. La salle à manger est en soi fort attrayante, mais il est aussi possible de dîner à la belle étoile. Quant au menu, il propose un incroyable assortiment de gnocchis, de pennes, de cannellonis, de fusillis, de rigatonis et d'autres plats de pâtes à des prix très raisonnables.

The Cheesecake Factory
$$-$$$
94 Providence Place
☎ 401-270-4010
The Cheesecake Factory, qui loge dans le gigantesque centre commercial

qu'est le Providence Place Mall, s'auréole d'une atmosphère pseudo-égyptienne un tant soit peu étrange avec ses colonnes, ses murales, ses tons pastel et son très haut plafond. Menu à juste prix de fruits de mer, de biftecks, de salades, de pizzas et, il va sans dire, de gâteau au fromage.

Bluefin Grille
$$$
Providence Marriott
1 Orms St.
☎ 401-272-5852
Le Bluefin Grille du Providence Marriott attire nombre de résidants habitués d'autres établissements de qualité de la ville grâce à ses plats frais et exclusifs de fruits de mer servis dans une atmosphère détendue et attrayante de type méditerranéen. Essayez le flétan braisé au raifort, aux fines herbes et au beurre d'agrumes, ou encore le homard farci.

Hemenway's
$$$-$$$$
121 S. Main St.
☎ 401-351-8570
Ce restaurant chaudement recommandé sert des fruits de mer à toutes les sauces, mais aussi quelques plats de bifteck, de poulet et de pâtes, histoire de ne laisser personne sur sa faim. Tout y est très frais et très bon.

New Rivers
$$$-$$$$
fermé dim
7 Steeple St.
☎ 401-751-0350
Ce petit bistro sur lequel on ne tarit plus d'éloges a acquis ses lettres de no-

blesse grâce aux talents du chef Bruce Tillinghast. La nourriture y est excellente (cuisine américaine et spécialités multiethniques), et son menu propose une foule de délices combinant poisson et viande avec différents produits régionaux. Quant au décor, il se veut romantique et intime à souhait.

Pot Au Feu
$$$-$$$$$
44 Custom House St.
☎ 401-273-8953
Ce restaurant français de renom vous offre une alternative, soit un salon de cuisine exquise (carré d'agneau bordelais, entrecôte de veau Robert) et un bistro proposant bouillabaisse et bœuf bourguignon à plus bas prix. Recommandée par des chefs de la trempe de Julia Child, la cuisine authentiquement française du Pot Au Feu saura vous ravir. Le filet mignon sauce béarnaise constitue une valeur sûre, et la carte des vins est de celles qui cumulent les trophées.

The Capital Grille
$$$$$
1 Union Station
☎ 401-521-5600
Ce petit restaurant huppé de la Kennedy Plaza, en face de l'Union Station Brewery, propose un large éventail de biftecks et d'autres plats de viande. Vous pourrez aussi y commander des fruits de mer, de même que des potages, des salades et des sandwichs à l'heure du déjeuner.

South County

Westerly

Shelter Harbor Inn Dining Room
$$$
10 Wagner Rd.
☎ 401-322-8883 ou 800-468-8883
La Shelter Harbor Inn Dining Room vous servira sans doute le meilleur de tous vos repas dans le South County. Sa salle à manger rustique, lumineuse et aérée, voit en effet défiler des plats tout à fait délicieux, qu'il s'agisse d'espadon, de pétoncles, du filet de bœuf ou du saumon, sans oublier le fameux ragoût de fruits de mer de la maison. L'atmosphère est par ailleurs des plus charmantes.

Watch Hill

The St. Clair Annex
$
141 Bay St.
☎ 401-348-8407
Watch Hill est une station balnéaire estivale où les glaces sont tout naturellement à l'honneur. La St. Clair Annex est exploitée par une même famille depuis maintenant 100 ans (aux premiers jours, on y servait les glaces à même un vieux chariot à manivelle), et son comptoir ne dérougit pas de tout l'été. Cela dit, l'établissement ne se limite pas à un comptoir de glaces; il renferme également un coin café où l'on sert des petits déjeuners et des sandwichs savoureux à très bon prix.

Olympia Tea Room
$$
fermé déc à mars
74 Bay St.
☎ 401-348-8211
Le homard, les fruits de mer et les pâtes occupent

Le Rhode Island - Restaurants - South County

la plus grande partie du menu de l'Olympia Tea Room, un restaurant dont la devise est *«fameux mais sans fantaisie»*. L'endroit n'a somme toute rien de bien attrayant, mais la nourriture est bonne. Essayez le calmar de la Point Judith, aux olives, aux poivrons et aux champignons, arrosé d'une sauce marinière et servi sur des pâtes importées.

Block Island

Ernie's Old Harbor Restaurant
$
Water St.
☎ 401-466-2473
Ernie's est l'endroit tout indiqué pour prendre le petit déjeuner en descendant du traversier. Décor sans prétention au sol carrelé de rouge et au long comptoir où s'accouder, et menu d'omelettes, de crêpes aux bleuets et d'œufs servis comme vous les aimez. Il y a même une terrasse donnant sur le port.

Beachead
$-$$
Corn Neck Rd.
☎ 401-466-2249
Décor nautique de mise, avec un faux marlin accroché au mur, ce qui n'enlève toutefois rien à la qualité et au juste prix de la nourriture, notamment un succulent poisson frites de même qu'une foule de sandwichs et de hamburgers. Comme partout dans la région, vous y trouverez aussi du homard, cela va de soi, quoique la chaudrée de palourdes du Rhode Island ne soit vraiment pas à dédaigner non plus.

Dead Eye Dick's
$$
juin à mi-oct
133 Beach Ave., Payne's Dock
☎ 401-466-2654
Le menu du Dead Eye Dick's se compose principalement de biftecks et de fruits de mer. Une grande terrasse (baptisée «Dead Eye's Deck») permet d'admirer le Great Salt Pond à loisir, et le menu du déjeuner les fins de semaine comporte des salades ainsi que des sandwichs conventionnels ou roulés. Recherchez une enseigne noire sur laquelle figure un requin blanc avec un œil de pirate rouge.

Harborside Inn Restaurant
$$$$
Harborside Inn
Water St.
☎ 401-466-5504 ou 800-825-6254
Installé dans le grand bâtiment rectangulaire blanc qui fait face au débarcadère du traversier, le Harborside Inn Restaurant sert des fruits de mer, des viandes et des plats de pâtes. Il est prisé des résidants pour son buffet de salades, et des visiteurs pour sa spacieuse terrasse.

Atlantic Inn Restaurant
$$$$$
Atlantic Inn
High St.
☎ 401-466-5883 ou 800-224-7422
Le meilleur restaurant de Block Island se trouve à l'Atlantic Inn, où tout est très chic et très bon. Le menu à prix fixe propose un choix de six entrées, plats principaux et desserts, et, si vous pouvez vous le permettre, vous ne serez pas déçu. La salle à manger victorienne est tout à fait exquise, et le menu comporte des plats comme le flétan poché et le saumon de l'Atlantique poêlé.

Newport

Ocean Coffee Roasters
$
22 Washington Square
☎ 401-846-6060
Les déjeuners, servis jusqu'à 14h, sont sans contredit le point fort d'Ocean Coffee Roasters. À la vaste sélection de déjeuners traditionnels viennent s'ajouter d'alléchantes pâtisseries. Comme il est situé à 5 min du Visitor Information Center, il représente le parfait endroit où commencer la journée à Newport.

Gary's Handy Lunch
$
462 Thames St.
☎ 401-847-9480
Un des favoris locaux, Gary's Handy Lunch appartient à la lignée des casse-croûte conçus dans le style des années 1950, toujours pleins et abordables... Jukebox, banquettes rouges, néons et cuisine à aire ouverte. La clientèle qui le fréquente est variée. Idéal pour un petit déjeuner rapide.

Panini Grill
$
186 Thames St.
☎ 401-847-7784
Pour un repas sur le pouce sans prétention, repérez les auvents verts du Panini Grill, qui propose des sandwichs américains et européens. Il dispose de quelques places à l'extérieur.

Poor Richard's
$
254 Thames St.
☎ 401-846-8768
Le menu de Poor Richard's ravira les petits budgets en quête de copieux déjeuners. Grand choix d'omelettes et de petits déjeuners traditionnels, auquel s'ajou-

tent, après 11h, quiches, sandwichs et salades. L'atmosphère est conviviale et sympathique.

Sabina Doyle's
$$
359 Thames St.
☎401-849-4466
Pour une soirée animée à coup sûr, l'immense salle à manger et la terrasse du Sabina Doyle's donnant sur le Newport Harbor sont toutes désignées. Les spécialités irlandaises se joignent aux plats régionaux dans une atmosphère typique de pub (voir aussi p 585).

The Red Parrot Restaurant
$$
348 Thames St.
☎401-847-3800
The Red Parrot Restaurant propose à sa clientèle jeune et animée trois étages aux allures de pub sophistiqué. Au menu, de tout, servi plus que généreusement, et avec le sourire: *fajitas*, hamburgers, pâtes, poissons, steaks, pizzas et salades. Mais surtout, assurez-vous de goûter à l'un de ses légendaires *sundaes*, plus gros que d'habitude... Chaudement recommandé.

Rhode Island Quahog Company
$$-$$$
250 Thames St.
☎401-848-2330
Ce restaurant décontracté se spécialise dans les fruits de mer et le poisson (le quahog était un coquillage utilisé comme monnaie par les Amérindiens), mais sert également des pâtes et des hamburgers. L'ambiance, des plus agréables, est rehaussée de *happy hours* invitantes.

The Fastnet Pub
$$-$$$
1 Broadway
☎401-845-9311
Laissez-vous tenter par l'extérieur invitant du Fastnet Pub, car l'intérieur cache l'un des plus sympathiques et chaleureux restaurants de Newport. Les *fish and chips* y sont particulièrement réussis, surtout avec une pinte de Guinness tout près, bien sûr! Les fins de semaine apportent avec elles les populaires brunchs irlandais. Un des meilleurs rapports qualité/prix en ville.

Brick Alley Pub & Restaurant
$$$
140 Thames St.
☎401-849-6334
La myriade de prix attribués au Brick Alley Pub & Restaurant affichés fièrement sur sa devanture attire les clients comme des aimants. La nourriture est bonne et le menu varié, la décoration agréable et le personnel sympathique. On y sert des pizzas, des pâtes et des fruits de mer dans une ambiance des plus animées.

Cheeky Monkey Cafe
$$$
14 Perry Mill Wharf
☎401-845-9494
Le Cheeky Monkey Cafe demeure certainement l'endroit le plus fou de Newport! Branché à souhait, il propose une cuisine innovatrice composée de fruits de mer, de poisson et de viande. Le décor, où le primate est à l'honneur, est digne des restaurants en vogue actuellement: œuvres d'art, objets décoratifs et immenses peintures originales meublent cet établissement de style

bistro. Vu sa popularité, les réservations sont essentielles (voir aussi p 585).

La Forge Casino Restaurant
$$$-$$$$
186 Bellevue Ave.
☎401-847-0418
Le Forge Casino Restaurant offre deux types de menus qui correspondent à deux différentes salles à manger. D'abord son pub dublinois où vous pourrez déguster des plats inspirés de la capitale irlandaise. Ensuite sa salle à manger calme et élégante dont le menu propose des repas classiques à base de steak et de fruits de mer, plus élaborés. Un brunch vous est proposé tous les dimanches.

Elizabeth's Cafe
$$$$ pour 2 pers.
404 Thames St.
☎401-846-6862
La confortable salle à manger à l'atmosphère de maison de campagne d'Elizabeth invite les convives à partager une expérience culinaire unique, dans un des plus ravissants et intimes décors de l'État. L'Elizabeth's Cafe propose un bon choix de mets, servis à même d'immenses plateaux destinés à nourrir deux personnes. Les plats de homard, poulet, crevettes et steak sont accompagnés de pâtes. L'excellence de la nourriture a été maintes fois acclamée par les critiques.

Tucker's Bistro
$$$$
150 Broadway
☎401-846-3449
De magnifiques peintures ornent les murs du Tucker's Bistro, à l'atmosphère de bistro français. L'éclairage tamisé incite à

Le Rhode Island - Restaurants - Newport

savourer tranquillement un verre de vin rouge. Mais ne vous laissez pas prendre au jeu: si l'ambiance rappelle les années folles, la cuisine, bien que d'inspiration française, a été adaptée à la sauce américaine. Exquis.

Restaurant Bouchard
$$$$$
505 Thames St.
☎ 401-846-0123
Dans la salle à manger victorienne du Restaurant Bouchard, vous découvrirez avec plaisir un menu en français (avec traduction en anglais au-dessous) proposant les grands classiques de l'Hexagone: magret de canard, ris de veau sauté, fruits de mer, ainsi que d'excellents desserts. Le chef Albert Bouchard et sa femme Sarah vous invitent à partager un peu de France dans un décor classique et détendu, bien qu'élégant.

The White Horse Tavern
$$$$
26 Marlborough St.
☎ 401-849-3600
Jadis une taverne fréquentée par les notables d'un autre temps, le White Horse demeure le lieu romantique de Newport. La pièce principale, dont la construction remonte au XVIIᵉ siècle, est traversée par des poutres taillées à la hache et est pourvue de foyers en pierres et de beaux planchers. Des chandelles diffusent un éclairage discret, ce qui lui donne un air intime et tranquille. Le personnel, d'une courtoisie remarquable, y sert une cuisine propre à la Nouvelle-Angleterre, avec viandes et fruits de mer. Tenue de soirée exigée.

Sorties

■ Activités culturelles

Providence

Cable Car Cinema
204 S. Main St.
☎ 401-272-3970
www.cablecarcinema.com
Ce cinéma original accueille les spectateurs sur de confortables canapés à deux places. On y présente des films indépendants et étrangers. Excellent cinéma de répertoire.

Feinstein IMAX Theatre
9 Providence Place
☎ 401-453-4629
www.imax.com/providence
Films présentés en 3D, projetés sur écran géant.

Groundwerx Dance Theatre
95 Empire St.
☎ 401-454-4564
Compagnie de danse contemporaine acclamée par la critique.

Perishable Theatre
95 Empire St.
☎ 401-331-2695
www.perishable.org
Ruche d'artistes de la Nouvelle-Angleterre, ce théâtre innovateur accueille chaque année le Women's Playwriting Festival.

Providence Performing Arts Center (PPAC)
220 Weybosset St.
☎ 401-421-2787
www.ppacri.org
Avec ses 3 200 sièges, le PPAC est le deuxième théâtre en importance de la Nouvelle-Angleterre. On y présente des productions de Broadway, des comédies musicales, des concerts et même des spectacles de danse.

Gamm Theatre
31 Elbow St.
☎ 401-831-2919
Dans une salle intime, vous pourrez assister à des adaptations innovatrices de pièces classiques ou contemporaines. Ce théâtre présente chaque année le Providence Shakespeare Festival au Waterplace Park.

Trinity Repertory Company
201 Washington St.
☎ 401-351-4242
www.trinityrep.com
Cette troupe qui possède son propre lieu de diffusion et dont les pièces ont été maintes fois récompensées par des *Tony* se produit dans l'ancien Majestic Theatre, une magnifique structure de style italianisant datant de 1917. Avec ses pièces classiques ou modernes et ses premières, la Trinity Repertory Company a acquis une solide réputation au pays et outre-mer depuis sa création en 1964.

Veterans Memorial Auditorium
69 Brownell St.
☎ 401-272-4862
Le Rhode Island Philharmonic Orchestra s'y produit, ainsi que différents artistes connus ou de la relève.

Newport

The Astors' Beechwood
580 Bellevue Ave.
☎ 401-846-3772
www.astorsbeechwood.com
Les acteurs qui, le jour, font revivre la haute société de Newport pour les visiteurs de ce manoir de Bellevue Avenue, organisent également tout au long de l'année des événements spéciaux tels que thés dansants, soirées meurtre

et mystère, et célébrations de Noël.

■ Bars et discothèques

Providence

Les deux établissements suivants sont situés dans le Jewelry District. Ce quartier, qui se trouve quelque peu au sud-ouest du centre-ville, prend une tout autre allure à la tombée de la nuit. Soyez prudent et prenez un taxi plutôt que de rentrer à pied à l'hôtel où vous vous logez. Vous pouvez également prendre le trolley de la Gold Line, mais il effectue son dernier voyage à 22h en semaine et à 23h les fins de semaine.

Snookers/The Green Room
145 Clifford St.
☎ 401-351-7665
Le Snooker's dispose de nombreuses tables de billard, tandis que The Green Room est située dans une pièce agréable où la piste de danse occupe une place importante. Musiciens sur scène les fins de semaine.

The Complex
180 Pines St.
☎ 401-751-4263
Quatre bars avec pistes de danse rassemblés sous le même toit: swing, disco, Top 40 et piano-bar.

Murphy's Deli & Bar
55 Union St.
☎ 401-421-1188
Ce sympathique pub irlandais faisant honneur à la tradition des établissements de ce genre sert ses clients depuis 1929. Le Murphy's, situé en plein centre-ville, est doté d'un *deli* de style new-yorkais (voir p 580).

De l'autre côté de la rivière Providence, **South Main Street** et **North Main Street** regorgent d'endroits sympathiques où aller prendre un verre. Vous ne trouverez pas de discothèques, seulement des pubs et des cafés. Par contre, **South Water Street** compte quelques établissements plus bruyants.

Olives
108 N. Main St.
☎ 401-751-1200
www.olivesri.com
Aménagé dans le restaurant du même nom, cet établissement ravira les amateurs de martinis: le menu en affiche 50 différents types! Concerts les mercredis, jeudis, vendredis et samedis.

Hot Club
575 S. Water St.
☎ 401-861-9007
Situé en bordure de la rivière Providence, le Hot Club est un des favoris des 25-35 ans. En été, une vaste terrasse permet de s'asseoir en bordure du cours d'eau.

Newport

Newport vous réserve une vie nocturne trépidante, surtout en été, alors que beaucoup de bars en bord de mer n'offrent souvent que des places debout. Un grand nombre d'établissements accueillent également des musiciens sur scène.

Salvation Café
140 Broadway
☎ 401-847-2620
À une faible distance de marche du front de mer, ce petit établissement original est tout indiqué pour s'éloigner des hordes de touristes et se mêler aux jeunes *Newporters* branchés. Vous y trouverez une longue liste de cocktails à parapluie comme le Singapour Sling

et le Rickey à la limette et à la noix de coco, de même que de la sangria.

Crowley's Casino Pub
186 Bellevue Ave.
☎ 401-847-0418
Établi près de l'International Tennis Hall of Fame du casino de Newport, ce pub irlandais s'imprègne d'une atmosphère plus décontractée que d'autres bars de Newport, ce qui en fait un bon endroit où prendre un verre en toute tranquillité.

Cheeky Monkey Cafe
14 Perry Mill Wharf
☎ 401-845-9494
L'atmosphère urbaine et branchée du Cheeky Monkey en fait un lieu rêvé pour siroter un martini après une journée sur l'eau. Ce n'est sans doute pas le club de yachting, mais c'est beaucoup plus cool!

Sabina Doyle's Pub
359 Thames St.
☎ 401-849-4466
Ce pub animé du bord de mer présente des musiciens sur scène toutes les fins de semaine.

Newport Blues Cafe
286 Thames St.
☎ 401-841-5510
Allez-y tôt les fins de semaine, car on fait souvent la queue pour assister aux prestations des musiciens de blues, de funk et de jazz qui se produisent ici. Il y a aussi un bar à martinis à l'étage.

■ Festivals

Providence

Spring Festival of Historic Houses
juin
☎ 401-831-7440
Visite de quelques maisons historiques de Benefit Street.

Newport

Newport Music Festival

juillet

☎401-849-0700

www.newportmusic.org

Pendant deux semaines, des artistes d'envergure internationale présentent des concerts de musique de chambre dans les grands manoirs de Newport. Plus de 50 concerts sont généralement au programme.

Newport Waterfront Irish Festival

septembre, fin de semaine de la fête du Travail

Cette célébration de la musique, de la culture, de la cuisine et de l'artisanat irlandais est l'occasion d'une expérience enrichissante pour quiconque visite Newport la fin de semaine de la fête du Travail, alors que différentes scènes sont dressées et que plusieurs formations s'y exécutent presque sans interruption.

Achats

Providence

Le centre-ville

L'unique **Gallery Night Providence** (☎*401-751-2628, www.gallerynight.info*) se tient le troisième jeudi de chaque mois de mars à novembre, entre 17h et 21h. Le trolley, gratuit, circule alors entre 20 galeries d'art et musées situés dans différents coins de Providence. Du plaisir en perspective, puisqu'en plus d'être amusante, l'expérience permet de découvrir les artistes régionaux.

Providence Place Mall

One Providence Plaza

☎401-270-1017

www.providenceplace.com

Ce complexe commercial abrite quelque 150 boutiques et comptoirs de restauration, ainsi qu'un cinéma IMAX. Vous y trouverez tout ce qu'un établissement digne de ce nom propose normalement, des vêtements aux accessoires, en passant par les boutiques de décoration. Il faut noter cependant la présence de l'original **Oop!** (☎*800-281-4147, www.oopstuff.com*), qui recèle des gadgets incroyables, des bonbons, de bijoux insolites et de l'artisanat.

The Arcade

130 Westminster St. / 65 Weybosset St.

☎401-598-1199

Le plus ancien centre commercial couvert en Amérique du Nord offre trois étages remplis de comptoirs de restauration et de boutiques de toutes sortes: vêtements, cadeaux et artisanat. Même s'il est agréable de magasiner dans un bâtiment de 1828, les chasseurs d'aubaines seront déçus...

Wickenden Street

Wickenden Street est une artère égayée par quelques restaurants, des boutiques d'artisanat et des galeries d'art. Parmi les plus intéressantes galeries d'art, notons **JRS Fine Art** (218 Wickenden St., ☎*401-331-4380*), qui présente les œuvres d'artistes canadiens et américains, ainsi que des poteries mexicaines et de curieux petits animaux sculptés dans des noix.

Gallery Belleau

424 Wickenden St.

☎401-456-0011

La Gallery Belleau présente de son côté des œuvres artistiques impressionnantes, particulièrement divers objets en verre soufflé.

South County

Charlestown

Fantastic Umbrella Factory

4820 Old Post Rd.

☎401-364-6616

Les commerces de l'Umbrella Factory logent à l'intérieur d'anciennes granges reliées entre elles par des promenades garnies de fleurs sur un terrain où cohabitent poules, oiseaux exotiques et autres animaux domestiques. Chaque boutique tente de se spécialiser dans un thème particulier.

Galapagos

5193 Old Post Rd.

☎401-322-3000

La boutique de David et Sandra Lanning promet de belles surprises. On y trouve un vaste choix d'idées cadeaux, de décorations et de bijoux, ainsi qu'une collection de vêtements élégants. L'aménagement extérieur, très original, mérite un coup d'œil.

Newport

Vous trouverez dans les boutiques et les galeries de Newport, conçues à l'intention des visiteurs, d'innombrables occasions de vider votre portefeuille. Beaucoup de ces établissements se trouvent le long du front de mer, et, bien que les prix y soient assez élevés, vous y dénicherez dans bien des cas de magnifiques objets. Deux des centres commerciaux les plus courus sont ceux du **Bowen's Wharf** et du **Bannister's Wharf**, l'un comme l'autre accessibles depuis l'America's Cup Avenue et pourvus de boutiques de verrerie, d'objets d'art, de bijoux, de vêtements et de presque tout ce dont vous pouvez rêver.

Aardvark Antiques
9 J.T. Connell Hwy.
☎401-849-7233 ou 800-446-1052
Aardvark Antiques, qui vaut résolument le coup d'œil, pourrait presque être qualifié de musée avec ses antiquités architecturales originales des États-Unis, d'Asie et d'Europe, ses ornements de jardin et ses portes et fenêtres en vitrail.

Gerardi Gallery
490 Thames St.
☎401-849-2996
Parmi les nombreuses galeries de Newport, celle-ci représente une valeur sûre avec ses peintures, gravures et créations artisanales signées Brenda et Frank Gerardi. Les pièces sont de qualité, et les prix en conséquence.

The Ball and Claw
Bowen's Wharf
29 America's Cup Ave.
☎401-848-5600
La boutique de l'ébéniste Jeffrey P. Greene est un incontournable pour quiconque s'intéresse aux meubles et aux accessoires faits main de qualité. L'artiste se spécialise dans les reproductions du XVIIIᵉ siècle.

Finalement, à votre retour de vacances, si vous souhaitez gâter les membres de votre famille restés à la maison, allez faire un tour au **Thames Science Center Store** *(77 Long Wharf,* ☎*401-849-6966)*, qui vend de formidables jeux et jouets éducatifs, ou chez **The Gourmet Dog** *(481 Thames St.,* ☎*401-841-9301)*, une animalerie-boulangerie gastronomique pour chats et chiens!

Le Rhode Island – Achats

Références

Index

Les numéros de page en gras renvoient à des cartes.

Index - C

Index - M

Index - R

Nos coordonnées

Nos bureaux

Canada: Guides de voyage Ulysse, 4176, rue Saint-Denis, Montréal (Québec) H2W 2M5, ☎514-843-9447, fax: 514-843-9448, info@ulysse.ca, www.guidesulysse.com

Europe: Guides de voyage Ulysse sarl, 127, rue Amelot, 75011 Paris, France, ☎01 43 38 89 50, voyage@ulysse.ca, www.guidesulysse.com

Nos distributeurs

Canada: Guides de voyage Ulysse, 4176, rue Saint-Denis, Montréal (Québec) H2W 2M5, ☎514-843-9882, poste 2232, fax: 514-843-9448, info@ulysse.ca, www.guidesulysse.com

Belgique: Interforum Bénélux, 117, boulevard de l'Europe, 1301 Wavre, ☎010 42 03 30, fax: 010 42 03 52

France: Interforum, 3, allée de la Seine, 94854 Ivry-sur-Seine Cedex, ☎01 49 59 10 10, fax: 01 49 59 10 72

Suisse: Interforum Suisse, ☎(26) 460 80 60, fax: (26) 460 80 68

Pour tout autre pays, contactez les Guides de voyage Ulysse (Montréal).

Écrivez-nous

Tous les moyens possibles ont été pris pour que les renseignements contenus dans ce guide soient exacts au moment de mettre sous presse. Toutefois, des erreurs peuvent toujours se glisser, des omissions sont toujours possibles, des adresses peuvent disparaître, etc.; la responsabilité de l'éditeur ou des auteurs ne pourrait s'engager en cas de perte ou de dommage qui serait causé par une erreur ou une omission.

Nous apprécions au plus haut point vos commentaires, précisions et suggestions, qui permettent l'amélioration constante de nos publications. Il nous fera plaisir d'offrir un de nos guides aux auteurs des meilleures contributions. Écrivez-nous à l'une des adresses suivantes, et indiquez le titre qu'il vous plairait de recevoir.

Guides de voyage Ulysse	**Les Guides de voyage Ulysse, sarl**
4176, rue Saint-Denis	127, rue Amelot
Montréal (Québec)	75011 Paris
Canada H2W 2M5	France
www.guidesulysse.com	www.guidesulysse.com
texte@ulysse.ca	voyage@ulysse.ca

Tableau des distances

Distances en kilomètres et en milles

© ULYSSE

Exemple: la distance entre Hartford (CT) et Portland (ME) est de 328 km ou 203 mi.

1 mille = 1,62 kilomètre
1 kilomètre = 0,62 mille

	Providence (RI)	Portsmouth (NH)	Portland (ME)	Ogunquit (ME)	New York (NY)	New Haven (CT)	Montréal (QC)	Hartford (CT)	Concord (MA)	Burlington (VT)	Bridgeport (CT)	Boston (MA)	Augusta (ME)
Boston (MA)													266/165
Bridgeport (CT)												257/159	511/317
Burlington (VT)											481/298	366/227	362/224
Concord (MA)										355/220	250/155	30/19	275/171
Hartford (CT)									160/99	388/241	95/59	168/104	417/259
Montréal (QC)								542/336	500/310	151/94	583/361	509/316	488/303
New Haven (CT)							605/375	64/40	216/134	450/279	30/19	226/140	478/296
New York (NY)						127/79	619/384	193/120	347/215	508/315	99/61	354/219	609/378
Ogunquit (ME)					463/287	333/206	494/306	273/169	133/82	347/215	365/226	121/75	151/94
Portland (ME)				57/35	519/322	389/241	474/294	328/203	190/118	405/251	419/260	176/109	90/56
Portsmouth (NH)			84/52	25/16	438/272	310/192	493/306	247/153	109/68	345/214	341/211	93/58	175/109
Providence (RI)		174/108	256/159	201/125	300/186	171/106	582/361	142/88	93/58	437/271	204/126	79/49	348/216
Provincetown (MA)	196/122	285/177	364/226	310/192	497/308	370/229	698/433	336/208	220/136	554/343	403/250	192/119	454/281

Mesures et conversions

Mesures de capacité

1 gallon américain (gal) = 3,79 litres

Mesures de longueur

1 pied (pi) = 30 centimètres
1 mille (mi) = 1,6 kilomètre
1 pouce (po) = 2,5 centimètres

Mesures de superficie

1 acre = 0,4 hectare
10 pieds carrés (pi²) = 1 mètre carré (m²)

Poids

1 livre (lb) = 454 grammes

Température

Pour convertir des °F en °C:
soustraire 32, puis diviser par 9 et multiplier par 5.

Pour convertir des °C en °F:
multiplier par 9, puis diviser par 5 et ajouter 32.

°F	°C
100°F	40°C
	30°C
70°F	20°C
50°F	10°C
32°F	0°C
20°F	-10°C
0°F	-18°C
-20°F	-30°C

Tableau des distances - Mesures et conversions

Légende des cartes

★ Attraits
▲ Hébergement
● Restaurants

Mer, lac, rivière

Forêt ou parc

Place

◯ Capitale d'État

⊛ Capitale provinciale ou régionale

– · · – · – Frontière internationale

· · · · · · · · · Frontière provinciale ou régionale

Chemin de fer

Tunnel

✈ Aéroport international

† Cimetière

† Église

🚆 Gare ferroviaire

🚏 Gare routière

H Hôpital

ℹ Information touristique

▲ Montagne

🏛 Musée

◯ Parc national ou d'État

Phare

◐ Plage

▪ Point d'intérêt

🅣 Station de métro (Boston)

Traversier (ferry)

Traversier (navette)

(75) Autoroute

(301) Route principale

(674) Route

Symboles utilisés dans ce guide

@ Accès à Internet dans la chambre

♿ Accès aux personnes à mobilité réduite

≡ Air conditionné

🐾 Animaux domestiques admis

◎ Baignoire à remous

🏋 Centre de conditionnement physique

🍳 Cuisinette

½p Demi-pension (nuitée, dîner et petit-déjeuner)

△ Foyer

🏅 Label Ulysse pour les qualités particulières d'un établissement

Moustiquaire

pdj Petit déjeuner inclus dans le prix de la chambre

♨ Piscine

❄ Réfrigérateur

♨ Restaurant

bc Salle de bain commune

bc/bp Salle de bain commune ou privée

⟩⟩⟩ Sauna

Y Spa

🖨 Télécopieur

☎ Téléphone

tlj Tous les jours

⤲ Ventilateur

Classification des attraits touristiques

★ ★ ★	À ne pas manquer
★ ★	Vaut le détour
★	Intéressant

Classification de l'hébergement

L'échelle utilisée donne des indications de prix pour une chambre standard pour deux personnes, avant taxe, en vigueur durant la haute saison.

$	moins de 75$
$$	de 75$ à 125$
$$$	de 126$ à 175$
$$$$	de 176$ à 225$
$$$$$	plus de 225$

Classification des restaurants

L'échelle utilisée dans ce guide donne des indications de prix pour un repas complet pour une personne, avant les boissons, les taxes et le pourboire.

$	moins de 15$
$$	de 15$ à 25$
$$$	de 26$ à 35$
$$$$	de 36$ à 45$
$$$$$	plus de 45$

Tous les prix mentionnés dans ce guide sont en dollars américains.

Les sections aux bordures grises répertorient toutes nos suggestions d'adresses.
Repérez ces pictogrammes pour mieux vous orienter:

▲ Hébergement

 Restaurants

 Sorties

Achats